FRANCE

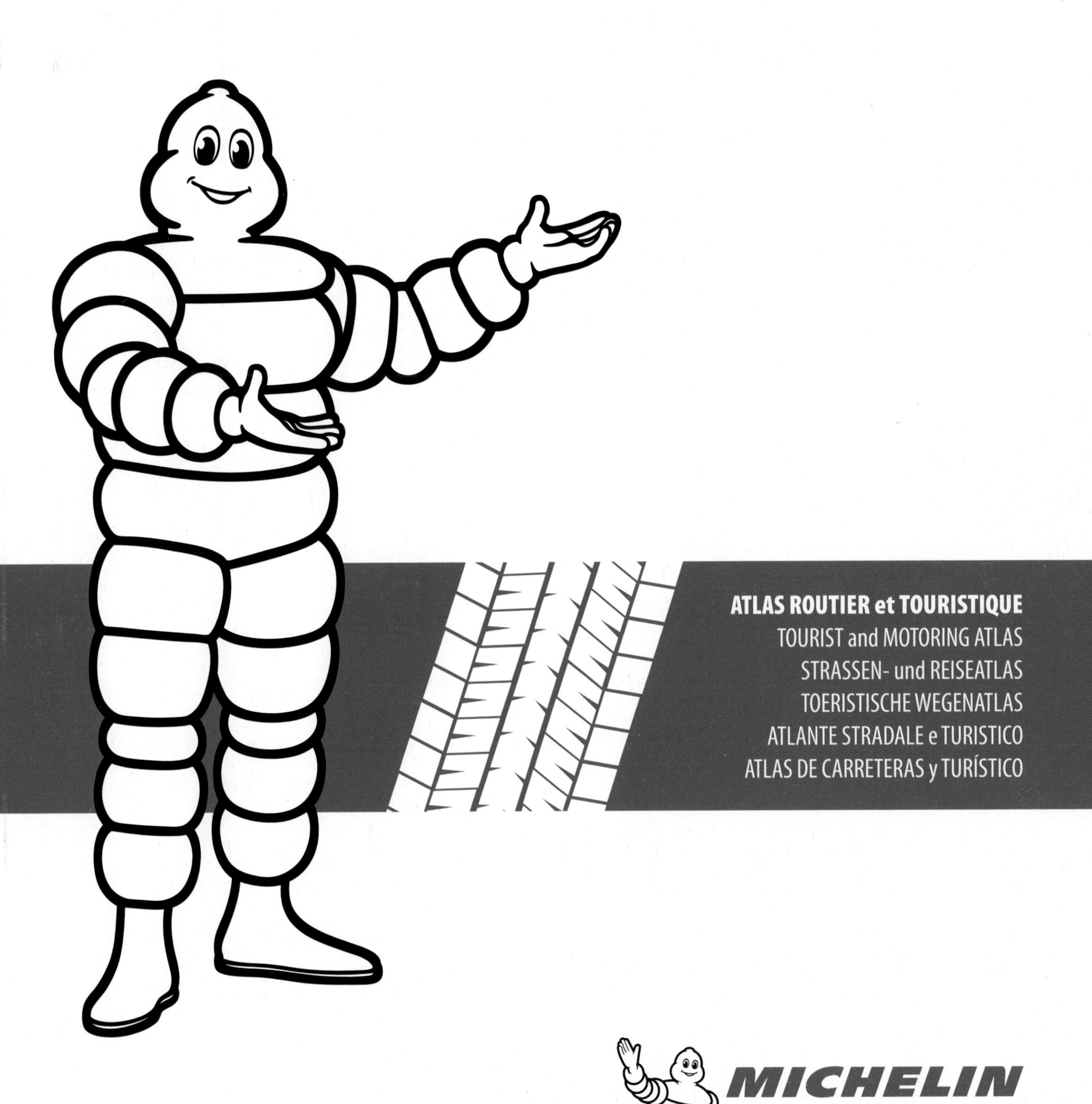
ATLAS ROUTIER et TOURISTIQUE
TOURIST and MOTORING ATLAS
STRASSEN- und REISEATLAS
TOERISTISCHE WEGENATLAS
ATLANTE STRADALE e TURISTICO
ATLAS DE CARRETERAS y TURÍSTICO
MICHELIN

Grands axes routiers
Main road map
Durchgangsstraßen
Grote verbindingswegen
Grandi arterie stradali
Carreteras principales
MANCHE
ATLANTIQUE
BRIGHTON
Dunkerque
Calais
Boulogne-sur-Mer
St-Omer
LILLE
PAS-DE-CALAIS
Douai
Valenciennes
ARRAS
NORD
Abbeville
Dieppe
SOMME
AMIENS
St-Quentin
CHARLEVILLE-MÉZIÈRES
SEINE-MARITIME
Montdidier
LAON
Le Havre
BEAUVAIS
OISE
Compiègne
Soissons
Cherbourg-en-Cotentin
ROUEN
Reims
AISNE
Senlis
VAL-D'OISE
CAEN
ST-LÔ
MANCHE
CALVADOS
ÉVREUX
EURE
YVELINES
MARNE
VERSAILLES
PARIS
SEINE-ET-MARNE
Brest
FINISTÈRE
CÔTES-D'ARMOR
ST-BRIEUC
St-Malo
Avranches
Argentan
ORNE
Dreux
ÉVRY-COURCOURONNES
Vitry-le-François
MELUN
Fougères
ALENÇON
CHARTRES
ESSONNE
QUIMPER
Pontivy
RENNES
MAYENNE
SARTHE
EURE-ET-LOIR
TROYES
LAVAL
Châteaudun
Sens
ILLE-ET-VILAINE
LE MANS
LOIRET
AUBE
MORBIHAN
Montargis
Vendôme
ORLÉANS
VANNES
Redon
Châteaubriant
AUXERRE
YONNE
ANGERS
BLOIS
LOIR-ET-CHER
TOURS
St-Nazaire
NANTES
MAINE-ET-LOIRE
Saumur
Vierzon
CHER
LOIRE-ATLANTIQUE
INDRE-ET-LOIRE
NIÈVRE
Cholet
BOURGES
NEVERS
INDRE
Autun
VENDÉE
Châtellerault
CHÂTEAUROUX
LA ROCHE-S-YON
DEUX-SÈVRES
VIENNE
Les Sables-d'Olonne
POITIERS
MOULINS
ALLIER
Montluçon
NIORT
CREUSE
LA ROCHELLE
CHARENTE-MARITIME
GUÉRET
Vichy
Rochefort
HAUTE-VIENNE
Roanne
CHARENTE
PUY-DE-DÔME
Saintes
Cognac
LIMOGES
Thiers
CLERMONT-FERRAND
LOIRE
ANGOULÊME
Issoire
ST-ÉTIENNE
CORRÈZE
HAUTE-LOIRE
PÉRIGUEUX
TULLE
CANTAL
Brive-la-Gaillarde
GIRONDE
AURILLAC
LE PUY-EN-VELAY
BORDEAUX
DORDOGNE
Libourne
Bergerac
LOT
Arcachon
LOZÈRE
AVEYRON
LOT-ET-GARONNE
CAHORS
MENDE
Villeneuve-s-Lot
RODEZ
LANDES
AGEN
TARN-ET-GARONNE
Millau
Alès
GARD
MONT-DE-MARSAN
MONTAUBAN
ALBI
GERS
TARN
NÎMES
Dax
Castres
HÉRAULT
Bayonne
AUCH
TOULOUSE
MONTPELLIER
DONOSTIA-S. SEBASTIÁN
BILBAO
PAU
PYRÉNÉES-ATLANTIQUES
TARBES
HAUTE-GARONNE
CARCASSONNE
Béziers
Narbonne
St-Gaudens
AUDE
VITORIA-GASTEIZ
PAMPLONA
HAUTES-PYRÉNÉES
ARIÈGE
FOIX
PERPIGNAN
ANDORRA LA VELLA
PYRÉNÉES-ORIENTALES

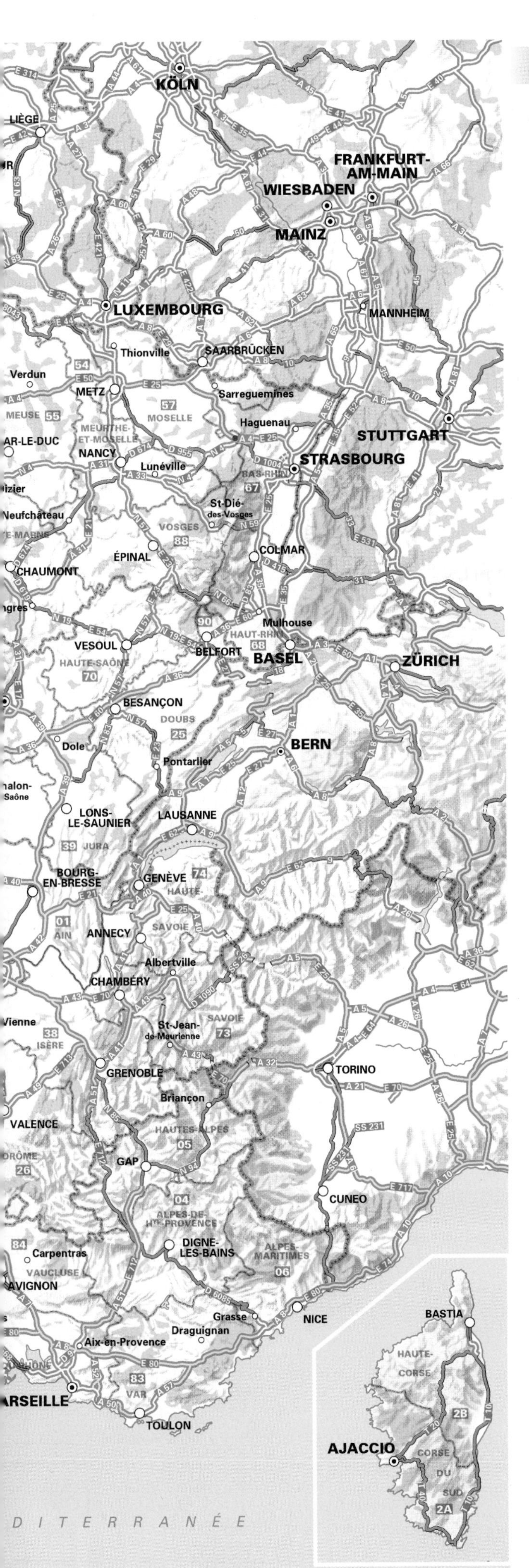

Trouvez bien plus que votre route !

Explore beyond your route! • Finden Sie mehr als nur Ihren Weg! • Vind zoveel meer dan alleen maar uw reisweg! • Per non perdersi e non perdersi nulla! • Encuentre mucho más que el camino!

- **HÔTELS***
- **RESTAURANTS***
- **SITES TOURISTIQUES***

Comment utiliser les QR Codes .... p. 427

How to use the QR Codes • Wie verwendet man QR Codes • Hoe moet u de QR Codes gebruiken • Come si usano i codici QR • Cómo utilizar los códigos QR

* Hotels, Restaurants, Touristic Sites • Hotels, Restaurants, Touristische Sehenswürdigkeiten • Hotels, Restaurants, Toeristische plaatsen • Hotels, Ristoranti, Luoghi d'interesse • Hotels, Restaurante, Lugares turísticos

DÉPARTS EN VACANCES
POUR ÉVITER LE STRESS, PENSEZ À :

LA VOITURE

- ☐ PRESSION PNEUS
- ☐ NIVEAU HUILE
- ☐ NIVEAU LIQUIDE DE REFROIDISSEMENT
- ☐ NIVEAU LIQUIDE LAVE-GLACE
- ☐ PLEIN CARBURANT
- ☐ RACLETTE ANTI-GIVRE
- ☐ CHAÎNES

LA SÉCURITÉ

- ☐ GILET JAUNE + TRIANGLE
- ☐ ÉTHYLOTEST
- ☐ PERMIS DE CONDUIRE
- ☐ PAPIERS DU VÉHICULE (CARTE GRISE, ATTESTATION D'ASSURANCE)
- ☐ NOTICE DU VÉHICULE
- ☐ COORDONNÉES DE L'ASSISTANCE

S'ORIENTER

- ☐ ATLAS, CARTES ET FEUILLE DE ROUTE

LA SANTÉ

- ☐ TROUSSE DE SECOURS
- ☐ CARTE VITALE
- ☐ CARNET DE SANTÉ
- ☐ LUNETTES DE SOLEIL
- ☐ CHAPEAUX
- ☐ ÉCRAN SOLAIRE

LA FAMILLE

- ☐ JEUX ENFANTS (CONSOLE DE JEUX, LECTEUR DVD, LIVRES, ETC.)
- ☐ BIBERON D'EAU
- ☐ VAPORISATEUR
- ☐ MÉDICAMENT CONTRE LE MAL DES TRANSPORTS
- ☐ REPAS (PETIT POT POUR LES BÉBÉS, PIQUE-NIQUE, COLLATION, ETC..)
- ☐ CONTRÔLE DU SIÈGE AUTO POUR ENFANTS
- ☐ PARE-SOLEIL

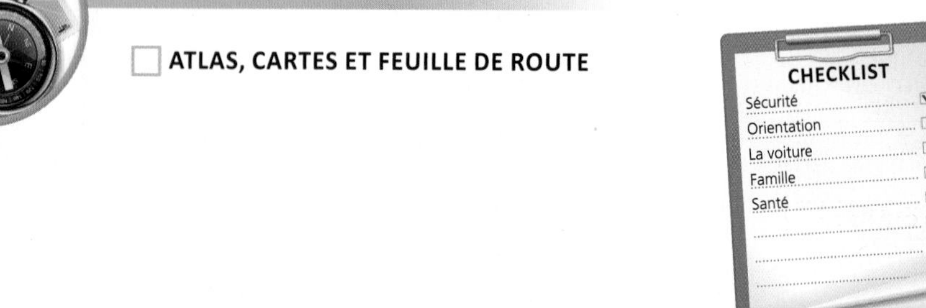

BONNE ROUTE !

ROULEZ ZEN !

RÉAGIR EN CAS D'ACCIDENT

PROTÉGER

- Allumez vos feux de détresse.
- Garez-vous avec prudence en évitant de gêner l'accès des secours.
- Mettez les passagers à l'abri à l'extérieur du véhicule ; sortez par le côté opposé au trafic.
- Sur autoroute, placez-vous derrière les barrières de sécurité, dirigez-vous immédiatement vers la borne d'appel d'urgence et attendez les secours.
- Sur route, balisez l'accident par un triangle à 200 mètres en amont, à condition qu'il soit possible de le faire en toute sécurité. **Attention :** ne fumez pas à proximité du lieu de l'accident, afin d'éviter un incendie.

ALERTER

- **Sur autoroute,** appelez depuis une borne d'appel d'urgence, que vous trouverez tous les deux kilomètres.
- **En cas d'absence de borne,** vous pouvez **composer le 112** à partir d'un téléphone fixe, d'une cabine téléphonique ou d'un téléphone mobile (numéro d'urgence gratuit).

SECOURIR

- Ne déplacez pas les victimes, sauf en cas de danger imminent tel un incendie.
- Ne retirez pas le casque d'un conducteur de deux-roues.
- Ne donnez ni à boire ni à manger aux victimes.

LES NUMÉROS UTILES

- **MONDIAL ASSISTANCE :**
  01 40 255 255 (24h/24)
- **EUROP ASSISTANCE :**
  01 41 85 85 85 (24h/24)
- **ASSURANCES ASSISTANCE :**
  ALLIANZ : **0800 103 105**
  DIRECT ASSURANCE : **01 55 92 27 20**
  GROUPAMA : **01 45 16 66 66**
  INTER MUTUELLES ASSISTANCE : **0800 75 75 75**
  MAAF : **0800 16 17 18**
  MACIF : **0800 774 774**
  MAIF : **0800 875 875**
  MATMUT : **0800 30 20 30**

RADIO AUTOROUTE

ÉCOUTEZ **107.7**

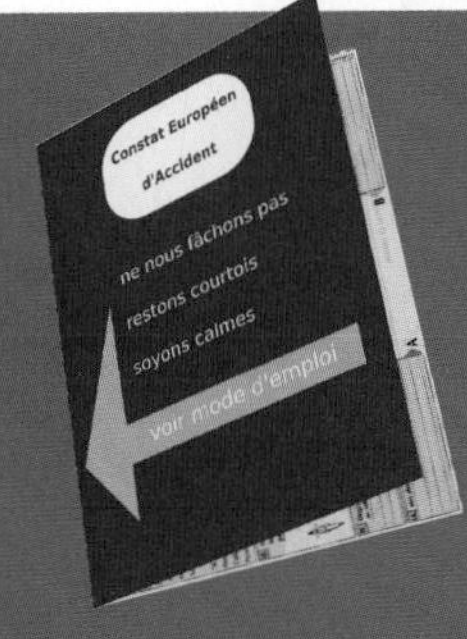

REMPLIR OU PAS UN CONSTAT ?

Le moindre accrochage de circulation exige que les automobilistes échangent leurs coordonnées. **Si l'un refuse, il y a délit de fuite.** En revanche, en cas d'accrochage léger, vous avez tout à fait le droit de ne pas établir de constat et de ne pas déclarer l'incident à votre assureur. **Mais évaluez les conséquences :** il se peut que l'autre conducteur rédige de son côté un constat, et qu'il le remplisse unilatéralement, et qu'il expédie ensuite à son assureur en affirmant que vous vous êtes opposé à l'établissement de ce document amiable. **Méfiez-vous** également des chocs qui peuvent vous sembler très légers en apparence, mais coûtent cher à réparer. Le mieux est de remplir un constat et de ne l'envoyer à l'assureur qu'après un chiffrage précis des travaux de remise en état. **Si les réparations sont d'un coût limité,** il est préférable de ne pas déclarer l'incident pour échapper au malus. **Indemniser directement l'autre automobiliste est parfaitement légal.**

VOYAGER AVEC DES ENFANTS

N'oubliez pas de faire des pauses-détente pour vous dégourdir les jambes !

Où et comment installer les enfants ?

Il est interdit et dangereux de faire voyager un enfant en voiture sans équipement adapté à sa taille. En France, l'utilisation d'un dispositif de retenue adapté est obligatoire jusqu'à l'âge de 10 ans (ou jusqu'à la taille de 1,50 m). Pour les bébés jusqu'à 15 mois, la position dos à la route est de loin la plus recommandée, après désactivation de l'airbag passager s'il est en place avant.

5 GESTES À BANNIR

ENFANT CEINTURÉ AVEC ADULTE

La ceinture entoure le corps de l'adulte et de l'enfant posé sur ses genoux. En cas de ralentissement fort, la sangle va bloquer l'enfant, tandis que votre corps projeté en avant va littéralement l'écraser. Risque de lésions gravissimes sur un simple coup de frein.

BÉBÉ ASSIS SUR LES GENOUX

Tout petit, votre nouveau-né se transforme en projectile au premier ralentissement brusque. Même en l'absence de tout accident, un freinage appuyé suffit à le projeter violemment vers le pare-brise. Vos bras même agrippés à lui ne peuvent pas le retenir. En cas de choc dès 20 km/h., des blessures lourdes peuvent l'handicaper à vie.

CEINTURE SOUS L'ÉPAULE

À partir de 10-11 ans, les enfants commencent à prendre quelques libertés avec la ceinture. Ils décrètent que la sangle près de leur cou les gêne et la font passer sous l'aisselle. Une forte décélération provoquerait une lésion thoracique lourde.

ENFANT, DEBOUT ENTRE LES SIÈGES

Surtout dans les monospaces, les enfants adorent rester debout, à l'arrière, entre les sièges avant, en prenant appui sur les dossiers. Un coup de frein fort et l'enfant se transforme en projectile vers le pare-brise !

SIÈGE SANS HARNAIS ATTACHÉ

De nombreux enfants sont juste posés dans leur siège, sans que le harnais soit fixé. L'utilité du siège est alors réduite à néant. De même, ne laissez pas le harnais trop relâché sur le corps de l'enfant : la retenue en cas de choc ne se ferait qu'avec un temps de retard entraînant alors une compression excessive du thorax.

Comment occuper vos enfants ?

Les enfants aiment jouer. Incitez-les à se distraire avec leurs occupations favorites (console électronique, jeux de poche) et organisez des jeux oraux :

C COMME CHAMPION Désignez une lettre de l'alphabet : le 1er qui trouve dans le paysage environnant 3 éléments commençant par cette lettre a gagné !

JEUX DES PLAQUES Faites une phrase avec les lettres des plaques d'immatriculation des véhicules croisés sur la route. (ex : **AB 123 CD** = > « **A**lexandre **B**oit du **C**hocolat au **D**entifrice... »)

JEU DES VOITURES Choisissez et comptez le nombre de voitures d'une marque ou d'un modèle précis.

C TU OÙ C ? Retrouvez une ville ou un lieu-dit amusant sur les pages de l'atlas. On commence par un indice sous forme de devinette. (ex : « c'est dans la région où sont fabriquées les espadrilles » ...)

CHACUN SON SIÈGE*

Groupe 0
(0 à 10 kg } jusqu'à 70cm)
et 0+ (0 à 13 kg } jusqu'à 80cm)

SIÈGE « COQUE » AVEC HARNAIS DOS À LA ROUTE, PLACÉ DE PRÉFÉRENCE À L'ARRIÈRE DU VÉHICULE OU DEVANT EN DÉSACTIVANT L'AIRBAG

Groupe 1
(9 à 18 kg } jusqu'à 1m)

SIÈGE AVEC HARNAIS ET RENFORTS LATÉRAUX, PLACÉ À L'ARRIÈRE DU VÉHICULE

Groupe 2 (15 à 25 kg) et Groupe 3 (22 à 36 kg) / jusqu'à 1m5

REHAUSSEUR AVEC DOSSIER + CEINTURE DE SÉCURITÉ À L'ARRIÈRE DU VÉHICULE

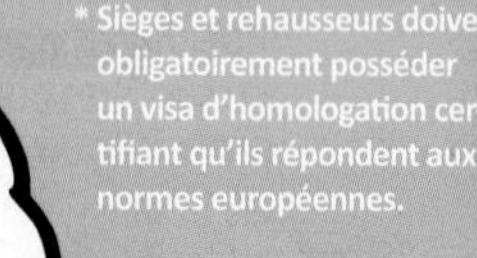
* Sièges et rehausseurs doiver obligatoirement posséder un visa d'homologation certifiant qu'ils répondent aux normes européennes.

CONDUIRE
DANS DES CONDITIONS DIFFICILES

GÉRER LES INTEMPÉRIES

PLUIE

Sous la pluie, le risque d'accident est multiplié par trois : la visibilité est réduite, les distances de freinage sont allongées de moitié. **Au-dessus de 80 km/h,** une pellicule d'eau peut se former entre le pneu et la chaussée : c'est le phénomène « d'aquaplaning », d'autant plus dangereux que la direction risque alors de ne plus répondre...

En règle générale, il faut **réduire sa vitesse de 20 km/h au moins**, allumer ses feux de croisements, **garder largement ses distances** de sécurité et freiner progressivement par petites impulsions. La pluie vous fait perdre 30 à 50 % d'adhérence et les risques de dérapage se trouvent accrus. Attention : une petite pluie fine peut constituer un piège redoutable, la chaussée peut alors devenir aussi glissante que de la neige !

BROUILLARD

Avant le départ, vérifiez l'éclairage de votre véhicule ; sur la route, **allumez vos codes** ou feux de brouillard. **Réduisez votre vitesse** en fonction de la visibilité et gardez largement vos distances de sécurité avec le véhicule qui vous précède.

Utilisez régulièrement **vos essuie-glaces** et **allumez vos feux de détresse** en cas d'arrêt sur la chaussée (panne, bouchon, accident...)

GLACE ET VERGLAS

Une voiture qui perd sa trajectoire sur la glace devient irrattrapable, même entre les mains les plus expertes. Mais le verglas « noir » peut aussi vous surprendre par plaques ponctuelles sur une route totalement dégagée. **Méfiez-vous**, lorsque la température est négative, des zones restées dans l'ombre, des bordures de bois, des secteurs sujets à brouillard.

NEIGE

Elle fait chuter l'adhérence jusqu'à 80 %. Mais attention, le plus traître dans la neige, ce n'est pas la chaussée plus glissante, mais la grande variation entre les niveaux d'adhérence : **la neige fraîche** offre une adhérence certes basse, mais continue. Au contraire, **un tapis neigeux ancien** accentue les adhérences très variables et peu prévisibles d'un mètre à l'autre, et enfin, **la neige fondante** se colle dans les sculptures des pneus et crée un effet « patinoire ».

RESPECTER LES DISTANCES

Votre distance d'arrêt n'est pas aussi courte que la distance de freinage dont est capable votre voiture car elle intègre votre temps de réaction. Au mieux, il vous faut 1 seconde pour réagir avant d'appuyer sur la pédale de frein en cas d'imprévu... voire 2 en cas d'attention relâchée. **À 90 km/h**, en **1 seconde**, vous parcourez **25 mètres** avant de commencer à freiner.

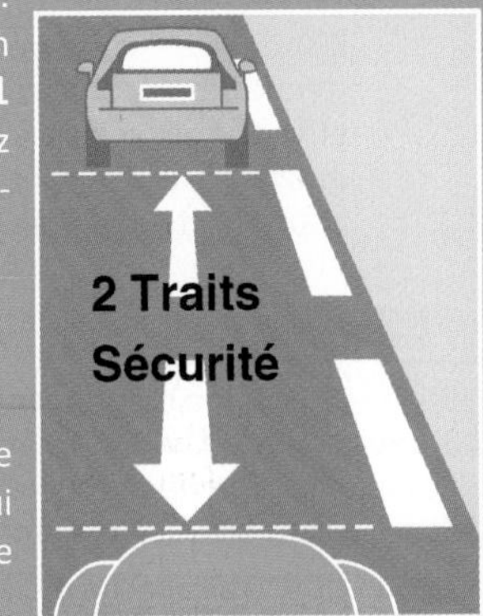

2H DE CONDUITE = TEMPS DE RÉACTION X2

À 130 km/h, cette seconde représente 36 mètres ce qui porte à 129 mètres votre distance de freinage !

UNE PAUSE DE 10 MINUTES MINIMUM TOUTES LES 2 HEURES EST INDISPENSABLE !

MÉDICAMENTS

NIVEAU 3

Fiez-vous aux pictogrammes de couleur inscrits sur les boîtes **(jaune, orange, rouge) :** ils indiquent le degré d'assoupissement que la prise des comprimés engendre.

ÉVITER L'ENGOURDISSEMENT

- étirez-vous
- tendez un à un les bras à l'horizontale devant vous, en « cassant » le poignet vers l'extérieur et en le faisant pivoter
- placez tour à tour les bras à l'horizontale sur les côtés, avant-bras replié, et dirigez-les vers l'arrière en forçant légèrement sur l'articulation des épaules
- faites pivoter votre tête de gauche à droite, et effectuez des petites rotations.

CONDUIRE DE NUIT

La nuit représente moins de 10 % du trafic mais **35 % des blessés** et **44 % des personnes tuées** sur la route.

4 FOIS + **DE RISQUE D'AVOIR UN ACCIDENT ENTRE *22H ET 6H DU MATIN !***

LES HEURES À ÉVITER

PNEUS NEIGE OU CHAÎNES ?

- **LES PNEUS NEIGE** sont très utiles durant toute la saison hivernale. Sur la neige, ils permettent de **limiter la perte d'adhérence**, et se révèlent **excellents pour la pluie.** Il faut surtout les monter par quatre.
- **LES CHAÎNES ne sont à utiliser que ponctuellement,** en cas de **chaussée entièrement enneigée.** Elles peuvent être rendues obligatoires par les forces de l'ordre. Les chaînes se montent sur les roues motrices de votre voiture.

L'ENTRETIEN DE VOTRE AUTOMOBILE

PLANNING DE RÉVISION DE LA VOITURE

ESSUIE-GLACE & LAVE-GLACE

ÉCHÉANCE Essuie-glace à vérifier **tous les 3 mois.** Le niveau de lave-glace est à vérifier **avant chaque départ.**

RISQUES Stries lors du balayage.

AMORTISSEURS

ÉCHÉANCE À vérifier **tous les 80 000 km.**

RISQUES Perte de la tenue de route de votre voiture (tenue de cap, adhérence sur les chaussées déformées, efficacité au freinage). Risque insidieux, car très progressif, et donnant dans un premier temps une impression de confort.

FREINS

ÉCHÉANCE **Selon recommandation du garagiste.** Si vous entendez un fort bruit métallique lors des ralentissements, c'est que les plaquettes de frein sont arrivées à usure totale.

RISQUES La capacité de freinage est alors réduite de 90 %.

LIQUIDE DE FREINS

ÉCHÉANCE À changer **tous les 2 ans.**

RISQUES Absence soudaine de répondant en appuyant sur la pédale (Formation de bulles dans le circuit de freinage qui se charge progressivement en eau).

ÉCLAIRAGE

ÉCHÉANCE Code et pleins phares à vérifier **périodiquement.**

PRESSION DES PNEUS

ÉCHÉANCE **Tous les mois, et avant un long déplacement.**

RISQUES Dégradation de la tenue de route, surtout en virage. Allongement des distances de freinage. Échauffement et risque d'éclatement. Usure accélérée de la bande de roulement et fatigue de la structure du pneu.

CONTRÔLE TECHNIQUE

En France, toute voiture âgée de 4 ans doit passer un contrôle technique.

- La première visite doit se faire dans les six mois avant son quatrième anniversaire.
- La date de première immatriculation portée sur la carte grise fait référence pour définir le jour ultime de passage au contrôle. Par la suite, les visites se font tous les deux ans.
- L'administration n'envoie aucune convocation : c'est à vous de présenter spontanément votre voiture dans un centre agréé.
- Le passage coûte autour de 65 € et exige un rendez-vous.

CONSEIL DE BIB !

POUR BIEN GONFLER SES PNEUS

- SURGONFLEZ de 0,3 bar (300 grammes) en cas de voiture chargée ou de pneus chauds. (Ou alors reportez-vous aux préconisations du constructeur : sur un nombre croissant de voitures, les préconisations de pression en charge sont nettement plus élevées).
- N'oubliez pas de VÉRIFIER LA PRESSION sur la roue de secours. S'il s'agit d'une roue galette, la pression peut être très élevée (3 à 4 bars).
- SURGONFLEZ de 0,4 bar (400 grammes) à l'arrière du véhicule, si vous tractez une caravane.

FOCUS PNEUS

Ne prenez la route qu'avec des pneus en bon état. Eux seuls assurent le contact de votre voiture avec la chaussée. Voici ce qui peut les altérer et donc vous obliger à un remplacement.

USURE

INDICATEUR Légalement, la profondeur des sculptures doit être au minimum de 1,6 mm. Le niveau du témoin d'usure est localisé par un triangle sur le flanc *(un bibendum chez Michelin).*

RECOMMANDATION Les pneus se changent au minimum 2 par 2 (par essieu). Même si le pneu n'est pas usé de façon homogène, et à partir du moment où une zone a atteint la hauteur minimum du témoin d'usure. Faites régler en même temps la géométrie des suspensions.

HERNIE

INDICATEUR Petite bosse sur le flanc du pneu.

RECOMMANDATION Si la hernie est grosse, il faut changer le pneu.

DÉCHIRURE

INDICATEUR On peut l'évaluer en soulevant le caoutchouc.

RECOMMANDATION Un simple accroc de surface n'est pas problématique. En revanche, si on voit la trame du pneu, il faut le changer.

SOUS-GONFLAGE PROLONGÉ

INDICATEUR Pas obligatoirement visible à l'extérieur.

RECOMMANDATION Si vous avez roulé plus de 20 km avec un déficit de pression d'un bar (1 kg), il faut faire examiner l'intérieur du pneu par un professionnel (risque de déchapage = perte de la bande de roulement).

LÉGISLATION FRANÇAISE
INFRACTIONS ET SANCTIONS

CONTRAVENTIONS
AVEC RETRAIT DE POINTS

NATURE DE LA FAUTE	AMENDE	RETRAIT DE POINTS	SUSPENSION DE PERMIS	SANCTION POSSIBLE
Non présentation de l'attestation d'assurance	35 €	-	-	-
Usage du téléphone tenu en main en conduisant. Port à l'oreille d' un dispositif audio (oreillette, casque, etc...)	135 €	3	-	-
Circulation sur bande d'arrêt d'urgence	135 €	3	MAXI 3 ANS	-
Changement de direction sans avertissement préalable (clignotant)	35 €	3	MAXI 3 ANS	-
Arrêt ou stationnement dangereux	135 €	3	MAXI 3 ANS	-
Défaut de port de ceinture de sécurité		3	-	-
Défaut de port de casque (2 roues motorisées)		3	-	-
Non-respect de l'arrêt au feu rouge ou au stop ou au cédez le passage		4	MAXI 3 ANS	-
Refus de priorité		4	MAXI 3 ANS	-
Circulation en sens interdit		4	MAXI 3 ANS	-
Marche arrière ou demi-tour sur autoroute et rocade d'accès		4	MAXI 3 ANS	-
Non-respect de la distance de sécurité entre 2 véhicules		3	MAXI 3 ANS	-
Chevauchement de ligne continue		1	MAXI 3 ANS	-
Franchissement de ligne continue		3	MAXI 3 ANS	-
Dépassement dangereux		3	MAXI 3 ANS	-
Non-respect de la priorité aux piétons		6	MAXI 3 ANS	-
Circulation à gauche sur une chaussée à double sens		3	MAXI 3 ANS	-
Circulation de nuit ou par visibilité insuffisante sans éclairage		4	MAXI 3 ANS	-
Conduite en état alcoolique (0,5 à 0,8 g/litre de sang, 0,2g en période probatoire)		6	MAXI 3 ANS	IMMOBILISATION

LES PRINCIPAUX DÉLITS

NATURE DE LA FAUTE	AMENDE	RETRAIT DE POINTS	SUSPENSION DE PERMIS	SANCTION POSSIBLE
Excès de vitesse > 50 km/h	1 500 €	6	MAXI 3 ANS	PASSAGE AU TRIBUNAL AUTOMATIQUE
Défaut d'assurance	3 750 €	-	SUSPENSION/ANNULATION DE 3 ANS (SANS SURSIS NI PERMIS BLANC)	IMMOBILISATION/ CONFISCATION
Refus d'obtempérer	MAXI 7 500 €	6	MAXI 3 ANS (ANNULATION POSSIBLE)	PRISON (MAXI 1 AN)
Mise en danger de la vie d'autrui	MAXI 15 000 €	-	MAXI 5 ANS (ANNULATION)	PRISON (MAXI 1 AN)
Usage de fausses plaques	3 750 €	6	3 ANS	PRISON (MAXI 5 ANS)
Usurpation de plaques	MAXI 30 000 €	6	MAX 3 ANS (ANNULATION)	PRISON (MAXI 7 ANS)
Délit de fuite	MAXI 75 000 €	6	MINI 5ANS (PAS DE PERMIS BLANC)	PRISON (MAXI 3 ANS)
Conduite avec une alcoolémie égale ou supérieure à 0,8 g/litre de sang ou en état d'ivresse manifeste. Refus de se soumettre à une vérification de présence d'alcool dans le sang.	MAXI 4 500 €	6	SUSPENSION/ANNULATION DE 3 ANS (SANS SURSIS NI PERMIS BLANC)	IMMOBILISATION/ PRISON 2 ANS
Récidive de conduite avec une alcoolémie égale ou supérieure à 0,8 g/litre de sang ou en état d'ivresse manifeste	9 000 €	6	ANNULATION DE 3 ANS (SANS SURSIS NI PERMIS BLANC)	IMMOBILISATION/ CONFISCATION/ PRISON 4 ANS
Conduite sous l'effet de drogue ou refus de dépistage de drogue	4 500 €	6	SUSPENSION/ANNULATION DE 3 ANS (SANS SURSIS NI PERMIS BLANC)	IMMOBILISATION/ CONFISCATION/PRISON 2 ANS
Conduite sans permis de conduire	MAXI 15 000 €	-	-	IMMOBILISATION/ CONFISCATION/PRISON 1 AN
Conduite malgré une suspension administrative ou judiciaire du permis de conduire ou une rétention du permis de conduire	MAXI 4 500 €	6	SUSPENSION/ANNULATION DE 3 ANS (SANS SURSIS NI PERMIS BLANC)	IMMOBILISATION/ CONFISCATION/PRISON 2 ANS
Accident occasionnant des blessures graves (incapacité temporaire de travail > 3 mois) avec circonstances aggravantes (emprise d'alcool...)	MAXI 150 000 €	6	MAXI 5 ANS (ANNULATION)	IMMOBILISATION /PRISON (MAXI 10 ANS)
Accident avec homicide involontaire	MAXI 75 000 €	6	MAXI 5 ANS (ANNULATION)	IMMOBILISATION /PRISON (MAXI 5 ANS)

Légende

Routes

Autoroute - Station-service - Aire de repos
Double chaussée de type autoroutier
Autoroute - Route en construction
(le cas échéant : date de mise en service prévue)
Échangeurs : complet - partiels
Numéros d'échangeurs
Route de liaison internationale ou nationale
Route de liaison interrégionale ou de dégagement
Route revêtue - non revêtue
Chemin d'exploitation - Sentier

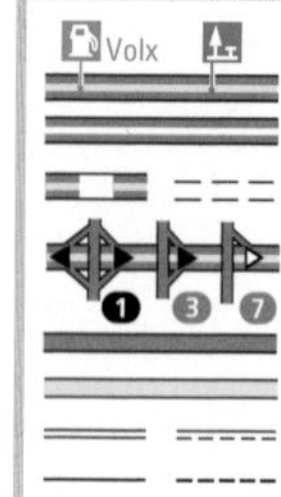

Largeur des routes

Chaussées séparées
4 voies
2 voies larges
2 voies
1 voie

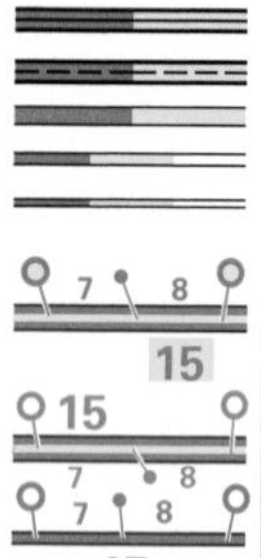

Distances (totalisées et partielles)

Section à péage
sur autoroute

Section libre sur autoroute

sur route

Numérotation - Signalisation

Route européenne - Autoroute - Route métropolitaine
Route nationale - départementale

E10 A10 M125
N20 D31 D104

Alertes Sécurité

Limites de charge : d'un pont, d'une route
(au-dessous de 19 t.)
Passages de la route :
à niveau - supérieur- inférieur
Hauteur limitée (au-dessous de 4,50 m)
Forte déclivité (flèches dans le sens de la montée)
de 5 à 9%, de 9 à 13%, 13% et plus
Col et sa cote d'altitude
Parcours difficile ou dangereux
Route à sens unique - Route réglementée
Route interdite
Restrictions de circulation
liées à la pollution
Pont mobile - Barrière de péage

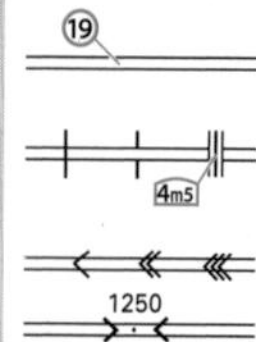
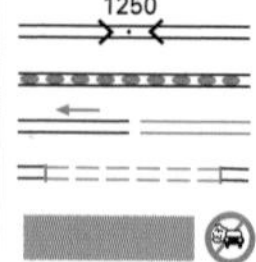

Transports

Aéroport - Aérodrome
Transport des autos :
par bateau - par bac
Bac pour piétons et cycles
Covoiturage - Voie ferrée - Gare

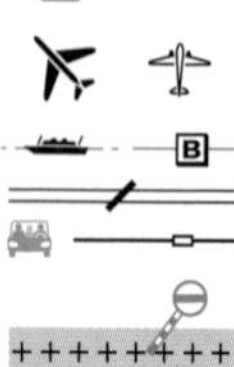

Administration

Frontière - Douane
Capitale de division administrative

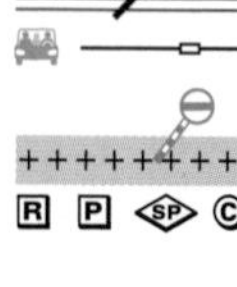

Sports - Loisirs

Stade - Golf - Hippodrome
Port de plaisance - Baignade - Parc aquatique
Base ou parc de loisirs - Circuit automobile
Piste cyclable / Voie Verte
Refuge de montagne - Sentier de randonnée

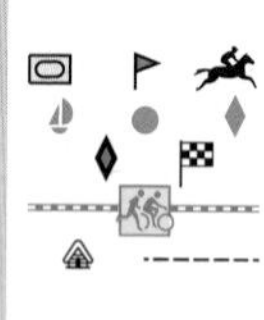

Curiosités

Principales curiosités : voir LE GUIDE VERT
Table d'orientation - Panorama - Point de vue
Parcours pittoresque
Édifice religieux - Château - Ruines
Monument mégalithique - Phare - Moulin à vent
Train touristique - Cimetière militaire
Grotte - Autres curiosités

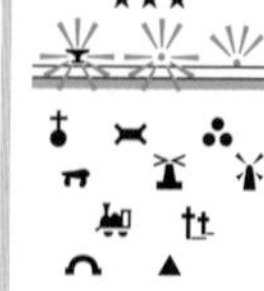

Signes divers

Puits de pétrole ou de gaz - Carrière - Éolienne
Transporteur industriel aérien
Usine - Barrage
Tour ou pylône de télécommunications
Raffinerie - Centrale électrique - Centrale nucléaire
Phare ou balise - Moulin à vent
Château d'eau - Hôpital
Église ou chapelle - Cimetière - Calvaire
Château - Fort - Ruines - Village étape
Grotte - Monument - Altiport
Forêt ou bois - Forêt domaniale

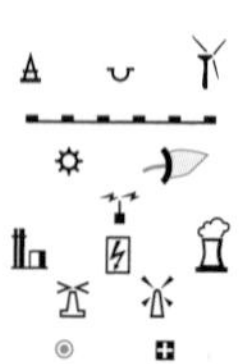

Key

Roads

Motorway - Petrol station - Rest area
Dual carriageway with motorway characteristics
Motorway - Road under construction
(when available : with scheduled opening date)
Interchanges: complete, limited
Interchange numbers
International and national road network
Interregional and less congested road
Road surfaced - unsurfaced
Rough track - Footpath

Road widths

Dual carriageway
4 lanes
2 wide lanes
2 lanes
1 lane

Distances (total and intermediate)

Toll roads
on motorway

Toll-free section on motorway

on road

Numbering - Signs

European route - Motorway - Metropolitan road
National road - Departmental road

Safety Warnings

Load limit of a bridge, of a road
(under 19 t)
Level crossing:
railway passing, under road, over road.
Height limit (under 4.50 m)
Steep hill (ascent in direction of the arrow)
5 - 9%, 9 -13%, 13% +
Pass and its height above sea level
Difficult or dangerous section of road
One way road - Road subject to restrictions
Prohibited road
Traffic restrictions
due to air pollution
Swing bridge - Toll barrier

Transportation

Airport - Airfield
Transportation of vehicles:
by boat - by ferry
Ferry (passengers and cycles only)
Carpooling - Railway - Station

Administration

National boundary - Customs post
Administrative district seat

Sport & Recreation Facilities

Stadium - Golf course - Horse racetrack
Pleasure boat harbour - Bathing place - Water park
Country park - Racing circuit
Cycle paths and nature trails
Mountain refuge hut - Hiking trail

Sights

Principal sights: see THE GREEN GUIDE
Viewing table - Panoramic view - Viewpoint
Scenic route
Religious building - Historic house, castle - Ruins
Prehistoric monument - Lighthouse - Windmill
Tourist train - Military cemetery
Cave - Other places of interest

Other signs

Oil or gas well - Quarry - Wind turbine
Industrial cable way
Factory - Dam
Telecommunications tower or mast
Refinery - Power station - Nuclear Power Station
Lighthouse or beacon - Windmill
Water tower - Hospital
Church or chapel - Cemetery - Wayside cross
Castle - Fort - Ruines - Stopover village
Grotte - Monument - Mountain airfield
Forest or wood - State forest

Zeichenerklärung

Straßen

Autobahn - Tankstelle - Tankstelle mit Raststätte
Schnellstraße mit getrennten Fahrbahnen
Autobahn - Straße im Bau (ggf. voraussichtliches
Datum der Verkehrsfreigabe)
Anschlussstellen: Voll - bzw. Teilanschlussstellen
Anschlussstellennummern
Internationale bzw.nationale Hauptverkehrsstraße
Überregionale Verbindungsstraße oder Umleitungsstrecke
Straße mit Belag - ohne Belag
Wirtschaftsweg - Pfad

Straßenbreiten

Getrennte Fahrbahnen
4 Fahrspuren
2 breite Fahrspuren
2 Fahrspuren
1 Fahrspur

Entfernungen (Gesamt- und Teilentfernungen)

Mautstrecke
auf der Autobahn

Mautfreie Strecke auf der Autobahn

auf der Straße

Nummerierung - Wegweisung

Europastraße - Autobahn - Straße der Metropolregion
Nationalstraße - Departementstraße

Sicherheitsalerts

Höchstbelastung einer Straße/Brücke
(angegeben, wenn unter 19 t)
Bahnübergänge: Schienengleich, Unterführung,
Überführung. Beschränkung der Durchfahrtshöhe
(angegeben, wenn unter 4,50 m)
Starke Steigung (Steigung in Pfeilrichtung)
5-9%, 9-13%, 13% und mehr
Pass mit Höhenangabe
Schwierige oder gefährliche Strecke
Einbahnstraße - Straße mit Verkehrsbeschränkungen
Gesperrte Straße
Verkehrsbeschränkungen aufgrund der
Luftverschmutzung
Bewegliche Brücke - Mautstelle

Verkehrsmittel

Flughafen - Flugplatz
Schiffsverbindungen:
per Schiff - per Fähre
Fähre für Personen und Fahrräder
Mitfahrzentrale - Bahnlinie - Bahnhof

Verwaltung

Staatsgrenze - Zoll
Verwaltungshauptstadt

Sport - Freizeit

Stadion - Golfplatz - Pferderennbahn
Yachthafen - Strandbad - Badepark
Freizeitanlage - Rennstrecke
Radwege und autofreie Wege
Schutzhütte - Markierter Wanderweg

Sehenswürdigkeiten

Hauptsehenswürdigkeiten: siehe GRÜNER REISEFÜHRER
Orientierungstafel - Rundblick - Aussichtspunkt
Landschaftlich schöne Strecke
Sakral-Bau - Schloss, Burg - Ruine
Vorgeschichtliches Steindenkmal - Leuchtturm - Windmühle
Museumseisenbahn-Linie - Soldatenfriedhof
Höhle - Sonstige Sehenswürdigkeit

Sonstige Zeichen

Erdöl-, Erdgasförderstelle - Steinbruch - Windkraftanlage
Industrieschwebebahn
Fabrik - Staudamm
Funk-, Sendeturm
Raffinerie - Kraftwerk - Kernkraftwerk
Leuchtturm oder Leuchtfeuer - Windmühle
Wasserturm - Krankenhaus
Kirche oder Kapelle - Friedhof - Bildstock
Schloss, Burg - Fort, Festung - Ruine - Übernachtungsort
Höhle - Denkmal - Landeplatz im Gebirge
Wald oder Gehölz - Staatsforst

Verklaring van de tekens

Wegen
Autosnelweg - Tankstation - Rustplaats
Gescheiden rijbanen van het type autosnelweg
Autosnelweg - Weg in aanleg (indien bekend: datum openstelling)
Aansluitingen: volledig, gedeeltelijk Afritnummers
Internationale of nationale verbindingsweg
Interregionale verbindingsweg
Verharde weg - Onverharde weg
Landbouwweg - Pad

Breedte van de wegen
Gescheiden rijbanen
4 rijstroken
2 brede rijstroken
2 rijstroken
1 rijstrook

Afstanden (totaal en gedeeltelijk)
Gedeelte met tol op autosnelwegen
Tolvrij gedeelte op autosnelwegen
op andere wegen

Wegnummers - Bewegwijzering
Europaweg - Autosnelweg - Stadsweg
Nationale weg - Departementale weg

Veiligheidswaarschuwingen
Maximum draagvermogen: van een brug, van een weg (indien minder dan 19 t)
Wegovergangen: gelijkvloers, overheen, onderdoor. Vrije hoogte (indien lager dan 4,5 m)
Steile helling (pijlen in de richting van de helling) 5 - 9%, 9 - 13%, 13% of meer
Bergpas en hoogte boven de zeespiegel
Moeilijk of gevaarlijk traject
Weg met eenrichtingsverkeer - Beperkt opengestelde weg
Verboden weg
Verkeersbeperkingen tegen luchtvervuiling
Beweegbare brug - Tol

Vervoer
Luchthaven - Vliegveld
Vervoer van auto's: per boot - per veerpont
Veerpont voor voetgangers en fietsers
Carpoolplaats - Spoorweg - Station

Administratie
Staatsgrens - Douanekantoor
Hoofdplaats van administratief gebied

Sport - Recreatie
Stadion - Golfterrein - Renbaan
Jachthaven - Zwemplaats - Watersport
Recreatiepark - Autocircuit
Fietspad / Wandelpad in de natuur
Berghut - Afstandswandelpad

Bezienswaardigheden
Belangrijkste bezienswaardigheden: zie DE GROENE GIDS
Oriëntatietafel - Panorama - Uitzichtpunt Schilderachtig traject
Kerkelijk gebouw - Kasteel - Ruïne
Megaliet - Vuurtoren - Molen
Toeristentreintje - Militaire begraafplaats
Grot - Andere bezienswaardigheden

Diverse tekens
Olie- of gasput - Steengroeve - Windmolen
Kabelvrachtvervoer
Fabriek - Stuwdam
Telecommunicatietoren of -mast
Raffinaderij - Elektriciteitscentrale - Kerncentrale
Vuurtoren of baken - Molen
Watertoren - Hospitaal
Kerk of kapel - Begraafplaats - Kruisbeeld
Kasteel - Fort - Ruïne - Dorp voor overnachting
Grot - Monument - Landingsbaan in de bergen
Bos - Staatsbos

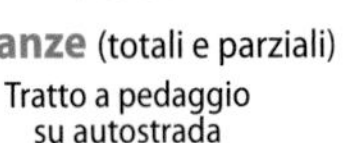

Legenda

Strade
Autostrada - Stazione di servizio - Area di riposo
Doppia carreggiata di tipo autostradale
Autostrada - Strada in costruzione (data di apertura prevista)
Svincoli: completo, parziale Svincoli numerati
Strada di collegamento internazionale o nazionale
Strada di collegamento interregionale o di disimpegno
Strada rivestita - non rivestita
Strada per carri - Sentiero

Larghezza delle strade
Carreggiate separate
4 corsie
2 corsie larghe
2 corsie
1 corsia

Distanze (totali e parziali)
Tratto a pedaggio su autostrada
Tratto esente da pedaggio su autostrada
su strada

Numerazione - Segnaletica
Strada europea - Autostrada - Strada metropolitane
Strada nazionale - dipartimentale

Segnalazioni stradali
Limite di portata di un ponte, di una strada (inferiore a 19 t.)
Passaggi della strada: a livello, cavalcavia, sottopassaggio Limite di altezza (inferiore a 4,50 m)
Forte pendenza (salita nel senso della freccia) da 5 a 9%, da 9 a 13%, superiore a 13%
Passo ed altitudine
Percorso difficile o pericoloso
Strada a senso unico - Strada a circolazione regolamentata
Strada vietata
Limitazioni al traffico legate all'inquinamento
Ponte mobile - Casello

Trasporti
Aeroporto - Aerodromo
Trasporto auto: su traghetto - su chiatta
Traghetto per pedoni e biciclette
Carpooling - Ferrovia - Stazione

Amministrazione
Frontiera - Dogana
Capoluogo amministrativo

Sport - Divertimento
Stadio - Golf - Ippodromo
Porto turistico - Stabilimento balneare - Parco acquatico
Area o parco per attività ricreative - Circuito automobilistico
Pista ciclabile / Viottolo
Rifugio - Sentiero per escursioni

Mete e luoghi d'interesse
Principali luoghi d'interesse, vedere LA GUIDA VERDE
Tavola di orientamento - Panorama - Vista Percorso pittoresco
Edificio religioso - Castello - Rovine
Monumento megalitico - Faro - Mulino a vento
Trenino turistico - Cimitero militare
Grotta - Altri luoghi d'interesse

Simboli vari
Pozzo petrolifero o gas naturale - Cava - Centrale eolica
Teleferica industriale
Fabbrica - Diga
Torre o pilone per telecomunicazioni
Raffineria - Centrale elettrica - Centrale nucleare
Faro o boa - Mulino a vento
Torre idrica - Ospedale
Chiesa o cappella - Cimitero - Calvario
Castello - Forte - Rovine - Paese tappa
Grotta - Monumento - Altiporto
Foresta o bosco - Foresta demaniale

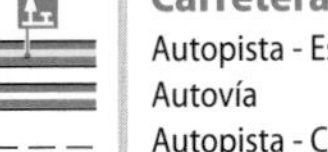

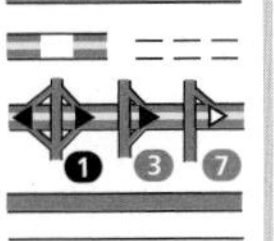

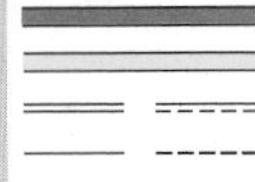

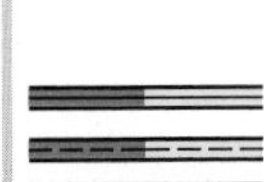

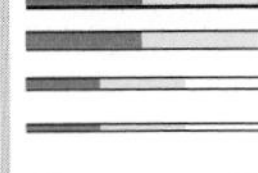

Signos convencionales

Carreteras
Autopista - Estación servicio - Área de descanso
Autovía
Autopista - Carretera en construcción (en su caso : fecha prevista de entrada en servicio)
Enlaces: completo, parciales Números de los accesos
Carretera de comunicación internacional o nacional
Carretera de comunicación interregional o alternativo
Carretera asfaltada - sin asfaltar
Camino agrícola - Sendero

Ancho de las carreteras
Calzadas separadas
Cuatro carriles
Dos carriles anchos
Dos carriles
Un carril

Distancias (totales y parciales)
Tramo de peaje en autopista
Tramo libre en autopista
en carretera

Numeración - Señalización
Carretera europea - Autopista - Carretera metropolitana
Carretera nacional - provincial

Alertas Seguridad
Carga límite de un puente, de una carretera (inferior a 19 t)
Pasos de la carretera: a nivel, superior, inferior Altura limitada (inferior a 4,50 m)
Pendiente pronunciada (las flechas indican el sentido del ascenso) de 5 a 9%, 9 a 13%, 13% y superior
Puerto y su altitud
Recorrido difícil o peligroso
Carretera de sentido único - Carretera restringida
Tramo prohibido
Restricciones circulatorias ligadas a la contaminación
Puente móvil - Barrera de peaje

Transportes
Aeropuerto - Aeródromo
Transporte de coches : por barco - por barcaza
Barcaza para el paso de peatones y vehículos dos ruedas
Coche compartido - Línea férrea - Estación

Administración
Frontera - Puesto de aduanas
Capital de división administrativa

Deportes - Ocio
Estadio - Golf - Hipódromo
Puerto deportivo - Zona de baño - Parque acuático
Parque de ocio - Circuito automovilístico
Pista ciclista / Vereda
Refugio de montaña - Sendero balizado

Curiosidades
Principales curiosidades: ver LA GUÍA VERDE
Mesa de orientación - Vista panorámica - Vista parcial Recorrido pintoresco
Edificio religioso - Castillo - Ruinas
Monumento megalítico - Faro - Molino de viento
Tren turístico - Cementerio militar
Cueva - Otras curiosidades

Signos diversos
Pozos de petróleo o de gas - Cantera - Parque eólico
Transportador industrial aéreo
Fábrica - Presa
Torreta o poste de telecomunicación
Refinería - Central eléctrica - Central nuclear
Faro o baliza - Molino de viento
Fuente - Hospital
Iglesia o capilla - Cementerio - Crucero
Castillo - Fortaleza - Ruinas - Población-etapa
Cueva - Monumento - Altipuerto
Bosque - Patrimonio Forestal del Estado

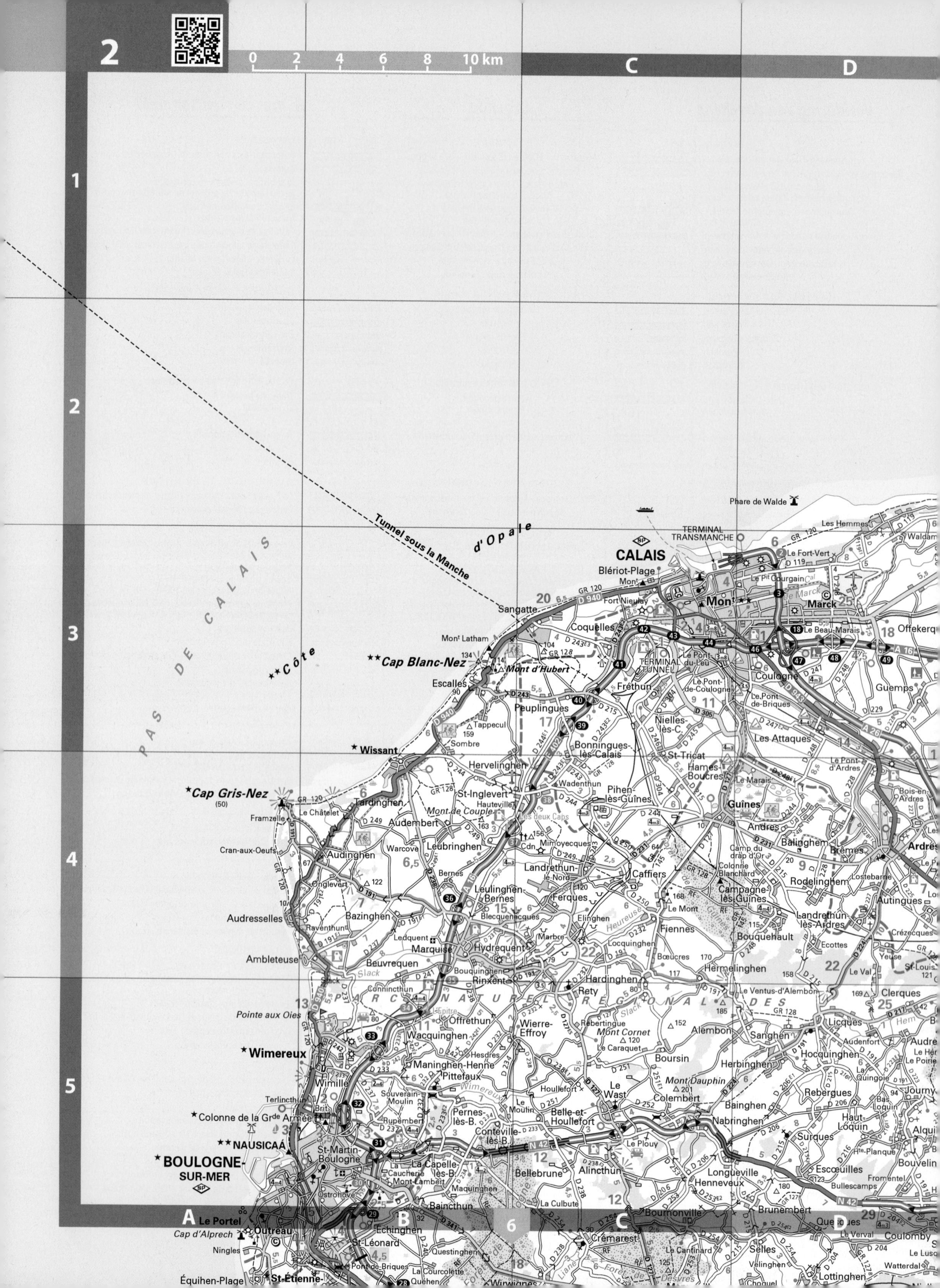

2
0 2 4 6 8 10 km
C
D
1
2
3
4
5
Tunnel sous la Manche
d'Opale
PAS DE CALAIS
Côte
Cap Blanc-Nez
Cap Gris-Nez
(50)
Wissant
Wimereux
Colonne de la Grde Armée
NAUSICAÁ
BOULOGNE-SUR-MER
Phare de Walde
TERMINAL TRANSMANCHE
CALAIS
Blériot-Plage
Sangatte
Mont Latham
Escalles
Coquelles
Fort Nieulay
Mont d'Hubert
TERMINAL TUNNEL
Marck
Les Hemmes
Waldam
Le Fort-Vert
Le Beau-Marais
Offekerque
Coulogne
Fréthun
Peuplingues
Le Pont-de-Coulogne
Le Pont-de-Briques
Nielles-lès-C.
Les Attaques
Guemps
Bonningues-lès-Calais
St-Tricat
Hames-Boucres
Le Pont-d'Ardres
Tappecul
Sombre
Hervelinghen
St-Inglevert
Wadenthun
Pihen-lès-Guînes
Guînes
Andres
Balinghem
Brêmes
Ardres
Bois-en-Ardres
Tardinghen
Le Châtelet
Framzelle
Audembert
Mont de Couple
Hauteville
Les deux Caps
Mimoyecques
Cran-aux-Oeufs
Audinghen
Warcove
Leubringhen
Landrethun-le-Nord
Caffiers
Camp du drap d'Or
Colonne Blanchard
Rodelinghem
Lostebarne
Onglevert
Bernes
Leulinghen-Bernes
Ferques
Campagne-lès-Guînes
Le Mont
Autingues
Audresselles
Raventhun
Bazinghen
Blecquenecques
Elinghen
Fiennes
Landrethun-lès-Ardres
Crézecques
Ledquent
Marquise
Hydrequent
Marbre
Locquinghen
Bouquehault
Ecottes
Ambleteuse
Beuvrequen
Bœucres
Hermelinghen
Yeuse
St-Louis
Slack
Bouquinghen
Rinxent
Hardinghen
Rety
Le Val
Conincthun
PARC NATUREL RÉGIONAL DES
Le Ventus-d'Alembon
Clerques
Pointe aux Oies
L'Epitre
Offrethun
Wierre-Effroy
Rebertingue
Mont Cornet
Le Caraquet
Alembon
Sanghen
Licques
Audenfort
Wacquinghen
Hesdres
Maninghen-Henne
Pittefaux
Boursin
Herbinghen
Hocquinghen
Wimille
Souverain-Moulin
Rupembert
Le Moulin
Houllefort
Le Wast
Mont Dauphin
Colembert
Belle-et-Houllefort
Rebergues
Bainghen
Nabringhen
Haut-Loquin
Journy
Terlincthun
Brit
Pernes-lès-B.
Conteville-lès-B.
Le Plouy
Surques
St-Martin-Boulogne
La Capelle-lès-B.
La Caucherie
Mont-Lambert
Bellebrune
Alincthun
Longueville
Henneveux
Escœuilles
Bullescamps
Fromentel
Bouvelin
Maquinghen
Ostrohove
Baincthun
La Culbute
Brunembert
A Le Portel
Outreau
Cap d'Alprech
Ningles
Équihen-Plage
St-Étienne-
Echinghen
St-Léonard
Questinghen
Pont-de-Briques
La Courcolette
Quéhen
Wirwignes
Bournonville
Crémarest
Le Cantinard
Selles
Velinghen
Choquel
Quesques
Le Verval
Coulomby
Lottinghen
Watterdal
B
6
C
D

E
F
G
H
3
DUNKERQUE
Malo-les-Bains
Rosendaël
Leffrinckoucke
Zuydcoote
Bray-Dunes
Bommelaers Wall
Ghyvelde
De Panne
St-Idesbald
Koksijde-Bad
Oostduinkerke
Plopsaland
Adinkerke
Westhoek
Oosthoek
Ten Bogaerde
De Moeren
Les Moëres
Uxem
Téteghem-Coudekerque-Village
Coudekerque-Branche
St-Pol-sur-Mer
Grde Synthe
Fort-Mardyck
Mardyck
Hameau-des-Dunes
ZONE INDUSTRIELLE PORTUAIRE
Grand-Fort-Philippe
Pit-Fort-Philippe
Les Huttes
Loon-Plage
Gravelines
Oye-Plage
St-Georges-sur-l'Aa
Craywick
Spycker
Armbouts-Cappel
Cappelle-la-Gde
Bergues
Hoymille
Warhem
Hondschoote
Bierne
Steene
Socx
Quaëdypre
West-Cappel
Rexpoëde
Killem
Oost-Cappel
Roesbrugge-Haringe
Houtem
Beauvoorde
Brouckerque
Bourbourg
St-Folquin
St-Omer-Capelle
Vieille-Église
Nouvelle-Église
Pitgam
Crochte
Bissezeele
Looberghe
Drincham
Cappelle-Brouck
Eringhem
Zegerscappel
Esquelbecq
Wormhout
Herzeele
Houtkerque
Ste-Marie-Kerque
St-Pierre-Brouck
Audruicq
Nortkerque
Ruminghem
Muncq-Nieurlet
Zutkerque
Polincove
Recques-sur-Hem
Blockhaus
Watten
Holque
Millam
Merckeghem
Bollezeele
Volckerinckhove
Wulverdinghe
Lederzeele
Broxeele
Rubrouck
Arnèke
Ledringhem
Zermezeele
Oudezeele
Winnezeele
Hardifort
Ochtezeele
Cassel
Steenvoorde
Wemaers-Cappel
Noordpeene
Zuytpeene
Bavinchove
Oxelaëre
Ste-Marie-Cappel
St-Sylvestre-Cappel
Eecke
Hondeghem
Caëstre
Staple
Ebblinghem
Wallon-Cappel
Hazebrouck
Borre
Strazeele
Pradelles
Morbecque
Renescure
Lynde
Sercus
Blaringhem
Nordausques
Tournehem-sur-la-Hem
Nort-Leulinghem
Eperlecques
Bayenghem-lès-Eperlecques
Houlle
Moulle
Serques
St-Momelin
Nieurlet
Buysscheure
Tilques
Salperwick
Clairmarais
ST-OMER
St-Martin-lez-Tatinghem
Longuenesse
Arques
Ascenseur
Blendecques
Wizernes
Hallines
La Coupole
Helfaut
Heuringhem
Racquinghem
Campagne-lès-W.
Lumbres
Esquerdes
Setques
Leulinghem
Wisques
Acquin-Westbécourt
Quelmes
Zudausques
Moringhem
Boisdinghem
Quercamps
Mentque-Nortbécourt
Elnes
Wavrans-sur-l'Aa
Affringues
Bayenghem-lès-S.
Forêt d'Eperlecques
Bois du Ham
Monts des Récollets
Forêt de Rihoult-Clairmarais

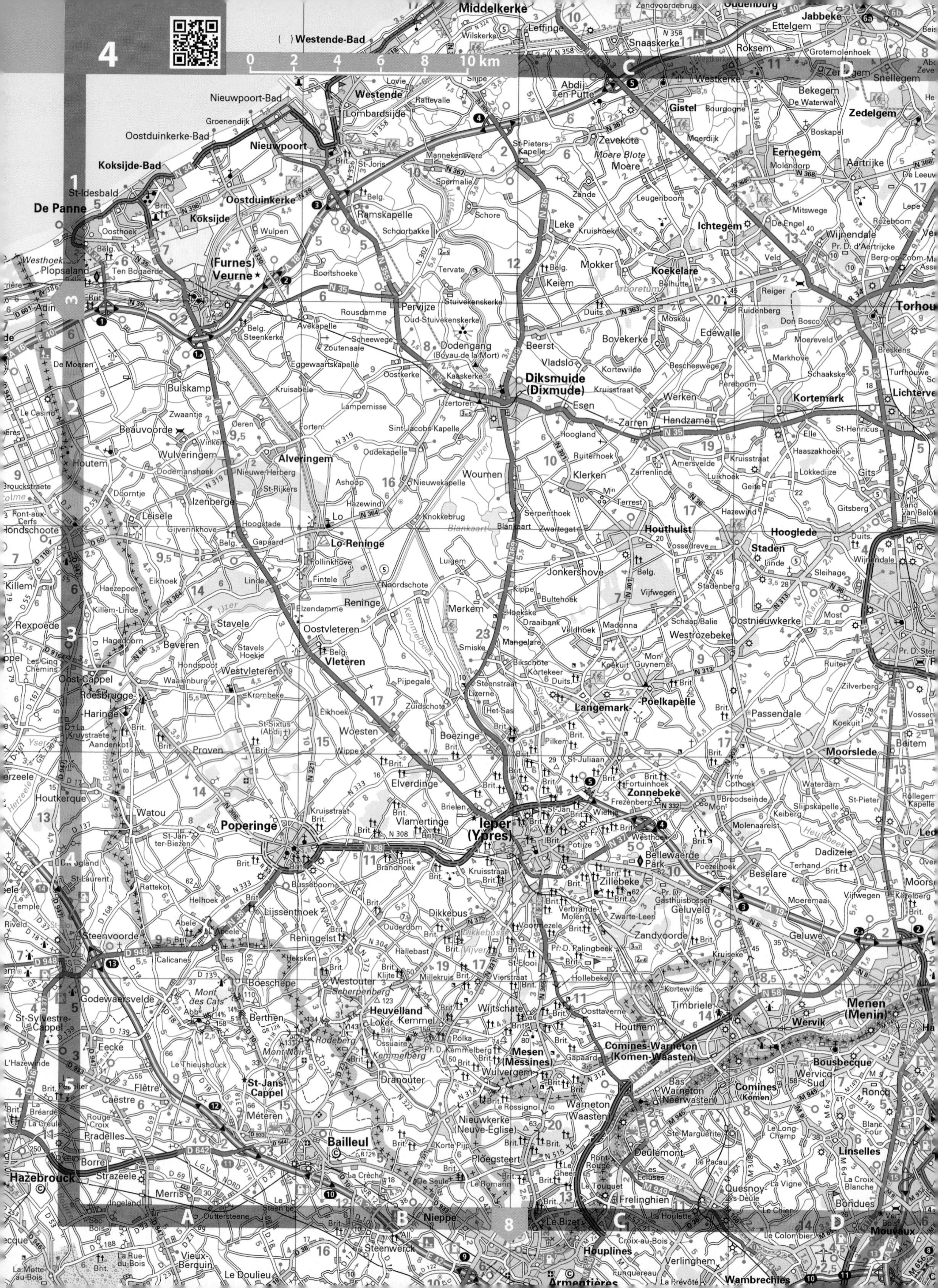

4
0 2 4 6 8 10 km
Middelkerke
Westende-Bad
Westende
Lombardsijde
Nieuwpoort-Bad
Groenendijk
Oostduinkerke-Bad
Nieuwpoort
Koksijde-Bad
St-Idesbald
De Panne
Oostduinkerke
Koksijde
Oosthoek
Wulpen
Ramskapelle
Schoorbakke
Schore
Mannekensvere
St-Joris
Spermalie
Slijpe
Leffinge
Snaaskerke
Oudenburg
Jabbeke
Ettelgem
Roksem
Grotemolenhoek
Westkerke
Abdij Ten Putte
Gistel
Bourgogne
Bekegem
De Waterwal
Zerkegem
Snellegem
Zedelgem
Moerdijk
Boskapel
Eernegem
Molendorp
Aartrijke
St-Pieters-Kapelle
Zevekote
Moere Blote
Moere
Zande
Leugenboom
Leke
Kruishoek
Ichtegem
Mitswege
De Engel
Wijnendale
Pr. D. d'Aertrijcke
Berg-op-Zoom
Veld
Rozeboom
Lepe
Mokker
Keiem
Koekelare
Belhutte
Arboretum
Reiger
Torhout
Tervate
Stuivekenskerke
Oud-Stuivekenskerke
Pervijze
Rousdamme
Booitshoeke
Westhoek
Plopsaland
Ten Bogaerde
(Furnes)
Veurne
Adinkerke
Avekapelle
Scheewege
Zoutenaaie
Steenkerke
Dodengang
(Boyau de la Mort)
Eggewaartskapelle
Oostkerke
Kaaskerke
Beerst
Vladslo
Kortewilde
Bescheewege
Edewalle
Bovekerke
Moskou
Ruidenberg
Don Bosco
Moereveld
Markhove
Schaakske
Breskens
Turfhouwe
De Moeren
Bulskamp
Kruisabele
Lampernisse
Diksmuide
(Dixmude)
Kruisstraat
Esen
Pereboom
Werken
Kortemark
Lichtervelde
Zarren
Handzame
Ijzertoren
Le Casino
Zwaantje
Beauvoorde
Oeren
Vinkem
Fortem
Sint-Jacobs-Kapelle
Hoogland
Ruiterhoek
Elle
St-Henricus
Haaszakhoek
Lokkedijze
Gits
Wulveringem
Houtem
Dodemanshoek
Nieuwe-Herberg
Alveringem
Oudekapelle
Woumen
Klerken
Zarrenlinde
Amersvelde
Luikhoek
Kruisstraat
Geite
Gitsberg
Bruckstraete
St-Rijkers
Ashoop
Nieuwekapelle
Terrest
Doorntje
Izenberge
Hazewind
Leisele
Lo
Knokkebrug
Serpenthoek
Blankaart
Zwartegat
Houthulst
Vossedreve
Hooglede
Staden
Linde
Wijnendale
Hondschoote
Gijverinkhove
Hoogstade
Gapaard
Lo-Reninge
Pollinkhove
Fintele
Luigem
Jonkershove
Sleihage
Eikhoek
Linde
Noordschote
Kippe
Bultehoek
Stadenberg
Killem
Haezepoel
Killem-Linde
Ijzer
Reninge
Elzendamme
Merkem
Hoekske
Draaibank
Vijfwegen
Schaap Balie
Oostnieuwkerke
Most
Rexpoëde
Stavele
Hagedoorn
Beveren
Oostvleteren
Kemmelbeek
Veldhoek
Madonna
Westrozebeke
Stavels Hoekje
Hondspoot
Vleteren
Smiske
Mangelare
Mont Guynemer
Les Cinq Chemins
Oost-Cappel
Roesbrugge
Haringe
Waaienburg
Westvleteren
Krombeke
Bikschote
Kortekeer
Koekuit
Poelkapelle
Ruiter
Zilverberg
La Kruystraete
Aandenkot
Pijpegale
Steenstraat
Lizerne
Het-Sas
Langemark
Passendale
Vossem
Eikhoek
Zuidschote
St-Sixtus (Abdij)
Woesten
Boezinge
Pilkem
Beitem
Proven
Wippe
St-Juliaan
Moorslede
Houtkerque
Watou
Elverdinge
Fortuinhoek
Zonnebeke
Tyne Cot
Waterdam
Frezenberg
Broodseinde
Slijpskapelle
St-Pieter
Rollegem-Kapelle
Poperinge
Kruisstraat
Vlamertinge
Brielen
Ieper
(Ypres)
Wieltje
Westhoek
Molenaarelst
Keiberg
St-Jan-ter-Biezen
Brandhoek
Potijze
Bellewaerde Park
Poezelhoek
Dadizele
Terhand
St-Laurent
Rattekot
Helhoek
Busseboom
Kruisstraat
Zillebeke
Pr. D. Gasthuisbossen
Beselare
Moeremaai
Le Temple
Lijssenthoek
Dikkebus
Verbrande Molen
Zwarte-Leen
Geluveld
Vijfwegen
Kezelberg
Steenvoorde
Abele
Ouderdom
Reningelst
Voormezele
Zandvoorde
Geluwe
Calicanes
Hallebast
Dikkebusse Vijver
Pr. D. Palingbeek
St-Elooi
Kruiseke
Heksken
Westouter
Millekruis
Vierstraat
Hollebeke
Boeschepe
Scherpenberg
Kortewilde
Godewaersvelde
Mont des Cats
Heuvelland
Loker
Kemmel
Wijtschate
Oosttaverne
Timbriele
Wervik
Menen
(Menin)
St-Sylvestre-Cappel
Berthen
Rodeberg
Mont Noir
Ossuaire
Kemmelberg
Pr. D. Kemmelberg
Polka
Houthem
Comines-Warneton
(Komen-Waasten)
Eecke
L'Hazewinde
Le Thieushouck
Dranouter
Mesen
(Messines)
Wulvergem
Gapaard
Bousbecque
Wervicq-Sud
Flêtre
Caëstre
St-Jans-Cappel
Bas Warneton
(Neerwaasten)
Comines
(Komen)
Roncq
La Bréarde
La Creule
Rouge Croix
Pradelles
Méteren
Nieuwkerke
(Neuve-Église)
Le Rossignol
Warneton
(Waasten)
Le Long Champ
Blanc Four
Bailleul
Korte Pijp
Ploegsteert
Ste-Marguerite
Deûlémont
Linselles
Hazebrouck
Borre
Strazeele
Merris
La Crèche
De Seule
Le Romarin
Pont Rouge
Le Gheer
Le Touquet
Les Écluses
Le Pacau
Quesnoy-sur-Deûle
La Vigne
La Croix Blanche
Bondues
Ingeland
Outtersteene
Steent'je
Nieppe
Le Bizet
Frelinghien
La Houlette
Le Chien
Mouvaux
Sec Bois
Vieux-Berquin
La Rue-du-Bois
La Motte-au-Bois
Le Doulieu
Steenwerck
Armentières
Houplines
Croix-au-Bois
Verlinghem
Le Colombier
Fouquereau
Wambrechies
La Prévôté

5
E
F
G
H
1
2
3
4
5
9
Eeklo
Oedelem
Kleit
Oostkamp
Beernem
Knesselare
Waarschoot
Sleidinge
Evergem
Loppem
St-Joris
Ursel
Ronsele
Zomergem
Waardamme
Hertsberge
Aalter
Bellem
Lovendegem
Wondelgem
Mariakerke
Vinderhoute
Merendree
GENT
(GAND)
Landegem
Drongen
Afsnee
Wingene
Hille
Zwevezele
Ruiselede
Lotenhulle
Poeke
Poesele
Nevele
Vosselare
St-Martens-Latem
St-Denijs-Westrem
Tielt
Pittem
Egem
Koolskamp
Kanegem
Aarsele
Vinkt
Deinze
De Pinte
Zwijnaarde
Merelbeke
Ardooie
Dentergem
Machelen
Astene
Nazareth
Eke
Melsen
(Roulers)
Roeselare
Meulebeke
Markegem
Oeselgem
Olsene
Semmerzake
Emelgem
Ingelmunster
Oostrozebeke
Wakken
Zulte
Ouwegem
Gavere
Izegem
Wielsbeke
St-Baafs-Vijve
St-Eloois-Vijve
Kruishoutem
Zingem
Lendelede
Desselgem
Waregem
Nokere
Beveren-Leie
Hulste
Bavikhove
Kuurne
(COURTRAI)
KORTRIJK
Harelbeke
Deerlijk
Vichte
Anzegem
Wortegem-Petegem
Oudenaarde
(Audenarde)
Gullegem
Heule
Bissegem
Zwevegem
Ingooigem
Tiegem
Kerkhove
Maarkedal
Schorisse
Brakel
Lauwe
Marke
Bellegem
Rollegem
Knokke
Heestert
Avelgem
Kluisbergen
Berchem
Mouscron
(Moeskroen)
Dottignies
(Dottenijs)
Luingne
Herseaux
Spiere-Helkijn
(Espierres-Helchin)
Kooigem
St-Denijs
Bossuit
Escanaffles
Orroir
Amougies
Mont-de-l'Enclus
Russeignies
(Rozenaken)
Ronse
(Renaix)
Ellezelles
(Elzele)
Flobecq
(Vloesberg)
Celles
Pottes
Warcoing
Estaimpuis
Wattrelos
Pecq
Dergneau
Anserœul
Wattripont
PARC NATUREL DU PAYS DES COLLINES
Frasnes-lez-Anvaing
ROUBAIX
Tourcoing
E 40
A 10
E 17
A 14
E 403
N 60
N 35
N 36
N 50
N 8

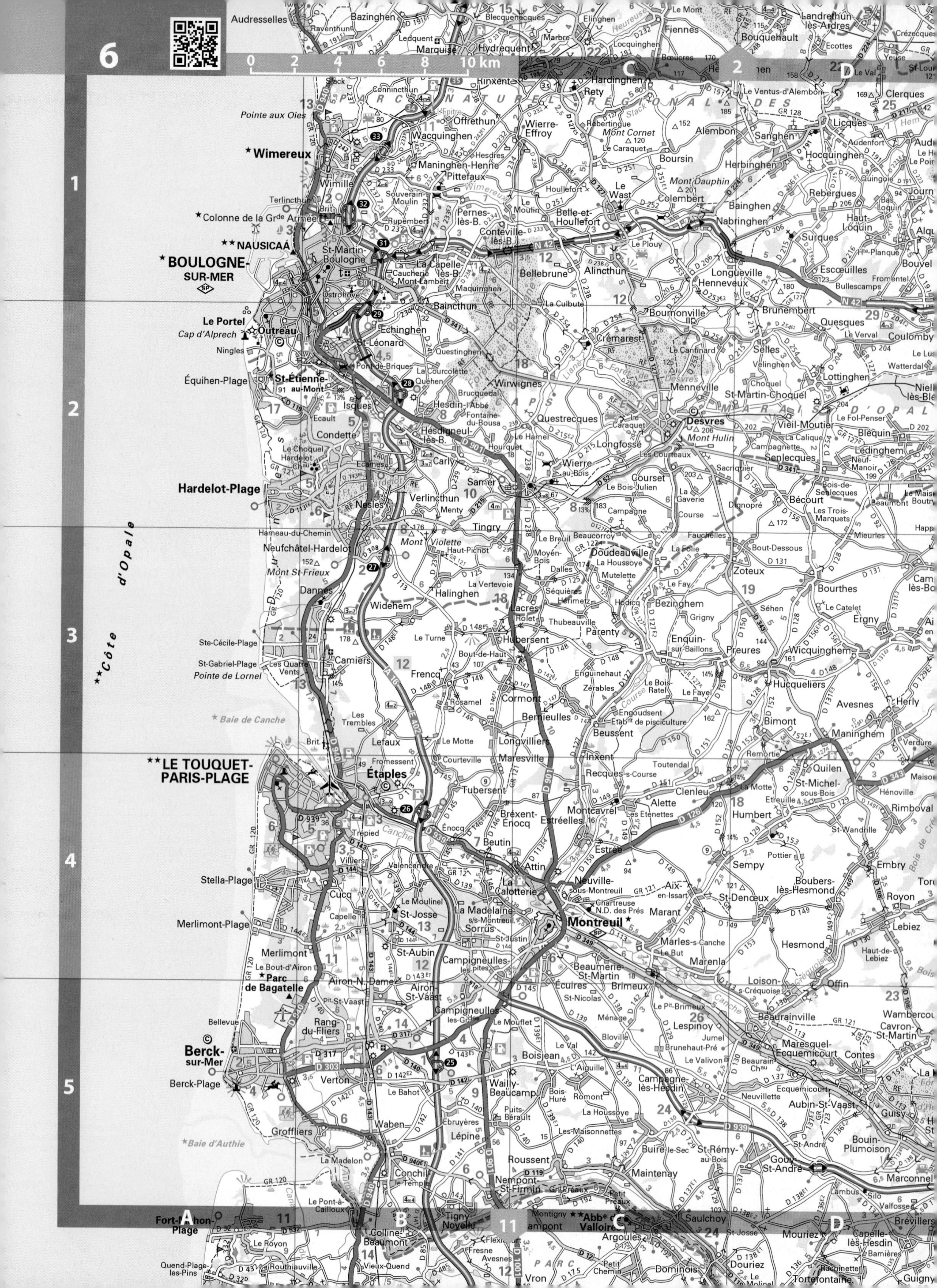

6
0 2 4 6 8 10 km
C
2
D
1
2
3
4
5
A
B
11
Audresselles
Bazinghen
Marquise
Hydrequent
Fiennes
Bouquehault
Landrethun-lès-Ardres
Hardinghen
Rety
Clerques
Licques
Pointe aux Oies
Wimereux
Offrethun
Wacquinghen
Wierre-Effroy
Mont Cornet
Alembon
Sanghen
Hocquinghen
Maninghen-Henne
Pittefaux
Boursin
Herbinghen
Wimille
Mont Dauphin
Colembert
Rebergues
Colonne de la Grde Armée
Belle-et-Houllefort
Le Wast
Nabringhen
Bainghen
Haut-Loquin
NAUSICAÁ
St-Martin-Boulogne
Conteville-lès-B.
Surques
BOULOGNE-SUR-MER
La Capelle-lès-B.
Bellebrune
Alincthun
Longueville
Henneveux
Escœuilles
Baincthun
Bournonville
Brunembert
Le Portel
Cap d'Alprech
Outreau
Echinghen
St-Léonard
Crémarest
Quesques
Colembert
Équihen-Plage
St-Étienne-au-Mont
Wirwignes
Menneville
Selles
Lottinghen
Isques
St-Martin-Choquel
Condette
Hesdigneul-lès-B.
Questrecques
Desvres
Mont Hulin
Vieil-Moutier
Longfossé
Wierre-au-Bois
Senlecques
Bléquin
Hardelot-Plage
Carly
Samer
Courset
Verlincthun
Nesles
Bécourt
Tingry
Neufchâtel-Hardelot
Mont Violette
Doudeauville
Mont St-Frieux
Dannes
Halinghen
Zoteux
Bourthes
Widehem
Lacres
Bezinghem
Ergny
Côte d'Opale
Ste-Cécile-Plage
St-Gabriel-Plage
Pointe de Lornel
Camiers
Hubersent
Parenty
Enquin-sur-Baillons
Preures
Wicquinghem
Frencq
Cormont
Hucqueliers
Baie de Canche
Bernieulles
Avesnes
Herly
Beussent
Bimont
Maninghem
Lefaux
Longvilliers
LE TOUQUET-PARIS-PLAGE
Étaples
Maresville
Inxent
Recques-s-Course
Quilen
St-Michel-sous-Bois
Tubersent
Clenleu
Alette
Humbert
Rimboval
Bréxent-Énocq
Montcavrel
Estréelles
Beutin
Estrée
Sempy
Embry
Attin
Neuville-sous-Montreuil
Aix-en-Issart
Stella-Plage
Cucq
La Calotterie
St-Denœux
Boubers-lès-Hesmond
Royon
St-Josse
La Madelaine s/s-Montreuil
Montreuil
Marant
Merlimont-Plage
Sorrus
Lebiez
St-Aubin
Marles-s-Canche
Hesmond
Merlimont
Campigneulles-les-Ptes
Marenla
Parc de Bagatelle
Airon-N.-Dame
Airon-St-Vaast
Beaumerie-St-Martin
Écuires
Brimeux
Loison-s-Créquoise
Offin
Rang-du-Fliers
Campigneulles-les-Gdes
Beaurainville
Berck-sur-Mer
Verton
Boisjean
Lespinoy
Maresquel-Ecquemicourt
Contes
Berck-Plage
Wailly-Beaucamp
Campagne-lès-Hesdin
Aubin-St-Vaast
Guisy
Groffliers
Waben
Lépine
Baie d'Authie
Buire-le-Sec
St-Rémy-au-Bois
Bouin-Plumoison
Roussent
Conchil-le-Temple
Maintenay
Gouy-St-André
Nempont-St-Firmin
Marconnelle
Fort-Mahon-Plage
Tigny-Noyelle
Abbe de Valloires
Saulchoy
Brévillers
Colline-Beaumont
Argoules
Mouriez
Capelle-lès-Hesdin
Quend-Plage-les-Pins
Vron
Dominois
Douriez
Tortefontaine

7
3
E
F
G
H
12
13
8
Blockhaus
Wulverdinghe
Lederzeele
Broxeele
Ochtezeele
Zermezeele
Bois du Ham
Nordausques
Tournehem
Bayenghem-lès-Eperlecques
Houlle
Moulle
Serques
St-Momelin
Nieurlet
Buysscheure
Noordpeene
Zuytpeene
Wemaers-Cappel
Monts des Récollets
Godewaersvelde
Nort-Leulinghem
Mentque-Nortbécourt
Tilques
Salperwick
Clairmarais
Forêt de Rihoult-Clairmarais
Bavinchove
Oxelaëre
Ste-Marie-Cappel
St-Sylvestre-Cappel
Eecke
Moringhem
St-Martin-lez-Tatinghem
ST-OMER
Hondeghem
Caëstre
Flêtre
Quercamps
Boisdinghem
Zudausques
Acquin-Westbécourt
Longuenesse
Arques
Ascenseur
Staple
Ebblinghem
Pradelles
Borre
Strazeele
Hazebrouck
Leulinghem
Wisques
Blendecques
Campagne-lès-W.
Renescure
Wallon-Cappel
Lynde
Sercus
Lumbres
Setques
Wizernes
Hallines
La Coupole
Esquerdes
Wardrecques
Racquinghem
Blaringhem
Morbecque
Bayenghem-lès-S.
Affringues
Elnes
Wavrans-sur-l'Aa
Pihem
Helfaut
Heuringhem
Steenbecque
Remilly-Wirquin
Cléty
Inghem
Ecques
Quiestède
Roquetoire
Wittes
Boëseghem
Thiennes
Forêt de Nieppe
Wismes
St-Augustin
Haverskerque
Merville
Ouve-Wirquin
Dohem
Avroult
Thérouanne
Aire-s-la-Lys
Mametz
Blessy
Isbergues
St-Venant
St-Floris
Thiembronne
Merck-St-Liévin
Delettes
Witternesse
Lambres
Guarbecque
St-Martin-d'Hardinghem
Fauquembergues
Coyecques
Enguinegatte
Liettres
Quernes
Rombly
Mazinghem
Robecq
Renty
Audincthun
Erny-St-Julien
Enquin-les-Mines
Estrée-Blanche
Linghem
Norrent-Fontes
Ham-en-Artois
Busnes
Mont-Bernanchon
Dennebrœucq
Reclinghem
Bomy
Fléchin
Ligny-lès-Aire
Rely
St-Hilaire-Cottes
Lillers
Gonnehem
Mencas
Vincly
Beaumetz-lès-Aire
Febvin-Palfart
Lespesses
Lières
Ecquedecques
Oblinghem
Matringhem
Radinghem
Senlis
Laires
Westrehem
Auchy-au-Bois
Ames
Amettes
Burbure
Allouagne
Chocques
Annezin
Coupelle-Vieille
Hézecques
Lugy
Nédon
Ferfay
Lozinghem
Labeuvrière
Lapugnoy
Fouquereuil
Fruges
Lisbourg
Fontaine-lès-Hermans
Nédonchel
Auchel
Marles-les-Mines
Gosnay
Vaudricourt
Verchin
Prédefin
Fontaine-lès-Boulans
Fiefs
Bailleul-lès-Pernes
Cauchy-à-la-Tour
Calonne-Ricouart
Coupelle-Neuve
Ruisseauville
Heuchin
Sachin
Pernes
Floringhem
Camblain-Châtelain
Bruay-la-Buissière
Avondance
Canlers
Crépy
Equirre
Boyaval
Pressy
Marest
Divion
Azincourt
Ambricourt
Bergueneuse
Tangry
Bours
Ourton
Houdain
Planques
Tramecourt
Teneur
Tilly-Capelle
Eps
Donjon
Beugin
Maisnil-lès-R.
Ruitz
Barlin
Maisoncelle
Erin
Anvin
Monchy-Cayeux
Hestrus
Valhuon
Diéval
La Comté
Rebreuve-Ranchicourt
Olhain
Béalencourt
Blangy-sur-Ternoise
Fleury
Conteville-en-Ternois
Huclier
Bajus
Hermin
Wamin
Blingel
Humerœuille
Bermicourt
Wavrans-sur-Ternoise
Hernicourt
Brias
La Thieuloye
Gauchin-Légal
Fresnicourt-le-Dolmen
Auchy-lès-Hesdin
Rollancourt
Eclimeux
Pierremont
Troisvaux
Ostreville
Monchy-Breton
Caucourt
Frévillers
Incourt
Croix-en-Ternois
Gauchin-Verloingt
Rocourt-St-Laurent
Marquay
Magnicourt-en-Comte
Béthonsart
Cambligneul
Grigny
Le Parcq
Neulette
Humières
Siracourt
St-Pol-s-Ternoise
St-Michel-s-T.
Chelers
Villers-Brûlin
Villers-Châtel
Hesdin
Marconne
Ste-Austreberthe
Vieil-Hesdin
Fresnoy
Noyelles-lès-Humières
Beauvois
Ramecourt
Herlin-le-Sec
Roëllecourt
Tincques
Mingoval
Savy-Berlette
Agnières
St-Georges
Œuf-en-Ternois
Croisette
Foufflin-Ricametz
Ligny-St-Flochel
Willeman
Wail
Guinecourt
Héricourt
Hautecloque
Maisnil
Ternas
Averdoingt
Berles-Monchel
Aubigny-en-Artois
Le Quesnoy-en-Artois
Linzeux
Framecourt
Neuville-au-Cornet
Buneville
Gouy-en-Ternois
Maizières
Tilloy-lès-Hermaville
Hermaville
Vacqueriette-Erquières
Galametz
Blangermont
Flers
Penin
Izel-

8
0 2 4 6 8 10 km
4
13
A
B
C
D
1
2
3
4
5
Lijssenthoek
Dikkebus
Reningelst
Ouderdom
Hallebast
Dikkebus Vijver
Voormezele
Geluveld
Zwarte-Leen
Zandvoorde
Geluwe
Hollebeke
Pr. D. Palingbeek
Westouter
Scherpenberg
Boeschepe
Godewaersvelde
Mont des Cats
Abbé
Berthen
St-Sylvestre-Cappel
Heuvelland
Loker
Kemmel
Rodeberg
Mont Noir
Kemmelberg
Ossuaire
Wijtschate
Oosttaverne
Kortewilde
Timbriele
Houthem
Menen (Menin)
Wervik
Comines-Warneton (Komen-Waasten)
Mesen (Messines)
Wulvergem
Polka
Pr. D. Kemmelberg
Gapaard
Bousbecque
Wervicq-Sud
Ronck
Comines (Komen)
Bas Warneton (Neerwaasten)
Warneton (Waasten)
Le Rossignol
Dranouter
Eecke
L'Hazewinde
Le Thieushouck
Flêtre
St-Jans-Cappel
Caëstre
Méteren
Rouge Croix
Pradelles
Bailleul
Nieuwkerke (Neuve-Église)
Korte Pijp
Ploegsteert
Le Romarin
De Seule
Le Gheer
Le Touquet
Pont Rouge
Deûlémont
Ste-Marguerite
Le Long-Champ
Blanc Four
Linselles
Le Pacau
Les Écluses
Quesnoy-s-Deûle
La Vigne
La Croix Blanche
Bondues
Frelinghien
La Houlette
Le Chien
Borre
Hazebrouck
Strazeele
Merris
Le Steen'tje
La Crèche
Nieppe
Le Bizet
Houplines
Croix-au-Bois
Verlinghem
Le Colombier
Mouvaux
Sec-Bois
Outtersteene
Steenwerck
Vieux-Berquin
Le Doulieu
Croix-du-Bac
Erquinghem-Lys
Armentières
La Chapelle-d'Armentières
Funquereau
La Prévôté
Wambrechies
Marquette-lez-Lille
Marcq-en-B.
La Motte-au-Bois
La Caudescure
Le Préavin
Le Parc
Forêt de Nieppe
Neuf-Berquin
Bac-St-Maur
Sailly-s-la-Lys
Fleurbaix
Wez Macquart
Prémesques
Pérenchies
Lompret
St-André-lez-Lille
La Madeleine
Haverskerque
Merville
Le Sart
Estaires
La Gorgue
Nouveau Monde
Bois-Grenier
Capinghem
Lomme
Lambersart
Citadelle
Mons-en-Barœul
St-Floris
Lestrem
Laventie
Pétillon
Ennetières-en-Weppes
La Boutillerie
Escobecques
Radinghem-en-W.
Englos
Sequedin
LILLE (RIJSEL)
Hellemmes-Lille
Calonne-sur-la-Lys
Les Amuzoires
Paradis
La Fosse
Pont Riqueul
Fauquissart
Fromelles
Aubers
Le Maisnil
Erquinghem-le-Sec
Hallennes-lez-H.
Loos
Ronchin
Lezennes
Robecq
Pacault
Riez-du-Vinage
Vieille-Chapelle
Silo Rouge-Croix
La Joirie
Beaucamps-Ligny
Fournes-en-W.
Santes
Haubourdin
Wattignies
Lesquin
Mont-Bernanchon
Le Cornet-Malo
La Couture
Richebourg
Neuve-Chapelle
Herlies
Grand Riez
Emmerin
Noyelles-lès-S.
Faches-Thumesnil
Templemars
Vendeville
Gonnehem
Hinges
Locon
Le Touret
Mémorial Indien
Lorgies
Illies
Ligny-le-Gd
Wicres
Marquillies
Wavrin
La Fontaine
Ancoisne
Houplin-Ancoisne
Lille-Lesquin
Busnettes
Chocques
Oblinghem
Le Hamel
Festubert
Gravelin
Sainghin-en-Weppes
Hocron
Gondecourt
Seclin
Ennetières
Vendin-lès-B.
Essars
Gorre
Givenchy-lès-la-B.
Violaines
La Bassée
Salomé
Hantay
Don
Herrin
Chemy
Allennes-les-Marais
Avelin
Annezin
Béthune
Fouquières
Le Quesnoy
Cuinchy
Cambrin
Beuvry
Annœullin
Bauvin
Carnin
Wattiessart
Forêt de Phalempin
Phalempin
Attiches
Pont-à-Marcq
Fouquereuil
Gosnay
Vaudricourt
Verquigneul
Auchy-les-Mines
Douvrin
Billy-Berclau
Provin
Camphin-en-Carembault
Tourmignies
Verquin
Sailly-Labourse
Annequin
Haisnes
Wingles
Meurchin
Libercourt
La Neuville
Hesdigneul-lès-B.
Drouvin-le-Marais
Labourse
Noyelles-lès-V.
Vermelles
Hulluch
Carvin
Wahagnies
Mons-en-Pévèle
Bruay-la-Buissière
Houchin
Haillicourt
Nœux-les-Mines
Mazingarbe
Bénifontaine
Le Rutoire
Pont-à-Vendin
Thumeries
Ruitz
Maisnil-lès-R.
Hersin-Coupigny
Barlin
Grenay
Loos-en-Gohelle
Vendin-le-Vieil
Annay
Estevelles
Oignies
Ostricourt
Bouvincourt
Sains-en-G.
Terrils Jumeaux
Harnes
Courrières
Évin-Malmaison
Moncheaux
Olhain
Bracquencourt
Bully-les-Mines
Lens
Loison-s/s-Lens
Montigny-en-Gohelle
Dourges
Leforest
Raimbeaucourt
Bouvigny-Boyeffles
Calonne
Liévin
Le Louvre
Noyelles-s/s-Lens
Fouquières-lès-L.
Roost-Warendin
Gauchin-Légal
Fresnicourt-le-Dolmen
Servins
Aix-Noulette
Angres
Éleu dit Leauwette
Sallaumines
Billy-Montigny
Hénin-Beaumont
Noyelles-Godault
Courcelles-lès-L.
Auby
Colline de N.-D. de Lorette
Souchez
Avion
Méricourt
Lauwin-Planque
Caucourt
Estrée-Cauchy
Gouy-Servins
Maisnil-Bouché
Les Quatre Vents
Cambligneul
Ablain-St-Nazaire
La Haie
Carency
Givenchy-en-Gohelle
Mémorial canadien
Rouvroy
Drocourt
Bois-Bernard
Esquerchin
Flers-en-Escrebieux
Dorignies
Waziers
Béthonsart
Camblain-l'Abbé
Villers-Châtel
Mingoval
Villers-au-Bois
Neuville-St-Vaast
Vimy
Acheville
Arleux-en-Gohelle
Fresnoy-en-Gohelle
Izel-lès-Équerchin
Quiéry-la-Motte
Cuincy
DOUAI
Lambres-lez-Douai
Savy-Berlette
Agnières
Capelle-Fermont
Mont-St-Éloi
Farbus
Willerval
Neuvireuil
Berles-Monchel
Aubigny-en-Artois
Acq
Écoivres
Frévin-Capelle
Tilloy-lès-Hermaville
Haute-Avesnes
Hermaville
Marœuil
Bray
Écurie
Roclincourt
Bailleul-Sir-Berthoult
Thélus
Mauville
Fresnes-lès-Montauban
Vitry-en-Artois
Brebières
Corbehem
Courchelettes
Férin
Gavrelle
Scarpe
AUTOROUTE DU NORD
L.G.V. NORD
Canal de la Deûle
Lys
Lawe
Loisne
Souchez
Clarence
Bois des Dames

9
E
F
G
H
5
14
Zwevegem
Otegem
Tiegem
Kerkhove
Ingooigem
St-Lodewijk
Kaster
Elsegem
Melden
Leupegem
Rotelenberg
Kwadestraat
Berchem
Nukerke
Kluisbergen
Waarmaarde
Heestert
Knokke
Kreupel
Marionetten
St-Anna
Aalbeke
Bellegem
Rollegem
Lauwe
Dronkaard
Mouscron
(Moeskroen)
Moen
Avelgem
Rugge
Ruien
Kwaremont
Outrijve
Kluisberg
Mont-de-l'Enclus
Amougies
Escanaffles
Orroir
Dries
St-Denijs
Kooigem
Bossuit
Dottignies
(Dottenijs)
Luingne
Herseaux
Spiere-Helkijn
(Espierres-Helchin)
Pottes
Celles
Mont-de-l'Enclus
Russeignies
(Rozenaken)
Ronse
(Renaix)
Wattripont
Anserœul
Dergneau
Ellezelles
(Elzele)
Flobecq
(Vloesberg)
Wodecq
Estaimpuis
Evregnies
Warcoing
Wattrelos
Leers-Nord
Pecq
St-Léger
Herinnes
Cavrinnes
Butor
Molenbais
Archimont
Arc
Ainières
St-Sauveur
PARC NATUREL DU PAYS DES COLLINES
ROUBAIX
Lys-lez-L.
Leers
Estaimbourg
Bailleul
Obigies
Mont St-Aubert
Col de la Croix Jubaru
Le Grd Châtelet
Cordes
Anvaing
Ellignies-lez-Frasnes
Frasnes-lez-Anvaing
Buissenal
Œudeghien
Lannoy
Nechin
Toufflers
Hem
Templeuve
Ramegnies-Chin
Fourcroix
Kain
Bizencourt
Velaines
Popuelles
Mourcourt
Melles
Montrœul-au-Bois
Hacquegnies
Houtaing
Moustier
Mainvault
Bouvignies
Sailly-lez-L.
Forest-s-Marque
Willems
Blandain
Rumillies
Thimougies
Beclers
Havinnes
Maulde
Grandmetz
Chapelle-à-Wattines
Ligne
Tressin
Chéreng
Baisieux
Froyennes
Orcq
Warchin
Gaurain-Ramecroix
Gallaix
Moulbaix
Marquain
TOURNAI
(DOORNIK)
Froidmont
Vaulx
La Louvière
Barry
Pipaix
Leuze-en-Hainaut
Chapelle-à-Oie
Blicquy
Ormeignies
Sainghin-en-M.
Gruson
Camphin-en-Pévèle
Esplechin
Ère
St-Maur
Calonne
Antoing
Vezon
Tourpes
Aubechies
Huissignies
Bouvines
Cysoing
Wannehain
Willemeau
Fontenoy
Wasmes-Audemez
Baugnies
Willaupuis
Ellignies-Ste-Anne
Péronne-en-M.
Bourghelles
Rumes
Taintignies
Bruyelle
Péronnes
Braffe
Thumaide
Belœil
Louvil
Cobrieux
Bachy
Guignies
Wez-Velvain
Maubray
Brasmenil
Bury
Ramegnies
Genech
Jollain-Merlin
Hollain
Callenelle
Roucourt
Wadelincourt
Basècles
Quevaucamps
Stambruges
Templeuve
La Glanerie
Lesdain
Brunehaut
Laplaigne
Péruwelz
Blaton
Grandglise
Mouchin
Howardries
Rongy
Bléharies
Mortagne-du-Nord
Wiers
Bon-Secours
Harchies
Cappelle-en-Pévèle
Nomain
Aix-en-Pévèle
Maulde
Flines-lès-Mortagne
Hergnies
Bernissart
Pommerœul
Orchies
Rumegies
Chau-l'Abbaye
Thun-St-Amand
Lecelles
Nivelle
Landas
Saméon
Beuvry-la-Forêt
Vieux-Condé
Hergnies
Brillle-St-Amand
Odomez
Condé-s-l'Escaut
St-Aybert
Coutiches
Rosult
St-Amand-les-Eaux
Thivencelle
Montrœul-sur-Haine
Flines-lez-Raches
Bouvignies
Sars-et-Rosières
Brillon
Bousignies
Millonfosse
Fresnes-sur-Escaut
Hensies
Thulin
Marchiennes
Tilloy-lez-M.
Hasnon
Escautpont
Crespin
Warlaing
Bruay-sur-l'Escaut
Vicq
Quiévrain
Elouges
Anhiers
Vred
Wandignies-Hamage
Raismes
Beuvrages
Onnaing
Quiévrechain
Lallaing
Rieulay
Fenain
Wallers
Fosse
Anzin
St-Saulve
Rombies-et-Marchipont
Audregnies
Pecquencourt
Bellaing
Aubry-du-H.
Hérin
VALENCIENNES
Angre
Brillle-lez-M.
Hornaing
Haveluy
Oisy
Marly
Angreau
Somain
Erre
Hélesmes
La Sentinelle
Estreux
Sebourg
Escaudain
Denain
Saultain
Curgies
Roisin
Abscon
Aniche
Auberchicourt
Rouvignies
Trith-St-Léger
Aulnoy-lez-V.
Jenlain
Eth
Bry

0 2 4 6 8 10 km
A
B
C
D
1
2
3
4
5
Côte Picarde
Côte d'Albâtre
Ault
Le Bois-de-Cise
Mers-les-Bains
Le Tréport
Calvaire des Terrasses
Eu
Mesnil-Val
Criel-Plage
Flocques
Étalondes
Mont Jolibois
Criel-sur-Mer
Mesnil-en-Caux
Tocqueville-s-Eu
Touffreville-s-Eu
St-Rémy-Boscrocourt
Assigny
Biville-s-Mer
Penly
St-Martin-Plage
Berneval-s-Mer
Berneval-le-Grand
Belleville-sur-Mer
Bracquemont
N.-D. Bon-Secours
DIEPPE
Puys
Petit-Caux
St-Martin-en-Campagne
Brunville
Guilmécourt
Greny
Auquemesnil
Derchigny
Glicourt
Intraville
Gouchaupre
Neuville-lès-D.
Grèges
Pourville-s-Mer
Varengeville-s-Mer
Phare d'Ailly
Vasterival
Ste-Marguerite-s-Mer
Quiberville-Plage
Quiberville
Manoir d'Ango
Hautot-s-Mer
Rouxmesnil-Bouteilles
Martin-Église
Ancourt
Bellengreville
Envermeu
St-Ouen-s/s-Bailly
Bailly-en-Rivière
Avesnes-en-Val
Sept-Meules
Cuverville-sur-Yères
St-Martin-le-Gaillard
Longueil
Offranville
Arques-la-Bataille
St-Nicolas-d'Aliermont
Les Ifs
Fresnoy-Folny
20

11
E
6
F
G
H
Baie d'Authie
Baie de Somme
Parc ornithologique du Marquenterre
PARC NATUREL RÉGIONAL BAIE DE SOMME PICARDIE MARITIME
FORÊT DE CRÉCY
Groffliers
Lépine
Roussent
Maintenay
Buire-le-Sec
St-Rémy-au-Bois
Gouy-St-André
Fort-Mahon-Plage
Conchil-le-Temple
Nempont-St-Firmin
Tigny-Noyelle
Nampont
Abbe de Valloires
Argoules
Saulchoy
Mouriez
Capelle-lès-Hesdin
Brévillers
Colline-Beaumont
Quend-Plage-les-Pins
Rue
Le Crotoy
St-Valery-s-Somme
Cap Hornu
Quend
Villers-s-Authie
Vercourt
Vron
Dominois
Douriez
Tortefontaine
Guigny
Regnauville
Ponches-Estruval
Dompierre-sur-Authie
Raye-s-Authie
Labroye
Caumont
Ligescourt
Regnière-Ecluse
Vironchaux
Machiel
Rossignol
Tollent
Le Boisle
Bernay-en-Ponthieu
Arry
Machy
Crécy-en-Ponthieu
Estrées-lès-Crécy
Moulin Edouard III
Boufflers
Gueschart
Forest-Montiers
Croix de Bohême
Fontaine-s-Maye
Froyelles
Neuilly-le-Dien
Favières
Nouvion
Brailly-Cornehotte
Ponthoile
Forest-l'Abbaye
Lamotte-Buleux
Domvast
Noyelles-en-Chaussée
Hiermont
Maison-Ponthieu
Canchy
Gapennes
Yvrencheux
Yvrench
Noyelles-s-Mer
Sailly-Flibeaucourt
Le Titre
Hautvillers-Ouville
Neuilly-l'Hôpital
Agenvillers
Brighton
Maison de l'Oiseau
Lanchères
Pendé
Estréboeuf
Boismont
Port-le-Grd
Buigny-St-Maclou
Millencourt-en-Ponthieu
Oneux
Coulonvillers
Domlege
Brutelles
Arrest
Saigneville
Mons-Boubert
Cahon
Gd-Laviers
Drucat
St-Riquier
Caours
Neufmoulin
Abbeville
Maison-Roland
Woignarue
Vaudricourt
St-Blimont
Ochancourt
Quesnoy-le-Montant
Cambron
Vauchelles-les-Quesnoy
Buigny-l'Abbé
Bussus-Bussuel
Yaucourt-Bussus
Gorenflos
Bourseville
Allenay
Tully
Friville-Escarbotin
Nibas
Franleu
Miannay
Monts de Caubert
Bagatelle
Bellancourt
Ergnies
Valines
Moyenneville
Yonval
Mareuil-Caubert
Epagne-Epagnette
Eaucourt-s-Somme
Francières
Ailly-le-Ht-Clocher
Fressenneville
Woincourt
Acheux-en-Vimeu
Tœufles
Béhen
Huchenneville
Erondelle
Pont-Rémy
Cocquerel
Villers-s-Ailly
Yzengremer
Feuquières-en-Vimeu
Chépy
Tours-en-Vimeu
Ercourt
Bray-lès-Mareuil
Liercourt
Long
Mouflers
Bouchon
Dargnies
Aigneville
Bouvaincourt-s-Bresle
Grébault-Mesnil
Bailleul
Fontaine-s-Somme
L'Etoile
Embreville
Beauchamps
Buigny-lès-Gamaches
Maisnières
Vismes-au-Val
Huppy
Limeux
Sorel-en-Vimeu
Longpré-les-Corps-Saints
Flixecourt
Frettemeule
Martainneville
Doudelainville
Frucourt
St-Maxent
Gamaches
Longroy
Tilloy-Floriville
Cerisy-Buleux
Vaux-Marquenneville
Citerne
Hallencourt
Bettencourt-Rivière
Hangest-s-Somme
Biencourt
Neuville-au-Bois
Forceville-en-Vimeu
Mérélessart
Airaines
Bouillancourt-en-Séry
Le Translay
Ramburelles
Wiry-au-Mont
Allery
Soues
Millebosc
Bazinval
Framicourt
Oisemont
Woirel
Fontaine-le-Sec
Métigny
Monchaux-Soreng
Villeroy
Cannessières
Vergies
Laleu
Quesnoy-sur-Airaines
Rieux
Bouttencourt
Blangy-s-Bresle
Rambures
Neslette
Mouflières
Frettecuisse
Aumâtre
Heucourt-Croquoison
Tailly
Warlus
Riencourt
Foucaucourt-Hors-Nesle
Épaumesnil
Étréjust
Avelesges
Montagne-Fayel
Nesle-Normandeuse
Nesle-l'Hôpital
Lignières-en-Vimeu
Fresnoy-Andainville
St-Maulvis
Belloy-St-Léonard
Méricourt-en-Vimeu
Oissy
Bermesnil
Avesnes-Chaussoy
Dancourt
St-Riquier-en-Rivière
Senarpont
Andainville
Fresneville
Aumont
Hallivillers
Camps-en-Amienois
Molliens-Dreuil
Preuseville
Inval-Boiron
Le Mazis
Dromesnil
21
12

12
0 2 4 6 8 10 km
Lebiez
Sains-lès-Fressin
L'Epaule
Azincourt
Planques
Ambricourt
Tramecourt
Teneur
Bergueneuse
Boyaval
Tangry
Eps
Tilly-Capelle
Maisoncelle
Anvin
Monchy-Cayeux
Erin
Donjon
Valhuon
Beaurainville
Wambercourt
Cavron-St-Martin
Le Nouveau Monde
Le Fond-de-Barle
Monts
Béalencourt
Blangy-sur-Ternoise
Fleury
Conteville-en-Ternois
Huclier
Lespinoy
Maresquel-Ecquemicourt
Contes
Wamin
Blingel
Humerœuille
Bermicourt
Wavrans-sur-Ternoise
Hernicourt
Brias
La Loge
Forêt d'Hesdin
Auchy-lès-Hesdin
Rollancourt
Eclimeux
Pierremont
Troisvaux
Ostreville
Aubin-St-Vaast
Guisy
Huby-St-Leu
Grigny
Incourt
Croix-en-Ternois
Gauchin-Verloingt
Campagne-lès-Hesdin
Neuvillette
Hesdin
Le Parcq
Neulette
Humières
Siracourt
St-Pol-s-Ternoise
St-Rémy-au-Bois
Bouin-Plumoison
Gouy-St-André
Marconnelle
Marconne
Ste-Austreberthe
Vieil-Hesdin
Fresnoy
Noyelles-lès-Humières
Œuf-en-Ternois
Beauvois
Ramecourt
Roëllecourt
Herlin-le-Sec
Ligny-St-Flochel
Foufflin-Ricametz
St-Georges
Willeman
Croisette
Wignacourt
Brévillers
Mouriez
Capelle-lès-Hesdin
Le Quesnoy-en-Artois
Wail
Guinecourt
Héricourt
Herlincourt
Ternas
Maisnil
Dominois
Douriez
Tortefontaine
Guigny
Galametz
Linzeux
Hautecloque
Framecourt
Neuville-au-Cornet
Buneville
Vacqueriette-Erquières
Fillièvres
Blangerval-Blangermont
Flers
Ecoivres
Monts-en-Ternois
Regnauville
Chériennes
Fontaine-l'Etalon
Aubrometz
Monchel-s-Canche
Nuncq-Hautecôte
Moncheaux-lès-Frévent
Ponches-Estruval
Dompierre-sur-Authie
Raye-s-Authie
Forêt de Labroye
Quœux-Haut-Maînil
Conchy-s-Canche
Sibiville
Houvin-Houvigneul
Ligescourt
Caumont
Haravesnes
Boubers-s-Canche
Ligny-s-Canche
Séricourt
Berlencourt-le-Cauroy
Labroye
Tollent
Rougefay
Frévent
Canettemont
Le Boisle
Vaulx
Vacquerie-le-Boucq
Rebreuve-s-Canche
Gennes-Ivergny
Bouret-s-Canche
Estrée-Wamin
Crécy-en-Ponthieu
Estrées-lès-Crécy
Boufflers
Le Ponchel
Buire-au-Bois
Fortel-en-Artois
Rebreuviette
Moulin Edouard III
Croix de Bohême
Gueschart
Vitz-sur-Authie
Boffles
Bonnières
Fontaine-s-Maye
Froyelles
Neuilly-le-Dien
Willencourt
Nœux-lès-Auxi
Ivergny
Le Souich
Brailly-Cornehotte
Auxi-le-Château
Villers-l'Hôpital
Canteleux
Beauvoir-Wavans
Brévillers
Maison-Ponthieu
Neuvillette
Bouquemaison
Domvast
Noyelles-en-Chaussée
Hiermont
Bealcourt
Remaisnil
Barly
Lucheux
Canchy
Gapennes
Bernâtre
Maizicourt
Frohen-s-Authie
Grouches-Luchuel
Neuilly-l'Hôpital
Yvrencheux
Yvrench
Montigny-les-Jongleurs
St-Acheul
Mézerolles
Outrebois
Agenvillers
Conteville
Heuzecourt
Occoches
Agenville
Le Meillard
Hem-Hardinval
Domléger-Longvillers
Boisbergues
Millencourt-en-Ponthieu
Cramont
Prouville
Doullens
Authieule
Halloy
Oneux
Coulonvillers
Autheux
Gézaincourt
Amplier
St-Riquier
Bernaville
Caours
Neufmoulin
Maison-Roland
Mesnil-Domqueur
Beaumetz
Abbeville
Vauchelles-les-Quesnoy
Ribeaucourt
Domesmont
Longuevillette
Fienvillers
Buigny-l'Abbé
Domqueur
Gorges
Beauval
Bussus-Bussuel
Yaucourt-Bussus
Fransu
Epécamps
Lanches-St-Hilaire
Candas
Gorenflos
Bellancourt
Franqueville
Fieffes-Montrelet
Terramesnil
Bagatelle
Berneuil
Beauquesne
Epagne-Epagnette
Ailly-le-Ht-Clocher
Ergnies
Brucamps
Bonneville
Eaucourt-s-Somme
Francières
Domart-en-Ponthieu
Fieffes
Pont-Remy
Surcamps
Erondelle
Villers-s-Ailly
Pernois
Canaples
La Vicogne
Raincheval
Cocquerel
Vauchelles-lès-Domart
St-Léger-lès-Domart
Puchevillers
Liercourt
Long
Mouflers
Halloy-lès-P.
Cité souterraine de Naours
Bouchon
Berteaucourt-les-Dames
Fontaine-s-Somme
L'Etoile
St-Ouen
Havernas
Wargnies
Naours
Sorel-en-Vimeu
Longpré-les-Corps-Saints
Bettencourt-St-Ouen
Ville-le-Marclet
Vignacourt
Talmas
Rubempré
Flixecourt
Condé-Folie
Pierregot
Mirvaux
Wanel
Bettencourt-Rivière
Flesselles
Hallencourt
Bourdon
Montonvillers
Villers-Bocage
Hangest-s-Somme
Yzeux
Crouy-St-Pierre
St-Vaast-en-Chaussée
Bertangles
Molliens-au-Bois
Wiry-au-Mont
Mérélessart
Rainneville
Belloy
Montigny-s-l'Hallue
A
B
C
D
1
2
3
4
5
7
8
11
22

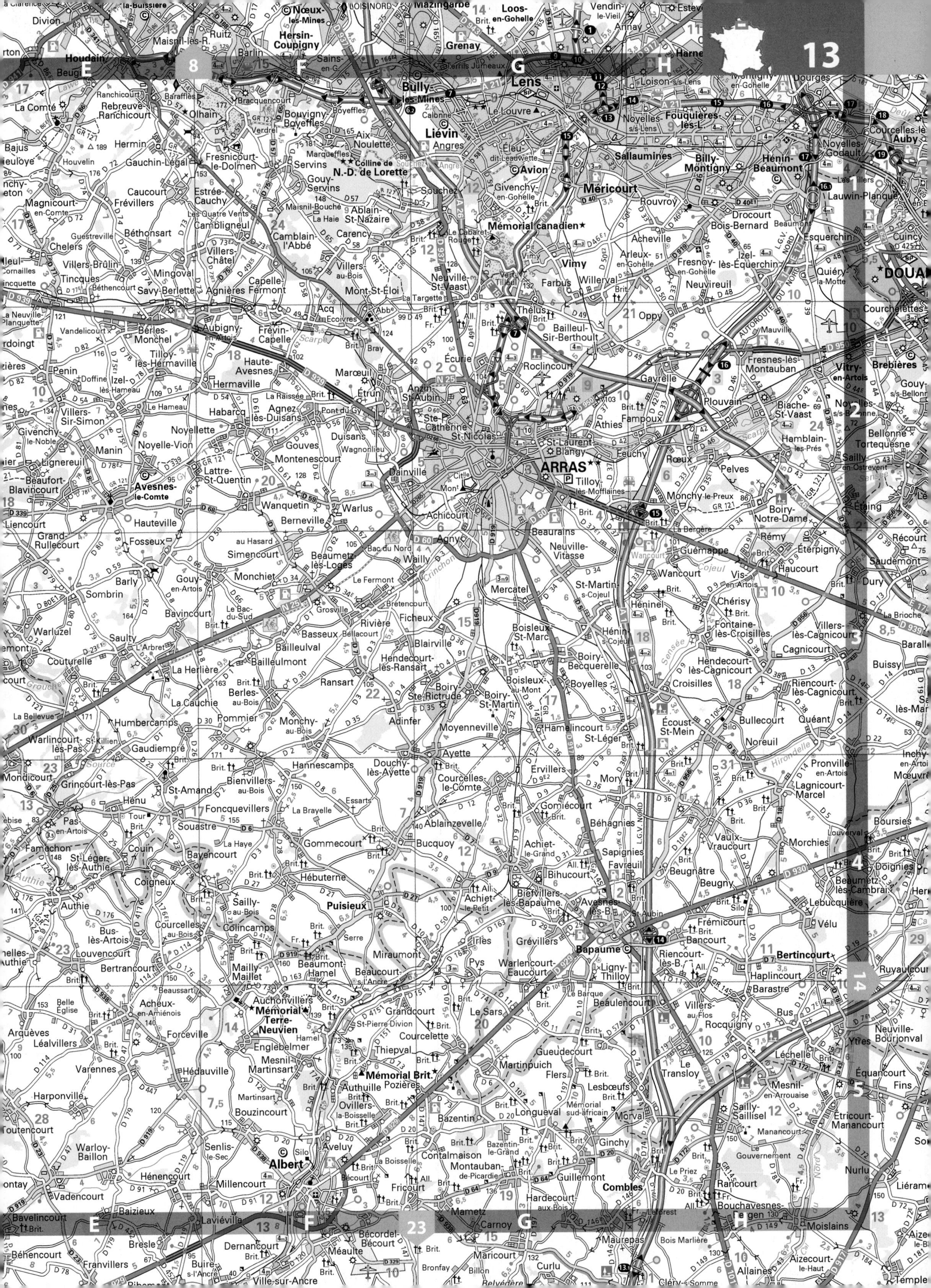

13
ARRAS
Lens
Liévin
Avion
Méricourt
Bully-les-Mines
Hénin-Beaumont
Sallaumines
Billy-Montigny
Fouquières-lès-L.
Vimy
Mémorial canadien
Colline de N.-D. de Lorette
Avesnes-le-Comte
Bapaume
Albert
Puisieux
Bertincourt
Combles
Mémorial Terre-Neuvien
Mémorial Brit.
Vitry-en-Artois
Brebières
DOUAI
Houdain
Grenay
Hersin-Coupigny

14
0 2 4 6 8 10 km
DOUAI
CAMBRAI
Denain
Anzin
Raismes
St-Amand-les-Eaux
Flines-lez-Raches
Marchiennes
Waziers
Sin-le-Noble
Auby
Lallaing
Somain
Fenain
Abscon
Aniche
Auberchicourt
Centre Minier
Lourches
Escaudain
Haveluy
Hérin
Douchy-les-Mines
Bouchain
Iwuy
Arleux
Vitry-en-Artois
Brebières
Avesnes-les-Aubert
Caudry
Solesmes
Le Cateau-Cambrésis
Beauvois-en-Cambrésis
Marcoing
Le Catelet
Bohain-en-Vermandois
Bertincourt
Proville
Neuville-St-Rémy
Escaudœuvres
Masnières
Trith-St-Léger
Vicoigne
Millonfosse
Wallers
Bruay-sur-l'Escaut
PARC NATUREL RÉGIONAL SCARPE-ESCAUT
Forêt de Raismes
A B C D
9 13 24

15
MONS (BERGEN)
Jemappes
St-Ghislain
Boussu
Quaregnon
Le Grand-Hornu
Hornu
Flénu
Cuesmes
Condé-s-l'Escaut
Hensies
Thulin
Colfontaine
Frameries
Pâturages
Wasmes
Dour
Crespin
Quiévrain
Elouges
Quiévrechain
Binche
Estinnes-au-Val
Estinnes-au-Mont
Villers-St-Ghislain
Harmignies
Spiennes
Nouvelles
Asquillies
Noirchain
Genly
Bougnies
Quévy
Givry
Havay
Quévy-le-Petit
Quévy-le-Grand
Blaregnies
Eugies
Sars-la-Bruyère
Erquennes
Blaugies
Athis
Wihéries
Montignies-sur-Roc
Audregnies
Angre
Onnezies
(Honnelles)
Autreppe
Fayt-le-Franc
Angreau
Sebourg
Estreux
Saultain
Curgies
Gussignies
Bellignies
Hon-Hergies
Houdain-lez-B.
Taisnières-s-Hon
Bavay
Jenlain
Préseau
Wargnies-le-Gd
St-Waast
Maresches
Bermeries
Gommegnies
Amfroipret
Frasnoy
Villers-Pol
Orsinval
Le Quesnoy
Potelle
Villereau
Jolimetz
Ghissignies
Louvignies-Quesnoy
Salesches
Poix-du-Nord
Englefontaine
Locquignol
Raucourt-au-Bois
Hecq
Vendegies-au-Bois
Robersart
Bousies
Preux-au-Bois
Croix-Caluyau
Fontaine-au-Bois
Landrecies
Maroilles
FORÊT DE MORMAL
PARC NATUREL RÉGIONAL DE L'AVESNOIS
Parc Naturel des Hauts Pays
Berlaimont
Aulnoye-Aymeries
Sassegnies
Leval
Monceau-St-Waast
Noyelles-s-Sambre
Pont-sur-Sambre
Boussières-sur-S.
Vieux-Mesnil
Hargnies
Neuf-Mesnil
Obies
Mecquignies
Audignies
La Longueville
Feignies
Malplaquet
Fort de Leveau
Maubeuge
Louvroil
Hautmont
Ferrière-la-Gde
Ferrière-la-Pte
Assevent
Boussois
Recquignies
Rousies
Marpent
Jeumont
Élesmes
Mairieux
Bersillies
Bettignies
Villers-Sire-Nicole
Vieux-Reng
Grd-Reng
Erquelinnes
Solre-sur-Sambre
Merbes-le-Château
Colleret
Cerfontaine
Quiévelon
Aibes
Obrechies
Choisies
Bérelles
Damousies
Beaufort
St-Remy-du-Nord
Limont-Fontaine
Eclaibes
Écuélin
Wattignies-la-Victoire
Dimechaux
Solrinnes
Dimont
Lez-Fontaine
Solre-le-Château
Beaurieux
Clairfayts
Sars-Poteries
Beugnies
Dourlers
St-Remy-Chaussée
St-Aubin
Semousies
Flaumont-Waudrechies
Felleries
Dompierre-s-Helpe
Taisnières-en-Thiérache
St-Hilaire-s-Helpe
Avesnes-sur-Helpe
Avesnelles
Bas-Lieu
Liessies
Willies
Sémeries
Ramousies
Sains-du-Nord
Marbaix
Grand-Fayt
Petit-Fayt
Le Favril
Haut-Lieu
Cartignies
Boulogne-sur-Helpe
Prisches
La Groise
Catillon-sur-Sambre
Ors
Mazinghien
Fesmy-le-Sart
Ribeauville
Rejet-de-Beaulieu
Wassigny
Oisy
Boué
Beaurepaire-sur-Sambre
Barzy-en-Thiérache
Fontenelle
Floyon
Étrœungt
Larouilles
Rocquigny
Wignehies
Fourmies
Glageon
Ohain
Trélon
Féron
Rainsars
Papleux
La Flamengrie
Le Nouvion-en-Thiérache
Forêt du Nouvion
Étreux
Vénérolles
Hannapes
La Neuville
Esquéhéries
La Capelle
Clairfontaine
Sommeron
Buironfosse
Dorengt
Mondrepuis
Anor
Saint-Michel

0
2
4
6
8
10 km
C
D
Charleroi
Jumet
Souvret
Piéton
Farciennes
Moignelée
Tamines
Sambreville
Aldegonde
Fontaine-l'Évêque
Leval-Trahegnies
Ressaix
Damprémy
Châtelineau
Pont-de-Loup
Roselies
Falisolle
Aisemont
Binche
Waudrez
Épinois
Anderlues
Leernes
Marchienne-au-Pont
Marcinelle
Le Bois du Cazier
Aiseau-Presles
Châtelet
Presles
Le Roux
Vitrival
Bonne-Espérance
Buvrinnes
Landelies
Montigny-le-Tilleul
Couillet
Loverval
Bouffioulx
Haulchin
Fauroeulx
Vellereille-les-Brayeux
Mont-Ste-Geneviève
Abbe d'Aulne
Sart-Eustache
Peissant
Merbes-Ste-Marie
Bienne-lez-Happart
Lobbes
Jamioulx
Joncret
Acoz
Villers-Poterie
Gougnies
Gerpinnes
Sars-la-Buissière
Gozée
Nalinnes
Biesme
Thuin
Merbes-le-Château
Erquelinnes
Fontaine-Valmont
Labuissière
Biercée
Marbaix
Ham-sur-Heure
Tarcienne
Hanzinne
Hanzinelle
Mettet
Oret
Solre-sur-Sambre
Jeumont
Hantes-Wihéries
Leers-et-Fosteau
Thuillies
Cour-sur-Heure
Gourdinne
Somzée
Thy-le-Château
Thy-le-Bauduin
Montignies-St-Christophe
Donstiennes
Berzée
Ossogne
Pry
Laneffe
Morialmé
Stave
Strée
Viscourt
Rognée
Chastrès
Fraire
Florennes
Bousignies-sur-Roc
Bersillies-l'Abbaye
Colleret
Thirimont
Clermont
Fontenelle
Walcourt
St-Aubin
Corenne
Cousolre
Beaumont
Castillon
Yves-Gomezée
Vogenée
Hemptinne
Leval-Chaudeville
Boussu-lez-Walcourt
Silenrieux
Daussois
Chaumont
Jamagne
Leugnies
Barbençon
Erpion
Eau d'Heure
Jamiolle
Philippeville
Bérelles
Solre-St-Géry
Vergnies
Bges de l'Eau d'Heure
Vodecée
Villers-le-Gambon
Hestrud
Grandrieu
Eccles
Renlies
Soumoy
Villers-Deux-Églises
Samart
Franchimont
Bge de la Plate Taille
Cerfontaine
Senzeille
Neuville
Merlemont
Sivry-Rance
Beaurieux
Sautin
Fourbechies
Sautour
Sart-en-Fagne
Froidchapelle
Villers-en-Fagne
Romedenne
Rance
Roly
Montbliart
Eppe-Sauvage
Champ Colin
St-Hubert
Matagne-la-Grande
Fagnolle
Treignes
Willies
Moustier-en-Fagne
Lambercies
Mariembourg
Dourbes
Frasnes
Nismes
Viroinval
Vierves-sur-Viroin
Olloy-sur-Viroin
Bailièvre
Robechies
Grottes de Neptune
Trélon
Wallers-en-Fagne
Baives
Aublain
Couvin
Lompret
Dailly
Petigny
Virelles
Salles
St-Remy
Pesche
Chimay
Macon
Villers-la-Tour
Gonrieux
Momignies
Monceau-Imbrechies
Baileux
Presgaux
Oignies-en-Thiérache
Forges
Bourlers
Seloignes
Brûly-de-Pesche
Couvin
Bois de Chimay
Scourmont
Macquenoise
Brûly
Cul-des-Sarts
Gué-d'Hossus
Revin
Anor
Fourmies
A
B
C
D
26
1
2
3
4
5
15

Floreffe
Malonne
Wépion
Dave
Naninne
Ohey
Faulx-les-Tombes
Gesves
Sart-Bernard
Trî d'Avillon
Havelange
Sart-St-Laurent
Fosses-la-Ville
Bois-de-Villers
Roche de Tailfer
Lustin
Maillen
Assesse
Rochers de Frênes
Profondeville
Florée
Schaltin
Miécret
Jeneffe
Lesve
Rivière
Mont
Crupet
Hamois
Porcheresse
Barvaux-Condroz
St-Gérard
Domaine d'Annevoie-Rouillon
Godinne
Durnal
Natoye
Emptinne
Achet
Mohiville
Annevoie-Rouillon
Yvoir
Evrehailles
Spontin
Braibant
Denée
Warnant
Anhée
Dorinne
Purnode
Ciney
Sovet
Maredsous
Sosoye
Ch^au de Montaigle
Houx
Ch^au de Crèvecœur
Bouvignes-s-Meuse
Lisogne
Thynes
Achêne
Leignon
Pessoux
Nettinne
Sinsin
Falaën
Sommière
Weillen
DINANT
Sorinnes
Foy-N.-D.
Leffe
Serville
Flavion
Gerin
Anthée
Onhaye
Anseremme
La Merveilleuse
Conneux
Haversin
Hogne
Morville
Hastière-Lavaux
Freÿr
Dréhance
Furfooz
Celles
Chevetogne
Domaine provincial de Chevetogne
Serinchamps
Buissonville
Grottes du Pont d'Arcole
Walzin
Aiguilles de Chaleux
Vêves
Custinne
Rochers de Freÿr
Falmignoul
Falmagne
Mont-Gauthier
Humain
Hastière-par-delà
Waulsort
Hulsonniaux
Houyet
Hermeton-s-Meuse
Blaimont
Gochenée
Soulme
Surice
Mesnil-St-Blaise
Ciergnon
Rochefort
Heer-Agimont
Vodelée
Heer
Mesnil-Église
Hour
Havenne
Villers-s-Lesse
Jemelle
Agimont
Feschaux
Finnevaux
Wiesme
Wanlin
Éprave
Grotte de Lorette
Doische
Fort de Charlemont
Givet
Baronville
Focant
Lessive
Han-s-Lesse
Grotte de Han
Gimnée
Foisches
Fromelennes
Gozin
Martouzin-Neuville
Wavreille
Vaucelles
Rancennes
Dion
Beauraing
Lavaux-Ste-Anne
Ave-et-Auffe
Hierges
Ham-s-Meuse
Charnois
Chooz
Winenne
Pondrôme
Resteigne
Tellin
Aubrives
Wancennes
Wellin
Landrichamps
Lomprez
Chanly
Vireux-Wallerand
Vireux-Molhain
Felenne
Honnay
Sohier
Halma
Vonêche
Froidfontaine
Montigny-sur-Meuse
Bois de St-Remacle
Daverdisse
Bois de Mohimont
Fépin
Hargnies
Bourseigne-Neuve
Bourseigne-Vieille
Vencimont
Malvoisin
Smuid
Euro Space Center
Roc de Fépin
Sart-Custinne
Patignies
Haut-Fays
Redu
Transinne
Haybes
Rienne
Gembes
Fumay
Willerzie
Gedinne
Porcheresse
Villance
Maissin
Libin
Louette-St-Pierre
Louette-St-Denis
Gedinne-Station
Graide
Anloy
Bièvre
Croix Scaille
Opont
Houdremont
Graide-Station
Mont Tranet
E
F
G
H
27

0 2 4 6 8 10 km
A
B
C
D
1
2
3
4
5
34
Côte d'Albâtre
Fécamp
Criquebeuf-en-Caux
Yport
Vaucottes-s-Mer
Vattetot-s-Mer
Aiguille de Belval
Valleuse du Cure
Falaise d'Amont
Étretat
Falaise d'Aval
La Manneporte
Bénouville
Froberville
Les Aygues
Bordeaux-St-Clair
Les Loges
Gerville
Cap d'Antifer
La Place
Le Tilleul
Le Mont-Roti
Jumel
La Poterie-Cap-d'Antifer
Ste-Marie-au-Bosc
Pierrefiques
Fongueusemare
Beaurepaire
Sausseuzemare-en-Caux
Bruneval
Port pétrolier du Havre-Antifer
Cuverville
Les Groseilliers
Villainville
Écrainville
Plage de Bruneval
Beaumesnil
Gonneville-la-Mallet
St-Jouin-Bruneval
Goderville
La Mare-Goubert
Criquetot-l'Esneval
Le Grand Hameau
Anglesqueville-l'Esneval
Heuqueville
Vergetot
La Forge
Turretot
Le Coudray
St-Sauveur-d'Émalleville
Buglise
St-Martin-du-Bec
Écuquetot
Le Bec
Cauville-sur-Mer
Mannevillette
N.-D.-du-Bec
Hermeville
Goustimesnil
Rimbertot
Angerville-l'Orcher
Virville
Rolleville
Graimbouville
Ecqueville
Café Blanc
St-Supplix
St-Barthélemy
Fontenay
Manéglise
Étainhus
Octeville-sur-Mer
Épouville
Sainneville
St-Andrieux
Dondeneville
Montivilliers
La Cour Souveraine
Edreville
Fontaine-la-Mallet
St-Laurent-de-Brèvedent
Canyon Park
Épretot
Le Grand Hameau
La Demi-Lieue
St-Martin-du-Manoir
Le Frescot
Ignauval
Cap de la Hève
Ste-Adresse
Sanvic
Graville
Harfleur
Gournay
Gainneville
La Queue du Gril
St-Aubin-Routot
Gonfreville-l'Orcher
Rogerville
Oudalle
St-Vincent-Cramesnil
Sandouville

19
E
F
G
H
1
2
3
4
5
20
35
Côte d'Albâtre
Phare d'Ailly
Ste-Marguerite-s-Mer
Quiberville-Plage
Quiberville
St-Aubin-s-Mer
Sotteville-s-Mer
St-Valery-en-Caux
Veules-les-Roses
Falaise d'Aval
Falaise d'Amont
St-Léger
Veulettes-s-Mer
Conteville
Le Tot
Bertheauville
St-Sylvain
Manneville-ès-Plains
Blosseville
La Chapelle-s-Dun
Le Bourg-Dun
St-Denis-d'Aclon
Avremesnil
Luneray
St-Pierre-le-Vx
La Gaillarde
Septimanville
La Grde Rue
Les Ptes Dalles
Les Grdes Dalles
St-Pierre-en-Port
Auberville-la-Manuel
Malleville-les-Grès
Janville
Paluel
Vittefleur
St-Riquier-ès-Plains
Ingouville
Gueutteville-les-Grès
Cailleville
Pleine-Sève
Angiens
Silleron
St-Martin-aux-Buneaux
Vinnemerville
Butot-Vénesville
Néville
Le Mesnil-Durdent
Houdetot
St-Pierre-le-Viger
Fontaine-le-Dun
Gruchet-St-Siméon
Greuville
Écretteville-s-Mer
Életot
Sassetot-le-Mauconduit
Criquetot-le-Mauconduit
Canouville
Clasville
Cany-Barville
Crasville-la-Mallet
Ste-Colombe
Ermenouville
Crasville-la-Rocquefort
Senneville-s-Fécamp
Ancretteville-s-Mer
Ouainville
Ocqueville
Sasseville
Drosay
Anglesquevillela-Bras-Long
Bourville
Tonneville
Brametot
Autigny
Vénestanville
Rainfreville
Ypreville
Daubeuf
Theuville-aux-Maillots
Hocqueville
Touffrainville
Émondeville
Flamanvillette
Héberville
Tocqueville-en-Caux
Ste-Hélène-Bondeville
Angerville-la-Martel
Bertreville
Barville
Ruville
Bosville
Ouville
Hautot-l'Auvray
Fultot
Canville-les-Deux-Églises
Bretteville-St-Laurent
Sassetot-le-Malgardé
Gonnetot
Biville-la-Rivière
St-Laurent-en-Caux
Saâne-St-Just
Lestanville
St-Benoist
St-Ouen
Hâbleville
Alventot
Miquetot
Thérouldeville
Bertheauville
Mautheville
Grainville-la-Teinturière
St-Vaast-Dieppedalle
Gonzeville
Reuville
Bénesville
Colleville
Toussaint
Valmont
Gerponville
Veauville-lès-Quelles
Limanville
Le Fresnay
Boucourt
Auzouville-s-Saâne
Ganzeville
Contremoulins
Gauquetot
Ourville-en-Caux
Le Beaudrouard
Auffay
Routes
Étalleville
Prétot-Vicquemare
Le Mesnil
Le Mesnil-Rury
Thiédeville
L'Orval
Bois-Mare
Riville
Le Hanouard
Robertot
Doudeville
Saltot
Thiergeville
Thiétreville
Beuzeville-la-Guérard
Oherville
Sommesnil
Carville-Pot-de-Fer
Boudeville
Mesnil-Adde
Le Haut-Berger
La Roussie
Sorquainville
La Foye
Jin d'Art et d'Essai
Cleuville
Harcanville
Bosc-Malterre
Le Torp-Mesnil
Lindebeuf
Bec-de-Mortagne
Daubeuf-Serville
Ypreville-Biville
Thiouville
St-Riquier
Petit Vauville
Quiévremont
Amfreville-les-Champs
Berville-en-Caux
L'Abbaye
Mont-de-Bourg
Étaulague
Le Chau Roux
Mentheville
Limpiville
Vilmesnil
Normanville
Ancourteville-s-Héricourt
Héricourt-en-Caux
Anvéville
Yvecrique
Ouville-l'Abbaye
Le Ménillet
Vibeuf
La Fontelaye
Annouville-Vilmesnil
La Porte Verte
Joyeux
Manour
Bailleul
Bénarville
Tocqueville-les-Murs
Ste-Marguerite-s-Fauville
La Chaussée
Clipon ville
Bois-Gribout
Hautot-St-Sulpice
Étoutteville
Criquetot-s-Ouville
La Vatine
La Bourgogne
Beautot
Gruchet
Varvannes
Bourdainville
Grainville-Ymauville
Angerville-Bailleul
Bennetot
Masson
Grémonville
Les Mottes
Grossœuvre
Yerville
St-Maclou-la-Brière
Trémauville
Rucquemare
Rocquefort
Le Tot
Veauville-lès-Baons
Cotte-Cotte
Beaumont
Le Mesnil Bignon
Gonfreville-Caillot
Bielleville
Hattenville
Fauville-en-Caux
(Terres-de-Caux)
Bourville
St-Pierre-Lavis
Environville
Hautot-le-Vatois
Autretot
(Hauts-de-Caux)
Valléville
Le Veraval
Alvimbuc
Callebourg
St-Martin-aux-Arbres
Ectot-l'Auber
Fréttemeule
Bréauté
Vattetot-s/s-Beaumont
Yébleron
Auberbosc
Hameau-Joyeux
Ricarville
Bermonville
Bosc-Renault
Baons-le-Comte
Ectot-lès-Baons
Ste-Marie-des-Champs
Flamanville
Motteville
Auzouville-l'Esneval
Saussay
Calleville
Bernières
Auzouville-Auberbosc
Le Beau Soleil
Écretteville-lès-Baons
Fay
Yvetot
Mirville
Cléville
Foucart
La Foulerie
Valliquerville
École d'Agric.
St-Étienne-le-Vx
Runetot
Gideville
Limésy
Houquetot
Rouville
Bolleville
Raffetot
Guillerville
Alvimare
Écalles-Alix
Mézerville
Beuzeville-la-Grenier
Nointot
Le Gouiet
Chêne
Allouville-Bellefosse
Auzebosc
St-Clair-s-les-Monts
La Grde Rue
Croix-Mare
Brunville
Mesnil-Panneville
Langru
Becquigny
Hardouville
Parc-d'Anxtot
Lanquetot
La Vallée
Les Marcottières
Alliquerville
Le Cheval-Blanc
Le Bouillot
Bois-Himont
La Chaussée
Le Neubourg
Mont-de-l'If
(St-Martin-de-l'If)
Fréville
St-Antoine
Bolbec
St-Jean-de-la-Neuville
Beuzevillette
Trouville
Le Boscabosc
Le Bec-de-Croc
Flamare
Bourg-Naudin
Touffreville-la-Corbeline
La Folletière
Panneville
Lintot
St-Aubin-de-Crétot
Louvetot
Gruchet-le-Valasse
Grand-Camp
St-Gilles-de-Crétot
Abbe du Valasse
La Trinité-du-Mont
Le Bouillon
St-Nicolas-de-la-Haie
Maulévrier-Ste-Gertrude
Les Héberts
Rançon
Betteville
Carville-la-Folletière
Blacqueville
Bellintot
Trois-Pierres
St-Eustache-la-Forêt
Mélamare
La Mare-Héberge
St-Antoine-la-Forêt
Le Becquet
Auberville-la-Campagne
Les Communes
(Rives-en-Seine)
Le Ht Pas
Rue-de-Bourville
Barentin
Anquetierville
Caudebec-en-Caux
St-Wandrille-Rançon
Gefol
Épinay-s-Duclair
Villers-Écalles
Les Forges
Le Nd Monde
St-Jean-de-Folleville
La Frénaye
Beau-Fils
La Porte Blanche
Lillebonne
Les Quatre-Chemins
Touffreville-la-Cable
Barre-y-va
Pont de Brotonne
Caudebecquet
St-Paër
Bouville
Le Quesnoy
L'Orvasson
Le Paulu
Roumare
St-Nicolas-de-la-Taille
Radicâtel
Le Pré Mançais
L'Abbaye
Villequier
St-Nicolas-de-Bliquetuit
L'Angle
Bard d'Ectot
Le Calibourg
Ste-Marguerite-
Candos
N.-D.-de-
Le Mesnil

0 2 4 6 8 10 km
Criel-sur-Mer
Tocqueville-s-Eu
Biville-s-Mer
Penly
St-Martin-Plage
Berneval-s-Mer
Berneval-le-Grand
Belleville-sur-Mer
Bracquemont
N.-D. Bon-Secours
DIEPPE
Puys
Pourville-s-Mer
Phare d'Ailly
Vasterival
Ste-Marguerite-s-Mer
Quiberville-Plage
Varengeville-s-Mer
Neuville-lès-D.
Manoir d'Ango
Hautot-s-Mer
Rouxmesnil-Bouteilles
Martin-Église
Bellengreville
Envermeu
Longueil
Offranville
Arques-la-Bataille
St-Nicolas-d'Aliermont
St-Aubin-s-Scie
Martigny
Le Bourg-Dun
Ouville-la-Rivière
Ambrumesnil
Sauqueville
Miromesnil
Tourville-s-Arques
Dampierre-St-Nicolas
Douvrend
Luneray
Gueures
Avremesnil
Colmesnil-Manneville
Le Bois-Robert
St-Germain-d'Étables
St-Jacques-d'Aliermont
N.-D.-d'Aliermont
Wanchy-Capval
Londinières
Auppegard
Thil-Manneville
Aubermesnil-Beaumais
Manéhouville
Anneville-s-Scie
La Chapelle-du-Bourgay
Meulers
Freulleville
Ste-Agathe-d'Aliermont
Gruchet-St-Siméon
Hermanville
Crosville-s-Scie
La Chaussée
Brachy
Greuville
Bertreville-St-Ouen
Dénestanville
Torcy-le-Petit
St-Vaast-d'Équiqueville
Croixdalle
Lammerville
Lintot-les-Bois
Omonville
Ste-Foy
Torcy-le-Grd
Ricarville-du-Val
Osmoy-St-Valery
Bailleul-Neuville
Vénestanville
Rainfreville
Longueville-s-Scie
St-Honoré
Les Grdes-Ventes
Bacqueville-en-Caux
St-Crespin
Bures-en-Bray
Baillolet
Biville-la-Rivière
Royville
Belmesnil
Criquetot-s-Longueville
Les Cent-Acres
Muchedent
Mesnil-Follemprise
Lamberville
Sassetot
St-Ouen-le-Mauger
Saâne-St-Just
Lestanville
St-Mards
Le Catelier
Mesnières-en-Bray
Auzouville-s-Saâne
St-Pierre-Bénouville
Beauval-en-Caux
Gonneville-s-Scie
Cropus
Ardouval
Fresles
Heugleville-s-Scie
N.-D.-du-Parc
St-Hellier
Pommeréval
St-Martin-l'Hortier
Cressy
Bully
Quièvrecourt
Biville-la-Baignarde
Auffay
Sévis
Bellencombre
Ventes-St-Rémy
Esclavelles
Imbleville
Belleville-en-Caux
Calleville-les-Deux-Églises
St-Denis-s-Scie
Le Bosmelet
Bazomesnil
Rosay
Val-de-Saâne
Vibeuf
Vassonville
Montreuil-en-Caux
La Crique
Maucomble
Massy
Tôtes
St-Maclou-de-Folleville
St-Victor-l'Abbaye
Yerville
Bourdainville
Bertrimont
Bracquetuit
Beaumont-le-Hareng
St-Saëns
Bosc-Mesnil
Bradiancourt
Ancretiéville-St-Victor
Varneville-Bretteville
Fresnay-le-Long
Étaimpuis
Grigneuseville
Neufbosc
Gueutteville
Beautot
La Houssaye-Béranger
Cottévrard
Bosc-Bérenger
St-Martin-Osmonville
Montérolier
Sommery
Auzouville-l'Esneval
Saussay
Hugleville-en-Caux
Grugny
Frichemesnil
Authieux-Ratiéville
Mathonville
Émanville
Limésy
Butot
Le Bocasse
Critot
Rocquemont
Esteville
Yquebeuf
Ste-Austreberthe
Sierville
Parc Zoo
Clères
Claville-Motteville
Estouteville-Écalles
Buchy
Goupillières
Anceaumeville
St-Germain-s-Cailly
Cailly
Bosc-Roger-s-Buchy
Fresquiennes
Mont-Cauvaire
Vieux-Manoir
Pavilly
Montville
Fontaine-le-Bourg
La Rue-St-Pierre
Ste-Croix-s-Buchy
Bois-Héroult
Barentin
Eslettes
Bosc-Guérard-St-Adrien
St-André-s-Cailly
Longuerue
Bois-Guilbert
Villers-Écalles
Malaunay
Quincampoix
St-Germain-des-Essourts
Héronchelles
Le Houlme
Houppeville
Morgny-la-Pommeraye
Boissay
Roumare
Bouville

Beauchamps
Gamaches
Blangy-s-Bresle
Oisemont
Airaines
Aumale
Poix-de-Picardie
Grandvilliers
Formerie
Forges-les-Eaux
Marseille-en-Beauvaisis
Gerberoy
Songeons
Hornoy-le-Bourg
Senarpont
Neuville-Coppegueule
Foucarmont
Villers-s/s-Foucarmont
Vatierville
Auvilliers
Mortemer
Haudricourt
Abancourt
Romescamps
Sarcus
Feuquières
Blargies
Gaillefontaine
Serqueux
Longmesnil
Saumont-la-Poterie
Mésangueville
Hodeng-Hodenger
Beuvreuil
Héricourt-sur-Thérain
Escames
Thieuloy-St-Antoine
Crillon
Forêt de Bray
Haute Forêt d'Eu
Basse Forêt d'Eu
Bois de Brétizel
Bois de l'Epinay
Forêt de Malmifait
A 28
A 29
E 402
E 44
D 1015
D 1029
D 936
D 901
D 919
D 920
D 930
E
F
G
H
11
37
1
2
3
4
5
22

0 2 4 6 8 10 km
A
B
C
D
1
2
3
4
5
12
21
38
AMIENS
Picquigny
Samara
Ailly-s-Somme
Corbie
Villers-Bretonneux
Longueau
Boves
Poix-de-Picardie
Ailly-sur-Noye
Breteuil
Talmas
Rubempré
Villers-Bocage
Montonvillers
Bertangles
Rainneville
St-Gratien
Querrieu
Pont-Noyelles
Cardonnette
Allonville
Poulainville
Argœuves
St-Sauveur
Dreuil-lès-A.
Saveuse
Renancourt
Pont-de-Metz
Salouël
Saleux
Clairy-Saulchoix
Rivery
Camon
Lamotte-Brebière
Vecquemont
Daours
Blangy-Tronville
Glisy
Cagny
Dury
St-Fuscien
Sains-en-Amiénois
Fouencamps
Thézy-Glimont
Dommartin
Hailles
Moreuil
Rumigny
Cottenchy
Estrées-sur-Noye
Grattepanche
St-Sauflieu
Oresmaux
Jumel
Essertaux
Flers-sur-Noye
Conty
Fleury
Monsures
Thoix
Lavacquerie
Croissy-sur-Celle
Bonneuil-les-Eaux
Esquennoy
Paillart
Folleville
Quiry-le-Sec
Chirmont
La Faloise
Sourdon
Esclainvillers
Vendeuil-Caply
Beauvoir
Chepoix
Crèvecœur-le-Grand
Troussencourt
Froissy
Noyers-St-Martin
Campremy
Wavignies
Quinquempoix
Maignelay-Montigny
St-Just-en-Chaussée
Bucamps
Le Quesnel-Aubry
Reuil-sur-Brêche
La Neuville-St-Pierre
Abbeville-St-Lucien
Oudeuil
Pisseleu
Luchy
Maulers
Blicourt
Rotangy
Hétomesnil
Hangest-s-Somme
Molliens-Dreuil
Quesnoy-sur-Airaines
Oissy
Saisseval
Seux
Pissy
Bougainville
Fluy
Revelles
Quevauvillers
Bussy-lès-Poix
Courcelles-s/s-Moyencourt
Namps-Maisnil
Prouzel
Plachy-Buyon
Bacouel-s-Selle
Hébécourt
Nampty
Neuville-lès-Lœuilly
Lœuilly
Tilloy-lès-Conty
Velennes
Frémontiers
Bergicourt
Guizancourt
Sentelie
Dargies
Offoy
Beaudéduit
Cempuis
Catheux
Doméliers
Cormeilles
Le Crocq
Hardivillers
Viefvillers
Francastel
Fransures
Rogy
Gouy-les-Groseillers
Hallivillers
Chaussoy-Epagny
Louvrechy
Sauvillers-Mongival
Braches
Aubvillers
Hargicourt
Malpart
Grivesnes
Coullemelle
Villers-Tournelle
Cantigny
Le Mesnil-St-Firmin
Broyes
Bonvillers
Ansauvillers
Mory-Montcrux
La Hérelle
Gannes
Brunvillers-la-Motte
Plainville
Ferrières
Sains-Morainvillers
Cachy
Gentelles
Demuin
Thennes
Mézières-en-Santerre
Mailly-Raineval
Le Plessier-Rozainvillers
Heilly
Ribemont-s-Ancre
Franvillers
Bresle
Béhencourt
Fréchencourt
Montigny-s-l'Hallue
Molliens-au-Bois
Bavelincourt
Vadencourt
Contay
Mirvaux
Pierregot
A 16
A 29
E 44
D 1001
D 929
D 930
N 25

23
Albert
Aveluy
Contalmaison
Bazentin-le-Grand
Ginchy
Montauban-de-Picardie
Guillemont
Combles
Rancourt
Bouchavesnes-Bergen
Nurlu
Liéramont
Mametz
Carnoy
Hardecourt-aux-Bois
Maurepas
Moislains
Bécordel-Bécourt
Méaulte
Maricourt
Curlu
Clery-s-Somme
Allaines
Aizecourt-le-Haut
Aizecourt-le-Bas
Villers-Faucon
Ronssoy
Templeux-le-Guérard
Templeux-la-Fosse
Longavesnes
Hargicourt
Ville-sur-Ancre
Belvédère de Vaux
Hem-Monacu
Feuillaucourt
Mont-St-Quentin
Driencourt
Roisel
Marquaix
Hervilly
Jeancourt
Morlancourt
Bray-s-Somme
Suzanne
Frise
Feuillères
Halles
Péronne
Bussu
Tincourt-Boucly
Étinehem
La Neuville-lès-Bray
Éclusier-Vaux
Belvédère de Frise
Herbécourt
Biaches
Doingt
Buire-Courcelles
Cartigny
Bernes
Vendelles
Sailly-Laurette
Belvédère du Camp de César
Chipilly
Cappy
Dompierre-Becquincourt
Flaucourt
La Maisonnette
Hancourt
Cerisy
Musée
Chuignes
Méricourt-s-Somme
Assevillers
Mesnil-Bruntel
Bouvincourt-en-Vermandois
Vraignes-en-Vermandois
Chuignolles
Fontaine-lès-Cappy
Belloy-en-Santerre
Barleux
Villers-Carbonnel
Éterpigny
Estrées-en-Chaussée
Pœuilly
Morcourt
Proyart
Foucaucourt-en-Santerre
Estrées-Deniécourt
Lamotte-Warfusée
Vermand
Caulaincourt
Brie
Estrées-Mons
Athies
Devise
Tertry
Trefcon
Bayonvillers
Framerville-Rainecourt
Herleville
Soyécourt
Berny-en-Santerre
Fresnes-Mazancourt
St-Christ-Briost
Monchy-Lagache
Misery
Cizancourt
Ennemain
Harbonnières
Vauvillers
Vermandovillers
Ablaincourt-Pressoir
Beauvois-en-Vermandois
Guillaucourt
Lihons
Marchelepot
Licourt
Falvy
Lanchy
Rosières-en-Santerre
Caix
Hyencourt-le-Grand
Pertain
Épénancourt
Quivières
Ugny-l'Équipée
Cayeux-en-Santerre
Chaulnes
Morchain
Pargny
Croix-Moligneaux
Germaine
Méharicourt
Omiécourt
Villecourt
Vrély
Hallu
Puzeaux
Potte
Béthencourt-sur-S.
Matigny
Douilly
Villers-St-Christophe
Douchy
Beaucourt-en-Santerre
Warvillers
Maucourt
Chilly
Punchy
Mesnil-St-Nicaise-le-Petit
Mesnil-St-Nicaise-le-Gd
Rouy-le-Gd
Offoy
Le Quesnel
Fouquescourt
Hattencourt
Fonches-Fonchette
Curchy
Rouy-le-Petit
Voyennes
Sancourt
Aubigny-aux-Kaisnes
Tugny-et-Pont
Beaufort-en-Santerre
Folies
Rouvroy-en-Santerre
Fransart
Étalon
Liancourt-Fosse
Nesle
Ham
St-Simon
Bouchoir
Parvillers-le-Quesnoy
La Chavatte
Herly
Languevoisin-Quiquery
Hombleux
Pithon
Arvillers
Fresnoy-lès-R.
Rethonvillers
Billancourt
Breuil
Eppeville
Sommette-Eaucourt
Erches
Damery
Crémery
Marché-Allouarde
Buverchy
Grécourt
Ollezy
Andechy
Goyencourt
Gruny
Biarre
Cressy-Omencourt
Moyencourt
Muille-Villette
Annois
Brouchy
Warsy
Guerbigny
Villers-lès-R.
Roye
Carrépuis
Balâtre
Ercheu
Esmery-Hallon
Golancourt
Cugny
Becquigny
L'Échelle-St-Aurin
St-Mard
Champien
Solente
Ognolles
Libermont
Flavy-le-Meldeux
Le Plessis-Patte-d'Oie
Villeselve
Lignières
Marquivillers
Armancourt
Roiglise
Beaumont-en-Beine
Laucourt
Fréniches
Frétoy-le-Château
Berlancourt
Grivillers
Margny-aux-Cerises
Beaulieu-les-Fontaines
Guiscard
Ugny-le-Gay
Laboissière-en-Santerre
Ételfay
Faverolles
Verpillières
Dancourt-Popincourt
Beuvraignes
Amy
Avricourt
Écuvilly
Campagne
Guivry
Montdidier
Fescamps
Tilloloy
Crapeaumesnil
Muirancourt
Maucourt
Piennes-Onvillers
Bus-la-Mésière
Catigny
Remaugies
Fresnières
Candor
Lagny
Bussy
Quesmy
Béthancourt-en-Vaux
Boulogne-la-Grasse
Sermaize
Crisolles
Caillouël-Crépigny
Canny-sur-Matz
Beaurains-lès-N.
Grandrú
Neuflieux
Conchy-les-Pots
Roye-sur-Matz
Lassigny
Porquéricourt
Genvry
Béhéricourt
Mondescourt
Baboeuf
Marest-Dampcourt
Rollot
Hainvillers
Biermont
Dives
Vauchelles
Noyon
Salency
Orvillers-Sorel
Laberlière
Plessis-de-Roye
Cuy
Suzoy
Appilly
Évricourt
Larbroye
Morlincourt
Brétigny
Quierzy
Tricot
Courcelles-Epayelles
Mortemer
Gury
Thiescourt
Dives-le-Franc
Pont-l'Évêque
Sempigny
Varesnes
Cuvilly
La Neuville-s-Ressons
Ricquebourg
Cannectancourt
Ville
Passel
Pontoise-lès-Noyon
Bourguignon-sous-Coucy
Méry-la-Bataille
Ressons-s-Matz
Mareuil-la-Motte
Élincourt-Ste-Marguerite
Ourscamp
Belloy
Ménévillers
Margny-sur-Matz
Marquéglise
Cambronne-lès-Ribécourt
Pimprez
Caisnes
Cuts
Camelin
Blérancourt
13
39
24
E
F
G
H
A 1
A 29
E 44
D 1029
D 930
D 934
D 1017
D 1032

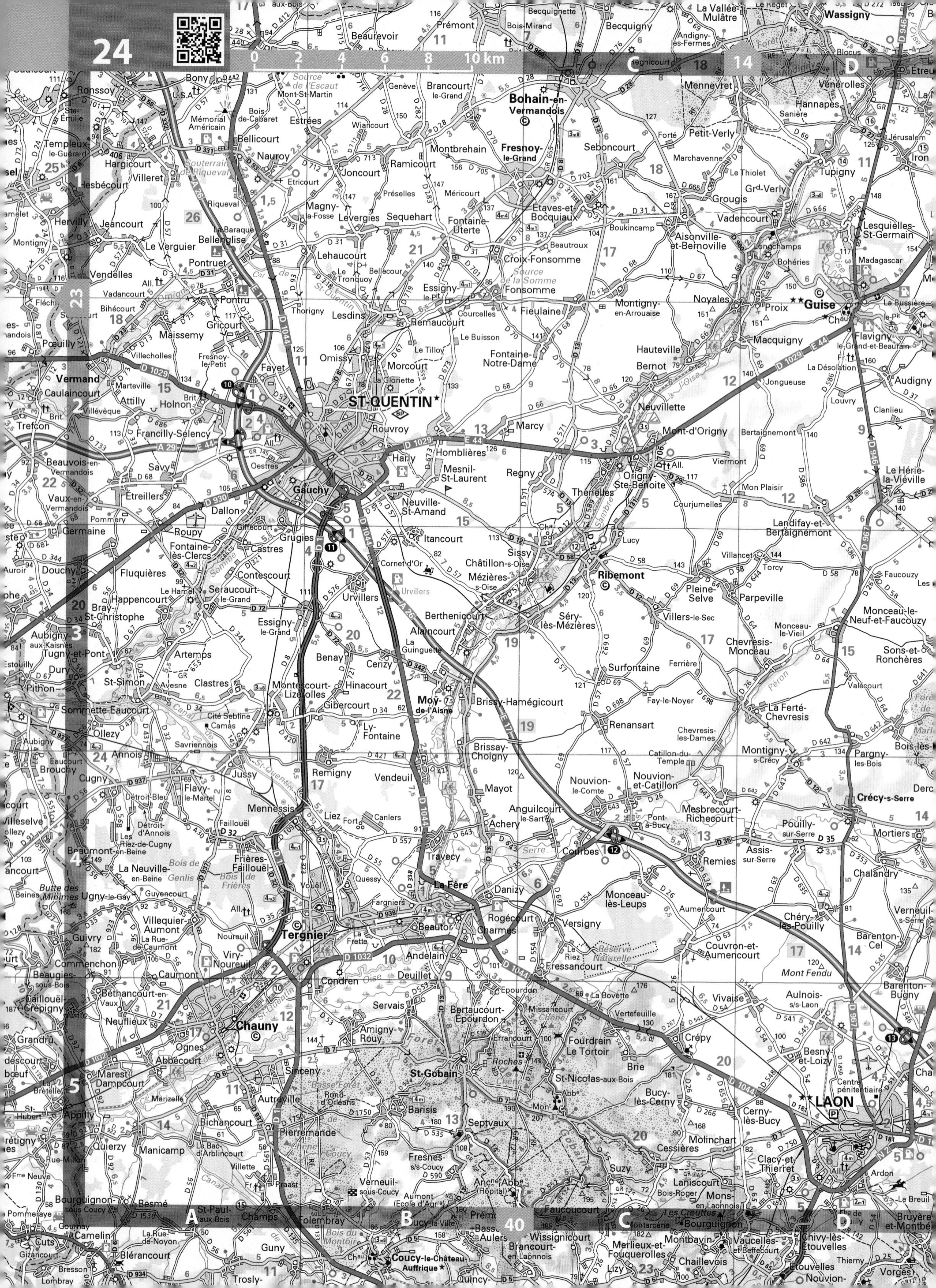

0 2 4 6 8 10 km

Beaurevoir, Prémont, Bois-Mirand, Becquignette, Becquigny, La Vallée-Mulâtre, Wassigny, Andigny-les-Fermes, Bony, Source de l'Escaut, Mont-St-Martin, Genève, Brancourt-le-Grand, Bohain-en-Vermandois, Mennevret, Vénérolles, Étreux, Ronssoy, Ste-Émilie, U.S.A., Mémorial Américain, Bois-de-Cabaret, Estrées, Wiancourt, Hannapes, Sanière, Templeux-le-Guérard, Hargicourt, Bellicourt, Nauroy, Montbrehain, Fresnoy-le-Grand, Sebloncourt, Forté, Petit-Verly, Jérusalem, Iron, Marchavenne, Tupigny, Villeret, Souterrain de Riqueval, Joncourt, Ramicourt, Le Thiolet, Hesbécourt, Etricourt, Méricourt, Étaves-et-Bocquiaux, Grd-Verly, Grougis, Riqueval, Magny-la-Fosse, Préselles, Lesquielles-St-Germain, Hervilly, Jeancourt, Bellenglise, Levergies, Sequehart, Fontaine-Uterte, Vadencourt, Aisonville-et-Bernoville, Boukincamp, La Baraque, Montigny, Le Verguier, Lehaucourt, Beautroux, Longchamps, Bohéries, Madagascar, Pontruet, Croix-Fonsomme, Source de la Somme, Vendelles, Le Tronquoy, Bellecour, Fonsomme, Essigny-le-Petit, Noyales, Proix, Guise, La Bussière, Vadancourt, Omignon, Pontru, Thorigny, Lesdins, Courcelles, Fieulaine, Montigny-en-Arrouaise, Bihécourt, Maissemy, Gricourt, Remaucourt, Flavigny-le-Grand-et-Beaurain, Pœuilly, Le Buisson, Macquigny, Villecholles, Fresnoy-le-Petit, Fayet, Omissy, Le Tilloy, Hauteville, Fontaine-Notre-Dame, Bernot, La Désolation, Morcourt, La Gloriette, Jongueuse, Audigny, Vermand, Caulaincourt, Marteville, Attilly, Holnon, Villévèque, ST-QUENTIN, Louvry, Clanlieu, Neuvillette, Trefcon, Francilly-Selency, Rouvroy, Marcy, Mont-d'Origny, Bertaignemont, Beauvois-en-Vermandois, Savy, Oestres, Harly, Homblières, Viermont, Le Hérie-la-Viéville, Mesnil-St-Laurent, Regny, Origny-Ste-Benoite, Vaux-en-Vermandois, Étreillers, Gauchy, Neuville-St-Amand, Thenelles, Mon Plaisir, Courjumelles, Dallon, Pommery, Germaine, Roupy, Giffecourt, Grugies, Itancourt, Landifay-et-Bertaignemont, Fontaine-lès-Clercs, Castres, Sissy, Lucy, Villancet, Torcy, Douchy, Fluquières, Cornet d'Or, Châtillon-s-Oise, Ribemont, Faucouzy, Contescourt, Mézières-s-Oise, Pleine-Selve, Parpeville, Happencourt, Seraucourt-le-Grand, Urvillers, Berthenicourt, Monceau-le-Neuf-et-Faucouzy, Bray-St-Christophe, Essigny-le-Grand, Séry-lès-Mézières, Villers-le-Sec, Monceau-le-Vieil, Aubigny-aux-Kaisnes, Alaincourt, Chevresis-Monceau, Sons-et-Ronchères, Tugny-et-Pont, Artemps, La Guinguette, Dury, Benay, Cerizy, Surfontaine, Ferrière, St-Simon, Clastres, Montescourt-Lizerolles, Hinacourt, Moÿ-de-l'Aisne, Brissy-Hamégicourt, Fay-le-Noyer, Valécourt, Péron, Pithon, Avesne, Sommette-Eaucourt, Cité Sebline, Gibercourt, La Ferté-Chevresis, Canal de St-Quentin, Camas, Ly-Fontaine, Renansart, Chevresis-les-Dames, Ollezy, Savriennois, Aubigny, Brissay-Choigny, Catillon-du-Temple, Montigny-s-Crécy, Pargny-les-Bois, Bois-lès-Pargny, Eaucourt, Annois, Jussy, Remigny, Vendeuil, Nouvion-le-Comte, Nouvion-et-Catillon, Brouchy, Cugny, Flavy-le-Martel, Mayot, Crécy-s-Serre, Détroit-Bleu, Mennessis, Liez, Fort, Canlers, Anguilcourt-le-Sart, Mesbrecourt-Richecourt, Villeselve, Détroit-d'Annois, Faillouël, Achery, Pont-à-Bucy, Pouilly-sur-Serre, Mortiers, Les Riez-de-Cugny, Beaumont-en-Beine, Frières-Faillouël, Travecy, Courbes, Remies, Assis-sur-Serre, Chalandry, La Neuville-en-Beine, Bois de Genlis, Bois de Frières, Quessy, La Fère, Danizy, Monceau-lès-Leups, Butte des Minimes, Ugny-le-Gay, Guyencourt, Vouël, Fargniers, Rogécourt, Aumencourt, Chéry-lès-Pouilly, Verneuil-s-Serre, Guivry, Villequier-Aumont, Noureuil, Tergnier, Beautor, Charmes, Versigny, Barenton-Cel, La Rue-de-Caumont, Viry-Noureuil, La Frette, Le Riez, Réserve Naturelle, Couvron-et-Aumencourt, Commenchon, Andelain, Fressancourt, Mont Fendu, Beaugies-sous-Bois, Caumont, Condren, Deuillet, Barenton-Bugny, Caillouël-Crépigny, Béthancourt-en-Vaux, Epourdon, La Bovette, Vivaise, Aulnois-s/s-Laon, Neuflieux, Servais, Bertaucourt-Epourdon, Missancourt, Vertefeuille, Chauny, Amigny-Rouy, Forêt de St-Gobain, Fourdrain, Le Tortoir, Crépy, Grandrû, Ognes, Errancourt, Roches, Besny-et-Loizy, Abbécourt, Sinceny, St-Gobain, Brie, Marest-Dampcourt, Basse Forêt de Coucy, St-Nicolas-aux-Bois, Centre pénitentiaire, Marizelle, Rond d'Orléans, Abbé, Bucy-lès-Cerny, Bretelle, Autreville, Barisis, Mont, LAON, Appilly, St-Hubert, Bichancourt, Septvaux, Cerny-lès-Bucy, Pierremande, Molinchart, Manicamp, Le Bac-d'Arblincourt, Quierzy, Fresnes-s/s-Coucy, Cessières, Clacy-et-Thierret, Rue-Millon, Villette, Suzy, Ardon, Verneuil-sous-Coucy, Aumont (École d'Agre), Anc.ne Abbe (Hôpital), Laniscourt, Bois-Roger, Mons-en-Laonnois, Fme Neuve, Praast, Bourguignon-sous-Coucy, Besmé, St-Paul-aux-Bois, Champs, Folembray, Bucy-la-Ville, Prémontré, Faucoucourt, Le Breuil, Pommeraye, Gournay, Camelin, Bois du Montoir, Basse-Aulers, Wissignicourt, Montarcène, Les Creuttes, Bourguignon, Chivy-lès-Étouvelles, Bruyères-et-Montbérault, La Rue-de-Noyon, Montbavin, Vaucelles-et-Beffecourt, Cuts, Gizancourt, Blérancourt, Guny, Coucy-le-Château-Auffrique, Brancourt-en-Laonnois, Merlieux-et-Fouquerolles, Chaillevois, Étouvelles, Thierny, Vorges, Bresson, Lombray, Trosly-Loire, Quincy-Basse, Lizy

A, B, C, D, 1, 2, 3, 4, 5, 14, 23, 40

Fourmies
Le Nouvion-en-Thiérache
La Capelle
Buironfosse
Leschelle
Lavaqueresse
Esquéhéries
Sommeron
Froidestrées
Clairfontaine
Mondrepuis
Anor
Macquenoise
Forêt d'Hirson (Domaine privé)
Forêt de Signy-le-Petit
Wimy
Neuve-Maison
Luzoir
Ohis
Effry
Hirson
St-Michel
Sougland
Crupilly
Chigny
Erloy
Gergny
Englancourt
Sorbais
Étréaupont
Autreppes
St-Algis
Marly-Gomont
Proisy
Romery
Malzy
Buire
Origny-en-Thiérache
Watigny
Signy-le-Petit
Any-Martin-Rieux
Fligny
Tarzy
La Hérie
Bucilly
Eparcy
Landouzy-la-Ville
Martigny
Leuze
Auge
Haution
Laigny
La Bouteille
Fontaine-lès-Vervins
Landouzy-la-Cour
Le Sourd
La Vallée-au-Blé
Voulpaix
Vervins
Thenailles
Besmont
Beaumé
Aubenton
Bossus-lès-Rumigny
Lemé
Cambron
St-Pierre
Franqueville
Rougeries
Chevennes
Plomion
Jeantes
Logny-lès-Aubenton
Hannappes
Marfontaine
Housset
La Neuville-Housset
Voharies
St-Gobert
Gercy
Gronard
Harcigny
Bancigny
Coingt
Iviers
Mont-St-Jean
Houry
Lugny
Prisces
Burelles
Hary
Braye-en-Thiérache
Nampcelles-la-Cour
St-Clément
Cuiry-lès-Iviers
Dohis
Berlancourt
Rogny
Thiernu
Dagny-Lambercy
Morgny-en-Thiérache
Brunehamel
Les Autels
Blanchefosse-et-Bay
Montigny-s/s-Marle
Marle
Cilly
Bosmont-sur-Serre
Tavaux-et-Pontséricourt
Vigneux-Hocquet
Renneval
Archon
Parfondeval
Résigny
Dolignon
Ste-Geneviève
Grandrieux
Rouvroy
Voyenne
La Neuville-Bosmont
St-Pierremont
Agnicourt-et-Séchelles
Chaourse
Vincy-Reuil-et-Magny
Rozoy-s-Serre
Raillimont
Soize
Autremencourt
Toulis-et-Attencourt
Montigny-le-Franc
Montcornet
Lislet
Vaux-lès-Rubigny
Rubigny
Rocquigny
Froidmont-Cohartille
Cuirieux
Éboulea u
Clermont-les-Fermes
Montloué
Noircourt
Berlise
Fraillicourt
Chaumont-Porcien
Vesles-et-Caumont
Goudelancourt-lès-Pierrepont
Grandlup-et-Fay
Pierrepont
Mâchecourt
La Ville-aux-Bois-lès-Dizy
Le Thuel
Renneville
Bucy-lès-Pierrepont
Dizy-le-Gros
Missy-lès-Pierrepont
Chivres-en-Laonnois
Ste-Preuve
Boncourt
Seraincourt
Remaucourt
Monceau-le-Waast
Liesse-Notre-Dame
Lappion
Sévigny-Waleppe
Hannogne-St-Rémy
Gizy
Samoussy
Marchais
Sissonne
St-Quentin-le-Petit
Banogne-Recouvrance
St-Fergeux
La Selve
Nizy-le-Comte
Eppes
Coucy-lès-Eppes
Le Thour
Château-Porcien
Condé-lès-Herpy
Veslud
Mauregny-en-Haye
Montaigu
St-Erme-Outre-et-Ramecourt
La Malmaison
St-Germainmont
Herpy-l'Arlésienne
Taizy
Courtrizy-et-Fussigny
E
F
G
H
15
41
1
2
3
4
5
26

26
0 2 4 6 8 10 km
Chimay
Couvin
Haybes
Fumay
Revin
Rocroi
Brûly
Cul-des-Sarts
Riezes
L'Escaillère
Regniowez
Forêt de Signy-le-Petit
Signy-le-Petit
Brognon
PARC
NATUREL
RÉGIONAL
Vallée de Misère
Les Mazures
Bourg-Fidèle
Sévigny-la-Forêt
Maubert-Fontaine
Éteignières
Tarzy
Auge
Aubenton
Hannappes
Rumigny
Aouste
Liart
Logny-Bogny
Rimogne
Renwez
Montcornet
Monthermé
Longue Roche
Roches de Laifour
Mt Malgré-Tout
Deville
Tournavaux
Bogny-s-Meuse
Joigny-s-Meuse
Nouzonville
CHARLEVILLE-MÉZIÈRES
Aiglemont
Villers-Semeuse
Warcq
Prix-lès-M.
Lumes
St-Marceau
Boulzicourt
Flize
Poix-Terron
Vrigne
Vernaumont
Signy-l'Abbaye
Thin-le-Moutier
Launois-s-Vence
Chaumont-Porcien
Novion-Porcien
Château-Porcien
Rethel
Tourteron
Le Chesne
Chagny
Mont Damion
Wasigny
Justine-Herbigny
Faissault
Saulces-Monclin
Vaux-Montreuil
Faux
Bertoncourt
Écordal
Suzanne
Charbogne
Doux
Coucy
A
B
C
D
1
2
3
4
5
16
25
28
42

27
17
43
44
E
F
G
H
Rienne
Willerzie
Etang de Boiron
Gribelle
Sclassin
Le Mont
Gedinne-Station
Porcheresse
Lesse
Calvaire
Villance
Maissin
Anloy
Louette-St-Pierre
Louette-St-Denis
Bièvre
Graide
Beth
Opont
Frênes
Framont
Bois de Rienne
Croix Scaille
Houdremont
Longchamps
Graide-Station
Naomé
Moulin de Naomé
Bellefontaine
Paliseul
Jehonville
Le Sart
Forêt de Luchi
Luchi
Ochamps
Roûmont
Libramont-Chevigny
Recogne
Neuvillers
Lamouline
St-Pierre
Verlaine
Nafraiture
Monceau-en-Ardenne
Petit-Fays
Linchamps
Merny
Acremont
La Dauphine
Hérisson
Orchimont
Baillamont
Oizy
Carlsbourg
Offagne
Blanche Oreille
Bois d'Outrouge
Les Hautes-Rivières
Parc Naturel
Conrade
Gorges
Six Planes
Moulin de Mitaume
Launoy
Nollevaux
Assenois
Glaumont
Les Corettes
Fays-les-Veneurs
La Flèche
Burhémont
Grandvoir
Vresse-s-S.
Gros-Fays
Cornimont
Vivy
Almache
Plainevaux
Sorendal
Membre
La Haisette
Chairière
Bohan
Roches-la-Dame
Les Dolimarts
Laforêt
Mogimont
Menuchenet
La Géripont
Bertrix
Le Saupont
Rossart
Petitvoir
Biourge
Camp militaire
Mouzaive
Alle
Rochehaut
Bellevaux
Orgeo
Warmifontaine
Nevraumont
Ucimont
Sensenruth
La Cornette
Auby-s-Semois
Plat Bois
Gribomont
Harfontaine
ARDENNES
Bagimont
Frahan
Botassart
Noirefontaine
Les Hayons
Saut des Sorcières
Menugoutte
St-Médard
Rogissart
Sugny
Poupehan
Curfoz
Martilly
Pussemange
Tombeau du Géant
Cugnon
Mortehan
Straimont
Ban d'Alle
Chaire à prêcher
Abb. N.-D. de Clairefontaine
Bouillon
Dohan
Renauvanne
Les Fourches
Forêt d'Herbeumont
Corbion
Roches de Dampire
Herbeumont
Rer du Pendu
Beaubru
Tombeau du Chevalier
Forêt de Bouillon
Notre-Dame
Gernelle
Forêt de Sedan
Moulin-à-Vent
Anc. Prieuré de Conques
A la Maison Blanche
Libaipire
Les Epioux
Le Sautou
Bosseval-et-Briancourt
Les 4 Chemins
Les Amerois
Blanc Sart
Roche du Chat
Issancourt-et-Rumel
Vivier-au-Court
Fleigneux
Le Dos du Loup
Rer du Pinco
Chiny
St-Menges
St-Albert
Olly
Illy
La Chapelle
Les Douze Cents
Muno
Rer de Bohanan
Ste-Cécile
Rer du Hat
Défilé du Paradis
Vrigne-aux-Bois
Montimont
Iges
Givonne
Floing
Grand Hé
Watrinsart
Fontenoille
Le Mènil
Laiche
Lacuisine
Le Charmoi
La Neuville
Martué
Sedan
Villers-Cernay
Pouru-aux-Bois
Le Chesnois
Lambermont
Les Quatre Arbres
Izel
Moyen
Le Faucon
Vrigne-Meuse
Glaire
Le Dancourt
Daigny
Francheval
Escombres-et-le-Chesnois
Chassepierre
Florenville
Pin
Donchery
Balan
La Moncelle
Rubécourt-et-Lamécourt
Pouru-St-Remy
Messincourt
Messempré
Bois du Banel
Pont-à-Bar
Frénois
Wadelincourt
La Croix-Piot
Lamécourt
Douzy
Sachy
Pure
Matton-et-Clémency
Tremblois-lès-Carignan
Williers
Forêt d'Orval
Villers-s-Bar
Ossuaire
Bazeilles
Remilly-Aillicourt
Brévilly
Osnes
Les Deux-Villes Bse
Les Deux-Villes Hte
Mogues
Cheveuges
Pont-Maugis
Bois de la Marfée
Noyers-Pont-Maugis
Mairy
Tétaigne
Wé
Carignan
Mohimont
Abbe d'Orval
St-Aignan
Chaumont
Thelonne
Pt-Remilly
Lombut
Puilly-et-Charbeaux
Villers-devant-Orval
Chéhéry
Bulson
Angecourt
Amblimont
Euilly-et-Lombut
Blagny
Margny
Rocan
Sapogne
Connage
Beaumesnil
Villers-devant-Mouzon
Haraucourt
Sailly
Linay
Aufflance
Arboretum
Autrecourt-et-Pourron
Mouzon
Ste-Barbe
Vaux-lès-Mouzon
Fromy
Moiry
Sapogne-sur-Marche
Montlibert
Chémery-Chéhéry
Malmy
Raucourt-et-Flaba
Pourron
Silo
Villemontry
Villy
Margut
Thonne-le-Thil
Avioth
Maisoncelle-et-Villers
Flaba
Moulins-St-Hubert
Bois de la Riotte
Malandry
Signy-Montlibert
Artaise-le-Vivier
La Neuville-à-Maire
Montgarni
Les Huttes
Autréville-St-Lambert
Alma
La Ferté-s-Chiers
St-Walfroy-Ermitage
Thonnelle
La Besace
Yoncq
Le Vivier
Olizy-sur-Chiers
Bièvres
B. du Belloy
Forêt du Mont-Dieu
Stonne
La Bagnolle
La Thibaudine
Létanne
Inor
Lamouilly
Chauvency-St-Hubert
Thonne-les-Prés
Sauville
Anc. Chartreuse
Mémorial de Stonne
Pouilly-sur-Meuse
Martincourt-sur-Meuse
Nepvant
Centre de détention
Le Mont-Dieu
Mont Damion
Beaumont-en-Argonne
Forêt de Jaunay
Chauvency-le-Château
Luzy-St-Martin
Brouennes
Ginvry
Tannay
Les Grandes-Armoises
Mont du Cygne
Bois de Sommauthe
Cesse
Bronelle
Vigneul-s-Montmédy
La Berlière
Sy
Oches
Forêt de Dieulet
Cervisy
Iré-les-Prés
Les Petites-Armoises
Bois de Sy
Verrières
Sommauthe
Laneuville-sur-Meuse
Stenay
Quincy-Landzécourt
Han-lès-Juvigny
Bois de Juvigny
Baâlon
Meuse
Semois
Chiers

0 2 4 6 8 10 km
A
B
C
D
1
2
3
4
5
30
Renonquet
Burhou
Braye Bay
Quesnard
Saline Bay
Braye
Newtown
Longis Bay
Clonque Bay
Raz Island
Trois Vaux
St-Anne
Essex
Hanging Rock
Tête de Judemarre
Telegraph Bay
Alderney
(Aurigny)
Raz Blanchard
Cap de la Hague
Sémaphore
Roche Gélétan
Les Herbeuses
Gros du Raz
St-Germain-des-Vaux
Anse St-Martin
La Coque
Pointe Jardeheu
Goury
La Roche
Port-Racine
Sémaphore
Auderville
Le Hâble
Omonville-la-Petite
Rue-Désert
Omonville-la-Rogue
Baie d'Écalgrain
Digulleville
Manoir du Tourp
Jobourg
Mont Pali
Rocher du Castel-Vendon
C. R. O. S. S.
Éculleville
Gruchy
Nez de Voidries
Landemer
Dannery
Nez de Jobourg
Herqueville
La Rue-de-Beaumont
Gréville-Hague
Urville-Nacqueville
Beaumont-Hague
Herquemoulin
Branville-Hague
Baie du Houguet
(La Hague)
Léveillé
Rue-d'Ozouville
Pierres Pouquelées
Prieuré
Anse de Vauville
Vauville
Ste-Croix-Hague
Jardin botanique
Centre Scientifique
Le Petit Thot
Flottemanville-Hague
Camp Maneyrol
La Croix-aux-Rois
La Croix-Frimot
Les Noes
Calvaire des Dunes
Biville
Gourbesville
Le Val-de-Bas
Acqueville
Vasteville
Pénitot
Herquetot
Teurthéville-Hague
Héauville
Le Manoir
Clairefontaine
Craville
Siouville-Hague
La Viesville
Quetteville
Helleville
Flamanville
Couvert
Diélette
Arthur
La Petite Siouville
Bretantot
La Croix-Georges
Les Pipets
Sotteville
Divette
Sémaphore
Tréauville
Bonnemains
Benoîtville
Cap de Flamanville
Quesnay
Houvel
Le Point du Jour
Falaises
Les Pieux
Sciotot
Grosville
Anse de Sciotot
Fme de Becqueville
Le Comte
Le Rozel
Fritot
Bernay
Longueville
St-Germain-le-Gaillard
Le Poux
Pierreville
Pointe du Rozel
Hauteville
La Croix Morain
Surtainville
La Mare du Parc
Scye
Béghin
St-Paul
Sénoville
Bastard
Baubigny
Sortosville-en-Beaumont
La Vallée
Le Meaudenaville
Les 4 Barrières
Hatainville
Les Moitiers-d'Allonne
Masse de Romond
La-Haye-d'Ectot
Roches du Rit
Carteret
Chapelle
Barneville-Carteret
Cap de Carteret
Rouallé
St-Jean-de-la-Rivière
Barneville-Plage
St-Georges-de-la-Rivière
ILES ANGLO-NORMANDES
(CHANNEL ISLAND)
MANCHE
ALDERNEY
Cherbourg-en-Cotentin
Diélette
GUERNSEY
SARK
Carteret
JERSEY
Chausey
Granville
Dinard
St. Malo
Liaison maritime:
passant les autos
ne les passant pas
Liaison aérienne

E
F
G
H
1
2
3
4
5
Basses du Renier
Basses du Sen
Raz du Cap Lévi
Anse de la Mondrée
Cap Lévi
Raz de Barfleur
Pointe de Barfleur ★★
Pointe de Querqueville
Ft Central
Ft de l'Ouest
Ft de l'Est
Grande Rade
Île Pelée
Pointe du Brulay
Anse du Brick
Hameau-de-la-Mer
CHERBOURG-EN-COTENTIN ★
★★ Cité de la Mer
Equeurdreville-Hainneville
Octeville
Tourlaville
Ravalet
Belvédère
Bretteville
Fermanville
Le Perrey
Carneville
Maupertus-s-Mer
Cosqueville
Réthoville
Vrasville
Néville-s-Mer
Gatteville-le-Phare
Barfleur ★
La Bretonne
Varouville
Gouberville
Tocqueville
Denneville
St-Pierre-Église
Théville
Clitourps
Canteloup
Ste-Geneviève
Montfarville
Landemer
Pointe du Moulard
Anneville-en-Saire
Maltot
La Crasvillerie
La Pernelle
Réville
Jonville
Pointe de Saire
Le Vast
Val de Saire ★
Digosville
Gonneville-Le-Theil
Brillevast
Bois de Boutron
La Glacerie
Le Mesnil-au-Val
Valognes
Quettehou
Île de Tatihou ★
Fort de l'Ilet
St-Vaast-la-Hougue
Fort de la Hougue
Parc à huîtres
Morsalines
Martinvast
Hardinvast
Tollevast
Teurthéville-Bocage
Bois de Barnavast
St-Martin-le-Gréard
Saussemesnil
Montaigu-la-Brisette
Videcosville
Crasville
Brix
Sottevast
St-Joseph
Tamerville
Aumeville-Lestre
Lestre
Octeville-l'Avenel
St-Germain-de-Tourneubut
St-Martin-d'Audouville
Rauville-la-Bigot
Bréville
Rocheville
Négreville
Abbe N.D. de Grâce
Valognes
Huberville
Vaudreville
Quinéville
Roches St-Floxel
Hameau-du-Nord
Les Gougins
Îles St-Marcouf
accès interdit
Hameau-du-Sud
Yvetot-Bocage
St-Cyr
St-Floxel
Ozeville
Fontenay-s-Mer
Montebourg
Flottemanville
Sortosville
Bricquebec-en-Cotentin
L'Étang-Bertrand
Morville
Lieusaint
Éroudeville
Écausseville
Joganville
Azeville
St-Marcouf
Ravenoville-Plage
Ravenoville
Colomby
Hémevez
Urville
Le Ham
Émondeville
Magneville
Golleville
Fresville
Foucarville
Mont Leclerc
Les Dunes-de-Varreville
Utah Beach
St-Germain-de-Varreville
St-Martin-de-Varreville
Néhou
Ste-Colombe
Biniville
Hauteville-Bocage
Orglandes
Neuville-au-Plain
Beuzeville-au-Plain
Amfreville
Ste-Mère-Église ★
Turqueville
Audouville-la-Hubert
Musée du Débarquement ★★
St-Jacques-de-Néhou
Reigneville-Bocage
La Bonneville
St-Sauveur-le-Vicomte
Fierville-les-Mines
Rauville-la-Place
Crosville-s-Douve
Écoquenéauville
Sébeville
Banc du Grand Vey
Picauville
Chef-du-Pont
Boutteville
Ste-Marie-du-Mont
Besneville
Hiesville
Brucheville
31

ILES ANGLO-NORMANDES
(CHANNEL ISLAND)

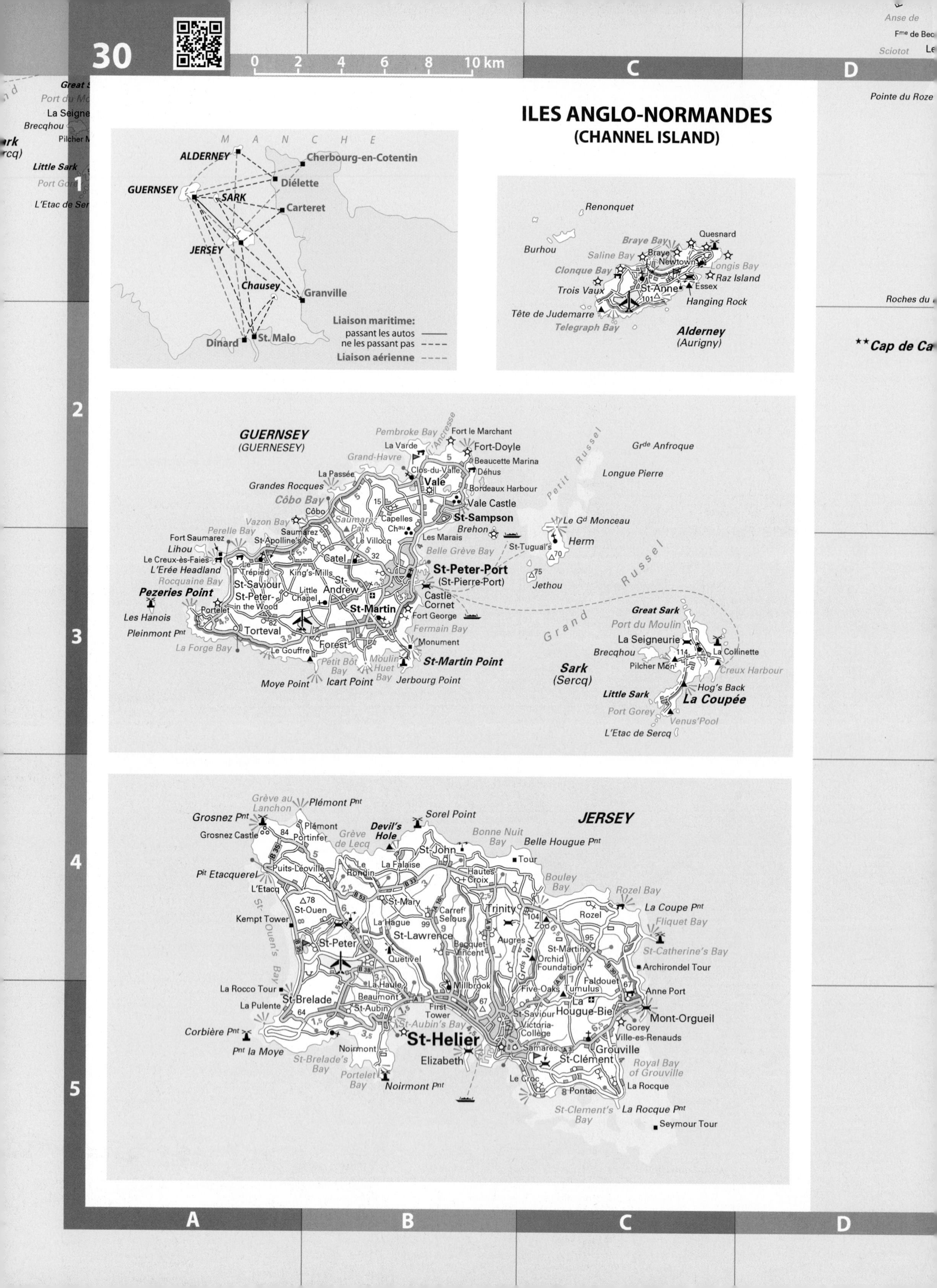

31
28
29
E
F
G
H
1
2
3
4
5
Valognes
Tapotin
St-Cyr
Montebourg
Rocheville
Négreville
Brix
St-Germain-le-Gaillard
Pierreville
Bricquebec-en-Cotentin
L'Étang-Bertrand
Morville
Flottemanville
Sortosville
Lieusaint
Colomby
Hémevez
Urville
Éroudeville
Écausseville
Joganville
Azeville
St-Marcouf
Ravenoville
Sénoville
Sortosville-en-Beaumont
Magneville
Golleville
Néhou
Ste-Colombe
Biniville
Hautteville-Bocage
Le Ham
Fresville
Émondeville
Orglandes
Amfreville
Ste-Mère-Église
Turqueville
St-Pierre-d'Arthéglise
St-Jacques-de-Néhou
La Haye-d'Ectot
St-Maurice-en-Cotentin
Fierville-les-Mines
Barneville-Carteret
Barneville-Plage
St-Jean-de-la-Rivière
Le Mesnil
St-Sauveur-le-Vicomte
Rauville-la-Place
Reigneville-Bocage
La Bonneville
Crosville-sur-Douve
Chef-du-Pont
Picauville
Écoquenéauville
Sébeville
Boutteville
Hiesville
St-Georges-de-la-Rivière
Besneville
Taillepied
Catteville
Les Moitiers-en-Bauptois
Beuzeville-la-Bastille
Carquebut
Liesville-sur-Douve
Port-Bail
Canville-la-Rocque
St-Lô-d'Ourville
Neuville-en-Beaumont
St-Sauveur-de-Pierrepont
Varenguebec
Cretteville
St-Nicolas-de-Pierrepont
Doville
Appeville
Denneville
Neufmesnil
Baupte
Carentan
Bolleville
Lithaire
Auvers
St-Symphorien-le-Valois
La Haye-du-Puits
Mont Castre
St-Rémy-des-Landes
Glatigny
Surville
Bretteville-sur-Ay
Le Plessis-Lastelle
Méautis
Mobecq
Gerville-la-Forêt
Angoville-sur-Ay
Vesly
Laulne
Gorges
Gonfreville
Nay
Sainteny
St-Germain-sur-Ay
St-Germain-sur-Ay-Plage
St-Patrice-de-Claids
St-Germain-sur-Sèves
Abbatiale
Lessay
Auxais
Raids
Créances
Millières
Périers
St-Sébastien-de-Raids
Marchésieux
Remilly-sur-Lozon
Pirou
Pirou-Plage
La Feuillie
St-Martin-d'Aubigny
Le Bourg-d'Aubigny
Roches du Sac de Pirou
Vaudrimesnil
Feugères
St-Michel-de-la-Pierre
St-Aubin-du-Perron
Le Mesnil-Vigot
Lozon
Geffosses
St-Sauveur-Lendelin
Hauteville-la-Guichard
Anneville-sur-Mer
Muneville-le-Bingard
La Ronde-Haye
Montcuit
Montsurvent
Gouville-sur-Mer
Sénéquet
Ancteville
Servigny
Camprond
Le Lorey
Marigny-Le-Lozon
Brainville
Monthuchon
Cambernon
Blainville-sur-Mer
Gratot
St-Malo-de-la-Lande
Agon-Coutainville
Tourville-sur-Sienne
Coutances
Savigny
Cametours
Carantilly
Heugueville-sur-Sienne
Bricqueville-la-Blouette
Courcy
St-Pierre-de-Coutances
Nicorps
Belval
Cerisy-la-Salle
Regnéville-sur-Mer
Orval-sur-Sienne
Saussey
Ouville
Montpinchon

0 2 4 6 8 10 km
C
D
Iles St-Marcouf
accès interdit
Hameau-du-Sud
St-Marcouf
Ravenoville-Plage
Azeville
Ravenoville
Foucarville
Mont Leclerc
Les Dunes-de-Varreville
Utah Beach
St-Germain-de-Varreville
St-Martin-de-Varreville
Beuzeville-au-Plain
La Madeleine
Turqueville
Audouville-la-Hubert
Musée du Débarquement ★★
Banc du Grand Vey
Roches de Grandcamp
Grandcamp-Maisy
Pointe du Hoc ★★
St-Pierre-du-Mont
Pointe et raz de la Percée
Omaha Beach
Plages
Sébeville
Boutteville
Ste-Marie-du-Mont
Hiesville
Blosville
Brucheville
Vierville
Passe de Carentan
Passe d'Isigny
Géfosse-Fontenay
Englesqueville-la-Percée
Cricqueville-en-Bessin
Asnières-en-Bessin
Vierville-s-Mer
U.S.A. ★★★
Mont 5 th E.S.B.
Ste-Honorine-des-Pertes
Louvières
Saint-Laurent-s-Mer
Colleville-s-Mer
Port-en-Bessin-Huppain
Angoville-au-Plain
Marais
Cardonville
Deux-Jumeaux
Formigny
Osmanville
St-Germain-du-Pert
Longueville
Surrain
Russy
Carentan
Brévands
Isigny-s-Mer
Les Veys
Canchy
Écrammeville
Étréham
Aignerville
Trévières
Mosles
St-Hilaire-Petitville
St-Pellerin
Monfréville
Colombières
Bricqueville
Mandeville-en-Bessin
Tour-en-Bessin
Les Oubeaux
Montmartin-en-Graignes
Neuilly-la-Forêt
Castilly
Rubercy
Saonnet
Bernesq
Cussy
Barbeville
Crouay
Graignes-Mesnil-Angot
St-Georges-de-Bohon
Lison
La Folie
St-Marcouf
Le Breuil-en-Bessin
St-Jean-de-Daye
Cartigny-l'Épinay
St-Martin-de-Blagny
Musée de la Mine
Le Molay-Littry
Le Mesnil-Véneron
Tournières
Airel
Littry
Le Tronquay
St-Fromond
Tribehou
Le Dézert
Cavigny
Ste-Marguerite-d'Elle
Cerisy-la-Forêt ★★
Vaubadon
Castillon ★
Le Hommet-d'Arthenay
St-Clair-s-l'Elle
St-Jean-de-Savigny
Remilly-s-Lozon
Les Champs-de-Losque
La Meauffe
Balleroy-s-Drôme
Trungy
St-Paul-du-Vernay
Pont-Hébert
Villiers-Fossard
Couvains
Montfiquet
Le Mesnil-Eury
Le Mesnil-Rouxelin
St-Georges-d'Elle
Bérigny
La Bazoque
Planquery
Cahagnolles
Montreuil-s-Lozon
Rampan
St-André-de-l'Épine
Litteau
Ste-Honorine-de-Ducy
Hébécrevon
ST-LÔ
St-Georges-Montcocq
La Luzerne
Foulognes
Cormolain
Agneaux
La Barre-de-Semilly
St-Pierre-de-Semilly
St-Germain-d'Elle
Le Mesnil-Amey
St-Gilles
Sallen
Marigny-Le-Lozon
Baudre
St-Jean-des-Baisants
(St-Jean-d'Elle)
La Vacquerie
Souterroscope
Caumont-l'Éventé
Livry
Canisy
Gourfaleur
La Mancellière-s-Vire
Lamberville
Biéville
Sept-Vents
(Caumont-s-Aure)
Quibou
St-Ébremond-de-Bonfossé
(Bourgvallées)
St-Martin-de-Bonfossé
St-Samson-de-Bonfossé
Ste-Suzanne-s-Vire
La Lande-s-Drôme
(Val-de-Drôme)
Cahagnes
Dangy
A
B
C
D
Condé-s-Vire
Roches de Ham
52
Le Perron
Dampierre
St-Jean-des-Essartiers
Les Loges
Le Mesnil-Herman
St-Romphaire
St-Amand
Torigny-les-Villes
Placy-Montaigu
St-Pierre-du-Fresne
Soulles
30
31
1
2
3
4
5

E
F
G
H
1
2
3
4
5
34
53
Côte de Nacre
du Débarquement
Gold Beach
Centre Juno Beach
Juno Beach
Sword Beach
Rade de Caen
Batterie
Cap Manvieux
Arromanches-les-Bains
St-Côme-de Fresné
Paisty-Vert
La Rivière
Courseulles-s-Mer
St-Aubin-s-Mer
Langrune-s-Mer
Luc-s-Mer
Petit-Enfer
Lion-s-Mer
La Brèche-d'Hermanville
Colleville-Montgomery-Plage
Ouistreham
Riva-Bella
Cabourg
Longues-s-Mer
Manvieux
Tracy-s-Mer
Le Hamel
Asnelles
Mont Fleury
Ver-s-Mer
Graye-s-Mer
Vaux
Bernières-s-Mer
Meuvaines
Crépon
Ste-Croix-s-Mer
Banville
Ryes
Magny-en-Bessin
Pierre-Artus
Bazenville
Tierceville
Colombiers-s-Seulles
Reviers
Tailleville
La Délivrande
Douvres-la-Délivrande
Cresserons
Bény-s-Mer
Amblie
Moulineaux
BAYEUX
Sommervieu
St-Sulpice
Villiers-le-Sec
Creullet
Le Manoir
St-Vigor-le-Gd
Esquay
Prieuré
Creully
St-Martin-des-Entrées
Vienne-en-Bessin
St-Gabriel-Brécy
Fontaine Henry
Basly
Colomby-Anguerny
Plumetot
Hermanville-s-Mer
Colleville-Montgomery
Merville-Franceville-Plage
Cabourg
Sallenelles
Jardins
Lantheuil
Le Fresne-Camilly
Thaon
Villons-les-Buissons
Anisy
Périers-s-le-Dan
Mathieu
St-Aubin-d'Arquenay
Bieville-Beuville
Le Port
Pegasus Bridge
Amfreville
Varaville
Gonneville-en-Auge
Vaux-s-S.
Rucqueville
Martragny
Cully
Coulombs
Monceaux-en-B.
Nonant
Cachy
St-Léger
Secqueville-en-Bessin
Cairon
Lasson
Le Vey
Les Buissons
Cambes-en-Plaine
Le Londel
Bénouville
Bréville-les-Monts
Petiville
Ranville
Bavent
Carcagny
Ducy-Ste-Marguerite
Ste-Croix-Grd-Tonne
Brit.
Neuf-Mer
Bray
Rosel
Vieux Cairon
Buron
Mâlon
Epron
La Bijude
Bieville-s-Orne
Blainville-s-Orne
Le Mariquet
Hérouvillette
Escoville
Bois de Bavent
Robehomme
Bricqueville
Basseneville
Goustranville
La Vallière
Ellon
Condé-s-Seulles
Loucelles
Brouay
Bretteville-l'Orgueilleuse
Gruchy
St-Louet
St-Contest
Lébisey
Beauregard
Hérouville-St-Clair
Colombelles
Ste-Honorine-la-Chardronnette
Cuverville
Touffréville
Bures
Juaye-Mondaye
Chouain
Audrieu
Putot-en-Bessin
(Thue-et-Mue)
Rots
Authie
Abbe d'Ardenne
Cussy
La Folie
Couvréchef
Couvert
Pont-Roch
Bucéels
Cristot
Le Hamel
Norrey-en-Bessin
Carpiquet
St-Germain-la-Bl.-Herbe
Festyland
Mondeville
Giberville
Sannerville
Démouville
Troarn
St-Samson
Verrières
Les Hts Vents
Le Mesnil-Patry
St-Manvieu-Norrey
Marcelet
Bretteville-s-Odon
CAEN
Cormelles-le-Royal
Banneville-la-C.
Manneville
St-Pair
St-Pierre-du-Jonquet
Tilly-s-Seulles
Hottot-les-Bagues
Fontenay-le-Pesnel
St-Martin
Juvigny-s-Seulles
Cheux
Mouen
Le Mesnil
Louvigny
Le Mesnil-Frémentel
Guillerville
Cagny
Émiéville
Onchy
Le Lion Vert
St-Vaast-s-Seulles
Tessel
Vendes
Rauray
Colleville
Verson
Fleury-s-O.
Tourville-s-Odon
Fontaine-Étoupefour
Éterville
Grentheville
Frénouville
Le Fresne
St-Ouen-du-Mesnil-Oger
Les Mouesnots
Orbois
Sermentot
Le Coisel
Bretteville
Senevière
Grainville-s-Odon
Mondrainville
Les Forges
Baron-s-Odon
Maltot
La France
Etavaux
Ifs
Hubert-Folie
Le Poirier
Soliers
Four
Franqueville
Argences
Vimont
Les Pédouzes
Le Mesnil
Beltot
Les Moulinets
Monts-en-Bessin
Noyers
Missy
Gavrus
Tourmauville
Feuguerolles-Bully
St-André-s-Orne
St-Martin-de-Fontenay
Bourguébus
Bellengreville
Moult
Croissanville
Le Grand-Haut Fecq
Monceaux
(Val-d'Arry)
Bougy
Le Bon-Repos
Esquay-N.-D.
Verrières
(Castine-en-Plaine)
Tilly-la-Campagne
La Hogue
(Moult-Chicheboville)
Ingouville
Airan
St-Louet-s-Seulle
Villy-Bocage
Tournay-s-Odon
Le Locheur
Ragny
Avenay
Vieux
Bully
May-s-O.
Chicheboville
Beneauville
Le Ruel
Villers-Bocage
Parfouru-s-Odon
Villodon
Neuilly-le-Malherbe
Évrecy
Fierville
Pont-du-Coudray
Percouville
Clinchamps-s-Orne
Rocquancourt
Garcelles-Secqueville
Billy
Valmeray
Cesny-aux-Vignes
Landes-s-Ajon
Vacognes-Neuilly
Champs-Goubert
Amayé-s-Orne
Le Val
Fontenay-le-Marmion
Laize-la-Ville
Lorguichon
(Castelet)
Conteville
(Valambray)
Bray-la-Campagne
Epinay-s-Odon
Epene
Le Homme
Maizet
Ste-Honorine-du-Fay
Les Ifs
(Laize-Clinchamps)
La Ruelle
La Jalousie
St-Aignan-de-Cramesnil
Poussy-la-Campagne
Le Torps
Malherbe-s-Ajon
Longchamps
Le Mont
Bretteville
Jouette
Caillouet
Cintheaux
Fierville-Bray
Quatre-Puits
Vieux-Fumé
Maisoncelles-Pelvey
Le Mesnil Hervieu
Maisoncelles-s-Ajon
Préaux-Bocage
Le Grand-Mesnil
Hautrécy
Le Hutray
Esney-le-Puceux
Les Villers
La Vallée
St-Georges-d'Aunay
Bauquay
Beauvais
Le Mesnil-au-Grain
St-Agnan-le-Malherbe
Courqueret
La Fèterie
Trois-Monts
Montigny
(Montillières-s-Orne)
Goupillières
Grimbosq
L'Es Rues
Boulon
Bretteville-s-Laize
Haut-Mesnil
Gouvix
St-Laurent-de-Condel
St-Sylvain
Cauvicourt
Bénémesnil
Le Bû-s-Rouvres
Condé-s-Ifs
Glatigny
Le Mesnil
Courcelles
La Caine

0 2 4 6 8 10 km
18
C
D
1
2
3
4
5
33
A
B
C
D
54
Octeville-sur-Mer
Montivilliers
St-Laurent-de-Brévedent
Épretot
St-Aubin-Routot
Cap de la Hève
Ste-Adresse
Harfleur
Gonfreville-l'Orcher
Rogerville
St-Vincent-Cramesnil
Oudalle
Sandouville
St-Vigor-d'Ymonville
LE HAVRE
PORT 2000
Grand Canal du Havre
Honfleur
Pont de Normandie
Côte de Grâce
Vasouy
Fiquefleur-Équainville
Cricqueboeuf
Pennedepie
Villerville
Hennequeville
Barneville-la-Bertran
Équemauville
Gonneville-s-Honfleur
Ablon
Trouville-s-Mer
DEAUVILLE
Côte Fleurie
Bénerville-s-Mer
Blonville-s-Mer
Touques
Bonneville-s-Touques
St-Gatien-des-Bois
Fourneville
Genneville
Manneville-la-Raoult
Beuzeville
Villers-s-Mer
Falaise des Vaches Noires
Houlgate
Cabourg
St-Arnoult
Tourgéville
Englesqueville-en-Auge
Tourville-en-Auge
Quetteville
St-Benoît-d'Hébertot
St-André-d'Hébertot
Auberville
Vauville
St-Pierre-Azif
Canapville
St-Martin-aux-Chartrains
Le Vieux-Bourg
Surville
Merville-Franceville-Plage
Dives-s-Mer
Gonneville-s-Mer
Grangues
St-Vaast-en-Auge
Glanville
St-Étienne-la-Thillaye
Coudray-Rabut
Pont-l'Évêque
Les Authieux-s-Calonne
St-Julien-s-Calonne
Bonneville-la-Louvet
Périers-en-Auge
Branville
Beaumont-en-Auge
Bourgeauville
Reux
Heuland
Danestal
Douville-en-Auge
Annebault
Pierrefitte-en-Auge
Manneville-la-Pipard
Varaville
Brucourt
Petiville
Bavent
Cricqueville-en-Auge
Cresseveuille
Drubec
Clarbec
St-Hymer
Blangy-le-Château
Angerville
St-Léger-Dubosq
Valsemé
Fierville-les-Parcs
Le Brévedent
Goustranville
Dozulé
Basseneville
Putot-en-Auge
St-Jouin
Beaufour-Druval
Le Torquesne
Le Faulq
Bures-s-Dives
Clermont-en-Auge
Bonnebosq
St-Philbert-des-Champs
Le Pin
Le Fournet
Formentin
Norolles
Troarn
St-Samson
Beuvron-en-Auge
Gerrots
Rumesnil
Repentigny
Léaupartie
Coquainvilliers
Ouilly-le-Vicomte
Fauguernon
Parc Zoo Cerza
St-Pair
Janville
Hotot-en-A.
Victot-Pontfol
Montreuil-en-Auge
La Roque-Baignard
Manerbe
Rocques
St-Ouen-du-Mesnil-Oger
Cléville
Méry-Corbon
Cambremer
Le Val Richer
St-Ouen-le-Pin
LISIEUX
Hermival-les-Vaux
Ouilly-du-Houley
Argences
Canteloup
Corbon
Pays d'Auge
N.-D.-d'Estrées
St-Laurent-du-Mont
La Boissière
St-Désir
Firfol
Carref. du May
Vimont
Croissanville
Crèvecœur-en-Auge
N.-D.-de-Livaye
La Houblonnière
Beuvillers
Glos
Marolles
Bissières
Airan
St-Loup-de-Fribois
Monteille
Les Monceaux
St-Pierre-des-Ifs
St-Martin-de-la-Lieue
Courtonne-la-Meurdrac
Magny-le-Freule
Biéville-Quétiéville
Lécaude
Le Mesnil-Guillaume
Cordebugle
Mézidon-Canon
Le Mesnil-Mauger
Le Mesnil-Simon
Le Mesnil-Eudes
St-Jean-de-Livet
St-Martin-de-Mailloc
St-Denis-de-Mailloc
Ouézy
Grandchamp-le-Château
St-Germain-de-Livet
Lessard-et-le-Chêne
Prêtreville
Fierville-Bray
Vieux-Fumé
Les Authieux-Papion
Percy-en-Auge
Ouville-la-Bien-Tournée
St-Julien-le-Faucon
Auquainville
Magny-la-Campagne
Coupesarte
Le Mesnil-Durand
Le Mesnil-Germain
Bretteville-s-Dives
Condé-s-Ifs
A 13
A 29
A 131
A 132
E 46
D 613
D 579
D 675

19
E
F
G
H
Gruchet-le-Valasse
Abbe du Valasse
La Trinité-du-Mont
St-Nicolas-de-la-Haie
Maulévrier-Ste-Gertrude
Carville-la-Folletière
St-Eustache-la-Forêt
Mélamare
St-Antoine-la-Forêt
Le Becquet
Auberville-la-Campagne
Anquetierville
Caudebec-en-Caux
Abbe
St-Wandrille-Rançon
Épinay-s-Duclair
Villers-Écalles
Lillebonne
St-Jean-de-Folleville
La Frénaye
St-Arnoult
Touffreville-la-Cable
Villequier
St-Nicolas-de-Bliquetuit
Pont de Brotonne
St-Paër
Bouville
St-Nicolas-de-la-Taille
N.-D.-de-Gravenchon
Port-Jérôme-s-Seine
Ste-Marguerite-s-Duclair
Tancarville
Quillebeuf-sur-Seine
Port-Jérôme
Vatteville-la-Rue
La Mailleraye-s-Seine
PARC NATUREL RÉGIONAL DES BOUCLES DE LA SEINE NORMANDE
Pont de Tancarville
St-Aubin-s-Quillebeuf
Petiville
Norville
Ételan
Le Trait
Duclair
Berville-s-S.
Anneville-Ambourville
St-Martin-de-Boscherville
Pointe de la Roque
Marais Vernier
St-Maurice-d'Etelan
Yainville
Heurteauville
Forêt de Brotonne
Jumièges
Abbe
St-Samson-de-la-Roque
Vieux-Port
Aizier
Bardouville
Conteville
Marais-Vernier
Réserve Naturelle des Mannevilles
Trouville-la-Haule
Le Mesnil-s/s-Jumièges
Quevillon
Ste-Opportune-la-Mare
St-Thurien
La Haye-de-Routot
Le Landin
Foulbec
Bouquelon
Tocqueville
Bourneville-Ste-Croix
Hauville
Yville-s-S.
St-Pierre-de-Manneville
St-Sulpice-de-Grimbouville
St-Ouen-des-Champs
St-Mards-de-Blacarville
La Haye-Aubrée
Barneville-s-S.
Mauny
St-Maclou
Toutainville
Fourmetot
Routot
Honguemare-Guenouville
Gaumont
Pont-Audemer
Manneville-s-Risle
Valletot
Étreville
Éturqueraye
Rougemontiers
Bouquetot
La Trinité-de-Th.
Sahurs
St-Germain-Village
Colletot
Corneville-s-Risle
Cauverville-en-Roumois
Brestot
Bourg-Achard
Bosgouet
St-Ouen-de-Thouberville
La Bouille
Triqueville
Fort-Moville
Tourville-s-Pont-Audemer
Illeville-s-Montfort
Flancourt-Crescy-en-Roumois
Château de Robert-le-Diable
Les Préaux
Vannecrocq
St-Symphorien
Condé-s-Risle
Appeville-Annebault
Épreville-en-Roumois
Bosc-Bénard-Crescy
Grand-Bourgtheroulde
La Londe
Selles
Campigny
St-Philbert-s-Risle
St-Christophe-s-Condé
Montfort-s-Risle
Écaquelon
Touville
Berville-en-Roumois
St-Ouen-du-Tilleul
Épaignes
St-Siméon
St-Martin-St-Firmin
St-Léger-du-Gennetey
Voiscreville
Boissey-le-Châtel
Le Bosc-Roger-en-Roumois
La Noë-Poulain
St-Étienne-l'Allier
St-Pierre-des-Ifs
Glos-s-Risle
Thierville
Bonneville-Aptot
Le Thuit-Signol
La Chapelle-Bayvel
St-Sylvestre-de-Cormeilles
La Poterie-Mathieu
St-Georges-du-Vièvre
St-Grégoire-du-Vièvre
Freneuse-s-Risle
Pont-Authou
St-Philbert-s-Boissey
Le Bec-Hellouin
Malleville-s-le-Bec
St-Denis-des-Monts
Le Mont Roti
Launay
Livet-s-Authou
Lieurey
Morainville-Jouveaux
St-Benoît-des-Ombres
St-Jean-de-la-Léqueraye
Noards
Neuville-s-Authou
St-Éloi-de-Fourques
Le Bosc-du-Theil
Tourville-la-Campagne
Amfreville-St-Amand
St-Ouen-de-Pontcheuil
Bailleul-la-Vallée
St-Georges-du-Mesnil
St-Victor-d'Épine
Brétigny
Bosrobert
St-Paul-de-Fourques
St-Meslin-du-Bosc
Fresne-Cauverville
Heudreville-en-Lieuvin
Épreville-en-Lieuvin
N.-D.-d'Épine
Giverville
St-Pierre-de-Salerne
Brionne
Calleville
La Neuville-du-Bosc
La Pyle
Crestot
Le Favril
Morsan
Berthouville
St-Cyr-de-Salerne
Franqueville
Hecmanville
La Haye-de-Calleville
Épégard
Le Troncq
St-Aubin-de-Scellon
Bazoques
Aclou
Harcourt
Champ de Bataille
Ste-Opportune-du-Bosc
Fontaine-la-Louvet
Boissy-Lamberville
Folleville
Le Theil-Nolent
Fontaine-la-Soret
Thibouville
Villez-s-le-N.
Le Neubourg
Crosville-la-Vieille
Barville
Thiberville
Duranville
La Chapelle-St-Clair
Boisney
Malbrouck
Rouge-Perriers
Épreville-près-le-N.
Le Tremblay-Omonville
L'Hôtellerie
Malouy
Plasnes
Valailles
Nassandres-s-Risle
Goupillières
Bournainville-Faverolles
Courbépine
St-Léger-de-Rôtes
Goupil-Othon
Écardenville-la-Campagne
La Chapelle-Hareng
Drucourt
St-Martin-du-Tilleul
Menneval
Serquigny
Launay
Le Tilleul-Othon
Bray
Combon
Ste-Colombe-la-Commanderie
St-Vincent-du-Boulay
Le Planquay
Plainville
Bernay
Caorches-St-Nicolas
Fontaine-l'Abbé
Beaumontel
Beaumont-le-Roger
St-Mards-de-Fresne
St-Victor-de-Chrétienville
Carentonne
Barc
Émanville
Le Tilleul-Lambert
St-Germain-la-Campagne
Corneville-la-Fouquetière
St-Clair-d'Arcey
Le Plessis-Ste-Opportune
55
36

0 2 4 6 8 10 km

20 C D

Les Cambes Le Mesnil Montville Cardonville Tendos Fontaine-le-Bourg Le Varat St-Pierre St-Jean St-André Cailly Le Coudray Les Authieux Longuerue Ste-Croix-s-Buchy La Rue-Giffard Bosc-Edeline Bois-Héroult

Malzaize Pissy-Pôville Malaunay Le Mont-Réal Bois-le-Vicomte Les Cottrets Quincampoix St-Georges-s-Fontaine Vert-Galant Pierreval St-Germain-des-Essourts Ernemont-s-Buchy Le Lemont Yville Bois-Guilbert La Chapelle-St-Ouen

Villers-Écalles Bouville Le Quesnay Les Campeaux Le Paulu Pt Melmont Le Houlme La Muette Les Hts Poiriers Les Hameaux Les Clos La Pommeraye Bierville Mondétour Crevon Héronchelles Raimbouville Boissay La Gloe Bois-Gautier Hez La Hallotière

Roumare Candos St-Thomas St-Jean-du-Cardonnay Houppeville Plainbosc Isneauville La Caserie Morgny-la-Pommeraye Gruchy Catenay St-Aignan-s-Ry Fresle Bruquedalle Rebets

St-Pierre-de-Varengeville La Fontaine N.-D.-de-Bondeville Forêt Verte La Bretèque Préaux Mont-Ménin La Vieux-Rue Capendu Blainville-Crevon Les Hameaux

Duclair Berville-s-S. La Vaupalière Hénouville Mont-St-Aignan Fontaine-s-s-P. Le Mont-Perreux St-Martin-du-Vivier Guilleville La Laie St-Saire Servaville-Salmonville Salmonville L'Epinay Grainville-s-Ry Le Puits Le Mesnil Clanquemeule Morville-s-Andelle Le Héron

Anneville-Ambourville Maromme Déville-lès-R. Bois-Guillaume Bihorel Roncherolles-le-Vivier Puits-de-l'Aire La Hémaudière Ry Les Ventes Elbeuf-s-A.

St-Martin-de-Boscherville Montigny Le Chêne-à-Leu Darnétal Quévreville Forgettes Bois-l'Évêque Martainville-Epreville Auzouville-s-Ry La Remondière St-Denis-le-Thiboult La Haye Croisy-s-Andelle Le Val-St-Pierre

Bardouville Canteleu Croisset La Table-de-Pierre St-Jacques-s-Darnétal Gratianville Le Mesnil-Perruel Vascœuil Le Fresnay

Le Génetey Dieppedalle Le Pt-Quevilly St-Léger-du-Bg-Denis St-Aubin-Épinay Bois-d'Ennebourg Epreville Coquéréaumont Letteguives Perruel Carref. du Pare Jumelle Les Hogues

Quevillon ROUEN Bonsecours Le Mesnil-Esnard Épinay Montmain Le Mesnil-Fouque Le Frenay Le Mesnil-Claque Bosc-Ourcel Perriers-s-Andelle Ste-Honorine La Bosse

Forêt de Roumare Le Grd-Quevilly Petit-Couronne Sotteville-lès-R. Le Madrillet Franqueville-St-Pierre Puits Guérard Fresne-le-Plan Renneville Bois Meigle Paviot Les Tainières

Beaulieu St-Pierre-de-Manneville Rond-de-la-Martel Amfreville-la-Mi-Voie Belbeuf Le Faulx Franquevillette Mesnil-Raoul Mesnil-Grain Canteloup Le Fayel Essart-Mador

Mauny Val-de-la-Haye St-Étienne-du-Rouvray Roches de St-Adrien Celloville Boos La Muette Pt-Hamel Gournets Transières St-Jean-le-Roule

Caumont Hautot-s-S. Forêt du Rouvray La Croix Le Neuville-Chant-d'Oisel Bourg-Beaudouin Vandrimare Fleury-s-Andelle Le Pont-d'Andelle Charleval Rosay-s-Lieure

Sahurs Grd-Couronne St-Adrien Incarville St-Aubin-Celloville Les Masures-Lavalle Les Essarts Abbe de Fontaine-Guérard Le Grd Thuit

La Bouille Moulineaux Camp militaire Gouy Ymare Les Grandes-Masures Quévreville-la-Poterie Forêt de Longboel Ménesqueville Grainville Touffreville

Les Essarts Oissel Le-Port-St-Ouen Romilly-s-Andelle Pont-St-Pierre Radepont Val-d'Orger Gaillardbois-Cressenville

Chau de Robert-le-Diable Le Clos Gosse Port-d'Oissel Les Authieux-s-le-Port-St-Ouen Le Hamel Bedanne Tourville-la-Rivière Alizay Bonnemare Douville-s-Andelle Forêt de Bacqueville Cressenville

La Londe Roches d'Orival Cléon Freneuse Sotteville-s-le-Val Igoville Pîtres Côte des Deux Amants Amfreville-les-Champs Le Chouquet Villerest Écouis Verclives

Grand-Bourgtheroulde Orival St-Aubin-lès-E. Criquebeuf-s-S. Bonport Le Manoir Les Damps Écluses Flipou Bacqueville

St-Ouen-du-Tilleul Le Marais Le Bosc-Roger-en-Roumois (Bosroumois) Martot Pont-de-l'Arche Poses Amfreville-s/s-les-Monts Le Plessis Orgeville Marcouville Houville-en-Vexin Fresne-l'Archevêque St-Jean-de-Frenelles

Les Rues Les Écameaux Caudebec-lès-E. Rd-de-France Léry Senneville Le Londe Corny

Bosnormand (Le Thuit-de-l'Oison) La Capelle Le Thuit-Anger Elbeuf St-Pierre-lès-Elbeuf Val-de-Reuil Tournedos-s-Seine Le Mesnil-de-Poses Heuqueville Vatteville Cuverville Longuemare

Le Thuit-Simer Le Thuit-Signol St-Pierre-des-Fleurs La Saussaye Rd Royal Le Vaudreuil Porte-de-Seine Aumare Daubeuf-près-V. Roncherolles Noyers Paix Le Mesnil-Bé

St-Pierre-du-B. St-Germain-de-Pasquier St-Cyr-la-Campagne Neuf-Moulin Tostes Fretteville Le Thuit Fequerolles

La Lande Bosc-Féret Soulanger St-Amand-des-Hautes-Terres Le Bec-Thomas La Vallée Anct Min (Terres-de-Bord) Porte-Joie Connelles La Roquette Le Val-St-Martin

Tourville-la-Campagne St-Ouen-de-Pontcheuil St-Didier-des-Bois Les Fosses Forêt de Bord St-Étienne-du-Vauvray Herqueville Buspins La Roque Rocher La Garenne Les Andelys

Amfreville-St-Amand La Harengère La Haye-Malherbe Fouqueville Montaure Chêne des Louviers Incarville St-Pierre-du-Vauvray Andé Muids Bernières-s-Seine Chau Gaillard Vézillon

St-Aubin Mandeville Limare Londemare Vraiville Surtauville Écrosville Louviers Vieux-Rouen Le Mesnil (Trois-Lacs) Tosny Clery

Le Bosc Harel Crestot Limbeuf Crasville La Vacherie La Neuville Vironvay Les Monts SEINE La Mare Tour La Baguelande

Le Hamel Criquebeuf-la-Campagne Daubeuf-la-Campagne Surville Le Hamelet Heudebouville Venables Villers-le-Roule Bois de la Gde Garenne Bouafles Forêt des Andelys L'Epinay

Tronca Hectomare Le Buc Cesseville La Haye-le-Comte Pinterville Fontaine-Bellenger Les Mousseaux Courcelles-s-Seine

Les Mares Ecquetot Quatremare Bois du Mesnil-Jourdain Acquigny Fontaine-la-Verte (Le Val-d'Hazay) Vieux-Villez

Vitot Iville Crosville-la-Vieille Phipou Le Mesnil-Jourdain Bois d'Acquigny Venon Intremare Gournay Malpalu Le Gros-Mesnil Chau Aubevoye La Falaise Port-Mort

Neubourg Criquetot Marbeuf Les Landes La Mare-Hermier Gruchet Ingremare Ste-Barbe-s-G. Le Hazey N.-D.-de-la-Garenne St-Pierre-la-Garenne Pressagny-le-Val

La Salle-Coquerel Villettes N.-D. des Bois (École d'Agre) Canappeville Noyon Le Boulay Le Valtier Aillly Les Planches Le Bois-Ricard Les Quaizes Gaillon Corvé

St-Aubin-d'Écrosville Hondouville Amfreville-s-Iton Botremare Heudreville-s-Eure Hablovile St-Aubin-s-G. N.-D.-de-l'Isle

Le Tremblay-Omonville Le Mesnil-Broquet Écauville Houetteville La Vacherie Boos Verdun Le Goulet Dormont Les Rotoirs Pressagny-l'Orgueilleux

Feugueroles Platemare Les Faulx Fontaine-Heudebourg St-Julien-de-la-Liègue La Boissaye Les Noës St-Pierre-de-Bailleul Le Bray St-Étienne-s-s-Bailleul St-Pierre-d'Autils

La Campagne Mesnil-Péan Boslon Carcouet Cailly-s-Eure (Clef-Vallée-d'Eure) La Croix-St-Leufroy Bois de Bihorel Champenard Villez-s/s-Bailleul (La Chapelle-Longueville)

Les Quatre-Routes Sémerville Graveron-Sémerville Quittebeuf Brosville Bérengeville-la-Campagne La Chapelle-du-Bois-des-Faulx Écardenville-s-Eure Autheuil-Authouillet La Chapelle-Réanville St-Just

Combon Ste-Colombe-la-Commanderie Bacquepuis Tourneville Émalleville Le Hamel Crèvecœur Irreville

La Brosse St-Léger Dieu la Croisse St-Mélain-la-Campagne Tournedos-Bois-Hubert Bernienville Sacquenville Le Bas St-Germain-des-Angles Autrebosc Le Boulay-Morin St-Vigor Le Boshion Ste-Colombe-près-Vernon St-Marcel Bizy

A B 56 C D

Le Tilleul-Lambert Brettemare Normanville Reuilly Launay Chambray La Vallée Bance Mercey St-Vincent-des-Bois

Émanville Folleville Bois-Hubert Pithienville Beaulieu St-Martin-la-Campagne Le Mesnil-Fuguet Chanteloup Le Mesnil-Doucerain Rouvray Houlbec-Cocherel Forêt

Neubourg Le Gouberge La Croix Caer Le Buisson-Isabelle Les Oriots Fontaine

37
21
57
38
Gournay-en-Bray
Gisors
Chaumont-en-Vexin
Magny-en-Vexin
Etrépagny
St-Germer-de-Fly
Gerberoy
Marines
Beauvoir-en-Lyons
Ambléville
Domaine de Villarceaux
Giverny
La Roche-Guyon
Songeons
Auneuil
Trie-Château
Courcelles-lès-Gisors
Neaufles-St-Martin
Dangu
Bézu-St-Eloi
Sérifontaine
Flavacourt
Lachapelle-aux-Pots
St-Aubin-en-Bray
Ons-en-Bray
Le Coudray-St-Germer
Talmontiers
Bouchevilliers
Martagny
Morgny
Longchamps
Doudeauville-en-Vexin
Heudicourt
Hébécourt
Chars
Nucourt
Hodent
Omerville
Bray-et-Lû
Chaussy
Écos
Tourny
Parnes
St-Clair-sur-Epte
Château-s-Epte
Guerny
Noyers
Boury-en-Vexin
Vaudancourt
Montjavoult
Serans
Lierville
Loconville
Fleury
Hénonville
Berville
Le Heaulme
Santeuil
Brignancourt
Moussy
Banthelu
Genainville
Villers-en-Arthies
Chérence
Vétheuil
Aincourt
Avernes
Théméricourt
Vigny
Ableiges
Montgeroult
Cormeilles-en-Vexin
PARC NATUREL RÉGIONAL DU VEXIN
Bois de Gisors
Bois des Coquereaumont
Mont des Fourches
Parc St-Paul
Forêt de Lyons
Troissereux
Milly-sur-Thérain
Savignies
St-Paul
Goincourt
Rainvilliers
Villotran
Jouy-sous-Thelle
Valdampierre
Bachivillers
Neuville-Bosc
Chavençon
Neuilly-en-Vexin
Feuillie
Lyons-la-Forêt
Beauficel-en-Lyons
Fleury-la-Forêt
Bosquentin
Lilly
Puchay
Saussay-la-Campagne
Hacqueville
Richeville
Mouflaines
Authevernes
Dampierre-en-Bray
Beuvreuil
Cuy-St-Fiacre
Brémontier-Merval
Elbeuf-en-Bray
Avesnes-en-Bray
Ferrières-en-Bray
Hannaches
Senantes
Villembray
Glatigny
Hanvoile
Haucourt
Crillon
Vrocourt
Martincourt
Wambez
Buicourt
Hécourt
Molagnies
Bézancourt
Montroty
Neuf-Marché
Espaubourg
Cuigy-en-Bray
Lalandelle
Villers-St-Barthélemy
Troussures
Le Vauroux
Labosse
Le Vaumain
Porcheux
Énencourt-Léage
Villers-s-Trie
Éragny-sur-Epte
Bazincourt-s-Epte
Boutencourt
Thibivillers
Hardivillers-en-Vexin
Chambors
Delincourt
Reilly
Lattainville
Boubiers
Tourly
Monneville
Lavilletertre
Fay-les-Étangs
Fresne-Léguillon
Senots
Ivry-le-Temple
Monts
Montagny-en-Vexin
Alincourt
St-Gervais
Buhy
La Chapelle-en-Vexin
Montreuil-s-Epte
Fourges
Bois-Jérôme-St-Ouen
Gasny
Ste-Geneviève-lès-Gasny
Heubécourt-Haricourt
Tilly
Vesly
Les Thilliers-en-Vexin
Gamaches-en-Vexin
Chauvincourt-Provemont
Bernouville
Farceaux
Villers-en-Vexin
Ste-Marie-de-Vatimesnil
Sancourt
Amécourt
Mainneville
Mesnil-s/s-Vienne
Le Thil
Sully
Escames
Bazancourt
Gancourt-St-Etienne
St-Quentin-des-Prés
Fontenay-Torcy
Ménerval
Doudeauville
Grémévillers
Lachapelle-sous-Gerberoy
Villers-sur-Bonnières
St-Omer-en-Chaussée
Bonnières
Herchies
Pierrefitte-en-Beauvaisis
Fouquenies
Le Mont-St-Adrien
St-Germain-la-Poterie
Lhéraule
La Neuville-Vault
Hodenc-en-Bray
Blacourt
Flavacourt
La Houssoye
Beaumont-les-Nonains
Le Mesnil-Théribus
Pouilly
Marines

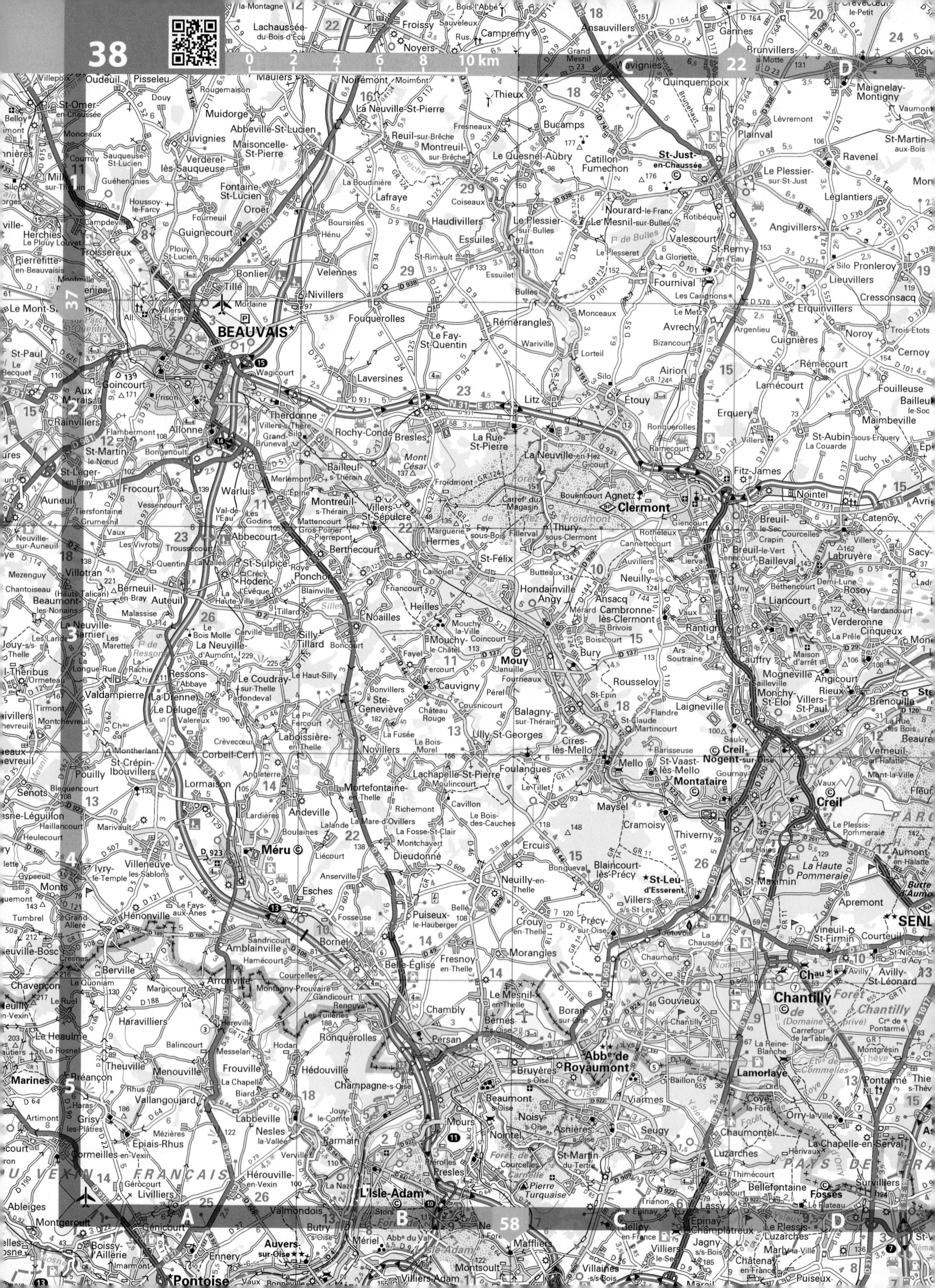
0 2 4 6 8 10 km
22
37
58
A
B
C
D
1
2
3
4
5
BEAUVAIS
Clermont
Creil
Chantilly
Méru
Mouy
Montataire
Nogent-sur-Oise
St-Just-en-Chaussée
L'Isle-Adam
Pontoise
Auvers-sur-Oise
Beaumont-s-Oise
Persan
Chambly
Noailles
St-Leu-d'Esserent
Liancourt
Abbaye de Royaumont
Lamorlaye
Luzarches
Fosses
Marines
Maignelay-Montigny
Fitz-James
Agnetz
Breuil-le-Vert
Breuil-le-Sec
Bresles
Rochy-Condé
Therdonne
Allonne
Goincourt
Tillé
Nivillers
Laversines
Hermes
Heilles
Mello
Cires-lès-Mello
Précy-sur-Oise
Gouvieux
Viarmes
Asnières-s-Oise
Presles
Mours
Nointel
Bornel
Amblainville
Hénonville
Ivry-le-Temple
Valdampierre
Auneuil
Frocourt
Warluis
Abbecourt
Hodenc-l'Évêque
Silly-Tillard
Ste-Geneviève
Cauvigny
Balagny-sur-Thérain
Ully-St-Georges
Angy
Bury
Cambronne-lès-Clermont
Rantigny
Laigneville
Mogneville
Monchy-St-Éloi
Villers-St-Paul
Verneuil-en-Halatte
Apremont
Vineuil-St-Firmin
Avilly-St-Léonard
Coye-la-Forêt
Orry-la-Ville
La Chapelle-en-Serval
Survilliers
Forêt de Chantilly
Forêt de Hez-Froidmont
Mont César
PAYS DE FRANCE
VEXIN FRANÇAIS
La Haute Pommeraie
Pierre Turquaise
N 31
E 46
A 16
D 1001
D 1016
D 916
D 938
D 931
A 1

39
23
59
40
E
F
G
H
COMPIÈGNE
Margny-lès-C.
Venette
Clairoix
Bienville
Janville
Choisy-au-Bac
Thourotte
Ribécourt-Dreslincourt
Pimprez
Noyon
Carlepont
Bailly
Tracy-le-Val
Tracy-le-Mont
Attichy
Berneuil-sur-Aisne
Rethondes
Trosly-Breuil
Couloisy
Cuise-la-Motte
Croutoy
Vic-s-Aisne
Clairière de l'Armistice
Vieux Moulin
St-Jean-aux-Bois
Pierrefonds
St-Étienne-Roilaye
Chelles
Retheuil
Taillefontaine
Morienval
Béthisy-St-Pierre
Béthisy-St-Martin
Verberie
Saintines
St-Sauveur
Lacroix-St-Ouen
Longueil-Ste-Marie
Rivecourt
Jaux
Jonquières
Armancourt
Estrées-St-Denis
Moyvillers
Arsy
Rémy
Lachelle
Baugy
Coudun
Giraumont
Mélicocq
Marest-sur-Matz
Margny-sur-Matz
Marquéglise
Ressons-s-Matz
Cuvilly
Gournay-s-A.
Antheuil-Portes
Braisnes-sur-Aronde
Monchy-Humières
Moyenneville
Montmartin
Hémévillers
Rouvillers
Francières
Tricot
Courcelles-Epayelles
Mortemer
Méry-la-Bataille
Belloy
Ménévillers
Wacquemoulin
Neufvy-s-A.
Blincourt
Grandfresnoy
Chevrières
Houdancourt
Bazicourt
Pontpoint
Rhuis
Roberval
Néry
Villeneuve-sur-Verberie
Raray
Rully
Brasseuse
Villers-St-Frambourg
Ognon
Chamant
Barbery
Mont-l'Évêque
Montépilloy
Borest
Baron
Fontaine-Chaalis
Montlognon
Abbe de Chaalis
Ermenonville
Montagny-Ste-Félicité
Mortefontaine
Plailly
Ver-s-Launette
Nanteuil-le-Haudouin
Silly-le-Long
Ognes
Le Plessis-Belleville
Ève
Lagny-le-Sec
Othis
Oissery
Versigny
Péroy-les-Gombries
Ormoy-Villers
Lévignen
Boissy-Fresnoy
Rosières
Auger-St-Vincent
Fresnoy-le-Luat
Rouville
Crépy-en-Valois
Gondreville
Duvy
Trumilly
Rocquemont
Glaignes
Séry
Magneval
Béthancourt-en-Valois
Gilocourt
Feigneux
Fresnoy-la-Rivière
Vez
Russy-Bémont
Vaumoise
Vauciennes
Largny-s-Automne
Haramont
Éméville
Bonneuil-en-Valois
Villers-Cotterêts
Coyolles
Ivors
Boursonne
Ormoy-le-Davien
Bargny
Cuvergnon
Betz
Thury-en-Valois
Antilly
La Villeneuve-sous-Thury
Marolles
La Ferté-Milon
Mareuil-sur-Ourcq
Boullarre
Neufchelles
Étavigny
Villers-St-Genest
Chèvreville
Bouillancy
Réez-Fosse-Martin
Acy-en-Multien
Rosoy-en-Multien
Rouvres-en-Multien
Varinfroy
Crouy-s-Ourcq
Montigny-l'Allier
Vincy-Manœuvre
May-en-Multien
Puiseux-en-Retz
Oigny-en-Valois
Silly-la-Poterie
Montigny-Lengrain
Laversine
Soucy
Viviers
Hautefontaine
Mortefontaine
Ressons-le-Long
Audignicourt
Nampcel
Autrêches
Moulin-sous-Touvent
Bitry
St-Pierre-lès-Bitry
Cuts
Camelin
Blérancourt
St-Christophe-à-Berry
Berny-Rivière
FORÊT DE COMPIÈGNE
FORÊT DE LAIGUE
NATUREL
RÉGIONAL
OISE
Aronde
Oise
Aisne
Automne

0 2 4 6 8 10 km
24
39
60
SOISSONS
Coucy-le-Château-Auffrique
Villers-Cotterêts
La Ferté-Milon
Château-Thierry
Neuilly-St-Front
Fère-en-Tardenois
Braine
Vailly-s-Aisne
Longpont
Chau de Fère
Butte de Chalmont
Anizy-le-Chau
Folembray
Prémontré
Bassoles-Aulers
Blérancourt
Trosly-Loire
St-Aubin
Selens
Pont-St-Mard
Jumencourt
Crécy-au-Mont
Leuilly-sous-Coucy
Vézaponin
Epagny
Bagneux
Terny-Sorny
Bieuxy
Juvigny
Leury
Vuillery
Morsain
Nouvron-Vingré
Tartiers
Cuisy-en-Almont
Chavigny
Clamecy
Braye
Cuffies
Crouy
Vauxrezis
Pasly
Pommiers
Osly-Courtil
Fontenoy
Ambleny
Pernant
Mercin-et-Vaux
Villeneuve-St-Germain
Venizel
Bucy-le-Long
Chivres-Val
Missy-sur-Aisne
Condé-s-Aisne
Celles-sur-Aisne
Vregny
Margival
Laffaux
Nanteuil-la-Fosse
Aizy-Jouy
Sancy-les-Cheminots
Pinon
Vauxaillon
Chavignon
Vaudesson
Allemant
Mont des Crapouillots
Pargny-Filain
Filain
Chemin des Dames
Ostel
Braye-en-Laonnois
Chavonne
Soupir
Moussy-Verneuil
Bourg-et-Comin
Cys-la-Commune
Pont-Arcy
Presles-et-Boves
St-Mard
Viel-Arcy
Chassemy
Brenelle
Dhuizel
Vauxtin
Courcelles-s-Vesle
Paars
Serches
Acy
Sermoise
Ciry-Salsogne
Vasseny
Augy
Couvrelles
Billy-s-Aisne
Belleu
Noyant-et-Aconin
Septmonts
Vauxbuin
Courmelles
Ploisy
Berzy-le-Sec
Rozières-s-Crise
Buzancy
Chaudun
Villemontoire
Vierzy
Hartennes-et-Taux
Droizy
Muret-et-Crouttes
Maast-et-Violaine
Nampteuil-s-Muret
Chacrise
Ambrief
Cuiry-Housse
Lesges
Cerseuil
Limé
Quincy-s/s-le-Mont
Jouaignes
Tannières
Mont-Notre-Dame
Lhuys
Bazoches-sur-V.
St-Thibaut
Ville-Savoye
Mont-St-Martin
Bruys
Chéry-Chartreuve
Loupeigne
Mareuil-en-Dôle
Dravegny
Saconin-et-Breuil
Cutry
Laversine
Cœuvres-et-Valsery
Dommiers
Missy-aux-Bois
St-Pierre-Aigle
Soucy
Montgobert
Puiseux-en-Retz
Fleury
Corcy
Louâtre
Villers-Hélon
Parcy-et-Tigny
St-Rémy-Blanzy
Launoy
Arcy-Ste-Restitue
Beugneux
Cramaille
Grand-Rozoy
Le Plessier-Huleu
Oulchy-la-Ville
Oulchy-le-Chau
Billy-sur-Ourcq
Rozet-St-Albin
Montgru-St-Hilaire
Breny
Saponay
Nanteuil-N.D.
Bruyères-s-Fère
Villeneuve-sur-Fère
Seringes-et-Nesles
Sergy
Cierges
Villers-sur-Fère
Coincy
Armentières-s-Ourcq
Rocourt-St-Martin
La Croix-sur-Ourcq
Brécy
Fresnes-en-Tardenois
Beuvardes
Épieds
Bézu-St-Germain
Dampleux
Faverolles
Ancienville
Noroy-sur-Ourcq
Chouy
Troësnes
Marizy-Ste-Geneviève
Marizy-St-Mard
Macogny
Passy-en-Valois
Monnes
Dammard
Chézy-en-Orxois
St-Gengoulph
Priez
Sommelans
Grisolles
Latilly
Courchamps
Bonnesvalyn
Monthiers
Hautevesnes
Licy-Clignon
Épaux-Bézu
Bussiares
Brumetz
Montigny-l'Allier
Gandelu
Veuilly-la-Poterie
Torcy-en-Valois
Belleau
Étrépilly
Mont-St-Père
Chartèves
Jaulgonne
Trélou-s-Marne
Le Charmel
Ronchères
Champvoisy
Vincelles
Bois Belleau
Forêt de Retz
Forêt de Fère
Aisne
Ourcq
Vesle
A4-E50
N2
N31
D1

E
F
G
H
25
61
42
REIMS
Tinqueux
Cormontreuil
Bezannes
St-Brice-Courcelles
Bétheny
Cernay-lès-Reims
Witry-lès-Reims
Bourgogne
Guignicourt
Asfeld
Neufchâtel-s-Aisne
Menneville
Évergnicourt
Pontavert
Craonne
Craonnelle
Corbeny
Berry-au-Bac
Loivre
Hermonville
Cormicy
Courcy
Brimont
Witry-lès-Reims
Isles-s-Suippe
Warmeriville
Bazancourt
Pomacle
Lavannes
Caurel
Berru
Nogent-l'Abbesse
Beine-Nauroy
Époye
Prunay
Sillery
Puisieux
Taissy
St-Léonard
Verzenay
Verzy
Mailly-Champagne
Rilly-la-Montagne
Chigny-les-Roses
Ludes
Villers-Marmery
Trépail
Ambonnay
Bouzy
Louvois
Tours-s-Marne
Isse
Avenay-Val-d'Or
Mutigny
Aÿ
Dizy
Hautvillers
Cumières
Damery
Mareuil-le-Port
Châtillon-s-Marne
Ville-en-Tardenois
Jonchery-sur-Vesle
Muizon
Gueux
Champigny
Fismes
Magneux
Courlandon
Breuil-s-Vesle
Prouilly
Pévy
Trigny
Merfy
St-Thierry
Châlons-s-Vesle
Sermiers
Montchenot
Villers-Allerand
Montbré
Champfleury
Sacy
Écueil
Chamery
Ormes
Pargny-lès-R.
Jouy-lès-R.
Les Mesneux
Gerzicourt
Avançon
Taizy
Herpy-l'Arlésienne
Gomont
Balham
Blanzy-la-Salonnaise
St-Germainmont
Villers-devant-le-Thour
Le Thour
Juzancourt
Prouvais
Proviseux-et-Plesnoy
La Malmaison
Amifontaine
Berrieux
Aizelles
Montaigu
Festieux
Veslud
Eppes
Coucy-lès-Eppes
Mauregny-en-Haye
Sissonne
Brienne-s-Aisne
Vieux-lès-Asfeld
Avaux
Sault-St-Remy
Roizy
Bergnicourt
Houdilcourt
Poilcourt-Sydney
L'Écaille
St-Remy-le-Petit
Pignicourt
Variscourt
Condé-s-Suippe
Aguilcourt
Bertricourt
Auménancourt
St-Étienne-s-Suippe
Boult-s-Suippe
Orainville
Bermericourt
Fresne-lès-Reims
Forêt de la Montagne de Reims
PARC NATUREL RÉGIONAL DE LA MONTAGNE DE REIMS
Mont Sinaï
Faux de Verzy
Mont Joli
Mont Ferré
Fort de la Pompelle

0 2 4 6 8 10 km
Rethel
Barby
Taizy
Herpy-l'Arlésienne
Nanteuil-s-Aisne
Acy-Romance
Sault-lès-Rethel
Biermes
Doux
Coucy
Amagne
Sorcy-Bauthémont
Auboncourt-Vauzelles
Faux
Chevrières
Ecordal
Alland'Huy-et-Sausseuil
Suzanne
Tourteron
La Sabotterie
Lametz
Le Chesne
Montgon
Neuville-Day
St-Lambert-et-Mont-de-Jeux
Charbogne
Givry
Ambly-Fleury
Attigny
Semuy
Rilly-s-Aisne
Voncq
Thugny-Trugny
Seuil
Mont-Laurent
Saulces-Champenoises
Ste-Vaubourg
Roche
Chuffilly-Roche
Avançon
Faucherelles
St-Loup-en-Champagne
La Selvelle
Perthes
Ménil-Annelles
Vaux-Champagne
Coulommes-et-Marqueny
Vandy
Ballay
Tagnon
Annelles
Pauvres
Chardeny
Quilly
Grivy-Loisy
Vouziers
Bergnicourt
Le Châtelet-sur-Retourne
Neuflize
L'Écaille
St-Remy-le-Petit
Alincourt
Bignicourt
Les Sylvains
Dricourt
Tourcelles-Chaumont
Mars-s/s-Bourcq
Juniville
Ville-s-Retourne
Mont-St-Remy
Leffincourt
Bourcq
Blaise
Falaise
La Gentillerie
Ménil-Lépinois
Ste-Marie
Contreuve
Machault
Sugny
Savigny-s-Aisne
Warmeriville
Aussonce
La Neuville-en-Tourne-à-Fuy
Cauroy
Semide
Mont-St-Martin
St-Morel
Ragonet
Vaudétré
Heutrégiville
Merlan
Les Monts Chéry
Monthois
St-Masmes
Selles
Hauviné
St-Clément-à-Arnes
St-Étienne-à-Arnes
Orfeuil
Liry
Challerange
Marvaux-Vieux
Époye
Pontfaverger-Moronvilliers
Bétheniville
St-Pierre-à-Arnes
Aure
Ardeuil-et-Montfauxelles
St-Hilaire-le-Petit
Vauroisy
Sommepy-Tahure
Manre
Gratreuil
Fontaine-en-Dormois
Beine-Nauroy
Nauroy
Moronvilliers
St-Martin-l'Heureux
Dontrien
St-Souplet-sur-Py
Ste-Marie-à-Py
Butte de Tahure
Butte de Souain
Ripont
Rouvroy-Ripont
Tahure
Mont Cornillet
Vaudesincourt
Mont de la Fme de Navarin
Les Marquises
Aubérive
Camp militaire
Ferme de Beauséjour
Massiges
Prunay
Constantine
Moscou
Prosnes
L'Espérance
Souain-Perthes-lès-Hurlus
Perthes-lès-Hurlus
Le Mesnil-lès-Hurlus
Minaucourt-le-Mesnil-lès-Hurlus
Val-de-Vesle
Les Wacques
St-Hilaire-le-Grand
Hurlus
Baconnes
Russe
Jonchery-sur-Suippe
Wargemoulin-Hurlus
Sept-Saulx
Grinyland
Cormelois
Suippes
Laval-s-Tourbe
Les Cruzis
Les Petites Loges
Mourmelon-le-Grand
Camp de Mourmelon
Bois de la Lyre
Ferme de Suippes
Somme-Suippe
St-Jean-sur-Tourbe
La Salle
Hans
Mourmelon-le-Petit
Le Mont de Billy
Livry-Louvercy
Louvercy
Mont Farman
Crête Niel
Ancienne Voie Romaine
Haricot de Vadenay
Somme-Tourbe
Somme-Bionne
Billy-le-Grand
Villers-Marmery
Vaudemange
Bouy
Mont Frenet
Mont Piémont
L.G.V. EST
Ambonnay
Vadenay
Bussy-le-Château
La Croix-en-Champagne
Les Maigneux
Isse
Les Grandes-Loges
Cuperly
St-Hilaire-au-Temple
Mont Gravonne
Fontenelle
Camp d'Attila
La Cheppe
St-Remy-sur-Bussy
Le Vieux-Bellay
La Chapelle-Felcourt
Noblette
Mont des Vignes
A B C D
1 2 3 4 5
41 26 62

43
27
63
44
E
F
G
H
Chartreuse
Le Mont-Dieu
Mémorial de Stonne
Mont Damion
Mont du Cygne
Beaumont-en-Argonne
Forêt de Jaunay
Luzy-St-Martin
Martincourt-sur-Meuse
Nepvant
Brouennes
Tannay
Les Grandes-Armoises
La Berlière
Bois de Sommauthe
Cesse
Vigneul-s/s-Montmédy
Iré-les-Prés
Sy
Armoises
Bois de Sy
Oches
Forêt de Dieulet
Cervisy
Silo
Quincy-Landzécourt
Bois de Juvigny
Han-lès-Juvigny
Petites-Armoises
Verrières
Sommauthe
Grand Étang
Laneuville-sur-Meuse
Stenay
Baâlon
Juvigny-sur-Loison
Bazancourt
Brieulles-s-Bar
St-Pierremont
Vaux-en-Dieulet
Belval-Bois-des-Dames
Beaufort-en-Argonne
Mouzay
Châtillon-sur-Bar
Fontenois
Les Champys
Beauclair
Wiseppe
Bois du Chênois
Forêt de Woëvre
Authe
Autruche
Charmois
Louppy-sur-Loison
Belleville-et-Châtillon-sur-Bar
Fossé
Halles-s/s-les-Côtes
Les Forgettes
Villefranche
Saulmory-Villefranche
Germont
Bar-lès-Buzancy
Bois de la Folie
Nouart
Tailly
Montigny-devant-Sassey
Harricourt
La Malmaison
Buzancy
Barricourt
Sassey-sur-Meuse
Lion-devant-Dun
Boult-aux-Bois
Le Gros Chêne
Thénorgues
Les Tuileries
Mont devant-Sassey
Villers-devant-Dun
Côte de Châtel
Milly-sur-Bradon
Côte St Germain
Brandeville
Bois de Jametz
Briquenay
Bayonville
Andevanne
Murvaux
Bréheville
Lissey
Forêt
Les Quatre Charmes
Sivry-lès-Buzancy
Chennery
Rémonville
Doulcon
Dun-s-Meuse
B. du Fayel
Longwé
Bois de la Croix-aux-Bois
Verpel
Landreville
Cléry-le-Petit
Fontaines-St-Clair
Bois de Bréhéville
La Petite Lissey
Le Morthomme
Beffu-et-le-Morthomme
Imécourt
Aincreville
Cléry-le-Grand
Liny-devant-Dun
B. de Sivry
Écurey-en-Verdunois
Bois d'Écurey
Andon
Ladhuy
Bantheville
Champigneulle
Landres-et-St-Georges
B. de Forêt
Brieulles-sur-Meuse
Haraumont
Réville-aux-Bois
Étray
Talma
St-Georges
Silo
Grandpré
St-Juvin
Cunel
Vilosnes-Haraumont
Bois de la Sartre
Agon
Romagne-s/s-Montfaucon
U.S.A
B. de Fays
Monument Américain
Wavrille
Termes
Chevières
Sommerance
Bois d'Ariéthal
Bois de la Côte de Laimont
Bois de Dannevoux
Sivry-sur-Meuse
Aire
Marcq
Gesnes-en-Argonne
Bois de Consenvoye
Senuc
Fléville
Cierges-s/s-Montfaucon
Dannevoux
Moirey
Mouron
Cornay
Exermont
Nantillois
B. de Septsarges
Bois Juré
Consenvoye
Vaux-lès-Mouron
Grandham
Abbatiale
Les Granges
Eclisfontaine
Butte de Montfaucon
Septsarges
Gercourt-et-Drillancourt
Drillancourt
Haumont-près-Samogneux
Montcheutin
Le Bois-de-Lord
Châtel-Chéhéry
Bois de Cornay
L'Espérance
Épinonville
Ivoiry
Montfaucon-d'Argonne
Cuisy
Bois de Forges
Brabant-sur-Meuse
Bois d'Autry
St-Lambert
Lançon
Bois de Châtel
Le Mesnil
Apremont
Baulny
Charpentry
Forges-sur-Meuse
Béthincourt
Regnéville-sur-Meuse
Samogneux
Autry
Les Bièvres
Charlevaux
Forêt de Montfaucon
Forêt du Mort-Homme
Côte de l'Oie
Condé-lès-Autry
Montblainville
Silo
Véry
Malancourt
Haucourt
Champneuville
Binarville
Cheppy
Cote 304
Le Mort-Homme
Champ
Canal de l'Est
Cumières-le-mort-homme
La Mare-aux-Boeufs
Cernay
Varennes-en-Argonne
Bois du Bel Orme
Bois de Malancourt
Bois de Cheppy
Chattancourt
Vacherauville
Servon-Melzicourt
Bois de la Gruerie
Butte de Vauquois
Buanthe
Avocourt
Esnes-en-Argonne
Marre
Charny-s-Meuse
Forêt de Servon
Vauquois
La Claire
Fort de Marre
Bois de Ville
Melzicourt
Vienne-le-Château
La Harazee
Boureuilles
Forêt de Hesse
Montzéville
Bois Bourrus
Fort de Bois Bourrus
St-Thomas-en-Argonne
Le Four-de-Paris
Germonville
Thierville-sur-Meuse
Ville-s-Tourbe
Bois d'Hauzy
La Placardelle
Forêt de Lachalade
Abancourt
Verrières-en-Hesse
Vignéville
Jardin Fontaine
La Renarde
Forêt des Hauts-Bâtis
La Forestière
Béthelainville
Camp militaire
Glorieux
Malmy
Vienne-la-Ville
Lachalade
Chêne
Neuvilly-en-Argonne
Fromeréville-les-Vallons
Carrefour de la Croix de Pierre
Naviaux
Les Petits-Bâtis
Le Claon
Aubréville
Récicourt
Dombasle-en-Argonne
Sivry-la-Perche
Baleycourt
Regret
Fort de Regret
Moiremont
Le Neufour
Cousances
Courcelles
Parois
Brabant-en-Argonne
Jouy-en-Argonne
Frana
Champ de Tir
Bel Billemont
Le Poncelet
Bois de la Viergette
Florent-en-Argonne
B. du Gd Pays
Lochères
Vadelaincourt
Mémorial
Moulin-Brûlé
La Neuville-au-Pont
La Noue St-Vanne
Le Jarcq
Blercourt
Nixéville-Blercourt
Voie
Les Islettes
Vraincourt
Brocourt-en-Argonne
Maffrécourt
Bois de Valmy
Bois-Bachin
Clermont-en-Argonne
Auzéville-en-Argonne
Rampont
Landrecourt
Chaudefontaine
Côte de Biesme
Les Senades
Jubécourt
Lempire-aux-Bois
Vaux
La Grange-aux-Bois
Les Souhesmes-Rampont
Bois de Landrecourt
Braux-Ste-Cohière
La Contrôlerie
Beauchamp
Ville-sur-Cousances
Sacrée
Dommartin-Dampierre
Ste-Menehould
Futeau
Bellefontaine
Rarécourt
Vadelaincourt
Lemmes
Bois de Souhesmes
Salvange
Julvécourt
Senoncourt-les-Maujouy
Orbéval
Dampierre
Argers
Verrières
Froidos
Oches
Maupertuis
Voilemont
Élise-Daucourt
Forêt de Beaulieu
Bois de Lavoye
Lavoye
Forêt de Souilly
Grigny
Châtrices
St-Rouin
Autrécourt-sur-Aire
Ippécourt
Souilly

44
0 2 4 6 8 10 km
C
D
A
B
64
1
2
3
4
5
Margny
Gérouville
Meix-devant-Virton
Robelmont
St-Léger
Châtillon
Villy
Moiry
Sapogne-sur-Marche
Margut
Breux
Sommethonne
Virton
Ethe
Bleid
Malandry
La Ferté-s-Chiers
Signy-Montlibert
Avioth
Thonne-la-Long
Latour
Gomery
Musson
Olizy-sur-Chiers
St-Walfroy-Ermitage
Thonnelle
Dampicourt
St-Mard
Ruette
Ville-Houdlémont
Gorcy
Inor
Bièvres
Lamouilly
Chauvency-St-Hubert
Verneuil-Petit
Rouvroy
Harnoncourt
Martincourt-sur-Meuse
Nepvant
Thonne-les-Prés
Centre de détention
Verneuil-Grand
Écouviez
Bois de Guéville
St-Pancré
Cosnes-et-Romain
Chauvency-le-Ch.
Lamorteau
Brouennes
Montmédy
Velosnes
Allondrelle-la-Malmaison
Villers-la-Chèvre
Bronelle
Vigneul-s/s-Montmédy
Villécloye
Torgny
Tellancourt
Fresnois-la-Montagne
Iré-les-Prés
Bazeilles-sur-Othain
Épiez-sur-Chiers
Stenay
Quincy-Landzécourt
Othe
Charency-Vezin
Montigny-s-Chiers
Cons-la-Grandville
Baâlon
Han-lès-Juvigny
Iré-le-Sec
Flassigny
Villette
Viviers-s-Chiers
Ugny
Juvigny-sur-Loison
Villers-le-Rond
Colmey
Fermont
Wiseppe
Mouzay
Forêt de Woëvre
Ossuaire
St-Hilaire
Marville
Flabeuville
Longuyon
Fort de Fermont
Doncourt-lès-Longuyon
Charmois
Louppy-sur-Loison
Remoiville
St-Jean-lès-Longuyon
Ham-lès-St-Jean
Petit-Xivry
Beuveille
Saulmory-Villefranche
Jametz
Petit-Failly
Grand-Failly
Noërs
Pierrepont
Sassey-sur-Meuse
Rupt-sur-Othain
Lopigneux
Arrancy-sur-Crusne
Lion-devant-Dun
Delut
St-Laurent-sur-Othain
Sorbey
Han-devant-Pierrepont
Mont-Sassey
Côte St Germain
Dombras
Constantine
Milly-sur-Bradon
Brandeville
Vittarville
Dimbley
Belles-Fontaines
St-Pierrevillers
Dun-s-Meuse
Murvaux
Merles-sur-Loison
Châtillon
Villers-lès-Mangiennes
Pillon
Rouvrois-sur-Othain
Cléry-le-Petit
Bréhéville
Lissey
Peuvillers
Duzey
Nouillonpont
Fontaines-St-Clair
La Petite Lissey
Mangiennes
Handeville
Woecourt
Cléry-le-Grand
Liny-devant-Dun
Écurey-en-Verdunois
Damvillers
Billy-sous-Mangiennes
Muzeray
Réchicourt
Haraumont
Réville-aux-Bois
Étraye
Le Bois des Moines
Rampont
Brieulles-sur-Meuse
Mureau
Romagne-sous-les-Côtes
Spincourt
Vilosnes-Haraumont
Côte de Morimont
Wavrille
Gibercy
Vaudoncourt
Houdelaucourt-sur-Othain
Monument Américain
Sivry-sur-Meuse
Crépion
Loison
Domremy-la-Canne
Chaumont-devant-Damvillers
La Gélinerie
Sorel
Dannevoux
Moirey-Flabas-Crépion
Flabas
Ville-devant-Chaumont
Les Warières
Ville Forêt
Gouraincourt
Baroncourt
Nantillois
Septsarges
Consenvoye
Haumont-près-Samogneux
Azannes-et-Soumazannes
Forêt de Spincourt
Senon
Bellevue
Dommary-Baroncourt
Gercourt-et-Drillancourt
Drillancourt
Brabant-sur-Meuse
Gremilly
Les Crocs
Bois d'Arc
Amel-s-l'Étang
Éton
Cuisy
Forges-sur-Meuse
Pierreville
Renonvaux
Romany
Béthincourt
Samogneux
Beaumont-en-Verdunois
Ornes
L'Épina
Maucourt-sur-Orne
Naumoncel
Regnéville-sur-Meuse
Louvemont-Côte-du-Poivre
Mogeville
Gincrey
Foameix-Ornel
Roger-Champ
Longeau
Malancourt
Haucourt
Le Mort-Homme
Côte 304
Côte de l'Oie
Champneuville
Champs de Bataille
Bezonvaux
Morgemoulin
Forêt d'Étain
Cumières-le-mort-homme
Douaumont
Fort de Douaumont
Dieppe-sous-Douaumont
Fromezey
Étain
Rouvres-en-Woëvre
Chattancourt
Vacherauville
Ossuaire
Tranchée des Baïonnettes
Vaux-devant-Damloup
Haraigne
Broville
Lanhères
Marre
Bras-sur-Meuse
Cimetière national
Damloup
Abaucourt-Hautecourt
Le Haut Bois
L'Hôpital
Warcq
Boinville-en-Woëvre
Avocourt
Esnes-en-Argonne
La Claire
Fort de Marre
Charny-s-Meuse
Fleury-devant-Douaumont
Fort de Vaux
Soupplerville
Le Moulin
Froideterre
Abri
Mémorial
Hautecourt-lès-Broville
Herméville-en-Woëvre
St-Maurice-les-G.
Montzéville
Fort de Bois Bourrus
Belleville-sur-Meuse
Fort de Souville
Fort de Tavannes
Eix
Eix-Abaucourt
Moranville
Darmont
Germonville
Thierville-sur-Meuse
Côte St-Michel
Grimaucourt-en-Woëvre
Gussainville
Buzy-Darmont
Vignéville
Verrières-en-Hesse
Jardin Fontaine
Camp militaire
Blanzée
Braquis
Parfondrupt
Béthelainville
Glorieux
Moulainville
Le Bourbeau
Fromeréville-les-Vallons
VERDUN
Mandre
Châtillon-sous-les-Côtes
Ville-en-Woëvre
Récicourt
Dombasle-en-Argonne
Maison Rouge
Regret
Belrupt
Watronville
Sivry-la-Perche
Baleycourt
Fort de Regret
Belleray
Haudainville
Fort du Rozelier
Ronvaux
Haudiomont
Hennemont
Pareid
Brabant-en-Argonne
Jouy-en-Argonne
Champ de Tir
Billemont
Hannoncelle
Manheulles
Pintheville
Mémorial
Frana

E
F
G
H
Messancy
Sélange
Bertrange
Dippach
Hesperange
Itzig
Clemency
(Käerjeng)
Hautcharage
Schouweiler
Sprinkange
Schléwenhof
Roedgen
Aix-s-Cloie
Athus
Bascharage
Leudelange
Fentange
Alzingen
Syren
Trintange
Waldbredimus
Stadtbredimus
Bous
Aubange
Pétange
Reckange-sur-Mess
Kockelscheuer
Roeser
Dalheim
(Sussem)
Sanem
Limpach
Bivange
Mont-St-Martin
Longlaville
Rodange
Lamadelaine
Mondercange
Pissange
Wickrange
Ehlange
Berchem
Weiler-la-Tour
Filsdorf
Welfrange
Crauthem
Aspelt
Ellange
Tetelbierg
Niederkorn
Saulnes
Differdange
Lasauvage
Zolwerknapp
Soleuvre
Ehlerange
Pontpierre
Abweiler
(Betebuerg)
Bettembourg
Fennange
Livange
Peppange
Frisange
Hau
Altwies
Herserange
Oberkorn
Bergem
Huncherange
Noertzange
Parc Merveilleux
Hellange
Mondorf-les-Bains
Belvaux
Belval
Schifflange
(Schëfflëng)
Budersberg
Evrange
Preisch
Mondorff
(Munneref)
Burmerange
Hagen
Himeling
Halling
Mexy
Hussigny-Godbrange
Rédange
Russange
Esch-sur-A.
(Esch-U.)
Kayl
(Käl)
Burange
Haute-Rentgen
Basse-Rentgen
Puttelange-lès-Thionville
Beyren-lès-Sierck
Haucourt-Moulaine
Thil
N.D. des Mineurs
Tétange
Dudelange
(Diddeleng)
Forêt de Zoufftgen
Zoufftgen
Dodenom
Esing
Rodemack
Contz-les-Bains
Villers-la-Montagne
Villerupt
Audun-le-Tiche
Rumelange
(Rëmmeleng)
Roussy-le-Village
Roussy-le-Bourg
Breistroff-la-Grde
Faulbach
Semming
Haute-Kontz
Tiercelet
Cantebonne
Ottange
Volmerange-les-Mines
Kanfen
Haute Parthe
Basse Parthe
Usselskirch
Evange
Boler
Fixem
Gavisse
Rettel
Laix
Silo
Cité
Bourène
Bréhain-la-Cour
Bréhain-la-Ville
Hirps
Nondkeil
Molvange
Escherange
Immerhof
Soetrich
Boust
Berg-s-M.
Malling
Morfontaine
Crusnes
Ecomusée
Aumetz
Bure
Sentzich
Homeldange
Hettange
Basliieux
Errouville
Entrange
Zeiterholz
Hettange-Grande
Forêt de Garche
Cattenom
Ville-au-Montois
Rochonvillers
Tressange
Camp militaire
Futrange
Husange
Métrich
Koenigsmacker
Bazailles
Fillières
Serrouville
Ludelange
Angevillers
Chambourg
La Grange
Guentrange
Garche
Basse-Ham
Cité des Officiers
Joppécourt
Beuvillers
Bassompierre
Havange
Boulange
Algrange
Beuvange-s/s-St-Michel
Elange
Thionville
Manom
St-Louis
Elzange
Le Chanois
Audun-le-Roman
Mercy-le-Haut
Bazonville
Fontoy
Volkrange
Veymerange
Valmestroff
Inglange
Breistroff-la-Petite
Hastroff
Boudrezy
Kuntzig
Yutz
Cité
Konacker
Nilvange
Terville
Budin
Higny
Malavillers
Sancy
Haut-Pont
Distroff
Preutin-Higny
Murville
Lommerange
Knutange
Marspich
Daspich
Mons
Neuves
Illange
Stuckange
Anderny
Trieux
Ecomusée des Mines de fer
Serémange-Erzange
Ebange
Florange
Imeldange
Volstroff
Bertrameix
Mont-Bonvillers
Neufchef
Hayange
St-Nicolas-en-Forêt
Uckange
Reinange
Metzervisse
Landres
Mairy-Mainville
Anderny
Remelange
Bertrange
Metzeresche
Piennes
Tucquegnieux
St-Pierremont
Morlange
Fameck
Guélange
Schell
Vinsberg
Kirsch-lès-Luttange
Bettainvillers
Ranguevaux
Edange
Budange
Guénange
Bousse
Mainville
Cités
Gites
Norroy-le-Sec
Mancieulles
Avril
Moyeuvre
Justemont
Richemont
Rurange-lès-Thionville
Luttange
Joudreville
Anoux
Vallée du Conroy
Moyeuvre-Pte
Beuvange
Vitry-s-O.
Boussange
Bévange
Blettange
Gandrange
Montrequienne
St-Saumont
Mance
Clouange
Rosselange
Froidcul
Mondelange
Logne
Trémery
St-Charles
Altroff
La Malmaison
Briey
Amnéville
Hagondange
La Serpe
Immonville
Lantéfontaine
Zoo
Ay-s-Moselle
Chelaincourt
Bettelain
Aix
Fléville-Lixières
Lixières
Moutiers
Moyeuvre-Grde
Rombas
Tour
Etabt thermal
Flévy
Gondrecourt-Aix
Lubey
Génaville
Joeuf
Pierrevillers
Silvange
Walygator Parc
Ennery
Hessange
Ozerailles
Les Baroches
Homécourt
Malancourt-la-Montagne
Maizières-lès-M.
Hauconcourt
Chailly-lès-Ennery
Valleroy
Montois-la-Montagne
Marange-Silvange
Rugy
Antilly
Vigy
Mouaville
Abbéville-lès-Conflans
Moineville
Auboué
Ste-Marie-aux-Chênes
Bronvaux
Fèves
Buy
Vry
Fiquelmont
Thumeréville
Beaumont
Le Paradis
Roncourt
St-Privat-la-Montagne
Semécourt
Argancy
Olgy
Méchy
Sanry-lès-Vigy
Neuvron
Hatrize
Norroy-le-Veneur
Charly-Oradour
Malroy
Paoully
Avancy
Conflans-en-Jarnisy
Tichemont
Batilly
St-Ail
Amanvillers
Metz-St-Privat Camp militaire
Bellevue
St-Rémy
La Maxe
Vrémy
Boncourt
Fleury
Giraumont
Labry
Habonville
Plesnois
Failly
Olley
Jeandelize
Jouaville
Saulny
Woippy
Chieulles
Vany
Ste-Barbe
Autoroute de l'Est
Puxe
Ebany
Jarny
Anoux-la-Grange
Vernéville
Vigneulles
St-Eloy
Villers-l'Orme
Grimont
Poixe
Gras
Servigny-lès-Ste-Barbe
Bouzonville
Friauville
Moncel
Doncourt-lès-Conflans
Lorry-lès-M.
Maison Neuve
St-Julien-lès-M.
Mey
Vantoux
Nouilly
Noisseville
Droitaumont
Bruville
Butricourt
Caulre
Badneux
Malmaison
Plappeville
Le Ban-St-Martin
Vallières-lès-Metz
Montoy-Flanville
Dompierre
Brainville
La Grange
Grisières
St-Marcel
Villers-aux-Bois
Gravelotte
Châtel-St-Germain
Lessy
Mont St-Quentin
Longeville-lès-M.
Scy-Chazelles
Lauvallières
Coincy
Ogy
Allamont
Porcher
Ville-aux-Prés
Ville-sur-Yron
Le Chênois
Rozérieulles
Moulins-lès-M.
Ste-Ruffine
Jussy
METZ
Queuleu
La Grange-aux-Bois
Marsilly
Ars-Laquenexy
Mars-la-Tour
Rezonville
65
46

46
0 2 4 6 8 10 km
C
D
A
B
66
45
NATURPARK
Saar-
-Hunsrück
SAAR-
Forêt de Mettlach
Forêt de Garche
Forêt de Zoufftgen
Forêt de Bouzonville
Forêt de Buchwald
Forêt de Villers-Bettnach
Forêt de Befey
Étang de Nidange
Hesperange
Alzingen
Oetrange
Lenningen
Stadtbredimus
Waldbredimus
Remich
(Reimech)
Bous
Dalheim
Roeser
Weiler-la-Tour
Aspelt
Frisange
Mondorff
Mondorf-les-Bains
(Munneref)
Evrange
Burmerange
Schengen
Wellenstein
Schwebsange
Remerschen
Wintrange
Elvange
Besch
Nennig
Römische Villa
Wies
Sinz
Tettingen
Wochern
Butzdorf
Borg
Perl
Apach
Sehndorf
Oberperl
Kirf
Freudenburg
Kesslingen
Orscholz
Cloef
Mettlach
Serrig
Kastel-Staadt
Taben-Rodt
Saarburg
Vogelfelsen
Saarhölzbach
Merzig
Besseringen
Brotdorf
Hilbringen
Mechern
Silwingen
Fremersdorf
Rehlingen
Siersburg
Saarfels
Bietzen
Harlingen
Menningen
Waldwisse
Launstroff
Gongelfang
Betting
Biringen
Merschweiller
Malbrouck
Manderen
Tunting
Scheuerwald
Kirsch-lès-Sierck
Ritzing
Rustroff
Sierck-les-Bains
Montenach
Contz-les-Bains
Haute-Kontz
Rettel
Berg-s-M.
Malling
Hunting
Gavisse
Fixem
Boust
Cattenom
Puttelange-lès-Thionville
Beyren-lès-Sierck
Rodemack
Breistroff-la-Grde
Roussy-le-Village
Zoufftgen
Basse-Rentgen
Evange
Boler
Usselskirch
Haute Parthe
Basse Parthe
Hettange-Grande
Zeiterholz
Soetrich
Immerhof
Husange
Koeking
Kœnigsmacker
Métrich
Kerling-lès-Sierck
Oudrenne
Haute-Sierck
Kirschnaumen
Remeling
Obernaumen
Evendorff
Kaltweiller
Fréching
Grindorff-Bizing
Halstroff
Laumesfeld
Waldweistroff
Flastroff
Schwerdorff
Zeurange
Colmen
Neunkirchen-lès-Bouzonville
Hackenberg
Kalembourg
Ste-Marguerite
Lemestroff
Elzange
Valmestroff
Inglange
Budling
Breistroff-la-Petite
Hastroff
Monneren
Veckring
St-François-Lacroix
Rodlach
Bibiche
Filstroff
Guerstling
Heining-lès-B.
Niedwelling
Remeldorff
Thionville
Yutz
Manom
Basse-Ham
Garche
La Grange
Guentrange
Chambourg
Terville
Kuntzig
Distroff
Buding
Kemplich
Stuckange
Illange
Florange
Uckange
Metzervisse
Volstroff
Kédange-s-Canner
Klang
Menskirch
Dalstein
Chémery-les-Deux
Bouzonville
Vœlfling-lès-B.
Bertrange
Metzeresche
Hombourg-Budange
Férange
Ébersviller
Guénange
Bousse
Fameck
Richemont
Rurange-lès-Thionville
Luttange
Freistroff
Vaudreching
Alzing
Oberdorff
Villing
Anzeling
Rémelfang
Brettnach
Holling
Hestroff
Piblange
Aboncourt
St-Bernard
Gomelange
Bettange
Velving
Tromborn
Dalem
Mondelange
Trémery
Hagondange
Amnéville
Talange
Walygator Parc
Maizières-lès-M.
Flévy
Ennery
Bettelainville
Burtoncourt
Éblange
Ottonville
Valmunster
Téterchen
Hargarten-aux-Mines
Falck
St-Hubert
Mégange
Roupeldange
Denting
Hauconcourt
Chailly-lès-Ennery
Vigy
Guinkirchen
Charleville-s/s-Bois
Hinckange
Boulay-Moselle
Coume
Guerting
Varsberg
Creutzwald
Antilly
Argancy
Sanry-lès-Vigy
Volmerange-lès-Boulay
Niedervisse
Bisten-en-Lorraine
Porcelette
Malroy
Charly-Oradour
Hayes
Condé-Northen
Momerstroff
Obervisse
Woippy
Chieulles
Failly
Ste-Barbe
Servigny-lès-Ste-Barbe
Les Étangs
Loutremange
Helstroff
Halling-lès-Boulay
Narbéfontaine
Boucheporn
St-Julien-lès-M.
Mey
Vantoux
Noisseville
Retonfey
Glatigny
Landonvillers
Vaudoncourt
Varize
Brouck
Hallering
Zimming
Longeville-lès-St-Avold
Montoy-Flanville
Silly-sur-Nied
Courcelles-Chaussy
Bannay
Marange-Zondrange
Bionville-s-Nied
Bambiderstroff
Metz
Borny
Coincy
Ogy
Marsilly
Ars-Laquenexy
Colligny
Raville
Fouligny
Laudrefang

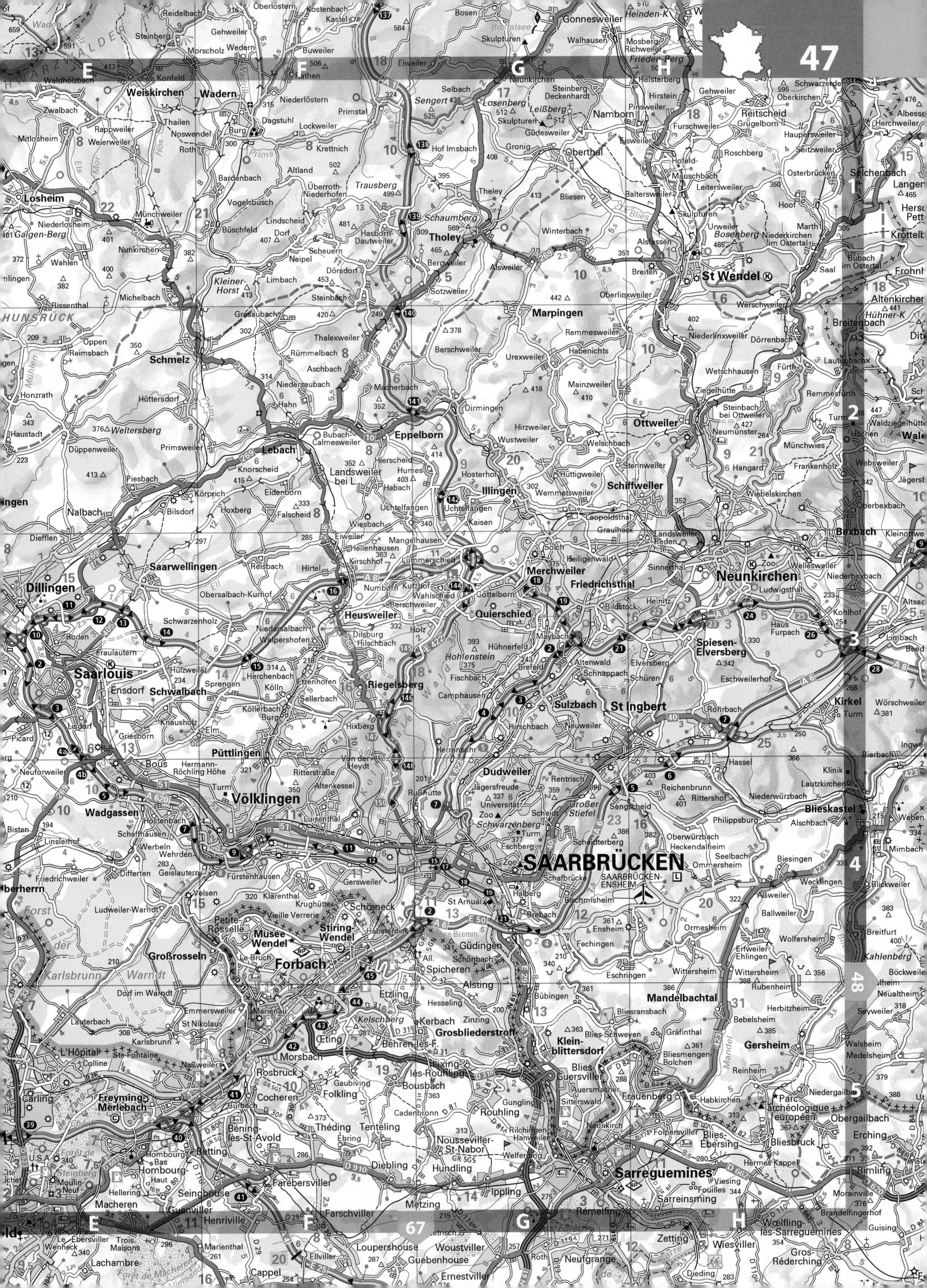

E F G H

Reidelbach Oberlöstern Kostenbach Kastel Bosen Bostalsee Gonnesweiler Heinden-K.
Steinberg Gehweiler Buweiler Skulpturen Walhausen Mosberg-Richweiler
Morscholz Wedern Frieden-Berg
Waldhölzbach Konfeld Rathen Eiweiler Neunkirchen
Weiskirchen Wadern Niederlöstern Selbach Sengert Losenberg Steinberg-Deckenhardt Heisterberg Schwarzerden
Zwalbach Thailen Dagstuhl Primstal Leißberg Namborn Hirstein Gehweiler Oberkirchen
Rappweiler Noswendel Burg Lockweiler Skulpturen Gudesweiler Pinsweiler Reitscheid Albessen
Mitlosheim Weierweiler Roth Krettnich Hof Imsbach Gronig Oberthal Furschweiler Grügelborn Herchweiler
Bardenbach Altland Eisweiler Haupersweiler Seitzweiler
Losheim Vogelsbüsch Überroth-Niederhofen Trausberg Theley Bliesen Hofeld-Mauschbach Roschberg Selchenbach
Niederlosheim Münchweiler Lindscheid Schaumberg Leitersweiler Osterbrücken Langen
Galgen-Berg Büschfeld Dorf Hasborn-Dautweiler Tholey Balterswei1er Skulpturen Hoof
Nunkirchen Scheuern Bergweiler Winterbach Urweiler Bosenberg Niederkirchen im Ostertal Marth Krottelbach
Wahlen Neipel Alsweiler Alsfassen St Wendel Bubach im Ostertal
Kleiner-Horst Limbach Dörsdorf Breiten Saal Frohnhofen
Michelbach Steinbach Sotzweiler Oberlinxweiler Altenkirchen
Rissenthal HUNSRÜCK Gresaubach Marpingen Werschweiler Hühner-K.
Oppen Thalexweiler Niederlinxweiler Dörrenbach Breitenbach
Reimsbach Schmelz Rümmelbach Berschweiler Remmesweiler Habenichts Lautenbach
Aschbach Urexweiler Fürth
Honzrath Niedersaubach Wetschhausen
Hüttersdorf Macherbach Mainzweiler Ziegelhütte Remmesfürth
Hahn Dirmingen Steinbach bei Ottweiler
Haustadt Weltersberg Bubach-Calmesweiler Eppelborn Hirzweiler Ottweiler Neumünster Turm Waldziegelhütte
Düppenweiler Primsweiler Lebach Wustweiler Welschbach Münchwies Höchen Websweiler
Piesbach Knorscheid Landsweiler bei L. Herscheid Humes Hosterhof Illingen Hüttigweiler Stennweiler Hangard Frankenholz Jägersburg
Körprich Eidenborn Habach Wemmetsweiler Schiffweiler Wiebelskirchen
Nalbach Bilsdorf Hoxberg Falscheid Uchtelfangen Leopoldsthal Oberbexbach
Dieffien Wiesbach Kaisen Graulheck Landsweiler-Reden Bexbach Kleinottweiler
Eiweiler Hellenhausen Mangelhausen Heiligenwald
Saarwellingen Reisbach Hirtel Kirschhof Lummerschied Merchweiler Sinnerthal Neunkirchen Wellesweiler
Dillingen Kutzhof Numborn Wahlschied Göttelborn Friedrichsthal Niederbexbach
Obersalbach-Kurhof Heusweiler Berschweiler Quierschied Bildstock Heinitz Ludwigsthal
Schwarzenholz Holz Maybach Kohlhof Altstadt
Roden Niedersalbach Walpershofen Dilsburg Hilschbach Hühnerfeld Spiesen-Elversberg Haus Furpach Limbach
Fraulautern Hülzweiler Hohlenstein Altenwald Elversberg Beeden
Saarlouis Ensdorf Schwalbach Herchenbach Etzenhofen Riegelsberg Fischbach Brefeld Schnappach Schüren Eschweilerhof
Sprengen Kölln Sellerbach Camphausen Sulzbach St Ingbert Rohrbach Kirkel Wörschweiler
Lisdorf Köllerbach Knausholz Elm Burg Hirschbach Neuweiler
Picard Griesborn Hixberg Herrensohr Hassel Ingweiler
Bous Püttlingen Von der Heydt Dudweiler Rentrisch Bierbach
Neuforweiler Hermann-Röchling Höhe Ritterstraße Reichenbrunn Klinik Lautzkirchen
Wadgassen Turm Völklingen Altenkessel Rußhütte Jägersfreude Universität Zoo Sengscheid Rittershof Niederwürzbach Blieskastel
Bisten Hostenbach Luisenthal Schwarzenberg Scheidt Großer Stiefel Oberwürzbach Philippsburg Aschbach Webenheim
Linslerhof Schaffhausen Turm Scheidterberg Hochendalheim
Werbeln Wehrden Eschberg Seelbach Biesingen Mimbach
Friedrichweiler Geislautern Differten SAARBRÜCKEN Ommersheim
Überherrn Fürstenhausen Gersweiler SAARBRÜCKEN-ENSHEIM Wecklingen Blickweiler
Velsen Klarenthal Krughütte Schafbrücke Halberg Bischmisheim
Forst Ludweiler-Warndt Vieille Verrerie Schöneck St Arnual Brebach Ormesheim Aßweiler Ballweiler
Petite-Rosselle Musée Wendel Stiring-Wendel Habsterdick Goldene Bremm Güdingen Ensheim Wolfersheim Breitfurt
Großrosseln Le Bruch Forbach Schönbach Fechingen Erfweiler-Ehlingen Kahlenberg
Karlsbrunn Warndt Spicheren Alsting Eschringen Wittersheim Böckweiler
Dorf im Warndt Etzling Bübingen Mandelbachtal Rubenheim Neualtheim
Emmersweiler Marienau Hesseling Zinzing Bliesransbach Herbitzheim Seyweiler
Lauterbach St Nikolaus Kerbach Kelschberg Grosbliederstroff Bebelsheim
Karlsbrunn Etting Behren-lès-F. Klein-blittersdorf Blies-Schweyen Gräfinthal Gersheim
L'Hôpital Ste-Fontaine Naßweiler Morsbach Etzling Bliesmengen-Bolchen Walsheim
Colline Rosbruck Gaubiving les-Rouhling Blies-Guersviller Medelsheim
Carling Freyming-Merlebach Cocheren Folkling Bousbach Auersmacher Frauenberg Reinheim Niedergailbach
Bürbach Cadenbronn Gungling Sitterswald Habkirchen Parc archéologique européen
Béning-lès-St-Avold Théding Tenteling Rouhling Neunkirch Obergailbach
U.S.A. Forêt de Steinberg Hombourg-Bas Betting Ebring Nousseviller-St-Nabor Rilchingen-Hanweiler Folpersviller Blies-Ebersing Bliesbruck Erching
Moulin Neuf Hombourg-Haut Diebling Hundling Welferding Sarreguemines Hermes-Kappel Rimling
Hellering Seingbouse Farébersviller Ippling Viesing Fouilles Morainville
Macheren Guenviller Metzing Sarreinsming Brandelfingerhof
Henriville Farschviller Rémelfing Wœlfling-lès-Sarreguemines
Le Ebersviller Trois Maisons Zetting Guising
Wenheck Lachambre Marienthal Ellviller Loupershouse Woustviller Wiesviller Gros-Réderching
Cappel Forêt de Macheren Guebenhouse Ernestviller Roth Neufgrange Dieding

48
67

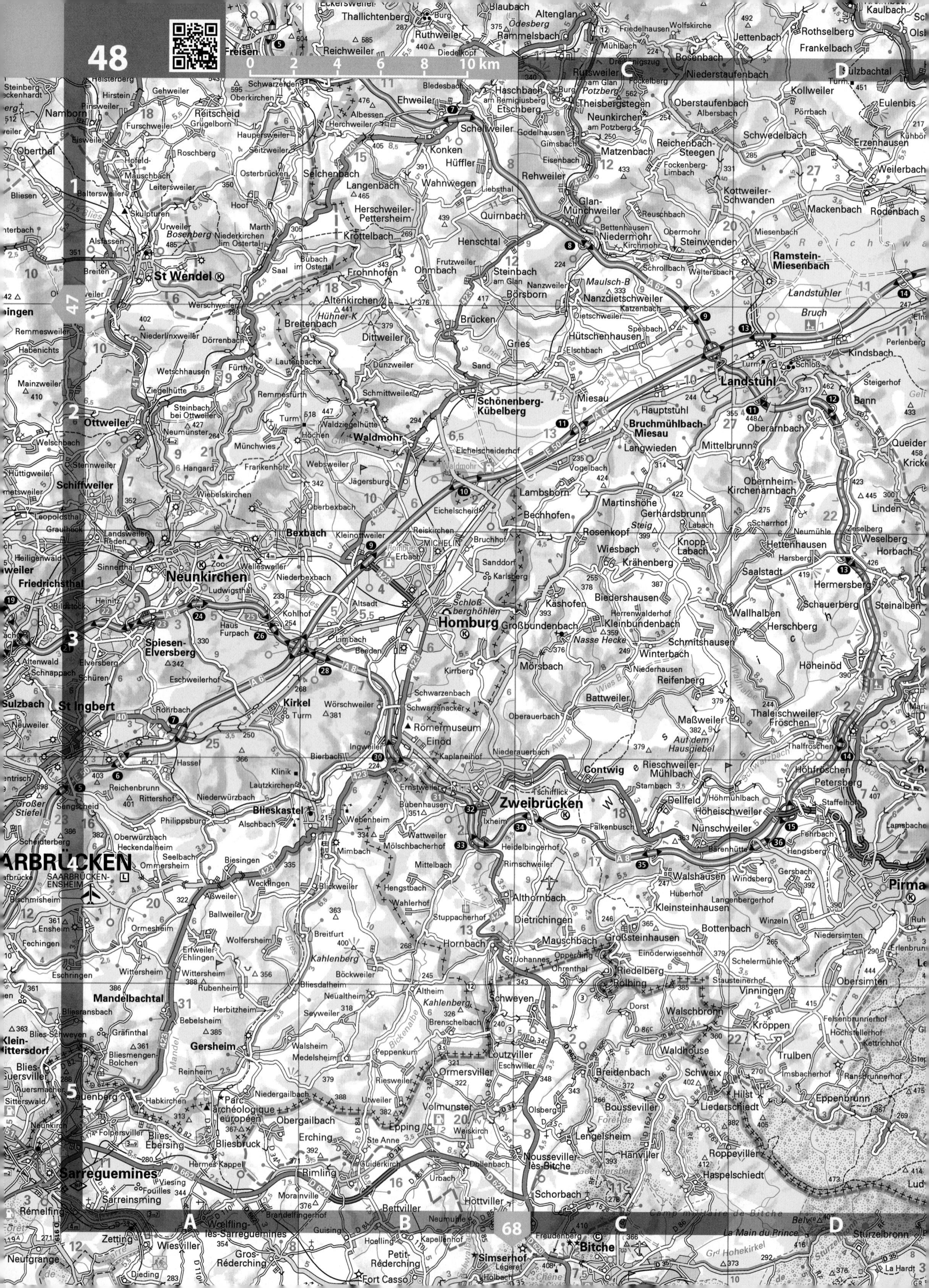

48
0 2 4 6 8 10 km
47
68
A
B
C
D
1
2
3
4
5
Freisen
Thallichtenberg
Reichweiler
Ruthweiler
Blaubach
Ödesberg
Rammelsbach
Altenglan
Friedelhausen
Wolfskirche
Jettenbach
Rothselberg
Frankelbach
Kaulbach
Rutsweiler
Bosenbach
Niederstaufenbach
Dulzbachtal
Namborn
Hirstein
Gehweiler
Reitscheid
Grügelborn
Schwarzerden
Oberkirchen
Ehweiler
Bledesbach
Haschbach am Remigiusberg
Etschberg
Potzberg
Theisbergstegen
Neunkirchen am Potzberg
Oberstaufenbach
Albersbach
Kollweiler
Eulenbis
Furschweiler
Eisweiler
Oberthal
Roschberg
Haupersweiler
Seitzweiler
Herchweiler
Albessen
Schellweiler
Konken
Hüffler
Godelhausen
Gimsbach
Matzenbach
Reichenbach-Steegen
Schwedelbach
Erzenhausen
Weilerbach
Hofeld-Mauschbach
Leitersweiler
Osterbrücken
Selchenbach
Langenbach
Wahnwegen
Liebsthal
Rehweiler
Eisenbach
Fockenberg-Limbach
Kottweiler-Schwanden
Mackenbach
Rodenbach
Bliesen
Balterswéiler
Skulpturen
Urweiler
Bosenberg
Niederkirchen im Ostertal
Hoof
Marth
Herschweiler-Pettersheim
Krottelbach
Quirnbach
Glan-Münchweiler
Reuschbach
Bettenhausen
Niedermohr
Obermohr
Steinwenden
Miesenbach
Alsfassen
St Wendel
Bubach im Ostertal
Saal
Frohnhofen
Ohmbach
Henschtal
Frutzweiler
Steinbach am Glan
Kirchmohr
Schrollbach
Weltersbach
Ramstein-Miesenbach
Reichswald
Breiten
Werschweiler
Altenkirchen
Hühner-K
Börsborn
Nanzweiler
Maulsch-B
Nanzdietschweiler
Landstuhler
Bruch
Katzenbach
Dietschweiler
Breitenbach
Dittweiler
Brücken
Spesbach
Hütschenhausen
Gries
Elschbach
Remmesweiler
Niederlinxweiler
Dörrenbach
Habenichts
Lautenbach
Dunzweiler
Ohm
Sand
Kindsbach
Perlenberg
Schloß
Landstuhl
Steigerhof
Bann
Wetschhausen
Fürth
Mainzweiler
Ziegelhütte
Remmesfürth
Schmittweiler
Schönenberg-Kübelberg
Miesau
Hauptstuhl
Bruchmühlbach-Miesau
Oberarnbach
Queider
Kricke
Ottweiler
Steinbach bei Ottweiler
Neumünster
Turm
Waldziegelhütte
Höchen
Waldmohr
Eichelscheiderhof
Langwieden
Mittelbrunn
Welschbach
Hüttigweiler
Stennweiler
Hangard
Münchwies
Frankenholz
Websweiler
Jägersburg
Vogelbach
Lambsborn
Obernheim-Kirchenarnbach
Schiffweiler
Wiebelskirchen
Oberbexbach
Eichelscheid
Martinshöhe
Gerhardsbrunn
Linden
Leopoldsthal
Graulheck
Landsweiler-Reden
Bexbach
Kleinottweiler
Reiskirchen
MICHELIN
Bruchhof
Bechhofen
Rosenkopf
Steig
Labach
Scharrhof
Neumühle
Zeselberg
Weselberg
Heiligenwald
Friedrichsthal
Sinnerthal
Zoo
Neunkirchen
Wellesweiler
Niederbexbach
Homburg
Erbach
Sanddorf
Karlsberg
Wiesbach
Krähenberg
Knopp-Labach
Hettenhausen
Horbach
Harsberg
Saalstadt
Hermersberg
Heinitz
Ludwigsthal
Bildstock
Kohlhof
Altsadt
Schloß-berghöhlen
Käshofen
Biedershausen
Herrenwalderhof
Kleinbundenbach
Großbundenbach
Nasse Hecke
Wallhalben
Schauerberg
Steinalben
Spiesen-Elversberg
Haus Furpach
Limbach
Beeden
Schmitshausen
Herschberg
Altenwald
Schnappach
Elversberg
Schüren
Eschweilerhof
Kirrberg
Mörsbach
Winterbach
Höheinöd
Niederhausen
Reifenberg
Sulzbach
Neuweiler
St Ingbert
Rohrbach
Kirkel
Wörschweiler
Schwarzenbach
Schwarzenacker
Römermuseum
Battweiler
Oberauerbach
Maßweiler
Auf dem Hausgiebel
Thaleischweiler-Fröschen
Thalfröschen
Hassel
Bierbach
Ingweiler
Einöd
Kaplaneihof
Niederauerbach
Contwig
Rieschweiler-Mühlbach
Höhfröschen
Petersberg
Ensheim
Großer Stiefel
Sengscheid
Reichenbrunn
Rittershof
Klinik
Lautzkirchen
Niederwürzbach
Blieskastel
Ernstweiler
Bubenhausen
Zweibrücken
Tschifflick
Stambach
Dellfeld
Höhmühlbach
Höheischweiler
Staffelhof
Philippsburg
Alschbach
Webenheim
Ixheim
Falkenbusch
Nünschweiler
Fehrbach
Lambsbach
Scheidterberg
Oberwürzbach
Heckendalheim
Mimbach
Wattweiler
Mölschbacherhof
Heidelbingerhof
Bärenhütte
Hengsberg
SAARBRÜCKEN
Saarbrücken-Ensheim
Seelbach
Ommersheim
Biesingen
Wecklingen
Mittelbach
Rimschweiler
Walshausen
Windsberg
Gersbach
Pirma
Bischmisheim
Aßweiler
Blickweiler
Hengstbach
Wahlerhof
Althornbach
Huberhof
Langenbergerhof
Kleinsteinhausen
Ballweiler
Ormesheim
Stuppacherhof
Dietrichingen
Winzeln
Breitfurt
Hornbach
Mauschbach
Großsteinhausen
Bottenbach
Niedersimten
Erlenbrunn
Fechingen
Wolfersheim
Erfweiler-Ehlingen
Kahlenberg
St Johannes
Opperding
Ohrenthal
Einöderwiesenhof
Schelermühle
Wittersheim
Eschringen
Böckweiler
Rubenheim
Riedelberg
Rolbing
Stausteinerhof
Obersimten
Bliesdalheim
Altheim
Schweyen
Vinningen
Mandelbachtal
Herbitzheim
Neualtheim
Kahlenberg
Dorst
Walschbronn
Bliesransbach
Seyweiler
Brenschelbach
Kröppen
Felsenbrunnerhof
Hochstellerhof
Kettrichhof
Blies-Schweyen
Gräfinthal
Bebelsheim
Gersheim
Waldhouse
Klein-Blittersdorf
Bliesmengen-Bolchen
Walsheim
Medelsheim
Peppenkum
Loutzviller
Eschwiller
Trulben
Imsbacherhof
Ransbrunnerhof
Blies-Guersviller
Reinheim
Riesweiler
Ormersviller
Breidenbach
Schweix
Hilst
Eppenbrunn
Auersmacher
Sitterswald
Lauenberg
Habkirchen
Niedergailbach
Parc archéologique européen
Utweiler
Volmunster
Bousseviller
Liederschiedt
Neunkirch
Folpersviller
Blies-Ebersing
Obergailbach
Epping
Weiskirch
Olsberg
Forêt de
Lengelsheim
Hanviller
Roppeviller
Bliesbruck
Erching
Ste Anne
Guiderkirch
Nousseviller-lès-Bitche
Haspelschiedt
Sarreguemines
Hermes Kappel
Rimling
Dollenbach
Goendersberg
Viesing
Rouilles
Sarreinsming
Morainville
Urbach
Hottviller
Schorbach
Rémelfing
Bettviller
Camp militaire de Bitche
Neumuhle
Woelfling-lès-Sarreguemines
Brandelfingerhof
Guising
La Main du Prince
Belvie
Sturzelbronn
Zetting
Wiesviller
Hoelling
Kapellenhof
Freudenberg
Bitche
Grd Hohekirkel
Neufgrange
Gros-Réderching
Petit-Réderching
Simserhof
Légeret
Dieding
Fort Casso
La Hardt

49
E
F
G
H
Schneckenhausen
Horterhof
Schmitterhof
Drehenthalerhof
Wartenberg-Rohrbach
Heinzenthal
Neuhemsbach
Wattenheim
Drahtzug
Bobenheim am Berg
Weisenheim am Berg
Nackterhof
Mehlbach
Sembach
Mehlingerhof
Otterberg
Baalborn
Lauerhof
Katzweiler
Münch-Schwanderhof
Mehlingen
Enkenbach-Alsenborn
Carlsberg
Altleiningen
Leistadt
Kallstadt
Höningen
Hertlingshausen
Lindemannsruhe
Peterskopf
Ungstein
Birkenheide
Sambach
Otterbach
Weinbrunnerhof
Neukirchen
Fröhnerhof
Erlenbach
Gersweilerhof
Bad Dürkheim
Ellerstadt
Diemersteiner Wald
Erfenbach
Waldhof
Morlautern
Wiesenthalerhof
Turm
Eselsfürth
Daubenbornerhof
Fischbach
Isenach
Eremitage
Rahnfels
Hardenburg
Limburg
Grethen
Seebach
Friedelsheim
Gönnheim
Rödersheim-Gronau
Erzhütten
Hochspeyer
Diemerstein
Murrmirnichtviel
Saupferch
Wachenheim
Wachtenburg
Rindskehler Kopf
Forst
Niederkirchen bei Deidesheim
Hochdorf-Assenheim
Beilstein
Frankenstein
Drachenfels
Schaudichnichtum
Eckkopf
Vogelweh
KAISERSLAUTERN
Zoo
Weidenthal
Lambertskreuz
Universität
Bremerhof
Groß Humberg
Hohe Ebene
Kurpfalz Park
Rotsteig
Deidesheim
Meckenheim
Burg
Hohenecken
Harter Kopf
Silbertal
Stoppelkopf
Ruppertsberg
Dansenberg
Waldleiningen
Morschbacherhof
Mollen Kopf
Neidenfels
Königsbach
Schwarzsöhl
Lindenberg
Gimmeldingen
Mußbach
Aschbacherhof
Breitenau
NATURPARK
Esthal
Frankeneck
Weinbiet
Heidenburg
Haßloch
Stelzenberg
Mölschbach
Stüterhof
Schwabenbach
Lambrecht
Haardt
Langensohl
Harzofen
Erfenstein
Schöntal
Antonihof
Mückenwiese
Appenthal
Helmbach
Spangenberg
Speyerdorf
Unterhammer
Wilenstein
Neuhöferthal
Speyerbrunn
Elmstein
Schafhof
Breitenstein
Neustadt an der Weinstraße
Karlsthal
Trippstadt
Schopp
Röderthal
Hambach
Lachen
Schwarzbach
Johanniskreuz
Hambacher Schloß
Kalmit
Diedesfeld
Schmalenberg
Erlenbach
Iggelbach
Maikammer
Alsterweiler
Duttweiler
Geinsheim
PFÄLZERWALD
St Martin
Kirrweiler
Heltersberg
Turm
Eschkopf
Kropsburg
Schänzelturm
Altdorf
Erlenkopf
Venningen
Edenkoben
Böbingen
Taubensuhl
Rietburg
Rhodt
Freimersheim
Ludwigshöhe
Modeneck
Groß-fischlingen
Hofstätten
Weyher in der Pfalz
Kleinfischlingen
Röderhof
Burg
Edesheim
Hainfeld
Leimen
Ramberg
Roschbach
Hochstadt
Annweiler
Teufelsfelsen
St Anna
Burrweiler
Weißenberg
Krappenfelsen
Dernbach
Gleisweiler
Flemlingen
Essingen
Eußerthal
Böchingen
Walsheim
Knöringen
Zeiskam
Merzalben
Hermersbergerhof
Orensfelsen
Gräfenhausen
St Johann
Frankweiler
Nußdorf
Bornheim
Gräfenstein
Albersweiler
Dammheim
Dreihof
Große Boll
Godramstein
Riegelbrunnerhof
Wieslauterhof
Siebeldingen
Queichhambach
Birkweiler
Hohenberg
Zoo
Wilgartswiesen
Rinnthal
Münchweiler an der Rodalb
Burg
Sarnstall
Arzheim
Kloster
Ottersheim
Trifels
Ranschbach
Spirkelbach
Annweiler am Trifels
Anebos
Landau in der Pfalz
Queichheim
Offenbach an der Queich
Kaltenbach
Bindersbach
Ilbesheim
Mörlheim
Wernersberg
Scharfenberg
Leinsweiler
Hinterweidenthal
Asselstein
Wollmesheim
Teufelstisch
Hauenstein
Lug
Rehberg
Eschbach
Ruppertsweiler
Madenburg
Mörzheim
Waldrohrbach
Herxheim bei Landau
Völkersweiler
Waldhambach
Schwanheim
Impflingen
Dimbach
Göcklingen
Insheim
Treutelsberg
Salzwoog
Gossersweiler-Stein
Münchweiler
Erfweiler
Neudahn
Dahn
Dahner
Darstein
Schloß
Heuchelheim-Klingen
Appenhofen
Silz
Barenbrunnerhof
Landeck
Billigheim-Ingenheim
Lindelbrunn
Wild und Wanderpark
Klingenmünster
Rohrbach
Mühlhofen
Langmühle
Oberschlettenbach
Altdahn
Braut und Bräutigam
Schindhard
Rödelbergfelsen
Blankenborn
Gleiszellen-Gleishorbach
Steinweiler
Hayna
Hatzenbühl
Busenberg
Vorderweidenthal
Heuchelheim-
Niederhorbach
Großer Eyberg
Reinigshof
Turm
Eisenbahn
Drachenfels
Lauterschwan
Birkenhördt
Pleisweiler-Oberhofen
Liebfrauenberg
Erlenbach bei Kandel
Bruchweiler-Bärenbach
Felsenland
Erlenbach bei Dahn
Berwartstein
Kapellen-Drusweiler
Barbelroth
Winden
Minderslachen
Höfen
Wolfsagerhof
Wieslautern
Böllenborn
Oberhausen
Hergersweiler
Kandel
Bad Bergzabern
Fladenstein
Bundenthal
Dörrenbach
Kaplaneihof
Dierbach
Minfeld
Rumbach
Deutschhof
Zuckerberg
PFÄLZERWALD
Reisdorf
Turm
Fischbach bei Dahn
Niederschlettenbach
Oberotterbach
Vollmersweiler
Saarbacherhammer
Guttenberg
Niederotterbach
Freckenfeld
Otterbach
Haftelhof
Schaidt
Langenberg
Nothweiler
Wegelnburg
Kleinsteinfeld
Schweigen-Rechtenbach
Steinfeld
Schönau
Bobenthal
Petersbächel
Blumenstein
Hirschthal
Col du Litschhof
Windhof
Kapsweyer
Chau de Wasigenstein
Chau de Hohenbourg
Gimbelhof
Weiler
Schweighofen
Büchelberg
Wengelsbach
Chau de Fleckenstein
Wissembourg
Altenstadt
Col du Gœtzenberg
Chau de Froensbourg
Petit Wingen
Scherhol
Mundatwald
69

0 2 4 6 8 10 km
C
D
1
2
3
4
5
Grd Romont
Grande Île
D'ÉMERAUDE
★★★ CÔTE
La Pierre d
★★ Pte du Grouin
Îles des Landes
Pte du Meinga
Les Tintiaux
Île Du Guesclin
Les Haies de la Conchée
Rochers sculptés
Rothéneuf
La Guimorais
Cap Fréhel ★★★
Fort la Latte ★★
La Latte
Roche-Lossoye
Plévenon
St-Géran
Île de Cézembre
Pte de la Varde
Le Minihic
★★★ ST-MALO
Rochebonne
★ Paramé
Grd Bé
Le Grd Jardin
Île Harbour
Passage du Décollé
Pointe de St-Cast ★★
St-Cast-le-Guildo ★
Île Agot
Pte de la Garde Guérin
★★ Pte du Décollé
★★ DINARD
St-Lunaire ★
Plage du Port-Hue
St-Enogat
Île Ebihens
Pte de la Garde ★★
Pte du Chevet
St-Briac-s-Mer
★★ Pte de la Vicomte
St-Servan-s-M. ★
Grd Aquarium ★★
Pen-Guen
Pte de Bay
Lancieux
Plage du Rougeret
St-Jacut-de-la-Mer ★
La Richardais
Matignon
Pléboulle
Port-à-la-Duc
St-Germain
Notre-Dame
Le Bourg
La Chapelle
Tréguel
Le Biot
Ste-Brigitte
L'Hôpital
Quatre Vaux
St-Jaguel
Pierres Sonnantes
Usine marémotrice
Le Bos
Passagère
Montmarin
La Jouvente
St-Jouan-des-Guérets
Les Gastines
St-Père-Marc-en-Poulet
Château-Malo
La Magdeleine
La Chapelle-de-la-Lande
Pleurtuit
Le Minihic-s-Rance
Trégondé
St-Suliac
Tréméreuc
Pleslin-Trigavou
Ploubalay
Trégon
Créhen
St-Lormel
Pluduno
Plessix-Balisson
Langrolay-sur-Rance
La Ville-ès-Nonais
Châteauneuf-d'Ille-et-Vilaine
St-Coulomb
St-Ideuc
St-Vincent
Le Gué
La Croix-Blanche
La Beuglais
Les Portes Rouges
La Coudre
Croix-Desilles
La Massuère
La Buzardière
Grand-Frotu
St-Méloir-des-Ondes
Blessin
La Gouesnière
La Roche
St-Benoît-des-Ondes
Vildé-la-Marine
Hirel
La Fresnais
Mirlange
La Guéhairie
La Pigassière
Le Roblin
Les Quatre Croix
Bonaban
St-Guinoux
Lillemer
Le Fédeuil
★ Dol-de-Bretagne
Mesnil-des-Aulnays
Le Havre
La Mare
L'Angle
Les Landes
La Motte
St-George
Port-Mer
Basse-Cancale
Port-Briac
Îles des Rimains
Pointe de la Chaîne
Pointe du Hock
Cancale ★
Terrelabouët
Le Verger
La Mare
St-Jouan
Le Lupin
Mont Garrot
Ruca
St-Pôtan
Le Temple
Ville Abbé
Les Mauffries
Brousse
La Hauguemorais
St-Gallery
La Croix-aux-Merles
N.-D. du Guildo
Ville-Briend
Le Guildo
Le Kerpont
La Ville-Robert
La Saudraie
St-Pierre
La Rougerais
Le Clos-Noël
La Rompaie
La Ville-Oreux
La Millière
Vx-Bourg
La Ville Beuve
La Croix-Janet
Pont Cornou
Pont-Arson (Beaussais-s-Mer)
La Rochardais
Le Chesnay
Le Gray
Ville-Oger
Trébefour
La Rouxière
Beaussais
Giclais
La Hamonais
Kergoat
Les Rues
Rogerais
La Ruais
La Mettrie
La Ville-Nizan
La Ville-aux-Monniers
Bourgneuf
Le Pont
La Ville-Agan
La Fourberie
La Fosse
Plage du Port-Hue
A
B
C
D
79

E
31
F
G
H
Agon-Coutainville
Coutances
Tourville-s-Sienne
Heugueville
Bricqueville-la-Blouette
St-Pierre-de-C.
Courcy
Belval
Nicorps
Regnéville-s-Mer
Pointe d'Agon
Orval-s-Sienne
Saussey
Ouville
Montpinchon
Montmartin-s-Mer
Hyenville
St-Denis-le-Vêtu
Roncey
Hauteville-Plage
Hauteville-s-Mer
Hérenguerville
Contrières
Annoville
Quettreville-s-Sienne
Trelly
Guéhébert
St-Martin-de-Cenilly
N.-D.-de-Cenilly
Lingreville
Grimesnil
Le Guislain
Le Mesnil-Aubert
St-Denis-le-Gast
Muneville-s-Mer
Lengronne
Hambye
La Planche-Guillemette
Route submersible
Bricqueville-s-Mer
Cérences
La Baleine
Abbe de Hambye
Le Pignon
St-Martin-de-Bréhal
Bréhal
Chanteloup
Gavray
Coudeville-Plage
Coudeville-s-Mer
Ver
Les Huguenans
Le Mesnil-Amand
Montaigu-les-Bois
Bréville-s-Mer
Donville-les-Bains
Hudimesnil
Le Loreur
Longueville
Le Mesnil-Garnier
Granville
St-Sauveur-la-Pommeraye
La Meurdraquière
Le Mesnil-Villeman
Villedieu-les-Poêles-Rouffigny
Pointe du Roc
Yquelon
Anctoville-s-Boscq
Équilly
Fleury
Champrepus
St-Nicolas
St-Jean-des-Champs
Folligny
Beauchamps
St-Planchers
Le Fourneau
Banc de Tombelaine
St-Pair-s-Mer
St-Aubin-des-Préaux
Hocquigny
Le Tanu
La Lande-d'Airou
Bourguenolles
Kairon-Plage
Abbe de La Lucerne
La Haye-Pesnel
Le Pont-Bleu
La Lucerne-d'Outremer
La Mouche
Jullouville
St-Pierre-Langers
Champcervon (Le Grippon)
Edenville
Carolles-Plage
Le Pignon Butor
Cabane Vauban
Pointe de Champeaux
Champeaux
Angey
Sartilly-Baie-Bocage
Ste-Pience
Le Luot
St-Jean-le-Thomas
Dragey-Ronthon
Lolif
Subligny
Chavoy
BAIE
Bec d'Andaine
Genêts
Bacilly
Marcey-les-Grèves
St-Jean-de-la-Haize
Ponts
St-Brice
Tirepied
Vains
St-Senier-s/s-Avranches
La Godefroy
MONT-
SAINT-MICHEL
Avranches
St-Ovin
Tombelaine
Pointe du Grouin du Sud
Le Val-St-Père
St-Martin-des-Champs
St-Loup
LE MONT-ST-MICHEL
Pointe de Roche-Torin
St-Quentin-s-le-Homme
Marcilly
Céaux
Pontaubault
Ducey
Cherrueix
Polders
Courtils
Huisnes-s-Mer
Poilley
St-Broladre
Beauvoir
Servon
Précey
Roz-
St-Marcan
Tanis
Juilley
E
F
80
G
H
St-Georges-de-Gréhaigne
Baguer-Pican
Vergoncey
St-Senier-de-Beuvron
St-Laurent-de-Terregatte
52

0 2 4 6 8 10 km

C 17 32 D

La Mancellière (Bourgvallées)
Hure-de-Loup
Le Val
La Guerardière
Le Mesnil-Reine
Biéville
(Caumont-s-Aure)
Sept-Vents
Quenelière
La Forge-au-Pas
Le Viverot
La Chapelle-du-Fest
Le Mesnil-Grimault
Conflais
Le Quesnay
Amaye-s-Seul
La Caillerie
Craham
Cagnages
La Blanche Maison
Dangy
Sauveur
Cerisy-la-Salle
Le Mesnil-Herman
Le Quesnot
Bois de Soulles
St-Romphaire
Condé-s-Vire
Le Mesnil-Raoult
Roches de Ham
Le Sapin
St-Amand-Villages
Torigny-les-Villes
Le Perron
Dampierre
St-Jean-des-Essartiers
Les Loges
Placy-Montaigu
Morichèse
St-Ouen-des-Besaces
St-Symphorien-des-Buttes
La Ferrière-au-Doyen
Le Home
Les Haies Tigards
St-Pierre-du-Fresne
Launay
Benneville
Canteloup
Vaufrey
La Forterie
Pont Brocard
Soulles
La Hurlière
La Martellerie
Le Mesnil-Opac
Troisgots
Brectouville
Cretteville
Norolles
La Vautellerie
Giéville
Le Pavé
Gde Renoudière
La Moinerie
St-Martin-des-Besaces
Bois du Homme
Le Parquet
Jurques
La Hyguière
N.-D.-de-Cenilly
Le Bourg
Carrefour-Paris
Moyon-Villages
La Chapelle-s-Vire
L'Angotière
La Touperie
Les Forges
Fervaches
La Haye-Bellefond
St-Martin-de-Cenilly
La Valtolaine
Les 4 Sapins
Mazures
L'Ermitage
B. de Moyon
Domjean
St-Louet-s-Vire
La Fouquerie
Guilberville
La Gauterie
Forêt de l'Évêque
La Grange Cauchard
Roucamps
La Croix Vengée
St-Denis-Maisoncelles
Mancellière
La Trompérie
Les Fosses
La Cabosse
Zoo
(Dialan-s-Chaîne)
Les Maisons
Brémoy
Crennes
Le Guislain
Villebaudon
Chevry
Tessy-Bocage
La Vaquerie
La Croix-Marie
La Fresnée
Fourneaux
Beuvrigny
Les Bruns
Le Poteau
La Ferrière-Harang
L'Oiselière
La Viéville
Martellière
St-Pierre-Tarentaine
Le Mesnil-
La Fausil
Maupertuis
Beaucoudray
La Croix-St-Jacques
Bures-les-Monts
L'Aumône
Mont-Bertrand
Campeaux
Le Fouc
Le Tourneur
Montamy
Arclais
Hambye
Thiphaigne
Abbe de Hambye
Mont-Fiquet
Mont Robin
Montabot
Gouvets
Sur le Bosq
Pont-Farcy
Pleines-Œuvres
Ste-Marie-Outre-l'Eau
Malloué
Pont-Bellanger
La Vente
Souleuvre
Catheoles
Monthardrou
Les Étournières
La Haye
La Porte-au-Villain
Mesnil-Coq
Percy-en-Normandie
Le Chêne Guérin
La Fosse
St-Vigor-des-Monts
La Herbellière
(Souleuvre-en-Bocage)
Le Bény-Bocage
Rubec
Montchamp
La Ferronnière
Carville
Thihardière
St-Charles-de-Percy
Brit.
Montchamp
Pont à l'Écrivain
Sourdeval-les-Bois
La Gollerie
Hamel-aux-Hervy
L'Orbehaye
La Gannerie
Le Chefresne
Le Hamelet
Clémentière
Rousseville
La Vallée de la Vire-Gouvets
Le Calipel
La Rabellière
St-Martin-Don
Françoisière
Ste-Marie-Laumont
Romesnil
Beaulieu
Les Écoublets
Montaigu-les-Bois
La Mancellière
Le Laurier
La Huberdière
Marguerray
La Roquerie
St-Martin
Drôme
La Pidougère
Le Bois Nantier
La Cornière
Annebecq
La Lande
La Mare
La Bucaille
Le Reculey
N.-D.-du-Bocage
Désert
Sieurmoux
La Marvindière
Le Busq
Estry
Le Bignon
La Roche
Chêne-Briant
La Bloutière
Gouplière
La Colombe
L'Enseigne
Langoterie
La Saulnerie
Landelles-et-Coupigny
Beaumesnil
Campagnolles
Étouvy
La Graverie
Quiellet
La Bistière
Le Brieu
La Heuzerie
Presles
Rouge-Palu
Le Mesnil Sauvage
Montbray
Morigny
La Plaine-Postel
Bois Olivier
Tillaux
Le Mesnil-Robert
Les Chartiers
Brevogne
La Rusudière
Coulonces
Montisenger
Forgues
(Valdallière)
Villedieu-les-Poêles-Rouffigny
La Vierge
La Basilière
Le Parc
La Vesquerie
Sept-Frères
Cunes
Le Mesnil-Benoist
La Papillonnière
(Vire-Normandie)
Burcy
Sourdeval
Le Bas Perrier
Pierres
Vicofleu
La Huardière
Le Mesnil-Eudes
Courson
Le Mesnil-Caussois
Allière
La Fauvellière
Fresnay
Le Bisson
L'Acherie
Beslon
Mesnil-Clinchamps
Martilly
Neuville
Le Coisel
Chênedollé
Avilly
Ste-Cécile
Tournebride
St-Aubin-des-Bois
(Noues-de-Sienne)
St-Sever-Calvados
Vire
Vaudry
Courtes
Saultchevreuil-du-Tronchet
St-Pierre-du-Tronchet
La Molière
St-Maur-des-Bois
Fontenermont
La Clergerie
Le Mesnil
St-Manvieu-Bocage
St-Martin-de-Tallevende
St-Clair
Viessoix
Les Hts Vents
La Lande-d'Airou
La Patte-d'Oie
Pte de Cotigny
La Chapelle-Cécelin
Boisyvon
Les Monts
Roullours
Monfroux
Le Parc
Périer
La Rochelle
Le Buisson
Bernières-le-Patry
Rouffigny
La Trinité
Chérencé-le-Héron
La Rinceudière
Ermitage
St-Sever
La Gendrie
La Haye
Dathée
La Guillemoisière
L'Aubesnière
La Renaudière
Maisoncelles-la-Jourdan
Le Chêne
Anferne
Creulley
Noron
Coquard
Carpiquet
Diane
Le Gast
Le Bourigny
St-Martin-le-Bouillant
Coulouvray-Boisbenâtre
Champ-du-Boult
St-Germain-de-Tallevende-La-Lande-Vaumont
Le Bosq
Jouvine
La Faverie
St-Jean-du-Corail-des-Bois
La Guérie
La Souavière
La Renoullière
Bois-Normand
Le Dialot
Blanchardière
La Berçendière
Mière
Le Coudray
Truttemer-le-Grand
Truttemer-le-Petit
St-Quentin-les-Chardonnets
La Fosse
La Madeleine
La Chaise-Baudouin
Les Loges
Les Brécey
St-Nicolas-des-Bois
Les Lardières
La Gimbrie
La Chateaudière
Gathemo
La Roche
Le P. Bourg
Le Ménil-Ciboult
Tinchebray-Bocage
Braffais
La Blotière
La Martinière
St-Laurent-de-Cuves
St-Michel-de-Montjoie
La Bercerie
Vengeons
Les Maures
Auvrays
Les Croix
N.-D.-de-Livoye
Bouvellerie
St-Georges-de-Livoye
Gourgou
Forien
St-Pois
Lingeard
La Villenière
Perriers-en-Beauficel
Foucheraie
La Fourberie
La Riffaudière
L'Insinière
St-Sauveur-de-Chaulieu
Le Paillot
St-Christophe-de-Chaulieu
La Foutelée
La Ménardière
Le Valle
L'Homel
Brécey
La Lande
Le Chenot
Cuves
Vaux de la Sée
Beauficel
Le P. de la Forge
Chaulieu
Les Cavées
St-Jean-des-Bois
Pont d'Égrenne
(Tirepied-s-Sée)
Vernix
Les Cresnays
Le Mesnil-Gilbert
Lingeard
Moulin-de-la-Sée
Brouains
Sourdeval
La Gohannière
Le Petit-Celland
La Goupillère
La Teurterie
La Cochardière
Ste Anne
La Moinerie
Blanche
La Musangère
Le Fresne-Poret
Les Aunais
Yvrandes
St-Cornier-des-Landes
Les Landes
Le Coudray
Le Gué Driant
Chérencé-le-Roussel
La Hardière
Rousse
La Richardière
Les Trois Cheminées
Les Marais
Le Grand Celland
Le Mesnil-Adelée
Le Mesnil-Tôve (Juvigny-les-Vallées)
La Graverie
Bellevue
La Masure
Ovin
Charruere
La Boulouze
Le Gué Bottrel
Juvigny-le-Tertre
Bellefontaine
St-Barthélemy
Le Placitre
Ger
Le Goulet
La Ganerie
L'Embranchement
La Roche
La Forge-Coquelin
Reffuveille
Le Mesnil-Ozenne
La Chapelle-Urée
Le Mesnil-Rainfray
La Tournerie
La Tête-à-la-Femme
St-Clément-Rancoudray
L'Être-aux-Lièvres
L'Essard
Le Biot
Beauchêne
Blancdinière
Vieux-Bourg
La Chevalaye
Cance
Le Neufbourg
Le Bouillonné
La Ganerie
Peigne
Marcilly
Montgothier
La Mancellière
Montigny
Chasseguey
Les Rocheaux
Mortain-Bocage
Les Giganières
Le Breuil
Le Repas
Le Tertre
La Bazoge
Romagny-Fontenay
Cance
Carref-de-Rocheplate
Rancoudray
La Conerie
Parc
Lande Pourrie
Les Chéris
Le Buat
Le Hamel
Le Mesnil-Boeufs
La Hodinière
Les Canouardières
Fontenay
Forêt de Mortain
Forêt de Sonce
La Prise-Guimont
Lonlay-l'Abbaye
Chalandrey
Cerisel
Isigny-le-Buat
Le Petit Jésus
Le Mesnillard
La Gachetière
Chèvreville
Les Closeaux
Les Sept-Croix
Bourberouge
La Prise Pouchart
Le Cerisier
La Fosse Arthur
La Roche-Boit
Le Mesnil-Thébault
Le Grand-Chemin
Martigny
Le Bois
La Salais
Bion
Les Goubouderies
Bonsentier
Jutigny
La Verdrie
La Touche-Durand
Naftel
Pied-d'Argent
Pointon
La Croix-de-Pierre
St-Jean-du-Corail
Le Porrier
La Pallière
L'Égrenne
La Chênelière
La Bélinière
Milly
Alance
Barenton
St-Georges-de-Rouelley
Vezins
Auberge Neuve
Parigny
(Grandparigny)
La Rivière
Le Val
Boulerie
La Giboudière
Rouellé
La Bourdonnière
La Sauce
Masure
Les Biards
Virey
Sélune
Le Hamel
L'Hôtel-Gillin
La Martinière
St-Roch-sur-Égrenne
de Vezins
St-Laurent-de-Terregatte
Bois-Grâlon
Les Rivières
La Ricolais
St-Hilaire-du-Harcouët
Lapenty
Villechien
N.-D.-du-Touchet
La Gravengerie
Husson

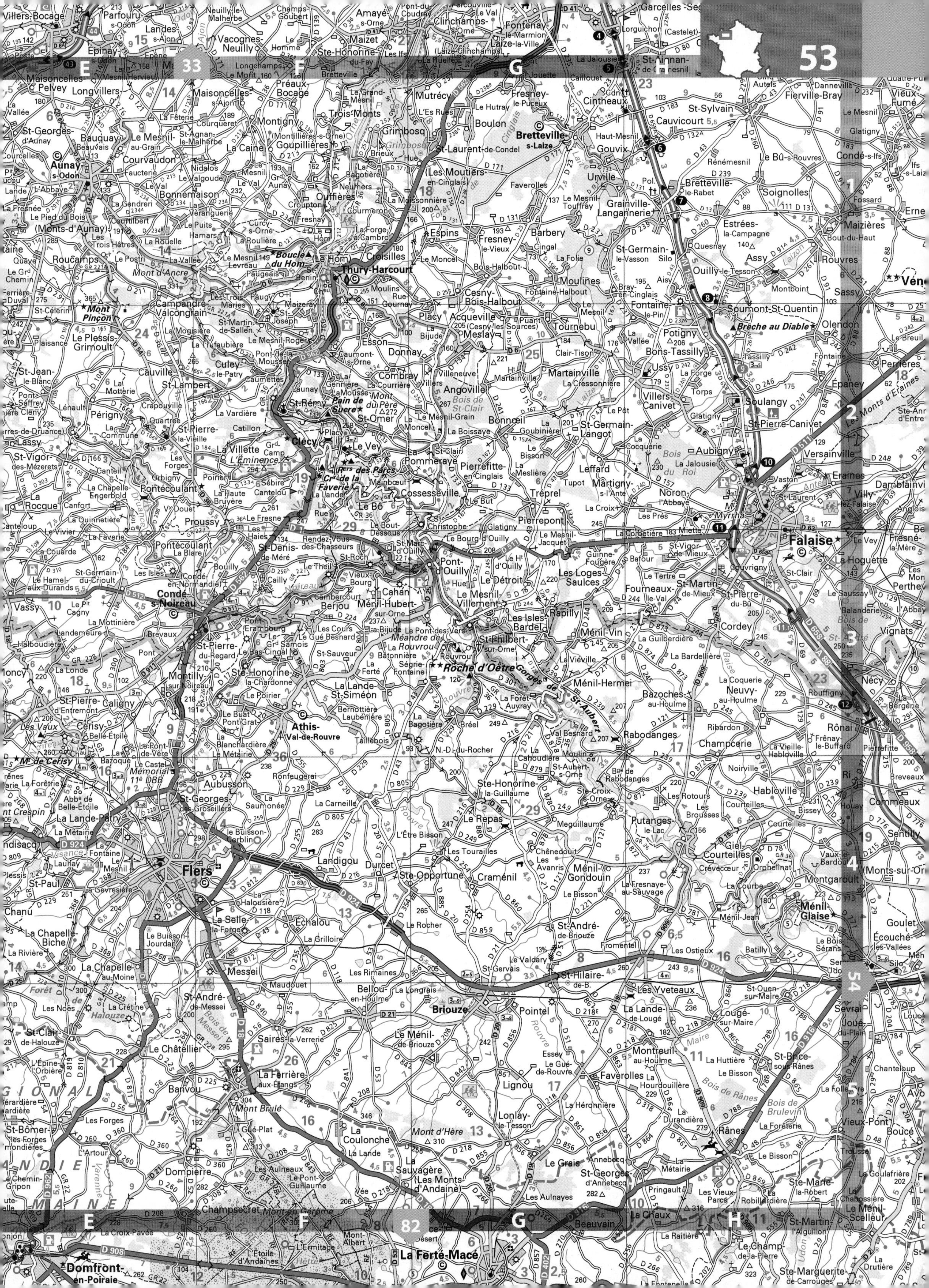
53
E
F
G
H
33
54
82
Villers-Bocage
Aunay-s-Odon
Thury-Harcourt
Boucle du Hom
Bretteville-s-Laize
Clécy
Pain de Sucre
Falaise
Condé-s-Noireau
Pont-d'Ouilly
Roche d'Oëtre
Gorges de St-Aubert
Athis-Val-de-Rouvre
Flers
Briouze
Putanges-le-Lac
Rânes
La Ferté-Macé
Domfront-en-Poiraie
Mont Pinçon
Brèche au Diable
Mont d'Ancre
Mont Brûlé
Mont d'Hère
Mémorial 11e DBB
Mt de Cerisy
Forêt de Halouze
Bois de Messei
Bois de Rânes
Méandre de Rouvrou
Ménil-Glaise
Écouché-les-Vallées
St-Pierre-sur-Dives
Messei
La Selle-la-Forge
Tinchebray
D 562
D 924
D 511
D 18
D 908
N 158
A 88

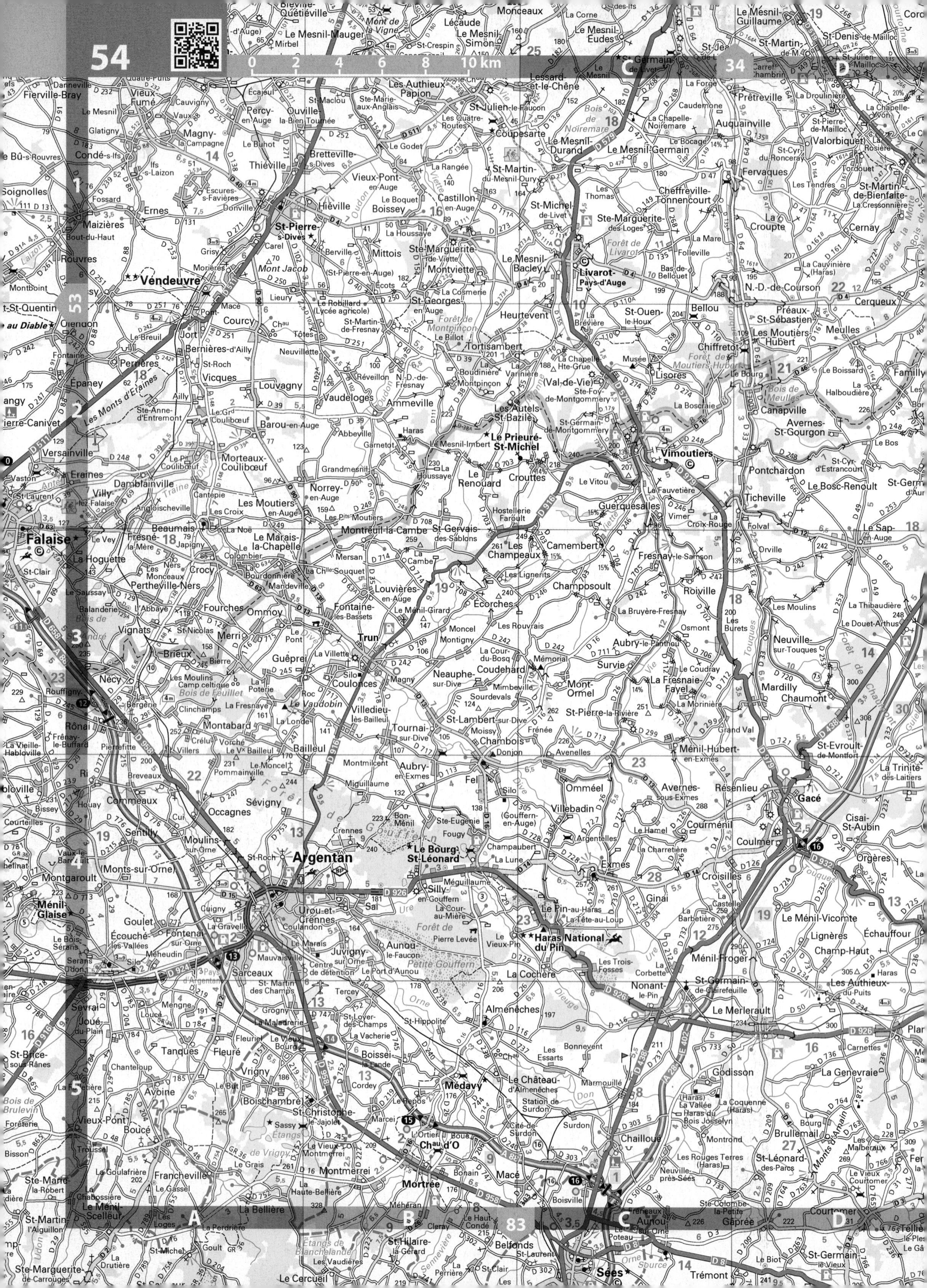

54
0 2 4 6 8 10 km
A
B
C
D
1
2
3
4
5
53
34
83
Fierville-Bray
Vieux-Fumé
Percy-en-Auge
Ouville-la-Bien-Tournée
Les Authieux-Papion
Lécaude
Le Mesnil-Simon
Monceaux
Le Mesnil-Eudes
Le Mesnil-Guillaume
St-Martin-de-M.
St-Denis-de-Mailloc
Le Mesnil-Mauger
St-Crespin
Mirbel
Mont de la Vigne
Lessard-et-le-Chêne
St-Germain-de-Livet
Prêtreville
Caudemone
Auquainville
St-Julien-le-Faucon
Coupesarte
Les Quatre-Routes
Le Mesnil-Durand
Le Mesnil-Germain
Bois de Noiremare
Magny-la-Campagne
Condé-s-Ifs
Le Bû-s-Rouvres
Ifs-s-Laizon
Escures-s-Favières
Thiéville
Bretteville-s-Dives
Vieux-Pont-en-Auge
Le Boquet
Hiéville
Boissey
Castillon-en-Auge
St-Martin-du-Mesnil-Oury
St-Michel-de-Livet
Les Thomas
Cheffreville-Tonnencourt
Fervaques
St-Cyr-du-Ronceray
St-Martin-de-Bienfaite-la-Cressonnière
Soignolles
Fossard
Ernes
Donville
Maizières
Bout-du-Haut
Rouvres
St-Pierre-s-Dives
Carel
Mont Jacob
Grisy
Morières
Vendeuvre
Berville
Mittois
Ste-Marguerite-de-Viette
Montviette
Le Mesnil-Bacley
Livarot-Pays-d'Auge
Forêt de Livarot
Ste-Marguerite-des-Loges
Folleville
Bas-de-Bellouet
La Croupte
Cernay
La Cauvinière (Haras)
N.-D.-de-Courson
Cerqueux
Montboint
Lieury
Le Robillard (Lycée agricole)
Écots
St-Georges-en-Auge
La Cosmerie
Heurtevent
St-Ouen-le-Houx
Bellou
Préaux-St-Sébastien
Les Moutiers-Hubert
Meulles
Olendon
Le Breuil
Jort
Courcy
Bernières-d'Ailly
Tôtes
St-Martin-de-Fresnay
Forêt de Montpinçon
Le Billot
Tortisambert
La Brévière
Chiffretot
Fontaine
Perrières
St-Roch
Neuvillette
Vicques
Épaney
Louvagny
Réveillon
N.-D.-de-Fresnay
Vaudeloges
La Boudinière
Montpinçon
La Chapelle-Hte-Grue
(Val-de-Vie)
Ste-Foy-de-Montgommery
Musée
Lisores
Forêt de Moutiers-Hubert
Le Bourg
Le Boissard
La Halboudière
Familly
Bois de Meulles
Canapville
Les Monts d'Eraines
Ailly
Ste-Anne-d'Entremont
Le Grd Coulibœuf
Barou-en-Auge
Ammeville
Les Autels-St-Bazile
St-Germain-de-Montgommery
La Boscraie
Avernes-St-Gourgon
Pierre-Canivet
Abbeville
Haras
Garnetot
Le Mesnil-Imbert
Le Prieuré-St-Michel
Vimoutiers
Le Bos
Versainville
Le Pt Coulibœuf
Morteaux-Coulibœuf
Pontchardon
St-Cyr-d'Estrancourt
Le Bosc-Renoult
Vaston
Eraines
Damblainville
Grandmesnil
La Houssaye
Le Renouard
Crouttes
Le Vitou
La Fauvetière
Villy-lez-Falaise
Cantepie
Norrey-en-Auge
Ticheville
St-Laurent
Angloischeville
Les Moutiers-en-Auge
Les Pts Moutiers
Hostellerie Faroult
Guerquesalles
Vimer
La Croix-Rouge
Folval
Le Sap-en-Auge
Les Croix
Beaumais
La Noë
Falaise
Le Vey
Fresné-la-Mère
Japigny
Le Marais-la-Chapelle
Montreuil-la-Cambe
St-Gervais-des-Sablons
Les Champeaux
Camembert
Fresnay-le-Samson
Orville
La Hoguette
Colombier
Crocy
Les Monceaux
Pertheville-Ners
Mersan
La Cambe
Souquet
Les Lignerits
Champosoult
St-Clair
La Bourdonnière
Mandeville
Louvières-en-Auge
Écorches
Roiville
Le Saussay
Balanderie
L'Abbaye
Fourches
Ommoy
Fontaine-les-Bassets
Le Ménil-Girard
La Bruyère-Fresnay
Les Moulins
La Thibaudière
Bois de St-André
Vignats
St-Nicolas
Merri
Le Pont
Trun
Moncel
Montigny
Les Rouvrais
Osmont
Les Burets
Le Douet-Arthus
Neuville-sur-Touques
Brieux
Bierre
La Villette
La Cour-du-Bosq
Mémorial
Aubry-le-Panthou
Survie
Le Coudray
Forêt de Chaumont
Nécy
Les Moulins Camp celtique
Bois de Feuillet
La Poterie
Guêprei
Silo
Coulonces
Magny
Neauphe-sur-Dive
Coudehard
Mimbeville
Sourdevals
Mont-Ormel
La Fresnaie-Fayel
La Morinière
Mardilly
Chaumont
Rouffigny
La Bergerie
Clinchamps
La Fresnaye
Roc
Le Vaudobin
Villedieu-lès-Bailleul
St-Lambert-sur-Dive
Moissy
Chambois
Donjon
Frénée
St-Pierre-la-Rivière
Grand Val
Rônai
Montabard
La Londe
Tournai-sur-Dive
Avenelles
Ménil-Hubert-en-Exmes
St-Evroult-de-Montfort
Frênay-le-Buffard
Pierrefitte
Crélu
Vorché
Le Vx Bailleul
Villers
Bailleul
Montmilcent
Aubry-en-Exmes
Fel
La Vieille-Habloville
Breveaux
Pommainville
Le Moncel
Miguillaume
Silo
Omméel
Avernes-sous-Exmes
Résenlieu
Gacé
La Trinité-des-Laitiers
Bissey
Houay
Commeaux
Sévigny
Occagnes
Bon-Ménil
Ste-Eugénie
Fougy
(Gouffern-en-Auge)
Villebadin
Courménil
Cisai-St-Aubin
Courteilles
Sentilly
Forêt de Gouffern
Crennes
Le Bourg-St-Léonard
Argentelles
Le Hamel
Coulmer
Orgères
Vaux-le-Bardoult
Moulins-sur-Orne
St-Roch
Argentan
Champaubert
La Lune
La Charretière
Exmes
Montgaroult
(Monts-sur-Orne)
Silly-en-Gouffern
Méguillaume
Croisilles
Ménil-Glaise
Goulet
Cuigny
Urou-et-Crennes
Sai
La Cour-au-Mière
Le Pin-au-Haras
La Tête-au-Loup
Ginai
La Castelle
La Barbetière
Le Ménil-Vicomte
Échauffour
Le Bois-Sérans
Écouché-les-Vallées
Fontenai-sur-Orne
La Gravelle
Coulandon
Forêt de Pierre Levée
Le Vieux-Pin
Haras National du Pin
Lignères
Champ-Haut
Sérans
Udon
Méheudin
Silo
Le Marais
Mauvaisville
Juvigny-sur-Orne
Aunou-le-Faucon
Petite Gouffern
Centre de détention
Le Port d'Aunou
Les Trois-Fosses
La Corbette
Ménil-Froger
Sarceaux
St-Martin-des-Champs
La Cochère
Nonant-le-Pin
St-Germain-de-Clairefeuille
Les Authieux-du-Puits
Haras
Sevrai
Joué-du-Plain
Loucé
Mengne
Grogny
Tercey
St-Loyer-des-Champs
Almenêches
Le Merlerault
Plan
St-Brice-sous-Rânes
Tanques
Fleuré
La Maladrerie
Le Vieux Bourg
La Vacherie
St-Hippolite
Bonnevent
Les Essarts
Carnettes
Chanteloup
Vrigny
Boissei-la-Lande
Cordey
Médavy
Le Château-d'Almenêches
Marmouillé
Godisson
La Genevraie
Avoine
Le But
(Boischambre)
Le Repos
Station de Surdon
(Haras) La Vallée
Haras du Bois Josselyn
La Coquenne (Haras)
Brullemail
Bois de Brulevin
Vieux-Pont
Bouce
Sassy
Étangs
St-Christophe-le-Jajolet
Marcei
L'Ortier
Cité-de-Surdon
Surdon
Chailloué
Montrond
Le Bourg
Les Malbeaux
Forêterie
Trousset
Bisson
Le Grais
Le Vieux Montmerrei
Chau d'O
Les Rouges Terres (Haras)
St-Léonard-des-Parcs
Monts d'Amain
Ste-Marie-la-Robert
La Goulafrière
Francheville
Le Gassel
Montmerrei
Bonain
Macé
Neuville-près-Sées
Le Vieux Courtomer
La Chabossière
Le Ménil-Scelleur
La Haute-Bellière
Mortrée
Boisville
Ste-Colombe-la-Petite
St-Martin-l'Aiguillon
Les Loges
La Bellière
Méheran
Cleray
Le Haut-Condé
Fréneaux
Aunou-sur-Orne
Le Poteau
Gâprée
Courtomer
La Perdrière
Goult
St-Michel
La Drutière
Étangs de Blanchelande
St-Hilaire-la-Gérard
Les Vaudières
Belfonds
St-Laurent
Sées
Source
Trémont
St-Germain-le-Vieux
Le Biot
Ste-Marguerite-de-Carrouges
Le Cercueil
La Perrière
St-Clair
Orne
Dives
Vie
Touques
Dieuge
Ure
Oudon
Viette
Laizon

E
F
G
H
35
56
84
Bernay
Beaumont-le-Roger
Serquigny
Broglie
Beaumesnil
Conches-en-Ouche
La Ferrière-s-Risle
Rugles
L'Aigle
Breteuil-s-Iton
Verneuil-s-Avre
Montreuil-l'Argillé
La Neuve-Lyre
La Vieille-Lyre
Neaufles-Auvergny
Chambord
La Barre-en-Ouche
Bois-Anzeray
St-Evroult-N.-D.-du-Bois
Ste-Gauburge-Ste-Colombe
Moulins-la-Marche
Bonsmoulins
Randonnai
Tubœuf
St-Ouen-sur-Iton
Chandai
Bourth
Francheville
Pullay
Chennebrun
St-Christophe-s-Avre
Armentières-s-Avre
Rohaire
Boissy-lès-Perche
Beauche
St-Maurice-lès-Charencey
Moussonvilliers
La Chapelle-Fortin
Normandel
La Ventrouze
St-Aubin-de-Courteraie
Soligny-la-Trappe
St-Martin-des-Pézerits
Crulai
Auguaise
Les Aspres
Beaulieu
Irai
Bonnefoi
Les Genettes
La Ferrière-au-Doyen
Forêt de Beaumont
Forêt de Conches
Forêt de Breteuil
Forêt de l'Aigle
Forêt de Bourth
Forêt de la Trappe
Bois de Broglie
Risle
Iton
Avre
Charentonne
D 830
D 926
D 840
D 141
D 140
D 133

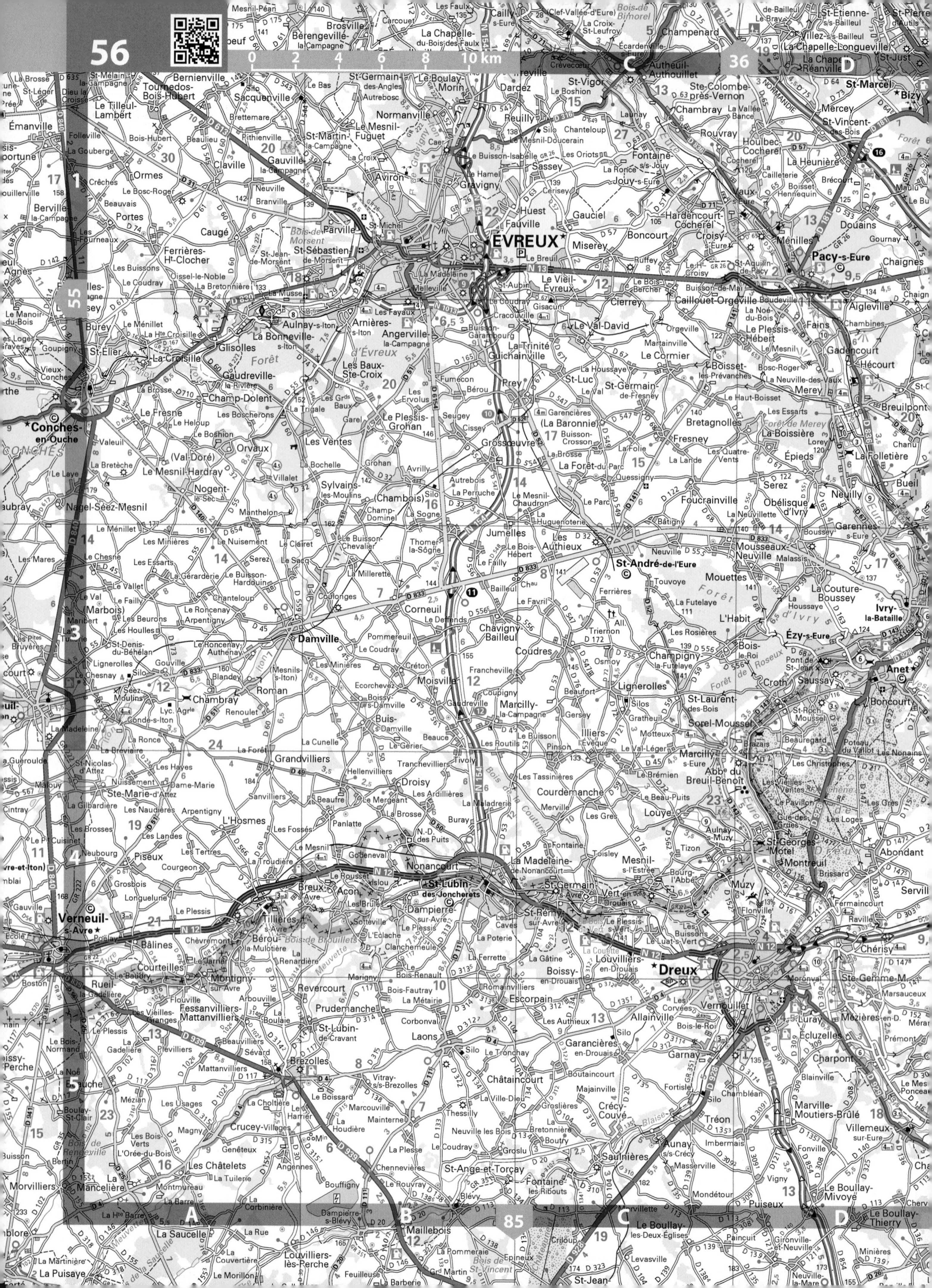

56
0 2 4 6 8 10 km
36
55
85
A
B
C
D
ÉVREUX
Conches-en-Ouche
Damville
St-André-de-l'Eure
Verneuil-s-Avre
Dreux
Pacy-s-Eure
Anet
Ivry-la-Bataille
Ézy-s-Eure
Nonancourt
St-Lubin-des-Joncherets
Brezolles
Aviron
Gravigny
Normanville
Arnières-s-Iton
Aulnay-s-Iton
Gauville-la-Campagne
Claville
Ormes
Parville
St-Sébastien-de-Morsent
La Madeleine
Melleville
Angerville-la-Campagne
Les Baux-Ste-Croix
Le Plessis-Grohan
Les Ventes
Orvaux
Gaudreville-la-Rivière
Glisolles
La Bonneville-s-Iton
La Croisille
Champ-Dolent
Le Fresne
Sylvains-les-Moulins
Grossœuvre
La Trinité
Guichainville
Prey
St-Luc
Le Cormier
Le Val-David
Le Vieil-Évreux
Miserey
Huest
Fauville
Cierrey
Caillouet-Orgeville
Boisset-les-Prévanches
Bretagnolles
Fresney
La Forêt-du-Parc
Foucrainville
Serez
Neuilly
Épieds
La Boissière
Mousseaux-Neuville
Mouettes
La Couture-Boussey
L'Habit
Champigny-la-Futelaye
Coudres
Chavigny-Bailleul
Corneuil
Jumelles
Les Authieux
Lignerolles
St-Laurent-des-Bois
Sorel-Moussel
Saussay
Croth
Marcilly-s-Eure
Illiers-l'Évêque
Courdemanche
Louye
Mesnil-s-l'Estrée
Muzy
Vert-en-Drouais
St-Germain-s-Avre
St-Rémy-s-Avre
Dampierre-sur-Avre
Tillières-s-Avre
Breux-s-Avre
Acon
Droisy
Grandvilliers
Roman
Moisville
Marcilly-la-Campagne
Francheville
Chambray
Gouville
Ste-Marie-d'Attez
St-Nicolas-d'Attez
L'Hosmes
Piseux
Bâlines
Courteilles
Rueil-la-Gadelière
Montigny-sur-Avre
Fessanvilliers-Mattanvilliers
Revercourt
Prudemanche
St-Lubin-de-Cravant
Laons
Châtaincourt
Boissy-en-Drouais
Louvilliers-en-Drouais
Escorpain
Allainville
Garancières-en-Drouais
Garnay
Vernouillet
Crécy-Couvé
Tréon
Aunay-s/s-Crécy
Saulnières
St-Ange-et-Torçay
Maillebois
Blévy
Puiseux
Le Boullay-Mivoye
Le Boullay-Thierry
Le Boullay-les-Deux-Églises
Marville-Moutiers-Brûlé
Villemeux-sur-Eure
Charpont
Écluzelles
Luray
Abondant
Montreuil
Chérisy
Ste-Gemme-M.
Mézières-en-D.
Bréval
St-Marcel
Bizy
Ménilles
Douains
Chaignes
Aigleville
Fains
Gadencourt
Hécourt
Merey
Breuilpont
Bueil
Garennes-s-Eure
Boussey
Jouy-s-Eure
Fontaine-s/s-Jouy
Rouvray
Houlbec-Cocherel
Hardencourt-Cocherel
Croisy-s-Eure
Gauciel
Boncourt
Sassey
Reuilly
Dardez
St-Vigor
Autheuil-Authouillet
Chambray
Ste-Colombe-près-Vernon
Champenard
Brosville
Bérengeville-la-Campagne
Sacquenville
Tournedos-Bois-Hubert
Le Tilleul-Lambert
Émanville
Bernienville
St-Germain-des-Angles
Le Boulay-Morin
Forêt d'Évreux
Forêt de Merey
Forêt d'Ivry
Forêt de Roseux
Forêt de Dreux
N 12
N 13
N 154
D 833
D 840
A 13

PARC NATUREL RÉGIONAL
Bois-Jérôme-St-Ouen
Fourges
Chaussy
Villarceaux
Cléry-en-Vexin
Guiry-en-Vexin
Gouzangrez
Amenucourt
Maudétour-en-Vexin
Arthies
Giverny
Ste-Geneviève-lès-Gasny
Gasny
Chérence
La Roche-Guyon
Villers-en-Arthies
Gadancourt
Avernes
Ableiges
Montgeroult
Théméricourt
Vigny
Courcelles-s-Viosne
Gommecourt
Moisson
Forêt de Moisson
Vienne-en-Arthies
Aincourt
Frémainville
Boissy-l'Aillerie
Limetz-Villez
Freneuse
Vétheuil
St-Cyr-en-Arthies
Lainville-en-Vexin
Longuesse
Osny
Bennecourt
Drocourt
Montalet-le-Bois
Jambville
Puiseux-Pontoise
Méricourt
Mousseaux-s-Seine
St-Martin-la-Garenne
Sailly
Condécourt
Sagy
Vauréal
Cergy
Bonnières-s-S.
Sandrancourt
Follainville-Dennemont
Fontenay-St-Père
Brueil-en-Vexin
Oinville-s-Montcient
Seraincourt
Gaillon-s-Montcient
Courdimanche
Menucourt
Rolleboise
Tessancourt-s-Aubette
Évecquemont
Jouy-le-Moutier
Boisemont
Guernes
Hardricourt
La Villeneuve-en-Chevrie
Forêt de Rosny
Guitrancourt
Mézy-s-Seine
Meulan-en-Yvelines
Vaux-s-Seine
Rosny-s-S.
Limay
Gargenville
Issou
Juziers
Les Mureaux
Triel-s-Seine
Chanteloup-les-Vignes
St-Illiers-la-Ville
Mantes-la-Jolie
Porcheville
Verneuil-s-Seine
Jouy-Mauvoisin
Buchelay
Mantes-la-Ville
Perdreauville
Élisabethville
Flins-s-Seine
Vernouillet
Magnanville
Auffreville-Brasseuil
Mézières-s-Seine
Épône
Aubergenville
Médan
Carrières-s/s-Poissy
Bréval
Boissy-Mauvoisin
Ménerville
Fontenay-Mauvoisin
Le Tertre-St-Denis
Soindres
Guerville
Nézel
Bouafle
Villennes-s-Seine
Poissy
Neauphlette
Favrieux
Breuil-Bois-Robert
Boinville-en-Mantois
La Falaise
Ecquevilly
Morainvilliers
Flacourt
Villette
Goussonville
Aulnay-s-Mauldre
Bazemont
Longnes
Boinvilliers
Rosay
Les Alluets-le-Roi
Gilles
Dammartin-en-Serve
Arnouville-lès-Mantes
Jumeauville
Maule
Orgeval
Chambourcy
Mondreville
Courgent
Septeuil
Hargeville
Herbeville
Aigremont
Flins-Neuve-Église
Montchauvet
Goupillières
Mareil-s-Mauldre
Mulcent
Andelu
Crespières
Fourqueux
Tilly
Civry-la-Forêt
St-Martin-des-Champs
Montainville
Mareil-Marly
Boissets
Prunay-le-Temple
Villiers-le-Mahieu
Thoiry
Marcq
Feucherolles
St-Nom-la-Bretèche
Osmoy
Beynes
Davron
Thiverval-Grignon
Chavenay
Orvilliers
Flexanville
Autouillet
Saulx-Marchais
Berchères-s-Vesgre
Tacoignières
Orgerus
Béhoust
Auteuil
St-Germain-de-la-Grange
Noisy-le-Roi
Gressey
Garancières
Boissy-sans-Avoir
Villepreux
St-Lubin-de-la-Haye
Richebourg
Millemont
Neauphle-le-Vieux
Neauphle-le-Château
Plaisir
Les Clayes-s/s-Bois
Fontenay-le-Fleury
Houdan
Bazainville
La Queue-les-Yvelines
Vicq
Jouars-Pontchartrain
Bois-d'Arcy
Maulette
Havelu
Galluis
Méré
Mareil-le-Guyon
Le Tremblay-s-Mauldre
Montigny-le-Bretonneux
Goussainville
Grosrouvre
Montfort-l'Amaury
Bazoches-s-Guyonne
Élancourt
France Miniature
Champagne
Dannemarie
Gambais
Maurepas
Trappes
St-Quentin-en-Yvelines
Bourdonné
Gambaiseuil
Les Mesnuls
St-Rémy-l'Honoré
Coignières
Boutigny-Prouais
Condé-s-Vesgre
Le Mesnil-St-Denis
La Chapelle-Forainvilliers
Adainville
St-Léger-en-Yvelines
Les Essarts-le-Roi
Lévis-St-Nom
St-Lambert
Grandchamp
St-Laurent-la-Gâtine
Les Pinthières
La Hauteville
Le Tartre-Gaudran
Les Bréviaires
Auffargis
Dampierre-en-Yvelines
St-Forget
Chevreuse
Senlisse
Faverolles
La Boissière-École
Le Perray-en-Yvelines
Abbaye des Vaux de Cernay
Choisel
Bréchamps
Poigny-la-Forêt
Breteuil
Coulombs
Senantes
Mittainville
Rambouillet
Vieille-Église-en-Yvelines
Cernay-la-Ville
Limours-en-Hurepoix
Lormaye
St-Lucien
Hermeray
La Celle-les-Bordes
Pecqueuse
Villiers-le-Morhier
Raizeux
Gazeran
Bullion
Ponceaux
St-Hilarion
Clairefontaine
DE LA HAUTE VALLÉE DE CHEVREUSE
RAMBOUILLET
E
F
G
H
37
86
58

0 2 4 6 8 10 km
57
38
87
A
B
C
D
1
2
3
4
5
Pontoise
Cergy
Cergy-Pontoise
St-Ouen-l'Aumône
Éragny
Conflans-Ste-Honorine
Herblay-s-Seine
Auvers-sur-Oise
L'Isle-Adam
Villiers-Adam
Taverny
Franconville
Montmorency
Domont
Écouen
Villiers-le-Bel
Sarcelles
Goussainville
Luzarches
Fosses
Survilliers
Roissy-en-France
Gonesse
Garges-lès-G.
Enghien-les-Bains
Épinay-s-Seine
Argenteuil
Sartrouville
Maisons-Laffitte
Poissy
ST-GERMAIN-EN-LAYE
Houilles
Colombes
Gennevilliers
ST-DENIS
Basilique
Le Bourget
Drancy
Aulnay-s/s-Bois
Sevran
Villepinte
Livry-Gargan
Aubervilliers
La Courneuve
Bobigny
Pantin
Clichy
Asnières
Courbevoie
La Défense
Nanterre
Levallois-Perret
Neuilly-s-S.
Arc de Triomphe
Sacré-Cœur
PARIS
Notre-Dame
Tour Eiffel
Rueil-Malmaison
Suresnes
St-Cloud
Chatou
Marly-le-Roi
Louveciennes
Boulogne-Billancourt
Issy-lès-M.
Vanves
Malakoff
Montrouge
VERSAILLES
Le Chesnay-Rocquencourt
Sèvres
Meudon
Clamart
Châtillon
Bagneux
Montreuil
Vincennes
Bagnolet
Fontenay-s/s-Bois
Nogent-s-M.
Le Raincy
Bondy
Rosny-s/s-Bois
Charenton-le-Pont
Ivry-s-Seine
Alfortville
Maisons-Alfort
CRÉTEIL
St-Maur-des-Fossés
Champigny-s-M.
Vitry-s-Seine
Villejuif
Cachan
L'Haÿ-les-Roses
Sceaux
Châtenay-Malabry
Antony
Choisy-le-Roi
Thiais
Orly
Rungis
Massy
Palaiseau
Saclay
Montigny-le-Bretonneux
Guyancourt
Trappes
Vélizy-Villacoublay
Chevreuse
Gif-s-Y.
Orsay
Les Ulis
Longjumeau
Savigny-s-Orge
Juvisy-s-Orge
Athis-Mons
Villeneuve-St-Georges
Draveil
Montgeron
Yerres
Boissy-St-Léger
Grosbois
Viry-Châtillon
Grigny
Ris-Orangis
Ste-Geneviève-des-Bois
Limours-en-Hurepoix
Breteuil
Marcoussis
Montlhéry
EVRY-COURCOURONNES
Tigery
Étiolles
Forêt de Montmorency
Forêt de Sénart
St-Germain
Aéroport de Paris-Orly
Aéroport de Paris-Le Bourget
PAYS DE

39
E
F
G
H
Mortefontaine
Plailly
Montaby
Parc
Silly-le-Long
Chèvreville
Bouillancy
Gueux
Le Bas-Bouillancy
Réez-Fosse-Martin
Acy-en-Multien
Rouvres-en-Multien
Rosoy-en-Multien
Varinfroy
Crouy-s-Ourcq
Hervilliers
Le Plessis-Belleville
Ognes
Nogeon
Ève
Lagny-le-Sec
Oissery
Brégy
Vincy-Manœuvre
Manœuvre
Othis
Dammartin-en-Goële
Rouvres
St-Pathus
Douy-la-Ramée
Puisieux
Le Plessis-Placy
May-en-Multien
Gesvres-le-Duc
Fussy
Certigny
Coulombs-en-Valois
Moussy-le-Neuf
Longperrier
Marchémoret
Forfry
Gesvres-le-Chapitre
Trocy-en-Multien
Marnoue-la-Poterie
Vernelle
Marnoue-les-Moines
Vendrest
Moussy-le-Vieux
St-Mard
Montgé-en-Goële
St-Soupplets
Silo
Marcilly
Étrépilly
Ocquerre
Rademont
Villeneuve-s/s-Dammartin
Cuisy
Le Plessis-l'Évêque
Barcy
Lizy-s-Ourcq
Le Gué-à-Tresmes
Mary-s-Marne
Cocherel
Le Mesnil-Amelot
Thieux
Juilly
Vinantes
Le Plessis-aux-Bois
Monthyon
Chambry
Varreddes
Congis-s-Thérouanne
Villers-les-Rigault
Isles-les-Meldeuses
Tancrou
Compans
Nantouillet
Iverny
Penchard
Crégy-lès-M.
Germigny-l'Évêque
Armentières-en-Brie
Jaigues
Mitry-Mory
Gressy
St-Mesmes
Messy
Villeroy
Charny
Chauconin-Neufmontiers
Poincy
Changis-s-Marne
Ussy-s-Marne
Mitry-le-Neuf
Souilly
Trilport
St-Jean-les-Deux-Jumeaux
Sammeron
La Ferté-s/s-Jouarre
Villeparisis
Charmentray
Trilbardou
Villenoy
MEAUX
Montceaux-lès-M.
Fublaines
Sept-Sorts
Claye-Souilly
Annet-s-Marne
Fresnes-s-Marne
Précy-s-Marne
Vignely
Mareuil-lès-M.
Nanteuil-lès-M.
St-Fiacre
Villemareuil
Signy-Signets
Jouarre
Courtry
Villevaudé
Jablines
Esbly
Isles-lès-Villenoy
Quincy-Voisins
Boutigny
Le Pin
Carnetin
Lesches
Condé-Ste-Libiaire
Magny-St-Loup
Vaucourtois
Pierre-Levée
Thorigny-s-Marne
Dampmart
Coupvray
Couilly-Pont-aux-Dames
Coulommes
Brou-s-Chantereine
Pomponne
Chalifert
Montry
Bouleurs
Sancy
La Haute-Maison
Chessy
St-Thibault-des-Vignes
St-Germain-s-Morin
Montbarbin
Férolles
Vaires-s-M.
Lagny-s-Marne
Montévrain
Disneyland
Parc
Montguillon
Coutevroult
Magny-le-Hongre
Dainville
La Chapelle-s-Crécy
Mongrolle
Maisoncelles-en-Brie
St-Germain-s/s-Doue
Noisiel
Torcy
Conches-s-Gondoire
Gouvernes
Chanteloup-en-Brie
Paris
Serris
Villiers-s-Morin
Crécy-la-Chapelle
Libernon
Voulangis
Guermantes
Bussy-St-Martin
Bussy-St-Georges
Collégien
Jossigny
Bailly-Romainvilliers
Giremoutiers
Aulnoy
Lognes
Ferrières-en-Brie
Tigeaux
Guérard
Mouroux
Pommeuse
Coulommiers
Croissy-Beaubourg
Villeneuve-St-Denis
Villeneuve-le-Comte
Dammartin-s-Tigeaux
Émerainville
Roissy-en-Brie
Pontcarré
La Celle-s-Morin
Faremoutiers
Pontault-Combault
Mortcerf
St-Augustin
Chailly-en-Brie
Marolles-en-Brie
Ozoir-la-Ferrière
Hautefeuille
Mauperthuis
Beautheil-Saints
Favières
Neufmoutiers-en-Brie
Crèvecœur-en-Brie
Tournan-en-Brie
Gretz-Armainvilliers
La Houssaye-en-Brie
Lésigny
Lumigny
Rézarches
Touquin
Amillis
Férolles-Attilly
Les Chapelles-Bourbon
Marles-en-Brie
Le Plessis-Feu-Aussoux
Chevry-Cossigny
Les Boulayes
Châtres
Presles-en-Brie
Fontenay-Trésigny
Brie-Comte-Robert
Liverdy-en-Brie
Voinsles
Vaudoy-en-Brie
Grisy-Suisnes
Rozay-en-Brie
Courquetaine
Ozouer-le-Voulgis
Bernay-en-Brie
Chaumes-en-Brie
Jouy-le-Châtel
Évry-Grégy
Coubert
Solers
La Chapelle-Iger
Pécy
Argentières
Courtomer
Courpalay
Soignolles-en-Brie
Yèbles
Guignes
Beauvoir
88
Limoges-Fourches
Champdeuil
Lissy
Aubepierre
Gastins
Sénart

0 2 4 6 8 10 km
St-Gengoulph
Courchamps
Bonnesvalyn
L'Hermitage
Hautevesnes
Monthiers
Épieds
Le Charmel
Vincelles
Bézu-St-Germain
Jaulgonne
Barzy-s-M.
Trélou-s-Marne
Crouy-s-Ourcq
Gandelu
Veuilly-la-Poterie
Torcy-en-Valois
Belleau
Étrépilly
Trugny
Mont-St-Père
Chartèves
Verdilly
Mézy-Moulins
Courtemont-Varennes
Passy-s-M.
Germigny s/s-Coulombs
Marigny-en-Orxois
Bois Belleau
Bouresches
Château-Thierry
Brasles
Gland
Fossoy
Coulombs-en-Valois
Lucy-le-Bocage
Vincelles
Reuilly-Sauvigny
Courthiézy
Vendrest
Les Glandons
La Voie-du-Châtel
Chierry
Crézancy
Dhuisy
Cote 204
Blesmes
Connigis
Chambardy
Sablonnière
Le Thiolet
Coupru
Monneaux
Essômes-s-Marne
Étampes-s-M.
Nesles-la-Montagne
St-Eugène
Monthurel
Montreuil-aux-Lions
Domptin
Condé-en-Brie
Celles-lès-Condé
Cocherel
Bézu-le-Guéry
Bonneil
Nogentel
Pétret
Le Bochage
Villiers-St-Denis
Azy-s-M.
Courboin
Ste-Aulde
Les Roches
Montigny-lès-Condé
Nanteuil-s-M.
Crouttes-s-M.
Charly-s-M.
Saulchery
Chézy-s-Marne
Les Caquerets
Montharmault
Luzancy
Méry-s-M.
Romeny-s-M.
Essises
Auclaine
Montlevon
Pargny-la-Dhuys
Saâcy
Citry
Nogent-l'Artaud
Viffort
Reuil-en-Brie
Pavant
La Chapelle-s-Chézy
Montfaucon
Villeneron
Montgrimont
Verdon
La Ferté-s/s-Jouarre
Chérost
La Ville-Chamblon
Sept-Sorts
Moras
Montapeine
La Noue-Brayer
Bassevelle
Rozoy-Bellevalle
Courbouvin
Jouarre
Bussières
Fontenelle-en-Brie
Artonges
St-Cyr-s-M.
Orly-s-Morin
Chef-de-la-Ville (Dhuys et Morin-en-Brie)
Corrobert
Petit Villiers
Replonges
St-Ouen-s-Morin
Le Rousset
Hondevilliers
La Haute Épine
La Meulière
Bailly
L'Échelle-le-Franc
Hautefeuille
Boitron
Viels-Maisons
L'Épine-aux-Bois
Marchais-en-Brie
Vauchamps
Montmirail
Verdelot
Torailles
Vendières
Mécringes
La Trétoire
Sablonnières
Doue
St-Germain-s/s-Doue
Villeneuve-s-Bellot
Bellot
Montdauphin
Rieux
Rebais
St-Léger
Montenils
Bergères-s/s-Montmirail
Aulnoy
Boissy-le-Châtel
St-Denis-lès-Rebais
Champcormolin
Montolivet
Soigny
Chauffry
St-Barthélemy
Le Gault-Soigny
Coulommiers
St-Siméon
Jouy-s-Morin
Le Vézier
Trefols
Morsains
St-Rémy-la-Vanne
Meilleray
La Chapelle-Moutils
Chailly-en-Brie
Marolles-en-Brie
La Ferté-Gaucher
St-Martin-des-Champs
Villeneuve-la-Lionne
Joiselle
Champguyon
Choisy-en-Brie
Lescherolles
Les Essarts-lès-Sézanne
Réveillon
Neuvy
Amillis
Chartronges
St-Mars-Vieux-Maisons
La Noue
Chevru
Leudon-en-Brie
St-Martin-du-Boschet
Esternay
Dagny
Châtillon-sur-Morin
Beton-Bazoches
Courgivaux
Frétoy
Montceaux-lès-Provins
Escardes
Boisdon
Courtacon
Cerneux
Sancy-lès-Provins
Bannost
Bezalles
Les Marêts
Augers-en-Brie
St-Bon
Champcenest
Les Essarts-le-Vicomte
Jouy-le-Châtel
Villiers-St-Georges
Bouchy-St-Genest
La Forestière
Pécy
Courchamp
Nesle-la-Reposte
Chenoise-Cucharmoy
St-Hilliers
Voulton
Louan-Villegruis-Fontaine
Beauchery-St-Martin
Bethon
A
B
C
D
1
2
3
4
5
40
59
89

61
41
62
90
Épernay
Hautvillers
Cumières
Damery
Mardeuil
Dizy
Aÿ
Champagne
Magenta
Mutigny
Avenay-Val-d'Or
Champillon
Romery
Cormoyeux
Fleury-la-Rivière
Venteuil
Binson-et-Orquigny
Châtillon-s-Marne
Vandières
Mareuil-le-Port
Troissy
Port-à-Binson
Leuvrigny
Festigny
Nesle-Repons
Œuilly
Boursault
Vauciennes
Forêt d'Épernay
Pierry
Moussy
Vinay
St-Martin-d'Ablois
Chavot-Courcourt
Brugny-Vaudancourt
Monthelon
Mancy
Cuis
Cramant
Avize
Grauves
Oger
Le Mesnil-sur-Oger
Flavigny
Les Istres-et-Bury
Plivot
Oiry
Chouilly
Athis
Cherville
Jâlons
Tours-s-Marne
Bisseuil
Ambonnay
Isse
Condé-sur-Marne
Aigny
Vraux
Juvigny
Aulnay-s-Marne
Matougues
Champigneul-Champagne
St-Mard-lès-Rouffy
Pocancy
Rouffy
Vouzy
Thibie
Villeneuve-Renneville-Chevigny
Chaintrix-Bierges
Vertus
Bergères-lès-Vertus
Mont Aimé
Trécon
Germinon
Vélye
Villeseneux
Soudron
Clamanges
Pierre-Morains
Écury-le-Repos
Morains
Normée
Lenharrée
Vassimont-et-Chapelaine
Haussimont
Sommesous
Paris-Vatry
Fère-Champenoise
Connantray-Vaurefroy
Montépreux
Euvy
Gourgançon
Semoine
Mailly-le-Camp
Villiers-Herbisse
Herbisse
Salon
Faux-Fresnay
Corroy
Ognes
Connantre
Linthes
Pleurs
Marigny
Angluzelles-et-Courcelles
Thaas
Courcemain
Champfleury
La Chapelle-Lasson
Villeneuve-St-Vistre-et-Villevotte
Fontaine-Denis-Nuisy
Barbonne-Fayel
Queudes
Saudoy
Chichey
Gaye
Sézanne
Vindey
St-Remy-sous-Broyes
Linthelles
St-Loup
Péas
Allemant
Broyes
Lachy
Mondement-Montgivroux
Broussy-le-Petit
Broussy-le-Grand
Mont Août
Bannes
Reuves
Oyes
Soizy-aux-Bois
La Villeneuve-lès-Charleville
Talus-St-Prix
Villevenard
Courjeonnet
Coizard-Joches
Marais de St-Gond
Aulnizeux
Val-des-Marais
Vert-la-Gravelle
Toulon-la-Montagne
Congy
Baye
Le Thoult-Trosnay
Bannay
Champaubert
Fèrebrianges
Étoges
Beaunay
Loisy-en-Brie
Étréchy
Givry-lès-Loisy
Soulières
Villers-aux-Bois
Gionges
Chaltrait
Montmort-Lucy
La Caure
Corribert
Suizy-le-Franc
Mareuil-en-Brie
Le Baizil
Forêt de Brugny
Morangis
Moslins
Igny-Comblizy
La Chapelle-sous-Orbais

62
0 2 4 6 8 10 km
A
B
C
D
42
91
61
Ambonnay
Isse
Condé-sur-Marne
Aigny
Vraux
Juvigny
Aulnay-s-Marne
Les Grandes-Loges
La Veuve
Centre Routier
St-Hilaire-au-Temple
Mont Gravonne
Dampierre-au-Temple
Vadenay
Cuperly
Fontenelle
Camp d'Attila
Mont des Vignes
Bussy-le-Château
Noblette
La Cheppe
St-Remy-sur-Bussy
Le Vieux-Bellay
La Croix-en-Champagne
Auve
La Chapelle-Felcourt
St-Mard-s-Auve
Somme-Tourbe
Somme-Bionne
AUTOROUTE DE L'EST
A 4-E 50
L.G.V. EST
St-Étienne-au-Temple
Mont de la Savelonnière
Mont de Charme
Lycée agricole
La Grande Romanie
Tilloy-et-Bellay
Poste de Somme-Vesle
Le Neuf-Bellay
Herpont
Chaussée Romaine
Le Lac des Grands Prés
Recy
Melette
La Maison-Neuve
St-Julien
Courtisols
Somme-Vesle
Vesle
Matougues
St-Martin-sur-le-Pré
St-Gibrien
St-Georges
Les Cours-Brûlées
Villers-le-Château
Fagnières
La Folie
L'Épine
St-Memmie
Basilique N.-D. de l'Épine ★★
CHÂLONS-EN-CHAMPAGNE★★
Poix
La Malassise
St-Pierre
St-Memmie
Compertrix
Longevas
Moivre
Frécul
Thibie
Mont-Choisy
Coolus
Le Rafidin
St-Laurent
Sarry
Sogny-aux-Moulins
Moncetz-Longevas
Marson
St-Jean-sur-Moivre
Coupéville
Les Ormes
Le Fresne
La Saux
Bussy-le-Repos
Notre-Dame
Écury-sur-Coole
Chepy
St-Germain-la-Ville
Dampierre-sur-Moivre
Francheville
La Motte-Hériton
Germinon
Cheniers
Nuisement-sur-Coole
Mont Toisé
Mairy-s-Marne
Vésigneul-s-Marne
Pogny
Bronne
Vanault-le-Châtel
Les Quatre-Chemins
Mentarah
Bellevue
Breuvery-s-Coole
Vaugency
Togny-aux-Bœufs
Mandre
St-Quentin-sur-Coole
Cernon
Vouciennes
Omey
La Chaussée-sur-Marne
Vitry-la-Ville
Aulnay-l'Aître
La Cense-des-Prés
Bassu
Soudron
Cheppes-la-Prairie
Coulmier
Coulvagny
Vatry
Coupetz
St-Martin-aux-Champs
Lisse-en-Champagne
St-Amand-sur-Fion
Ablancourt
Songy
St-Lumier-en-Champagne
Bassuet
Vavray-le-Petit
Vavray-le-Grand
Bussy-Lettrée
Fontaine
Soulanges
Lettrée
Vésigneul
Faux-Vésigneul
Pringy
Le Mont Larron
St-Quentin-les-Marais
Changy
Outrepont
PARIS-VATRY
Dommartin-Lettrée
Drouilly
Gravelines
Mont de Fourche
Vitry-en-Perthois
Merlaut
Ponthion
Haussimont
Maisons-en-Champagne
Loisy-s-Marne
Couvrot
Brusson
Notre-Dame
Soudé
Ste-Croix
Plichancourt
Sommesous
Coole
St-Étienne
Reims-la-Brûlée
Tournay
Favresse
Blacy
Vitry-le-François
Vauclerc
Glannes
Marolles
Villotte
Huiron
Forêt de Vauhalaise
Écriennes
Courdemanges
Frignicourt
Luxémont-et-Villotte
Poivres
Châtelraould-St-Louvent
Mont Moret
Bignicourt-sur-Marne
Goncourt
Sompuis
La Galbaudine
La Croix
Mailly-le-Camp
St-Louvent
Blaise-s/s-Arzillières
Norrois
Matignicourt-Goncourt
La Breuille
Camp militaire
La Certine
Les Rivières-Henruel
Cloyes-s-Marne
Humbauville
Perthes
Arzillières-Neuville
Moncetz-l'Abbaye
Tharges
Henruel
Neuville-sous-Arzillières
Larzicourt
Le Meix-Tiercelin
Les Mandres
St-Chéron
Orphelinat
Flumet
St-Genest
Isle-sur-Marne
Les Monts Torlors
St-Remy-en-Bouzemont-St-Genest-et-Isson
Trouans
La Verpillière
Arrigny
de Mailly
St-Ouen-Domprot
Dosnon
La Malmaison
Bussy-aux-Bois
Isson
Gigny-Bussy
Petit-Paris
St-Étienne
Bois de Bussy
Presqu'île de Larzicourt

63
43
64
92
E
F
G
H
1
2
3
4
5
Chaudefontaine
Ste-Menehould
Braux-Ste-Cohière
Dommartin-Dampierre
Verrières
Argers
Dampierre
Élise-Daucourt
Voilemont
Châtrices
Villers-en-Argonne
Moncets
Daucourt
Braux-St-Remy
La Hotte
Dampierre-le-Château
Sivry-Ante
Ante
Le Chemin
Éclaires
Futeau
Bellefontaine
Beauchamp
Rarécourt
Froidos
Lavoye
Julvécourt
Autrécourt-sur-Aire
Ippécourt
Osches
Souilly
Salvange
St-Rouin
Passavant-en-Argonne
Beaulieu-en-Argonne
Forêt de Beaulieu
Bois de Lavoye
Waly
Fleury-sur-Aire
St-André-en-Barrois
Forêt du Prieuré
Rambluzin-et-Benoite-Vaux
Heippes
Brizeaux
Foucaucourt-sur-Thabas
Nubécourt
Bulainville
Bois Dahaie
Mondrecourt
Gumont
Aubercy
Senard
Évres
Deuxnouds-devant-Beauzée
Meuse T.G.V.
L.G.V. EST
(Les Trois-Domaines)
Le Vieil-Dampierre
Bournonville
Triaucourt-en-Argonne
(Seuil-d'Argonne)
Beauzée-sur-Aire
(Beausite)
Amblaincourt
Rignaucourt
Issoncourt
Seraucourt
Épensival
Épense
Les Charmontois
La Neuville-aux-Bois
Pretz-en-Argonne
Les Anglecourt
Neuville-en-Verdunois
Remicourt
Givry-en-Argonne
Belval-en-Argonne
Sommaisne
Courcelles-s-Aire
Noirlieu
Yvraumont
Vaubecourt
La Vaux-Marie
Chaumont-s-Aire
Longchamps-sur-Aire
Le Châtelier
(Rembercourt-Sommaisne)
Érize-la-Petite
La Lieue
Outrivière
La Maison-Rouge
St-Mard-sur-le-Mont
Les Merchines
Rembercourt-aux-Pots
Érize-la-Grande
Pierrefitte-sur-Aire
Vaudoncourt
Lamermont
Lisle-en-Barrois
Contault
La Vadivière
Sommeilles
Vieux Monthiers
Bois des Argonnelles
Marat-la-Petite
Bois de la Gde Jurée
Yonval
Monthiers
Laheycourt
Villotte-devant-Louppy
Marat-la-Grande
Nicey-sur-Aire
Possesse
Noyers-le-Val
Auzécourt
(Noyers-Auzécourt)
Bois de la Penthière
B. du Fays
(Raival)
Rosnes
Belrain
St-Jean-devant-Possesse
Nettancourt
Condé-en-Barrois
Charmont
Louppy-le-Château
Louppy-sur-Chée
Génicourt-sous-Condé
Seigneulles
Vernancourt
Villers-aux-Vents
(Les Hauts-de-Chée)
Hargeville-sur-Chée
Érize-la-Brûlée
Petit Rumont
Fontenoy
Brabant-le-Roi
Laimont
Vroil
Bettancourt-la-Longue
Revigny-s-Ornain
B. des Chênes
Rumont
Le Bois Goyet
Neuville-s-Ornain
Le Haut Bois
Chardogne
Vavincourt
Lavallée
Sogny-en-l'Angle
Villers-le-Sec
Rancourt-sur-Ornain
Bussy-la-Côte
Venise
Érize-St-Dizier
Alliancelles
Remennecourt
Contrisson
Varney
Rosières-devant-Bar
(Naives-Rosières)
Heiltz-le-Maurupt
Vassincourt
Mussey
Behonne
Naives-devant-Bar
Ste-Geneviève
(Val-d'Ornain)
Andernay
Mognéville
Fains-les-Sources
(Fains-Véel)
BAR-LE-DUC
Géry
Resson
Loisey-Culey
Sermaize-les-Bains
Pargny-s-Saulx
Couvonges
Véel
Culey
Salmagne
Étrepy
Maurupt-le-Montois
Beurey-sur-Saulx
Robert-Espagne
Bois St Martin
Savonnières-devant-Bar
Combles-en-Barrois
Trémont-sur-Saulx
Longeville-en-Barrois
Silmont
Guerpont
Le Montois
Cheminon
Le Bois Brûlé
Forêt du Haut Juré
Tannois
Bussemont
Brusson-les-Forges
Jean-d'Heurs
L'Isle-en-Rigault
Le Chêne
Tronville-en-Barrois
Nançois-sur-Ornain
St-Lumier-la-Populeuse
Le Fays
Trois-Fontaines-l'Abbaye
Ville-sur-Saulx
Brillon-en-Barrois
St Martin
Velaines
Scrupt
Bois de Maurupt
Saudrupt
Bois de Montfromont
Bois de Velaines
Montplonne
St-Vrain
Lombroie
Baudonvilliers
Haironville
Nant-le-Grand
Maulan
Heiltz-le-Hutier
Vouillers
St-Eulien
Rupt-aux-Nonains
Bazincourt-sur-Saulx
Sommelonne
Villiers-en-Lieu
Chancenay
Lavincourt
Nant-le-Petit
Le Petit-Maulan
Givrauval
Longeaux
Perthes
St-Dizier
Bettancourt-la-Ferrée
Bayé
Stainville
La Houpette
Forêt de Valtièremont
Bois de Charmois
Fouchères-aux-Bois
Sapignicourt
Hauteville
La Bobotte
Ambrières
Hallignicourt
Ancerville
Aulnois-en-Perthois
Cousancelles
Beau Soleil
Blaise-sous-Hauteville
Les Côtes Noires
Moëslains
Laneuville-au-Pont
Jovilliers
Ménil-sur-Saulx
Villers-le-Sec
Gûe
Cousances-les-Forges
Savonnières-en-Perthois
Le Bouchon-sur-Saulx
Landricourt
St-Aubin
Valcourt
Marnaval
Chamouilley
Eclaron-Braucourt-Ste-Livière
Ste-Livière
Ste-Marie-Lac-Nuisement
Roches-s-Marne
Furville
Juvigny-en-Perthois
Dammarie-sur-Saulx
Voie Sacrée Nationale
Forêt de Souilly
Bois de Pontoux
N4
D 994
D 995
D 902
D 635

0 2 4 6 8 10 km
VERDUN
Thierville-sur-Meuse
Eix
Blanzée
Moulainville
Châtillon-sous-les-Côtes
44
Grimaucourt-en-Woëvre
Gussainville
Buzy-Darmont
Braquis
Récicourt
Dombasle-en-Argonne
Sivry-la-Perche
Baleycourt
Belleray
Belrupt-en-Verdunois
Watronville
Ronvaux
Haudiomont
Ville-en-Woëvre
Hennemont
Pareid
Jouy-en-Argonne
Blercourt
Frana
Mémorial
Moulin-Brûlé
Haudainville
Fort du Rozelier
Manheulles
Pintheville
Maizeray
Nixéville-Blercourt
Dugny-sur-Meuse
Verdun-St-Nicolas
Champ de Tir
Villers-sur-Bonchamp
Riaville
Marchéville-en-Woëvre
Rampont
Landrecourt-Lempire
Bonzée
Fresnes-en-Woëvre
Jubécourt
Ville-sur-Cousances
Les Souhesmes-Rampont
Vadelaincourt
Lemmes
Ancemont
Sommedieue
Forêt d'Amblonville
Mont-Villers
Mesnil-sous-les-Côtes
Trésauvaux
Saulx-lès-Champlon
Dieue-sur-Meuse
Les Éparges
Combres-s/s-les-Côtes
Senoncourt-les-Maujouy
Rupt-en-Woëvre
Mouilly
St-Remy-la-Calonne
Hannonville-sous-les-Côtes
Froidos
Lavoye
Osches
Les Monthairons
Génicourt-sur-Meuse
Herbeuville
Thillot
Autrécourt-sur-Aire
Ippécourt
Souilly
Forêt de Souilly
Ambly-s-Meuse
Ranzières
Dommartin-la-Montagne
St-Maurice-sous-les-Côtes
Fleury-sur-Aire
St-André-en-Barrois
Villers-s-Meuse
Vaux-lès-Palameix
Nubécourt
Bulainville
Voie Sacrée
Nationale
Rambluzin-et-Benoite-Vaux
Récourt-le-Creux
Tilly-s-Meuse
Troyon
Palameix
Dompierre-aux-Bois
Vieville-sous-les-Côtes
Hattonchâtel
Heippes
Bois Dahaie
Mondrecourt
Meuse T.G.V.
Bouquemont
Seuzey
Deuxnouds-aux-Bois
Deuxnouds-devant-Beauzée
Benoite-Vaux
Woimbey
Lacroix-sur-Meuse
L'Étanche
Évres
(Les Trois-Domaines)
Hautombois
Lamorville
Beauzée-sur-Aire
(Beausite)
Issoncourt
Bannoncourt
Lavignéville
Amblaincourt
Rignaucourt
Seraucourt
Thillombois
Rouvrois-sur-Meuse
Chaillon
Pretz-en-Argonne
Neuville-en-Verdunois
Les Anglecourt
Courcelles-s-Aire
Lahaymeix
Forêt de Marcaulieu
Senonville
Spada
Varvinay
Sommaisne
La-Vaux-Marie
Courouvre
Dompcevrin
(Valbois)
Chaumont-s-Aire
Longchamps-sur-Aire
Bois de Pierrefitte
Bois de Dompcevrin
Maizey
Côte Ste Marie
Savonnières-en-Woëvre
Buxerulles
(Rembercourt-Sommaisne)
Les Merchines
Érize-la-Petite
Louvent
Bois de Fresnes
Les Paroches
Vaudoncourt
Rembercourt-aux-Pots
Érize-la-Grande
Pierrefitte-sur-Aire
Fresnes-au-Mont
Chauvoncourt
St-Mihiel
Woinville
Lisle-en-Barrois
Marat-la-Petite
Rupt-devant-St-Mihiel
Ménonville
Centre de Détention
RÉGIONAL
Butte de Montsec
Marat-la-Grande
Nicey-sur-Aire
Marsoupe
Varnéville
Condé-en-Barrois
Rosnes
(Raival)
Belrain
Ville-devant-Belrain
Bislée
Ailly-sur-Meuse
Apremont-la-Forêt
Seigneulles
Génicourt-sous-Condé
Villotte-s-Aire
Gimécourt
Koeur-la-Grande
Han-sur-Meuse
Brasseitte
St-Agnant-sous-les-Côtes
(Les Hauts-de-Chée)
Hargeville-sur-Chée
Petit Rumont
Érize-la-Brûlée
Koeur-la-Petite
Marbotte
Baudrémont
Liouville
Rumont
Levoncourt
Courcelles-en-Barrois
Sampigny
Mécrin
Vavincourt
Chardogne
Lavallée
Érize-St-Dizier
Ménil-aux-Bois
Pont-sur-Meuse
St-Julien-s/s-les-Côtes
Fréméréville-s/s-les-Côtes
Lignières-sur-Aire
Bois de Béthelémont
Girauvoisin
Boncourt-sur-Meuse
Rosières-devant-Bar
(Naives-Rosières)
Dagonville
Vadonville
Grimaucourt-près-Sampigny
Lérouville
Behonne
Naives-devant-Bar
Ste-Geneviève
Géry
Cousances-au-Bois
Malaumont
Vignot
BAR-LE-DUC
Resson
(Cousances-lès-Triconville)
Cité
Les Carrières
Savonnières-devant-Bar
Loisey-Culey
Triconville
Commercy
Aulnois-sous-Vertuzey
Culey
Salmagne
(Erneville-aux-Bois)
Chonville-Malaumont
Lérouville Champ de Tir
Euville
Longeville-en-Barrois
Silmont
Loxéville
Ernecourt
Vertuzey
Ville-Issey
Guerpont
Domremy-aux-Bois
Forêt de Commercy
Sorcy-St-Martin
Tannois
Willeroncourt
Nançois-le-Grand
St-Aubin-sur-Aire
Saulx-en-Barrois
Forêt du Haut Juré
Tronville-en-Barrois
Nançois-sur-Ornain
Laneuville-au-Rupt
Velaines
Ménil-la-Horgne
St Martin
Bois de Palisse
Montplonne
Ligny-en-Barrois
93
(Saulvaux)
Vacon
Nant-le-Grand
Bois de Velaines
Vaux-la-Grande
Bois de Voirut
Morlaincourt
Méligny-le-Grand
Braux
Maulan
Bazincourt

65
45
94
66
E
F
G
H
METZ
NANCY
Pont-à-Mousson
Jarny
Chambley-Bussières
Thiaucourt-Regniéville
Dieulouard
Liverdun
Pompey
Frouard
Maxéville
Malzéville
St-Max
Laxou
Vandœuvre-lès-N.
Jarville-la-Malgrange
Laneuveville-devant-N.
Nomeny
Montigny-lès-M.
Moulins-lès-M.
Scy-Chazelles
Gravelotte
Mars-la-Tour
Gorze
Novéant-s-Moselle
Arnaville
Pagny-s-Moselle
Vandières
Blénod-lès-Pont-à-Mousson
Custines
Champigneulles
Sillegny
Verny
Marly
Augny
Ars-s-Moselle
Vaux
Jouy-aux-Arches
Corny-s-Moselle
Flirey
Beaumont
Manonville
Domèvre-en-Haye
Royaumeix
Ménil-la-Tour
Lagney
Lucey
Bruley
Écrouves
TOUL
Dommartin-lès-Toul
Chaudeney-sur-Moselle
Villey-le-Sec
Gondreville
Velaine-en-Haye
Sexey-les-Bois
Aingeray
Villey-St-Étienne
Francheville
Bouvron
Avrainville
Jaillon
Saizerais
Rosières-en-Haye
Marbache
Belleville
Millery
Autreville-s-Moselle
Landremont
Bezaumont
Loisy
Atton
Mousson
Clémery
Raucourt
Lesménils
Cheminot
Louvigny
Pournoy-la-Chétive
Coin-lès-Cuvry
Fleury
Cuvry
Pouilly
Peltre
Laquenexy
Orny
Chérisey
Goin
Pagny-lès-Goin
Vigny
Secourt
Solgne
Buchy
METZ-NANCY-LORRAINE
Lorraine T.G.V.
Sivry
Moivrons
Malleloy
Faulx
Bouxières-aux-Dames
Lay-St-Christophe
Eulmont
Agincourt
Dommartemont
Essey-lès-N.
Tomblaine
Pulnoy
Saulxures-lès-Nancy
Seichamps
Forêt de Haye
Bois de la Fourasse
Forêt de Gorze
Forêt des Hauts de Gorze
Forêt de l'Avant-Garde
Forêt de Puvenelle
Bois de Dampvitoux
Forêt de la Reine
Centrale Solaire
Camp militaire
Moselle
A 31
E 21
D 958
D 952
D 903
D 904
D 611
D 657
D 910

0 2 4 6 8 10 km
C
46
D
METZ
Courcelles-Chaussy
Faulquemont
Laquenexy
Pange
Servigny-lès-Raville
Raville
Vaudoncourt
Landonvillers
Glatigny
Retonfey
Nouilly
Servigny-lès-Ste-Barbe
Les Étangs
Varize
Brouck
Bouchepom
Zimming
Longeville-lès-St-Avold
Bionville-s-Nied
Marange-Zondrange
Fouligny
Guinglange
Flétrange
Elvange
Hémilly
Créhange
Tritteling-Redlach
Laudrefang
Bambiderstroff
Vahl-lès-Faulquemont
Adelange
Boustroff
Mainvillers
Chémery
Thicourt
Thonville
Eincheville
Landroff
Brulange
Arraincourt
Holacourt
Many
Herny
Vatimont
Han-sur-Nied
Adaincourt
Rémilly
Vittoncourt
Arriance
Chanville
Villers-Stoncourt
Bazoncourt
Sanry-sur-Nied
Ancerville
Voimhaut
Lemud
Aube
Mécleuves
Sorbey
Courcelles-sur-Nied
Jury
Peltre
Mercy
Montigny-lès-M.
Moulins-lès-M.
Marly
Pouilly
Chesny
Augny
Cuvry
Fleury
Orny
Pournoy-la-Grasse
Verny
Chérisey
Pontoy
Beux
Liéhon
Goin
Pommérieux
Sillegny
Pagny-lès-Goin
Louvigny
Vigny
Buchy
Solgne
Silly-en-Saulnois
Béchy
Luppy
Flocourt
St-Epvre
Tragny
Thimonville
Morville-s-Nied
Baudrecourt
Chenois
Lesse
Suisse
Destry
Baronville
Lucy
Villers-s-Nied
Marthille
Chicourt
Frémery
Oron
Hannocourt
Bacourt
Prévocourt
Xocourt
Tincry
Viviers
Fonteny
Château-Bréhain
Bréhain
Bellange
Achain
Pévange
Haboudange
Dalhain
Vannecourt
Burlioncourt
Vaxy
Puttigny
Gerbécourt
Obreck
Dédeling
Château-Voué
Laneuveville-en-Saulnois
Oriocourt
Donjeux
Lemoncourt
Delme
Puzieux
Liocourt
Juville
Moncheux
Secourt
Sailly-Achâtel
Vulmont
Foville
Phlin
Thézey-St-Martin
Alaincourt-la-Côte
Abaucourt
Mailly-s-Seille
Nomeny
Éply
Raucourt
Morville-s-Seille
Port-s-Seille
Clémery
Rouves
Craincourt
Létricourt
Aulnois-s-Seille
Chenicourt
Fossieux
Malaucourt-sur-Seille
Jallaucourt
Fresnes-en-Saulnois
Château-Salins
Amelécourt
Lubécourt
Hampont
Morville-lès-Vic
Haraucourt-sur-Seille
Marsal
Salonnes
Vic-sur-Seille
Moyenvic
Chambrey
Grémecey
Coutures
Manhoué
Aboncourt-sur-Seille
Ajoncourt
Jeandelaincourt
Arraye-et-Han
Armaucourt
Moivrons
Sivry
Villers-lès-Moivrons
Lanfroicourt
Leyr
Bey-sur-Seille
Bioncourt
Attilloncourt
Pettoncourt
Moncel-sur-Seille
Brin-sur-Seille
Bouxières-aux-Chênes
Montenoy
Faulx
Malleloy
Custines
Millery
Belleau
Landremont
Bezaumont
Ste-Geneviève
Loisy
Pont-à-Mousson
Lesménils
Cheminot
Louvigny
Mazerulles
Champenoux
Amance
Laître-s/s-Amance
Dommartin-s/s-Amance
Laneuvelotte
Velaine-s/s-Amance
Seichamps
Cerville
Pulnoy
Saulxures-lès-Nancy
Buissoncourt
Réméréville
Erbéviller-sur-Amezule
Hoéville
Athienville
Sornéville
Bezange-la-Grande
Bezange-la-Petite
Juvrecourt
Xanrey
Réchicourt-la-Petite
Arracourt
Bathelémont
Bures
Parroy
Valhey
Bauzemont
Hénaménil
Serres
Courbesseaux
Gellenoncourt
Drouville
Haraucourt
Varangéville
Art-s-Meurthe
Laneuveville-devant-N.
Einville-au-Jard
Raville-s-Sânon
Crion
Maixe
Crévic
Bienville-la-Petite
Sionviller
Lezey
Juvelize
Haute-Récourt
Hte-Vigneulles
Pompey
Frouard
Champigneulles
Maxéville
Malzéville
St-Max
Essey-lès-N.
Tomblaine
Laxou
NANCY
Villers-lès-N.
Jarville-la-Malgrange
Vandœuvre-lès-N.
Heillecourt
Houdemont
Dommartemont
Agincourt
Eulmont
Lay-St-Christophe
Bouxières-aux-Dames
A
B
C
95
D
1
2
3
4
5
65

47

68

96

E F G H

Sarreguemines
Hombourg-Haut
Farébersviller
Diebling
Hundling
Nousseviller-St-Nabor
Rémelfing
Zetting
Wiesviller
Wœlfling-lès-Sarreguemines
Gros-Réderching
Macheren
Guenviller
Henriville
Farschviller
Metzing
Loupershouse
Woustviller
Guebenhouse
Neufgrange
Lachambre
Cappel
Barst
Hoste
Ernestviller
Hambach
Siltzheim
Wittring
Achen
Puttelange-aux-Lacs
Diffenbach-lès-Puttelange
Biding
Valette
Vahl-Ebersing
Maxstadt
Leyviller
Rémering-lès-Puttelange
Grundviller
Richeling
Willerwald
Herbitzheim
Kalhausen
Etting
Bining
Laning
Lixing-lès-St-Avold
Altrippe
Frémestroff
St-Jean-Rohrbach
Hilsprich
Holving
Sarralbe
Oermingen
Schmittviller
Rahling
Hellimer
Freybouse
Diffembach-lès-Hellimer
Petit-Tenquin
Le Val-de-Guéblange
Keskastel
Dehlingen
Butten
Grostenquin
Erstroff
Gréning
Nelling
Kappelkinger
Hazembourg
Vœllerdingen
Lorentzen
Ratzwiller
Bérig-Vintrange
Francaltroff
Léning
Insming
Vittersbourg
Kirviller
Hinsingen
Schopperten
Sarre-Union
Domfessel
Diemeringen
Virming
Vallerange
Neufvillage
Albestroff
Ste Anne
Honskirch
Bissert
Harskirchen
Rimsdorf
Mackwiller
Waldhambach
Bermering
Montdidier
Givrycourt
Altwiller
Sarrewerden
Thal-Drulingen
Vahl-lès-Bénestroff
Munster
Vibersviller
Burbach
Rexingen
Adamswiller
Nébing
Torcheville
Berg
Durstel
Bettwiller
Bénestroff
Lhor
Insviller
Wolfskirchen
Gungwiller
Zarbeling
Molring
Diedendorf
Drulingen
Ottwiller
Lidrezing
Marimont-lès-Bénestroff
Guinzeling
Eywiller
Bourgaltroff
Bassing
Domnom-lès-Dieuze
Lostroff
Mittersheim
Niederstinzel
Eschwiller
Weyer
Guébling
Fénétrange
Postroff
Sieswiller
Cutting
Bidestroff
Loudrefing
Baerendorf
Hirschland
Veckersviller
Schalbach
Vergaville
Rorbach-lès-Dieuze
Romelfing
Kirrberg
Zommange
Berthelming
Rauwiller
Hellering-lès-Fénétrange
Bickenholtz
Metting
Dieuze
Angviller-lès-Bisping
Bisping
Bettborn
Fleisheim
Wintersbourg
Vescheim
Zilling
Lindre-Haute
Lindre-Basse
St-Jean-de-Bassel
Oberstinzel
Gœrlingen
Guermange
Tarquimpol
Gosselming
Vieux-Lixheim
Hérange
Mittelbronn
Desseling
Parc animalier
Dolving
Hilbesheim
Lixheim
Bourscheid
Assenoncourt
Fribourg
Sarraltroff
Brouviller
St-Jean-Kourtzerode
Haut-Clocher
Réding
Dannelbourg
Waltembourg
Gelucourt
Rhodes
Langatte
Kerprich-aux-Bois
Sarrebourg
Buhl-Lorraine
Hommarting
Azoudange
Languimberg
Diane-Capelle
Imling
Arzviller
Bourdonnay
Maizières-lès-Vic
Bébing
Barchain
Schneckenbusch
Niderviller
Guntzviller
Plan incliné
Brouderdorff
Haselbourg
Hertzing
Héming
Xouaxange
Hesse
Plaine-de-Walsch
Hommert
Lagarde
Xirxange
Bataville
Gondrexange
Neufmoulins
Hermelange
Hartzviller
Troisfontaines
Harreberg
Réchicourt-le-Château
Landange
Nitting
Moussey
St-Georges
Lorquin
Voyer
Walscheid
Dabo
Vaucourt
Avricourt
Aspach
Laneuveville-lès-Lorquin
Xousse
Remoncourt
Fraquelfing
Abreschviller
Igney
Foulcrey
Hattigny
Niderhoff
Métairies-St-Quirin
Vasperviller
Amenoncourt
Emberménil

0 2 4 6 8 10 km
C
48
D
A
B
96
67
Bitche
Simserhof
Camp militaire de Bitche
La Main du Prince
Sturzelbronn
Fischbach bei Dahn
Schönau
Lengelsheim
Hanviller
Roppeviller
Haspelschiedt
Nousseviller-lès-Bitche
Bettviller
Gros-Réderching
Petit-Réderching
Fort Casso
Rohrbach-lès-Bitche
Siersthal
Lambach
Reyersviller
Schwangerbach
Le Hochkopf
Enchenberg
Lemberg
Eguelshardt
Le Dürrberg
Mouterhouse
Bining
Etting
Schmittviller
Montbronn
St-Louis-lès-Bitche
Goetzenbruck
Obersteinbach
Niedersteinbach
Le Mohnenberg
Chau de Falkenstein
Philippsbourg
Chau Vieux Windstein
Windstein
Niederbronn-les-Bains
PARC NATUREL RÉGIONAL DES VOSGES DU NORD
Meisenthal
Soucht
Pierre des 12 Apôtres
Colonne de Wingen
Ratzwiller
Volksberg
Lorentzen
Reichshoffen
Froeschwiller
Oberbronn
Zinswiller
Lichtenberg
Le Hochfirst
Wingen-s-Moder
Reipertswiller
Rosteig
Waldhambach
Weislingen
Puberg
Wimmenau
Rothbach
Offwiller
Gumbrechtshoffen
Gundershoffen
Morsbronn-les-Bains
Hochkopf
Bischholtz
Mulhausen
Uttenhoffen
Engwiller
Tieffenbach
Hinsbourg
Zittersheim
Adamswiller
Durstel
Struth
Sparsbach
Ingwiller
Schillersdorf
Uhrwiller
Mietesheim
Mertzwiller
Erckartswiller
Petersbach
Asswiller
Weinbourg
Menchhoffen
Kindwiller
Bitschhoffen
La Petite-Pierre
Obersoultzbach
Obermodern-Zutzendorf
La Walck
Uberach
Weiterswiller
Uttwiller
Niedersoultzbach
Pfaffenhoffen
Niedermodern
Dauendorf
Schweighouse-s-Moder
Neuwiller-lès-Saverne
Bouxwiller
Schalkendorf
Ringeldorf
Morschwiller
Uhlwiller
Schoenbourg
Sieweiller
Bust
Veckersviller
Schalbach
Dossenheim
Le Bastberg
Kirrwiller
Bosselshausen
Ettendorf
Grassendorf
Ohlungen
Hangviller
Eschbourg
Metting
Pfalzweyer
Berling
Vescheim
Ernolsheim-lès-Saverne
Hattmatt
Printzheim
Zoebersdorf
Lixhausen
Alteckendorf
Huttendorf
Minversheim
Wintershouse
Batzendorf
Wintersbourg
Vilsberg
St Michel
St-Jean-Saverne
Gottesheim
Geiswiller
Wickersheim-Wilshausen
Bossendorf
Wittersheim
Hochstett
Wahlenheim
Phalsbourg
Danne-et-Quatre-Vents
Col de Saverne
Eckartswiller
Steinbourg
Dettwiller
Scherlenheim
Hochfelden
Mommenheim
Bernolsheim
Melsheim
Schwindratzheim
Brumath
Waltembourg
Dannelbourg
Lutzelbourg
Ottersthal
Monswiller
Saverne
Waldolwisheim
Wilwisheim
Mutzenhouse
Waltenheim-s-Zorn
Krautwiller
Littenheim
Lupstein
Ingenheim
Hohfrankenheim
Wingersheim-les-Quatre-Bans
Chau du Haut-Barr
Altenheim
Duntzenheim
Donnenheim
Bilwisheim
Otterswiller
Haegen
Furchhausen
Gougenheim
Mittelschaeffolsheim
Plan incliné
Hultehouse
Garrebourg
Gottenhouse
Schwenheim
Wolschheim
Friedolsheim
Saessolsheim
Rohr
Olwisheim
Eckwersheim
Thal-Marmoutier
Lochwiller
Kleingoeft
Landersheim
Kienheim
Durningen
Reutenbourg
Marmoutier
Sindelsberg
Westhouse-Marmoutier
Knoersheim
Willgottheim
Berstett
Vendenheim
Haselbourg
Rocher du Nutzkopf
Dimbsthal
Singrist
Zehnacker
Zeinheim
Truchtersheim
Hommert
Reinhardsmunster
Hengwiller
Jetterswiller
Hohengoeft
Rangen
Neugartheim
Schnersheim
Lampertheim
Harreberg
Salenthal
(Sommerau)
Crastatt
Wintzenheim-Kochersberg
Ittenheim
Pfulgriesheim
Wiwersheim
Col de Valsberg
Dabo
Rocher de Dabo
Birkenwald
Allenwiller
Kuttolsheim
Dossenheim-Kochersberg
Griesheim
Mundolsheim
Oberstiegen
Romanswiller
Wasselonne
Stutzheim-Offenheim
Dingsheim
Niederhausbergen
Nordheim
Marlenheim
Fessenheim-le-Bas
Quatzenheim
Wangenbourg-Engenthal
Freudeneck
Cosswiller
Furdenheim
Hurtigheim
Mittelhausbergen
Oberhausbergen
Le Grd Rosskopf
Bischofslaeger
Westhoffen
Kirchheim
Odratzheim
Handschuheim
Cronenbourg
St-Léon
Hohwalsch
Grd Soldat

69
Wissembourg
Niederschlettenbach
Oberotterbach
Vollmersweiler
Niederotterbach
Freckenfeld
Schaidt
Steinfeld
Kapsweyer
Schweighofen
Altenstadt
Büchelberg
Hagenbach
Maximiliansau
Daxlanden
Neuburg
Berg
Rheinstetten
Forchheim
Mörsch
Lauterbourg
Scheibenhard
Schleithal
Salmbach
Seebach
Niederlauterbach
Neewiller-près-Lauterbourg
Oberlauterbach
Hunspach
Wintzenbach
Mothern
Illingen
Durmersheim
Bruchhausen
Hoffen
Stundwiller
Buhl
Munchhausen
Bietigheim
Soultz-s/s-Forêts
Merkwiller-Pechelbronn
Kutzenhausen
Oberrœdern
Rittershoffen
Niederrœdern
Hatten
Steinmauern
Plittersdorf
Ötigheim
Malsch
Surbourg
Betschdorf
Seltz
Kesseldorf
Muggensturm
Beinheim
Ottersdorf
Rastatt
Wintersdorf
Kuppenheim
Bischweier
Forstfeld
Kauffenheim
Leutenheim
Roppenheim
Iffezheim
Favorite
Rœschwoog
Soufflenheim
Neuhaeusel
Sandweiler
Gaggenau
Haguenau
Schirrhoffen
Schirrhein
Sessenheim
Stattmatten
Fort-Louis
Hügelsheim
Oos
Ebersteinburg
Gernsbach
Söllingen
Dalhunden
Stollhofen
Sinzheim
BADEN-BADEN
Lichtental
Bischwiller
Rohrwiller
Drusenheim
Greffern
Rheinmünster
Weitenung
Yburg
Geroldsau
Herrlisheim
Schwarzach
Oberbruch
Steinbach
Neuweier
Hildmannsfeld
Moos
Vimbuch
Lichtenau
Weyersheim
Offendorf
Scherzheim
Balzhofen
Oberweier
Bühl
Bühlertal
Altschweier
Hœrdt
Gambsheim
Muckenschopf
Unzhurst
Memprechtshofen
Ottersweier
Alt-Windeck
Neusatz
Kilstett
Freistett
Rheinau
Gamshurst
Sasbachried
Großweier
Lauf
Sasbach
Achern
La Wantzenau
Diersheim
Rheinbischofsheim
Hausgereut
Obersasbach
Sasbachwalden
Hornisgrinde
Reichstett
Honau
Wagshurst
Fautenbach
Oberachern
Hœnheim
Bischheim
Leutesheim
Holzhausen
Önsbach
Kappelrodeck
Schiltigheim
Zierolshofen
Bodersweier
Mösbach
Waldulm
Furschenbach
Seebach
STRASBOURG
Querbach
Renchen
Ulm

70
0 2 4 6 8 10 km
C
D
1
2
3
4
5
Légendes
des
Côte
Roches de Portsall
Roches d'Argenton
L'Île Vierge
Méneham
Plateau d'Amand ar Ross
Pointe de Corsen
Chenal de l'Aber Wrac'h
Le Libenter
Î. Stagadon
Î. Venan
La Grève Blanche
St-Michel
Île Penenès
Grève du Vougot
Grève de Zorn
Guissény
Lilia
Î. de la Croix
Î. Vrac'h
Presqu'île de St-Marguerite
Î. Cézon
Î. d'Erch
Île Guenioc
Dunes
Î. Tariec
Corn Carhai
Rosservor
Î. du Bec
Île Trevors
Î. Garo
Île Carne
Tumulus
Dunes de Corn-ar-Gazel
Île Verte
Porsguen
Trémazan
St-Samson
Pointe de Landunvez
Portsall
Lampaul-Ploudalmézeau
L'Aber-Wrac'h
Landéda
Lannilis
St-Pabu
Plouguerneau
Le Grouanec
Kernilis
St-Frégant
Ploudalmézeau
Landunvez
St-Gonvel
Île d'Iock
Le Four
Presqu'île St-Laurent
Argenton
Porspoder
Tréglonou
Plouguin
Plourin
Plouvien
St-Jaoua
Loc-Brévalaire
Le Folgoët
Lanarvily
Locmaria
Coat-Méal
Bourg-Blanc
Plabennec
Tréouergat
Guipronvel (Milizac-Guipronvel)
Milizac
Lanrivoaré
Brélès
Lanildut
Kergroadès
Les Liniou
Île Melon
Rocher du Crapaud
Porscave
Grève de Gouérou
Lampaul-Plouarzel
Porspaul
Les Plâtresses
Le Faix
Île Ségal
Plouarzel
Gouesnou
Kersaint-Plabennec
Guipavas
St-Divy
Kerloas
Bohars
Molène
74
75
A
B
C
D

71
E
F
G
H
1
2
3
4
5
Île-de-Batz
Trou du Serpent
Le Ru
Chapelle Ste-Anne
Jardin exotique
Pnte de Perharidy
Roscoff
Le Pouldu
Santec
Île de Sieck
an Annec
Théven-Kerbrat
Bougourouan
Dossen
Moguériec
Bois de Santec
Keradennec
Kersaliou
Keragon
St-Pol-de-Léon
Rocher Ste-Anne
Île Callot
Baie de Morlaix
Pnte de Diben
Le Diben
Pointe de Primel
Rochers
Primel-Trégastel
Ste-Barbe
Plougasnou
Le Guerzit
St-Samson
Kerbiguet
Kerenot
Pont-Plaincoat
Chau du Taureau
Chaise du Curé
Route submersible
Î. Noire
Terenez
Kermebel
Kerbabu
Pnte de Pen-al-Lann
Cairn de Barnenez
Kerdanet
Rade de Morlaix
Plage des Chardons Bleus
Sémaphore
Brignogan-Plages
Le Garo
Plage du Lividic
Gouletoc
(Plounéour-Brignogan-plages)
Kérurus
Plounéour-Trez
Grève de Goulven
Grève de Frouden
Plages de Pors-Meur et de Pors-Guen
Baie de Kernic
Poulfoën
St-Eden
Forban
Kerfissien
Leur-ar-Bagan
Kerdanné
Kersauson
Kerbrat
Kersaint
Kérouzéré
Tronjoly
Brélénévez
St-Maudez
Tréguier
Cléder
Sibiril
Lanneusfeld
Croissant-de-Plougoulm
Plougoulm
Kerisnel
Pempoul
Kernevez
La Madeleine
Kerigondern
Carantec
Kerprigent
Lannurien
Plouescat
Keremma
Rocher
Maison des Dunes
Pont-Christ
Kerzéan
Kerlissien
Lanveur
Kermenguy
Kervren
Stang
Ruplouénan
Tréflaouénan
Kerlaudy
Pont de la Corde
Plouénan
Henvic
Kermen
La Lande
Trodibon
Plouezoc'h
St-Julien
Le Dourduff
St-Antoine
Kerozal
Locquénolé
Goulven
Tréflez
Mezonan
Lochrist
Kerdézant
Moulin-du-Chatel
Maillé
Quéran
Fme Mée du Léon
Kerdrein
Meslein
Kerouez
Trézilidé
Ste-Catherine
Mespaul
Plouider
Kérus
Gare de Tréflez
Plounévez-Lochrist
Croazou
Chau de Kergornadeac
Runeven
Pont-du-Châtel
Mouster
Kerizinen
Mengleus
Berven
Plouzévédé
Kermancouez
Pont-Eon
Les Bruyères
Taulé
Lopreden
Penzé
Kerguélen
Pontéalet
St-Vougay
Kervigodou
Kertanguy
Keruzoret
Forêt de Lannuzouarn
Lanugy
Penguer
N.D. de la Victoire
Ploujean
Kerjean
Lanhouarneau
Trévin
Plouvorn
Croix-Neuve
St-Martin-des-Champs
Lesneven
Porléach
St-Méen
Kérilien
Trégarantec
Tréménon-Querné
Plougar
Trémagon
Lambader
Croas-ar-Born
Kerilly
Kerbrat
Penhoat
Kergroas
Lichen
Locmélar
St-Derrien
Coativellec
Kerguédal
Moulin-Neuf
Kergoat
Ste-Sève
Morlaix
La Chapelle-du-Mur
St-Fiacre
Trébodennic
Bellevue
Lesveoc
Kéryvon
Kernoter
Langéoguer
Plougourvest
Guerruas
Kerlidou
Guiclan
Hellin
Kérivin
Kergoff
Kerlaer
Bodilis
Base aéronavale
Kervoanec
La Poterie
Kergongar
Plounéventer
Guerjean
Locménven
Coatilezec
Kervenarc'hant
Vallon-du-Pont
Vieux Moulin
Kerfelgar
Trémaouézan
Château
St-Servais
Kermat
St-Thégonnec
Loc-Eguiner
Penvern
Coat-Miniou
Keriel
Lanneuffret
Kerivin
Quinquis
Landivisiau
St-Jacques
Lampaul-Guimiliau
Silo
Lespodou
Pleyber-Christ
La Croix-de-Pierre
Plourin-lès-Morlaix
Coatelan
Créach-Miloc
Kerbenéat
Moulin de Brézal
Plouédern
Chlle de Pont-Christ
Elorn
Traonlen
Guimiliau
Kergalein
Trégunvez
Bodister
Quélern
St-Eloi
Runhuel
La Roche-Maurice
Mescoat
Kerriou
Roch-Fily
Pen-ar-Vern
Kergrenn
Botiguery
St-Derbot
Loc-Eguiner
Keroréven
Kéroual
Penhoat-Huon
Ste-Brigitte
Kervern
Coat-Losquet
Le Cloître-St-Thégonnec
Landerneau
Kernevez
Ploudiry
Croix-Rouge
Loc-Eguiner-St-Thégonnec
Kerbriant
Chapelle
Kermaria
Le Queff
La Martyre
St-Antoine
Le Traon
Kéroc'h
Locmélar
Perros
Goazeuzen
St-Sauveur
Kerambellec
Le Plessis
Kergus
Quillien
Penmergues
Kermeur
75
76
72
D 10
D 788
D 58
D 769
D 19
D 69
D 30
D 32
D 229
D 712
D 788
E 50
N 12
GR 34
GR 380

0 2 4 6 8 10 km
C
D
1
2
3
4
5
71
Île Rouzic
Île Malban
Île Plate
Île Bono
Île aux Moines
Les Sept Îles
(Réserve naturelle)
Côte de Granit Rose
Île Renote
Pnte de Squéouel
Rochers
Trégastel-Plage
Rochers
Ploumanach
PERROS-GUIREC
Trestraou
Pnte du Château
Le Four
Île St-Gildas
Île Tomé
Port-Blanc
Île Grande
Île Aganton
Landrellec
Ste-Anne
Kerguntuil
Bretonne
Trégastel
Penvern
Menhir
St-Samson
St-Quay-Perros
Louannec
Nantouar
Trélévern
Trévou-Tréguignec
Kériec
Trestel
Le Royau
St-Guénolé
Port-l'Épine
Cité des télécoms
Planétarium
Guéradur
Kervoasdoué
Mabiliés
Ker-Ham
St-Nicolas
Kermaria-Sulard
Coatréven
Lochrist
Trézény
Langoat
St-Uzec
Le Castel
Île Milliau
Trébeurden
Pnte de Bihit
Porz Mabo
Pleumeur-Bodou
Kerduel
Le Rhu
Keringant
Cruguil
Petit Camp
Barac'h
Coataliou
Côte des Bruyères
Pointe de Primel
Rochers
Primel-Trégastel
de Diben
Le Diben
Pointe Run Glas
Pnte de Beg-an-Fry
Baie de Lannion
Pnte de Dourvin
Beg Léguer
Servel
Lannion
Brélévenez
Le Rusquet
la Ville-Blanche
Rospez
Lanmérin
Kervosquer
Quemperven
Pointe de Séhar
Le Yaudet
Loguivy-lès-L.
Kerivon
St-Dogmel
Locquémeau
Ploulec'h
Bel-Air
St-Herbot
Keranglas
Pont-Keriel
Buhulien
Chau de Coatfrec
Ploubezre
Lanvézéac
Caouënnec-Lanvézéac
Confort
Cosquer
Berhet
Plougasnou
St-Jean-du-Doigt
Le Prajou
Marc'h Sammet
Les Sables Blancs
Pointe de Locquirec
Locquirec
Moulin de la Rive
Trédrez-Locquémeau
Pnte de Beg-ar-forn
Pnte de Plestin
Kergerven
Christ
St-Jean
St-Michel-en-Grève
St-Efflam
Lieue de Grève
Gd Rocher
Kerblat
Les Cinq Croix
Kerfons
Chau de Tonquédec
Cavan
Prat
Guimaëc
Poul-Rodou
Christ
Kerboulic
N.D. de la Joie
Ploumilliau
La Lande
Mesgouez
Kervélégant
Kersco
Woallas
Plouezoc'h
Kermouster
Lanmeur
Le Hellès
Pont-Ménou
Toul-an-Héry
Peulven
St-Haran
Plestin-les-Grèves
Tréduder
St-Mélar
Lanascol
Kerguéron
Kergrist
Kerauzern
Tonquédec
St-Antoine
Dourduff
Pen Ar Guer
Croissant
St-André
Pen-an-Traon
Trefeunteuniou
Ploujean
Le Bois-de-la-Roche
Plouégat-Guérand
Ste-Anne
Coat-ar-Sal
St-Sébastien
Plouzélambre
Kéraudy
Coatroué
Run
Kernalégan
Barderou
Pluzunet
Crec'h-Allain
Lanneven
St-Jagut
St-Yves
Rosanbo
Lezormel
Lanvellec
Les Sept-Saints
St-Idunet
Bégard
Kervolaugar
Garlan
Kermouster
Ste-Geneviève
Kerozar
Ste Anne
Lanleya
Kertanguy
Kerlécun
Trébriant
Trémel
Plufur
Ruisseau de Rosanbo
Bernantec
Plouaret
Le Vieux-Marché
Botlézan
Katle
Morlaix
Lescoat
Encremer
Isel
St-Nicolas
St-Maurice
Trudujou
Tregrom
St-Éloi
Quinquis
Trévoureq
Pédernec
La Chapelle-du-Mur
Tromorgant
St-Fiacre
Rosampoul
Plouigneau
Kerstrad
Pen-Ar-Parc-Hir
Luzivilly
Plouégat-Moysan
La Gare
Roche de Kiriou
St-Carré
Plounérin
Beg-ar-C'hra
Trinité
St-Conéry
Lorette
Manaty
Ménez-Bré
St-Hervé
La Croix-de-Pierre
St-Eutrope
Le Ponthou
Étang du Moulin Neuf
Keramanac'h
Louargat
Gollot
Plourin-lès-Morlaix
Coadon
Ar-Réchou
Plounévez-Moëdec
Locmaria
Moulin
St-Éloi
Bourouguel
St-Maudez
Porz an Park
La Vieille Côte
Belle-Isle-en-Terre
Tréglamus
Miniou
Coatelan
Plougonven
Guerguiniou
Botsorhel
Coat-Guégan
Loguellou
Pen-an-Stang
Guernalin
Quélern
Keranguéven
Kerlosser
Christ
Guerlesquin
Loguivy-Plougras
Loc-Envel
Panfourby
Forêt de Coat-an-Hay
Trégunvez
Bodister
Plougras
Kerroué
Kerguelven
Coat-an-Noz
Le Cloître-St-Thégonnec
Lannéanou
Kerret
Coatilan
Croix-Joncourt
Gurunhuel
A
B
76
Kergorre
Kerbriant
Kermeur
Kervezec
Quillien
Penmergues
Kergreis
Kerléoret
Launay
Les Avrégan
Forêt de Beffou
Le Dresnay
Scalon
Relais
Kergoguen
Pen-lan-Steunou
Plougonver
Kerambuan
Kerambellec
Dourdu
Beffou
D 786
D 712
N 12
E 50
D 767
D 788
D 11
D 6
D 65
D 38
D 30
D 31
D 33
D 88
D 42
D 32
D 22
D 109
D 15
GR 34
GR 380

E
F
G
H
1
2
3
4
5
Pointe du Château
Le Gouffre
Pors-Hir
Îles d'Er
Créac'h Maout
Sillon de Talbert
Plougrescant
Île Loaven
Kermagen
Pleubian
Lanéros
Île Maudez
Le Rosédo
Le Paon
Sémaphore
La Corderie
St-Michel
Île de Bréhat
Le Bourg
Île Logodec
St-Gonéry
Kerbors
Lanmodez
Phare de la Croix
Île Béniguet
Pors-Guyon
Île à Bois
Port-Clos
Grève du Guerzido
Loguivy-de-la-Mer
Pointe de l'Arcouest
L'Arcouest
Pleumeur-Gautier
Lannevez
Launay
La Croix des Veuves
Jardins de Kerdalo
Trédarzec
Ploubazlanec
Perros Hamon
Pors-Éven
Tréguier
Lézardrieux
Paimpol
Île St-Riom
Roches du Roho
Côte du Goëlo
Minihy-T.
Kerity
Pte de Guilben
Île Lemenez
Mez de Goëlo
Pouldouran
Pleudaniel
Abbe de Beauport
Pointe de Bilfot
Troguéry
Ste-Barbe
Port-Lazo
L'Armorizel
Hengoat
Plourivo
Plouézec
St-Riom
Pointe de Minard
Pommerit-Jaudy
La Roche-Jagu
Kerfot
Le Questel
Pors Pin
Pointe Berjule
Le Taureau
Bréhec-en-Plouha
Pointe de la Tour
Ploëzal
Quemper-Guézennec
Yvias
Lanloup
Pontrieux
Runan
Plage Bonaparte
Port-Moguer
Plouëc-du-Trieux
Le Faouët
Lanleff
Plehédel
Kermaria
Pte de Plouha
Plouha
Brélidy
St-Clet
Tréméven
Pludual
Le Palus-Plage
Port-Goret
Pte du Bec de Vir
Île Harbour
Tréveneuc
Roches de St-Quay
Pte de St-Quay
St-Quay-Portrieux
Landebaëron
St-Gilles-les-Bois
Gommenec'h
Lanvollon
Pléguien
St-Laurent
Kermoroc'h
Squiffiec
Pommerit-le-Vicomte
Étables-sur-Mer
Binic-Étables-s-Mer
Trégonneau
Tressignaux
Tréguidel
Lantic
Binic
Pte de la Rognouze
BAIE
Plouisy
Pabu
Goudelin
Zoo de Trégomeur
Ste-Marguerite
SAINT-
Guingamp
Le Merzer
Bringolo
Pte de Pordic
Grâces
St-Agathon
St-Jean-Kerdaniel
Trégomeur
Pordic
Les Rosaires
Rocher des Tablettes
Ploumagoar
Plouagat
Châtelaudren
Plélo
Martin-Plage
Pte du Roselier
Coadout
Lanrodec
77
Plérin
Trémuson
Plerneuf
Pte de Cesson
Réserve naturelle
Hillion

0 2 4 6 8 10 km
A
B
C
D
1
2
3
4
5
70
98
Portsall
Bar-ar-Lan
Kerlanou
Kersaint
St-Samson
Pointe de Landunvez
Roches d'Argenton
St-Gonvel
Île d'Iock
Le Four
Landunvez
Ploudalmézeau
Argenton
Presqu'île St-Laurent
Porspoder
Keroustat
Kergastel
St-Roch
Plourin
Kernevez
Coulouden
Larret
Kergadiou
Les Liniou
Île Melon
Melon
Lanildut
Brélès
Rocher du Crapaud
Porscave
Aber-Ildut
Kergroadès
Lanrivoaré
Brescanvel
Grève de Gouérou
Lampaul-Plouarzel
Erragounan
St-Éloi
Lanvenec
Porspaul
Keramazé
Kéravel
Les Plâtresses
Île Ségal
Lokornou-Vian
Trézien
Plouarzel
Kervéatoux
Ruscumunoc
Kerloas
Lamber
Pointe de Corsen
Porsmoguer
Kerouzien
Cohars
Kervadéza
Grève de Porsmoguer
Kerhornou
Pont-L'Hôpital
Langongar
Ploumoguer
Illien
Kerzévéon
Plage des Blancs Sablons
Lanfeust
Moguérou
Kerscao
Plouzané
Grande-Vinotière
L'Ilette
Kergounan
St-Sébastien
Pte de Kermorvan
Trébabu
Goasmeur
Kerfili
Locmaria-Plouzané
Le Conquet
Berbouguis
Pte des Renards
Plage de Porsliogan
Lochrist
Kérinou
Porsmilin
Trégana
Trez-Hir
Stèles
Toulbroc'h
Anse de Bertheaume
Pointe de St-Mathieu
Plougonvelin
Pte du Grand Minou
St-Mathieu
Pointe du Petit Minou
Pointe de Creac'h-Meur
Abbatiale
Les Vieux Moines
Pointe des Capucins
Pointe du Grand Gouin
Pointe du Toulinguet
La Parquette
Alignements de Lagatjar
Camaret-s-Mer
Veryach
Pointe de Penhir
PARC
Les Tas de Pois
Château de Dinan
Pointe de Dinan
Plage de la Palue
Cap de la Chèvre
Chenal du Corbeau
Chenal du Petit Leac'h
Passage du Fromrust
Baie de Béninou
Pte de Cadoran
Île de Keller
Côte sauvage
Stiff
Pte de Bac'haol
Porz Yusin
Frugullou
Baie du Stiff
Niou-Uhella
Kergadou
Penn-Arlan
Men-Korn
N.-D. de Bon Voyage
Porz Arlan
ÎLE D'OUESSANT
Pte de Pern
Loqueltas
Lampaul
Kergoff
Nividic
Feunteun Velen
Porsguen
Baie de Lampaul
Pointe de Pen-ar-Roc'h
Pointe de Porz Doun
PARC
Passage du Fromveur
Kéréon
La Jument
Île de Bannec
La Helle
Le Faix
Chenal de la Helle
Chenal du Four
Île de Balanec
Les Trois Pierres
Lédénès de Molène
Petit Port
Île-Molène
NATUREL
Les Pierres Vertes
Lédénès de Quéménès
Île de Trielen
Île de Lytiry
Île de Quéménès
Île de Morgol
Les Serroux
RÉGIONAL
Île de Béniguet
D'ARMORIQUE
Les Pierres Noires
Kervourou
Chaussée des Pierres Noires
MER
D'IROISE
Tévennec
Ar Men
PARC
NATUREL
RÉGIONAL
Île-de-Sein
La Vieille
Pointe du Van
Pointe de Brézellec
Pointe de Castelmeur
Pte de Penharn
Réserve du Cap Sizun
Moulin de Kerharo
St-They
Baie des Trépassés
Kermeur
Mescran
Cléden-Cap-Sizun
Goulien
Lannourec

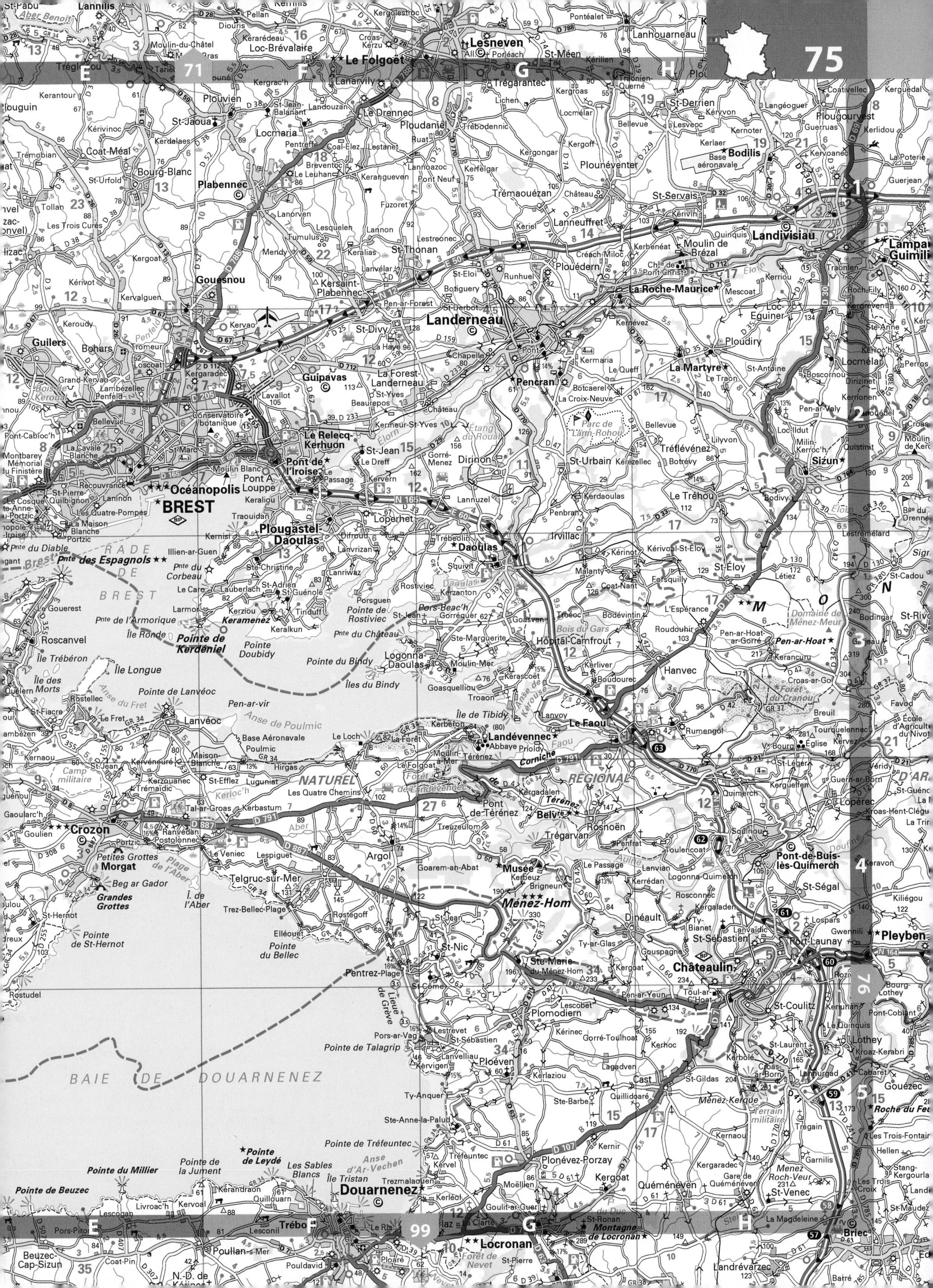

Lannilis
Lesneven
Le Folgoët
Plouvien
St-Jaoua
Locmaria
Ploudaniel
Plabennec
Bourg-Blanc
Coat-Méal
Gouesnou
Guilers
Bohars
BREST
Océanopolis
Le Relecq-Kerhuon
Guipavas
Plougastel-Daoulas
Landerneau
La Roche-Maurice
Landivisiau
Lampaul-Guimiliau
Bodilis
Plounéventer
St-Servais
Trémaouézan
Plouédern
St-Thonan
Kersaint-Plabennec
St-Divy
La Forest-Landerneau
Pencran
La Martyre
Ploudiry
Sizun
Dirinon
St-Urbain
Tréflévénez
Le Tréhou
Irvillac
Daoulas
Loperhet
Hôpital-Camfrout
Logonna-Daoulas
Hanvec
St-Eloy
Le Faou
Rumengol
Landévennec
Pen-ar-Hoat
Forêt du Cranou
Rosnoën
Crozon
Morgat
Lanvéoc
Roscanvel
Argol
Telgruc-sur-Mer
Ménez-Hom
Dinéault
St-Nic
Ste-Marie-du-Ménez-Hom
Châteaulin
Port-Launay
St-Ségal
Pont-de-Buis-lès-Quimerch
Pleyben
St-Coulitz
Plomodiern
Ploéven
Cast
St-Gildas
Ste-Anne-la-Palud
Plonévez-Porzay
Kergoat
Quéménéven
Douarnenez
Locronan
Briec
Pointe des Espagnols
Pointe de Kerdéniel
Pointe du Millier
Pointe de Beuzec
Pointe de Leydé
Baie de Douarnenez
Rade de Brest
Anse de Poulmic
Beuzec-Cap-Sizun
Poullan-s-Mer
Tréboul

0 2 4 6 8 10 km
71
75
100
Morlaix
Plouigneau
Plouégat-Moysan
Le Ponthou
Plourin-lès-Morlaix
Plougonven
Botsorhel
Guerlesquin
St-Thégonnec Loc-Eguiner
Lampaul-Guimiliau
Guimiliau
Pleyber-Christ
Plougourvest
Guiclan
Ste-Sève
Le Cloître-St-Thégonnec
Lannéanou
Plounéour-Ménez
Commana
Sizun
Locmélar
St-Sauveur
Scrignac
Bolazec
Plourac'h
Roc Trévezel
La Feuillée
Berrien
Botmeur
Brennilis
Huelgoat
Locmaria-Berrien
Montagne St-Michel
Réservoir de St-Michel
Loqueffret
St-Herbot
Roc'h Begheor
Brasparts
Lannédern
Plouyé
Poullaouen
Plounévézel
Carhaix-Plouguer
Kergloff
Collorec
Le Cloître-Pleyben
Plonévez-du-Faou
Pleyben
Landeleau
Cléden-Poher
Lennon
Châteauneuf-du-Faou
Spézet
N.-D. du Crann
St-Goazec
Trévarez
Laz
Gouézec
Roche du Feu
Lothey
Briec
Edern
Gourin
Motreff
Roudouallec
Leuhan
Trégourez
Plonévez-du-Faou
PARC NATUREL RÉGIONAL D'ARMORIQUE
MONTS D'ARRÉE
MONTAGNES NOIRES
Roc de Toullaëron
Pont-de-Buis-lès-Quimerch
Lopérec
St-Ségal
Port-Launay
Trégourez
Tréogan
Treffrin
Trémel
Plufur
Garlan

77
72
73
78
101
E
F
G
H
Plouaret
Le Vieux-Marché
Trégrom
Pédernec
Ménez-Bré
Tréglamus
Guingamp
Grâces
Ploumagoar
St-Agathon
Pabu
Plouisy
Trégonneau
Goudelin
Bringolo
Plouagat
Châtelaudren
Louargat
Plounévez-Moëdec
Belle-Isle-en-Terre
Loguivy-Plougras
Loc-Envel
Forêt de Coat-an-Hay
Gurunhuel
Moustéru
Coadout
Bois de Kerauffret
St-Adrien
Bois de Coat-Liou
Avaugour
Bois d'Avaugour
Lanrodec
Plougonver
La Chapelle-Neuve
Pont-Melvez
Bourbriac
St-Péver
Bois Meur
St-Fiacre
Calanhel
Bulat-Pestivien
Plésidy
Étang du Blavet
Callac
St-Servais
Maël-Pestivien
Magoar
Senven-Léhart
St-Connan
St-Gildas
Le Leslay
Duault
Kerien
Kerpert
St-Gilles-Pligeaux
Le Vieux-Bourg
Cohiniac
Peumerit-Quintin
Lanrivain
Gorges du Corong
St-Nicodème
Trémargat
Gorges de Toul-Goulic
Canihuel
Locarn
Kergrist-Moëlou
St-Nicolas-du-Pélem
Corlay
Le Haut-Corlay
La Harmoye
Le Bodéo
Maël-Carhaix
Plounévez-Quintin
St-Martin-des-Prés
Ste-Tréphine
Plussulien
Merléac
Paule
Rostrenen
Plouguernével
Laniscat
St-Igeaux
St-Mayeux
St-Gilles-Vieux-Marché
Glomel
Gouarec
Gorges du Daoulas
St-Gelven
Bon-Repos
(Bon-Repos-s-Blavet)
Lac de Guerlédan
Caurel
St-Guen
(Guerlédan)
Mûr-de-Bretagne
Plélauff
Perret
St-Aignan
Mellionnec
Lescouët-Gouarec
La Trinité-Langonnet
Plouray
Silfiac
Ste-Brigitte
Kergrist
N 12
E 50
N 164
D 787
D 767
D 790
D 750

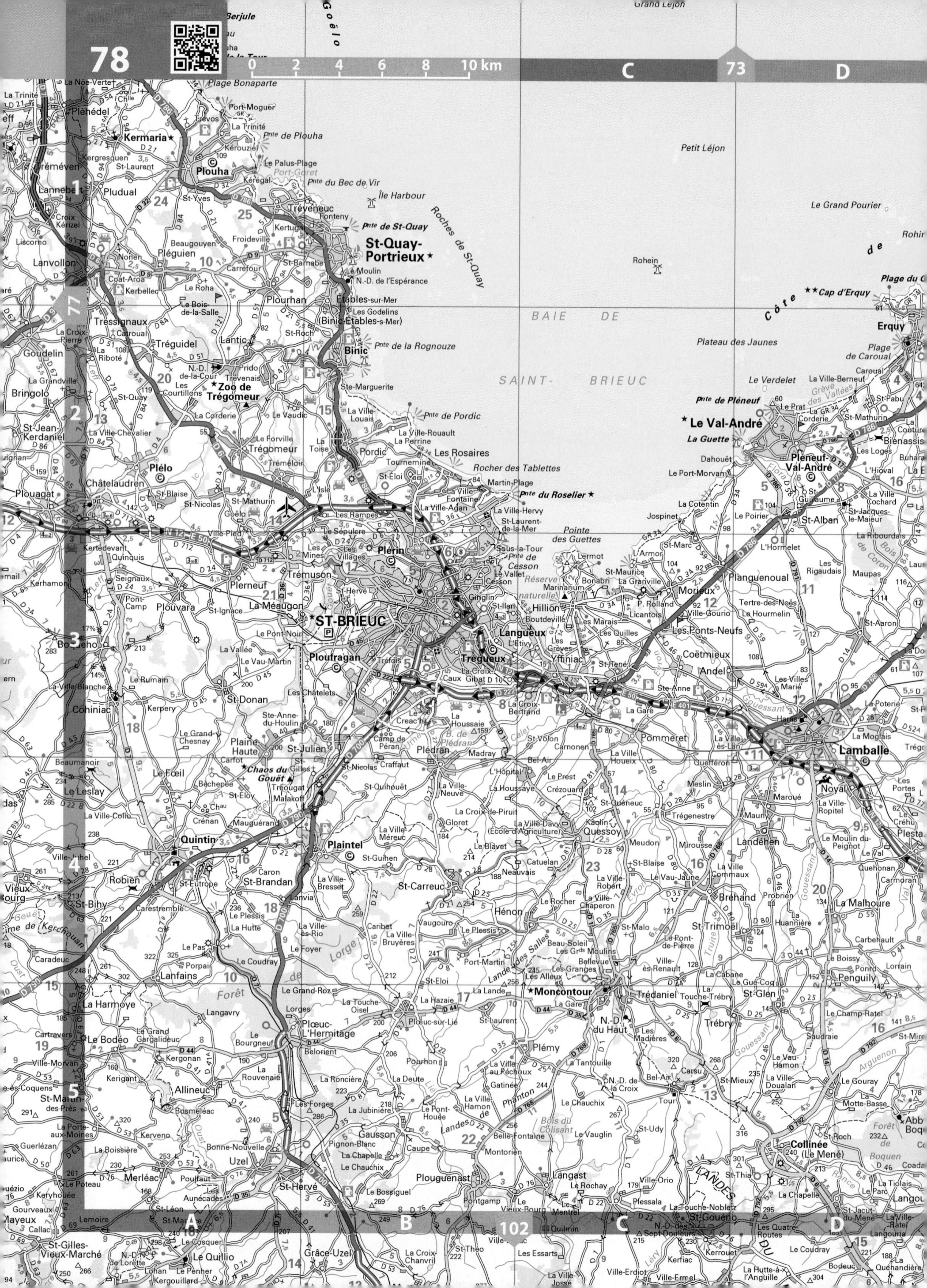
78
0 2 4 6 8 10 km
C
73
D
A
B
102
77
Berjule
Goëlo
Grand Léjon
Petit Léjon
Le Grand Pourier
Rohein
Plage Bonaparte
Port-Moguer
Trévos
La Trinité
Pte de Plouha
Kerouziel
Le Palus-Plage
Port-Goret
Plouha
Kérégal
Pte du Bec de Vir
Île Harbour
Roches de St-Quay
Tréveneuc
Fonteny
Pte de St-Quay
St-Quay-Portrieux
Kertugal
Le Moulin
N.-D. de l'Espérance
Étables-sur-Mer
Les Godelins
(Binic-Étables-s-Mer)
Binic
Pte de la Rognouze
BAIE DE SAINT-BRIEUC
Plateau des Jaunes
Côte de
Cap d'Erquy
Plage du
Erquy
Plage de Caroual
Caroual
Le Verdelet
La Ville-Berneuf
Grève des Vallées
Pte de Pléneuf
Le Val-André
La Guette
Dahouët
Le Prat
Corderie
St-Pabu
St-Mathurin
Bienassis
Les Loges
Pléneuf-Val-André
L'Hioval
Le Port-Morvan
La Cotentin
Jospinet
Le Poirier
St-Alban
St-Guillaume
La Ville Cochard
St-Jacques-le-Majeur
La Ribourdais
L'Hormelet
Rigaudais
Maupas
Planguenoual
Morieux
Tertre-des-Noës
Le Hourmelin
St-Aaron
Coëtmieux
Andel
Les Villes Mario
Lamballe
Noyal
Les Portes
La Ville-Ropitel
Créhu
Plestan
Le Moulin du-Peignot
Le Val
Quehonan
Carmoran
Landéhen
Mauny
Maroué
Meslin
Pommeret
Quefferon
La Poterie
La Moglais
Le Nône-Verte
La Trinité
Pléhédel
Kermaria
Kergresquen
St-Laurent
Tréméven
Lannebert
Pludual
Croix Kérizel
Liscorno
Lanvollon
St-Yves
Froideville
Beaugouyen
Pléguien
Carrefour
St-Barnabé
Nonen
Coat-Aroa
Kerbellec
Le Roha
Le Bois-de-la-Salle
Plourhan
Tressignaux
Catroual
La Croix-Pierre
Goudelin
Tréguidel
Lantic
St-Roch
La Riboté
La Grandville
Bringolo
N.-D. de-la-Cour
Prido
Trévenais
Les Courtillons
Zoo de Trégomeur
St-Quay
Ste-Marguerite
La Ville-Louais
Pte de Pordic
La Ville-Rouault
La Perrine
St-Jean-Kerdaniel
La Ville-Chevalier
La Corderie
Le Vaudic
Le Forville
Trégomeur
La Toise
Pordic
Les Rosaires
Tourneminé
Rocher des Tablettes
Martin-Plage
Pte du Roselier
Plélo
Châtelaudren
St-Blaise
Tréméloir
St-Eloi
L'Isle
La Ville-Fontaine
La Ville-Agan
La Ville-Hervy
St-Laurent-de-la-Mer
Pointe des Guettes
Plouagat
St-Nicolas
St-Mathurin
Goëlo
Les Rampes
Le Sépulcre
Plérin
Sous-la-Tour
Pte de Cesson
Lermot
Bonabri
St-Maurice
La Granville
Réserve naturelle
Le Vallet
Cesson
Kertedevant
Quinquis
Ville-Pled
Les Mines
Les Villages
Seignaux
Kerhamon
Pont-Camp
Pierneuf
Trémuson
St-Hervé
Plouvara
St-Ignace
La Méaugon
ST-BRIEUC
Ginglin
St-Ilan
Hillion
Boutdeville
Marinarium
Les Marais
Les Quilles
P. Rolland
Licantois
Ville-Gourio
Les Ponts-Neufs
Le Pont-Noir
Langueux
L'Etivy
Les Grèves
Yffiniac
St-René
Boqueho
La Vallée
Le Vau-Martin
Ploufragan
Tréfois
Trégueux
Caux
La Croix-Gibat
Le Rumain
St-Donan
Les Châtelets
La Croix-Bertrand
La Gare
Ste-Anne
La Ville-Blanche
Cohiniac
Kerpery
Ste-Anne-du-Houlin
Creac'h
La Houssaie
Le Grand-Chesnay
Plaine-Haute
St-Julien
Camp de Péran
B. de Plédran
Plédran
Madray
St-Volon
Carnonen
La Ville-Houeix
Beaumanoir
Le Foeil
Carfot
Chaos du Gouët
St-Gilles
St-Nicolas
Craffaut
L'Hôpital
Bel-Air
Le Prest
Le Leslay
Bechepée
Tréougat
St-Eloy
Malakoff
St-Quihouët
La Ville-Neuve
La Houssaye
Crézouard
St-Quéneuc
Trégenestre
La Ville-Colio
Crénan
Mauguérand
La Croix-de-Piruit
Gloret
La Ville-Davy
(École d'Agriculture)
Kaolin
Quessoy
Meudon
Mirousse
Quintin
Plaintel
La Ville-Méreuc
Le Blavet
Catuelan
Ville-Juhel
Robien
St-Eutrope
Caron
St-Brandan
St-Guihen
St-Carreuc
Neauvais
St-Blaise
Le Vau-Jaune
La Ville Commaux
Vieux-Bourg
St-Bihy
Carestremble
Lanvia
La Ville-Bresset
Hénon
Le Rocher
La Ville-Chaperon
La Ville-Robert
Bréhand
Probien
La Malhoure
Le Plessis
La Hutte
La Ville-ès-Rio
Caribet
La Ville-Bruyères
Vaugouro
Le Plessis
St-Malo
Le Pont-de-Pierre
St-Trimoël
Huannière
Carbehault
Caradeuc
Le Pas
Le Foyer
Beau-Soleil
Les Grds Moulins
Bellevue
Ville-ès-Renault
Le Boissy
Lorrain
Porpair
Le Coudray
Port-Martin
Les Granges
La Cabane
Le Gué-Cog
Penguily
Lanfains
Forêt de Lorge
St-Eloi
Les Alleux
Lande des Salles
Moncontour
Trédaniel
Touche-Trébry
St-Glen
La Harmoye
Le Grand-Roz
La Touche-Oisel
La Hazaie
La Lande
La Gare
N.-D. du Haut
Trébry
Le Champ-Ratel
Langavry
Lorges
Plœuc-L'Hermitage
Plœuc-sur-Lié
St-Laurent
Les Madières
Cartravers
Le Bodéo
Le Grand Gargalideuc
Le Bourgneuf
Belorient
Plémy
Saudraie
Ville-Morvan
Kergonan
La Rouvenaie
Pourhon
La Ville au Péchoux
La Tantouille
Carsu
Bel-Air
St-Mieux
Le Vau-Hamon
La Ville-Doualan
Le Gouray
Kerigant
La Roncière
La Deute
Gatinée
N.-D. de la Croix
Tour
Motte-Basse
St-Martin-des-Prés
Allineuc
Bosméléac
Les Forges
La Jubinière
Le Pont-Houée
La Ville-Hamon
Le Chauchix
La Porte-aux-Moines
Kerveno
Gausson
Pignon-Blanc
Caupe
Landes de Phanton
Bois du Colisant
Le Vauglin
St-Udy
Collinée (Le Mené)
St-Roch
Forêt de Boquen
Guerlézan
La Boissière
Bonne-Nouvelle
Uzel
La Chapelle
Le Chauchix
Belle-Fontaine
Montorien
Merléac
Poulfaut
Les Aunécades
St-Hervé
Le Bossiguel
Plouguenast
Langast
Le Rochay
Ville-Orio
Landes du
St-Thia
Le Tiolais
Le Parc
La Chapelle
Le Poteau
Keryhouée
Gouverneaux
St-Léon
St-Mayeux
Lemoire
Pontgamp
Le Vieux-Bourg
Mentrel
Plessala
La Touche-Noblet
St-Gouéno
N.-D. des Sept-Douleurs
Les Quatre Routes
St-Jacut-du-Mené
La Ville-Ratel
Langourla
Callac
Quilmin
St-Gilles-Vieux-Marché
Le Cosquer
Le Quillio
N.-D. de Lorette
Lohan
Le Penher
Kergouillard
Grâce-Uzel
La Croix-Chanvril
St-Théo
Les Essarts
La Ville-Jossé
Ville-Erdiot
Ville-Ermel
Kerfiac
Kerrouet
La Hutte-à-l'Anguille
Le Coudray
Bodeuc
La Quéhandière

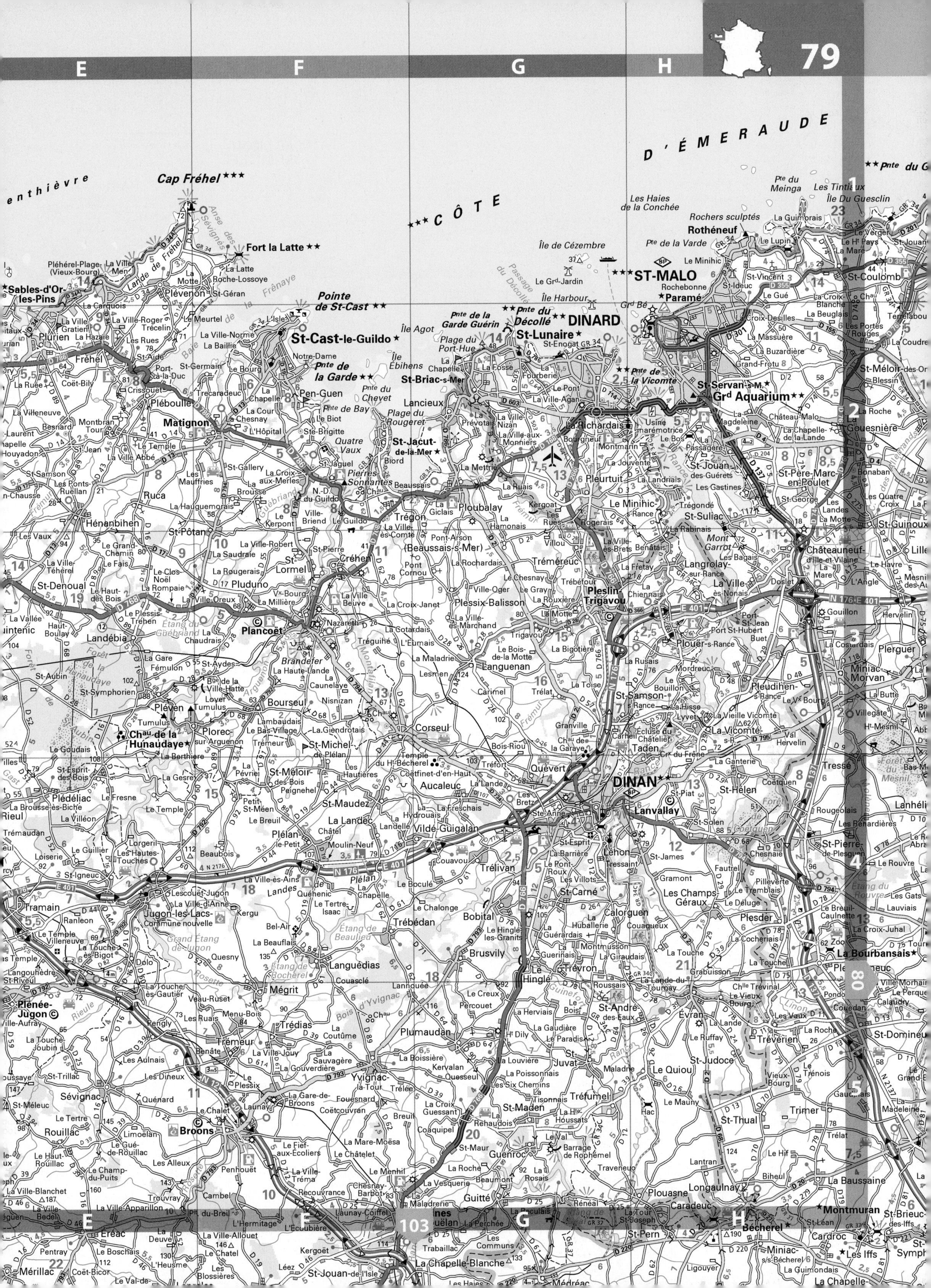

79
E
F
G
H
CÔTE D'ÉMERAUDE
Cap Fréhel
Fort la Latte
Pointe de St-Cast
St-Cast-le-Guildo
Pte de la Garde
Sables-d'Or-les-Pins
Pléhérel-Plage-(Vieux-Bourg)
Plévenon
Fréhel
Pléboulle
Matignon
St-Jacut-de-la-Mer
Lancieux
St-Briac-s-Mer
St-Lunaire
DINARD
Pte du Décollé
Île de Cézembre
Île Harbour
Grd Bé
ST-MALO
Paramé
Rothéneuf
Rochers sculptés
Pte de la Varde
Les Haies de la Conchée
Pte du Meinga
Les Tintiaux
Île Du Guesclin
St-Coulomb
St-Servan-s-M.
Grd Aquarium
Pte de la Vicomté
La Richardais
Usine marémotrice
Pleurtuit
Le Minihic-s-Rance
St-Jouan-des-Guérets
St-Père-Marc-en-Poulet
St-Suliac
Châteauneuf-d'Ille-et-Vilaine
Ploubalay
Trégon
Créhen
Pluduno
Plancoët
Hénanbihen
St-Denoual
Landébia
Pléven
Chau de la Hunaudaye
Plorec-sur-Arguenon
Corseul
Plélan-le-Petit
Languenan
Pleslin-Trigavou
Tréméreuc
Langrolay-sur-Rance
Plouër-s-Rance
Pleudihen-s-Rance
Miniac-Morvan
Plerguer
St-Samson-s-Rance
Taden
Quévert
DINAN
Lanvallay
Léhon
St-Hélen
Tressé
Trélivan
Vildé-Guigalan
Aucaleuc
Bobital
Calorguen
Brusvily
Le Hinglé
Trévron
Les Champs Géraux
Plesder
La Bourbansais
Évran
St-André-des-Eaux
Jugon-les-Lacs
Plédéliac
Plénée-Jugon
Tramain
Languédias
Mégrit
Trédias
Tréméur
Plumaudan
Yvignac-la-Tour
Broons
Sévignac
Rouillac
St-Maden
Guenroc
Tréfumel
Le Quiou
St-Judoce
Tréverien
Trimer
St-Domineuc
St-Thual
Longaulnay
Plouasne
Caradeuc
Bécherel
Montmuran
Les Iffs
Guitté
Médréac
St-Pern
Miniac-s/s-Bécherel
St-Jouan-de-l'Isle
Éréac
N 176
E 401
N 12
N 137
D 766
103
80

BAIE
DU MONT-SAINT-MICHEL
0 2 4 6 8 10 km
C
51
D
Bec d'Andaine
Tombelaine
Pointe du Grouin du Sud
LE MONT-ST-MICHEL
Pointe de Roche-Torin
Polders
Marais de Dol
Cherrueix
Le Vivier-s-Mer
Hirel
St-Benoît-des-Ondes
St-Méloir-des-Ondes
La Gouesnière
St-Père-Marc-en-Poulet
Châteauneuf-d'Ille-et-Vilaine
St-Guinoux
La Fresnais
Lillemer
Mont-Dol
Dol-de-Bretagne
St-Broladre
St-Marcan
Roz-s-Couesnon
St-Georges-de-Gréhaigne
Beauvoir
Pontorson
Baguer-Pican
Baguer-Morvan
Roz-Landrieux
Pleine-Fougères
Sains
La Boussac
Epiniac
Miniac-Morvan
Pleurtuit
Le Tronchet
Trans-la-Forêt
Vieux-Viel
Sougéal
Broualan
Bonnemain
Lanhélin
Tressé
La Fontenelle
Antrain
Cuguen
Lourmais
La Ballue
Bazouges-la-Pérouse
Trémeheuc
Meillac
Combourg
Noyal-s/s-Bazouges
Tremblay
St-Pierre-de-Plesguen
La Bourbansais
Pleugueneuc
La Chapelle-aux-Filtzméens
Lanrigan
St-Léger-des-Prés
Marcillé-Raoul
Rimou
Romazy
St-Domineuc
Québriac
Dingé
St-Rémy-du-Plain
Chauvigné
Tinténiac
Feins
Sens-de-Bretagne
Vieux-Vy-s/Couesnon
Le Tiercent
St-Christophe-de-Valains
St-Ouen-des-Alleux
Hédé-Bazouges
Guipel
Montreuil-sur-Ille
Aubigné
Andouillé-Neuville
Gahard
Mézières-s-Couesnon
St-Symphorien
St-Gondran
St-Médard-s-Ille
St-Aubin-d'Aubigné
St-Aubin-du-Cormier
Langouet
Langan
Vignoc
St-Germain-s-Ille
Ercé-près-Liffré
Gosné
Montreuil-le-Gast
Gévezé
Melesse
Mouazé
Chasné-sur-Illet
Romillé
La Mézière
St-Sulpice-la-Forêt
Liffré
A
B
104
C
D
79

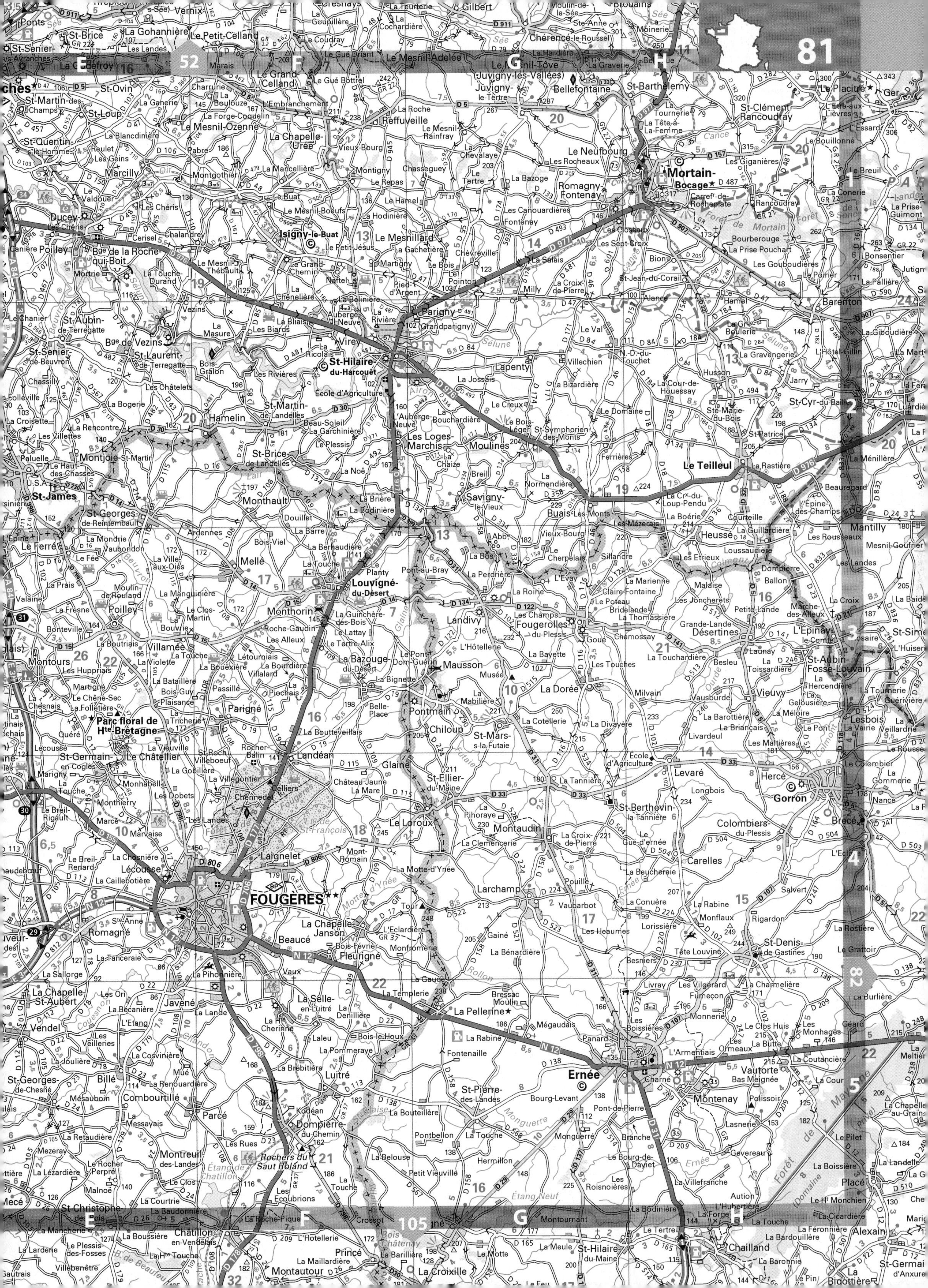

Mortain-Bocage
Isigny-le-Buat
St-Hilaire-du-Harcouët
Parigny
Le Teilleul
St-James
Louvigné-du-Désert
Landivy
Fougerolles-du-Plessis
Gorron
FOUGÈRES
Ernée
Ducey
Poilley
Montjoie-St-Martin
St-Georges-de-Reintembault
Le Ferré
Montours
Parc floral de Hte-Bretagne
Le Châtellier
St-Germain-en-Coglès
Landéan
Pontmain
Mausson
La Dorée
Lapenty
Moulines
Savigny-le-Vieux
Buais-Les-Monts
Heussé
Désertines
L'Epinay-le-Comte
St-Aubin-Fosse-Louvain
Mantilly
Barenton
St-Cyr-du-Bailleul
Juvigny-le-Tertre
Reffuveille
La Chapelle-Urée
Le Mesnil-Ozenne
Marcilly
Le Neufbourg
Romagny-Fontenay
St-Barthélemy
St-Clément-Rancoudray
Le Mesnillard
Les Loges-Marchis
St-Brice-de-Landelles
Hamelin
Monthault
Mellé
Poilley
Villamée
Parigné
Romagné
Beaucé
Fleurigné
La Chapelle-Janson
Laignelet
Lécousse
Javené
La Selle-en-Luitré
Luitré
Billé
Combourtillé
Parcé
Dompierre-du-Chemin
Montreuil-des-Landes
St-Christophe-de-Bois
Châtillon-en-Vendelais
Princé
Montautour
La Croixille
St-Hilaire-du-Maine
Chailland
Montenay
Vautorte
St-Pierre-des-Landes
La Pellerine
Larchamp
Montaudin
St-Berthevin-la-Tannière
Levaré
Carelles
Colombiers-du-Plessis
St-Denis-de-Gastines
Brecé
Lesbois
Vieuvy
St-Ellier-du-Maine
Le Loroux
Chiloup
St-Mars-sur-la-Futaie
Vendel
St-Georges-de-Chesné
Rochers du Saut Roland
Forêt de Fougères
Forêt de Mortain
Forêt de Mayenne
Place
Alexain
52
105
82
E
F
G
H

0 2 4 6 8 10 km
53
81
106
PARC RÉGIONAL NORMANDIE MAINE
Domfront-en-Poiraie
La Ferté-Macé
Bagnoles-de-l'Orne-Normandie
Briouze
Messei
La Ferrière-aux-Étangs
Champsecret
Lonlay-l'Abbaye
St-Georges-de-Rouelley
St-Mars-d'Égrenne
Passais-Villages
Mantilly
Torchamp
Ceaucé
St-Fraimbault
Couesmes-Vaucé
Lesbois
St-Aubin-Fosse-Louvain
Gorron
Lassay-les-Châteaux
Couptrain
Madré
Villaines-la-Juhel
Javron-les-Chapelles
Ambrières-les-Vallées
St-Loup-du-Gast
Montreuil-Poulay
Champéon
Le Horps
Le Ribay
Le Ham
Oisseau
Châtillon-sur-Colmont
Parigné-sur-Braye
Mayenne
Aron
Moulay
St-Baudelle
Contest
Commer
Alexain
Placé
Jublains
Hambers
Bais
Champgenéteux
Marcillé-la-Ville
La Chapelle-au-Riboul
Hardanges
Loupfougères
Grazay
Belgeard
La Bazoge-Montpinçon
Forêt de Mayenne
Butte de Montaigu
Gorges de Villiers
Mont d'Hère
Tour de Bonvouloir
Mont Margantin
Forêt de Halouze
Bois de Buleu
Bois de Vaux
Ville romaine

83
54
84
107
E
F
G
H
1
2
3
4
5
Haras National du Pin
Forêt de Pierre Levée
Écouché-les-Vallées
Sarceaux
Argentan
Urou-et-Crennes
Juvigny-sur-Orne
Aunou-le-Faucon
La Cochère
Nonant-le-Pin
St-Germain-de-Clairefeuille
Le Merlerault
Almenêches
St-Brice-sous-Rânes
Rânes
Fleuré
Tanques
Vrigny
Boissei-la-Lande
Médavy
Le Château-d'Almenêches
Godisson
St-Christophe-le-Jajolet
Chau d'O
Mortrée
Macé
Montmerrei
Francheville
Vieux-Pont
Boucé
Ste-Marie-la-Robert
Le Ménil-Scelleur
St-Martin-l'Aiguillon
Le Champ-de-la-Pierre
Ste-Marguerite-de-Carrouges
St-Sauveur-de-Carrouges
La Lande-de-Goult
Le Cercueil
La Ferrière-Béchet
Belfonds
Sées
Trémont
Le Ménil-Guyon
Carrouges
St-Martin-des-Landes
Chahains
Tanville
Signal d'Écouves
Le Bouillon
La Chapelle-près-Sées
Neauphe-sous-Essai
Boitron
Rouperroux
St-Didier-sous-Écouves
Lignières-Orgères
St-Ellier-les-Bois
Longuenoë
Fontenai-les-Louvets
St-Gervais-du-Perron
Bursard
Aunay-les-Bois
Essay
Livaie
St-Nicolas-des-Bois
Radon
Ménil-Erreux
Marchemaisons
Neuilly-le-Bisson
Ciral
Gandelain
La Roche-Mabile
Colombiers
Larré
Semallé
Hauterive
Le Ménil-Broût
Lalacelle
Pré-en-Pail-St Samson
Mt des Avaloirs
Mt Souprat
St-Denis-sur-Sarthon
Cuissai
Lonrai
Valframbert
Chenay
Montigny
La Fresnaye-sur-Chédouet
St-Cyr-en-Pail
Champfrémont
Ravigny
Pacé
Damigny
Cerisé
ALENÇON
Chassé
Lignières-la-Carelle
Boulay-les-Ifs
Condé-sur-Sarthe
St-Germain-du-Corbéis
St-Paterne
Louzes
St-Pierre-des-Nids
Mieuxcé
Héloup
Arçonnay
Champfleur
St-Rigomer-des-Bois
Aillières-Beauvoir
Gesvres
St-Céneri-le-Gérei
Canyon de Toyères
Moulins-le-Carbonnel
Bérus
Ancinnes
Neufchâtel-en-Saosnois
Forêt de Perseigne
Villaines-la-Carelle
St-Léonard-des-Bois
Gesnes-le-Gandelin
Béthon
Oisseau-le-Petit
Chérisay
Bourg-le-Roi
Livet-en-Saosnois
St-Rémy-du-Val
Averton
St-Paul-le-Gaultier
Sougé-le-Ganelon
Assé-le-Boisne
St-Victeur
Fyé
Rouessé-Fontaine
Louvigny
Saosnes
St-Aubin-du-Désert
St-Mars-du-Désert
St-Georges-le-Gaultier
St-Ouen-de-Mimbré
Moire
Thoiré-s/s-Contensor
Les Mées
Douillet
Fresnay-s-Sarthe
Coulombiers
St-Germain-sur-Sarthe
Chérancé
Grandchamp
Thoigné
René
Courgains
St-Aubin-de-Locquenay
Piacé
St-Germain-de-Coulamer
Mont-St-Jean
Montreuil-le-Chétif
Moitron-s-Sarthe
Juillé
Vivoin
Doucelles
Nouans
Dangeul
Alpes Mancelles
PARC
NORMANDIE
MAINE
RÉGIONAL

0 2 4 6 8 10 km
Le Merlerault
Planches
Ste-Gauburge-Ste-Colombe
Le Ménil-Bérard
Auguaise
La Chapelle-Viel
Crulai
Vitrai-sous-L'Aigle
Godisson
La Genevraie
Les Aspres
Bonnefoi
Gournay-le-Guérin
Beaulieu
Chennebrun
Brullemail
St-Léonard-des-Parcs
Ferrières-la-Verrerie
Maheru
Moulins-la-Marche
Les Genettes
Randonnai
St-Maurice-lès-Charencey
Courtomer
Bonsmoulins
Normandel
St-Aquilin-de-Corbion
St-Agnan-sur-Sarthe
St-Martin-des-Pézerit
Tellières-le-Plessis
St-Germain-le-Vieux
Soligny-la-Trappe
Prépotin
La Ventrouze
Trémont
St-Ouen-de-Sécherouvre
Tourouvre-au-Perche
Le Ménil-Guyon
Le Chalange
Le Plantis
St-Aubin-de-Courteraie
St-Germain-de-Martigny
Champs
Ste-Scolasse-sur-Sarthe
Champeaux-sur-Sarthe
St-Mards-de-Coulonges
L'Hôme-Chamondot
Montchevrel
Bures
Ste-Céronne-lès-Mortagne
Autheuil
Aunay-les-Bois
Laleu
Bazoches-sur-Hoëne
St-Hilaire-le-Châtel
Malétable
Moulicent
Essay
St-Aubin-d'Appenai
Coulonges-sur-Sarthe
La Mesnière
Villiers-sous-Mortagne
Feings
Longny-au-Perche
Le Mêle-s-Sarthe
Buré
Mortagne-au-Perche
Marchemaisons
Les Ventes-de-Bourse
Boëcé
Courgeoût
St-Langis-lès-Mortagne
Loisail
St-Victor-de-Réno
St-Mard-de-Réno
Le Mage
St-Léger-sur-Sarthe
St-Julien-sur-Sarthe
Barville
Réveillon
La Chapelle-Montligeon
Bizou
St-Quentin-de-Blavou
Coulimer
Parfondeval
Courgeon
Monceaux-au-Perche
Roullée
Vidai
St-Denis-s-Huisne
Comblot
Corbon
St-Jouin-de-Blavou
Maison-Maugis
Bièves
Pervenchères
Mauves-sur-Huisne
Le Pin-la-Garenne
Boissy-Maugis
Louzes
Les Aulneaux
Rémalard-en-Perche
Bellavilliers
St-Ouen-de-la-Cour
Montgaudry
Aillières-Beauvoir
Contilly
(Belforêt-en-Perche)
Courboyer
La Perrière
Bellême
Suré
Origny-le-Butin
Le Gué-de-la-Chaîne
Sérigny
Noce
Verrières
Marollette
St-Longis
Mamers
Chemilli
Vaunoise
Dame-Marie
St-Rémy-du-Val
Origny-le-Roux
Appenai-sous-Bellême
St-Cyr-la-Rosière
Berd'huis
Saosnes
Pizieux
St-Fulgent-des-Ormes
Igé
La Chapelle-Souëf
Ste-Gauburge
Commerveil
St-Rémy-des-Monts
St-Pierre-des-Ormes
St-Hilaire-sur-Erre
Courgains
St-Vincent-des-Prés
Monhoudou
Moncé-en-Saosnois
Contres-en-Vairais
Pouvrai
Gémages
St-Germain-de-la-Coudre
Le Theil
Marolles-les-Braults
St-Cosme-en-Vairais
Avesnes-en-Saosnois
Nauvay
Peray
A B C D
55 83 108

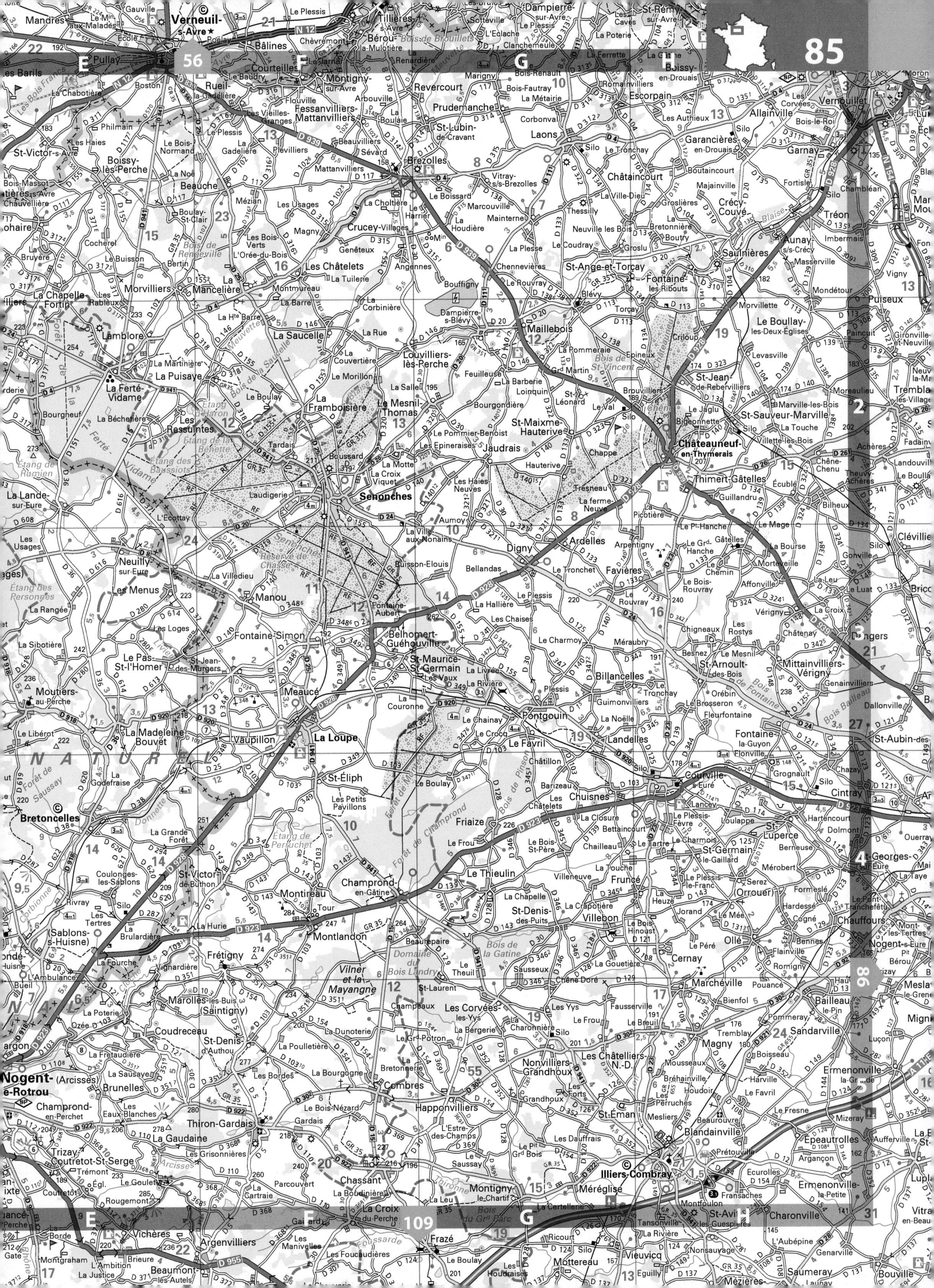
Verneuil-s-Avre
Mandres
Tillières-s-Avre
Bérou-la-Mulotière
Dampierre-sur-Avre
St-Rémy-sur-Avre
Pullay
Bâlines
Courteilles
Montigny-sur-Avre
Rueil-la-Gadelière
Revercourt
Prudemanche
Boissy-en-Drouais
Escorpain
Allainville
Vernouillet
Fessanvilliers-Mattanvilliers
St-Lubin-de-Cravant
Laons
Garancières-en-Drouais
Garnay
St-Victor-s-Avre
Boissy-lès-Perche
Brezolles
Vitray-s-Brezolles
Châtaincourt
Beauche
Crécy-Couvé
Tréon
Crucey-Villages
Saulnières
Aunay-s/s-Crécy
Les Châtelets
St-Ange-et-Torçay
Fontaine-les-Ribouts
Morvilliers
La Mancelière
La Chapelle-Fortin
Puiseux
Lamblore
La Saucelle
Louvilliers-lès-Perche
Maillebois
Le Boullay-les-Deux-Églises
La Puisaye
La Ferté-Vidame
La Framboisière
Le Mesnil-Thomas
St-Jean-de-Rebervilliers
Les Ressuintes
St-Maixme-Hauterive
Jaudrais
Châteauneuf-en-Thymerais
St-Sauveur-Marville
Senonches
Thimert-Gâtelles
La Lande-sur-Eure
Ardelles
Digny
Neuilly-sur-Eure
Les Menus
Manou
Favières
Fontaine-Simon
Belhomert-Guéhouville
St-Maurice-St-Germain
St-Arnoult-des-Bois
Mittainvilliers-Vérigny
Le Pas-St-l'Homer
Moutiers-au-Perche
Meaucé
Billancelles
Pontgouin
La Madeleine-Bouvet
Vaupillon
La Loupe
Le Favril
Landelles
Fontaine-la-Guyon
St-Aubin-des-Bois
St-Éliph
Chuisnes
Courville-s-Eure
Cintray
Bretoncelles
Friaize
St-Luperce
St-Germain-le-Gaillard
St-Victor-de-Buthon
Le Thieulin
Champrond-en-Gâtine
Montireau
Fruncé
Orrouer
Chauffours
Montlandon
St-Denis-des-Puits
Villebon
Ollé
Nogent-s-Eure
Frétigny
Cernay
Marolles-les-Buis
St-Laurent
Les Corvées-les-Yys
Marchéville
Bailleau-le-Pin
Coudreceau
St-Denis-d'Authou
Magny
Sandarville
Nogent-le-Rotrou
Brunelles
Combres
Nonvilliers-Grandhoux
Les Châtelliers-N.-D.
Ermenonville-la-Grande
Champrond-en-Perchet
Thiron-Gardais
Happonvilliers
St-Éman
Blandainville
Mizeray
La Gaudaine
Épeautrolles
Trizay-Coutretot-St-Serge
Chassant
Montigny-le-Chartif
Méréglise
Illiers-Combray
Ermenonville-la-Petite
Vichères
Argenvilliers
La Croix-du-Perche
Frazé
Charonville
Vieuvicq
Beaumont-les-Autels
Saumeray
Bouville
PARC NATUREL
Forêt de Senonches
Forêt de Montécot
Bois de Pinson
Forêt de Champrond
Bois de la Gâtine
Domaine du Bois Landry
Vilner et la Mayangne
E
F
G
H
56
109
98

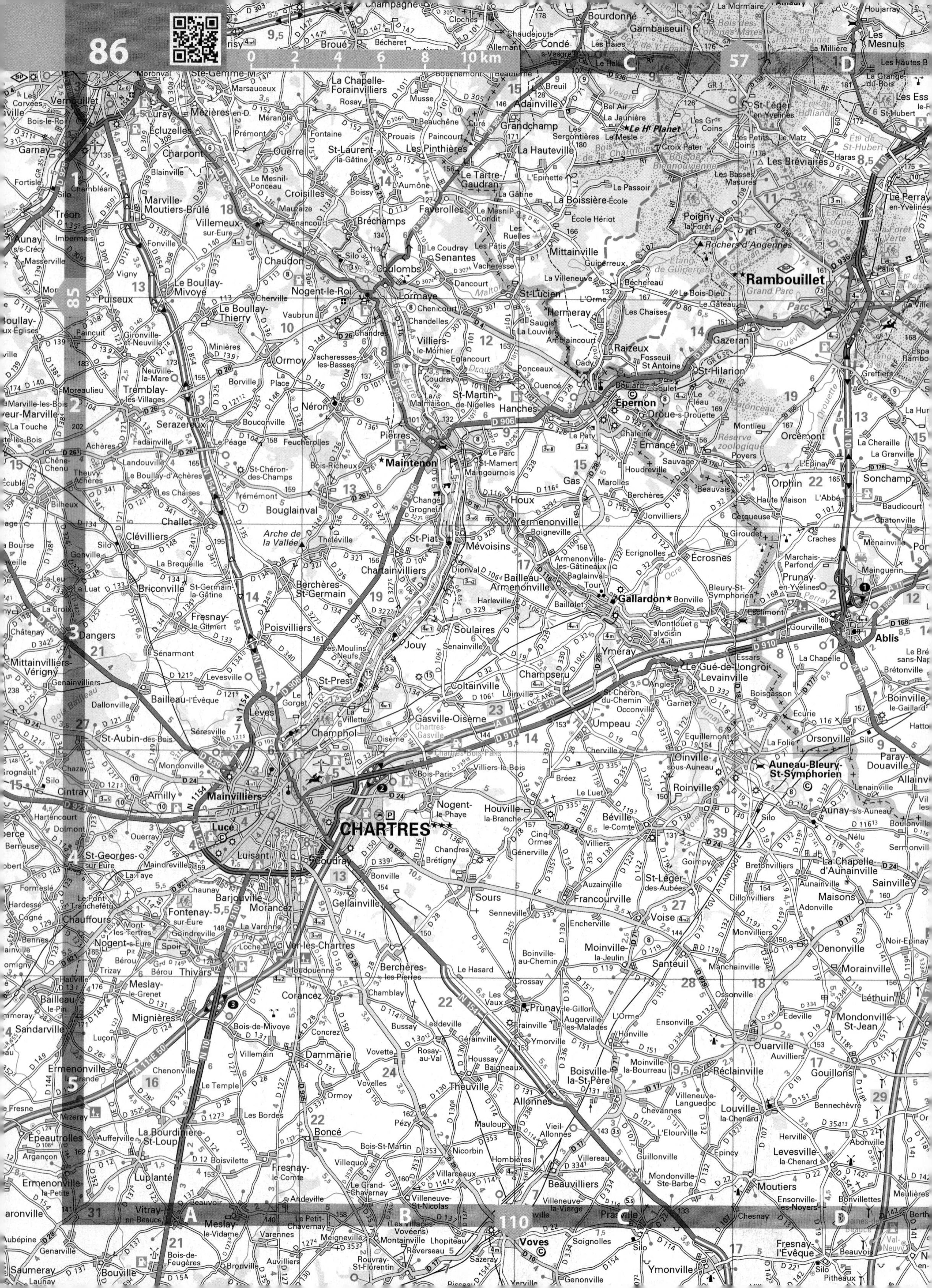
0 2 4 6 8 10 km
57
85
110
A
B
C
D
Champagne
Cloches
Bourdonné
Gambaiseuil
Broué
Bécheret
Condé-s-Vesgre
Les Mesnuls
Vernouillet
Luray
Écluzelles
Mézières-en-D.
Marsauceux
La Chapelle-Forainvilliers
Rosay
Adainville
Grandchamp
St-Léger-en-Yvelines
Garnay
Charpont
Ouerre
St-Laurent-la-Gâtine
Les Pinthières
La Hauteville
Les Bréviaires
Prouais
Le Tartre-Gaudran
Le Perray-en-Yvelines
Chamblean
Marville-Moutiers-Brûlé
Croisilles
La Boissière-École
Poigny-la-Forêt
Tréon
Villemeux-sur-Eure
Bréchamps
Faverolles
Aunay-s/s-Crécy
Rochers d'Angennes
Mittainville
Chaudon
Coulombs
Senantes
Rambouillet
Grand Parc
Puiseux
Le Boullay-Mivoye
Nogent-le-Roi
Lormaye
St-Lucien
Hermeray
Le Boullay-Thierry
Villiers-le-Morhier
Raizeux
Gazeran
Tremblay-les-Villages
Ormoy
St-Hilarion
Néron
St-Martin-de-Nigelles
Hanches
Épernon
Droue-s-Drouette
Serazereux
Pierres
Maintenon
Émancé
Orcemont
St-Chéron-des-Champs
Gas
Orphin
Sonchamp
Bouglainval
Houx
Yermenonville
Challet
Clévilliers
Arche de la Vallée
St-Piat
Mévoisins
Écrosnes
Chartainvilliers
Bailleau-Armenonville
Briconville
Berchères-St-Germain
Gallardon
Bonville
Prunay-en-Yvelines
Fresnay-le-Gilmert
Poisvilliers
Soulaires
Ablis
Dangers
Jouy
Yméray
Le Gué-de-Longroi
Levainville
St-Prest
Coltainville
Champseru
Bailleau-l'Évêque
Lèves
Gasville-Oisème
Umpeau
St-Aubin-des-Bois
Champhol
Orsonville
Oinville-sous-Auneau
Auneau-Bleury-St-Symphorien
Cintray
Amilly
Mainvilliers
Nogent-le-Phaye
Houville-la-Branche
Roinville
Lucé
CHARTRES
Béville-le-Comte
St-Georges-sur-Eure
Luisant
Le Coudray
St-Léger-des-Aubées
Sainville
Barjouville
Morancez
Gellainville
Sours
Francourville
Voise
Chauffours
Fontenay-sur-Eure
Nogent-s-Eure
Ver-lès-Chartres
Moinville-la-Jeulin
Santeuil
Denonville
Thivars
Berchères-les-Pierres
Meslay-le-Grenet
Corancez
Prunay-le-Gillon
Mignières
Mondonville-St-Jean
Dammarie
Theuville
Ouarville
Ermenonville-la-Grande
Boisville-la-St-Père
Réclainville
Gouillons
Allonnes
Louville-la-Chenard
Bonc
La Bourdinière-St-Loup
Levesville-la-Chenard
Luplanté
Fresnay-le-Comte
Beauvilliers
Moutiers
Ermenonville-la-Petite
Vitray-en-Beauce
Meslay-le-Vidame
Voves
Prasville
Fresnay-l'Évêque
Bouville
Ymonville

58
88
111
E
F
G
H
1
2
3
4
5
Maurepas
St-Quentin-en-Yvelines
Voisins-le-Bretonneux
Les Loges-en-Josas
Bièvres
Verrières-le-Buisson
Antony
Fresnes
Rungis
Toussus-le-Noble
Châteaufort
Magny-les-Hameaux
Le Mesnil-St-Denis
Lévis-St-Nom
St-Lambert
Milon-la-Chapelle
Villiers-le-Bâcle
Saclay
Palaiseau
Massy
Wissous
AÉROPORT DE PARIS-ORLY
Athis-Mons
Villeneuve-le-Roi
Ablon-s-Seine
Villeneuve-St-Georges
Crosne
Vigneux-s-Seine
Yerres
Dampierre-en-Yvelines
St-Forget
Chevreuse
St-Rémy-lès-Chevreuse
Gif-s-Y.
Orsay
Bures-s-Y.
Champlan
Villebon-s-Y.
Chilly-Mazarin
Paray-Vieille-Poste
Morangis
Juvisy-s-Orge
Montgeron
Senlisse
Choisel
Gometz-le-Châtel
Les Ulis
Longjumeau
Savigny-s-Orge
Viry-Châtillon
Draveil
Forêt de Sénart
Breteuil
Les Molières
Villejust
Saulx-les-Chartreux
Ballainvilliers
Épinay-s-O.
Grigny
Cernay-la-Ville
Limours-en-Hurepoix
Gometz-la-Ville
St-Jean-de-Beauregard
Nozay
La Ville-du-Bois
Villemoisson-s-Orge
Morsang-s-Orge
Ris-Orangis
Soisy-s-Seine
LA HAUTE VALLÉE
Pecqueuse
Janvry
Marcoussis
Montlhéry
Longpont-s-Orge
Ste-Geneviève-des-Bois
Fleury-Mérogis
ÉVRY
Courcouronnes
Étiolles
Forges-les-Bains
Briis-s-Forges
Fontenay-lès-Briis
Linas
St-Michel-s-O.
Le Plessis-Pâté
Bullion
Camp de Linas-Montlhéry
Leuville-s-Orge
Clairefontaine-en-Yvelines
Bonnelles
Vaugrigneuse
Bruyères-le-Châtel
St-Germain-lès-Arpajon
Brétigny-s-Orge
Bondoufle
Lisses
Rochefort-en-Yvelines
Angervilliers
Courson-Monteloup
St-Maurice-Montcouronne
Ollainville
Arpajon
La Norville
Villabé
Longvilliers
St-Cyr-s/s-Dourdan
le Marais
Breuillet
Égly
Guibeville
Vert-le-Grand
Écharcon
Ormoy
Le Val-St-Germain
Avrainville
Leudeville
Mennecy
Dourdan
St-Chéron
Boissy-s-St-Yon
St-Yon
St-Sulpice-de-Favières
Marolles-en-Hurepoix
St-Vrain
Vert-le-Petit
Fontenay-le-Vicomte
Chevannes
Auvernaux
Ste-Mesme
Sermaise
Souzy-la-Briche
Mauchamps
Torfou
Cheptainville
Lardy
Bouray-s-J.
Ballancourt-s-Essonne
Champcueil
Roinville
St-Martin-de-Bréthencourt
Villeconin
Chauffour-lès-Étréchy
Chamarande
Janville-s-Juine
Itteville
Saussay
Mondeville
Corbreuse
Les Granges-le-Roi
Étréchy
Auvers-St-Georges
Villeneuve-s-Auvers
Baulne
La Ferté-Alais
Chatignonville
La Forêt-le-Roi
Boissy-le-Sec
Cerny
Guigneville-s-Essonne
Videlles
Richarville
Brières-les-Scellés
Boissy-le-Cutté
D'Huison-Longueville
Authon-la-Plaine
Boutervilliers
Morigny-Champigny
Orveau
Boutigny-sur-Essonne
Moigny-sur-École
Garancières-en-Beauce
Plessis-St-Benoist
St-Hilaire
St-Escobille
Chalo-St-Mars
Étampes
Bouville
Vayres-s-Essonne
Farcheville
Mérobert
Puiselet-le-Marais
Courdimanche-sur-Essonne
Congerville-Thionville
Ormoy-la-Rivière
Valpuiseaux
Maisse
Oysonville
Chalou-Moulineux
Boissy-la-Rivière
La Forêt-Ste-Croix
Oncy-s-École
Mondésir
Guillerval
Saclas
Marolles-en-Beauce
Gironville-sur-Essonne
Buno-Bonnevaux
St-Cyr-la-Rivière
Fontaine-la-Rivière
Roinvilliers
Mespuits
Prunay-s-Essonne
Pussay
Monnerville
Abbéville-la-Rivière
Gommerville
Arrancourt
Rouvres-St-Jean
Champmotteux
Boigneville
Méréville
Blandy
Brouy
Nanteau-s-Essonne
Angerville
(Le Mérévillois)
Sermaises
Malesherbes
Buthiers
Rouvray-St-Denis
Thignonville
(Le Malesherbois)
Audeville
Andonville
Autruy-sur-Juine
Intville-la-Guétard
Boulancourt

0 2 4 6 8 10 km
59
87
112
A
B
C
D
1
2
3
4
5
Tournan-en-Brie
Favières
Neufmoutiers-en-Brie
Crèvecœur-en-Brie
La Houssaye-en-Brie
Lumigny
Gretz-Armainvilliers
Les Chapelles-Bourbon
Férolles-Attilly
Santeny
Villeneuve-St-Georges
Yerres
Crosne
Vigneux-s-Seine
Montgeron
Brunoy
Draveil
Servon
Chevry-Cossigny
Forcilles
Presles-en-Brie
Les Boulayes
Châtres
Marles-en-Brie
Fontenay-Trésigny
Villecresnes
Mandres-les-Roses
Périgny
Brie-Comte-Robert
Grisy-Suisnes
Liverdy-en-Brie
Chaubuisson
Épinay s/s-Sénart
Boussy-St-Antoine
Varennes-Jarcy
Quincy s/s-Sénart
Forêt de Sénart
Cossigny
Villepatour
Courquetaine
Ozouer-le-Voulgis
Vilbert
Bernay
Chaumes-en-Brie
Combs-la-Ville
Évry-Grégy
Coubert
Solers
Nogent-s-Avon
Argentières
Courtomer
Soisy-s-Seine
Étiolles
Tigery
Lieusaint
Moissy-Cramayel
Sénart
Soignolles-en-Brie
Yèbles
Verneuil-l'Étang
Beauvoir
ÉVRY-COURCOURONNES
Orangis
Limoges-Fourches
Lissy
Champdeuil
Guignes
Aubepierre
St-Germain-lès-C.
St-Pierre-du-Perray
Corbeil-Essonnes
Réau
Villaroche
Andrezel
Mormant
Ozouer-le-Repos
Quiers
Lisses
Saintry-s-S.
Nandy
Montereau-s-le-Jard
Crisenoy
Champeaux
Fief des Époisses
Villabé
Ormoy
Morsang-s-Seine
Savigny-le-Temple
Cesson
Voisenon
St-Germain-Laxis
Fouju
St-Méry
Bombon
Mennecy
Le Coudray-Montceaux
Seine-Port
Vert-St-Denis
Rubelles
Vaux-le-Vicomte
Moisenay
Blandy-les-Tours
St-Ouen-en-Brie
Bréau
Fontenay-le-Vicomte
St-Fargeau-Village
MELUN
Maincy
Châtillon-la-Borde
La Chapelle-Gauthier
Auvernaux
Chevannes
St-Fargeau-Ponthierry
Boissise-le-Roi
Boissise-la-Bertrand
Le Mée-s-Seine
Sivry-Courtry
Vaux-le-Pénil
Champcueil
Pringy
Boissettes
Dammarie-les-Lys
Livry-s-Seine
Le Châtelet-en-Brie
Les Écrennes
Mondeville
Nainville-les-Roches
St-Sauveur-s-École
Villiers-en-Bière
La Rochette
Chartrettes
Soisy-s-École
Perthes
Chailly-en-Bière
Bois-le-Roi
Fontaine-le-Port
Videlles
Dannemois
Cély
Fleury-en-Bière
Barbizon
Samois-s-Seine
Héricy
Machault
Valence-en-Brie
Échouboulains
Moigny-s-École
Courances
St-Martin-en-Bière
Gorges d'Apremont
Vulaines-s-Seine
FONTAINEBLEAU
Samoreau
Milly-la-Forêt
Gorges de Franchard
Avon
Thomery
Champagne-s-Seine
Montereau-Fault-Yonne
Oncy-s-École
les Trois Pignons
St-Mammès
Moret-s-Loing
Noisy-s-École
Achères-la-Forêt
Veneux-les-Sablons
(Moret-Loing-et-Orvanne)
Buno-Bonnevaux
Le Vaudoué
Recloses
Bourron-Marlotte
Long Rocher
Ville-St-Jacques
Tousson
Ury
Montigny-s-Loing
La Genevraye
Villecerf
Noisy-Rudignon
Dormelles
Boissy-aux-Cailles
La Chapelle-la-Reine
Grez-s-Loing
Villemer
Flagy
Montcourt-Fromonville
Massif de la Dame Jouanne
Buthiers
Larchant
Treuzy-Levelay
Thoury-Férottes
Nemours

60
E
F
G
H
Beautheil-Saints
Choisy-en-Brie
Lescherolles
Touquin
Amillis
Chevru
Chartronges
St-Mars-Vieux-Maisons
St-Martin-du-Boschet
Le Plessis-Feu-Aussoux
Dagny
Beton-Bazoches
Leudon-en-Brie
Villiers-Templon
Vieux-Maisons
Vignory
Savigny
Maisoncelles
Châtillon-sur-Morin
Vaudoy-en-Brie
Frétoy
Courtacon
Cerneux
Montceaux-lès-Provins
Courgivaux
Escardes
Boisdon
Bannost
Bezalles
Les Marêts
Champcenest
Augers-en-Brie
Sancy-lès-Provins
St-Bon
Bouchy-St-Genest
Jouy-le-Châtel
Pécy
Villiers-St-Georges
Nesle-la-Reposte
Gastins
Chenoise-Cucharmoy
Courchamp
St-Hilliers
Rupéreux
Voulton
Louan-Villegruis-Fontaine
Beauchery-St-Martin
Mortery
Villenauxe-la-Grande
La Croix-en-Brie
St-Just-en-Brie
Châteaubleau
Vieux-Champagne
Léchelle
Montpothier
Nangis
Provins
St-Brice
Rampillon
Vanvillé
Maison-Rouge
La Chapelle-St-Sulpice
St-Loup-de-Naud
Poigny
Sourdun
La Saulsotte
Chalautre-la-Grande
St-Nicolas-la-Chapelle
Marnay-sur-Seine
Lizines
Savins
Longueville
Chalautre-la-Petite
Soisy-Bouy
Le Mériot
Nogent-s-Seine
Meigneux
Cessoy-en-Montois
Sognolles-en-Montois
Mons-en-Montois
Jutigny
Thénisy
Melz-s-Seine
Villeneuve-les-Bordes
Donnemarie-Dontilly
Paroy
Chalmaison
Gouaix
Hermé
La Motte-Tilly
Sigy
Everly
Courceroy
Fontaine-Mâcon
Gurcy-le-Châtel
Luisetaines
Les Ormes-s-Voulzie
Noyen-s-Seine
Villiers-sur-Seine
Fontenay-de-Bossery
Montigny-Lencoup
Abbaye de Preuilly
Vimpelles
St-Sauveur-lès-Bray
Grisy-s-Seine
Gumery
Passy-sur-Seine
Traînel
Salins
Egligny
Bray-s-Seine
Mouy-s-Seine
Jaulnes
Villenauxe-la-Petite
Bouy-sur-Orvin
Soligny-les-Étangs
Courcelles-en-Bassée
Châtenay-sur-Seine
Mousseaux-lès-Bray
Villuis
Fontaine-Fourches
Gravon
Balloy
Bazoches-lès-Bray
Baby
La Louptière-Thénard
La Tombe
Marolles-sur-Seine
Montigny-le-Guesdier
Barbey
Misy-s-Yonne
Compigny
Plessis-St-Jean
Plessis-du-Mée
Vinneuf
Sergines
Pailly
St-Maurice-aux-Riches-Hommes
Villeneuve-la-Guyard
Courlon-s-Yonne
Serbonnes
Villeblevin
Chaumont
Champigny
Michery
La Chapelle-s-Oreuse
Fleurigny
Thorigny-s-Oreuse
St-Agnan
Villemanoche
Pont-s-Yonne
St-Martin-s-Oreuse
Courgenay
Villeperrot
Evry
Blennes
Villethierry
Fossoy
Voisines
Les Hautes Bergeries
SEINE
Forêt de Sourdun
Forêt de Jouy
Bois de St Martin
Bois de Lancy
Bois des Chardonnières
D 231
D 403
D 619
D 411
D 412
D 976
A 5 - E 54
N 4
113
06

90
0 2 4 6 8 10 km
C
61
D
Les Essarts-lès-Sézanne
Le Val-Dieu
Verdey
Le Village
Allemant
St-Loup
Nozet
Fère-Champenoise
Ste-Sophie
Linthes
Esternay
Retourneloup
Nogentel
Tour
Bois du Gril d'Arcan
Mœurs-Verdey
Sézanne
Forêt de la Loge à Gond
Launat
Le Meix-St-Epoing
Vindey
Châtillon-sur-Morin
Escardes
Champfleury
Villouette
Chommé
La Soucière
Bouchy-St-Genest
Les Pinons
Bois de Seu
Prés du But
Bricot-la-Ville
Tourraine
La Paimbaudière
Les Essarts-le-Vicomte
L'Étoile
La Forestière
Forêt de la Traconne
St-Remy-sous-Broyes
Linthelles
La Raccroche
Connantre
St-Georges
Euvy
La Colombière
Maurienne
Corroy
Gourgançon
Ognes
Pleurs
Chichey
Le Plessis
Saudoy
Gaye
Auges
Marigny-le-Petit
Courcelles
Marigny
Angluzelles-et-Courcelles
Fresnay
Thaas
Tortepée
Faux-Fresnay
Salon
Choisel
Lancourt
Queudes
Barbonne-Fayel
Nesle-la-Reposte
La Chalmelle
Abbé
Chau de Montaiguillon
Bois de Béthon
Bois de la Comtesse
Fontaine-Denis-Nuisy
Villevotte
Villeneuve-St-Vistre-et-Villevotte
Chènevières
Varsovie
La Chapelle-Lasson
Courcemain
Forêt de la Perthe
Champfleury
Bethon
Chantemerle
Fontaine-s/s-Montaiguillon
Dival
Villenaux-la-Grande
Centre de détention
Montgenost
La Celle-s/s-Chantemerle
St-Quentin-le-Verger
Allemanche-Launay-et-Soyer
Saussaie
Marsangis
St-Saturnin
Vouarces
Launay
Soyer
Charmoy
Potangis
Beaugis
Granges-s-Aube
Anglure
Boulages
Abbaye-sous-Plancy
Plancy-l'Abbaye
Viâpres-le-Grand
Montpothier
Noxe
Plessis-Barbuise
Villiers-aux-Corneilles
Baudement
Saron-s-Aube
Montahon
Bécheret
Longueville-sur-Aube
Aube
La Rue
Soulaunoy
La Villeneuve-au-Châtelot
Les Vigneaux
Barbuise
Esclavolles-Lurey
Marcilly-s-Seine
Conflans-s-Seine
St-Just-Sauvage
Les Grèves
Bagneux
Étrelles-s-Aube
Charny-le-Bachot
Rhèges
Bessy
Resson
La Saulsotte
Courtavant
Frécul
Périgny-la-Rose
Barbenthal
Sauvage
Clesles
Nozeaux
Liours
Sellières
Lion
Pont-s-Seine
Crancey
Romilly-s-Seine
St-Oulph
Port St-Nicolas
Marnay-sur-Seine
Maizières-la-Gde-Paroisse
Poussey
Châtres
Méry-sur-Seine
Prémierfait
Nogent-s-Seine
Bernières
La Poste
St-Hilaire-s/s-Romilly
Les Granges
Droupt-Ste-Marie
Le Ruez
La Chapelle-Godefroy
La Crouillère
Parc de Pont
Longueperte
Gélannes
Pars-lès-Romilly
Mesgrigny
St-Aubin
Pommereau
La Belle-Étoile
Droupt-St-Basle
Ardusson
Quincey
Origny-le-Sec
Fontaine-Mâcon
Le Paraclet (Ancne Abbe)
Malminou
Le Petit St-Georges
Vallant-St-Georges
Courlanges
Les Grandes Chapelles
St-Loup-de-Buffigny
Vaudepuits
Rilly-Ste-Syre
Ferreux-Quincey
Corduan
St-Martin-de-Bossenay
Tremblay
La Fosse-Corduan
Bossenay
Les Ormeaux
Rozières
Ossey-les-Trois-Maisons
Orvilliers-St-Julien
St-Mesmin
Fontaine-les-Grès
Chauchigny
Le Clos
Avant-lès-Marcilly
Bois de Fay
Bouy-sur-Orvin
Fontenay-le-Pierreux
Belle-Assise
Savières
Villacerf
Fay-lès-Marcilly
Soligny-les-Étangs
Le Vallon
Charmoy
Rigny-la-Nonneuse
St-Flavy
La Pèze
Marigny-le-Châtel
Mergey
Perthelaine
Échemines
Payns
Charmesseaux
Montaphilant
Avon-la-Pèze
Belleville
Trancault
Prunay-Belleville
St-Lyé
Le Pavillon-Ste-Julie
La Malmaison
Camp militaire
Obélisque
Vermoise
Barberey-aux-Moines
Bourdenay
Bellevillotte
St-Maurice-aux-Riches-Hommes
La Villeneuve-aux-Riches-Hommes
St-Lupien
Villeloup
Marcilly-le-Hayer
Le Mothois
Faux-Villecerf
Bercenay-le-Hayer
Mauny
Dierrey-St-Pierre
TROYES
Lussin
Chavaudon
Four gaulois
Bois de Cornillon
Grange l'Évêque
Les Dagues
La Chapelle-St-Luc
Forêt de la Chaume
Picardie
Ste-Marie
Vierge-Ste-Espérance
Villadin
Dierrey-St-Julien
Mesnil-Vallon
La Chaume
Pierre-Couverte
Chanteloup
Bois l'Abbesse
Mesnil-St-Loup
Montgueux
Pouy-s-Vannes
Macey
Courgenay
Palis
Fontvannes
La Grange-au-Rez
La Rivière-de-Corps
St-André-les-Vergers
Clairlieu
La Charmée
A
B
114
La Singerie
Les Marchais
Bois de Bagneaux
Planty
Vanne
Messon
Lépine
Torvilliers
Montdogat
Ferme de Vauluisant (Ancne Abbe)
Rateau
Les Essarts
Villemaur-sur-Vanne
Estissac
Bucey-en-Othe
St-Germain
La Pellerie
Villeneuve
Neuville
Thuisy
Le Chaast
Chevillèle
MICHELIN

91
Haussimont
Sommesous
Soudé
Ste-Croix
Coole
Vitry-le-François
Glannes
Huiron
Courdemanges
Châtelraould-St-Louvent
Mont Moret
Frignicourt
Luxémont-et-Villotte
Marolles
Blacy
Bignicourt-sur-Marne
Blaise-s/s-Arzillières
Norrois
Cloyes-s-Marne
Montépreux
Poivres
Mailly-le-Camp
Sompuis
La Galbaudine
La Croix
Camp militaire de Mailly
Humbauville
La Certine
Perthes
Les Rivières-Henruel
Arzillières-Neuville
Neuville-sous-Arzillières
Le Meix-Tiercelin
Orphelinat
Les Mandres
St-Chéron
Flumet
St-Genest
Les Monts Torlors
Tharges
Villiers-Herbisse
Le Hautvilliers
Trouans
Herbisse
La Folie Godot
Dosnon
St-Ouen-Domprot
La Verpillière
La Malmaison
Bussy-aux-Bois
Gigny-Bussy
St-Étienne
Somsois
Petit-Paris
Brandonvillers
Grandville
Allibaudières
Ste-Tanche
Lhuître
Bréban
Corbeil
Chapelaine
Lignon
Étang de la Fosse aux Bois
Drosnay
Hancourt
Margerie-Hancourt
St-Utin
Le Plessis
Dampierre
Ormes
Le Chêne
Torcy-le-Gd
Torcy-le-Petit
Vinets
Isle-Aubigny
St-Nabord-s-Aube
Arcis-s-Aube
Ramerupt
Vaucogne
St-Léger-sous-Margerie
Plaisance
Balignicourt
Petit Fontenay
Arrembécourt
Joncreuil
Chassericourt
Chavanges
Tanière
Nozay
Vaupoisson
Ortillon
Romaines
Morembert
Dommartin-le-Coq
Donnement
Pars-lès-Chavanges
Labraux
Montmorency-Beaufort
Forêt de Lentilles
Lentilles
St-Étienne-s/s-Barbuise
La Belle Idée
Mesnil-la-Comtesse
Chaudrey
Nogent-sur-Aube
Jasseines
Braux
Petit Nogent
Coclois
Ste-Thuise
Brillecourt
Aulnay
Yèvres-le-Petit
Courcelles-s-Voire
Villeret
Rances
Hampigny
St-Remy-s/s-Barbuise
Montardoise
Mesnil-Lettre
Verricourt
Magnicourt
Chalette-sur-Voire
Bétignicourt
Rosnay-l'Hôpital
Blignicourt
Vallentigny
Boulancourt
Voué
La Harmande
Avant-lès-Ramerupt
Pougy
Molins-sur-Aube
St-Christophe-Dodinicourt
Lassicourt
Puttevillle
Rotrate
Maizières-lès-Brienne
Montsuzain
Aubeterre
Falourdel
Longsols
Lesmont
Musée
Perthes-lès-Brienne
Les Fontaines
Juzanvigny
Charmont
Charmont-sous-Barbuise
Val-d'Auzon
Précy-N.-D.
Précy-St-Martin
St-Léger-s/s-B.
Brienne-le-Château
Crespy-le-Neuf
Feuges
Fontaine-Luyères
Mortée
Onjon
Montangon
Pel-et-Der
Centre psychothérapique
Épagne
Morvilliers
Luyères
Villevoque
Blaincourt-sur-Aube
Brienne-la-Vieille
La Valentine
Villehardouin
Vailly
Bouy-Luxembourg
Piney
Brantigny
Mathaux
Radonvilliers
Chaumesnil
Beauvoir
Montmoret
Rachisy
Villiers-le-Brûlé
Le Grand Brevonnel
Dienville
Chantemerle
Assencières
Brévonnes
L'Étape
La Giberie
Petit-Mesnil
La Rothière
Champ de Tir
Creney-près-T.
La Belle Épine
Rouilly-Sacey
Sacey
La Loge Lionne
Lac Amance
Bois de la Rothière
Argentolles
L'Espérance
Mesnil-Sellières
Rosson
PARC NATUREL RÉGIONAL DE LA FORÊT D'ORIENT
Lac du Temple
Unienville
Pont-Ste-Marie
Villechétif
Dosches
Bonlieu
Juvanzé
Beaulieu
Bouranton
Géraudot
Sentier des Salamandres
Chêne
Jessains
Trannes
Laubressel
Belley
Champigny
Amance
La Ville-aux-Bois
Bossancourt
St-Parres-aux-Tertres
Vaudemanche
Réserve Ornithologique
Maison du Parc
Parc de vision animalier
Thennelières
Baires
Bas-Bois
Larivour
Lac d'Orient
Vauchonvilliers
Maison-Neuve
La Moline
St-Julien-les-Villas
Menois
Courteranges
La Loge-aux-Chèvres
Dolancourt
Ruvigny
Étang du Parc aux Pourceaux
Le Chanet
Nigloland
Rouilly-St-Loup
Lusigny-s-Barse
Mesnil-St-Père
Val Suzenay
La Gagnage-aux-Chats
Argançon
Bréviandes
Villepart
Rouillerot
Montaulin
Fontaine
Bois de Lusigny
Le Ménilot
Champ-s-Barse
Maison-des-Champs
62
92
115

0 2 4 6 8 10 km
63
91
116
St-Dizier
Ancerville
Eurville-Bienville
Wassy
Montier-en-Der
(La Porte du Der)
Joinville
Vignory
Bar-sur-Aube
Nigloland
Chavanges
Lac du Der-Chantecoq
Ste-Marie-du-Lac-Nuisement
Giffaumont-Champaubert
Thiéblemont-Farémont
Doulevant-le-Château
Soulaines-Dhuys
Cirey-sur-Blaise
Sommevoire
Eclaron-Braucourt-Ste-Livière
Louvemont
Humbécourt
Allichamps
Frampas
Voillecomte
Brousseval
Valcourt
Moëslains
Hallignicourt
Chancenay
Bettancourt-la-Ferrée
Saudrupt
Chamouilley
Roches-s-Marne
Bayard-sur-Marne
Rachecourt-sur-Marne
Fontaine
Narcy
Cousances-les-Forges
Hauteville
Ambrières
Perthes
Orconte
Matignicourt-Goncourt
Larzicourt
Isle-sur-Marne
Arrigny
Écollemont
Landricourt
Drosnay
Outines
Châtillon-sur-Broué
Arrembécourt
Joncreuil
Bailly-le-Franc
Droyes
Planrupt
Puellemontier
Ceffonds
Laneuville-à-Rémy
Robert-Magny
Thilleux
Louze
Épothémont
Juzanvigny
Crespy-le-Neuf
Morvilliers
La Chaise
Trémilly
Nully
Blumeray
Fuligny
Ville-sur-Terre
Beurville
Thors
Maisons-lès-Soulaines
Saulcy
Rizaucourt-Buchey
Colombé-le-Sec
Arsonval
Jaucourt
Trannes
Éclance
Lévigny
Vernonvilliers
Daillancourt
Bouzancourt
Guindrecourt-sur-Blaise
Marbéville
Mirbel
Ambonville
Cerisières
Blécourt
Brachay
Mathons
Morancourt
Dommartin-le-Franc
Courcelles-sur-Blaise
Mertrud
Doulevant-le-Petit
Vaux-sur-Blaise
Montreuil-s-Blaise
Domblain
Fays
Magneux
Sommancourt
Maizières
Valleret
Attancourt
Troisfontaines-la-Ville
Laneuville-à-Bayard
Forêt du Val
Réservoir des Leschères
Forêt de Mathons
Bois de Blinfey
Forêt de Soulaines

64
E
F
G
H
Tannois
Tronville-en-Barrois
Willeroncourt
Nançois-le-Grand
Nançois-sur-Ornain
St-Aubin-sur-Aire
Saulx-en-Barrois
Laneuville-au-Rupt
Guerpont
Velaines
Ligny-en-Barrois
Ménil-la-Horgne
Bois de Pâlisse
Void-Vacon
Ourches-sur-Meuse
Massey
Bois de Montfromont
Bois de Velaines
Nant-le-Grand
Maulan
Morlaincourt
(Chanteraine)
Oëy
(Saulvaux)
Vaux-la-Grande
Méligny-le-Grand
Braux
Bois de Voirut
Mazelin
Vacon
Naives-en-Blois
Givrauval
Chennevières
Vaux-la-Petite
Boviolles
Méligny-le-Petit
Nant-le-Petit
Le Petit-Maulan
Longeaux
Menaucourt
Marson-s-Barboure
Bovée-sur-Barboure
Broussey-en-Blois
Bois de Void
St-Germain-sur-Meuse
Bois de St-Germain
Ugny-sur-Meuse
Naix-aux-Forges
Nantois
Reffroy
Sauvoy
Bois d'Ourches
Gombervaux
Rigny-la-Salle
Rigny-St-M
Bois de Charmois
Fouchères-aux-Bois
St-Amand-sur-Ornain
Grand Bois de Marson
Bois de Touvigny
Le Haut Bois
Villeroy-s-Méholle
Forêt de Vaucouleurs
Vaucouleurs
Ménil-sur-Saulx
Le Bouchon-sur-Saulx
Villers-le-Sec
Tréveray
St-Joire
La Grangette
Mauvages
Chalaines
Hévilliers
Laneuville
Evaux
Demange-aux-Eaux
Montigny-lès-Vaucouleurs
Dammarie-sur-Saulx
Couvertpuis
Forêt d'Evaux
Le Charmois
Neuville-lès-Vaucouleurs
Forêt de Montigny
Morley
(Demange-Baudignécourt)
Baudignécourt
Delouze-Rosières
Rosières-en-Blois
Badonvilliers-Gérauvilliers
Burey-en-Vaux
Vieux-Astre
Sepvigny
Champougny
Biencourt-sur-Orge
Ecurey
Forêt de Morley
Bois du Val Paillard
Ribeaucourt
St-Thiébaut
Le Grand Bois
Houdelaincourt
Gérauvilliers
Épiez-sur-Meuse
Maxey-sur-Vaise
Taillancourt
Montbras
Montiers-sur-Saulx
La Landre
Bois de Vauva
Abainville
Gondrecourt-le-Château
La Grande Vallée
Forêt dite Le Vau-Haton
Bonnet
Le Granit
Amanty
Domrémy-St-Antoine
Burey-la-Côte
Bois de Burey
Paroy-s-Saulx
Bure
Ormançon
Tourailles-sous-Bois
Horville-en-Ornois
Forêt du Vau
Vouthon-Bas
Vouthon-Haut
Goussaincourt
Brixey-aux-Chênes
Le Val Louzet
Effincourt
Osne-le-Val
Saudron
Mandres-en-Barrois
Bois de la Tremont
Luméville-en-Ornois
Bertheléville
Pansey
Gillaumé
La Houpette
Chassey-Beaupré
Les Roises
Bois de Greux
Greux
Maxey-sur-Meuse
Montreuil-sur-Thonnance
Le Fourneau
Echenay
Cirfontaines-en-Ornois
Beaupré
Etangs de Chassey
Vaudeville-le-Haut
Domrémy-la-Pucelle
Thonnance-lès-Joinville
Suzannecourt
Forêt de la Saunoire
Aingoulaincourt
Soulaincourt
Lacets de Mélaire
Harméville
Bois de Bésigné
N.-D. de Chécourt
Dainville
Seraumont
Basilique du Bois-Chenu
Bois de Domrémy
Moncel
Moncel-sur-Vair
La Forge
Sailly
Bressoncourt
Lezéville
Avranville
Chermisey
Poissons
Noncourt-s-le-Rongeant
Forêt de Cimont
Thonnance-les-Moulins
Laneuville-au-Bois
Coussey
Soulosse-sous-St-Élophe
Marcheval
Germay
Batis des Hamets
Les Gourseaux Bois
Bois de Midrevaux
Sionne
Bourlémont
Frebécourt
Brouthières
Bois de la Rippe
St-Urbain-Maconcourt
Annonville
Germisay
Grand
Mosaïque
Midrevaux
Maconcourt
Bettoncourt-le-Haut
Épizon
Bois des Fontenelles
Forêt de Mureau
Pargny-sous-Mureau
Abbaye
Bois de Bourlémont
Ste-A
Vaux-s-St-Urbain
Morionvilliers
La Violette
Mont-lès-Neufchâteau
Rouceux
Neufc
Donjeux
Landéville
Augeville
Chambroncourt
Trampot
Brechainville
Audeuil
Forêt de Maupas
Villouxel
Noncourt
Domremy-Landéville
Forêt des Roncis
Pautaines-Augeville
St-Thiébault
Aillianville
Les Hauts Bois
Bois le Comte
Bois Henrys
Rebe
Saucourt-sur-Rognon
Forêt du Pavillon
Bois de Charmois
Le Tivoli
Fréville
Bois de Donjeux
Leurville
Bois des Haies
Liffol-le-Grand
Bois de la Vendue
Villars
Villiers-sur-Marne
Busson
Champaumont
La Bergère
Bréchaincourt
Doulaincourt-Saucourt
Roches-Bettaincourt
Le Marquot
Les Moyemonts
Bois de Châtelmont
Forêt de la Bouloire
Liffol-le-Petit
Lafauche
Bazoilles-sur-Meuse
Bois du Fays
Tille
Fronclès
Buxières
Bois des Grandes Combes
Roches-sur-Rognon
Bois le Chimarmont
Reynel
Forêt de Meley
Orquevaux
Montlebert
Le Corroy
Circourt-sur-Mouzon
Forêt du Jarney
Vesaignes-s/s-Lafauche
Prez-sous-Lafauche
Humberville
Montot-sur-Rognon
Forêt du Heu
Vignes-la-Côte
Manois
St-Blin
Bois Gérard
N.D. du Pilier de Saragosse
N. D. de Pitié
Pompierre
Signéville
Le Corroy
Les Hauts Bois
Harréville-les-Chanteurs
Jainvi
Croix des Allemands
La Croisette
Semilly
L'Espérance
Dôme
Sartes
Heu
Montéclair
Barrémont
Goncourt
Gendreville
Rimaucourt
117
Chalvraines
Bois de Goncourt
Sommerécourt
Abbᵉ de Septfontaines
Andelot-Blancheville
Les Chaisaux
Le Charmoi
Outremeco
Bois du Jard
Le Champ Briot
Gonaincourt
Illoud
Vaudrecourt
La Motte
Rochefort-
Blancheville
La Guinguette
La Fortelle
94
Marne
Meuse
Ornain
Saulx
Rognon
Canal de la Marne au Rhin
N 4
N 135
D 966
D 960
D 674
D 427
D 964

0 2 4 6 8 10 km
93
65
118
A
B
C
D
1
2
3
4
5
NANCY
Laxou
Villers-lès-N.
Vandœuvre-lès-N.
Heillecourt
Fléville-devant-N.
Ludres
Chavigny
Maron
Chaligny
Neuves-Maisons
Messein
Pont-St-Vincent
Bainville-sur-Madon
Richardménil
Méréville
Flavigny-s-Moselle
Velaine-en-Haye
Gondreville
Fontenoy-s-Moselle
Bruley
Pagney-derrière-Barine
Mont St Michel
La Croix de Metz
Lucey
TOUL
Écrouves
Dommartin-lès-Toul
Chaudeney-sur-Moselle
Villey-le-Sec
St-Rémy
Grandmesnil
Ourches-sur-Meuse
Massey
Choloy-Ménillot
St-Germain-sur-Meuse
Ugny-sur-Meuse
Gombervaux
Rigny-la-Salle
Rigny-St-Martin
Tusey
Vaucouleurs
Chalaines
Montigny-lès-Vaucouleurs
Neuville-lès-Vaucouleurs
Burey-en-Vaux
Sepvigny
Champougny
Pagny-la-Blanche-Côte
Taillancourt
Maxey-sur-Vaise
Montbras
Traveron
Burey-la-Côte
Goussaincourt
Greux
Domrémy-la-Pucelle
Maxey-sur-Meuse
Moncel
Moncel-sur-Vair
Coussey
Soulosse-sous-St-Élophe
St-Élophe
Frebécourt
Bourlémont
Ste-Anne
Rollainville
Mont-lès-Neufchâteau
Neufchâteau
Noncourt
Rebeuville
Villars
Bréchaincourt
Certilleux
Rouvres-la-Chétive
Tilleux
Circourt-sur-Mouzon
Landaville
Bazoilles-sur-Meuse
Pompierre
Harréville-les-Chanteurs
Jainvillotte
Sartes
Gendreville
Sommerécourt
Outremécourt
La Motte
Vaudrecourt
Médonville
Malaincourt
Vaudoncourt
Rocourt
Morville
Auzainvilliers
Hagnéville-et-Roncourt
Aulnois
Beaufremont
Lemmecourt
Ollainville
Darney-aux-Chênes
Longchamp-sous-Châtenois
Mannecourt
Châtenois
Houécourt
La Neuveville-sous-Châtenois
Rémois
Lorraine-Sandaucourt
Sandaucourt
Dombrot-sur-Vair
Belmont-sur-Vair
St-Remimont
Mandres-sur-Vair
Norroy
Bulgnéville
VITTEL
They-sous-Montfort
Parey-sous-Montfort
Domjulien
Girovillers-sous-Montfort
Domèvre-sous-Montfort
Estrennes
Viviers-lès-Offroicourt
Offroicourt
Gemmelaincourt
St-Menge
Remicourt
Thiraucourt
Rouvres-en-Xaintois
Ménil-en-Xaintois
Dombasle-en-Xaintois
Baudricourt
Domvallier
Ramecourt
Mirecourt
Mattaincourt
Hymont
Vroville
Poussay
Mazirot
Juvaincourt
Puzieux
Ambacourt
Bettoncourt
Chauffecourt
Frenelle-la-Petite
Frenelle-la-Grande
Chef-Haut
Repel
Oëlleville
Totainville
Biécourt
Morelmaison
Gironcourt-s-Vraine
Viocourt
Valaincourt
Courcelles-s/s-Châtenois
St-Paul
Balléville
Dolaincourt
Vouxey
Le Ménil-s-Vair
Dommartin-sur-Vraine
St-Prancher
Rainville
Maconcourt
Aboncourt
Blémerey
Courcelles
Boulaincourt
Beuvezin
Grimonviller
Pulney
Gugney
Fraisnes-en-Saintois
Bouzanville
Pont-sur-Madon
Xaronval
Vomécourt-sur-Madon
Battexey
Diarville
Forcelles-s/s-Gugney
Houséville
Bralleville
Jevoncourt
St-Firmin
Signal de Vaudémont
Vaudémont
Saxon-Sion
Sion
Praye
Xirocourt
Affracourt
Haroué
Tantonville
Quevilloncourt
Forcelles-St-Gorgon
Chaouilley
Thorey-Lyautey
Dommarie-Eulmont
Vandeléville
Fécocourt
Tramont-Émy
Tramont-St-André
Tramont-Lassus
Vicherey
Pleuvezain
Aouze
Removille
Attignéville
Soncourt
Aroffe
Gémonville
Tranqueville-Graux
Harchéchamp
Barville
Houéville
Autigny-la-Tour
Brancourt
Martigny-lès-Gerbonvaux
Jubainville
Ruppes
Brixey-aux-Chanoines
Punerot
Harmonville
Autreville
Saulxerotte
Favières
Battigny
Gélaucourt
Laloeuf
Vroncourt
Étreval
Ognéville
Vitrey
Vézelise
Gerbécourt-et-Haplemont
Omelmont
Hammeville
Houdreville
Clérey-sur-Brenon
Voinémont
Ceintrey
Lemainville
Pulligny
Autrey
Houdelmont
Thélod
Parey-St-Césaire
Pierreville
Xeuilley
Frolois
Marthemont
Germiny
Thuilley-aux-Groseilles
Viterne
Maizières
Goviller
Dolcourt
Selaincourt
Crépey
Colombey-les-Belles
Allain
Barisey-la-Côte
Barisey-au-Plain
Bagneux
Allamps
Vannes-le-Châtel
Uruffe
Gibeaumeix
Saulxures-lès-Vannes
Mont-l'Étroit
Sauvigny
Clérey-la-Côte
Bulligny
Crézilles
Ochey
Moutrot
Blénod-lès-Toul
Mont-le-Vignoble
Charmes-la-Côte
Gye
Bicqueley
Domgermain
Pierre-la-Treiche
Sexey-aux-Forges
Bois de Gondreville
Forêt de Meine
Forêt de la Voivre
Bois d'Anciota
Val de Passey
Camp militaire

95
66
96
119
E
F
G
H
Pulnoy
Romémont
Courbesseaux
Serres
Valhey
St-Pancrace
Parroy
Mouacourt
Buissoncourt
Gellenoncourt
Drouville
Bauzemont
Hénaménil
Xousse
Remoncourt
La Baronne
Avricourt
Lenoncourt
Einville-au-Jard
Raville-s-Sânon
Bonneval
Le Puits
Forêt de Parroy
Mont Laval
Igney
Art-s-Meurthe
Haraucourt
Maixe
Crion
Emberménil
Amenoncourt
Varangéville
Crévic
Bienville-la-Petite
Sionviller
Leintrey
St-Nicolas-de-Port
Grandvezin
Sommerviller
Deuxville
Bonviller
La Rochelle
Froide Fontaine
Laneuveville-aux-Bois
Gondrexon
Autrepierre
Repaix
Dombasle-s-Meurthe
Flainval
Jolivet
Champel
Rappe
Reillon
Anthelupt
Le Léomont
Chanteheux
Croismare
Marainviller
Véhо
Grandseille
Ville-en-Vermois
Xoudailles
Hudiviller
Vitrimont
Chazelles-s-Albe
Blémerey
Manoncourt-en-Vermois
Lunéville
Moncel-lès-Lunéville
Thiébauménil
Manonviller
Domjevin
Verdenal
Rosières-aux-Salines
Forêt de Vitrimont
St-Urbain
Coyviller
Bénaménil
St-Martin
Fréménil
Herbéviller
Chaufontaine
Adoménil
Hériménil
Forêt de Mondon
Cuite Fève
Haut des Places
Nouveau-Lieu
Damelevières
Rehainviller
Ogéviller
Vigneulles
Mont-s-Meurthe
Ferrières
Saffais
Barbonville
Blainville-s-l'Eau
Les Abouts
Beaupré
Betaigne
Laronxe
Buriville
Réclonville
Mignéville
Pettonville
Tonnoy
Charmois
Xermaménil
Camp militaire
Bois le Marquis
Lamath
Fraimbois
St-Clément
Hablainville
Vaxainville
Montigny
Haussonville
Velle-s-Moselle
Chenevières
Reherrey
Domptail-en-l'Air
Romain
B. de Clairlieu
Ménil-Flin
Forêt des Hauts Bois
Brouville
Méhoncourt
Franconville
Les Bordes
Haudonville
Vathiménil
St-Mard
Belchamp
Flin
Gélacourt
Merviller
Les Carrières
Herbémont
Lorey
Landécourt
Azerailles
Bois de Chevremont
Brémoncourt
Einvaux
Gerbéviller
Moyen
Mervaville
Criviller
Neuviller-sur-Moselle
Haigneville
Etg du Censal
Mortagne
Glonville
Laneuveville-devant-Bayon
Bayon
Moriviller
Vallois
Fontenoy-la-Joûte
Bourupt
Badménil
Forêt de Grammont
Roville-devant-Bayon
Froville
Clayeures
Remenoville
Euron
Seranville
Domptail
Virecourt
Magnières
Baccarat
Leménil-Mitry
Mangonville
Villacourt
Borville
Rozelieures
Giriviller
Mattexey
St-Pierremont
Forêt de Glonville
Deneuvre
Vennezey
Ménarmont
Forêt de Baccarat
Lebeuville
Bainville-aux-Miroirs
Loromontzey
St-Boingt
Côte d'Essey
Essey-la-Côte
Bazien
Lachapelle
Fagnoux
Bois de Villacourt
St-Germain
St-Rémy-aux-Bois
Deinvillers
Xaffévillers
Nossoncourt
Le Pt Paris
Gripport
Clézentaine
Villé
Ste-Barbe
La Haute Neuveville
Chamagne
Damas-aux-Bois
Belvitte
Ménil-sur-Belvitte
Haillainville
St-Maurice-sur-Mortagne
Doncières
Roville-aux-Chênes
Socourt
Forêt de Charmes
Fauconcourt
Hardancourt
Anglemont
Méthendal
St-Benoît-la-Chipotte
Col de la Chipotte
Charmes
Brit.
Ortoncourt
Rehaincourt
Romont
Brû
Essegney
Langley
St-Genest
Passoncourt
Moyemont
La Verrerie
Moriville
Rambervillers
Jeanménil
La Grande Rue
Launot
Hospice
Portieux
le Grand Bois
Forêt de Rambervillers
Fraispertuis
Col du Ht du Bois
Parc d'attractions
Colline des Eaux
Brantigny
Vincey
Hadigny-les-Verrières
St-Gorgon
Ubexy
Évaux-et-Ménil
Les Naufs
Housseras
Varmonzey
Châtel-s-Moselle
Zincourt
Vomécourt
Autrey
Les Hauts-Prés
Rapey
Le Ménil
Nomexy
Badménil-aux-Bois
Bult
Gugney-aux-Aulx
Pallegney
Bois St Pierre
Forêt de Padoux
Ste-Hélène
Villaume Fontaine
La Haute Ville
Bettegney-St-Brice
Madegney
Regney
Vaxoncourt
Domèvre-sur-Durbion
Padoux
Destord
Fremifontaine
Mortagne
Frizon
La Voivre
Igney
Bois de la Foresterie
Vaubexy
St-Vallier
Villoncourt
Nonzeville
Pierrepont-s-l'Arentèle
La Basse Ville
L'Orme
Derbamont
Thaon-les-Vosges
Capavenir-Vosges
Bayecourt
Dompierre
Bazegney
Bouxières-aux-Bois
Oncourt
Girmont
Sercœur
Gugnécourt
Domfaing
Circourt
Dignonville
Girecourt-s-Durbion
Grandvillers
Bruvelieures
Croix de Virine
Chavelot
Mazeley
Fort de Dogneville
Fort de Longchamp
Vaudéville
Méménil
Viménil
Vervezelle
Belmont-Buttant
Madonne-et-Lamerey
Perrey
Gigney
Fomerey
Bocquegney
Dogneville
Longchamp
Le Void de la Borde
Fontenay
Bruyères
Pointhaie
Biffontaine
Avison
Domèvre-sur-Avière
Fort de la Haie
MICHELIN
Golbey
Jeuxey
Deyvillers
Aydoilles
Laval-s-Vologne
Laveline-devant-Bruyères
Damas-et-Bettegney
Hennecourt
Darnieulles
Bois l'Abbé
Fort des Adelphes
Forêt du Ménil
Pont-Bresson
Faing-Vairel
Fays
Lépanges-sur-Vologne
Champ-le-Duc
Fiménil
Beaumont
La Chapelle-devant-Bruyères
Uxegney

96
0 2 4 6 8 10 km
67
95
120
A
B
C
D
1
2
3
4
5
Landange
St-Georges
Lorquin
Nitting
Troisfontaines
Harreberg
Walscheid
Voyer
Dabo
Rocher de Dabo
Avricourt
Igney
Amenoncourt
Foulcrey
Ibigny
Richeval
Fraquelfing
Hattigny
Niderhoff
Métairies-St-Quirin
Vasperviller
Abreschviller
Wangenbourg-Engenthal
Gondrexon
Autrepierre
Repaix
Gogney
Frémonville
Tanconville
Bertrambois
Lafrimbolle
St-Quirin
Cirey-s-Vezouze
Blâmont
Barbas
Verdenal
Chazelles-s-Albe
Harbouey
Val-et-Châtillon
Petitmont
Turquestein-Blancrupt
Domèvre-s-Vezouze
Halloville
Nonhigny
Parux
Herbéviller
Réclonville
Mignéville
Ancerviller
Montreux
Bréménil
St-Sauveur
Montigny
Vaxainville
Reherrey
St-Maurice-aux-Forges
Badonviller
Angomont
Raon-lès-Leau
Raon-sur-Plaine
Donon
Col du Donon
Mémorial d'Alsace Moselle
Brouville
Ste-Pôle
Fenneviller
Bionville
Vexaincourt
Luvigny
Grandfontaine
Schirmeck
Merviller
Vacqueville
Pexonne
Pierre-Percée
Allarmont
La Broque
Le Struthof
Rothau
Veney
Neufmaisons
Celles-s-Plaine
Natzwiller
Wildersbach
Neuviller-la-Roche
Solbach
Waldersbach
Deneuvre
Bertrichamps
Moussey
Le Saulcy
Belval
Plaine
Fouday
Belmont
Lachapelle
Thiaville-s-Meurthe
Raon-l'Étape
Senones
La Petite-Raon
Vieux-Moulin
Le Puid
Le Vermont
Saulxures
Blancherupt
St-Blaise-la-Roche
Bellefosse
Colroy-la-Roche
Ste-Barbe
St-Stail
Ranrupt
Moyenmoutier
Ménil-de-Senones
Grandrupt
Châtas
Saales
Bourg-Bruche
Steige
Maisonsgoutte
Étival-Clairefontaine
St-Benoît-la-Chipotte
Hurbache
La Grande-Fosse
Col de Saales
St-Rémy
La Voivre
Denipaire
St-Jean-d'Ormont
La Petite-Fosse
Lalaye
Urbeis
St-Michel-sur-Meurthe
La Salle
Provenchères-et-Colroy
Lubine
Housseras
Bourgonce
St-Dié-des-Vosges
Nayemont-les-Fosses
Frapelle
Le Beulay
Lusse
Rombach-le-Franc
Lièpvre
Neuvillers-s-Fave
Combrimont
Ste-Marguerite
Remomeix
Bertrimoutier
Ste-Marie-aux-Mines
Ste-Croix-aux-Mines
Mortagne
Les Rouges-Eaux
Taintrux
Saulcy-s-Meurthe
Raves
Wisembach
Gemaingoutte
Coinches
Ban-de-Laveline
Col de Ste-Marie
Domfaing
Entre-deux-Eaux
Mandray
La Croix-aux-Mines
Vervezelle
Belmont-s-Buttant
Biffontaine
St-Léonard
Aubure
Le Brézouard
Les Poulières
La Houssière
Anould
Fraize
Le Bonhomme
Fréland
Col du Bonhomme
Corcieux
Vienville
Plainfaing
Champ-le-Duc
Beauménil
La Chapelle-devant-Bruyères
Laveline-devant-Bruyères

68
E
F
G
H
1
2
3
4
5
STRASBOURG
Schiltigheim
Kehl
Lingolsheim
Illkirch-Graffenstaden
Molsheim
Mutzig
Rosheim
Obernai
Mt Ste-Odile
Le Hohwald
Barr
Andlau
Erstein
Benfeld
Sélestat
Ribeauvillé
Marckolsheim
Europa-Park
Rust
Ettenheim
Herbolzheim
Kenzingen
Endingen
Offenb
Schutterwald
Neuried
Schwanau
Willstätt
Marlen
Geispolsheim
Eschau
Plobsheim
Hindisheim
Krautergersheim
Dachstein
Wasselonne
Marlenheim
Ebersmunster
Sundhouse
Rhinau
Boofzheim
Gerstheim
Friesenheim
Kippenheim
Mahlberg
Lahr
STRASBOURG-ENTZHEIM-INTERNATIONAL
RHEIN
121

0 2 4 6 8 10 km
A
B
C
D
1
2
3
4
5
D'IROISE
Plage de
Cap de
Ar Men
PARC NATUREL RÉGIONAL D'ARMORIQUE
Chaussée de Sein
Île-de-Sein
Raz de Sein
Pont des Chats
Tévennec
Pointe du Van
Pointe du Raz
la Vieille
Sémaphore
Pointe de Brézellec
Pointe de Castelmeur
Pnte de Penharn
Réserve du Cap Sizun
Moulin de Kerharo
St-They
Baie des Trépassés
Kermeur
Mescran
Goulien
Lannourec
Cléden-Cap-Sizun
Quillivic
Lescoff
Lescleden
Plogoff
St-Tremeur
Trevenouen
Port de Bestrée
Pendreff
Landrer
Lézurec
Pointe de Feunteunod
Penneach
Primelin
Esquibien
St-Tugen
Custren
Ste-Evette
Anse du Loch
Pointe de Lervily
D 7
D 43
D 784
GR 34
BAI
D'AUD

99
75
100
E
F
G
H
BAIE DE DOUARNENEZ
Côte de Cornouaille
Anse de Bénodet
Douarnenez
Tréboul
Locronan
QUIMPER
Pont-l'Abbé
Bénodet
Fouesnant
Concarneau
Pont-Croix
Plogastel-St-Germain
Plonéour-Lanvern
Penmarch
Guilvinec
Lechiagat
Lesconil
Loctudy
Île-Tudy
Plozévet
Landudec
Pouldreuzic
Plomodiern
Plonévez-Porzay
Ploéven
Briec
Ergué-Gabéric
Pluguffan
Plomelin
Combrit
Clohars-Fouesnant
Gouesnach
Pleuven
La Forêt-Fouesnant
Beg-Meil
Cap-Coz
St-Évarzec
Plogonnec
Guengat
Le Juch
Quéménéven
Landrévarzec
Kerfeunteun
St-Guénolé
N.-D. de la Joie
Eckmühl
Kérity
Pointe de Penmarc'h
Rochers de Penmarc'h
N.-D. de Tronoën (Calvaire)
Pointe de la Torche
Plage de Pors-Carn
Pointe de Mousterlin
Pnte St-Gilles
Île aux Moutons
Îles de Glénan
St-Nicolas
Pointe du Millier
Pointe de Beuzec
Pointe de Leydé
Pointe de Talagrip
Pointe de Tréfeuntec
Ste-Anne-la-Palud
Beuzec-Cap-Sizun
Poullan-s-Mer
Confort-Meilars
Mahalon
Pouldergat
Plouhinec
Tréogat
Tréméoc
Tréguennec
Plomeur
Plobannalec-Lesconil
Treffiagat
Kérazan
Site du Stangala
Quilinen
Montagne de Locronan
Menez-Kerque
Roche du Feu
Gourlizon
Plonéis
Peumerit
Languidou
Étang de Kergalan
Étang de Trunvel
Étang de St-Vio
Pointe de St-Oual
Palue du Cosquer
Kergoat
Cast
Pointe de St-Hernot
Pointe du Bellec
St-Nic
Ste-Marie-du-Ménez-Hom
Dinéault
Pentrez-Plage
Lieue de Grève
Le Letty
Ste-Marine
Île Chevalier
Pnte de Combrit
Plage du Teven
Vire-Court
Cale de Rosulien
Baie de Kérogan
Port du Corniguel
Champ de Tir
Forêt de Nevet
Anse d'Ar-Vechen
Île Tristan
Les Sables Blancs

0 2 4 6 8 10 km
76
99
122
A
B
C
D
1
2
3
4
5
Châteauneuf-du-Faou
Spézet
N.-D. du Crann
Roc de Toullaëron
MONTAGNES NOIRES
Trévarez
Laz
St-Goazec
Gourin
Briec
Edern
Gouézec
Roche du Feu
St-Thois
Lennon
Lothey
Tréguron
Landrévarzec
Langolen
Landudal
Tregourez
Leuhan
Coray
Roudouallec
Kerdévot
Ergué-Gabéric
Elliant
St-Yvi
Rosporden
Tourch
Scaër
Guiscriff
Le Saint
Lanvénégen
Querrien
Bannalec
St-Thurien
Mellac
Tréméven
Quimperlé
Rocher Royal
Guidel
Guidel-Plages
Le Pouldu
Clohars-Carnoët
Moëlan-s-Mer
Doëlan
Riec-sur-Belon
Pont-Aven
Nizon
Melgven
Trégunc
Concarneau
Beg-Meil
Pte de Cabellou
Le Cabellou
La Forêt-Fouesnant
Fouesnant
Cap-Coz
Baie de la Forêt
Pointe de Beg Meil
Baie de Pouldohan
Pointe de la Jument
Névez
Kerfany-les-Pins
Port-Manech
Raguenès-Plage
Île Raguenès
Pointe de Trévignon
Trévignon
Île Verte
Îles de Glénan
Cornouaille
Port de Merrien
Anse du Pouldu
Forêt de Coat-Loc'h
Forêt de Carnoët
Bois d'Amour
Forêt de Laz
Roches du Diable
Cléden-Poher
Motreff
Tréogan
Bois de Conveau
Rer de la Madeleine
Pont-Triffen
Landeleau
N 164
N 165
E 60
D 15
D 1
D 765
D 783
D 769
D 782
D 24
D 36
D 41
D 72
D 51
D 50
D 6
D 4
D 22
D 70
D 44
D 117
D 3
D 27
D 108
D 790

101
77
123
102
E
F
G
H
Keranflec'h
La Croix-Madeleine
Croasty
St-Lubin
Ste-Tréphine
Plussulien
Kerpalmer
Berzoc'h
St-Igeaux
Paule
Trebel
Quenropers
Kerdelaïde
Quinquis-Fulen
Trozulon
Kerivalan
Kertangu
Sélédin
St-Mayeux
Gourveaux
Callac
Lemoire
St-Gilles-Vieux-Marché
N.-D. de Lorette
Kerhouarn
Kerloguennic
Rostrenen
Station climatologique
Plouguernével
Kervéant
Laniscat
St-Delon
Goasmario
Nessaden
Glomel
Kereven
Locmaria
Kéringamp
St-Erwan
Gouarec
Gorges du Daoulas
St-Gelven
Kergrenel
Bézénan
Bel-Air
Ste-Christine
Étang du Corong
Rosquelfen
Écluse
Bon-Repos
Abbe
Kermadec
Kergoff
Caurel
St-Guen
Gueurbou
Berlivet
Coatcouraval
Étg de Botcanou
Kergrist ar Lan
Plélauff
(Bon-Repos-s-Blavet)
Keriven
Beau-Rivage
(Guerlédan)
Guermeur
Botcanou
Bonen
Étg de Crazius
Kergousse
La Croix-Rouge
Anse de Sordan
Lac de Guerlédan
Guerphalès
St-Michel
La Pitié
Moustoir
Étg du Fourneau
Les Forges-des-Salles
Barrage de Guerlédan
Curlan
Le Merdy
Le Rest
Rosquerrec
Coëtudel
Malvran
Mûr-de-Bretagne
Trégornan
Trégarantec
Mellionnec
Lanrivault
Botquelvez
Caleshouarn
Resthouanet
Trougarécat
Étang des Salles
Lanmeur
Kériel
La Trinité-Langonnet
Magouar
Bourg-Kerrac'h
Perret
Gouvello
Bocol
Quénécan
St-Aignan
St-Jean
St-Connec
Kerybet
Lescouët-Gouarec
Le Corboulo
Plouray
Locuon
Kervèze
Ste-Brigitte
Forêt de Quénécan
Lande-du-Cerf
Le Guily
Beau-Séjour
Ninijou
Rosterch
Kerguzul
Launay
St-Efflam
Silfiac
Trebérien
Kergrist
Perchenic
Moustéro
Boduic
Kerdréan
Quelenesse
St-Mérec
Quelvé
Coscleunf
St-Maudé
Kerroch
Langoëlan
St-Laurent
Le Stumo
Linhouédec
Kergal
Parcpel
Pont Samouel
Magoërec
Kerannroué
Auquinian
Le Reste
Ker-Allain
Cleuziou
Abbe de Langonnet
Toubahado
Le Menzer
Cléguérec
Neulliac
Torlay
Le Moustoir
Kerminisy
Lanvresque
Trévannec
St-Drédeno
Kerpourhant
St-Tugdual
St-Houarno
Quénépeuvant
Séglien
Beauregard
Locqueltas
Carmes
Penhoët
Bel-Air
Restergant
Keryro
Poulrellec
Poulmarch
Tronscorff
Govran
Kerbédic
Silo
Kervréhen
Ploërdut
Lesturgan
St-Eloi
Kervégan
Coëtmilin
Quenven
Ménoray
St-Nizon
Porhors
Stival
Étg du Bel-Air
Lochrist
Botcoët
Crénenan
Malguénac
Priziac
Le Croisty
Limoustoir
Kerlividic
Coëtven
Keronnes
Moustoirlan
Pontivy
Cornhospital
Kerguinio
St-Hervezen
Guéméné-s-Scorff
Locmalo
Nizio
Stumultan
Kerficel
Talcoët-Noyal
Noyal-Pontivy
Kerguédalen
Kermaquer
Longueville
Lann-Sarre
St-Salomon
St-Tréphine
St Nicolas
Kervinigant
Péros
Gueltas
Le Bauzo
Linguenec
Le Clandy
Maison-Blanche
Lignol
Treuzarre
Kerbénévent
Le Sourn
La Houssaye
St-Caradec-Trégomel
Talhouët
St-Yves
Kerscoliard
Kerméríen
Le Coscro
Kerlenat
Locrio
Zinsec
Meslouan
Persquen
Talvern
Guern
St-Michel
Crx des Nations
Kerbourg
Quelven
Trehonin
Nogue
Quelfenec
St-Yves
Locolven
Poulprio
Boderel
St-Mathias
Kerchopine
Kernascléden
Penvern
Pradigo
Rest
Le Laennec
N.-D. de Joie
Étg de Pont-Calleck
Pénéty
Coscodo
St-Clément
Kercloirec
Guermeur
Le Resto
Meslan
Berné
Canquisquélen
Castelgal
St-Vincent
St-Fiacre
Kergost
Le Divit
St-Thuriau
Kerbillet
Toulhouat
Pont-Calleck
Keryaguff
Coëtmenan
Kercadoret-Pennault
Ste-Anne-des-Bois
Inguiniel
Manéandol
Talergankis
Caniac
Kerrivalain
Locmaria
Pradigo
Castennec
Bodion
St Albaud
Kerhouarné
Kerboharne
Perros
Talroch
Bieuzy
Moustoir-Remungol
Kerhoat
Kerihuel
Le Moustoir
Cunffio
St-Armel
Lochrist
Trévingard
Kervalan
La Paule
St-Nicodème
Talvern-Nenez
St Sébastien
Locmaria
Coët-Iquel
Ferme archéologique
Melrand
St Gildas
Site de Castennec
St-Nicolas-des-Eaux
Kermeaux
Les Trois-Alouettes
Ty-Meur
Moulin-de-Coët-Cren
Locolven
Roscouëdo
Mins de Brule
Nénec
La Ferrière
St-Eloi
Poulhibet
Kermouël
Locunel
Kerihuel
Bubry
Kerbrégent
Pluméliau
Kergouët
Guilligomarc'h
N.-D. des Fleurs
Lann-Vihan
St-Hilaire
St Vincent
Kersily
Kerguescanff
Poul-Er-Groëz
St-Rivalain
Kerscoulic
Le Lézot
Keraize
Villeneuve-Jacquelot
Kerlay
St-Thuriau
Kerlérien
Kérascoët
Nénez
La Madeleine
St-Nicodème
Kergroix
Kernonen
Malachappe
Kerledoz
Ménéhouarn
Plouay
Kerdréno
St-Maurice
Kernivinen
St-Yves
Keramour
St-Trugdual
St-Barthélemy
Kernestic
Le Bat
Ste Anne
Pont-Kerlo
Pont-Nivino
Vrai-Secours
Locmaria
St Corentin
St-Claude
Remungol
Kermignan
St Sauveur
St-Erven
Kermelin
Quistinic
St-Adrien
Kerchassic
N.-D. du Manéguen
Locmaria-Grâce
Lanvaudan
Coët-Organ
Kergroix
Kerhel
St-Michel
Kergroix
Cosquéric
Kerantourner
Locunolé
Kermorzen
Poul-Fetan
Kermovan
Guénin
St-Étienne
Kerchopine
Kérandiot
Nistoir
Ste Barbe
Bos de Trémorin
Botcol
Coët-
Kergilet
Meslien
Kerihuel
St Guénaël
Calan
Les Perenno
Sobrevet
Fetan Guine
La Forêt
Pont-Augan
Bourron Crann
Coët-Ligné
Kerdehel
Kerquiel
Tellené
Ste-Anne-du-Poteau
Pilornec
Fontaine-Maria
St-Symphorien
Penquesten
Kériel
Kerdoret
Lambezegan
Min du Bodery
Tenuel
Ty-Fauchan
Baud
Kergauthier
Tallan
Govezo
Cléguer
L'Enfer
Kerpunce
Le Rudet
Quellenec
Kerdanué
Kergonan
Le Dézinio
Lann-Menhir
La Chapelle-Neuve
Guénanec
Plumelin
Kerradenec
Bois de Trémelin
Pont-Neuf
Kernec
Lesbin
Senebret
Lamohic
Kerguer
Inzinzac-Lochrist
St-Nicolas
Vénus de Quinipily
Grd Resto
Forêt de Camors
Camors
Locmaria
St-Cado
Pont-Scorff
St Urchaud
Grd Moustoir
Le Temple
Trébihan
Le Nistoir
Lanveur
Coët-Colay
Kerantallec
Penhoët
Kervilhan
Penmé
St-Séverin
Trescouët
Le Poteau Rouge
Lochrist
Le Kerroux
Languidic
Kervéno
Kerrio
Le Nelhouet
Langroix
Talhouet
Kerpotence
St-Jean
Gonec
Lambel
Loge-Charlotte
Forêt de Floranges
Caudan
Musée
Bramboët
Pont er-Pach
Raquéro
Stang-er-Venat
Brangouserh
Bivière
Penprat
Kergoff
Bon Secours
Le Bot
St-Étienne
Coët Mégan
Moncello
Kerdosso
Locoal
Chanticoq
Les Trois Croix
Hennebont
St-Gilles
Miladec
Kervréhan
Bodave
Les Granges
Kervégant
St-Antoine
Haquela
Kerhern-Liven
Bod-Kesten
Scoulboh
N.-D. de Fatima
Ty-Planches
La Roze
Kerpont
Le Porzo
Malachappe
Trélecan
Le Vilair
Kergavat
Lanester
Lorient
Kerlivio
Kergollaire
Coët-Crec
Sélidienn
Kerauffret
Kercair
Les Vieilles Granges
Le Resto
Boul Sapin
Tréauray
Quéronic
Kerhouet
Résordoue
La Forêt
Étang de Coët Rivas
Kerveh
Lothuen
Le Moustoir
Coëtquenan
Bellanné
Kernours
Kérizan
Brandivy
Vialgoët
St-Symphorien
Pluvigner

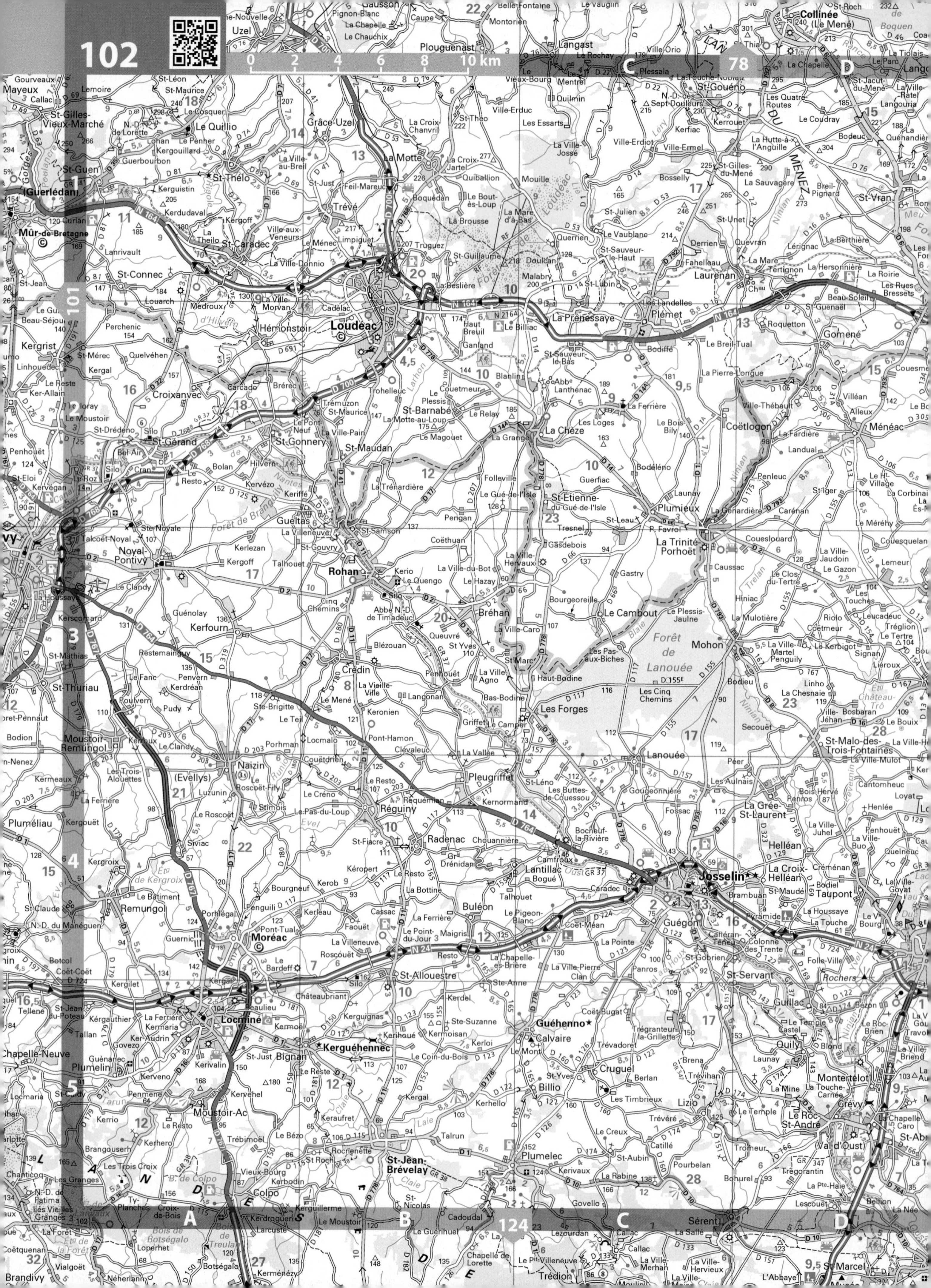
0 2 4 6 8 10 km
78
101
124
Uzel
Plouguenast
Langast
Collinée (Le Mené)
St-Gouéno
Plessala
Mûr-de-Bretagne
St-Guen
Le Quillio
St-Thélo
St-Caradec
Grâce-Uzel
La Motte
Trévé
Loudéac
La Prénessaye
Plémet
Laurenan
St-Vran
Gomené
Hémonstoir
St-Barnabé
St-Maudan
St-Gonnery
St-Gérand
La Chèze
Coëtlogon
Ménéac
Plumieux
La Trinité-Porhoët
Noyal-Pontivy
Kerfourn
Rohan
Bréhan
Crédin
Forêt de Lanouée
Les Forges
Lanouée
Mohon
St-Malo-des-Trois-Fontaines
Naizin
Réguiny
Radenac
Pleugriffet
Josselin
Guégon
Helléan
Moréac
Remungol
Locminé
Kerguéhennec
Bignan
Plumelin
Moustoir-Ac
Guéhenno
St-Jean-Brévelay
Plumelec
Lizio
St-Servant
Quily
Le Roc-St-André
Sérent
Colpo
Plumeliau
Kergrist
Croixanvec
Gueltas
St-Thuriau
Buléon
St-Allouestre
Billio
Cruguel
Brandivy
St-Marcel

E
F
G
H
79
104
125
126
Caulnes
Bécherel
Montmuran
Les Iffs
Médréac
Quédillac
La Chapelle-Blanche
St-Jouan-de-l'Isle
Plumaugat
Lanrelas
Éréac
Mérillac
Irodouër
Landujan
St-M'Hervon
La Chapelle-du-Lou-du-Lac
Romillé
Trémorel
St-Méen-le-Grand
Montauban-de-Bretagne
St-Onen-la-Chapelle
Loscouët-sur-Meu
Boisgervilly
St-Uniac
Bédée
Pleumeleuc
La Nouaye
Montfort-s-Meu
Breteil
Illifaut
Gaël
Muel
St-Maugan
Iffendic
Bléruais
St-Gonlay
Talensac
Mauron
St-Léry
St-Malon-sur-Mel
Concoret
Comper
Monterfil
Le Verger
Mordelles
St-Péran
Treffendel
Bréal-s/s-Montfort
Paimpont
Plélan-le-Grand
St-Thurial
Néant-sur-Yvel
Tréhorenteuc
Val sans Retour
Forêt de Paimpont
Les Forges-de-Paimpont
Beignon
Maxent
Baulon
Goven
Lassy
Trécesson
Campénéac
Coëtquidan-St Cyr
St-Malo-de-Beignon
Bovel
Augan
Loutehel
Campel
La Chapelle-Bouëxic
Guignen
Porcaro
Guer
Maure-de-Bretagne
Mernel
Les Brulais
Monteneuf
Les Menhirs de Monteneuf
Comblessac
Réminiac
Caro
Tréal
St-Séglin
Lieuron
Manoir de l'Automobile
Lohéac
Ruffiac
Carentoir
Quelneuc
Guipry-Messac
N 12
N 24
N 164
D 166
D 766
E 50

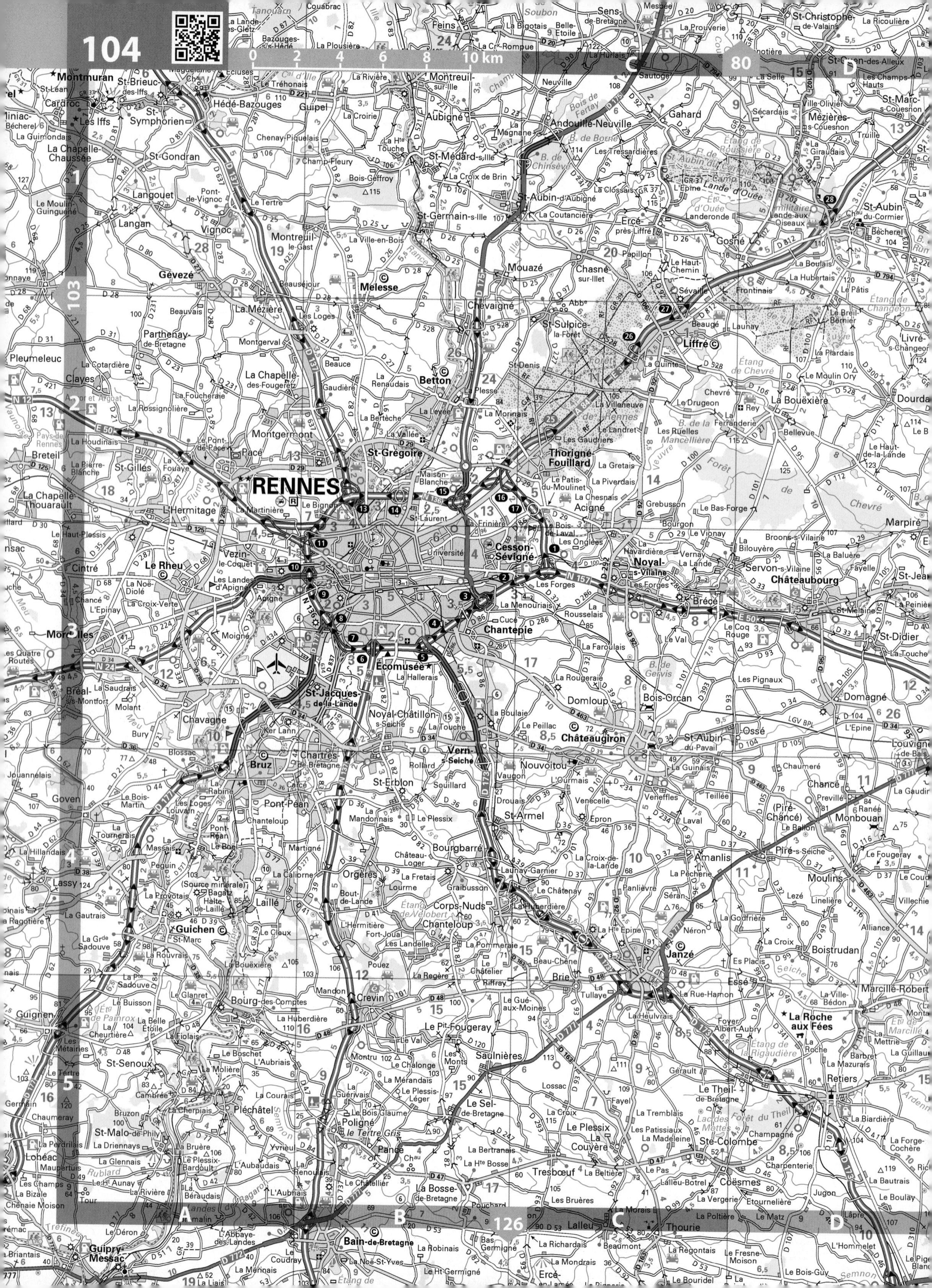
104
0 2 4 6 8 10 km
80
103
126
RENNES
Montmuran
St-Brieuc-des-Iffs
Hédé-Bazouges
Guipel
Montreuil-sur-Ille
Feins
Sens-de-Bretagne
St-Christophe-de-Valains
St-Ouen-des-Alleux
Les Iffs
Cardroc
St-Symphorien
Aubigné
Andouillé-Neuville
Gahard
Mézières-s-Couesnon
La Chapelle-Chaussée
St-Gondran
St-Médard-s-Ille
St-Aubin-d'Aubigné
St-Aubin-du-Cormier
Langouet
Langan
Vignoc
Montreuil-le-Gast
St-Germain-s-Ille
Ercé-près-Liffré
Gosné
Gévezé
Melesse
Mouazé
Chasné-sur-Illet
La Mézière
Chevaigné
St-Sulpice-la-Forêt
Liffré
Parthenay-de-Bretagne
Pleumeleuc
La Chapelle-des-Fougeretz
Betton
La Bouëxière
Montgermont
St-Grégoire
Thorigné-Fouillard
Breteil
Pacé
St-Gilles
La Chapelle-Thouarault
L'Hermitage
Acigné
Cesson-Sévigné
Le Rheu
Vezin-le-Coquet
Cintré
Noyal-s-Vilaine
Servon-s-Vilaine
Châteaubourg
Brécé
Marpiré
Mordelles
Chantepie
St-Didier
Bréal-s/s-Montfort
Chavagne
St-Jacques-de-la-Lande
Écomusée
Domloup
Bois-Orcan
Domagné
Noyal-Châtillon-s-Seiche
Vern-s-Seiche
Châteaugiron
St-Aubin-du-Pavail
Ossé
Louvigné-de-Bais
Bruz
Chartres-de-Bretagne
Nouvoitou
Goven
Pont-Péan
St-Erblon
St-Armel
Chancé
(Piré-Chancé)
Lassy
Laillé
Orgères
Bourgbarré
Amanlis
Piré-s-Seiche
Moulins
Guichen
Corps-Nuds
Chanteloup
Janzé
Boistrudan
Guignen
Bourg-des-Comptes
Crevin
Brie
Essé
Marcillé-Robert
La Roche aux Fées
St-Senoux
Saulnières
Retiers
Pléchâtel
Poligné
Le Sel-de-Bretagne
Le Theil-de-Bretagne
St-Malo-de-Phily
Lohéac
Pancé
Le Plessix
La Couyère
Ste-Colombe
Tresbœuf
Coësmes
La Bosse-de-Bretagne
Bain-de-Bretagne
Thourie
Guipry-Messac
Forêt de Rennes
Forêt de Chevré
Forêt du Theil
Étang de Marcillé
Étang de la Rigaudière
Étang de Chevré
Étang de Boulet
Étang de Pairrox
Étang de Vélobert
A
B
C
D
1
2
3
4
5

Romagné
La Chapelle-Janson
Beaucé
Fleurigné
La Pellerine
Ernée
Montenay
Vautorte
La Chapelle-St-Aubert
Javené
La Selle-en-Luitré
Vendel
Luitré
Billé
Combourtillé
Parcé
St-Georges-de-Chesné
Dompierre-du-Chemin
St-Pierre-des-Landes
Montreuil-des-Landes
Rochers du Saut Roland
Juvigné
St-Christophe-des-Bois
Châtillon-en-Vendelais
Princé
La Croixille
Montautour
St-Hilaire-du-Maine
Chailland
Alexain
Place
Val-d'Izé
Taillis
Balazé
St-M'Hervé
Bourgon
Le Bourgneuf-la-Forêt
La Baconnière
St-Germain-le-Guillaume
Andouillé
Champeaux
Montreuil-s/s-Pérouse
Vitré
La Chapelle-Erbrée
Launay-Villiers
St-Ouën-des-Toits
St-Germain-le-Fouilloux
Pocé-les-Bois
St-Pierre-la-Cour
Olivet
Port-Brillet
Le Genest-St-Isle
Changé
St-Aubin-des-Landes
Cornillé
Erbrée
Bréal-s/s-Vitré
Mondevert
La Brûlais
Torcé
Étrelles
Argentré-du-Plessis
La Gravelle
St-Berthevin
Loiron-Ruillé
Vergéal
Le Pertre
St-Cyr-le-Gravelais
Ahuillé
L'Huisserie
St-Germain-du-Pinel
Brielles
Beaulieu-sur-Oudon
Montjean
Montigné-le-Brillant
Domalain
Gennes-sur-Seiche
Courbeveille
Nuillé-sur-Vicoin
Moutiers
Availles-s-Seiche
Cuillé
St-Poix
Méral
Astillé
Visseiche
Gastines
Laubrières
Cossé-le-Vivien
La Guerche-de-Bretagne
La Selle-Guerchaise
Rannée
Musée Robert Tatin
Cosmes
Quelaines-St-Gault
Drouges
Fontaine-Couverte
Houssay
La Roë
Ballots
Brains-s-les-Marches
St-Michel-de-la-Roë
Livré-la-Touche
Athée
La Chapelle-Craonnaise
Denazé
Simplé
Peuton
Forges-la-Forêt
Chelun
Marigné-Peuton
Loigné-s-Mayenne
Craon
Forêt de la Guerche (Domaine privé)
Forêt de Mayenne (Domaine privé)
Forêt du Pertre
Forêt de Concise
Bois des Effretais
Bois de Misedon
E
F
G
H
81
127
106
1
2
3
4
5
N 12
N 157
E 50
A 81

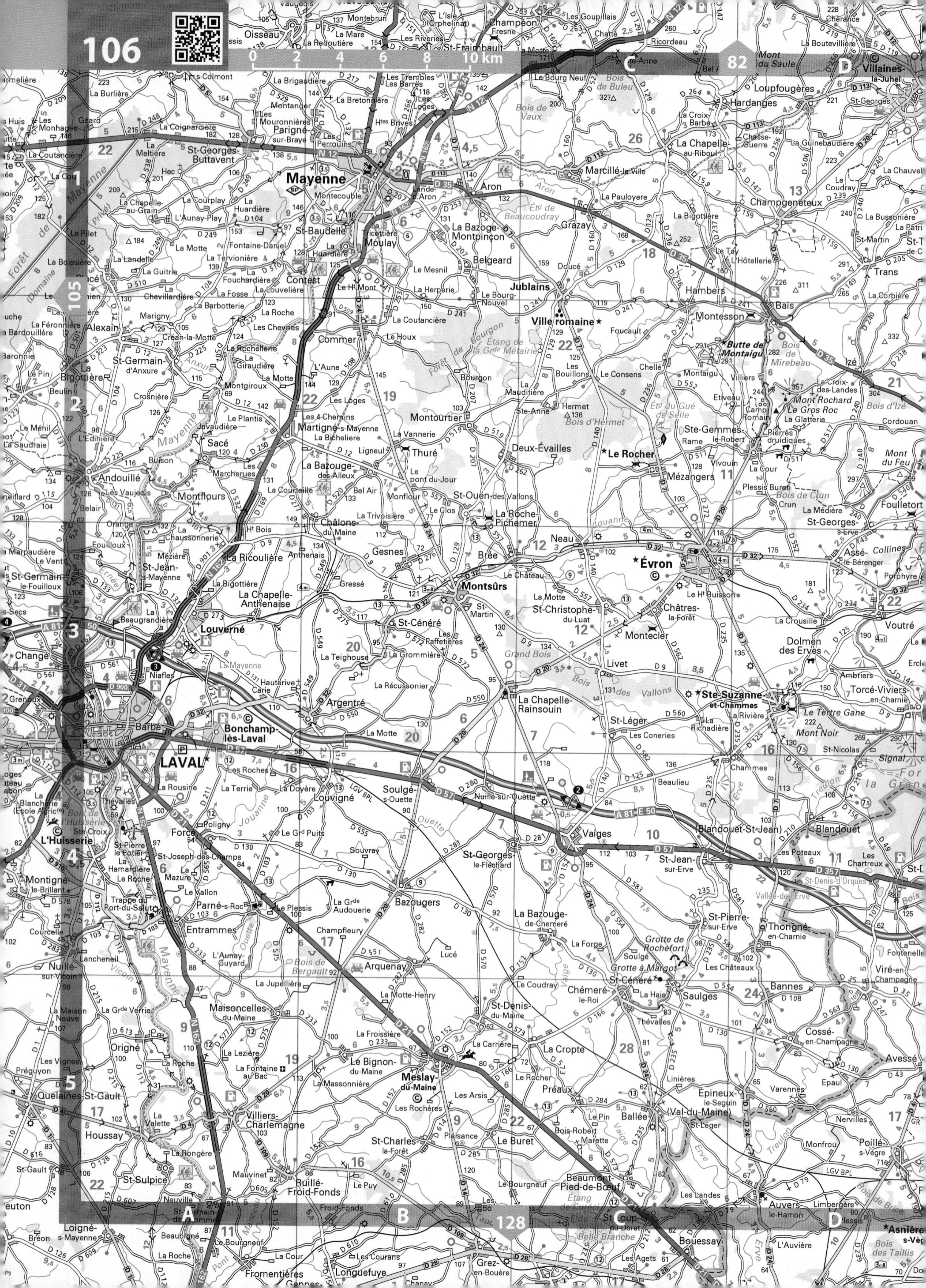
106
0 2 4 6 8 10 km
82
105
128
Mayenne
Laval
Évron
Montsûrs
Jublains
Ville romaine
Bais
Villaines-la-Juhel
Champgenéteux
Hambers
Montesson
Butte de Montaigu
Mont Rochard
Le Gros Roc
Ste-Gemmes-le-Robert
Mézangers
Le Rocher
Deux-Évailles
Montourtier
Martigné-s-Mayenne
Thuré
Commer
Alexain
St-Germain-d'Anxure
Andouillé
Montflours
St-Jean-s-Mayenne
Louverné
Changé
L'Huisserie
Bonchamp-lès-Laval
Argentré
Louvigné
Soulgé-s-Ouette
Vaiges
St-Georges-le-Fléchard
Bazougers
Entrammes
Parné-s-Roc
Nuillé-sur-Vicoin
Origné
Quelaines-St-Gault
Houssay
Villiers-Charlemagne
Le Bignon-du-Maine
Meslay-du-Maine
Arquenay
St-Denis-du-Maine
La Bazouge-de-Chemeré
Chémeré-le-Roi
St-Céneré
Saulges
Grotte à Margot
Grotte de Rochefort
Ballée
Préaux
Le Buret
St-Charles-la-Forêt
Ruillé-Froid-Fonds
St-Sulpice
Beaumont-Pied-de-Bœuf
Épineux-le-Seguin
Auvers-le-Hamon
Bannes
Cossé-en-Champagne
Thorigné-en-Charnie
St-Pierre-sur-Erve
St-Jean-sur-Erve
Blandouet
Ste-Suzanne-et-Chammes
Le Tertre Gane
Mont Noir
Torcé-Viviers-en-Charnie
Voutré
Dolmen des Erves
Assé-le-Bérenger
St-Georges-s-Erve
Neau
Châtres-la-Forêt
Montecler
Livet
La Chapelle-Rainsouin
St-Christophe-du-Luat
St-Céneré
Gesnes
Châlons-du-Maine
La Chapelle-Anthenaise
Aron
Moulay
St-Baudelle
Contest
Belgeard
Grazay
Marcillé-la-Ville
La Chapelle-au-Riboul
Hardanges
Loupfougères
St-Georges-Buttavent
Forêt de Mayenne
Bois de Vaux
Bois de Buleu
Bois d'Hermet
Bois des Vallons
Grand Bois
Forêt de Bourgon
Bois de Mirebeau
Bois de Bergault
Bois de l'Huisserie
Mont du Feu
Bois de Clun
Foulletorte
Izé
Trans
Signal
Poillé-s-Vègre
Viré-en-Champagne
Avessé
Asnières-s-Vègre
Grez-en-Bouère
Bouessay
St-Loup-du-Dorat
A 81 - E 50
LGV BPL
N 162
N 12
D 35
D 32
D 57
D 21
D 20
D 24
D 7
A
B
C
D
1
2
3
4
5

LE MANS
Fresnay-s-Sarthe
Beaumont-s-Sarthe
Sillé-le-Guillaume
Conlie
Loué
La Suze-
Noyen-s-Sarthe
Arnage
Allonnes
Coulaines
Savigné-l'Évêque
Changé
Musée Automobile
Abbe de l'Épau
Ballon-St Mars
Montbizot
Ste-Jamme-sur-Sarthe
Neuville-sur-Sarthe
La Milesse
St-Saturnin
Aigné
Trangé
Chaufour-N.-D.
Coulans-s-Gée
Brains-sur-Gée
Chassillé
Tennie
Domfront-en-Champagne
Neuvy-en-Champagne
Bernay-en-Champagne
Ruillé-en-Champagne
St-Symphorien
Sourches
Cures
La Quinte
Degré
Lavardin
La Bazoge
La Chapelle-St-Fray
La Guierche
Joué-l'Abbé
Souillé
Souligné-s/s-Ballon
Courcebœufs
Teillé
St-Marceau
Ste-Sabine-sur-Longève
St-Jean-d'Assé
Mézières-sous-Lavardin
Neuvillalais
Crissé
Vernie
Ségrie
Pezé-le-Robert
St-Rémy-de-Sillé
Le Grez
Vimarcé
St-Pierre-sur-Orthe
Parennes
Rouez
Mont-St-Jean
Montreuil-le-Chétif
Moitron-s-Sarthe
St-Christophe-du-Jambet
Juillé
Vivoin
Piacé
Doucelles
Nouans
Meurcé
Lucé-s/s-Ballon
Dangeul
Chérancé
Coulombiers
St-Germain-sur-Sarthe
St-Aubin-de-Locquenay
Douillet
St-Georges-le-Gaultier
St-Paul-le-Gaultier
Sougé-le-Ganelon
Assé-le-Boisne
St-Victeur
Fyé
Rouessé-Fontaine
Thoiré-s/s-Contensor
Bourg-le-Roi
Béthon
Oisseau-le-Petit
Moulins-le-Carbonnel
St-Léonard-des-Bois
St-Céneri-le-Gérei
Gesvres
Averton
St-Aubin-du-Désert
St-Mars-du-Désert
St-Germain-de-Coulamer
PARC NATUREL REGIONAL NORMANDIE-MAINE
Alpes Mancelles
Louvigny
Saosnes
Les Mées
St-Rémy-du-Val
Mézières-sur-Ponthouin
Congé-sur-Orne
Yvré-l'Évêque
Ruaudin
Mulsanne
Spay
Étival-lès-le-M.
Louplande
Voivres-lès-le-M.
Chemiré-le-Gaudin
Souligné-Flacé
Pruillé-le-Chétif
St-Georges-du-Bois
Rouillon
Fay
Auvers-s/s-Montfaucon
Tassillé
Mareil-en-Champagne
St-Christophe-en-Champagne
Crannes-en-Champagne
Vallon-sur-Gée
Maigné
St-Ouen-en-Champagne
St-Pierre-des-Bois
Chantenay-Villedieu
Pirmil
Fercé-s-Sarthe
Fillé
Roëze-sur-Sarthe
Moncé-en-Belin
St-Gervais-en-Belin
Teloché
Brûlon
Joué-en-Charnie
Épineu-le-Chevreuil
Amné
Longnes
Chemiré-en-Charnie
Neuvillette-en-Charnie
Tassé
108
129
83

108
0 2 4 6 8 10 km
107
84
130
A
B
C
D
1
2
3
4
5
Bellême
St-Martin-du-Vieux-Bellême
Courboyer
Verrières
Mamers
Sérigny
Dame-Marie
St-Longis
Vaunoise
St-Rémy-du-Val
Vezot
Panon
Saosnes
Origny-le-Roux
Appenai-sous-Bellême
Igé
St-Fulgent-des-Ormes
Commerveil
Pizieux
St-Calez-en-Saosnois
Les Mées
La Chapelle-Souëf
St-Cyr-la-Rosière
Ste-Gauburge
Berd'huis
Préaux-du-Perche
St-Hilaire-sur-Erre
St-Aubin-des-Grois
St-Pierre-des-Ormes
Courgains
Monhoudou
St-Vincent-des-Prés
Moncé-en-Saosnois
Contres-en-Vairais
Pouvrai
Marcilly
Gémages
St-Germain-de-la-Coudre
Le Theil
(Val-au-Perche)
St-Cosme-en-Vairais
Bellou-le-Trichard
Marolles-les-Braults
Avesnes-en-Saosnois
Nauvay
Peray
Dissé-s/s-Ballon
St-Aignan
Courcival
Jauzé
Terrehault
Rouperroux-le-Coquet
Nogent-le-Bernard
La Chapelle-du-Bois
Préval
Souvigné-s-Même
Avezé
Ceton
Mézières-sur-Ponthouin
Congé-sur-Orne
St-Georges-du-Rosay
Dehault
Ballon-St Mars
Briosne-lès-Sables
Courcemont
Bonnétable
Prévelles
La Bosse
St-Denis-des-Coudrais
St-Aubin-des-Coudrais
La Ferté-Bernard
Cherré
Cormes
Beaufay
St-Martin-des-Monts
Villaines-la-Gonais
Courgenard
Courtangis
St-Jean-des-Échelles
Courceboeufs
Torcé-en-Vallée
St-Célerin
Boëssé-le-Sec
Sillé-le-Philippe
La Chapelle-St-Rémy
Tuffé Val de la Chéronne
St-Hilaire-le-Lierru
Lamnay
Montmi
Sceaux-sur-Huisne
Savigné-l'Évêque
Lombron
Beillé
Vouvray-s-Huisne
St-Maixent
Bouër
St-Corneille
Montfort-le-Gesnois
Connerré
Duneau
Le Luart
Champrond
Lavaré
Dollon
Vibraye
Fatines
Champagné
Yvré-l'Évêque
St-Mars-la-Brière
Thorigné-sur-Dué
Nuillé-le-Jalais
St-Michel-de-Chavaignes
Semur-en-Vallon
Soulitré
Le Breil-s-Mérize
Changé
Ardenay-sur-Mérize
Coudrecieux
Berfay
Valennes
Surfonds
Bouloire
Ste-Marie-des-Bois
Ruaudin
Parigné-l'Évêque
Challes
Volnay
St-Mars-de-Locquenay
Maisoncelles
Écorpain
Conflans-sur-Anille
St-Calais
Marolles-lès-St-Calais
Brette-les-Pins
Tresson
Évaillé
Ste-Cérotte
Teloché
Ste-Osmane
St-Gervais-de-Vic
Forêt de Bonnétable
Forêt de Vibraye
Camp militaire d'Auvours
Bois des Loges
Huisne
Dué
Même
Braye

85

E F G H

(Sablons-s-Huisne) Montlandon St-Denis-des-Puits Villebon Cernay Bétigny Vilnet et la Mayangne Marchéville Pouancé Bailleau-le-Pin Marolles-les-Buis (Saintigny) Les Corvées-les-Yys Coudreceau St-Denis-d'Authou Sandarville Nogent-le-Rotrou Brunelles Combres Nonvilliers-Grandhoux Les Châtelliers-N.-D. Magny Ermenonville-la-Grande Champrond-en-Perchet Thiron-Gardais Happonvilliers St-Éman Blandainville Épeautrolles La Gaudaine Trizay-Coutretot-St-Serge Chassant Montigny-le-Chartif Méréglise Illiers-Combray Ermenonville-la-Petite Vichères Argenvilliers La Croix-du-Perche Frazé St-Avit-les-Guespières Charonville Beaumont-les-Autels Miermaigne Luigny Mottereau Vieuvicq Saumeray Bouville Perche Béthonvilliers Dampierre-sous-Brou Bullou Mézières-au-Perche Alluyes Authon-du-Perche Moulhard Unverre Brou Yèvres Dangeau Trizay-lès-B. Charbonnières Les Autels-Villevillon Gohory Montharville Soizé Chapelle-Royale Logron Flacey La Bazoche-Gouet Châtillon-en-Dunois St-Christophe Chapelle-Guillaume Moléans Le Gault-du-Perche Arrou Marboué Donnemain-St-Mamès St-Avit Courtalain (Commune-Nouvelle-d'Arrou) Lanneray Le Plessis-Dorin Oigny Arville La Fontenelle Le Poislay St-Pellerin St-Denis-les-Ponts Châteaudun (Couëtron-au-Perche) Boisgasson Souday St-Agil Droué Langey La Chapelle-du-Noyer Boursay Ruan-sur-Egvonne St-Hilaire-sur-Yerre Montigny-le-Gannelon Choue Bouffry Cloyes-s-le-Loir Autheuil (Cloyes-les-Trois-Rivières) Mondoubleau La Chapelle-Vicomtesse Fontaine-Raoul Villebout Romilly-sur-Aigre Cormenon St-Marc-du-Cor La Ferté-Villeneuil Baillou Romilly Chauvigny-du-Perche Forêt de Fréteval St-Jean-Froidmentel Charray Brévainville Beauchêne Le Temple La Ville-aux-Clercs St-Hilaire-la-Gravelle Ouzouer-le-Doyen Moisy Épuisay Danzé Morée

E F 131 G H

110

0 2 4 6 8 10 km
86
132
109
A
B
C
D
1
2
3
4
5
Morancez
Gellainville
Senneville
Francourville
Voise
Adonville
La Varenne
Ver-lès-Chartres
Encherville
Moinville-la-Jeulin
Monvilliers
Denonville
Boinville-au-Chemin
Santeuil
Morainville
Noir-Epinay
Hauville
Meslay-le-Grenet
Corancez
Chamblay
Les Vaux
Crossay
Prunay-le-Gillon
Ossonville
Léthuin
Bailleau-le-Pin
Mignières
Bois-de-Mivoye
Concrez
Bussay
Leddeville
Frainville
Augerville-les-Malades
L'Orme
Ensonville
Edeville
Mondonville-St-Jean
Sandarville
Luçon
Villemain
Dammarie
Vovette
Rosay-au-Val
Géraincourt
Houssay
Baigneaux
Ymorville
Honville
Moinville-la-Bourreau
Ouarville
Auvilliers
Ermenonville-la-Grande
Chenonville
Vovelles
Theuville
Boisville-la-St-Père
Réclainville
Gouillons
Le Temple
Ormoy
Allonnes
Villeneuve-Languedoc
Chevannes
Louville-la-Chenard
Bennechèvre
Le Fresne
Mizeray
Les Bordes
Pézy
Mauloup
Vieil-Allonnes
L'Elourville
Herville
Epeautrolles
La Bourdinière-St-Loup
Bonçé
Bois-St-Martin
Nicorbin
Hombières
Guillonville
Levesville-la-Chenard
Abonville
Arganoon
Aufferville
Boisvilette
Fresnay-le-Comte
Villequoy
Villereau
Epincy
Luplanté
Le Grand-Chavernay
Villarceaux
Beauvilliers
Mondonville-Ste-Barbe
Moutiers
Ermenonville-la-Petite
Vitray-en-Beauce
Beauvoir
Andeville
Villeneuve-St-Nicolas
Villeneuve-la-Vierge
Prasville
Ensonville-les-Noyers
Bonvillettes
Meulières
Le Petit-Chavernay
Meslay-le-Vidame
Varennes
Meigneville
(Les Villages-Vovéens)
Montainville
Lhopiteau
Foinville
Voves
Soignolles
Chesnay
Plaines-de-Beauce
Genarville
Bois-de-Feugères
Bronville
Auvilliers
Rouvray-St-Florentin
Reverseau
Sazeray
Silo
Ymonville
Fresnay-l'Évêque
Val-Neuvy
Saumeray
Launay
Bouville
Dampierre
Genonville
Pitheaux
Villiers
Cerceau
Mérasville
Yerville
Bisseau
Marolles
Villeau
La Ronce
Coulommiers
Le Gault-St-Denis
Tilleau
Rosay
St-Germain
Trancrair
Montemain
Alluyes
Migaudy
Augonville
Plancheville
Bessay
Teillay
Espier
Boissay
Chambonneau
Menonville
Fains-la-Folie
Tortois
Lutz
Mérouvilliers
Villars
Morsans
Amoinville
Eranville
L'Herbechère
Guilleville
Moriers
Aigneville
Montboissier
La Vieuville
Perruchet
Pré-St-Martin
Jonville
Neuvy-en-Dunois
La Folie-Herbault
Brainville
Mellay
Viabon
Planchevilliers
Canonvilliers
Marray
Boinville
Le Puiset
Trizay-lès-B.
Villebon
Villancien
Vilsix
Moulin
Melleville
Villeron
Morais
(Éole-en-Beauce)
Villermon
Janville-en-Beauce
Allaines-Mervilliers
Le Boulay
Montfaucon
Pulois
Mézières
Touraille
Ligaudry
Sancheville
Auffains
Ohé
Germignonville
Montharville
Bonneval
Méroger
Grandvilliers
Sevestreville
Mihardouin
Outrouville
La Jouannière
Abb.
Géraincourt
Pré-St-Evroult
Allonville
Baigneaux
Les Pites Bordes
St-Léonard
Vrainville
St-Martin-du-Péan
Dommarville
Bercis
Fontenay-sur-Conie
Gauvilliers
Toulifault
Mervilliers
Boissière
Semonv
Moresville
Guibert
Massuères
Lolon
Bullainville
Boissay
Baignolet
Guesnier
Cambray
Soignolles
Le Mesnil
Vouvray
Acclainville
Ménainville
Courbehaye
Ménainville
Brandelon
Edeville
Jumainville
Orgères-en-Beauce
Villecotin
Tanon
Tilly-le-Péneux
La Fauconnière
St-Maur-s-le-Loir
Dancy
Rognon
Moronville
Ormoy
Villeprévost
Bazoches-les-Hautes
Pannes
Santil
Flacey
Le Rouvre
Mémillon
Aulnaie
La Touche
Godonville
Lierville
La Maladrerie
Beauvilliers
Champdoux
Eards
Les Pites Maisons
St-Christophe
Givais
Silos
Réclainville
Cormainville
Monge
La Frileuse
Villerand
Le Mesnil
La Brosse
Villiers-St-Orien
Villepéreux
Loigny-la-Bataille
Goury
Baigneaux
Les Coudreaux
Bois de Moléans
Pontault
Malmusse
Cornières
Villevé
Fougeu
Moléans
Le Bois
Loubinière
Conie
Vucennes
Nottonville
Secouray
Villours
Ecuillon
Lumeau
Dambron
Dheury
Donnemain-St-Mamès
Vallière
Conie-Molitard
La Brulerie
Nonneville
Neuvilliers
La Chenardière
Gaubert
Villepion
Terre-Noire
Auneux
Milhouard
Valainville
Chavenay
Domainville
Orsonville
Varize
Bazoches-en-Dunois
Bourneville
Guillonville
Faverolles
Poupry
La Brouaze
Jumeaux
Elumignon
Contermont
Gommiers
Silos
Egron
Mamerault
Jallans
Harville
Civry
Pommay
Pertuiset
Terminiers
Boissay
Eteauville
Boissay
La Vignette
Pruneville
Guillard
Echelles
Autroche
Nobleville
Mosny
Thironneau
Marville
Lutz-en-Dunois
Le Moirville
Villentière
Lindron
Muzelles
Frécul
Topineux
L'Isle
Auvilliers
Châteaudun
Centre de détention
Chattonville
Pressainville
Péronville
Rouvray-Ste-Croix
Ville-Sevreux
Creuzy
Nivouville
Menainville
La Bourdinière
Puerthe
Villeneuve-sur-Conie
Moret
Beaugency-le-Cuit
Boirville
(Villemaury)
Pareau
Lislebout
Loupille
Roncevaux
Patay
Sougy
Chevaux
Morenneville
Dessainville
Machelainville
Lencorme
Les Grdes Bordes
Baigneaux
Villouzier
St-Cloud-en-Dunois
La Folie
La Mouise
Chameul
Domecy
Chapelle-Noyer
Trogny
Villeloup
Villampuy
Liconcy
La Chapelle-Onzerain
Lignerolles
Les Francs
Morgues
Ozoir-le-Breuil
Villévêque
La Pierre Percée
Allonnes
Villardu
Brilly
La Provenchère
Thiville
Villengeard
Corfeu
La Borde
Nosay
Chublainville
Juvrainville
Sorency
Roumilly
Coinces
Huêtre
Huneau
Villebeton
Niverville
Auvilliers
Villamblain
Tournoisis
Renneville
Champ Romain
Lézanville
L'Orme Sec
Harbouville
St-Péravy-la-Colombe
Bapaume
Trois-Rivières
Richeville
Coulemelle
Chesne
Bricy
Beaurepaire
Chardonnelle
Membrolles
Porcheronville
Porcheresse
Frécul
Base Aérienne
Le Mée
Villiers-le-Hard
Poiseaux
Nids
Saumery
Janvry
Gidy
La Ferté-Villeneuil
La Motteraye
Hautes-Huignes
Boisville
Villemars
Villarson
Cas Rouge
Orléans-Saran
Pressailles
Boulay-les-Barres
Villeslin
Prénouvellon
St-Sigismond
Clos-Aubry
Heurdy
Pommiers
Le Mesnil
Charray
Basses-Huignes
L'Ormeteau
Favelles
Champs
Gémigny
Les Barres
Montaigu
Centre pénitentiaire
Aigre
Verdes
Villiers-le-Gast
Cerqueux
Cheminiers
La Bruyère
Mézières
Manthierville
Malmusse
La Riffaudière
Héauville
Villiers-le-Temple
Les Laps
La Borde
Saran
Tripleville
Séronville
Épieds-en-Beauce
Rozières-en-Beauce
Lierville
Prunay
Villemain
Perreuse
Bucy-St-Liphard
Ouzouer-le-Doyen
Saintry
Bois de Bucy
Ormes
Ourcis
Charsonville
Bonneville
Semerville
La Folletière
(Beauce la Romaine)
Chevenelle
Coulmiers
Bagatelle
Villeneuve
Les Ternes
Menainville
Montreveau
Moisy
Ablainville
Villorceau
L'Ermitage
Coutes
Ingré
Le Gd Orme
Villecellier
Vilaine
Orme-Guignard
Boussy
Villeray
Bois de Montpipeau
Binas
Mauvelles
Montapeine
Le Creux
Selliers
Champoigny
Montpatour
Vignes
Cornillon
Ouzouer-le-Marché
La Renardière
La Gahandière
Anchat
Chandry
Huisseau-sur-Mauves
Longuevault
St-Jean-de-la-Ruelle
N 154
N 10
N 254
D 955
D 927
D 935
D 2157
D 357
D 17
A 10
A 11 E 50
L'AQUITAINE

111
87
112
133
E
F
G
H
GÂTINAIS
Angerville
Malesherbes
Pithiviers
Orléans
Saint-Jean-de-Braye
Bellegarde
Chamerolles
Beaune-la-Rolande
Toury
Outarville
Méréville
Saclas
Milly-la-Forêt
Neuville-aux-Bois
Sermaises
Audeville
Intville-la-Guétard
Engenville
Marsainvilliers
Bondaroy
Dadonville
Yèvre-la-Ville
Boynes
Ascoux
Escrennes
Chilleurs-aux-Bois
Loury
Traînou
Vennecy
Marigny-les-Usages
Boigny-sur-Bionne
Semoy
Fay-aux-Loges
Donnery
Vitry-aux-Loges
Combreux
Seichebrières
Sully-la-Chapelle
Ingrannes
Nesploy
Nibelle
Boiscommun
Montbarrois
Barville-en-Gâtinais
Aulnay-la-Rivière
Ondreville-sur-Essonne
Puiseaux
Dimancheville
Augerville-la-Rivière
Boulancourt
Buthiers
Bois de la Madeleine
Bois de Bellebat
Courcy-aux-Loges
Chambon-la-Forêt
Bazoches-les-Gallerandes
Aschères-le-Marché
Greneville-en-Beauce
Guigneville
Jouy-en-Pithiverais
Crottes-en-Pithiverais
Attray
Montigny
Laas
Mareau-aux-Bois
Bouzonville-aux-Bois
Vrigny
Santeau
Chanteau
Rebréchien
A 19 E 60

0 2 4 6 8 10 km
A
B
C
D
1
2
3
4
5
88
111
134
Gorges de Franchard
Montereau-Fault-Yonne
Champagne-s-Seine
Moret-s-Loing
(Moret-Loing-et-Orvanne)
Veneux-les-Sablons
Avon
Buno-Bonnevaux
Noisy-s-École
Achères-la-Forêt
Le Vaudoué
Tousson
Recloses
Bourron-Marlotte
Ury
Montigny-s-Loing
Grez-s-Loing
La Genevraye
Villecerf
Ville-St-Jacques
Noisy-Rudignon
Dormelles
Flagy
Nanteau-s-Essonne
Boissy-aux-Cailles
La Chapelle-la-Reine
Villiers-s-s-Grez
Massif de la Dame Jouanne
Larchant
Montcourt-Fromonville
Villemer
Thoury-Férottes
Amponville
Rumont
Fromont
Guercheville
St-Pierre-lès-N.
Nemours
Darvault
Nonville
Treuzy-Levelay
Nanteau-s-Lunain
Villemaréchal
Boulancourt
Augerville-la-Rivière
Dimancheville
Chevrainvilliers
Ormesson
Rochers de Nemours
Rochers Gréau
Lorrez-le-Bocage-Préaux
Paley
Préaux
Briarres-sur-Essonne
Desmonts
Obsonville
Garentreville
Châtenoy
Aufferville
Bagneaux-s-Loing
Poligny
Remauville
Chaintreaux
Puiseaux
Ichy
Bougligny
La Madeleine-sur-Loing
Gironville
Bromeilles
Arville
Maisoncelles-en-Gâtinais
Souppes-s-Loing
Égreville
Grangermont
Échilleuses
Chenou
Château-Landon
Mez-le-Maréchal
Bransles
Le Bignon-Mirabeau
Boësses
Mondreville
Dordives
Chevannes
Chevry-sous-le-Bignon
Beaumont-du-Gâtinais
Nargis
Pers-en-Gâtinais
Rozoy-le-Vieil
Auxy
Bordeaux-en-Gâtinais
Sceaux-du-Gâtinais
Courtempierre
Préfontaines
Fontenay-sur-Loing
Ferrières-en-Gâtinais
Égry
Corbeilles
Treilles-en-Gâtinais
Griselles
Beaune-la-Rolande
Juranville
Mignerette
Mignères
Gondreville
Girolles
La Selle-sur-le-Bied
Courtemaux
Lorcy
Chapelon
Corquilleroy
Cepoy
Paucourt
Louzouer
St-Loup-des-Vignes
Villevoques
Châlette-sur-Loing
La Chapelle-St-Sépulcre
Thorailles
Montliard
Ladon
Pannes
Montargis
La Selle-en-Hermoy
Bellegarde
Ouzouer-sous-Bellegarde
Villemoutiers
St-Maurice-sur-Fessard
Villemandeur
Amilly
Auvilliers-en-Gâtinais
Presnoy
Chevillon-sur-Huillard
Chailly-en-Gâtinais
Lombreuil
Vimory
Mormant-sur-Vernisson
Conflans-sur-Loing
St-Germain-des-Prés
St-Firmin-des-Bois
Beauchamps-sur-Huillard
Jardin du Gros Courtois
Château-Renard
Thimory
Oussoy-en-Gâtinais
Montcresson
Solterre
Coudroy

113
89
135
114
E
F
G
H
Trèchy
Gravon
Balloy
Avigny
Bazoches-lès-Bray
Villeceaux
Montigny-le-Guesdier
Briotte
Villiers-s-Terre
Baby
Fourches
La-Louptière-Thénard
La Tombe
Marolles-sur-Seine
Barbey
Misy-s-Yonne
N.D. de Champrond
Compigny
Plessis-St-Jean
Plessis-du-Mée
Vertilly
Villiers-Bonneux
Sognes
St-Maurice-aux-Riches-Hommes
Bourde
La Villeneuve-aux-Riches-Hommes
Vinneuf
Villeneuve-la-Guyard
Port-Renard
Courlon-s-Yonne
Sergines
Pailly
(Perceneige)
Les Nozées
Grange-le-Bocage
Mauny
Lussin
Serbonnes
La Garenne
Servins
Vallières
Chevinois
Villeblevin
Chaumont
Champigny
La Chapelle
Bordeau
Michery
Chapolin
Barrault
Hollard
La Borde
Fleurigny
Thorigny-s-Oreuse
Courroy
La Chaume
Pierre-Couverte
Picardie
Forêt de Lancy
Villemanoche
St-Agnan
La Haie-au-Roi
La Loge
Pont-s-Yonne
Cour Notre-Dame
La Chapelle-s-Oreuse
St-Martin-s-Oreuse
La Postolle
Courgenay
Chaumasson
Le Chapitre
Bois de Champigny
Bois de Chatillon
Diant
Cornoy
Bonval
Les Chapelles
Blennes
Villethierry
La Bonneau
Fossoy
Les Gouts
Miremy
Villeperrot
Gisy-les-Nobles
Evry
La Pommeraie
Forêt de Soucy
Forêt de Vosines
Voisines
Galbaux
Les Hautes Bergeries
Les Basses Bergeries
Montdogat
La Charmée
La Singerie
Ferme de Vauluisant
La Pellerie
Fontenelle
Les Buissons
La Cave
St-Sérotin
Vaugouret
Le Fay
Cuy
Soucy
Le Hay
Le Ruy
La Tournerie
La Goujauderie
Bel-Air
Lailly
Molinons
Vallery
Lixy
Villenavotte
Le Vau
Courtois-s-Yonne
Nosion
Jouancy
St-Denis-lès-Sens
Heuré
Les Clérimois
Foissy-s-Vanne
Villeneuve-les-Ormes
Maurepas
Brannay
Bapaume
Plénoches
Puits de Gy
Nailly
Paroy
Bois-le-Roi
St-Martin-du-Tertre
St-Clément
Fontaine-la-Gaillarde
Les Caves
Milly
Le Liard
Dollot
St-Georges
Les Chollets
Saligny
Le Ht-de-Villiers
La Grenouillère
Chigy
Le Genetroy
Chéroy
La Chabouillerie
La Mardelle-aux-Loups
Villebougis
Les Caves
Bois de Bruneau
SENS
Le Bosquet-du-Lys
Villiers-Louis
Fontaines
Les Joigneaux
Paron
Mont-Renault
Les Martinières
Source
St-Valérien
Les Masures
Malay-le-Petit
Le Pt Villiers
Pont-sur-Vanne
Les Sièges
Morteaux
Borderu
Maillot
Malay-le-Grand
Noé
Les Vallées (de la Vanne)
Theil-sur-Vanne
Vareilles
Montacher-Villegardin
Coleuvrat
Fouchères
Villeroy
Les Bruyères
Gron
Le Clos-de-Noé
Vaumort
Les Vallées
Rugelot
Champagne
Les Balesmes
Subligny
La Haie-Pèlerine
Rosoy
B. de la Grde Vallée
Les Thorets
Sortoise
La Belliole
Villeneuve-la-Dondagre
Vil-Cul
Collemiers
Les Epenards
Les Hauberts
Étigny
Les Fleuris
Heurtebise
Le Marchais-Rallu
Vaudeurs
Bazoches-sur-le-Betz
Les Lucas
Les Bois-Plantés
Les Bobards
Les Régipaux
Sérilly
Chaumes
Val-Péronne
Val-St-Etienne
Les Chandeliers
Cerisiers
Les Brissots
Les Masures
Courtoin
Les Chêneaux
Cornant
Véron
Puits-Botin
Grange-au-Doyen
Bois de Chavan
Maurepas
Les Étangs de Béon
Domats
Pont-Pourri
Egriselles-le-Bocage
Brassy
Roussemeau
Les Fours
Passy
La Roche au Diable
Grange-Pourrain
Bourbuisson
Les Pommerats
Les Chapelles
Les Fays
Les Joigneaux
Les Cantins
Les Gaillards
Marsangy
Beaujard
Vaufoin
Pimançon
Les Rethorets
SOLEIL
Vernoy
Les Rivaux
Les Brouards
Les Lorris
Pt Vau
Grd Vau
Talouan
Les Bordes
Clos-Aubry
Haras
Étg de Galetas
Les Besnards
Châtre
Les Garangers
Rousson
Flandres
Grange-Bertin
La Borde-à-la-Gousse
Villechétive
Foucherolles
Bois de Bléry
La Meunière
La Hte Epine
Villeneuve-s-Yonne
Les Fourneaux
Dixmont
La Grde Vallée
Dilo
Les Hauts-Bois
Domaine de Clairis
B. des Gentes
Chapître
B. des Centaines
Savigny-sur-Clairis
Les Arabies
Tourne-Boule
Les Garrières
Chaumot
Les Thénots
Valprofonde
La Tuilerie
Les Chèvereaux
Pennery
Les Dornets
Bussy-le-Repos
Le Pt-Port
La Hâte
Les Normands
Les Ratorets
Le Château
Beaudemont
Grd Palteau
Les Brûleries
La Mardelle-au-Coq
St-Phal
Piffonds
Les Croix
Pt-Palteau
Armeau
St-Hilaire-les-Andrésis
Les Lucas
St-Julien-du-Sault
Les Beauquins
La Ramée
Quatre Croix
Les Hattins
Les Tuileries
F. du Pavillon-Gros
Les Mallets
Ste-Anne
St-Martin-d'Ordon
La Huronnerie
Villevallier
Bailly
Courtenay
La Maltournée
Les Marinières
Vauguillain
Forêt du Mileu
Bussy-en-Othe
Le Bois Ramé
Les Fauchots
La Berjaterie
St-Loup-d'Ordon
Verlin
Villecien
Les Fays
La Tuilerie
La Fourchotte
Villepied
Les Gros-Aulnes
Les Moreaux
Ruban
St-Aubin-s-Yonne
Brion
La Jacqueminière
Les Sauqueux
Les Gauguins
Thêmes
Looze
Les Orties
La Pte Celle
Cézy
Côte St-Jacques
Joigny
Cudot
La Couline
Les Cornus
Les Décys
La Réserve
La Celle-St-Cyr
Loivre
Vieux-Migennes
Laroche-St-Cydroine
Migennes
Arblay
Précy-s-Vrin
Montcorbon
Les Chevaliers
Les Favereaux
Vaugenets
Les Girardots
Béon
Lécheres
Champlay
Paroy-s-Tholon
Cité
Villejalot
Les Crouteaux
Les Echarlis
Vieux Echarlis
Chamvres
Le Grd Longueron
Douchy-Montcorbon
Villefranche-St-Phal
Couvent
Les Trouvés
Sépeaux-St-Romain
Étg de Sépeaux
La Mothe
Champvallon
Epineau-les-Voves
Charmoy
Bonnard
Charmeau
Triguères
Les Grands Moreaux
L'Aunay
Les Pages
Le Grd Bralon
Dicy
Le Grd Bailly (Montholon)
Richebourg
Les Desvignes
Malveau
Chevillon
St-Romain-le-Preux
La Fosse Simon
Malesherbes
Neuilly
Villemer
Bassou
Les Grds Salmons
Prunoy
Les Tabourdeau
Les Coudrois
Volgré
Senan
Chêne-Arnoult
Malvrain
Les Goudons
La Ferté-Loupière
Chailleuse
le Gros Mont
Chichery
La Fontaine
La Mothe-aux-Aulnaies
Vienne
Les Richards
Champloiseau
Gurchy
Forêt
Les Tuileries
AUTOROUTE
L.G.V. SUD-EST
A 5 - E 54
A 19 - E 511
A 6 - E 15 - E 60
D 606
D 660
D 943
D 905

0 2 4 6 8 10 km
90
113
136
A
B
C
D
1
2
3
4
5
TROYES
St-Lyé
Payns
Mergey
Échemines
Prunay-Belleville
Camp militaire
Le Pavillon-Ste-Julie
Villeloup
Bourdenay
St-Maurice-aux-Riches-Hommes
La Villeneuve-aux-Riches-Hommes
St-Lupien
Marcilly-le-Hayer
Faux-Villecerf
Dierrey-St-Pierre
Dierrey-St-Julien
Bercenay-le-Hayer
Villadin
Mesnil-St-Loup
Montgueux
Macey
La Chapelle-St-Luc
Pouy-s-Vannes
Bois l'Abbesse
Palis
Planty
Fontvannes
La Rivière-de-Corps
St-André-les-Vergers
Torvilliers
Estissac
Bucey-en-Othe
Messon
St-Germain
Villemaur-sur-Vanne
Neuville-sur-Vanne
Thuisy
Prugny
Bagneaux
Vulaines
St-Benoist-s-Vanne
Paisy-Cosdon
(Aix-Villemaur-Palis)
Villeneuve-l'Archevêque
Flacy
Aix-en-Othe
Chennegy
Vauchassis
Laines-aux-Bois
Rigny-le-Ferron
Villemoiron-en-Othe
Bercenay-en-Othe
Souligny
Bouilly
Cérilly
Bérulle
St-Mards-en-Othe
Sommeval
Villery
Les Sièges
Coulours
Fournaudin
Nogent-en-Othe
Maraye-en-Othe
Javernant
Vaudeurs
Bœurs-en-Othe
Crésantignes
Eaux-Puiseaux
Chamoy
St-Phal
Arces-Dilo
Villechétive
Dilo
Chailley
Sormery
Villeneuve-au-Chemin
Auxon
Coursan-en-Othe
Montfey
Lasson
Neuvy-Sautour
Racines
Ervy-le-Châtel
Davrey
Avreuil
Vanlay
Paroy-en-Othe
Bellechaume
Champlost
Venizy
Turny
Mercy
Bligny-en-Othe
Soumaintrain
Courtaoult
Chessy-les-Prés
Brienon-s-Armançon
Avrolles
St-Florentin
Germigny
Les Croûtes
Bernon
Esnon
Migennes
Butteaux
Vergigny
Jaulges
Percey
Flogny-la-Chapelle
Marolles-s/s-Lignières
Lignières
Ormoy
Bouilly
Rebourseaux
Cheny
Mont-St-Sulpice
Villiers-Vineux
Charmoy
Bonnard
Hauterive
Carisey
Tronchoy
Pontigny
Roffey
Cheney
Seignelay
Rouvray
Venouse
Ligny-le-Châtel
Dyé
Bernouil
Dannemoine
Méré
Vézinnes

115
91
137
116
E
F
G
H
Luyères
Bouy-Luxembourg
Piney
Villehardouin
Mathaux
Radonvilliers
Brienne-la-Vieille
Vailly
Montmoret
Assencières
Rachisy
Villiers-le-Brûlé
Brévonnes
Dienville
Chantemerle
L'Étape
Creney-près-Troyes
Rouilly-Sacey
Sacey
La Loge Lionne
La Rothière
Petit-Mesnil
Argentolles
Mesnil-Sellières
Rosson
PARC
NATUREL
RÉGIONAL
DE
LA
FORÊT
D'ORIENT
Lac du Temple
Unienville
Bonlieu
Juvanzé
Pont-Ste-Marie
Villechétif
Bouranton
Dosches
Géraudot
Sentier des Salamandres
Jessains
Trannes
Laubressel
Champigny
Amance
Bossancourt
St-Parres-aux-Tertres
Vaudemanche
Réserve Ornithologique
Parc de vision animalier
Maison du Parc
La Ville-aux-Bois
Thennelières
Lac d'Orient
Vauchonvilliers
Dolancourt
Nigloland
St-Julien-les-Villas
Courteranges
La Loge-aux-Chèvres
Ruvigny
Lusigny-s-Barse
Mesnil-St-Père
Étang du Parc aux Pourceaux
Val Suzenay
Le Gagnage-aux-Chats
Arganςon
Maison-des-Champs
Rouilly-St-Loup
Fontaine
Bois de Lusigny
Montaulin
Le Ménilot
Champ-s-Barse
Magny-Fouchard
Spoy
Courgerennes
Bréviandes
Buchères
Verrières
Dauds
Le Haut-Chêne
Montreuil-sur-Barse
Montiéramey
La Villeneuve-au-Chêne
Vendeuvre-sur-Barse
Nuisement
Maisons-Blanches
St-Aventin
Renault
Troyes-Le Plessis
Briel-sur-Barse
Puits-et-Nuisement
Montmartin-le-Haut
Meurville
Moussey
Isle-Aumont
St-Thibault
Clérey
Fresnoy-le-Château
Troyes-Fresnoy
Les Bures
Loge-de-Bailly
Chauffour-lès-Bailly
Les Bailly
Villy-en-Trodes
Thieffrain
Villemereuil
Villy-le-Maréchal
Clerey-Sud
Le Haut-Villeneuve
Courbeton
Bois de Villy en Trodes
Longpré-le-Sec
Forêt de Bossican
Les Bordes-Aumont
Vaudes
Villemoyenne
Poligny
Marolles-lès-Bailly
Villers
Beurey
Bligny
Cormost
Chappes
Magnant
La Vendue-Mignot
St-Parres-lès-Vaudes
Fralignes
Vitry-le-Croisé
Villy-le-Bois
La Belle-Étoile
Montceaux-lès-Vaudes
Céres
Fouchères
Courtenot
Bois de Bourguignons
La Borde
Chantemerle
Beaucaron
Le Long-du-Bois
Nicey
Rumilly-lès-Vaudes
L'Enclos
Virey-sous-Bar
Bourguignons
Buxières-sur-Arce
Éguilly-sous-Bois
Bertignolles
Fontarce
Forêt d'Aumont
Le Bochot
Vaux
Chervey
Forêt de Rumilly
Chacenay
Les Vendues-l'Évêque
Jeugny
Jully-sur-Sarce
Bar-s-Seine
Ville-sur-Arce
Noé-les-Mallets
St-Usage
Avalleur
N.-D. du Chêne
Merrey-sur-Arce
Viviers-sur-Artaut
Les Bordes-Lantages
Bois du Devois
Fontette
Vougrey
Celles-sur-Ource
Le Grand Mallet
Crogny
Les Loges-Margueron
Villemorien
Landreville
Les Petites Loges
Metz-Robert
Les Povosts
Lantages
Maison Rouge
Polisot
Loches-sur-Ource
Essoyes
La Cordelière
Les Bruyères
Villiers-s/s-Praslin
Bois de Praslin
Polisy
Buxeuil
Bois du Roi
Le Vau
Grange-au-Bois
Verpillières-sur-Ource
Granges
Les Poteries
Chaource
Praslin
Arrelles
N.-D. des Vignes
Neuville-sur-Seine
Les Sadons
Forêt de Cussangy
Balnot-sur-Laignes
Gyé-sur-Seine
Lingey
Avirey-Lingey
Pargues
Bois de Thouan
Courteron
Bois du Charmoi
Lagesse
Grancey-sur-Ource
St-Roch
Ricey-Bas
Cussangy
Maisons-lès-Chaource
Malassise
Bagneux-la-Fosse
Les Riceys
Haute-Rive
Plaines-St-Lange
Bois de Réveillon
Le Charme
Vaudron
Ricey-Haut
Balnot-la-Grange
Le Magny
Bois de Gyé
Mussy-s-Seine
Le Châtelier
Chesley
Ste-Élisabeth
Beauvoir-sur-Sarce
Gomméville
Chaserey
Bragelogne-Beauvoir
Forêt des Brosses
Charrey-s-Seine
La Jarrie
Étourvy
Villiers-le-Bois
Le Grand-Haut-du-Lais
Noiron-s-Seine
Villers-Patras
Chaserey-Haut
Les Corrées
Quincerot
Forêt de Charme-Boulerain
Chaumont-le-Bois
Obtrée
Binante
Trichey
Channes
Molesme
Pothières
Arthonnay
Béchineuil
La Balotière
Vannaire
Les Scies
La Fouchère
Ruines gallo-romaines
Villedieu
Massingy
Mélisey
Thorey
St-Pantaléon
Villon
Forêt de Maulnes
Champ-du-Rupt
Vertault
Mt Lassois
Vix
Étrochey
Val-de-Quenouil
Rugny
Maulnes
Bel-Air
Villiers-les-Moines
Champ-du-Bois
Larrey
Bouix
Montliot-et-Courcelles
Le Haut
La Seiglière
Étang Bailly
Lac de Marcenay
Poinçon
Ste-Colombe
Marigny

0 2 4 6 8 10 km
92
115
138
A
B
C
D
Soulaines-Dhuys
Nully
Trémilly
Blumeray
Doulevant-le-Château
Villiers-aux-Chênes
Monthonval
Charmes-en-l'Angle
Brachay
Flammerécourt
Arnancourt
Lescheres-sur-le-Blaiseron
Gudmont-Villiers
Rouécourt
Thil
Ville-sur-Terre
Fuligny
La Giberie
Étang de Ramerupt
Bois de Pute-Bête
Étang de Laborde
Petit-Mesnil
La Rothière
Bois de la Rothière
Vernonvilliers
Fresnay
Bois de Beauregard
Cirey-sur-Blaise
Bois d'Ambonville
Les Grands Ordons
Chânet
Beurville
La Gaîté
Forêt de Blinfey
Blinfey
Bouzancourt
Ambonville
Mont Gimont
Cerisières
Provenchère-sur-Marne
Froideau
Mirbel
Fl de Bussy
Beaulieu
Éclance
Lévigny
Jessains
Trannes
Maisons-lès-Soulaines
Thors
Bois de Hantelle
Daillancourt
Guindrecourt-sur-Blaise
Blaise
Rizaucourt-Buchey
Champcourt
Harricourt
La Genevroye
Vignory
N.-D. du Val
Bossancourt
Maison-Neuve
Bois de Courtgain
Engente
Saulcy
Marbéville
Arsonval
Montier-en-l'Isle
Colombé-la-Fosse
Cornay
Buchey
Curmont
Soncourt-sur-Marne
Nigloland
Jaucourt
Ailleville
Arrentières
Fme du Cellier
Colombé-le-Sec
Biernes
Argentolles
Pratz
Le Plachet
L'Étoile
Vraincourt
Arganҫon
Maison-des-Champs
Gagnage
Voigny
Rouvres-les-Vignes
Lamothe-en-Blaisy
Oudincourt
Fravaux
Proverville
Bar-sur-Aube
Mémorial
Colombey-les-Deux-Églises
La Boisserie
Lavilleneuve-aux-Fresnes
Ormoy-lès-Sexfontaines
Lamancine
Spoy
Ste-Germaine
Lignol-le-Château
Sexfontaines
Annéville-la-Prairie
Couvignon
Fontaine
Belroy
La Piçière
Bayel
Lachapelle-en-Blaisy
Meures
Meurville
Le Val Perdu
Bois des Pimeux
La Belle Idée
Baroville
Forêt des Dhuits
Juzennecourt
Marault
Forêt de Bossican
Bergères
La Borde
Montheries
Blaisy
Barramont
La Bretonnière
Gillancourt
Laharmand
Bligny
Urville
Étang du Patis
Forges-St-Bernard
Lavilleneuve-au-Roi
Arconville
Fraville
Clairvaux Maison Centrale (Ancne Abb.)
Rennepont
St-Martin-sur-la-Renne
Sarcicourt
Jonchery
Vitry-le-Croisé
Longchamp-sur-Aujon
Outre-Aube
Euffigneix
Champignol-lez-Mondeville
Fontaine St-Bernard
Maranville
Forêt de Bois-Genard
Eguilly-sous-Bois
Bois de Vitry
Fontarce
B. de Montmont
Ville-s/s-la-Ferté
Vaudrémont
Autreville-sur-la-Renne
Buxières-lès-Villiers
Villiers-le-Sec
Viaduc
Juvancourt
Moulin
Cirfontaines-en-Azois
Aizanville
Braux-le-Châtel
Valdelancourt
CHAU
Noé-les-Mallets
Fays-Haut
St-Usage
Laferté-sur-Aube
Varencey
Bois de Laferté
Pont-la-Ville
Orges
Bricon
Montsaon
Fontette
Les Fosses
Le Grand Mallet
Fins
Forêt de Châteauvillain-Orges
Châteauvillain
Semoutiers-Montsaon
Essoyes
Villars-en-Azois
Le Val-du-Four
Essey-les-Ponts
Silvarouvres
Marmesse
Blessonville
Ste-Anastasie
Châteauvillain-Val-Marnay
Verpillières-sur-Ource
Cunfin
Ste-Anne
Forêt de Beaumont
Derville
La Forge
Forêt Oisellement
La Folie
Dinteville
Maison Renaud
Richebourg
Lanty-sur-Aube
Bois de la Longe
Animal'Explora
Beaumont
Bois du Charmoi
Moulin
Valfond
Créancey
Forêt de Châteauvillain et d'Arc
Grancey-sur-Ource
Bois de Lanty
Bois des Forts
Forêt de Vigne-Rouget
Ormoy-sur-Aube
Bon Air
Val des Dames
Bois Réveillon
Autricourt
Montribourg
Les Essarts
Carrefr de la Croix-de-Fer
Champigny
Gevrolles
Latrecey-Ormoy-sur-Aube
La Lucine
Coupray
Riel-les-Eaux
Fme du Mont
St-Roch
Cour-l'Évêque
Maison Paulin
Forêt du Val des Puits
Montigny-sur-Aube
Mont Rémin
Forêt du Montot
Veuxhaulles-sur-Aube
Bois de Faye
Arc-en-Barrois
La Vendue
Bugnières
Belan-sur-Ource
Bois de Dancevoir
La Jarrie
Thoires
Bois de la Fontaine
Dancevoir
Maison-Fouin
Val-Bruant
Villers-Patras
Le Souhy
Boudreville
Montrot
N.-D. de Montrot
Chaumont-le-Bois
Obtrée
Mosson
Brion-sur-Ource
Bissey-la-Côte
Courban
Longue
Aubepierre-sur-Aube
Vannaire
Massingy
Vix
PARC NATIONAL
Giey-sur-Aujon
Lignerolles
Louesme
Montliot-et-Courcelles
Layer-sur-Roche
Erisseul
Crépan
Les Goulles
La Chaume
Etufs
Cascade
Marigny
Prusly
St-L
DE

117
93
139
118
E
F
G
H
Donjeux
Domremy-Landéville
Landéville
Augeville
Chambroncourt
Trampot
Audeuil
Brechainville
Forêt de Mureau
Maupas
Villouxel
Saucourt-sur-Rognon
Pautaines-Augeville
St-Thiébault
Aillianville
Les Hauts Bois
Bois des Roncis
Bois du Pavillon
Bois de Donjeux
Leurville
Bois des Haies
Bois du Charmois
Le Tivoli
Liffol-le-Grand
Fréville
Bois de la Vendue
Busson
Champaumont
Forêt de la Bouloire
La Bergère
Bréchaincourt
Bazoilles-sur-Meuse
Doulaincourt-Saucourt
Roches-Bettaincourt
Le Marquot
Les Moyemonts
Bois de Châtelmont
Lafauche
Liffol-le-Petit
Le Chênois
Circourt-sur-Mouzon
Le Corroy
Forêt du Jarney
Froncles
Buxières
Bois des Grandes Combes
Roches-sur-Rognon
Bois le Chimarmont
Reynel
Orquevaux
Montlebert
Vesaignes-s/s-Lafauche
Prez-sous-Lafauche
Forêt de Meley
Montot-sur-Rognon
Humberville
St-Blin
Bois Gérard
N. D. du Pilier de Saragosse
N. D. de Pitié
Forêt du Heu
Vignes-la-Côte
Manois
Silo
Le Corroy
Pompierre
Signéville
La Croisette
Semilly
Harréville-les-Chanteurs
Jainvill
Croix des Allemands
Barrémont
L'Espérance
Dôme
Sartes
Heu
Montéclair
Rimaucourt
Goncourt
Sommerécourt
Gendreville
Abbe de Septfontaines
Andelot-Blancheville
Chalvraines
Bois de Goncourt
Outremécourt
Bois des Chaisaux
Sueurre
Bois du Jard
Le Charmoi
La Motte
Le Champ Briot
La Guinguette
La Fortelle
Illoud
Vaudrecourt
Rochefort-sur-la-Côte
Roôcourt-la-Côte
Blancheville
Morteau
Les Mailles
Bois de Chalvraines
Bourmont-entre-Meuse-et-Mouzon
Soulaucourt-sur-Mouzon
Bois de Fréhaut
Chantraines
St-Joseph
Ecot-la-Combe
St-Thiébault
Nijon
Bois de Bourmont
Briaucourt
Lacrête
Les Grands Bois
Clinchamp
Bois de Romain
Bologne
Forêt de la Crête
Morvau
Le Bois Banal
Vrécourt
Cirey-lès-Mareilles
Romain-s-Meuse
Bourg-Ste-Marie
Brainville-s-Meuse
Graffigny-Chemin
Mareilles
Churey
Ozières
Hâcourt
Chevecheix
Riaucourt
Darmannes
Bourdons-s-Rognon
Consigny
Huilliécourt
Malaincourt-s-Meuse
Bois de Cirey
Morlaix
Thol-lès-Millières
Doncourt-s-Meuse
Bois de Mareilles
Forcey
Vroncourt-la-Côte
Levécourt
Chaumont-la-Ville
Robéc
Treix
Millières
Condes
Pont
Le Puits-des-Mèzes
Bon-Espoir
Forêt de Clefmont
Maisoncelles
Champigneulles-en-Bassigny
Blevaincourt
Longchamp
Esnouveaux
Germainvilliers
Reclancourt
Bois Perron
Forêt d'Ageville
Audeloncourt
Flambart
Bois de l'Artembouc
Ageville
Mennouveaux
Clefmont
Breuvannes-en-Bassigny
Chamarandes-Choignes
Cuves
Forge du Haut
Buxières-lès-Clefmont
Perrusse
Damblain
Laville-aux-Bois
Biesles
Lanques-sur-Rognon
Daillecourt
Meuvy
Bois de Pennecière
Vaudainvilliers
Chamarandes
Ninville
Bassoncourt
Colombey-lès-Choiseul
Forêt de la Garenne
Moiron
Silos
Donnemarie
Noyers
Choiseul
Abbe de Morimond
Grignoncourt
Verbiesles
Essey-les-Eaux
Bois de la Vendue
Luzy-sur-Marne
Sarcey
Mandres-la-Côte
Bois du Vernon Fays
Rangecourt
Lenizeul
Merrey
Fresnoy-en-Bassigny
Ravennefontaines
Bois de Fresnoy
Poulangy
Boichaulle
La Perrière
L'Abondance
Is-en-Bassigny
Lavilleneuve
Damphal
(Val-de-Meuse)
Foulain
Louvières
Traire
Courcelles
Odival
La Scierie
Bois du Mont Roussel
Bois de Montigny
Maulain
Parnot
Bois de Change
Crenay
Forêt de Marsois
Nogent
Lécourt
Provenchères-sur-Meuse
(Parnoy-en-Bassigny)
Rochevilliers
Le Ht Charmoi
Marnay-sur-Marne
Vesaignes-sur-Marne
Bois du Defois
Sarrey
Meuse
Monaco
Malroy
Source
Beaucharmoy
Poinson-lès-Nogent
Épinant
Montigny-le-Roi
Tourterelle
Dammartin-s-Meuse
Pouilly-en-Bassigny
La Rosière
Thivet
Mauvaignant
Vitry-lès-Nogent
Le Chêne
Châtelet-sur
Belfays
Val-de-Meuse
Chézoy
Villiers-sur-Suize
Leffonds
Bois de Mongessey
Source de la Tuffière
Bois du Rienbeau
Chauffourt
Fort de Dampierre
Avrecourt
Damrémont
Bois de la Danc
Faverolles
Rolampont
Tronchoy
Dampierre
Frécourt
Bonnecourt
Récourt
Saulxures
Bois de Marac
Coudre
Charmoilles
Mont Mercure
Fouilles gallo-romaines
Rançonnières
Vicq
Laneuville
Coiffy-le-Bas
Marac
Lannes
Ft de St-Menge
Changey
Neuilly-l'Évêque
Poiseul
Andilly-en-Bassigny
Lavernoy
Chanoy
Charmes
Celles-en-Bassigny
Les Granges-Huguet
Val de Gris
Canal
Réservoir de Charmes
Bois des Riots
Beauchemin
Ormancey
St-Martin-lès-Langres
Humes-Jorquenay
Jorquenay
Bannes
Marcilly-en-Bassigny
Varennes-s-Amance
Forêt de Marcilly
Chézeaux
Mardor
Champigny-lès-Langres
Orbigny-au-Val
Orbigny-au-Mont
Plesnoy
Troischamps
Presles
St-Ciergues
Mont des Fourches
Lac de la Liez
Bois de Montservigny
Arbigny-sous-Varennes
Champigny-sous-Varennes
Vauxbons
Réservoir de la Mouche
Brévoines
Langres
Lecey
Celsoy
Chatenay
Suize
Marne
Rognon
Mouzon
Amance
D 674
D 417
D 619
D 74
A 31
E 21
E 17
E 54

0 2 4 6 8 10 km
Vouxey
Dolaincourt
Dommartin-sur-Vraine
St-Prancher
Repel
Frenelle-la-Petite
Ambacourt
Bettoncourt
Chauffecourt
Oëlleville
Totainville
Puzieux
Poussay
Mazirot
Courcelles-s/s-Châtenois
Viocourt
Gironcourt-s-Vraine
Ménil-en-Xaintois
Dombasle-en-Xaintois
Baudricourt
Domvallier
Ramecourt
Villars
Rouvres-la-Chétive
Certilleux
Châtenois
Houécourt
Rouvres-en-Xaintois
Mirecourt
Villers
Bréchaincourt
Bazoilles-sur-Meuse
Tilleux
Longchamp-sous-Châtenois
Mannecourt
St-Menge
Remicourt
Thiraucourt
Ravenel
Vroville
Circourt-sur-Mouzon
Landaville
La Neuveville-sous-Châtenois
Gemmelaincourt
Mattaincourt
Rémois
Darney-aux-Chênes
Viviers-lès-Offroicourt
Offroicourt
Hymont
N. D. du Pilier de Saragosse
Ollainville
Estrennes
Bazoilles-et-Ménil
Lemmecourt
N. D. de Pitié
Girovillers-sous-Montfort
Le Ménil
Valleroy-aux-Saules
Maroncourt
Pompierre
Beaufremont
Aulnois
Sandaucourt
Dombrot-sur-Vair
Belmont-sur-Vair
Parey-sous-Montfort
Domjulien
Domèvre-sous-Montfort
Harréville-les-Chanteurs
Jainvillotte
Hagnéville-et-Roncourt
St-Remimont
Grand Montot
Rozerotte
Madecourt
Hagécourt
Sartes
Bois St-Charles
Auzainvilliers
They-sous-Montfort
Sommerécourt
Gendreville
Morville
Mont St Jean
La Neuveville-sous-Montfort
Remoncourt
Roncourt
Mandres-sur-Vair
Rancourt
Heucheloup
Outrémécourt
Vaudoncourt
Bulgnéville
Norroy
VITTEL
Côte de Lorima
Bainville-aux-Saules
Begnécourt
Médonville
Malaincourt
Ste Anne
Haréville
Valfroicourt
La Motte
Vaudrecourt
Lac de la Folie
Outrancourt
Xiroux
Adompt
Bois de Fréhaut
Bois d'Enfer
Aingeville
Valleroy-le-Sec
Soulaucourt-sur-Mouzon
Bois des Coraux
Col du Poirier
Frénois
Légéville-et-Bonfays
Nijon
Saulxures-lès-Bulgnéville
Contrexéville
Urville
St-Ouen-lès-Parey
Monthureux-le-Sec
Bois de Curé
Pont-lès-Bonfays
Pierrefitte
Vrécourt
Suriauville
Col des Clochettes
Esley
Sans-Vallois
Les Vallois
Graffigny-Chemin
Lignéville
Dommartin-lès-Vallois
Bois de la Bouloie
Thuillières
La Rouillie
St-Baslemont
Chèvre-Roche
Le Réchaux
Sauville
Crainvilliers
Dombrot-le-Sec
Senonges
Lerrain
La Vacheresse-et-la-Rouillie
Col du Haut de Salin
Provenchères-lès-Darney
Rocher sculpté
Dombasle-devant-Darney
Chaumont-la-Ville
La Fennecière
Robécourt
Jésonville
Bois du Creuchot
Viviers-le-Gras
Côte de Hautmont
Gges de la Gabionne
Rozières-sur-Mouzon
Boëne
Blevaincourt
Relanges
Bonvillet
Forêt d'Armont
Martigny-les-Bains
Gignéville
Les Rochottes
Lichecourt
Bois de l'Artembouchet
Rocourt
Villotte
Marey
Le Bambois
Belmont-lès-Darney
La Forge-Kaitel
Viomenil
Source de la Saône
Tollaincourt
Mont St Etienne
Sérocourt
Les Grands Bois
Darney
Belrupt
La Bataille
Damblain
Frain
Nonville
Clairfontaine
Le Torchon
Romain-aux-Bois
Mont des Fourches
Le Grand Pâquis
Morizécourt
Attigny
La Grange Jacquot
FORÊT DOMANIALE
Vaudainvilliers
Lamarche
Bleurville
Hennezel
Colombey-lès-Choiseul
Mont Heuillon
Le Gras
La Grange au Bois
Thiétry
Le Hatrey
Abbe de Morimond
Aureil-Maison
Serécourt
Tignécourt
Droiteval
La Hutte
Musée
La Grange Bresson
Grignoncourt
Le Hubert
La Scie
Surance
Fresnoy-en-Bassigny
Bois de Fresnoy
La Fagotière
Monthureux-sur-Saône
Leppenoux
Claudon
Henricel
La Frison
Moscou
La Grange Rouge
DE DARNEY
Jérusalem
Larivière-Arnoncourt
Isches
St-Julien
La Sybille
La Planchotte
Étang des Cerisiers
Thomas
Mont-lès-Lamarche
Fouchécourt
Mont de Savillon
Forêt de Monthureux
La Grande Catherine
Le Grand Bois
Parnot
Bois de Change
Aigremont
Côte des Noues
Le Burveau
Bois de Passavant
Godoncourt
Ainvelle
Le Petit Thon
Les Thons
Regnévelle
La Rochère
La Verrerie-de-Selles
Arnoncourt-sur-Apance
Fignévelle
Peu-d'Acquet
Ambiévillers
Beaucharmoy
Le Grand Thon
Martinvelle
Serqueux
Côte d'Ainvelle
Pont-du-Bois
Cimre israélite
Charmont
Selles
Pouilly-en-Bassigny
Senaide
Lironcourt
La Côte
Passavant-la-Rochère
(Le Châtelet-sur-Meuse)
Bois du Danonce
Lac de la Mézelle
Bousseraucourt
Grignoncourt
Bois Barbey
Alaincourt
La Basse-Vaivre
Damrémont
Bourbonne-les-Bains
Fresnes-sur-Apance
Châtillon-sur-Saône
Ameuvelle
Vougécourt
Moulin-de-la-Craie
Fontenois-la-Ville
Bois des Épinaies
Jonvelle
Montcourt
Montdoré
Vauvillers
Parc animalier de la Bannie
Villars-St-Marcellin
Enfonvelle
Fouilles gallo-romaines
Corre
Demangevelle
Betoncourt-St-Pancras
Laneuvelle
Bourbévelle
Coiffy-le-Bas
Coiffy-le-Ht
Genrupt
N. D. de la Salette
Forêt de Villars
Bois de la Laut
Les Charmes
Jeunes Bleppes
Ranzevelle
le Grand Bois
Mailleroncourt-St-Pancras
Hurecourt
Les Granges-Huguet
St-Marcellin
Villars-le-Pautel
Bois Lessus
La Dolomie
Montcharvot
Richecourt
Melincourt
Les Granges-du-Val
Ormoy
Polaincourt-et-Clairefontaine
Voisey
Melay
le Donnet
Aisey-et-Richecourt
Chézeaux
Blondefontaine
Saponcourt
Anchenoncourt-et-Chazel
Soyers
Vaux-la-Douce
Neuvelle-lès-Voisey
Barges
Betaucourt
Magny-lès-Jussey
Clairefontaine
Champigny-sous-Varennes
Les Essarts
Raincourt
Vernois-sur-Mance
Chazel
Bois de la Mange
Guyonvelle
Bois d'Anrosey
Cemboing
Cendrecourt
Grand Bois
Tartécourt
94
117
140
A
B
C
D
1
2
3
4
5

119
95
120
141
E
F
G
H
1
2
3
4
5
Brantigny
Ubexy
Évaux-et-Ménil
Varmonzey
Châtel-s-Moselle
Hadigny-les-Verrières
Rambervillers
Vomécourt
Nomexy
Zincourt
Badménil
Le Ménil
Gugney-aux-Aulx
Pallegney
Bult
Ste-Hélène
Bettegney-St-Brice
Vaxoncourt
Domèvre-sur-Durbion
Padoux
Madegney
Regney
Frizon
Igney
Destord
Fremifontaine
Mortagne
Vaubexy
St-Vallier
La Voivre
Villoncourt
Nonzeville
Pierrepont-s-l'Arentèle
La Basse Ville
Derbamont
Thaon-les-Vosges
Bayecourt
Sercœur
Dompierre
Gugnécourt
Grandvillers
Brouvelieures
Bazegney
Bouxières-aux-Bois
Oncourt
Girmont
Dignonville
Girecourt-s-Durbion
Domfaing
Circourt
Chavelot
Croix de Virine
Mazeley
Fort de Dogneville
Fort de Longchamp
Vaudéville
Méménil
Viménil
Vervezelle
Belmont-s-Buttant
Madonne-et-Lamerey
Bettegney
Gigney
Fomerey
Dogneville
Longchamp
Fontenay
Le Void de La Borde
Bruyères
Biffontaine
Bocquegney
Domèvre-sur-Avière
Fort de la Grde Haie
Fort de la Voivre
Jeuxey
Deyvillers
Aydoilles
Laval-s-Vologne
Madonne
Damas-et-Bettegney
Hennecourt
Darnieulles
Golbey
Fays
Laveline-devant-Bruyères
Champ-le-Duc
Gorhey
Uxegney
Fort des Adelphes
Pont-Bresson
Faing-Vairel
Lépanges-sur-Vologne
Fiménil
La Chapelle-devant-Bruyères
Beauménil
Sanchey
Les Forges
Fort de Razimont
Charmois-devant-Bruyères
Le Roulier
Deycimont
Prey
Herpelmont
Jussarupt
Adoncourt
Chaumousey
ÉPINAL
Tranchée-de-Docelles
La Baffe
La Neuveville-devant-Lépanges
Chantraine
La Vierge
Camp militaire
St-Jean-du-Marché
Girancourt
Bouzey
Fort de la Mouche
Mossoux
Le Boulay
Faucompierre
Dommartin-aux-Bois
St-Laurent
Renauvoid
Olima
Docelles
Cheniménil
Spiémont
Granges-Aumontzey
Harol
Le Bois-de-Girancourt
Dinozé
U.S.A.
Xamontarupt
Laveline-du-Houx
Champdray
Barbonfoing
Fort du Thiéha
Archettes
Rehaupal
Roches de la Moulure
Longeroye
Le Void-de-Girancourt
Vieux St-Laurent
Bois d'Arches
Tendon
Champ-de-Laxet
Le Ménil
Puttegney
Agémont
Fort du Bambois
Laménil
Jarménil
Champ des Brayes
l'Ormont
Frison
Le Roulon
Le Digneul
Guménil
Arches
Pte Cascade
La Fosse
Saucenot
Grandfaing
Grde Cascade de Tendon
Nobaimont
Thiélouze
Safframénil
Uriménil
Pouxeux
Col de Bonne Fontaine
Le Rain Brice
Naymont
Dounoux
Le Roulier
Hadol
Aneuménil
Eloyes
Tête des Cuveaux
Le Tholy
Réblangotte
Géroménil
Faing-Creusson
Bas Beillard
Charmois-l'Orgueilleux
Méloménil
Puits-des-Fées
Les Etangs
Rougerupt
Uzemain
Chapuy-Chantré
Senade
La Chaoteuse
La Forge
Miséricorde
La Neuve Verrerie
La Xatte
Clairegoutte
Les Forges d'Uzemain
Uzemain les Forges
Buzegney
Raon Basse
Flaconnières
Cleurie
Julienrupt
Ban d'Harol
Rasey
Forêt de Tillenhaie
Raon-aux-Bois
Longuet
Roche du Thin
La Haye
Pont-Tremblant
Fieuzé
Moyenpal
La Houssière
La Racine
St-Nabord
Méhachamp
La Charme
Ste Sabine
Le Haut du Tôt
Thunimont
La Forge-de-Thunimont
La Void-de la Bure
Granges
La Gare
Bois du Haumont
Putières
Pierre Kerlinkin
Bémont
Harsault
Gremifontaine
Amerey
Xertigny
Bois de la Torèle
Bois des Hauts de Raon
Seux
Xennois
Le Syndicat
La Grande Fosse
Le Charmois
La Regingotte
Le Pransieux
St-Amé
St Mont
Cremanvillers
Sapois
(La Vôge-les-Bains)
Les Voivres
Le Grd Bois
La Chapelle-aux-Bois
Le Gras Chien
Forêt de Thiébémont
Mailleronfaing
St-Etienne-lès-R
Champé
Vagney
Hautmougey
Le Bozet
Le Ménil
Gérardfaing
Fallières
Peccavillers
Le Chanois
Lejole
Les Granges Richard
Hardémont
Les Huguels
Fort du Parmont
Remiremont
Cellas
Pont
Franould
Zainvillers
(Gerbamont)
Bellefontaine
Pont-Jeanson
La Demoiselle
Col de Cheneau
Contrexard
Haudompré
Pont-Poirot
Forêt de Rechentreux
Dommartin-lès-Remiremont
Pubas
Bains-les-Bains
Le Chesnois
La Forêt
Les Grands Prés
Blanc-Murger
Les Viaux
Forêt de Humont
La Poirie
Basse-sur-le-Rupt
Manufacture
Le Min du Bois
La Landre
Le Molieu
Bois du Corroy
Thiéfosse
Col de Bûrotte
Le Châtelet
Les Fontenelles
Le Preverdot
Le Raval
Le Normont
Le Champ
Lassus
Sémouse
Olichamp
Hérival
La Croisette
Vecoux
La Pipée
Trémonzey
Le Moncel
Clairefontaine
Le Haut des Champs
Plombières-les-Bains
Le Hariol
Le Breuil
Hielle
Reherrey
Col du Xiard
Saulxures-s-Moselotte
Ston de Bains
La Fosse
Granges-de-P.
Le Roulier
Forêt d'Hérival
La Beuille
Les Graviers
Fontenoy-le-Château
Le Saunier
Sous le Bois
Le Clerjus
Les Censeaux
Ruaux
Le Mottron
Cade de Faymont
Cade du Géhard
Girmont-Val-d'Ajol
Faymont
Lépange
Les Trémeurs
Étang des Breuillots
Le Poiremont
Fontaine Stanislas
Moulin
Le Pré Bosson
La Feuillée Dorothée
Maxonchamp
Les Meix
Col du Rhi
La Vierge
La Chaudeau
Courupt
Les Chênes
Rupt-s-Moselle
Les Grosses Granges
Le Lyaumont
La Branleure
Le Bas-de-la-Côte
La Croisette
La Feuillée Nlle
La Ville
Rapaumont
Beauregard
Fort de Rupt
La Roche
Les Maingrins
Le Thiélouze
Blanc-Rouchot
Le Val-d'Ajol
Hamanxard
Le Grand Saucis
La Montagne
Ferdrupt
Fleurey-lès-St-Loup
Ruisseau des Écrevisses
Le Champ
La Battelieule
Longchamp
Saulx
Remanvillers
Lettraye
Aillevillers-et-Lyaumont
Le Grand Fays
Le Petit Fay
Prémourey
PARC NATUREL
Le Marchessant
La Rosière
Col du Mt de Fourche
Le Chêne
Xoarupt
Champvalley-St-Pancras
La Vaivre
Pré du Rupt
Fougerolles-le-Château
La Groslière
Pont-de la Scie
Cascade
Ramonchamp
Cuve
Magnoncourt
Le Gaillard
Corravillers
Bouligney
Corbenay
Les Chabannes
Croslières
Châtillon
La Longine
Breuche-la-Grande
Effreney
(Amont-et-Effreney)
La Rochotte
Evouhey
RÉGIONAL
St-Loup-sur-Semouse
Combeaute
Fougerolles
Blanzey
Les Granges du Bois
Rovillers
Contes
Aval
La Saulotte
Beulotte-St-Laurent
Col des Croix
Augrogne
Les Baraques-Chardin
La Germenain
Le Feix
Les Maires d'Avaux
St-Bresson
La Corre
Les Voivres
Les Mottes
Le Haut-du-Them-Château-Lambert
La Pisseure
La Motte
La Gabiotte
Ermitage
Les Grillots
Les Pagets
Esmoulières
Le Moiseaubeau
Fontaine-lès-Luxeuil
Les Baraques
St-Valbert
Le Fahy
Bellefleur
Saphoz-le-Bas
Le Monthury
Plainemont
Ainvelle
Hautevelle
Bois d'Emery
Raddon-et-Chapendu
Amage
Ste-Marie-en-Chanois
Faucogney-et-la-Mer
Le Magny
Maubert
Beulotte-la-Guillaume
Servanceuil
La Pille
Francalmont
Le Beuchot
Luxeuil-
Breuchotte
Le Haut d'Esboz
La Bruyère
La Proiselière
La Voivre
St-Martin
Oroz
Annegray
Les Evaudois
Montandré
Le Them
Miellin

0 2 4 6 8 10 km
96
119
142
A
B
C
D
1
2
3
4
5
St-Dié-des-Vosges
Provenchères-et-Colroy
Ste-Marie-aux-Mines
Col de Ste-Marie
Mortagne
Les Rouges-Eaux
Taintrux
Saulcy-s-Meurthe
Entre-deux-Eaux
Mandray
St-Léonard
Fraize
Col du Bonhomme
Lapoutroie
Kaysersberg
Orbey
Les Trois-Epis
Turckheim
Plainfaing
Anould
Corcieux
Gerbépal
Col de Martimpré
Gérardmer
Xonrupt-Longemer
Roche du Diable
Col de la Schlucht
Le Valtin
Hohneck
Munster
Soultzeren
Gunsbach
Metzeral
La Bresse
Cornimont
Grand Ventron
Ventron
Kruth
Le Markstein
Gd Ballon
Guebwiller
Murbach
Lautenbach
Soultzmatt
Soultz-Haut-Rhin
Parc de Wesserling
Wesserling
St-Amarin
Col de Bussang
Bussang
Le Thillot
St-Maurice-sur-Moselle
Ballon d'Alsace
Ballon de Servance
Thann
Cernay
Vieil Armand
Historial du Hartmannswillerkopf
Ramonchamp
Saulxures-s-Moselotte
Vagney
Sapois
Rochesson
Le Tholy
Granges-Aumontzey
Bruyères
Champdray
Liézey
Champ de Roches
Vallée de Granges
Col de Sapois
Col du Bramont
Route des Crêtes
Col de la Schlucht
Gazon du Faing
Le Linge
Le Brézouard
Tête des Faux
Val d'Orbey
Drumont
Tête des Neufs Bois
Tête du Rouge Gazon
PARC NATUREL

97
143
E
F
G
H
1
2
3
4
5
Europa-Park
Rust
Sélestat
Châtenois
Kintzheim
Orschwiller
St-Hippolyte
Rodern
Rorschwihr
Bergheim
Ribeauvillé
Guémar
Illhaeusern
Ohnenheim
Elsenheim
Marckolsheim
Bootzheim
Mackenheim
Artolsheim
Hessenheim
Heidolsheim
Schwobsheim
Baldenheim
Muttersholtz
Mussig
Richtolsheim
Sundhouse
Saasenheim
Schœnau
Wittisheim
Hilsenheim
Bindernheim
Rheinhausen
Weisweil
Wyhl
Forchheim
Riegel
Endingen
Sasbach
Jechtingen
Burkheim
Sponeck
Leiselheim
Königschaffhausen
Amoltern
Kiechlinsbergen
Bischoffingen
Oberrotweil
Vogtsburg
Schelingen
Eichstetten
Oberbergen
Bötzingen
Totenkopf
Vogelsang
Eichelspitze
Katharina-Berg
Kaiserstuhl
Niederrotweil
Bickensohl
Achkarren
Ihringen
Wasenweiler
Badische Weinstr.
Breisach am Rhein
Gottenheim
Umkirch
Merdingen
Waltershofen
St Nikolaus
Opfingen
Tiengen
Niederrimsingen
Oberrimsingen
Munzingen
Ehrentrud
Schallstadt
Wolfenweiler
Ebringen
Mengen
Scherzingen
Norsingen
Pfaffenweiler
Offnadingen
Kirchhofen
Ehrenkirchen
Bollschweil
Ehrenstetten
Bad Krozingen
Hartheim
Feldkirch
Bremgarten
Eschbach im Schwarzwald
Grißheim
Heitersheim
Seefelden
Buggingen
Dattingen
Zienken
Hügelheim
Müllheim
Britzingen
Zunzingen
Sulzburg
Laufen
Staufen im Breisgau
Badenweiler
Vögisheim
Lipburg
Auggen
Neuenburg
FREIBURG IM BREISGAU
Emmendingen
Teningen
Denzlingen
Kenzingen
Herbolzheim
Ettenheim
Ringsheim
Kahlenberg
Tutschfelden
Bleichheim
Wagenstadt
Malterdingen
Köndringen
Hecklingen
Heimbach
Nimburg
Holzhausen
March
Buchheim
Hugstetten
Hochdorf
Lehen
Zoo
St-Georgen
Betzenhausen
Haslach
COLMAR
Horbourg-Wihr
Andolsheim
Widensolen
Kunheim
Urschenheim
Durrenentzen
Muntzenheim
Wickerschwihr
Holtzwihr
Riedwihr
Houssen
Jebsheim
Artzenheim
Baltzenheim
Grussenheim
Biesheim
Volgelsheim
Neuf-Brisach
Algolsheim
Obersaasheim
Geiswasser
Heiteren
Dessenheim
Weckolsheim
Logelheim
Sundhoffen
Appenwihr
Wolfgantzen
Ste-Croix-en-Plaine
Niederhergheim
Oberhergheim
Biltzheim
Niederentzen
Oberentzen
Rustenhart
Nambsheim
Balgau
Fessenheim
Hirtzfelden
Roggenhouse
Blodelsheim
Munchhouse
Rumersheim-le-Haut
Bantzenheim
Chalampé
Ottmarsheim
Ensisheim
Rouffach
Gundolsheim
Munwiller
Meyenheim
Réguisheim
Merxheim
Raedersheim
Ungersheim
Feldkirch
Bollwiller
Parc du Petit Prince
Ecomusée d'Alsace
Pulversheim
Ruelisheim
Battenheim
Wittenheim
Baldersheim
Sausheim
Kingersheim
Ingersheim
Ammerschwihr
Sigolsheim
Bennwihr
Beblenheim
Ostheim
Zellenberg
Cigognes
Wettolsheim
Herrlisheim-près-C.
Hettenschlag
Canal de Colmar
Canal Vauban
Grand Canal d'Alsace
RHEIN
Forêt de la Hardt
Bois de Rothleible
Hohwald
Schönberg
Mulden
Belchen
Münstertal
St Trudpert
Rammelsbacher-Eck
Bad Sulzburg
Enggründle-Kopf
Köhlgarten
Blauen

122
0 2 4 6 8 10 km
Concarneau
Beg-Meil
Pointe de Mousterlin
Pointe de Beg Meil
Loctudy
Baie de Pouldohan
Pointe de la Jument
Trégunc
Nizon
Pont-Aven
Riec-sur-Bélon
Névez
Kerfany-les-Pins
Port-Manech
Pointe de Trévignon
Raguenès-Plage
Île Raguenès
Île Verte
Moëlan-sur-Mer
Doëlan
Port de Merrien
de Cornouaille
Île aux Moutons
Îles de Glénan
St-Nicolas
Drenec
Cigogne
Penfret
Loch
ÎLE
A
B
C
D
1
2
3
4
5
100

101
E
F
G
H
Lorient
Lanester
Hennebont
Inzinzac-Lochrist
Pont-Scorff
Quéven
Guidel
Guidel-Plages
Ploemeur
Larmor-Plage
Port-Louis
Gâvres
Riantec
Locmiquélic
Kervignac
Nostang
Merlevenez
Ste-Hélène
Plouhinec
Belz
Étel
Erdeven
Ploemel
Locoal-Mendon
Landévant
Landaul
Languidic
Brandérion
Caudan
Cléguer
Calan
Lanvaudan
Arzano
Rédené
Gestel
Groix
Port-Tudy
Port-Lay
Locmaria
Pointe des Chats
Trou de l'Enfer
Côte des Mégalithes
Roches de Magouéro
Basse des Bretons
Pointe du Talut
Pointe de Gâvres
Pointe d'Erdeven
Barre d'Etel
Plouharnel
Carnac
Carnac-Plage
La Trinité-sur-Mer
Alignements
Alignements de Kerzerho
Pointe de Légenès
Île Theviec
Fort de Penthièvre
Penthièvre
Portivy
Beg en Aud
Pointe du Percho
St-Pierre-Quiberon
Kergroix
Côte Sauvage
Beg Rohu
Presqu'île de Quiberon
Port-Haliguen
Quiberon
Pointe du Conguel
Beg er Goalennec
Beg er Lan
Port Maria
Beg er Vil
Plateau des Birvideaux
La Teignouse
Passage de la Teignouse
Chaussée de la Teignouse
Chaussée du Béniguet
Île Glazic
Baie de Quiberon
LORIENT-BRETAGNE-SUD
Auray
Baud
Pluvigner
Locmariaquer
124
144
E
F
G
H

0 2 4 6 8 10 km
A
B
C
D
1
2
3
4
5
123
102
Remungol
Porhlégal
Pont-Tual
Moréac
Kerleau
Faouët
Cassac
Le Point-du-Jour
La Ferrière
Buléon
Le Pigeon-Blanc
Maigris
Coët-Méan
Guégon
La Pointe
N.-D. du Manéguen
Guernic
La Villeneuve
Roscouët
Resto
La Ville-Pierre
Clan
Panros
Silo
St-Allouestre
Ste-Anne
Bourron
Crann
Trémorin
Kergilet
Kergal
Coët-Ligné
Keriquel
Kerdehel
Tellené
St-Jean-du-Poteau
Kergauthier
La Ferrière
Kermaria
Locminé
Beaulieu
Châteaubriant
Kerdel
Kerguignas
Ste-Suzanne
Kermoisan
Coët-Bugat
Guéhenno
Trégranteur-la-Grillette
Calvaire
Trévadoret
Ty-Fauchan
Baud
Tallan
Ker-Audrin
Govezo
Kermoël
Bignan
Kerguéhennec
Kerihoué
Kerloi
Le Coin-du-Bois
Le Mont
La Chapelle-Neuve
Guénanec
Plumelin
Kervalin
Kerveno
St-Just
Le Reste
St-Yves
Cruguel
Berlan
Brena
Vénus de Quinipily
Evel
Forêt
Camors
Locmaria
St-Cuidy
Penmené
Kervehel
Billio
Les Timbrieux
Lizio
Kergal
Kerhello
Kervihan
Kerrio
Le Resto
Moustoir-Ac
Keraufret
Trévéré
Lambel
Gonec
Raquéro
Loge-Charlotte
Stang-er-Venaj
Kerhero
Trébimoel
Le Bézo
Talrun
Le Creux
Catillé
Brangouserh
Rocnénette
St-Roch
St-Jean-Brévelay
Plumelec
St-Aubin
Pourbela
Locoal
Bodavel
Chanticoq
Les Trois Croix
Vieux-Bourg
Kerbodin
Kerivaux
La Rabine
Bod-Kesten
Florange
N.-D. de Fatima
Les Granges
B. de Colpo
Claie
Colpo
Scoulboh
Les Vieilles Granges
Ty-Planches
Croix-de-Bois
Kerguillerme
St-Nicolas
Cadoudal
Govello
Keraufret
Le Vilair
Bieuzy-Lanvaux
Larcuste
Kerdroguen
Le Moustoir
Lezourdan
Callac
La Sallé
Quéronic
Kercair
Résordoue
La Forêt
Bois de Botségalo
Bois de Treulan
Le Guérihuel
La Poche
Chapelle de Lorette
Le Pt-Villeneuve
La Ville-Merhan
Le Moustoir
Coëtquenan
Loperhet
Botségalo
Kerménézy
Kérizan-l'Eau
Brandivy
Néherlann
Tredion
Moulin d'Aguénéac
Pluvigner
Kernabessec
Locméren-des-Bois
Pont-du-Loc
Bois de St-Bily
Lesmadienné
Kergolher
Plaudren
Le Loc'h
Carnezon
Poteau Lison
Lopabu
Le Penhouët
Grand-Champ
Croiseau
St-Bily
Bauchéne
Le Léty
Kerhilias
Locguiviec
Kermouyal
Grondville
Locmaria-Grd-Champ
Locqueltas
Nédo
Morbouleau
Bois de Kerfily
Bois de Lanvaux
Landaul
Kergroix
Moustoirac
Parc-er-Menach
Kerlois
St-Tremeur
St-Colomban
Le Reste
Le Moustoirac
Kerfily
St-Germain
Forêt de Coëby
Tréavrec
Calan
Le Bois Juste
Plumergat
N.-D. de Burgo
Locméren-des-Prés
Kerabus
L'Hermite
Langroix
Camp
Talhouet
Meucon
Kerhern
Camaret
Elven
Ét. du Cranic
Les Quatres Chemins
Resto
La Villeneuve-Pt-Normand
Monterblanc
Bonerfaven
Brech
Kervaly
Pino
Moustoir-des-Fleurs
Kerlédan
Kermoël
PARC
Kerbiguette
Locmaria
Bodéan
Norbrat
St-Amand
Kerleau
St-Christophe
St-Degan
Locmiquel
Cuerneve
St-Michel
Mangolérian
Forteresse de Largoët
Le Fleuvy
Treulan
Ste-Anne-d'Auray
Tréhonte
Grayo
Logodec
Kerstran
Le Crélin
Le Guern
Meucon
Bocolo
Moustoir-Mana
Coët-Quintin
Marais de Kerzo
Mériadec
Le Poteau
Lézelannec
Liziec
St-Nolff
Champ des Martyrs
Chartreuse
Lan Guerban
Plescop
Rulliac
Lescran
Bréghoharne
Auray
Tréguevin
Leran
NATUREL
St-Amon
St-Avé
St-Colombier
Beauregard
Kerboulard
Leaulette
Lescastel
La Hutte-St Pierre
Pont-Fol
Pluneret
Trémodec
Bélean
Bernard
Trébat
Cosquéric
Kernaud
Pont-Sal
Kerluherne
Lesténo
Trefflean
La Vraie-Croix
Le Fozo
Kerbarch
St-Goustan
Meudon
Sulniac
Ste-Avoye
Cahire
Ploeren
Le Vincin
Bizole
Laverdon
Kerdavid
Bourdello
Lomarec
Kerplouz
Bequerel
Plougoumelen
Pt Molac
Bohalgo
MICHELIN
Lostihuel
Ste-Marguerite
Plessis-Kaer
Rosnarho
Le Bono
Lestriviau
Hallate
Kervenir
Locqueltas
St-Léonard
RÉGIONAL
Locquéltas
Le Plat d'Or
Kergroix
Kernours
Kervadec
Le Poulfanc
Penhouët
Kerganet
Conleau
VANNES
Ténac
Calzac-Eglise
Kercohan
Bray
Toul-Broche
Tourlarec
Arradon
Kermain
Crac'h
Rohello
Bourgerel
Kerguen
Î. Conleau
Le Gorvello
DU
Trémohar
N.-D. des Vertus
Larcan
Kerlescan
Le Latz
Fort-Espagnol
Mériadec
Le Moustoir
Bellevue
Séné
Kerentrée
Le Moustoir
Le Plessis-Josso
Gd Bodo
Berric
Kergurioné
Baden
Penboch
Î. Logoden
Brouel
Theix-Noyalo
Kerdreven
Guern
Penmern
Î. d'Irus
Pte d'Arradon
Langle
Cadouarn
Clesse
Le Coquero
Lauzach
Tumulus de Kercado
Le Celino
Marais de Pen-er-Toul
Port-Blanc
Î. Holavre
Î. de Boëdic
Noyalo
Le Blaire
Loquéltas
Le Trech
Î. Dronec
Pte de Bélure
Moustérian
Michotte
GOLFE
La Trinité-Surzur
Tumulus
St-Michel
St-Philibert
Locmique
Anse de Kerdelan
Bourg
Brouel
Lan Gréavo
Île-d'Arz
Île de Boëdé
Kerarden
Kernau
Le Grégo
La Trinité-sur-Mer
Kerouarch
Larmor-Baden
Kergonan
Î. Berder
Montssarac
La Clarté
Kerarno
Kerinis
Î. Renaud
Î. Créizic
Le Guéric
Kerno
Bourg
Pte de Belhervé
Le Hézo
Trémeret
Manè-Lud
Grand Menhir
Île-aux-Moines
Le Passage
Kerbihan
Table des Marchand
Î. Gavrinis
Cairn
Î. de la Jument
Penhap
Pte de Liouse
Î. Ilur
Î. Tascon
Surzur
Locmariaquer
Î. de l'Œuf
Île Bailleron
Lezuis
Kerlann
Er Lanic
Î. Danten
DU
St-Armel
La Ville-Neuve
St-Pierre
Tumulus
Le Monténo
Î. Godec
Réserve
Lasné
Ste Hélène
Pierres Plates
Bilgroix
Kerners
Île Iluric
St-Louis
Trévinec
Billion
Pen Castel
MORBIHAN
ornithologique
Trémoyec
Pte de Kerpenhir
Govéan
Tréverel
Ambon
Port-Navalo
Arzon
Le Logeo
St-Colombier
MORBIHAN
BAIE
Port du Crouesty
Tumiac
Kerassel
Bénance
Duer
Tumulus
Le Net
Belle Croix
Etier de Caden
Lyonne
Pénesclu
Méaban
Pte du Pt-Mont
Kerjouanno
le Crouesty
Brillac
Fourneway
Truscat
Kerlévenan
Roze
Sarzeau
Balanfournis
Port-Groix
E QUIBERON
La Saline
Côte des Mégalithes
Botpénal
Kerguet
Le Tour-du-Parc
Le Lic
Kerdouin
Bodérin
Toulcaden
Pen-Cadenic
Damgan
Cromenach
Kerpont
Anse de Cornault
Gouézan
Presqu'île de Rhuys
Kermoizan
Rouvran
Larmor
Tréhervé
Bétahon
St-Gildas-de-Rhuys
Le Net
Chau de Suscinio
Banastère
Penerf
Kervoyal
Penn Lann
Kerfagot
Trévenaste
Landrezac
Penvins
Le Govet
Pte de Kervoyal
Pte du Grd-Mont
La Grée-St-Jacques
Le Roaliguen
La Grée-Penvins
Passe de la Grde Accroche
Pte de Pen
Kercambre
Kerfontaine
Anse de Suscinio
Pte du Halguen
Conguel
Pte de Penvins
Pte de Cofrenau
Pte de St-Jacques
Rade de Penerf
Ht-Pénestin
Pénes
La Teignouse
Plage de la Mine d'Or
Poudrantais
Teignouse
Plateau de la Recherche
Île de Belair
Kerlieux
Pte de Loscolo
Chaussée du Béniguet
Kervraud
Glazic
Pte du B
N 24
N 166
N 165
E 60
D 775
D 767
D 779
D 778
D 768
D 780
D 781
D 101
D 17
D 19
D 20
D 1
GR 34
GR 38

Ploërmel
Campénéac
Coëtquidan-St Cyr
St-Malo-de-Beignon
Gourhel
Trieux
Beaurepaire
Chau du Bois-du-Loup
Musée
Bellevue-Coëtquidan
Loutehel
Augan
St-Jean-de-Villenard
Brocéliande
La Ville-Gourio
Travoléon
Porcaro
Guer
Campel
(Val-d'Anast)
Maure-de-Bretagne
Mernel
Quily
Montertelot
Monterrein
Crévy
Le Roc-St-André
(Val d'Oust)
St-Abraham
Caro
Monteneuf
Les Menhirs de Monteneuf
Réminiac
Les Brulais
Comblessac
Lieuron
Missiriac
Tréal
Forêt de la Bourdonnaye
Trignac
St-Séglin
Malestroit
Ruffiac
Carentoir
Quelneuc
Bruc-sur-Aff
Pipriac
St-Marcel
Musée
St-Laurent-sur-Oust
St-Nicolas-du-Tertre
La Chapelle-Gaceline
Bohal
St-Congard
Landes de Couesmé
La Gacilly
Sixt-s-Aff
Pleucadeuc
Mont Hersé
St-Martin-sur-Oust
St-Just
Molac
Les Fougerêts
Glénac
Cournon
St-Gravé
Peillac
Parc de la Préhistoire
Rochefort-en-Terre
Pluherlin
Bains-sur-Oust
Renac
Malansac
St-Jacut-les-Pins
Parc de Bodelio
Ste-Marie
La Chapelle-de-Brain
St-Perreux
Redon
St-Nicolas-de-Redon
Avessac
Massérac
Questembert
Limerzel
Caden
Allaire
St-Jean-la-Poterie
Parc de Branféré
Noyal-Muzillac
Le Guerno
Muzillac
Béganne
Rieux
Fégréac
Péaule
Marzan
Nivillac
Théhillac
St-Dolay
Sévérac
St-Gildas-des-Bois
Guenrouet
Arzal
La Roche-Bernard
Forêt de la Roche-Bernard
Missillac
Drefféac
Camoël
Férel
Herbignac
Quilly
E
F
G
H
103
146
126

0 2 4 6 8 10 km
104
125
147
A
B
C
D
1
2
3
4
5
Guichen
St-Marc
Chanteloup
Corps-Nuds
Janzé
La Chapelle-Bouexic
Bourg-des-Comptes
Crevin
Le Pt-Fougeray
Saulnières
Maure-de-Bretagne
Mernel
Guignen
St-Senoux
Pléchâtel
Poligné
Le Sel-de-Bretagne
Lohéac
Manoir de l'Automobile
St-Malo-de-Phily
Pancé
Tresbœuf
La Bosse-de-Bretagne
Lieuron
Guipry-Messac
Bain-de-Bretagne
Lalleu
Thourie
Pipriac
Ercé-en-Lamée
La Noë-Blanche
Teillay
St-Just
St-Ganton
La Dominelais
St-Sulpice-des-Landes
Rougé
Ruffigné
Sion-les-Mines
Renac
Langon
Ste-Anne-s-Vilaine
Grand-Fougeray
St-Aubin-des-Châteaux
La Chapelle-de-Brain
Brain-s-Vilaine
Beslé
Pierric
Mouais
Lusanger
Masserac
Avessac
Derval
Louisfert
Guémené-Penfao
St-Vincent-des-Landes
Conquereuil
Jans
Treffieux
Issé
Marsac-s-Don
Plessé
Vay
Nozay
Abbaretz
Le Gâvre
La Grigonnais
Puceul
Blain
Saffré
Joué-s-Erdre
Guenrouet
Forêt du Gâvre
Forêt de Domnaiche
Étang de la Bornière
Étang de la Taberge
Vilaine
D 772
D 775
D 771
N 137
E 3
N 171
D 164

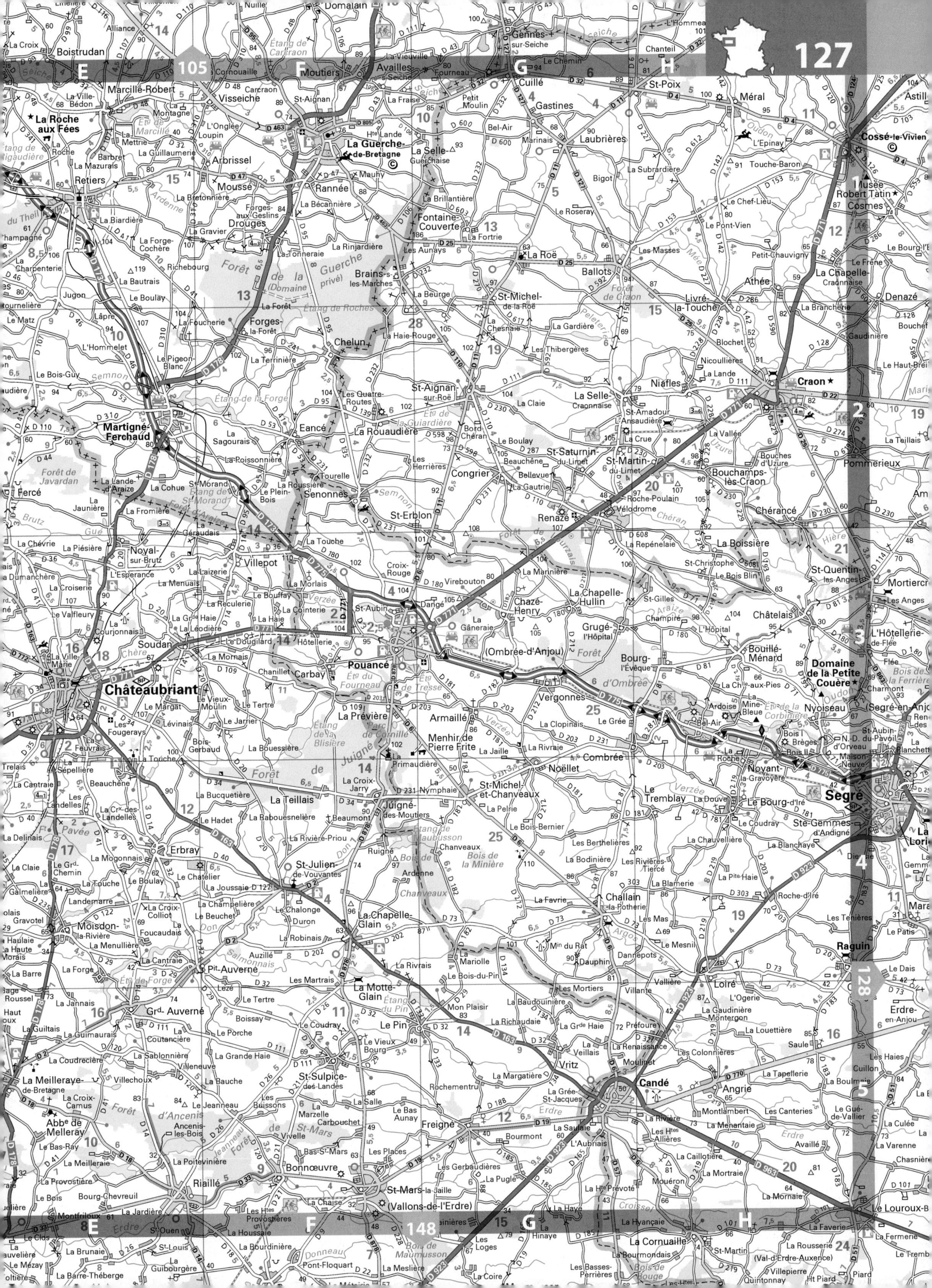

105

E F G H

Domalain
Gennes-sur-Seiche
Boistrudan
Moutiers
Availles-sur-Seiche
Cuillé
St-Poix
Méral
Marcillé-Robert
Visseiche
La Roche aux Fées
La Guerche-de-Bretagne
La Selle-Guerchaise
Gastines
Laubrières
Cossé-le-Vivien
Arbrissel
Retiers
Rannée
Mousse
Drouges
Fontaine-Couverte
La Roë
Ballots
Musée Robert Tatin
Cosmes
Athée
La Chapelle-Craonnaise
Denazé
Brains-s-les-Marches
St-Michel-de-la-Roë
Livré-la-Touche
Forêt de la Guerche
Forges-la-Forêt
Chelun
Craon
Martigné-Ferchaud
Eancé
La Rouaudière
St-Aignan-sur-Roë
La Selle-Craonnaise
Niafles
St-Saturnin-du-Limet
St-Martin-du-Limet
Bouchamps-lès-Craon
Pommerieux
Senonnes
St-Erblon
Congrier
Renazé
Chérancé
Fercé
Noyal-sur-Brutz
Villepot
La Boissière
St-Quentin-les-Anges
Mortiercrolles
Chazé-Henry
La Chapelle-Hullin
Châtelais
Soudan
Pouancé
Carbay
Grugé-l'Hôpital
(Ombrée-d'Anjou)
Bouillé-Ménard
Domaine de la Petite Couère
Bourg-l'Évêque
Châteaubriant
Vergonnes
Nyoiseau
(Segré-en-Anjou Bleu)
La Prévière
Armaillé
Menhir de Pierre Frite
Combrée
Noëllet
Noyant-la-Gravoyère
Segré
St-Michel-et-Chanveaux
Le Tremblay
Le Bourg-d'Iré
Ste-Gemmes-d'Andigné
La Teillais
Juigné-des-Moutiers
Erbray
St-Julien-de-Vouvantes
Challain-la-Potherie
Moisdon-la-Rivière
La Chapelle-Glain
Raguin
Pt-Auverné
La Motte-Glain
Loiré
Grd-Auverné
Le Pin
Vritz
Erdre-en-Anjou
La Meilleraye-de-Bretagne
St-Sulpice-des-Landes
Candé
Angrie
Abbe de Melleray
Freigné
Riaillé
Bonnœuvre
St-Mars-la-Jaille
(Vallons-de-l'Erdre)
Le Louroux-Béconnais
La Cornuaille
(Val-d'Erdre-Auxence)

128

E F G H

148

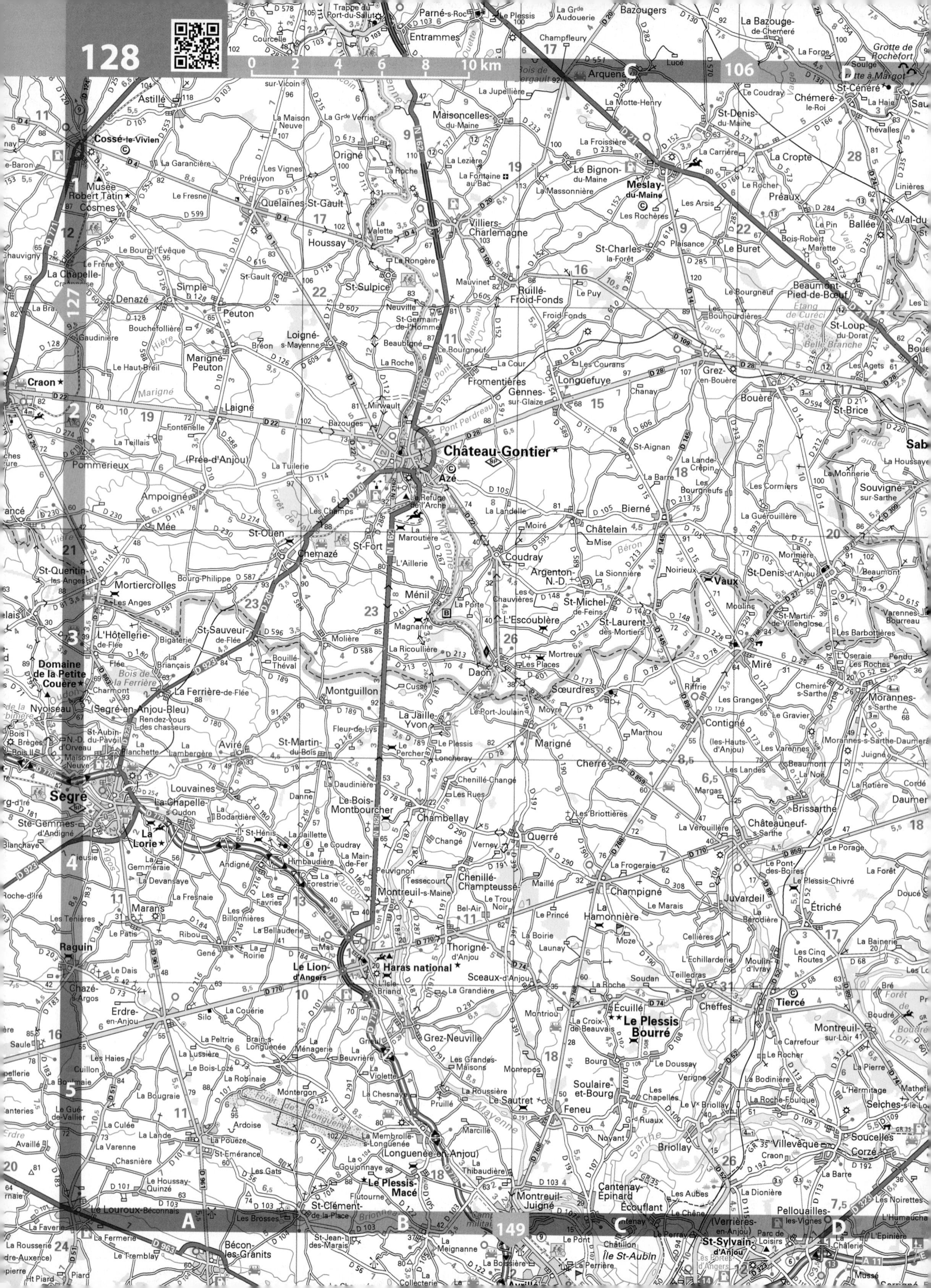
0 2 4 6 8 10 km
106
127
149
Cossé-le-Vivien
Craon
Château-Gontier
Azé
Segré
Le Lion-d'Angers
Haras national
Meslay-du-Maine
Grez-en-Bouère
Bouère
Miré
Morannes-s-Sarthe
Châteauneuf-s-Sarthe
Tiercé
Le Plessis Bourré
Le Plessis-Macé
St-Sylvain-d'Anjou
Montreuil-Juigné
Bécon-les-Granits
Le Louroux-Béconnais
Entrammes
Parné-s-Roc
Bazougers
Arquenay
Quelaines-St-Gault
Villiers-Charlemagne
Ruillé-Froid-Fonds
Fromentières
Longuefuye
Gennes-sur-Glaize
Bierné
Châtelain
Coudray
Argenton-N.-D.
St-Michel-de-Feins
St-Laurent-des-Mortiers
Daon
Sœurdres
Marigné
Contigné
Cherré
Querré
Champigné
Juvardeil
Étriché
Écuillé
Cheffes
Soulaire-et-Bourg
Feneu
Briollay
Cantenay-Épinard
Écouflant
Grez-Neuville
Montreuil-s-Maine
Chambellay
Thorigné-d'Anjou
Sceaux-d'Anjou
Chenillé-Champteussé
La Jaille-Yvon
Montguillon
St-Martin-du-Bois
Le Bois-Montbourcher
Louvaines
Avirée
La Ferrière-de-Flée
St-Sauveur-de-Flée
Chemazé
St-Fort
Ménil
Ampoigné
Mée
St-Quentin-les-Anges
Mortiercrolles
L'Hôtellerie-de-Flée
Pommerieux
Laigné
Marigné-Peuton
Peuton
Simplé
Denazé
Houssay
St-Sulpice
Loigné-s-Mayenne
Origné
Maisoncelles-du-Maine
Le Bignon-du-Maine
Astillé
Cosmes
Musée Robert Tatin
Domaine de la Petite Couère
Nyoiseau
Raguin
Chazé-s-Argos
Erdre-en-Anjou
Marans
La Lorie
Andigné
St-Clément-de-la-Place
La Pouëze
St-Denis-d'Anjou
Souvigné-sur-Sarthe
St-Brice
Ballée
Préaux
St-Loup-du-Dorat
Beaumont-Pied-de-Bœuf
Chémeré-le-Roi
St-Denis-du-Maine
La Cropte
Brissarthe
Seiches-s-le-Loir
Soucelles
Corzé
Villevêque
Montreuil-sur-Loir
Pellouailles-les-Vignes
Vaux
Forêt de Longuenée
Mayenne
Sarthe
A
B
C
D

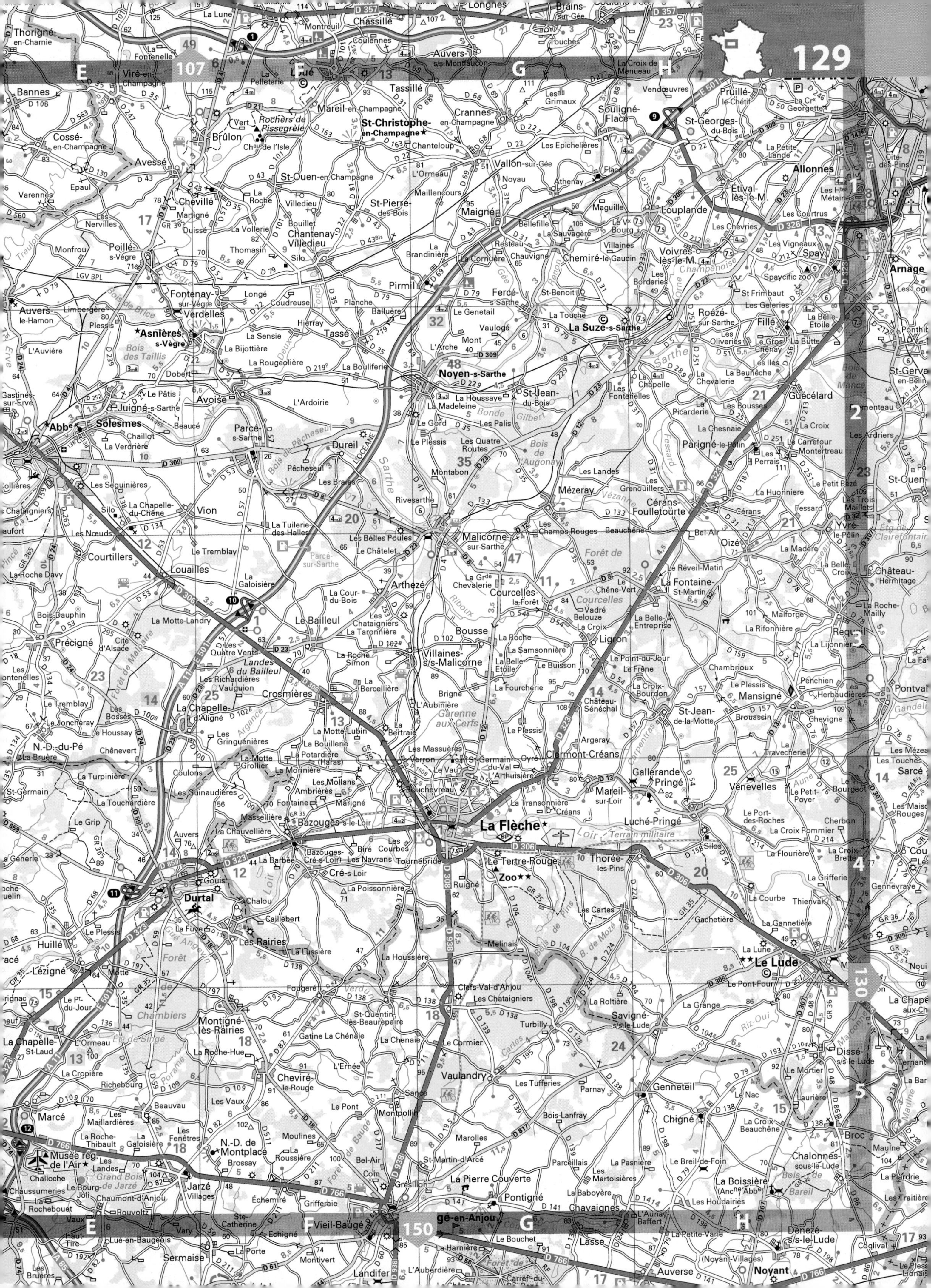

107
130
150

Le Mans
Thorigné-en-Charnie
Viré-en-Champagne
Loué
Chassillé
Longnes
Brains-sur-Gée
Aux-s/s-Montfaucon
Tassillé
Mareil-en-Champagne
Brûlon
Rochers de Pissegrèle
St-Christophe-en-Champagne
Crannes-en-Champagne
Souligné-Flacé
Vendœuvres
Pruillé-le-Chétif
St-Georges-du-Bois
Bannes
Cossé-en-Champagne
Avessé
Epaul
St-Ouen-en-Champagne
Vallon-sur-Gée
Chevillé
St-Pierre-des-Bois
Maigné
Louplande
Étival-lès-le-M.
Allonnes
Poillé-s-Vègre
Chantenay-Villedieu
Pirmil
Chemiré-le-Gaudin
Voivres-lès-le-M.
Spay
Arnage
Auvers-le-Hamon
Fontenay-sur-Vègre
Verdelles
Asnières-s-Vègre
Tassé
Fercé-s-Sarthe
La Suze-s-Sarthe
Roézé-sur-Sarthe
Fillé
Noyen-s-Sarthe
St-Jean-du-Bois
Guécélard
Juigné-s-Sarthe
Avoise
Solesmes
Parcé-s-Sarthe
Dureil
Parigné-le-Pôlin
Mézeray
Cérans-Foulletourte
Vion
Malicorne-sur-Sarthe
Yvré-le-Pôlin
Courtillers
Louailles
Arthezé
Courcelles-la-Forêt
La Fontaine-St-Martin
Château-l'Hermitage
Le Bailleul
Bousse
Ligron
Précigné
Villaines-s/s-Malicorne
Requeil
Crosmières
Mansigné
Pontvallain
La Chapelle-d'Aligné
St-Jean-de-la-Motte
N.-D.-du-Pé
Clermont-Créans
Mareil-sur-Loir
Pringé
Vénevelles
Sarcé
Bazouges-s-le-Loir
La Flèche
Luché-Pringé
Durtal
Thorée-les-Pins
Le Tertre-Rouge
Huillé
Les Rairies
Lézigné
Le Lude
Clefs-Val-d'Anjou
Montigné-lès-Rairies
Savigné-s/s-le-Lude
La Chapelle-St-Laud
Chevirè-le-Rouge
Vaulandry
Dissé-s/s-le-Lude
Marcé
Genneteil
Chigné
Broc
N.-D. de Montplacé
Musée rég. de l'Air
Jarzé Villages
Chalonnes-sous-le-Lude
La Boissière
Pontigné
Chavaignes
Vieil-Baugé
Baugé-en-Anjou
Lasse
Dénezé-s/s-le-Lude
Sermaise
Landifer
Auverse
Noyant

0 2 4 6 8 10 km
108
129
151
A
B
C
D
1
2
3
4
5
Champagné
Yvré-l'Évêque
St-Mars-la-Brière
Thorigné-sur-Dué
Nuillé-le-Jalais
St-Michel-de-Chavaignes
Semur-en-Vallon
Soulitré
Le Breil-s-Mérize
Abbe de l'Épau
Changé
Ardenay-sur-Mérize
Coudrecieux
Allonnes
Musée Automobile
Ruaudin
Surfonds
Bouloire
Arnage
Parigné-l'Évêque
Challes
Volnay
St-Mars-de-Locquenay
Maisoncelles
Mulsanne
Brette-les-Pins
Tresson
Moncé-en-Belin
Teloché
Évaillé
St-Gervais-en-Belin
Guécélard
Laigné-en-Belin
St-Mars-d'Outillé
Ste-Osmane
Villaines-s/s-Lucé
Montreuil-le-Henri
Le Grand-Lucé
St-Ouen-en-Belin
Ecommoy
Mont Vigne
Pruillé-l'Éguillé
St-Georges-de-la-Couée
Vancé
St-Biez-en-Belin
Marigné-Laillé
St-Vincent-du-Lorouër
Courdemanche
Yvré-le-Pôlin
Château-l'Hermitage
St-Pierre-du-Lorouër
Forêt de Bercé
Jupilles
Requeil
Pontvallain
Mayet
Beaumont-Pied-de-Bœuf
Thoiré-sur-Dinan
Poncé-s-le-Loir
Ruillé-s-Loir
Verneil-le-Chétif
Lhomme
Chahaignes
Sarcé
Flée
La Chartre-s-le-Loir
Tréhet
Lavernat
Luceau
Château-du-Loir
(Montval-s-Loir)
Marçon
Villedieu-le-Château
Coulongé
Aubigné-Racan
Vouvray-s-Loir
Beaumont-sur-Dême
Vaas
Montabon
Nogent-sur-Loir
Épeigné-sur-Dême
Dissay-s/s-Courcillon
Chemillé-sur-Dême
La Bruère-sur-Loir
Villebourg
Bueil-en-Touraine
La Chapelle-aux-Choux
St-Pierre-de-Chevillé
St-Aubin-le-Dépeint
St-Germain-d'Arcé
Chenu
St-Christophe-sur-le-Nais
St-Paterne-Racan
Louestault
Neuvy-le-Roi
Dissé-s/s-le-Lude
Villiers-au-Bouin
La Roche-Racan
Broc
Chalonnes-sous-le-Lude
Braye-sur-Maulne
Brèches
Couesmes
Marcilly
Château-la-Vallière
Neuillé-Pont-Pierre
Dénezé-s/s-le-Lude
Sonzay

109
E
F
G
H
Souday
Les Landes
St-Agil
La Gâte
La Haye
La Freslonnière
Le Gué-de-Launay
Boursay
La Brosse
Bouffry
Cloyes-s-le-Loir
Berfay
Valennes
Choue
Grand Bouchet
La Chapelle-Vicomtesse
Fontaine-Raoul
Villebout
Mondoubleau
Les Souches
St-Marc-du-Cor
Cormenon
Baillou
Rahay
Le Croc
La Forte Pièce
Romilly
Chauvigny-du-Perche
L'Oiselière
L'Estriverde
Les Taffforeaux
Forêt de Fréteval
Conflans-sur-Anille
Le Gravier
Les Bertelleries
Beauchêne
Les Cinq Vouges
La Fredonnière
Le Temple
St-Jean-Froidmentel
Marolles-lès-St-Calais
Sargé-sur-Braye
Rotsang
Calais
Taille-Fer
Montmarin
Flef-Corbin
La Godasière
La Loctière
Motteux
La Ville-aux-Clercs
Le Fort Girard
Les Mussets
St-Hilaire-la-Gravelle
La Blinière
Le Plessis
Montplaisir
Épuisay
L'Étang
Danzé
Les Gats
Le Rouillis
Busloup
Fontaine
Fréteval
Morée
St-Gervais-de-Vic
Savigny-sur-Braye
Champrond
Le Tertre
Beaulieu
Le Bois-Malon
Rahart
Pont-l'Ane
Courcelles
Lignières
La Poulinière
La Maslerie
La Fosse-Landault
Buissay
Espereuse
L'Epau
Pezou
Azé
L'Orgerie
La Belle-Étoile
Fortan
Haie-de-Champ
Lisle
St-Firmin-des-Prés
Chicheray
La Vieille-Haie
Celle
La Hardonnière
Galette
La Mérillière
Forêt de Vendôme
Renay
Beauvilliers
Champlain
Mazangé
La Fosse-Courtin
Courtozé
La Grapperie
Bois de Bricsard
La Chapelle-Enchérie
Fontaine-les-Coteaux
Les Pavillons
La Montellière
Le Gué-du-Loir
Villiers-sur-Loir
La Tuilerie
Bel-Air
Les Rochettes
St-Ouen
Meslay
Bonneveau
Lunay
Bonaventure
Clouseaux
Courtiras
Areines
Rocé
Faye
Epiais
Vendôme
Naveil
Thoré-la-Rochette
Rochambeau
Villetrun
Baigneaux
Troo
Les Roches-l'Évêque
Sougé
St-Jacques-des-Guérets
St-Quentin-lès-Troo
Varennes
Coulommiers-la-Tour
Thorigny
Artins
Montoire-s-le-Loir
St-Rimay
Villavard
Houssay
Marcilly-en-Beauce
Villerable
Ste-Anne
Selommes
Rhodon
Ternay
Lavardin
Villiersfaux
Les Essarts
La Borde
Tarché
Périgny
Villemardy
St-Martin-des-Bois
Sasnières
Huisseau-en-Beauce
Crucheray
Villeromain
Les Hayes
Ambloy
Nourray
Prunay-Cassereau
Forêt de Prunay
St-Arnoult
Lancé
Touraiilles
Villefrancœur
St-Amand-Longpré
Pray
La Chapelle-Vendômoise
Les Hermites
St-Gourgon
Gombergean
Landes-le-Gaulois
Monthodon
Villechauve
Authon
Lancôme
La Ferrière
Villeporcher
Neuville-sur-Brenne
St-Cyr-du-Gault
Françay
St-Lubin-en-Vergonnois
Le Boulay
Saunay
St-Étienne-des-Guérets
Herbault
St-Laurent-en-Gâtines
Château-Renault
St-Nicolas-des-Motets
Orchaise
Molineuf
Santenay
Morand
Chambon-sur-Cisse
Nouzilly
Villedômer
Auzouer-en-Touraine
Crotelles
Dame-Marie-les-Bois
Coulanges
152
132
D 357
D 957
N 10
A 10
D 766
L'AQUITAINE

0 2 4 6 8 10 km
110
131
153
A
B
C
D
1
2
3
4
5
Cloyes-s-le-Loir
Autheuil
(Cloyes-les-Trois-Rivières)
Bouville
Bapaume
Champ Romain
Chublainville
Villebeton
Lézanville
Niverville
L'Orme-Sec
Richeville
Harbouville
Porcheronville
Juvrainville
Auvilliers
Villamblain
Sorency
Tournoisis
Renneville
St-Péravy-la-Colombe
Coinces
Chesne
Patay
Lignerolles
Allonnes
Corfeu
Villardu
Baigneaux
Morenneville
Villouzier
St-Cloud-en-Dunois
Morgues
Villeloup
Villampuy
Dessainville
La Folie
La Mouise
Machelainville
Loupille
Liconcy
La Pierre Percée
Villevêque
Chapelle-Noyer
Romilly-sur-Aigre
La Touche
La Ferté-Villeneuil
La Motteraye
Le Mée
Membrolles
Silo
Boisville
Chardonnelle
Villiers-le-Hard
Poiseaux
Villemars
Pressailles
Nids
Coulemelle
Porcheresse
Frécul
Villarson
Saumery
St-Sigismond
Clos-Aubry
Gémigny
Champs
Cheminiers
Malmusse
Les Laps
Rozières-en-Beauce
St-Claude
St-Jean-Froidmentel
Rougemont
Assée
Beauvoir
Bouche-d'Aigre
Thierville
Charray
Herbouville-la-Brédache
Brévainville
Heauville
Herbouville-la-Beaucière
Bois de St-Claude
Hautes-Huignes
Le Mesnil
Verdes
Basses-Huignes
Villeslin
L'Ormeteau
Prénouvellon
Favelles
Villiers-le-Gast
Villiers-le-Temple
Cerqueux
Mézières
Manthierville
La Bruyère
Séronville
Tripleville
Prunay
(Beauce la Romaine)
Villemain
Ourcis
Charsonville
Chevenelle
Saintry
Épieds-en-Beauce
Perreuse
Coulmiers
Bonneville
Bagatelle
Ouzouer-le-Doyen
Nouzay
Lierville
Semerville
La Folletière
Les Ternes
Menainville
Villorceau
Villeray
Montapeine
Vilaine
Mauvelles
Le Creux
L'Ermitage
Bois de Montpipeau
Thireau
Moisy
Montreveau
Orme-Guignard
Villecellier
Binas
Ablainville
Boussy
Cornillon
Vignes
Anchat
Ouzouer-le-Marché
Chandry
La Renardière
Huisseau-sur-Mauves
Longueva
Le Plessis
La Blinière
Le Montballière
Morée
La Ritière
Écoman
Fréteval
La Gahandière
La Colombe
Autainville
Chantôme
Vallière
Mézières
Bizy
Baccon
La Baretterie
Bois des Brulons
Le Plessis
Cîteaux
Forêt de Cîteaux
Villegruau
Villesiclaire
Villedieu
Poisioux
Villermain
Les Banchets
Le Pater
La Touanne
Fontaine
Préau
La Guinardière
Les Bouleaux
Monlavy
Vievy-le-Rayé
La Jouannière
Le Châtelier
Marolles
La Davière
Rondonneau
Égl.
La Challerie
Roudon
Aunay
Cropet
Les Haies
Rocheux
La Bosse
La Chaumelle
La Pagerie
St-Laurent-des-Bois
Les Boëches
Poisly
Jouy
Montigny
Orcières
Le Bardon
La Nivelle
Le Trépoix
Beauvilliers
Lorry
Le Chesnay
Le Ramage
(Domaine privé)
Marchenoir
Cognière
Launay
La Borde
Rilly
Châtre
La Houghaise
Tremblay
St-Léonard-en-Beauce
La Martinière
Cravant
Le Buisson
Beaumont
Langlochère
Meung-sur-Loire
Cléry-St-André
La Chapelle-Enchérie
Bois de Rochambeau
Oucques
Sigogne
Le Plessis-l'Échelle
Briou
Lorges
Cernay
Meung-s-Loire
Beaugency
Messas
Baule
Épiais
Villegomblain
(Oucques-La Nouvelle)
Marcon
La Coudraye
Villemuzard
Messilly
Prenay
Plessis
Ourcelle
Le Mée
Villevert
Villejouan
Villorceau
Le Port-David
Dry
Villecante
Noyers
Frouville
Villeneuve-Frouville
La Vacherie
Roches
Josnes
Origny
Villemarceau
Loynes
Vernon
Lavau
Ste-Gemmes
Baigneaux
Bourrichard
Les Heaumes
Villiers
Izy
Trugny
Toupenay
Le Bouchet
Thorigny
Le Bouchet
Sermaise
Talcy
Concriers
Serqueue
Beaugency
Lailly-en-Val
Fontpertuis
La Croix-Blanche
Concyr
Le Buisson
Boisseau
La Madeleine-Villefrouin
Lavau
Selommes
Rhodon
Conan
Mauvoy
Morée
Séris
Lussay
Tavers
Maulne
La Bargoudière
Les Gaschetières
Les Trois-Cheminées
Les Effets
Le Villiers
Le Noyer
Maves
Pontijou
Villexanton
Villeroclin
Villesablon
Villaugon
Grd Champ
Moquebaril
Moncçay
Les Bordes
Villemardy
Villegrimont
Villeberfol
Villeromard
Villefriou
L'AQUITAINE
Beaumont
Le Tertre
Lestiou
Avaray
Belvre
Bel-Air
Les Francs-Bois
Budan
Villetard
La Chapelle-St-Martin-en-Plaine
Morvilliers
La Place
Courbouzon
Ardoux
St-Laurent-Nouan
Bois de Pully
Champigny-en-Beauce
Chousy
Les Tresseaux
Bonpuits
Epiez
Balatre
Mer
Herbilly
Les Pins
Champ-Renaud
Villefrancœur
Le Plessis
Averdon
Villiers
Mézières
Mulsans
Tremblay
Villefrisson
Villevry
Les Landes
Moncellereux
Le Cavereau
La Barboire
Les Basses-Fontaines
Les Maseaux
Toisy
Siany
Silos
Villejambon
Diziers
Suèvres
Laloir
Muides-sur-Loire
Nouan-sur-Loire
Huppemeau
Bois de la Ferté
La Chapelle-Vendômoise
Villerogneux
Villerbon
Le Terreux
Blois-Villerbon
Blois-Ménars
Parc de Ménars
Tronne
Colliers
Bois-Renard
Crouy-sur-Cosson
Le Branloup
La Motte-Longuet
Grivelle
St-Bohaire
Le Logis
Villesecron
Pezay
Fleury
Cour-sur-Loire
Menars
Le Vivier
L'Écuelle
St-Dyé-sur-Loire
Pavillon de Muides
Aires de Vision
La Ferté-St-Cyr
St-Cyr
Grd Étang
Marolles
Russy
Jarday
Villemalard
Villebrême
Francillon
Villeneuve
Villebarou
Montlivault
Maslives
PARC
Chambord
La Blondellerie
Thoury
Fossé
La Sourdière
La Vrillère
Les Mées
St-Denis-sur-Loire
Nozieux
Pavillon de St-Dyé
Pavillon de Thoury
Aires de Vision
Étg des Rauys
Bonneville
Villeny
St-Lubin-en-Vergonnois
St-Sulpice-de-Pommeraye
Champigny
BLOIS
Villiersfins
La Chaussée-St-Victor
St-Claude-de-Diray
Léry
Morest
Les Noëls
La Saumery
La Chaussée-le-Comte
DE
CHAMBORD
(Réserve Nationale de Chasse)
La Chevrolière
Vaugoin
La Rote
La Motte-Bonneville
La Maltière
Le Bout-d'en-Haut
Étg des Binoches
Forêt
La Pinconnière
Pimpeneau
Vineuil
Les Grotteaux
La Croix-de-Bois
Huisseau-sur-Cosson
Pavillon de Bracieux
Pavillon de Montfrault
Étg de Monperche
Le Chêne
La Giraudière
Dhuizon
Molineuf
Carreft de Louis XII
Nanteuil
Le Chiteau
Carreft de la Reine
BOULOGNE
Carreft du Roi Stanislas
La Hardonnière
Le Mesnil
Le Grd Theillay
La Giraudière
Étg de la Giraudière
Cisse
L'Ormeau
St-Gervais-la-Forêt
La Patte d'Oie
Les Varennes
FORÊT DE
Carreft de Chambord
Carreft des
Montrieux-en-Sologne
Rocon
Les Grouets
L'Hôtel-Pasquier
Mont-près-Chambord
Rue-de-Meneuil
Villesavin
Neuvy
Coulanges
Carreft de la Croix Pineau
Pézay
Courbanton
L'Hôtellerie
La Boue
La Chaumette
La Morandière
Chailles
Croix Rouge
La Varenne
Beauregard
Clénord
Arian
Bracieux
Veillenne
Le Chéreau
Bauzy
Abb. de la Guiche
Champ de Tir
Russy

ORLÉANS
St-Jean-de-la-Ruelle
Fleury-les-Aubrais
St-Jean-de-Braye
St-Jean-le-Blanc
St-Pryvé-St-Mesmin
Olivet
La Source
St-Hilaire-St-Mesmin
Saran
Ingré
Ormes
Semoy
Chécy
Mardié
Combleux
St-Denis-en-Val
Boigny-sur-Bionne
Marigny-les-Usages
Chanteau
Rebréchien
Loury
Traînou
Vennecy
Donnery
Fay-aux-Loges
Sully-la-Chapelle
Ingrannes
Seichebrières
Combreux
Vitry-aux-Loges
St-Denis-de-l'Hôtel
Jargeau
Darvoy
Sandillon
Châteauneuf-sur-Loire
St-Martin-d'Abbat
Germigny-des-Prés
St-Benoît-s-Loire
St-Aignan-des-Gués
Férolles
Ouvrouer-les-Champs
Sigloy
Vienne-en-Val
Tigy
Neuvy-en-Sullias
Guilly
St-Cyr-en-Val
Marcilly-en-Villette
Ardon
Mézières-lez-Cléry
La Chapelle-St-Mesmin
Mareau-aux-Prés
Jouy-le-Potier
La Ferté-St-Aubin
Ménestreau-en-Villette
Sennely
Vannes-s-Cosson
Viglain
Villemurlin
Isdes
Ligny-le-Ribault
Yvoy-le-Marron
Chaumont-sur-Tharonne
Vouzon
Souvigny-en-Sologne
Lamotte-Beuvron
Chaon
Clémont
Brinon-s-Sauldre
La Marolle-en-Sologne
La Ferté-Beauharnais
Nouan-le-Fuzelier
LOIRE
FORÊT D'ORLÉANS
Forêt de Chaon
E F G H
111 154 134

0 2 4 6 8 10 km
112
133
155
A
B
C
D
1
2
3
4
5
Montargis
Châlette-sur-Loing
Villemandeur
Amilly
Corquilleroy
Cepoy
Paucourt
Villevoques
Chapelon
Mézières-en-Gâtinais
St-Loup-des-Vignes
Ladon
Villemoutiers
St-Maurice-sur-Fessard
Quiers-sur-Bézonde
Nesploy
Bellegarde
Ouzouer-sous-Bellegarde
Seichebrières
Sury-aux-Bois
Combreux
Vitry-aux-Loges
Auvilliers-en-Gâtinais
Presnoy
Chailly-en-Gâtinais
Chevillon-sur-Huillard
Beauchamps-sur-Huillard
Lombreuil
Vimory
Mormant-sur-Vernisson
Conflans-sur-Loing
Châtenoy
Noyers
Thimory
Coudroy
Lorris
Oussoy-en-Gâtinais
St-Hilaire-sur-Puiseaux
Solterre
Montcresson
Cortrat
Vieilles-Maisons-sur-Joudry
La Cour-Marigny
Ouzouer-des-Champs
Pressigny-les-Pins
Montereau
Varennes-Changy
Nogent-sur-Vernisson
Montbouy
St-Martin-d'Abbat
Germigny-des-Prés
Bouzy-la-Forêt
St-Aignan-des-Gués
Bray-en-Val
St-Benoît-s-Loire
Les Bordes
Le Moulinet-sur-Solin
Langesse
Ste-Geneviève-des-Bois
Les Choux
Bonnée
St-Père-s-Loire
Sully-s-Loire
Ouzouer-sur-Loire
Dampierre-en-Burly
Boismorand
Les Pêcheurs
Adon
La Bussière
St-Aignan-le-Jaillard
Viglain
Lion-en-Sullias
Nevoy
Gien
Escrignelles
Villemurlin
St-Florent
St-Gondon
Poilly-lez-Gien
Ouzouer-s-Trézée
St-Martin-s-Ocre
St-Brisson-sur-Loire
Briare
Cerdon
Coullons
St-Firmin-s-Loire
Autry-le-Châtel
Châtillon-sur-Loire
Ousson-s-Loire
Argent-sur-Sauldre
Clémont
Blancafort
Cernoy-en-Berry
Forêt de Sully
Forêt de St-Brisson
Canal d'Orléans
LOIRE
D 2060
D 2160
D 952
D 940
D 2007
A 77
D 951
D 948

Courtenay
Louzouer
Thorailles
St-Martin-d'Ordon
St-Loup-d'Ordon
Verlin
Villecien
St-Aubin-s-Yonne
Cézy
Côte St-Jacques
La Selle-en-Hermoy
Chuelles
Cudot
Précy-s-Vrin
La Celle-St-Cyr
Béon
Chamvres
St-Firmin-des-Bois
Jardins du Grand-Courtoiseau
Château-Renard
Triguères
Douchy-Montcorbon
Villefranche-St-Phal
Sépeaux-St-Romain
Champvallon
Dicy
Chevillon
Volgré
Senan
Melleroy
Charny-Orée-de-Puisaye
La Ferté-Loupière
Villiers-s-Tholon
Laduz
Aillant-s-Tholon
La Chapelle-sur-Aveyron
St-Maurice-sur-Aveyron
Sommecaise
Les Ormes
Chassy
St-Maurice-Thizouaille
St-Aubin-Château-Neuf
St-Maurice-le-Vieil
Châtillon-Coligny
Le Charme
Villiers-St-Benoît
Merry-la-Vallée
Égleny
Beauvoir
Dammarie-s-Loing
Aillant-s-Milleron
Champignelles
Louesme
La Villotte
Dracy
Parly
Rogny-les-Sept-Écluses
Champcevrais
Tannerre-en-Puisaye
Toucy
Diges
Écluses
Villeneuve-les-Genêts
Moulins-s-Ouanne
Bléneau
Septfonds
Mézilles
Fontaines
Lalande
Leugny
Breteau
St-Privé
Ronchères
Levis
Chastenay
Champoulet
St-Martin-des-Champs
St-Fargeau
Fontenoy
Dammarie-en-Puisaye
St-Sauveur-en-Puisaye
Saints-en-Puisaye
Lain
Taingy
Batilly-en-Puisaye
Moutiers-en-P.
Lavau
Thury
Chantier médiéval de Guédelon
Thou
Faverelles
Ste-Colombe-sur-Loing
Sougères-en-Puisaye
Arquian
St-Amand-
Treigny
Druyes-les-Belles-Fontaines
E
F
G
H
113
136
156

136
0 2 4 6 8 10 km
C
114
D
A
B
157
1
2
3
4
5
135
Joigny
Côte St-Jacques
St-Aubin-s-Yonne
Cézy
Looze
Brion
Laroche-St-Cydroine
Vieux-Migennes
Migennes
Brienon-s-Armançon
Esnon
Paroy-en-Othe
Bellechaume
Mercy
Champlost
Turny
Villepied
Avrolles
St-Florentin
Fréveaux
Montléu
Vergigny
Germigny
Butteaux
Jaulges
Percey
Flogny-la-Chapelle
Villiers-Vineux
Carisey
Beugnon
Soumaintrain
Courtaoult
Bouilly
Rebourseaux
Forêt de Pontigny
Lordonnois
Mont-St-Sulpice
Hauterive
Ormoy
Cheny
Chichy
Bonnard
Champlay
Paroy-s-Tholon
Chamvres
Épineau-les-Voves
Charmoy
Bassou
Beaumont
Seignelay
Hery
Rouvray
Venouse
Pontigny
Ligny-le-Châtel
Maligny
Méré
Dyé
Varennes
Vézannes
Neuilly
Senan
Chichery
Guerchy (Valravillon)
Branches
Appoigny
Chemilly-s-Yonne
Laduz
Aillant-s-Tholon
Poilly-sur-Tholon
Fleury-la-Vallée
Gurgy
Sougères-s-Sinotte
Montigny-la-Resle
Villy
Lignorelles
Fontenay-près-Chablis
Chassy
Monéteau
Villeneuve-St-Salves
La Chapelle-Vaupelteigne
Bleigny-le-Carreau
Beine
Chablis
Fleys
Béru
Charbuy
Perrigny
St-Georges-s-Baulche
Venoy
Lindry
Egleny
Beauvoir
Villefargeau
AUXERRE
Augy
Quenne
Chitry
Courgis
Préhy
Chichée
Chemilly-s-Serein
Pourrain
Chevannes
Vallan
St-Bris-le-Vineux
Champs-s-Yonne
St-Cyr-les-Colons
Lichères-près-Aigremont
Diges
Escamps
Gy-l'Évêque
Jussy
Irancy
Escolives-Ste-Camille
Vincelottes
Coulanges-la-Vineuse
Vincelles
Cravant
Coulangeron
Migé
Val-de-Mercy
Bazarnes
Vermenton
Leugny
Chastenay
Ouanne
Merry-Sec
Mouffy
Charentenay
Ste-Pallaye
Accolay
Prégilbert
Trucy-sur-Yonne
Lucy-sur-Cure
Fontenailles
Molesmes
Courson-les-Carrières
Fouronnes
Fontenay-s/s-Fouronnes
Sery
Bessy-sur-Cure
Arcy-sur-Cure
Joux-la-Ville
Taingy
Mailly-le-Château
Mailly-la-Ville
Grottes d'Arcy
Précy-le-Sec
Voutenay-s-Cure
St-Moré
FORÊT DE FRÉTOY
Druyes-les-Belles-Fontaines
Festigny
Merry-s-Yonne
Bois-d'Arcy
Châtel-Censoir
Coulanges-s-Yonne
N.-D. d'Orient
Girolles
Sermizelles

137
115
138
158
E
F
G
H
1
2
3
4
5
La Rue-du-Laps
Survannes
Vanlay
Turgy
Lagesse
Pargues
Lingey
Avirey-Lingey
Maisons-Rouges
Cussangy
Maisons-lès-Chaource
Bagneux-la-Fosse
Ricey-Bas
St-Roch
La Gorvelle
Vallières
Le Charme
Malassise
Vaudron
Les Riceys
Haute-Rive
Ricey-Haut
Plaines-St-Lange
Bois-Gérard
Bernon
Balnot-la-Grange
Le Magny
Bois de Gyé
Mussy-s-Seine
Le Châtelier
Chesley
Ste-Élisabeth
Beauvoir-sur-Sarce
Gomméville
Bois de Lignières
Prusy
Chaserey
Bragelogne-Beauvoir
Forêt des Brosses
Coussegrey
Étourvy
Villiers-le-Bois
Le Grand-Haut-du-Lais
Noiron-s-Seine
Lignières
Chaserey-Haut
Quincerot
Les Corrées
Molesme
Forêt de Charme Boulerain
Binante
Trichey
Channes
Arthonnay
Béchineuil
Villedieu
La Balotière
Grd-Virey
La Fouchère
Ruines gallo-romaines
Vertault
Tronchoy
Chamelard
Mélisey
Les Scies
Thorey
Villon
Panfol
Forêt de Maulnes
Le Champ-du-Rupt
Cheney
Pt-Virey
Champ-du-Bois
Dannemoine
Rugny
Maulnes
Le Haut
Bel-Air
Villiers-les-Moines
Étang Bailly
Larrey
Lac de Marcenay
Val-de-Quenouil
Bois de Rugny
La Seiglière
Channay
Poinçon-lès-Larrey
Molosmes
Épineuil
St-Martin-s-Armançon
Vaulichères
Junay
Marcenay
Quincy
Baon
Cruzy-le-Châtel
Nicey
Griselles
Cérilly
Commissey
Tonnerre
Le Petit-Béru
Bissey-la-Pierre
Le Loge
La Pierre Blanche
Tanlay
Pimelles
Paisson
Chêne
Martilly
La Grande Vèvre
Laignes
Les Brions
Bois de la Ville
St-Vinnemer
Forêt de Gland
Gland
Canal
Argentenay
Gigny
Balot
Bois des Brions
Angy
Bois de l'Hospice
Ancy-le-Libre
Sennevoy-le-Haut
Sennevoy-le-Bas
Montmain
La Grange-Jo
Les Mulots
Lézinnes
Forêt du Quartier
Yrouerre
Vireaux
Les Charmées
La Bergerie
La Loge
Massoult
(Jully)
La Maine
Fontaines-les-Sèches
Nesle-et-Massoult
Sambourg
Pacy-s-Armançon
Ancy-le-Franc
Les Forges
Stigny
Bourgogne
Cusy
Armançon
Frace
Fresnes
Beaulieu
Bréviande
La Folie
Cestres
Chassignelles
Les Fourneaux
Le Val-des-Fourches
Argenteuil-s-Armançon
Malassise
Bois de Ravières
Planay
Guitry
Bellevue
Verdonnet
Savoisy
Puits
Forêt-Bréault
Fulvy
Nuits
Ravières
Annay-sur-Serein
Moulins-en-Tonnerrois
Forêt du Grand Jailly
Bois-Monsieur
Arton
Villiers-les-Hauts
Asnières-en-Montagne
Perrigny
Moutot
Bois du Champ Ragot
Champ-Serein
Étais
Risquetout
La Carolue
Clavisy
La Borde
Pasilly
Bois de Nuits
Cry
Vaugim
Noyers
Arrans
L'Essart et Rochefort
Censy
Perrigny-s-Armançon
Bois d'Arrans
Sanvigne
Puits-de-Bon
Cours
Soulangy
Jouancy
Bois de Perrigny
Étivey
Aisy-sur-Armançon
Rougemont
Cruchy
Le Petit Jailly
Sarry
Les Malmaisons
Buffon
La Mairie
Bois Thoureau
Touillon
Bois de Frétoy
L.G.V. SUD-EST
Forêt de St-Jean
Villiers-la-Grange
Grimault
Frétoy
Grande Forge de Buffon
Blaisy
Les Bordes
Les Perrières
Abbe de Fontenay
Tormancy
Châtel-Gérard
Annoux
Prieuré de Vausse
Saint-Rémy
Bois de Chaumour
Marmagne
Forêt Champlive
Massangis
Forêt d'Hervaux
Chevigny
Les Cornes
Les Souillats
Quincy-le-Vicomte
Quincerot
Montbard
Fain-lès-Montbard
Morville
Le Pâtis-de
Rochefort
Cîvry-sur-Serein
Les Ranneaux
Crépand
Nogent-lès-Montbard
Dissangis
Forêt de St Ambroise
Silo
St-Germain-lès-Senailly
Villiers
Courcelles-lès-Montbard
Éringes
La Bergerie
Coutarnoux
L'Isle-sur-Serein
L'Équarisserie
Marmeaux
Bierry-les-Belles-Fontaines
Fain-lès-Moutiers
Montfort
Benoisey
Seigny
La Cordelle
Orgny
Senailly
Fatin
Montigny-Montfort
Saint-Just
Athie
Blacy
Talcy
Santigny
La Cour
Ste-Colombe
Marzy
Pancy
Thizy
Montceaux
Vassy-s/s-Pisy
Viserny
Villaines-les-Prévôtes
Grignon
Les Granges
Moutiers-St-Jean
Turley
Champ-d'Oiseau
Angely
Fortifiée
Cormarin
Pisy
Ménétreux s/s-Pisy
Moutomble
Buisson
Mont Morin
Montelot
Tivey-le-Haut
Provency
Vaire
Montréal
Ménétreux-sous-Pisy
Corsaint
Bard-lès-Époisses
Mont de Cra
Lantilly
Cormaillon
Clos-Fleury
MuséoParc Alésia
Athie
Treviselot
Périgny
Montot
Jeux-lès-Bard
Marcilly
Genouilly
Trévilly
Courterolles
La Courtine
Sceaux
Chevigny
Villars-et-
Mussy-la-Fosse

0 2 4 6 8 10 km
116
137
159
A
B
C
D
Grancey-sur-Ource
Plaines-St-Lange
Mussy-s-Seine
Gomméville
Charrey-s-Seine
Noiron-s-Seine
Villers-Patras
Pothières
Obtrée
Chaumont-le-Bois
Vannaire
Vix
Mt Lassois
Massingy
Mosson
St Marcel
Étrochey
Courcelles
Montliot-et-Courcelles
Bouix
Larrey
Poinçon-lès-Larrey
Ste-Colombe-sur-Seine
Marcenay
Cérilly
Châtillon-s-Seine
Bissey-la-Pierre
Le Loge
La Pierre Blanche
Champ-du-Bois
La Balotière
Balot
Ampilly-le-Sec
La Grange-Joly
Massoult
Nesle-et-Massoult
Buncey
Chamesson
Forêt de Chamesson
Coulmier-le-Sec
Puits
Étais
Vaugimois
Villaines-en-Duesmois
Le Petit Jailly
Touillon
Les Malmaisons
Abbe de Fontenay
Fain-lès-Montbard
Fresnes
Le Pâtis-de-Nant
St-Georges
Lucenay-le-Duc
Éringes
La Bergerie
Seigny
Bussy-le-Grand
Ménétreux-le-Pitois
Bussy-Rabutin
Grésigny-Ste-Reine
Venarey-les-Laumes
Mt Auxois
MuséoParc Alésia
Alise-Ste-Reine
Mussy-la-Fosse
Camp de César
Grignon
Les Granges
Cormaillon
Clos-Fleury
Courtine
Champigny
Riel-les-Eaux
Belan-sur-Ource
La Jarrie
Thoires
Brion-sur-Ource
Bissey-la-Côte
Forêt du Montot
Bois de la Fontaine
Courban
Le Souhy
Gevrolles
Montigny-sur-Aube
Veuxhaulles-sur-Aube
Boudreville
Latrecey-Ormoy-sur-Aube
Ormoy-sur-Aube
Bon Air
Créancey
Valfond
Bois de Lanty
la Longe
Mont Rémin
Bois de Faye
Montribourg
Coupray
St-Roch
Dancevoir
Bois de Dancevoir
Aubepierre-sur-Aube
Lignerolles
Les Goulles
La Chaume
Louesme
Layer-sur-Roche
Crépan
Bois de Langres
Marigny
La Barotte (École d'Agriculture)
Prusly-sur-Ource
Villotte-sur-Ource
Maisey-le-Duc
Ste-Marie
Bois de la Chaume
Forêt de Bois aux Moines
Bois de Lucey
Lucey
Faverolles-lès-Lucey
Gurgy-la-Ville
Gurgy-le-Château
Vanvey
Villiers-le-Duc
St Phal
Voulaines-les-Templiers
Leuglay
Froidvent
Lugny (Ancne Chartreuse)
Mt de Lucey
Recey-sur-Ource
Chambain
Buxerolles
Menesble
Étangs des Marots
Mont de la Forêt
FORÊT DE CHATILLON
Val des Choues (Ancne Abbaye)
La Forge
Essarois
Voisin
Nod-sur-Seine
Aisey-sur-Seine
St-Germain-le-Rocheux
Grange Didier
Busseaut
Rochefort
Puiset
Montmoyen
Chemin-d'Aisey
Brémur-et-Vaurois
Semond
Chenecières
Beaulieu
Hierce
Châtellenot
Terrefondrée
Bure-les-Templiers
Chaugey
Mauvilly
Valfermet
Les Grands Bois
Origny
St-Marc-sur-Seine
La Maison
Bellenod-sur-Seine
Grand-Bois
Meulson
La Galopine
Brévon
Moitron
St-Broing-les-Moines
Romprey
Le Mont
Lochères
Minot
Magny-Lambert
Vaux
La Montagne
La Borde
Cosne
Plaisance
Chalvosson
Toutifaut
Meursauge
La Folie
Quemigny-sur-Seine
Beaunotte
Le Pré-du-Sout
La Cassotte
Aignay-le-Duc
Lourosse
Charme
Fraignot-et-Vesvrotte
Source de la Coquille
Étalante
Thorey
Larçon
Combe-la-Haut
Quemignerot
Duesme
Gronet
La Pothière
Fontaines-en-Duesmois
Emorots
Jours-lès-Baigneux
Ampilly-le-Haut
Ampilly-les-Bordes
Chaume-lès-Baigneux
La Forêt
Les Grands Champeaux
Cent Fontaines
Forêt de la Fossillière
Échalot
Palus
Salives
Mont-Armet
Prégelan
Combe Olivotte
Château Gré
La Vincente
Étormay
Cessey
Baigneux-les-Juifs
Ermitage du Val-de-Seine
Orret
Forêt de Miltot
Vau-le-Bon
Lochère
Valduc
Bois Guyot
CENTRE D'ÉTUDES NUCLÉAIRES
Rue du Vau
Rue de Pissot
Bussy-le-Château
La Villeneuve-les-Convers
Poiseul-la-Ville-et-Laperrière
Laperrière
Laneuf
Vauchenot
Les Granges
Bois Sec
Oigny
Poiseul-la-Grange
Léry
Darcey
Billy-lès-Chanceaux
Jugny
Grand Vallée
L'Abergement
Corpoyer-la-Chapelle
Corpoyer-les-Moines
Frôlois
Le Vallon
Munois
Courceau
Le Tertre
Chanceaux
Lamargelle
Moloy
Frénois
Bois du Tilloy
Gissey
Vauhuzin
Animal'Explora

139
117
160
140
E
F
G
H
Langres
Chalindrey
Villegusien-le-Lac
Auberive
Selongey
Is-sur-Tille
Grancey-le-Château-Neuvelle
Fontaine-Française
Champlitte
Rolampont
Thivet
Vesaignes-sur-Marne
Marnay-sur-Marne
Poinson-lès-Nogent
Vitry-lès-Nogent
Chauffourt
Dampierre
Frécourt
Bonnecourt
Avrecourt
Villiers-sur-Suize
Leffonds
Faverolles
Bugnières
Marac
Chanoy
Beauchemin
Ormancey
Charmes
Changey
Neuilly-l'Évêque
Poiseul
Andilly-en-Bassigny
Ternat
Giey-sur-Aujon
Humes-Jorquenay
St-Martin-lès-Langres
Mardor
St-Ciergues
Champigny-lès-Langres
Peigney
Orbigny-au-Val
Orbigny-au-Mont
Bannes
Marcilly-en-Bassigny
Plesnoy
Courcelles-s-Aujon
St-Loup-sur-Aujon
Vauxbons
Rochetaillée
Voisines
Perrancey-les-Vieux-Moulins
Brevoines
Lecey
Celsoy
Chatenay-Vaudin
Chatenay-Mâcheron
St-Maurice
Haute-Amance
Arbot
Aulnoy-sur-Aube
Bay-sur-Aube
Vitry-en-Montagne
Courcelles-en-Montagne
Sts-Geosmes
Noidant-le-Rocheux
St-Vallier-s-Marne
Balesmes-sur-Marne
Culmont
Chaudenay
Torcenay
Perrogney-les-Fontaines
Rouelles
Germaines
Brennes
Bourg
Cohons
Noidant-Chatenoy
Le Pailly
Les Loges
Flagey
Orcevaux
Verseilles-le-Haut
Longeau-Percey
Palaiseul
Violot
Aprey
Baissey
Villiers-lès-Aprey
Aujeurres
Leuchey
St-Broingt-le-Bois
Grandchamp
Belmont
Vivey
Praslay
Vaillant
St-Broingt-les-Fosses
Chassigny
Maâtz
Grenant
Saulles
Poinsenot
Vesvres-s/s-Chalancey
Esnoms-au-Val
Coublanc
Mouilleron
Chalancey
Montsaugeonnais
Dommarien
Choilley-Dardenay
Isômes
Cusey
Boussenois
Occey
Sacquenay
Percey-le-Grand
Orain
Foncegrive
Marey-sur-Tille
Avelanges
Poiseul-lès-Saulx
Chazeuil
Chaume-et-Courchamp
St-Maurice-sur-Vingeanne
Montigny-Mornay-Villeneuve-sur-V.
Orville
Crécey-sur-Tille
Pouilly-sur-Vingeanne
Échevannes
Véronnes
Til-Châtel
Marcilly-sur-Tille
St-Seine-sur-Vingeanne
Fontenelle
Bourberain
Forêt des Louches
Forêt de Champberceau

0 2 4 6 8 10 km
118
161
139
A
B
C
D
1
2
3
4
5
Bourbonne-les-Bains
Avrecourt
Damrémont
Saulxures
Bonnecourt
Rançonnières
Poiseul
Andilly-en-Bassigny
Vicq
Lavernoy
Celles-en-Bassigny
Marcilly-en-Bassigny
Varennes-s-Amance
Laneuvelle
Coiffy-le-Bas
Coiffy-le-Ht
Montcharvot
Chézeaux
Soyers
Champigny-sous-Varennes
Arbigny-sous-Varennes
Celsoy
Haute-Amance
Montlandon
Hortes
Maizières-s-Amance
Rosoy-sur-Amance
Chaudenay
Rougeux
Charmoy
Torcenay
Corgirnon
Les Loges
Fayl-Billot
La Papeterie
Poinson-lès-Fayl
Bussières-lès-Belmont
Belmont
Genevrières
Saulles
Grenant
Coublanc
Tornay
Gilley
Vaux-la-Douce
Neuvelle-lès-Voisey
Voisey
Melay
Guyonvelle
Vernois-sur-Mance
Betoncourt-sur-Mance
Laferté-s-Amance
Anrosey
Bize
Velles
Pisseloup
Vitrey-sur-Mance
Chauvirey-le-Châtel
Chauvirey-le-Vieil
Ouge
Pierrefaites
La Quarte
Preigney
Cintrey
Pressigny
La Rochelle
Charmes-St-Valbert
Molay
Morey
Voncourt
Savigny
Valleroy
Bourguignon-lès-Morey
Farincourt
St-Julien
Suaucourt-et-Pisseloup
Villers-Vaudey
Fleurey-Lavoncourt
Argillières
Frettes
Pierrecourt
Montarlot-lès-Champlitte
Champlitte
Margilley
Neuvelle-lès-Champlitte
Framont
Écuelle
Oyrières
Vars
Achey
Delain
Denèvre
Montot
Dampierre-sur-Salon
Autet
Mercey-sur-Saône
Savoyeux
Seveux
Motey-sur-Saône
Vereux
Beaujeu-St-Vallier-et-Pierrejux
Montureux-et-Prantigny
Auvet-et-la-Chapelotte
Fahy-lès-Autrey
Fouvent-le-Bas
Fouvent-le-Haut
St-Andoche
Larret
Courtesoult-et-Gatey
Roche-et-Raucourt
Volon
Francourt
Renaucourt
Lavoncourt
Mt-St-Léger
Theuley
Tincey-et-Pontrebeau
Brotte-lès-Ray
Membrey
Recologne
Vaite
Ferrières-lès-Ray
Ray-sur-Saône
Vellexon-Queutrey-et-Vaudey
Vanne
Fédry
Grandecourt
Confracourt
Vauconcourt-Nervezain
Cornot
Lavigney
Gourgeon
Malvillers
Combeaufontaine
Melin
Semmadon
Oigney
Bougey
Augicourt
Lambrey
Montigny-lès-Cherlieu
Gevigney-et-Mercey
Jussey
St-Marcel
Rosières-sur-Mance
Cemboing
Barges
Raincourt
Blondefontaine
Cendrecourt
Betaucourt
Magny-lès-Jussey
Tartécourt
Venisey
Montureux-lès-Baulay
Fouchécourt
Aboncourt-Gesincourt
Purgerot
Arbecey
Chargey-lès-Port
La Neuvelle-lès-Scey
Scey-s-Saône-et-St-Albin
Rupt-s-Saône
Chassey-lès-Scey
Vy-lès-Rupt
Chantes
Ovanches
Bucey-lès-Traves
Traves
Cubry-lès-Soing
Soing-Cubry-Charentenay
Vy-le-Ferroux
Noidans-le-Ferroux
Neuvelle-lès-la-Charité
Le Pont-de-Planches
Fresne-St-Mamès
St-Gand
Lieffrans
Bourguignon-lès-la-Charité
Les Bâties
La Vernotte
Ste-Reine
Fretigney-et-Velloreille
Fresnes-sur-Apance
Châtillon-sur-Saône
Jonvelle
Enfonvelle
Grignoncourt
Bousseraucourt
Ameuvelle
Vougécourt
Montcourt
Corre
Bourbévelle
Ranzevelle
Villars-le-Pautel
Aisey-et-Richecourt
Ormoy
Saponcourt
Villars-St-Marcellin
Serqueux
Arnoncourt-sur-Apance
Fignévelle
Regnévelle
Martinvelle
Passavant-la-Rochère
Les Thons
Le Grand Thon
Senaide
Ironcourt
Charmont
Forêt de Champlitte
Bois de Chezeau
Bois de Marcilly
Bois de Montservigny
Forêt de Cherlieu
Saône
Salon
Amance
Apance
N 19
E 54
D 417

141
119
162
142
E
F
G
H
1
2
3
4
5
Ambiévillers
Montmotier
Trémonzey
Fontenoy-le-Château
Pont-du-Bois
Selles
Le Clerjus
Plombières-les-Bains
Alaincourt
Fontenois-la-Ville
Vauvillers
Betoncourt-St-Pancras
Dampvalley-St-Pancras
Mailleroncourt-St-Pancras
Fleurey-lès-St-Loup
Aillevillers-et-Lyaumont
Magnoncourt
Cuve
Bouligney
Corbenay
La Vaivre
Le Val-d'Ajol
La Feuillée Nlle
Fougerolles
Fougerolles-le-Château
PARC NATUREL RÉGIONAL
DES BALLONS
DES VOSGES
Girefontaine
St-Loup-sur-Semouse
Melincourt
Anjeux
Jasney
Aurogne
Les Baraques-Chardin
Fontaine-lès-Luxeuil
Hautevelle
Ainvelle
Plainemont
La Pisseure
Anchenoncourt-et-Chazel
Dampierre-lès-Conflans
Francalmont
Luxeuil-les-Bains
Froideconche
St-Valbert
St-Bresson
Raddon-et-Chapendu
Amage
Ste-Marie-en-Chanois
Faucogney-et-la-Mer
La Montagne
La Rosière
La Longine
Le Haut d'Esboz
Breuchotte
La Bruyère
La Proiselière-et-Langle
La Voivre
Les Fessey
St-Rémy-en-Comté
Cubry-lès-Faverney
Bassigney
Conflans-sur-Lanterne
Briaucourt
Ormoiche
Breuches
St-Sauveur
Esboz-Brest
La Corbière
Belmont
La Lanterne-et-les-Armonts
Écromagny
Belonchamp
Menoux
Amance
Bourguignon-lès-Conflans
Mersuay
Abelcourt
Velorcey
Ste-Marie-en-Chaux
Baudoncourt
Magnivray
Rignovelle
Mélisey
Faverney
Équevilley
Meurcourt
Villers-lès-Luxeuil
Éhuns
La Chapelle-lès-Luxeuil
Lantenot
Linexert
St-Barthélemy
Montessaux
Breurey-lès-Faverney
La Villedieu-en-Fontenette
Neurey-en-Vaux
Visoncourt
Brotte-lès-Luxeuil
Ailloncourt
Citers
Betoncourt-lès-Brotte
Franchevelle
Fleurey-lès-Faverney
Le Val-St-Éloi
Mailleroncourt-Charette
Servigney
Genevrey
Mont d'Ahie
Quers
Dambenoît-lès-Colombe
St-Germain
La Neuvelle-lès-Lure
Malbouhans
N.-D. du Haut
Amoncourt
Provenchère
Vilory
Varogne
Colombe-lès-Bithaine
Adelans-et-le-Val-de-Bithaine
Froideterre
Villers-sur-Port
La Villeneuve-Bellenoye-et-la-Maize
Saulx
Châteney
Châtenois
Mont Jarrot
Bouhans-lès-Lure
Lure
Roye
Flagy
Vellefrie
Bougnon
La Creuse
Amblans-et-Velotte
Magny-Vernois
Palante
Pusy-et-Épenoux
Auxon
Colombier
Creveney
Pomoy
Genevreuille
Frotey-lès-Lure
Lyoffans
Charmoille
Villeparois
Montcey
Velleminfroy
Colombotte
Mollans
Vy-lès-Lure
Vouhenans
Moffans-et-Vacheresse
Grattery
Pusey
Coulevon
Calmoutier
Comberjon
Maison Rouge
Dampvalley-lès-Colombe
Liévans
Les Aynans
Le Val-de-Gouhenans
Montigny-lès-V.
VESOUL
La Motte
Vaivre-et-Montoille
Frotey-lès-V.
Noroy-le-Bourg
Autrey-lès-Cerre
Montjustin-et-Velotte
Arpenans
La Vergenne
Chariez
Noidans-lès-V.
Colombe-lès-V.
Ch^{au} médiéval
Gouhenans
Athesans-Étroitefontaine
Mont-le-Vernois
Échenoz-la-Méline
Navenne
Quincey
Villers-le-Sec
Grande Vaivre
Cerre-lès-Noroy
Borey
Oricourt
Oppenans
Aillevans
Longevelle
Villafans
Rocher de la Baume
Andelarre
Grotte de Solborde
La Demie
Le Château Bleu
St-Igny
Les Belles Baraques
Les Baraques-de-Borey
La Grange-d'Ancin
Grand Fougeray
Senargent-Mignafans
St-Sulpice
Andelarrot
Neurey-lès-la-Demie
Les Regardots
Marast
Vallerois-Lorioz
Vallerois-le-Bois
Moimay
Villersexel
St-Ferjeux
Vellechevreux-et-Courbenans
Velleguindry-et-Levrecey
Vellefaux
Les Tannards
Les Marmets
Grand Bois de Dampierre
Baslières
Esprels
Autrey-le-Vay
Villers-la-Ville
Villargent
Les Magny
Courchaton
Échenoz-le-Sec
Mailley-et-Chazelot
Les Monnins
Les Gillots
La Maison-du-Veau
Mont Jésus
Chassey-lès-Montbozon
Pont-sur-l'Ognon
La Pâture
Mélecey
Le Magnoray
Filain
Dampierre-sur-Linotte
Trevey
Presle
Bonnal
Abbenans
Fallon
Grammont
Bournois
Accolans
Le Romvaux
Vy-lès-Filain
Tressandans
Cubrial
Cubry
Les Laverottes
Gouffre
Authoison
Fontenois-lès-Montbozon
Rougemont
Cuse-et-Adrisans
Pennesières
Sorans-lès-Cordiers
Roche-s-Linotte-et-Sorans
Bouhans-lès-Montbozon
Montagney-Servigney
Nans
Uzelle
Gondenans
Les Écharguenans
Étrappe
Geney

142
0 2 4 6 8 10 km
120
C
D
1
2
3
4
5
141
A
B
163
Ballon de Servance
Ballon d'Alsace
Col du Ballon
Col des Charbonniers
Tête des Perches
Tête du Rouge Gazon
Tête des Neufs Bois
St-Maurice-sur-Moselle
Beulotte-St-Laurent
Col des Croix
Château-Lambert
Le Pont Jean
Les Mines
Bussang
Malmerspach
Moosch
Col du Dreimarkstein
Willer-s-Thur
Bitschwiller
Rimbach-près-Masevaux
Thanner Hubel
Le Rossberg
Col du Hundsruck
Oberbruck
Wegscheid
Sewen
Dolleren
Kirchberg
Bourbach-le-Haut
Rammersmatt
Sickert
Niederbruck
Bourbach-le-Bas
Masevaux-Niederbruck
Lauw
Sentheim
PARC NATUREL RÉGIONAL DES BALLONS DES VOSGES
Faucogney-et-la-Mer
Saphoz-le-Bas
Le Monthury
Le Magny
Servanceuil
Beulotte-la-Guillaume
Les Evaudois
Miellin
Le Them
Montandre
Servance
St-Blaise
Col des Chevrères
Col du Stalon
Saut de l'Ognon
St-Hilaire
Melay
La Grève
Le Miellenot
Écromagny
Ternuay-Melay-et-St-Hilaire
Belfahy
Forêt de la Beusinière
Planche des Belles Filles
Col du Hirtzelach
Roches du Cerf
Riervescemont
Baerenkopf
Lamadeleine-Val-des-Anges
Le Sudel
Belonchamp
Les Potets
Le Montaujeux
Le Sapoz
Les Montvilliers
Le Magny
Le Voluet
Les Roches
Lepuix
Col du Querty
Malvaux
Mont Jean
La Planche-le-Prêtre
St-Nicolas
Larmet
Plancher-les-Mines
Fresse
La Chevestray
Les Viaux
Les Rénards
St-Barthélemy
Montessaux
Le Plainet
Roc du Plainet
Bois du Mont de Vannes
Auxelles-Haut
Auxelles-Bas
Giromagny
Vescemont
Le Bringard
Rougegoutte
Petitmagny
Rougemont-le-Château
Étueffont
Mortzwiller
Leval
Petitefontaine
Romagny-s/s-R.
Lachapelle-s/s-R.
Le Rapois
La Rue
Le Magny
Plancher-Bas
La Neuvelle-lès-Lure
Les Granges
La Selle
Mourière
Le Rhien
La Bouverie
La Houillière
Champagney
Ronchamp
N.-D. du Haut
Malbouhans
Lachapelle-s/s-Chaux
Chaux
Grosmagny
Bourg-s/s-Châtelet
Felon
Anjoutey
St-Germain-le-Châtelet
Étang de Malsaucy
Le Pré Besson
Le Malpatey
Sermamagny
Éloie
Bethonvilliers
Menoncourt
Lagrange
Angeot
Vauthiermont
Bellemagny
Eteimbes
Froideterre
Sous-les-Chênes
Bassin de Champagney
Errevet
Bas-Evette
Valdoie
Vétrigne
Roppe
Larivière
St-Cosme
Reppe
Bréchaumont
La Côte
Éboulet
Les Bas des Côtes
Le Ban
Evette-Salbert
Eguenigue
Lacollonge
Fontaine
Bellefontaine
La Verrerie
Roye
Magny-Danigon
Clairegoutte
Frédéric-Fontaine
Frahier-et-Chatebier
Le Thiamont
Arsot
Offemont
Denney
Phaffans
Frais
Elbach
Palante
Andornay
Magny-Jobert
Chenebier
Étobon
Les Barres
Échavanne
Cravanche
Pérouse
Bois de Bessoncourt
Bessoncourt
Chavannes-s-l'Étang
Lyoffans
Belverne
Châlonvillars
Chatebier
Essert
La Forêt
Citadelle
BELFORT
Chèvremont
Foussemagne
Cunelières
Montreux-Vieux
Montreux-Jeune
Moffans-Vacheresse
Lomontot
Lomont
Le Chénoley
Bois de la Thure
Chagey
Mandrevillars
Buc
Bavilliers
Argiésans
Urcerey
Danjoutin
Andelnans
Fontenelle
Vézelois
Petit-Croix
Novillard
Montreux-Château
Bretagne
Faymont
Courmont
Les Valettes Hautes
Les Valettes Basses
La Côte des Chênes
Bois de Vaux
Couthenans
Luze
Échenans-sous-Mont-Vaudois
Botans
Sevenans
Meroux
Moval
Autrechêne
Autrage
Brebotte
Grosne
Vellescot
Chavanne-les-Grands
Athesans-Étroitefontaine
Bois de Granges
Champey
St-Valbert
Banvillars
Dorans
Brevilliers
Charmois
Recouvrance
Boron
Mignavillers
Essouavre
Coisevaux
Byans
Héricourt
Bermont
Trétudans
Camp militaire de Fougerais
Trévenans
Bourogne
Froidefontaine
Les Mennonites
Granges-la-Ville
Granges-le-Bourg
Malval
Saulnot
Verlans
Trémoins
B. du Mont Dénin
Châtenois-les-Forges
Vourvenans
Morvillars
Grandvillars
Secenans
Crevans-et-la-Chapelle-lès-G.
Le Vernoy
Tavey
Laire
LGV RHIN-RHÔNE
Bussurel
Nommay
Dambenois
Les Forges
Allenjoie
Joncherey
Faverois
Courtelevant
Ferjeux
Mignafans
Chavanne
Villers-sur-Saulnot
Aibre
Vyans-le-Val
Béthoncourt
Grand-Charmont
Brognard
Mézire
Thiancourt
Vellechevreux-et-Courbenans
La Chapelle
Gonvillars
Corcelles
Semondans
Bois de Montevillars
Raynans
Issans
Le Petit Béthoncourt
Vieux-Charmont
Le Rondelot
La Feschotte
Delle
Florimont
Gémonval
Marvelise
Désandans
Échenans
Allondans
Montbéliard
Mus. Peugeot
Sochaux
Fesches-le-Châtel
Fêche-l'Église
St-André
Le Fahy
Courchaton
Forêt de Courchaton
Les Baraques
Arcey
St-Julien-lès-Montbéliard
Ste-Suzanne
Dung
Étupes
Dampierre-les-Bois
Badevel
Boncourt
Montignez
Grammont
La Roche Jean
Onans
Le Chanet
Le Chênois
Ste-Marie
Courcelles-lès-Montbéliard
Exincourt
Taillecourt
La Combotte
Lebetain
Buix
Grottes
Accolans
Montenois
Présentevillers
Forêt du Mt Bart
Bart
Arbouans
Audincourt
Beaucourt
St-Dizier-l'Évêque
Le Val de St-Dizier
Geney
Faimbe
La Guinguette
Bretigney
Bavans
Voujeaucourt
Villiers-la-Boissière
Dasle
Montbouton
Vandoncourt
Le Maira
Grandgourt
Étrappe
Lougres
Dampierre-s-le-Doubs
Valentigney
Seloncourt
Terre-Blanche
F. Hollard
Villars-le-Sec
Croix
Mormont
Courtemaîche
Médière
Beutal
Longevelle-s-Doubs
Berche
Les Raydans
St Symphorien
Mandeure
Mancenans
Le Replain
Étouvans
Les Petits Bans
Colombier-Fontaine
Théâtre romain
Les Longines
Berne
Hérimoncourt
Bure
Soye
St-Maurice-Colombier
Feuillebois
Le Saussoire
Beaulieu
Bondeval
Abbévillers
Appenans
L'Isle-sur-le-Doubs
La Prétière
Blussangeaux
Blussans
Colombier-Châtelot
Villars-s/s-Écot
Le Fahys
Lucelans
Mathay
Courcelles
Les Grds Communaux
Thulay
Les Fourneaux
Rombois
Fahy
Porrentruy
Rang
Pompierre-sur-Doubs
Bois de Breuil
Écot
Bourguignon
La Chapotte
Meslières
Courtedoux
Echelotte
Glay
Marchelavillers
La Grange
Le Rochet
Sourans
Les Grands Bois
Écurcey
Les Forges
Le Fourneau
Roches-lès-Blamont
B. de Châtel
Dannemarie
Chevenez
Bressaucourt
Santoche
St-Georges-Armont
Bois de Mont
Goux-lès-Dambelin
La Combe-d'Hyans
Autechaux-Roide
Rocourt
Bois de la Côte d'Armont
Lanthenans
Mauchamps
Roide
Blamont
Grandfontaine
Réclère
Col de Montvoie
(Pays-de-Clerval)
Chénadiot
Hyémondans
Vermondans
Pont-de-Roide
Villars-lès-Blamont
Anteuil
Bermont
Petit Lomont
Roche-d'Or
Montancy
Chaux-lès-Clerval
Glainans
La Cude
Neuchâtel-Urtière
Chatey
Pierrefontaine-lès-Blamont
Damvant
Grottes de Réclère
Vernois-le-Fol
Mambouhans
Dambelin
Rémondans-Vaivre
La Derrière
Tournedoz

121
E
F
G
H
Vieil Armand
Ecomusee d'Alsace
Berrwiller
Hirzenstein
Wattwiller
Pulversheim
Moulin-d'Adolsheim
Bantzenheim
Chalampé
Staffelfelden
Cité Rossallmend
Schœnensteinbach
Ruelisheim
Battenheim
Uffholtz
Wittenheim
Cité Jeune-Bois
Baldersheim
Harth nord
Neuenburg
Baden
Cernay
Wittelsheim
Fernand-Anna
Sausheim
Kingersheim
Illzach
Ottmarsheim
Vögisheim
Lipburg
Auggen
St-André
Cité Graffenwald
Cité Amélie
Richwiller
Bourtzwiller
Forêt
Steinenstadt
Homburg
Obereggenen
Mauchen
Pfastatt
Lutterbach
Nonnenbruch
Ile-Napoléon
MULHOUSE
Niedereggenen
Schliengen
Centre pénitentiaire
Reiningue
Aspach-le-Bas
Schweighouse-Thann
Abb. d'Oelenberg
LA COMTOISE
Dornach
Rixheim
Riedisheim
Habsheim
St-Martin
Petit-Landau
Bad Bellingen
Hertingen
Feuerbach
Kandern
Pont d'Aspach
Morschwiller-le-Bas
Heimsbrunn
Didenheim
Zoo
Zimmersheim
Brunstatt-Didenheim
Niffer
Bamlach
Riedlingen
Tannenkirch
Burnhaupt-le-Haut
N.-D. du Chêne
Eschentzwiller
Rheinweiler
Holzen
Burnhaupt-le-Bas
Hochstatt
Bruebach
Blansingen
Kleinkems
Kembs
Welmlingen
Mappach
La Porte d'Alsace
Diefmatten
Galfingue
Frœningen
Flaxlanden
Dietwiller
Landser
Schlierbach
Harth sud
Huttingen
Wintersweiler
Bernwiller
Gildwiller
Zillisheim
Spechbach-le-Haut
Spechbach-le-Bas
Bois de l'Atenberg
Steinbrunn-le-Bas
Geispitzen
Istein
Egringen
Wollbach
Ammerzwiller
Falkwiller
St-Bernard
Illfurth
Steinbrunn-le-Haut
Waltenheim
Sierentz
Efringen-Kirchen
Schallbach
Rümmingen
Wittlingen
Balschwiller
Tagolsheim
Luemschwiller
Kembs-Lœchlé
Richardshaeuser
Fischingen
Haagen
Ueberkumen
Eglingen
Heidwiller
Rantzwiller
Kœtzingue
Uffheim
Eimeldingen
Binzen
Rötteln
Buethwiller
Hagenbach
Walheim
Obermorschwiller
Magstatt-le-Haut
Magstatt-le-Bas
Bartenheim
La Chaussée
La Petite Camargue Alsacienne
Rosenau
Märkt
Tumringen
Ötlingen
Haltingen
Gommersdorf
Aspach
Wahlbach
Heiwiller
Stetten
Brinckheim
St-Louis-la-Chaussée
Dannemarie
Altkirch
Emlingen
Zaessingue
Kappelen
Village-Neuf
Weil
St-Morand
Tagsdorf
Wittersdorf
Schweighof
Schwoben
Franken
Helfrantzkirch
Blotzheim
Huningue
Ballersdorf
Carspach
Hausgauen
Hundsbach
Les Trois Maisons
Michelbach-le-Bas
BÂLE-MULHOUSE (EURO AIRPORT)
St-Louis
Riehen
Hirsingue
Jettingen
Ranspach-le-Bas
Ranspach-le-Haut
Hésingue
Fulleren
Hirtzbach
Bettendorf
Willer
Berentzwiller
Attenschwiller
Hegenheim
Grenzach
Mertzen
Henflingen
Windenhof
Michelbach-le-Haut
Buschwiller
Birsfelden
Hindlingen
Heimersdorf
Ruederbach
Grentzingen
Knœringue
St-Apollinaire
Wentzwiller
Allschwil
Friesen
Largitzen
Oberdorf
Steinsoultz
Waldighofen
Folgensbourg
BASEL (BÂLE)
Binningen
Luffendorf
Birkenhof
Muespach
Roppentzwiller
Muespach-le-Haut
Schönenbuch
Hagenthal-le-Bas
Bruder Holz
Muttenz
Ueberstrass
Seppois-le-Bas
Gruenenwald
Feldbach
Riespach
Durmenach
Willerhof
Césarhof
Neuwiller
Oberwil
Bottmingen
Münchenstein
Bisel
Seppois-le-Haut
Niederlarg
Werentzhouse
Hagenthal-le-Haut
Biel
Reinach
Mooslarque
Kœstlach
Vieux-Ferrette
Linsdorf
Studerhof
Bettlach
Leymen
Benken
Birsig
Arlesheim
Réchésy
Bouxwiller
Fislis
St-Blaise
Liebenswiller
Landskron
Bättwil
Therwil
Witterswil
Gœtheanum
Pfetterhouse
Mœrnach
Ferrette
Oltingue
Ste Anne
Mariastein Kloster
Flüh
Hofstetten
Ettingen
Dornachbrugg
Durlinsdorf
Bendorf
Sondersdorf
Rodersdorf
Dornach
Beurnevésin
Bonfol
Liebsdorf
Huttingue
Raedersdorf
Biederthal
Mariastein
Aesch
Lugnez
Ligsdorf
Hippoltskirch
Metzerlen-
Blauen
Pfeffingen
Angenstein
Duggingen
Courtavon
Oberlarg
Winkel
Lutter
Wolschwiller
Burg im Leimental
Nenzlingen
Grellingen
Seewen
Glaserberg
Blochmont
Kiffis
Dittingen
Zwingen
Vendlincourt
Levoncourt
Forêt de St-Pierre
Cœuve
Morimont
Les Verreries
Moulin-Neuf
Le Grand Kohlberg
Saalhof
Klösterli
Brislach
Himmelried
Laufen
Le Petit Kohlberg
Löwenburg
Roggenburg
Kleinlützel
Röschenz
Miécourt
Charmoille
Lucelle
Huggermald
Breitenbach
Alle
Ederswiller
Bueberg
Bretzwil
Pleujouse
Pleigne
Movelier
Raschberg
Liesberg
Wahlen
Fehren
Nunningen
Zullwil
Cornol
Fregiécourt
Soyhières
Büsserach
Stürmenchopf
Thierstein
Meltingen
Asuel
Bourrignon
Mettembert
Courgenay
Mont Terri
Vorbourg
Riedes-Dessus
Bärschwil
Grindel
Erschwil
Unter-Beinwil
Courtemautruy
Les Rangiers
La Haute Borne
Bellerive
Le Sommet
Les Malettes
Mont Montavon
Outremont
La Caquerelle
Delémont
Courroux
Montsevelier
Ober-Beinwil
Sur la Croix
Domont
Develier-Dessus
Séprais
Celon
(Val Terbi)
St-Ursanne
Recolaine
Corban
Mervelier
Seleute
Montmelon
Boécourt
Develier
Courchapoix
Scheltenpass
Montenol
Doubs
Rossemaison
Vicques
Vermes
Schelten
Guldental

0 2 4 6 8 10 km
123
Erdeven
Carnac
La Trinité-sur-Mer
Carnac-Plage
Locmariaquer
Crac'h
St-Philibert
Plouharnel
Alignements
Tumulus
Île Theviec
Penthièvre
Fort de Penthièvre
Sables Blancs
Kerhostin
Portivy
Beg en Aud
Pointe du Percho
St-Pierre-Quiberon
Côte Sauvage
Î. de la Truie
Beg Rohu
PRESQU'ÎLE DE QUIBERON
Kervihan
Kerniscob
Saint-Julien
Port-Haliguen
Quiberon
Beg er Goalennec
Beg er Lan
Port Maria
Beg er Vil
Pnte du Conguel
Pnte de Légenès
BAIE DE QUIBERON
Côte des Mégalithes
Port-Navalo
Méaban
Î. Gavrinis
Pnte de Kerpenhir
Plateau des Birvideaux
La Teignouse
Chaussée de la Teignouse
Passage de la Teignouse
Chaussée du Béniguet
Passage du Béniguet
Île Glazic
Île Valhuec
Banc de Taillefer
Beg er Vachif
Île d'Houat
Île Cenis
Île-d'Houat
En Thal
Banc de Houat
Chaussée de l'Île aux Chevaux
Île aux Chevaux
Passage des Sœurs
Pnte du Vieux Château
Hœdic
Île de Hœdic
Les Poulains
Pointe des Poulains
Fort Sarah Bernhardt
Plage de Deuborch
Pnte du Cardinal
Stêr-Vraz et Stêr-Ouen
Pnte du Vieux Château
Bortifaouen
Grotte de l'Apothicairerie
Pnte de Kerzo
Port Jean
Sauzon
Port Fouquet
Pnte de Taillefer
Sémaphore
Magorlec
Chubiguer
Borstang
Le Pavillon
Citadelle
Le Palais
Borderune
Bruté
Bordelanne
Borticado
Rade du Palais
Pnte de Ramonette
Borthélo
Port Güen
Plage de Bordardoué
Port Yorc'h
Kerlédan
Bordustard
Kervellan
Kerspern
Côte Sauvage
Port Donnant
Ty-Néhué
Bedex
Parlevant
Bordardoué
Plage des Grands Sables
Grand Phare
Bangor
Samzun
Îles Baguenères
Kervilahouen
Kerdavid
Borménahic
Aiguilles de Port Coton
Gd Village
Kervarigeon
Pointe de Kerdonis
Port Goulphar
Domois
Le Grd Cosquet
Borduro
Port-An-Dro
Bordehouat
Pnte du Talus
Port Kérel
Plage d'Herlin
Ty-Seveno
Kerzo
Locmaria
Sémaphore
Île de Bangor
Pnte de St Marc
Borvran
Port-Maria
Port-Blanc
Pnte de Pouldon
Pointe du Skeul
BELLE-ÎLE
A B C D
1 2 3 4 5

124
146
E
F
G
H
1
2
3
4
5
VANNES
Séné
Theix-Noyalo
Sulniac
Questembert
Berric
Lauzach
La Trinité-Surzur
Surzur
Le Hézo
St-Armel
Sarzeau
Presqu'île de Rhuys
Chau de Suscinio
Île-aux-Moines
Île-d'Arz
Arradon
Ploeren
GOLFE DU MORBIHAN
Ambon
Muzillac
Noyal-Muzillac
Parc de Branféré
Le Guerno
Péaule
Limerzel
Damgan
Billiers
Arzal
La Roche-Bernard
Le Tour-du-Parc
Pnte de Penvins
Pnte de St-Jacques
Rade de Penerf
Pnte de Pen-Lan
Pnte du Halguen
Pnte du Scal
Pénestin
Camoël
Férel
Herbignac
Assérac
Pnte du Bile
Pnte de Merquel
Plage de Sorlock
Plage de Lansèria
Île Dumet
Mesquer
St-Molf
Piriac-sur-Mer
Pointe du Castelli
La Turballe
Rade du Croisic
Guérande
Kerbourg
Kerhinet
Le Croisic
Port aux Rocs
Pnte du Croisic
Batz-sur-Mer
LA BAULE
Le Pouliguen
La Baule-Escoublac
Pornichet
Pnte de Penchâteau
Pnte de Chémoulin
Grotte des Korrigans
Côte d'Amour
Chenal du Nord
La Banche
Le Four
La Calebasse
Plateau de la Recherche
Les Petits Cardinaux
Grd Charpentier
St-André-des-Eaux

0 2 4 6 8 10 km
125
145
164
A
B
C
D
1
2
3
4
5
Missillac
Herbignac
Assérac
Pen Bé
Mesquer
St-Molf
Guérande
Kerbourg
Kerhinet
La Grande-Brière
PARC
NATUREL
RÉGIONAL
DE
BRIÈRE
St-Lyphard
Île de Fédrun
St-Joachim
Crossac
Pont-Château
Ste-Reine-de-Bretagne
Drefféac
Ste-Anne-s-Brivet
Besné
Prinquiau
La Chapelle-Launay
St-Malo-de-Guersac
Montoir-de-Bretagne
Trignac
Donges
Le Croisic
La Baule-Escoublac
LA BAULE
Le Pouliguen
Pornichet
St-André-des-Eaux
ST-NAZAIRE
Pont routier
LOIRE
Paimbœuf
Corsept
St-Brevin-les-Pins
St-Brevin-l'Océan
St-Viaud
St-Père-en-Retz
St-Michel-Chef-Chef
Tharon-Plage
La Plaine-s-Mer
Préfailles
Pte de St-Gildas
Pornic
Chauvé
Arthon-en-Retz
La Bernerie-en-Retz
Les Moutiers-en-Retz
Côte de Jade
BAIE DE BOURGNEUF
Pierre Moine
Île du Pilier
Pointe de l'Herbaudière
ÎLE DE NOIRMOUTIER
Pte de Chémoulin
Grd Charpentier
Plage des Sablons
Plage Mombeau
Pointe de la Noëveillard
Pointe de la Coupelasse

147
126
148
165
E
F
G
H
1
2
3
4
5
NANTES
Orvault
Sautron
Couëron
St-Herblain
Rezé
Vertou
St-Sébastien-s-Loire
Basse-Goulaine
Hte-Goulaine
Carquefou
Thouaré-s-L.
Ste-Luce-s-L.
La Chapelle-s-Erdre
Sucé-sur-Erdre
Treillières
Grandchamps-des-Fontaines
Héric
Blain
Nort-sur-Erdre
Saffré
Puceul
Le Gâvre
Casson
Petit-Mars
Ligné
Mauves-s-L.
Le Cellier
St-Julien-de-Concelles
La Chapelle-Heulin
Le Pallet
Mouzillon
Vallet
Monnières
Maisdon-s-Sèvre
Château-Thébaud
Aigrefeuille-s-Maine
Remouillé
Montbert
Geneston
Le Bignon
La Haie-Fouassière
St-Fiacre-s-Maine
Les Sorinières
Pont-St-Martin
St-Aignan-Grandlieu
Bouguenais
Bouaye
Indre
Saint-Jean-de-Boiseau
Le Pellerin
Brains
La Montagne
Port-St-Père
St-Léger-les-Vignes
Ste-Pazanne
Rouans
Vue
Cheix-en-Retz
Planète sauvage
St-Mars-de-Coutais
St-Lumine-de-Coutais
La Chevrolière
Passay
Lac de Grand-Lieu
Réserve naturelle
St-Philbert-de-Grand-Lieu
Vigneux-de-Bretagne
Le Temple-de-Bretagne
Fay-de-Bretagne
N.-D.-des-Landes
St-Étienne-de-Montluc
Bouvron
Malville
Cordemais
La Chevallerais
La Grigonnais
Forêt de la Groulais
Canal de Nantes à Brest
LOIRE
NANTES ATLANTIQUE

148
0 2 4 6 8 10 km
127
147
166
A
B
C
D
Ancenis
Champtoceaux
Varades
Clisson
Vallet
Beaupréau-en-Mauges
Montrevault-sur-Èvre
St-Macaire-en-Mauges
Le Loroux-Bottereau
Oudon
Le Cellier
Ligné
Mésanger
Couffé
Riaillé
Teillé
Pannecé
Maumusson
St-Florent-le-Vieil
La Bourgonnière
Liré
Drain
Landemont
La Remaudière
La Boissière-du-Doré
La Regrippière
Gesté
Mouzillon
Le Pallet
Gorges
Gétigné
St-Lumine-de-Clisson
Aigrefeuille-sur-Maine
Maisdon-sur-Sèvre
Monnières
Montfaucon-Montigné
St-Germain-sur-Moine
Villedieu-la-Blouère
St-Philbert-en-Mauges
Chaudron-en-Mauges
St-Rémy-en-Mauges
Bouzillé
Montrelais
Ingrandes
St-Sigismond
Mauves-sur-Loire
Thouaré-sur-Loire
La Chapelle-Heulin
Haute-Goulaine
St-Julien-de-Concelles
Divatte-sur-Loire
Orée d'Anjou
Vair-sur-Loire
Loireauxence
Sèvremoine
Cugand
Boussay
Torfou
La Bernardière
La Séguinière
Remouillé
A 11 - E 60
L'OCÉANE
N 249 - E 62

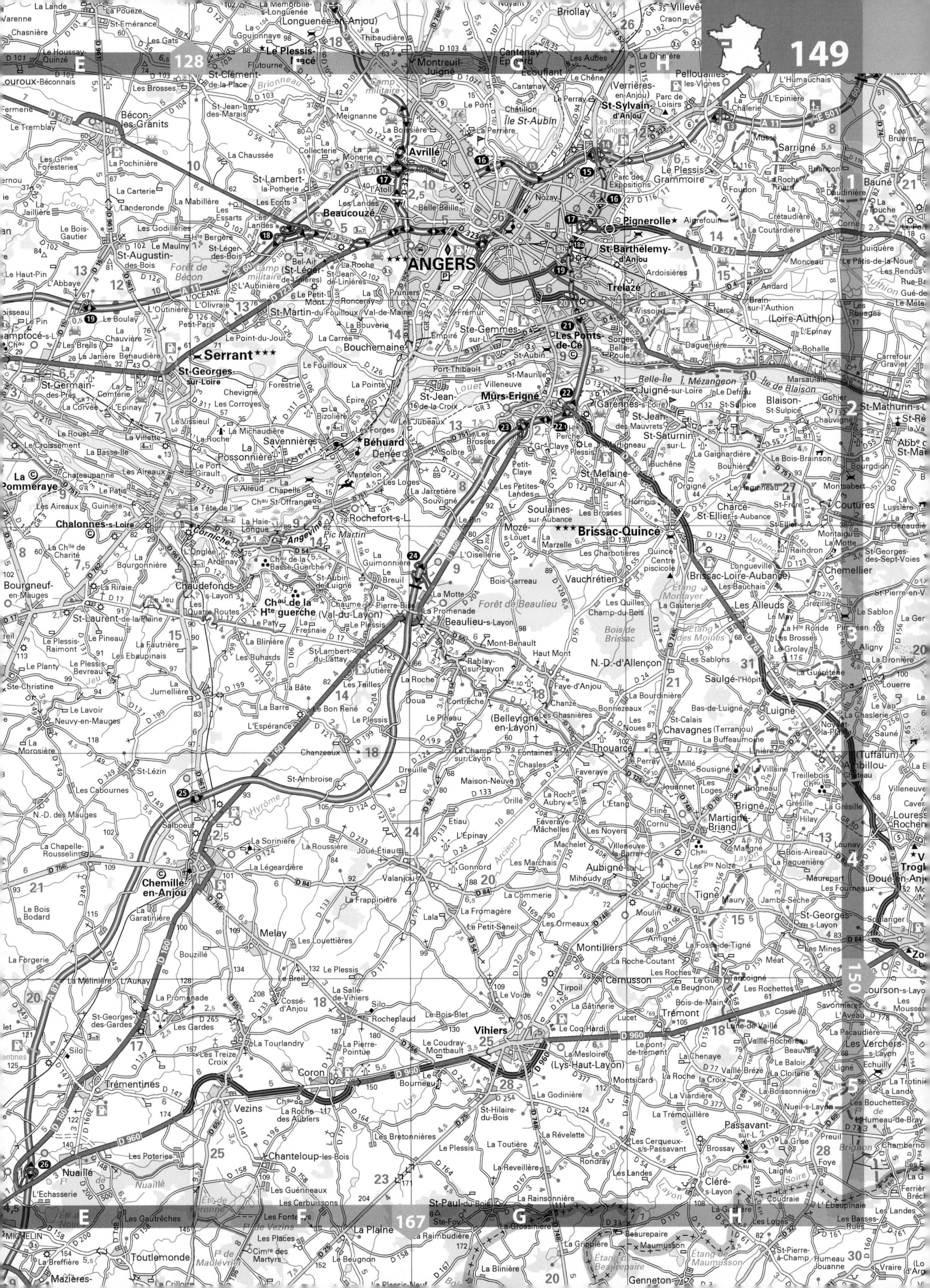
149
128
150
167
E
F
G
H
ANGERS
Avrillé
Beaucouzé
Trélazé
St-Barthélemy-d'Anjou
Pignerolle
St-Sylvain-d'Anjou
Le Plessis-Grammoire
Sarrigné
Bauné
Écouflant
Montreuil-Juigné
Briollay
Le Plessis-Macé
St-Clément-de-la-Place
Bécon-les-Granits
St-Lambert-la-Potherie
St-Augustin-des-Bois
St-Léger-des-Bois
St-Jean-de-Linières
St-Martin-du-Fouilloux
Bouchemaine
Ste-Gemmes-sur-Loire
Les Ponts-de-Cé
Mûrs-Erigné
Juigné-sur-Loire
Blaison-St-Sulpice
St-Mathurin-s-L.
St-Saturnin-sur-L.
St-Jean-des-Mauvrets
St-Melaine-sur-A.
Brissac-Quincé
(Brissac-Loire-Aubance)
Vauchrétien
Serrant
St-Georges-sur-Loire
St-Germain-des-Prés
La Possonnière
Savennières
Béhuard
Denée
Rochefort-s-L.
Chalonnes-s-Loire
La Pommeraye
Chaudefonds-s-Layon
Chau de la Hte guerche
Beaulieu-s-Layon
St-Lambert-du-Lattay
Rablay-sur-Layon
Faye-d'Anjou
Thouarcé
(Bellevigne-en-Layon)
Chavagnes
N.-D.-d'Allençon
Les Alleuds
Chemellier
Saulgé-l'Hôpital
Luigné
St-Laurent-de-la-Plaine
Bourgneuf-en-Mauges
St-Lézin
Chemillé-en-Anjou
Melay
Chanzeaux
Valanjou
Aubigné-sur-L.
Martigné-Briand
Tigné
Montilliers
Cernusson
Vihiers
Trémont
(Lys-Haut-Layon)
Coron
Vezins
Trémentines
Nuaillé
Chanteloup-les-Bois
St-Paul-du-Bois
Passavant-sur-L.
Cléré-s-Layon
Nueil-s-Layon
St-Georges-s-Layon
(Doué-en-Anjou)
Les Verchers-s-Layon
Toutlemonde
La Plaine
Genneton
Forêt de Beaulieu
Bois de Brissac
Forêt de Bécon
A 11
A 87
E 60
E 501
D 160
D 960
D 748
D 761
MICHELIN

0 2 4 6 8 10 km
129
149
168
Baugé-en-Anjou
Le Vieil-Baugé
Pontigné
Chavaignes
Noyant
Auverse
Mouliherne
Linières-Bouton
Breil
La Lande-Chasles
Montgeoffroy
Mazé-Milon
Beaufort-en-Anjou
(Le Bois d'Anjou)
Fontaine-Guérin
Sermaise
Bauné
Cornillé-les-Caves
Sarrigné
Corné
Landifer
Cuon
Chartrené
Jumelles
Longué-Jumelles
Vernantes
Vernoil-le-Fourrier
St-Philbert-du-Peuple
Blou
Neuillé
La Breille-les-Pins
PARC NATUREL RÉGIONAL LOIRE ANJOU
La Ménitré
St-Mathurin-s-L.
St-Rémy-la-Varenne
Blaison-St-Sulpice
Coutures
Les Rosiers-sur-Loire
Gennes
Chemellier
St-Georges-des-Sept-Voies
St-Clément-des-Levées
St-Martin-de-la-Place
Cunault
Trèves
(Gennes-Val de Loire)
Vivy
Allonnes
Brain-s-Allonnes
St-Nicolas-de-Bourgueil
Bourgueil
Saumur
Bagneux
Varrains
Souzay-Champigny
Parnay
Turquant
Montsoreau
Candes-St-Martin
Chouzé-sur-Loire
Varennes-s-Loire
Villebernier
St-Lambert-des-Levées
Distré
Artannes-s-Thouet
Chacé
St-Cyr-en-Bourg
(Bellevigne-les-Châteaux)
Fontevraud-l'Abbaye
Brézé
Épieds
Montreuil-Bellay
Doué-la-Fontaine
Village Troglodytique
(Doué-en-Anjou)
Dénezé-s/s-Doué
Louresse-Rochemenier
Ambillou-Château
Concourson-s-Layon
Les Verchers-s-Layon
Le Puy-N.D.
Meigné
Les Ulmes
Montfort
Le Coudray-Macouard
Abbe d'Asnières
Brossay
Vaudelnay
Roiffé
Couziers
Thizay
Lerné
Savigny-en-Véron
St-Germain-s-Vienne
Morton
Raslay
Saix
Bouillé-Loretz
St-Martin-de-Sanzay
Antoigné
Bournand
Vézières
Les Trois-Moutiers
St-Léger-de-Montbrillais
Forêt de Chandelais
Forêt de Monnaie
Forêt de Pontménard
Forêt de Fontevraud
LOIRE
Authion
Vienne
A 85 E 60
D 347
D 952
D 938
D 766
D 960
D 761

151
130
152
169
E
F
G
H
Château-la-Vallière
Couesmes
Brèches
Villiers-au-Bouin
Marcilly-sur-Maulne
Neuillé-Pont-Pierre
Sonzay
Souvigné
Semblançay
Rouziers-de-Touraine
St-Antoine-du-Rocher
Cerelles
Nouzilly
Chanceaux-sur-Choisille
Charentilly
Mettray
Courcelles-de-Touraine
Channay-s-Lathan
St-Laurent-de-Lin
Lublé
Rillé
Savigné-sur-Lathan
Hommes
Champchevrier
Cléré-les-Pins
Ambillou
Pernay
St-Roch
La Membrolle-sur-Choisille
St-Cyr-sur-Loire
Fondettes
Luynes
St-Étienne-de-Chigny
Mazières-de-Touraine
Avrillé-les-Ponceaux
St-Symphorien-les-Ponceaux
Gizeux
Continvoir
Les Essards
Cinq-Mars-la-Pile
Langeais
Villandry
Savonnières
Berthenay
Ballan-Miré
Joué-lès-Tours
TOURS
La Riche
St-Pierre-des-Corps
Rochecorbon
St-Avertin
Chambray-lès-Tours
St-Michel-sur-Loire
La Chapelle-aux-Naux
Lignières-de-Touraine
Vallères
Druye
St-Genouph
Bréhémont
St-Patrice
Ingrandes-de-Touraine
Restigné
Benais
Rivarennes
Rigny-Ussé
Ussé
La Chapelle-sur-Loire
Azay-le-Rideau
Cheillé
Saché
Artannes-sur-Indre
Monts
Montbazon
Veigné
Candé
Pont-de-Ruan
Villaines-les-Rochers
Thilouze
Villeperdue
Sorigny
St-Benoît-la-Forêt
Huismes
Chinon
Cravant-les-Côteaux
Avon-les-Roches
Crissay-sur-Manse
Panzoult
Rivière
Anché
Sazilly
Tavant
L'Île-Bouchard
Trogues
St-Épain
Neuil
Ste-Catherine-de-Fierbois
Ste-Maure-de-Touraine
Noyant-de-Touraine
Pouzay
Parçay-sur-Vienne
Theneuil
Ligré
Le Rivau
Marçay
Lémeré
Champigny-
Louans
Bossée
Grillemont
Forêt de Chinon
Landes du Ruchard
Camp militaire du Ruchard
Forêt de Villandry
Loire
Indre
A 85
E 60
A 10
D 952
D 751
D 760
D 959
D 766

0 2 4 6 8 10 km
131
151
170
A
B
C
D
1
2
3
4
5
Château-Renault
B. de Gâtines
Morand
Santenay
Orchaise
(Valencisse)
Chambon-sur-Cisse
Coulanges
(Valloire-sur-Cisse)
Nouzilly
Crotelles
Villedômer
Auzouer-en-Touraine
Dame-Marie-les-Bois
Autrèche
Bois de Corneau
Forêt Bélier
Monnaie
Neuillé-le-Lierre
Montreuil-en-Touraine
Mesland
Onzain
Monteaux (Veuzain-sur-Loire)
Chaumont-sur-Loire
Reugny
St-Ouen-les-Vignes
Cangey
Limeray
Veuves
Rilly-sur-Loire
Mosnes
Grange de Meslay
Parçay-Meslay
Chançay
Vernou-sur-Brenne
Noizay
Nazelles-Négron
Pocé-sur-Cisse
Chargé
Souvigny-de-Touraine
Vallières-les-Grandes
Rochecorbon
Vouvray
Amboise
St-Règle
Montlouis-sur-Loire
Lussault-sur-Loire
Pagode de Chanteloup
Parc des mini-châteaux
FORÊT D'AMBOISE
Forêt de Montrichard
Montrichard Val de Cher
TOURS
St-Pierre-des-Corps
La Ville-aux-Dames
Larçay
St-Avertin
Véretz
Azay-sur-Cher
St-Martin-le-Beau
Dierre
La Croix-en-T.
Chenonceaux
Chisseaux
Chissay-en-Touraine
Chambray-lès-Tours
Forêt de Larçay
Athée-sur-Cher
Bléré
Civray-de-Touraine
St-Georges-sur-Cher
Faverolles-sur-Cher
Francueil
Montbazon
Veigné
Esvres
Truyes
Cormery
Courçay
Cigogné
Sublaines
Épeigné-les-Bois
Luzillé
Montpoupon
Céré-la-Ronde
Sorigny
St-Branchs
Tauxigny
Reignac-sur-Indre
Chédigny
Azay-sur-Indre
St-Quentin-sur-Indrois
Le Liège
Biard-la-Chapelle
Genillé
Louans
St-Bauld
Chambourg-sur-Indre
Le Louroux
Dolus-le-Sec
Chanceaux-près-Loches
Manthelan
Loches
Beaulieu-lès-Loches
Ferrière-sur-Beaulieu
Chartreuse du Liget
FORÊT DE LOCHES
Chemillé-sur-Indrois
Montrésor
Bossée
La Chapelle-Blanche-St-Martin
Grillemont
Mouzay
Perrusson
Sennevières
Loché-sur-Indrois

132
E
F
G
H
Vineuil
Les Grotteaux
Huisseau-sur-Cosson
Dhuizon
St-Gervais-la-Forêt
Mont-près-Chambord
Villesavin
Bracieux
Neuvy
Montrieux-en-Sologne
Chailles
Beauregard
Cellettes
Tour-en-Sologne
Bauzy
Neung-sur-Beuvron
Cour-Cheverny
Cheverny
Fontaines-en-Sologne
Vernou-en-Sologne
Les Montils
Seur
Chitenay
Troussay
Cormeray
Monthou-sur-Bièvre
Ouchamps
Courmemin
Fougères-sur-Bièvre
Fresnes
Feings
Contres
Millançay
Sambin
Soings-en-Sologne
Mur-de-Sologne
Veilleins
Thenay
Oisly
Sassay
Choussy
Couddes
Rougeou
Lassay-sur-Croisne
Le Moulin
Romorantin-Lanthenay
Monthou-sur-Cher
Chémery
Gy-en-Sologne
Thésée
Méhers
St-Romain-sur-Cher
Pruniers-en-Sologne
Pouillé
Billy
Villefranche-sur-Cher
Mareuil-sur-Cher
Noyers-sur-Cher
Selles-sur-Cher
St-Julien-sur-Cher
St-Aignan
Châtillon-sur-Cher
Gièvres
La Chapelle-Montmartin
Zoo-parc de Beauval
Couffy
Meusnes
Chabris
Châteauvieux
Lye
Fontguenand
Menetou-sur-Nahon
Sembleçay
Varennes-s-Fouzon
Val-Fouzon
Villentrois
Dun-le-Poëlier
St-Christophe-en-Bazelle
Anjouin
Bagneux
Faverolles-en-Berry
Valençay
Nouans-les-Fontaines
Poulaines
Luçay-le-Mâle
Veuil
Buxeuil
Orville
Vicq-sur-Nahon
Écueillé
Aize
Reboursin
Forêt de Gros-Bois
Forêt de Gâtine
154
171

0 2 4 6 8 10 km
133
153
172
A
B
C
D
1
2
3
4
5
Pont-Ballon
Beauval
Les Pins
Beuzon
Châtaigneraie
Les Vallées
Les Hirtaignes
Bouchetault
Bouchetin
Cersay
Milbert
La Minée
Les Monteaux
Bois-Baudet
Montfranc
Brelat
Étang de l'Aiguillon
Clairbois
Bonbonnière
Le Puy
La Royauté
Vaüilly
Les Rouches
Les Bouffards
Les Petits Bouffards
Le Coudray
La Lande
Brinon-s-Sauldre
Les Réaux
L'Huys
Bois-Chaumont
Les Bordes
Le Tertre-Meneau
Bois-Renard
Les Alicourts
Bois-Rabot
La Rousselière
Breuchet
Le Grd Soupeau
Étg de Beaumont
Villemorant
Neung-sur-Beuvron
La Ferté-Beauharnais
Ste-Marie
Villegondin
Burtin
Nouan-le-Fuzelier
Moléon
Les Sandilles
Malvaux
Vervillon
Le Grand-Leu
Chalès
Rotin
St-Viâtre
La Touchette
La Croûte
Visomblain
Avignon
Favelle
Étg de la Grde Corbois
La Veignerie
Villemignon
Pierrefitte-sur-Sauldre
La Chau
La Genêtière
Garry
Les Ruaux
St-Joseph
Étg de Marcilly
Le Pt-Bois
L'Arsendrie
Brémaille
La Margotière
Mont-Évray
Mont-Arlet
Les Marchais
Falaise
Boute-Vive
Villeneuve
Marcheval
Frogère
Mazères
La Gravette
Verrière
Étg de Malzoné
Boisquillon
L'Ouaillerie
Le Clos-d'Issay
La Bourdinière
Maulieu
Bourdaloue
Bois-Rosé
Le Tresor
Courcelles
Les Maremberts
L'Aubrette
Remarday
La Rebutinière
La Mousseraie
Boute Morte
Le Village
Les Clergeries
Le Carroir
Marcilly-en-Gault
L'Abbaye
Faverolles
Les Chardonnières
Les Chapellières
La Lande
Le Puits
Souesmes
Landeroyne
Le Simouet
Millançay
Le Plessis
La Roche
La Martinière
La Foncerie
Étg de la Prée
Ortie
Champeau
Les Loges
Randon
La Bascule
Ménétréol-sur-Sauldre
Ste-Marie
Gouchère
Bourgnouveau
Les Allioux
La Sebillère
Camp militaire
Rivaulde
La Croix-des-Landes
Les Bruyères
Forêt de Bruadan
L'Écluse
La Barellerie
Les Ordonnières
Monboulan
Salbris
Coussin
Montant
Villechaise
La Harpe
La Maison Rouge
Belle-Fontaine
Le Chesne
Vélodrome
Les Ptes Fontaines
Le Boulay
Loreux
Pioté
Villeloup
Les Bois-Lions
Le Druellet
Le Glandier
Bois-Clair
Selles-St-Denis
St-Thaurin
Boisbereau
Les Tanières
Les Aubiers
La Devinnière
Sise
Les Quatre Vents
La Gravellière
La Ferté-Imbault
Le Pont
Bois-Méhant
Migerault
Le Plessis
Le Pré
La Maison-Rouge
Pont-Égaré
Grandchamp
Station de radioastronomie
Le Haut Boulay
La Rère
Les Guépins
Bel-Air
Champvioux
Villeherviers
Vœurs
Les Amozins
Faubourg-St-Roch
Montifaut
La Bédinière
Les Roches
Les Vaux
Le Buisson-Luzas
Étg de la Chaux
Bourdaloue
Le Portail
Les Tourneux
La Fontaine-Harlot
Lacs Plats
Salbris-La-Loge
Chaudénéant
La Petite Chabotière
Les Petits Coulons
Le Reuilly
La Pte Chalanière
Étang des Landes
Salbris-Theillay
La Gravette
Les Anneaux
Voisine
Nançay
Le Vieux-Nançay
Les Anges
Le Luneau
La Loge
Jeu
La Richaudière
Bourdaloue
La Guérinière
Rère
Sanges
Lerne
Bois-Chavant
Noofond
Bois-aux-Frères
Douy
Les Bretets
Loince
Theillay
Fontenay
Les Breuzioux
Neuvy-sur-Barangeon
Bailly
La Brillière
La Bajolerie
Lojon
Villefranche-sur-Cher
La Grange-au-Rouge
La Boulaye
Le Many
Le Chalumeau
La Petite-Grêlerie
Les Tréchis
Le Chêne-Vert
Orçay
Langon-sur-Cher
Prejeux
Mennetou-sur-Cher
Boucharimbault
La Borne
Le Grd Village
St-Julien-sur-Cher
La Chapelle-Montmartin
Sauveterre
St-Loup-sur-Cher
Les Brosses
Le Loeuf-du-Houx
Forêt de Vierzon
Étang du Lafard
Forêt de Vouzeron
Vouzeron
Le Gros Bois
Les Quenets
Châtres-sur-Cher
Thénioux
Breuzette
Rond-Point de l'Étoile
Les Tierceaux
Le Puits
Ambroise-Croizat
La Chevrollerie
Les Huets
La Charonnerie
Maray
Les Agards
La Forêt
Le Gué-Vincent
Les Forges
Charnay
Les Barres
Les Goujons
Les Ocreries
Méry-sur-Cher
La Couturanderie
Les Bourrelières
Tailles de Ruines
Coulommiers
Cornereau
Les Bézards
Les Bourdains
La Plaudière
Rozay
St-Georges-sur-la-Prée
Vierzon
La Croix
Le Piquet
La Picardière
St-Laurent
La Margauderie
Dun-le-Poëlier
Les Chézeaux
La Chartrerie
Les Belliards
La Chaume
La Roichère
Le Plessis
Deuvre
La Grande-Loeuf
St-Hilaire-de-Court
Le Briou
Chevry
Guérigny
L'Ormoy
La Giraudière
Chaumoux
La Prinquette
Mamets
Champmartin
Les Fontaines
Grandmont
Étang des Sceps
Maison-Fort
Beuvrière
Bellefiole
La Mornetterie
Autry
Vierzon-Forges
Chaillot
Vignoux-sur-Barangeon
Roche
Anjouin
La Boulaye
Lourière
Silo
Le Troncay
Bagneux
Le Bois-Rond
La Coudre
Genouilly
Haut Bourg
Le Bois d'Olivet
Maurepas
Les Mazères
Dampierre-en-Graçay
St-Martin-de-Court
Gy-le-Grd
Briou
Madrolle
Nouriou
Givry
Les Bruns
Brinay
Foëcy
Beauregard
Les Varennes
La Minauderie
Bréan
Rhin-du-Bois-d'en-Haut
Rhin-du-Bois-d'en-Bas
La Braudière
Les Maisons-Rouges
Les Brioux
Imbry
Ste-Catherine
Sailly
Alnay
Loumet
La Boirie
Champs
Fosse
ALLOUIS
Allouis
Princay
Champ-Martin
Beauregard
Mousselas
Le Grand Boisfort
Le Lac Clair
Le Port
Le Briou
Chevilly
Mereau
Le Tremblay
Chancenay
La Pierre de Lu
Château-Vert
La Touche
Les Bonnetas
Venay
Orville
La Poterie
Graçay
Le Galleran
La Provenchère
Massay
Guénigny
Le Ferrandeau
Les Brosses
Grand Villalin
Mehun-sur-Yèvre
La Macoterie
Les Fouages
St-Outrille
Villaine
Nohant-en-Graçay
Chavannes
Coulange
Cornançay
Ralant
Quincy
Chaumont
Barmont
Graire
Les Mineaux
Bois de St-Outrille
Forêt de Vatan
Coulon
La Ray
Chéry
Lury-sur-Arnon
Chante-Renard
Lenay
L'OCCITANE
La Pommaille
Reboursin
Mérou
Le Chêne
Guichonnerie
Cerbois
Le Coteau
Servanterie
Somme
La Motte
La Beaupinière
La Pelote
St-Pierre-de-Jards
La Motte
Les Tureaux
La Chaponnerie
Bois de Guilly
Les Orgeries
Vornault
Le Coudray
Lucay-le-Libre
Cermelle
Les Creusets
Chéry-Gaillard
La Cour-au-Gilet
Boitier
Preuilly
Ville-Perdue
Bourges-Marmagne
Marmigno

134
E
F
G
H
Argent-sur-Sauldre
Blancafort
Cernoy-en-Berry
Beaulieu-s-Loire
Bonny-s-Loire
Aubigny-sur-Nère
Concressault
Barlieu
Oizon
Pierrefitte-ès-Bois
Santranges
Belleville-sur-Loire
Sury-près-Léré
Léré
Sury-ès-Bois
Vailly-sur-Sauldre
Dampierre-en-Crot
Savigny-en-Sancerre
Ennordres
Villegenon
Thou
Assigny
La Verrerie
Subligny
Cosne
Presly
Jars
Le Noyer
La Chapelle-d'Angillon
Menetou-Râtel
Sury-en-Vaux
La Chapelotte
Boucard
Ivoy-le-Pré
Verdigny
Chavignol
Sancerre
St-Satur
Henrichemont
Sens-Beaujeu
Crézancy-en-Sancerre
Neuilly-en-Sancerre
Méry-ès-Bois
Ménétréol-sous-Sancerre
Bué
Achères
La Borne
Neuvy-Deux-Clochers
Vinon
Humbligny
Gardefort
Veaugues
Maupas
Morogues
Menetou-Salon
St-Palais
Montigny
Jalognes
Feux
Quantilly
Parassy
Aubinges
St-Céols
St-Martin-d'Auxigny
Groises
St-Georges-sur-Moulon
Vignoux-sous-les-Aix
Les Aix-d'Angillon
Rians
Azy
Soulangis
Lugny-Champagne
Pigny
Étréchy
Vasselay
St-Michel-de-Volangis
St-Éloy-de-Gy
Fussy
Ste-Solange
Brécy
Chaumoux-Marcilly
Sévry
Asnières
Couy
St-Doulchard
St-Germain-du-Puy
Nohant-en-Goût
Villabon
173
156
Forêt d'Ivoy
Forêt de St Palais
Forêt de Menetou
Bois de l'Aumône
Motte d'Humbligny
D 940
D 923
D 926
D 955
N 151

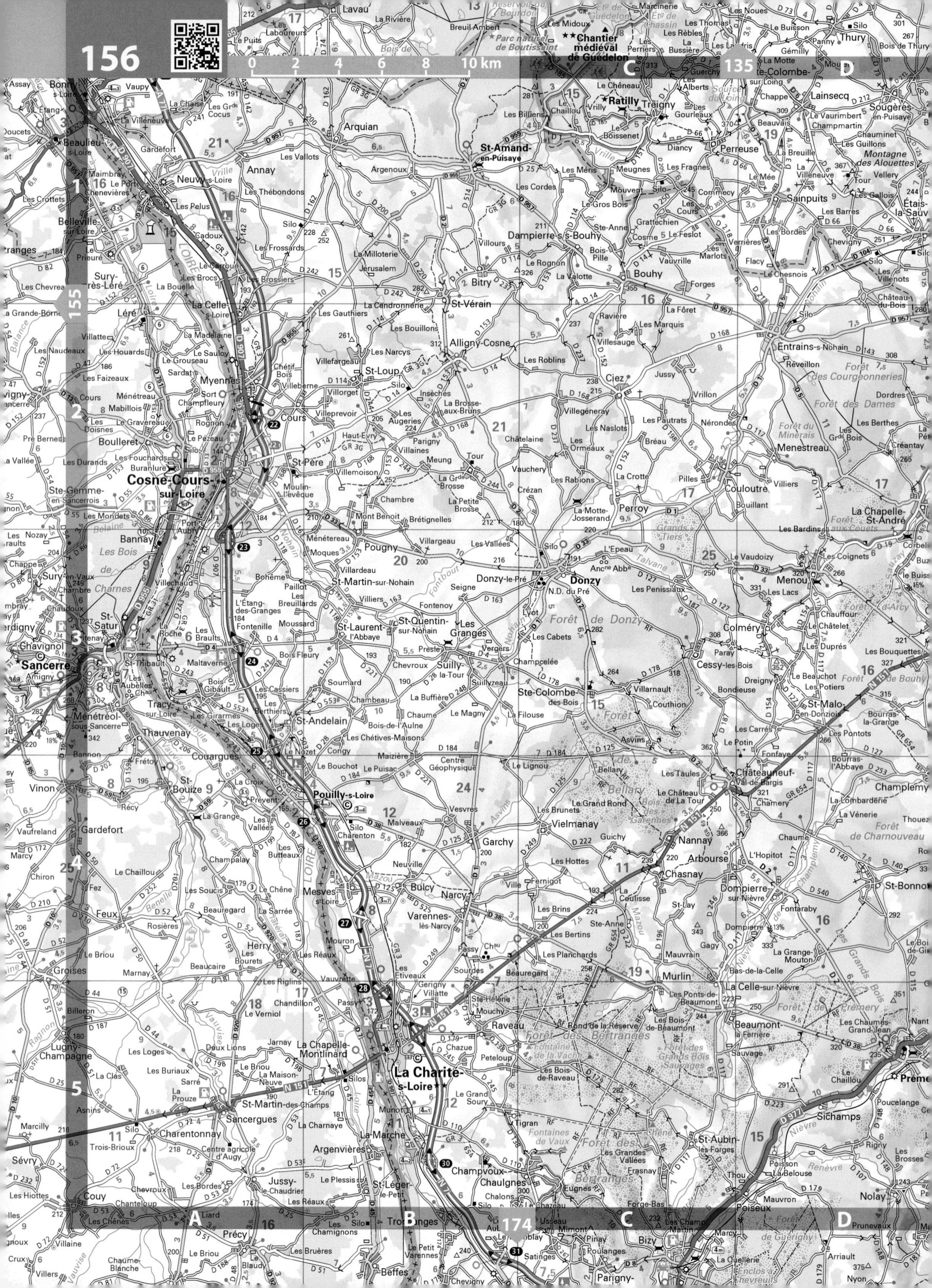

0 2 4 6 8 10 km
135
155
174
A
B
C
D
1
2
3
4
5
Chantier médiéval de Guédelon
Parc naturel de Boutissaint
Breuil Ambert
Lavau
Thury
Ratilly
Treigny
Lainsecq
Sougères-en-Puisaye
St-Amand-en-Puisaye
Arquian
Annay
Neuvy-s-Loire
Beaulieu-s-Loire
Bonny-s-Loire
Belleville-sur-Loire
Sury-près-Léré
Léré
La Celle-s-Loire
Myennes
Cosne-Cours-sur-Loire
Cours
St-Père
St-Loup
Alligny-Cosne
St-Vérain
Bitry
Dampierre-s/s-Bouhy
Bouhy
Perreuse
Sainpuits
Étais-la-Sauvin
Entrains-s-Nohain
Ciez
Forêt des Courgeonneries
Forêt des Dames
Menestreau
Couloutre
Perroy
Donzy
Donzy-le-Pré
La Chapelle-St-André
Menou
Colméry
Cessy-les-Bois
Ste-Colombe-des-Bois
Forêt de Donzy
St-Malo-en-Donziois
Châteauneuf-Val-de-Bargis
Champlemy
Pougny
St-Martin-sur-Nohain
St-Quentin-sur-Nohain
St-Laurent-l'Abbaye
Suilly-la-Tour
St-Andelain
Pouilly-s-Loire
Garchy
Vielmanay
Nannay
Arbourse
Chasnay
Dompierre-sur-Nièvre
St-Bonnot
Murlin
La Celle-sur-Nièvre
Beaumont-la-Ferrière
Forêt de Prémery
Prémery
Forêt des Bertranges
La Charité-s-Loire
La Chapelle-Montlinard
Narcy
Varennes-lès-Narcy
Mesves-s-Loire
Bulcy
Tracy-sur-Loire
St-Satur
Sancerre
Ménétréol-sous-Sancerre
Thauvenay
St-Bouize
Couargues
Feux
Herry
Sancergues
St-Martin-des-Champs
Charentonnay
Lugny-Champagne
Argenvières
Champvoux
Chaulgnes
St-Aubin-les-Forges
Sichamps
Nolay
Couy
Précy
Beffes
Bizy
Forêt de Guérigny
LOIRE
N 151
A 77
N 7
D 955
D 957
D 1
D 33
D 38

E
F
G
H
136
175
158
Forêt de Frétoy
Druyes-les-Belles-Fontaines
Coulanges-sur-Yonne
Andryes
Pousseaux
Surgy
Festigny
Crain
Lucy-sur-Yonne
Faulin
Lichères-sur-Yonne
Merry-sur-Yonne
Châtel-Censoir
Brosses
Bois-d'Arcy
Sermizelles
Girolles
Lucy-le-Bois
Annay
Avallon
Montillot
Blannay
Givry
Vault-de-Lugny
Pontaubert
Domecy-sur-le-Vault
Asquins
Vézelay
Asnières-sous-Bois
Clamecy
Oisy
Armes
Dornecy
Chamoux
St-Père
Fontaines Salées
Foissy-lès-Vézelay
Pierre-Perthuis
Tharoiseau
Island
Menades
Fontenay-près-Vézelay
La Maison-Dieu
Brèves
Villiers-sur-Yonne
Asnois
Metz-le-Comte
Teigny
Nuars
Domecy-sur-Cure
St-Germain-des-Champs
Chastellux-sur-Cure
St-André-en-Morvan
St-Aubin-des-Chaumes
Bazoches
Rix
Breugnon
Corvol-l'Orgueilleux
Ouagne
Villiers-le-Sec
St-Germain-des-Bois
Tannay
Amazy
Cuncy-lès-Varzy
Beuvron
Flez-Cuzy
Vignol
Saizy
Neuffontaines
St-Didier
Lys
Monceaux-le-Comte
Empury
St-Martin-du-Puy
Chalaux
Talon
Grenois
Parigny-la-Rose
Marcy
Asnan
Challement
Dirol
Ruages
Moissy-Moulinot
Pouques-Lormes
Anthien
Lormes
Mont de la Justice
Taconnay
Chevannes-Changy
Corvol-d'Embernard
Chazeuil
Moraches
Germenay
Marigny-sur-Yonne
Magny-Lormes
Gorges de Narvau
Brinon-sur-Beuvron
Héry
Chitry-les-Mines
Chaumot
Corbigny
Cervon
Vauclaix
Gâcogne
Champlin
Neuilly
Champallement
Guipy
Pazy
Mhère
Butte de Montenoison
St-Révérien
Vitry-Laché
Marcilly
Forêt de Montreuillon
Montenoison
Moussy
Sardy-lès-Épiry
Mouron-sur-Yonne
Crux-la-Ville
La Collancelle
Montreuillon
Lac de Pannecière-Chaumard
Lucy-le-Bourg
St-Franchy
Bazolles
Montigny-en-Morvan
Blismes
Ste-Marie
Achun
Aunay-en-Bazois
St-Saulge
Châtin

157
137
176
0 2 4 6 8 10 km
Avallon
Montréal
Époisses
Semur-en-Auxois
Vassy-s/s-Pisy
Moutiers-St-Jean
Blacy
Talcy
Santigny
Provency
Athie
Sceaux
Guillon
Vignes
Toutry
Corrombles
Genay
Millery
Sauvigny-le-Bois
Savigny-en-Terre-Plaine
St-André-en-Terre-Plaine
Sauvigny-le-Beuréal
Vieux-Château
Montberthault
Forléans
Torcy-et-Pouligny
Pont-et-Massène
Magny
Cussy-les-Forges
Ste-Magnance
Courcelles-Frémoy
Bourbilly
Courcelles-lès-Semur
Villeneuve-sous-Charigny
Flée
Bussières
Sincey-lès-Rouvray
Montigny-St-Barthélemy
Bierre-lès-Semur
Roilly
Brianny
St-Brancher
Rouvray
St-Germain-des-Champs
Beauvilliers
St-Andeux
Aisy-sous-Thil
Butte de Thil
Chastellux
Dompierre-en-Morvan
Précy-sous-Thil
Marcigny s/s-Thil
St-Léger-Vauban
St-Germain-de-Modéon
La Roche-en-Brenil
Quarré-les-Tombes
Juillenay
Vic-sous-Thil
Marigny-l'Église
Abbe de la Pierre-qui-Vire
Lacour-d'Arcenay
Montlay-en-Auxois
Fontangy
Chalaux
St-Didier
Molphey
La Motte-Ternant
St-Agnan
Missery
Rocher de la Pérouse
Saulieu
Villargoix
Dun-les-Places
Champeau-en-Morvan
Thoisy-la-Berchère
Brassy
St-Brisson
PARC NATUREL RÉGIONAL DU MORVAN
Gouloux
Montsauche-les-Settons
Les Settons
Liernais
Censerey
Ouroux-en-Morvan
Alligny-en-Morvan
Moux-en-Morvan
Brazey-en-Morvan
Diancey
Lac de Pannecière-Chaumard
Chaumard
Gien-sur-Cure
Blanot
Vianges
Marcheseuil
Planchez
Ménessaire
Villiers-en-Morvan
Bard-le-Régulier
Manlay
Chissey-en-Morvan
Savilly
Châtin
Corancy
Lavault-de-Frétoy
Cussy-en-Morvan
N.D. de l'Aillant
Anost
Barnay
Lucenay-l'Évêque
A
B
C
D
1
2
3
4
5

Bussy-le-Grand
La Villeneuve-les-Convers
Poiseul-la-Ville-et-Laperrière
Oigny
Poiseul-la-Grange
Léry
Ménétreux-le-Pitois
Bussy-Rabutin
Darcey
Billy-lès-Chanceaux
Grésigny-Ste-Reine
Venarey-les-Laumes
Mt Auxois
Corpoyer-la-Chapelle
Frôlois
Lamargelle
Moloy
Tarsul
MuséoParc Alésia
Alise-Ste-Reine
Chanceaux
Frénois
Pellerey
Gissey-sous-Flavigny
Flavigny-sur-Ozerain
Thenissey (Source-Seine)
St-Germain-Source-Seine
Sources de la Seine
Poncey-sur-l'Ignon
Côte des Trapeux
Forêt de Is-sur-Tille
Vernot
Pouillenay
Hauteroche
Blessey
Cheneroilles
Boux-sous-Salmaise
Source de l'Ignon
Saussy
La Roche-Vanneau
Vaux-Saules
Francheville
Chassey
Jailly-les-Moulins
Salmaise
Champagny
Brain
Curtil-St-Seine
Villeferry
St-Seine-l'Abbaye
Bligny-le-Sec
Arnay-s/s-Vitteaux
Dampierre-en-Montagne
Villeberny
Verrey-sous-Salmaise
St-Martin-du-Mont
Ste-Colombe-en-Auxois
Charencey
Villotte-St-Seine
La Casquette
Posanges
Villy-en-Auxois
Val-Suzon
Marcilly-et-Dracy
Massingy-lès-Vitteaux
Chevannay
Turcey
Champrenault
Mont Tasselot
Velogny
Vitteaux
St-Hélier
Trouhaut
Darois
Vesvres
Prenois
Blaisy-Bas
Panges
St-Thibault
Boussey
Saffres
Verrey-sous-Drée
Bussy-la-Pesle
Pasques
Blaisy-Haut
Avosnes
Beurizot
Uncey-le-Franc
Marcellois
St-Mesmin
Drée
Baulme-la-Roche
Lantenay
Plombières-lès-Dijon
Ancey
Soussey-sur-Brionne
Savigny-sous-Mâlain
Mâlain
Fleurey-sur-Ouche
Velars-sur-Ouche
Grosbois-en-Montagne
Mesmont
Prâlon
Vieilmoulin
St-Anthot
Martrois
Gissey-le-Vieil
Éguilly
Sombernon
Remilly-en-Montagne
Pont-de-Pany
N.-D. d'Étang
Corcelles-les-Monts
Blancey
Aubigny-lès-Sombernon
Bellenot-sous-Pouilly
Civry-en-Montagne
Montoillot
Agey
Ste-Marie-s-Ouche
Flavignerot
Marsannay-la-Côte
Pouilly-en-Auxois
Échannay
Arcey
Montculot
Grenant-lès-Sombernon
Chailly-sur-Armançon
Semarey
Gissey-sur-Ouche
Urcy
Couchey
Commarin
Barbirey-sur-Ouche
Fixin
Créancey
Thoisy-le-Désert
Gergueil
Clémencey
Chambœuf
Brochon
Gevrey-Chambertin
St-Victor-sur-Ouche
Quemigny-Poisot
Châtellenot
La Bussière-sur-Ouche
Arconcey
Vandenesse-en-Auxois
Macogne
St-Jean-de-Bœuf
Châteauneuf
Semezanges
Ternant
Curley
Morey-St-Denis
Essey
Bouhey
Rouvres-sous-Meilly
Reulle-Vergy
Chambolle-Musigny
Meilly-sur-Rouvres
Clomot
Veuvey-sur-Ouche
Ste-Sabine
Bévy
L'Étang-Vergy
Allerey
Chaudenay-le-Château
Crugey
Détain-et-Bruant
Collonges-lès-Bévy
Clos de Vougeot
Chazilly
Cussy-le-Châtel
Antheuil
Curtil-Vergy
Musigny
Longecourt-lès-Culêtre
Chaudenay-la-Ville
Colombier
Chevannes
Messanges
Segrois
Vosne-Romanée
Villars-Fontaine
Nuits-St-Georges
Mimeure
Painblanc
Bécoup
Meuilley
Thorey-sur-Ouche
Aubaine
Chaux
Culètre
Arcenant
Veilly
Auxant
Bouilland
Marey-lès-Fussey
Arnay-le-Duc
Foissy
Fussey
Combe à la Vieille
Roche Percée
Premeaux-Prissey
Blangey-le-Bas
Bligny-sur-Ouche
Ste-Marguerite
Échevronne
Comblanchien
St-Prix-lès-Arnay
Bessey-la-Cour
Magny-lès-Villers
Magnien
Antigny-la-Ville
Bessey-en-Chaume
Pernand-Vergelesses
Corgoloin
Maligny
Lacanche
Thomirey
Écutigny
Savigny-lès-Beaune
Aloxe-Corton
Ladoix-Serrigny
AUTOROUTE DU SOLEIL
138
160
177

0 2 4 6 8 10 km
139
159
178
A
B
C
D
1
2
3
4
5
DIJON
Fontaine-lès-Dijon
Talant
Plombières-lès-Dijon
Chenôve
Longvic
St-Apollinaire
Quetigny
Chevigny-St-Sauveur
Sennecey-lès-Dijon
Neuilly-lès-Dijon
Crimolois
Ouges
Fauverney
Marsannay-la-Côte
Perrigny-lès-Dijon
Couchey
Fixin
Brochon
Gevrey-Chambertin
Morey-St-Denis
Chambolle-Musigny
Vougeot
Clos de Vougeot
Vosne-Romanée
Nuits-St-Georges
Premeaux-Prissey
Comblanchien
Corgoloin
Is-sur-Tille
Til-Châtel
Marcilly-sur-Tille
Échevannes
Crécey-sur-Tille
Orville
Véronnes
Saulx-le-Duc
Tarsul
Diénay
Villecomte
Vernot
Chaignay
Gemeaux
Pichanges
Marsannay-le-Bois
Épagny
Savigny-le-Sec
Norges-la-Ville
Clénay
Bretigny
St-Julien
Asnières-lès-Dijon
Bellefond
Ruffey-lès-Echirey
Orgeux
Varois-et-Chaignot
Hauteville-lès-Dijon
Ahuy
Daix
Messigny-et-Vantoux
Val-Suzon
Darois
Lux
Spoy
Beire-le-Châtel
Arceau
Arc-sur-Tille
Couternon
Remilly-sur-Tille
Bressey-sur-Tille
Magny-sur-Tille
Cessey-sur-Tille
Genlis
Bretenière
Fénay
Saulon-la-Rue
Barges
Broindon
St-Philibert
Noiron-sous-Gevrey
Savouges
Corcelles-lès-Cîteaux
Gilly-lès-Cîteaux
Izeure
Bessey-lès-Cîteaux
Aubigny-en-Plaine
Abbe de Cîteaux
St-Nicolas-lès-Cîteaux
Villebichot
Boncourt-le-Bois
Agencourt
Quincey
Gerland
Bonnencontre
Broin
Auvillars-sur-Saône
Charrey-sur-Saône
Esbarres
Magny-lès-Aubigny
Brazey-en-Plaine
St-Usage
St-Jean-de-Losne
Losne
Échenon
Aiserey
Échigey
Trouhans
Longeault
Pluvault
Collonges-lès-Premières
Villers-les-Pots
Tillenay
Auxonne
Champdôtre
Soirans
Tréclun
Pont
Les Maillys
Flagey-lès-Auxonne
Labergement-lès-Auxonne
Villers-Rotin
Billey
Laperrière-sur-Saône
Samerey
Champvans
Damparis
Abergement-la-Ronce
Aumur
Bèze
Mirebeau-sur-Bèze
Noiron-sur-Bèze
Tanay
Vievigne
Savolles
Bézouotte
Charmes
Cuiserey
Belleneuve
Trochères
Binges
Étevaux
Drambon
Marandeuil
Montmançon
Talmay
Maxilly-sur-Saône
Pontailler-sur-Saône
Vonges
Lamarche-sur-Saône
Poncey-lès-Athée
Athée
Flammerans
Magny-Montarlot
Premières
Longchamp
Labergement-Foigney
Chambeire
Tellecey
Cirey-lès-Pontailler
Bourberain
Fontenelle
Licey-sur-Vingeanne
Dampierre-et-Flée
Beaumont-sur-Vingeanne
Blagny-sur-Vingeanne
Champagne-sur-Vingeanne
Oisilly
Renève
Cheuge
Jancigny
St-Sauveur
St-Seine-sur-Vingeanne
Pouilly-sur-Vingeanne
Mornay
Rosières
Attricourt
Lœuilley
Broye-les-Loups-et-Verfontaine
LGV RHIN-RHÔNE

161
140
162
179
E
F
G
H
1
2
3
4
5
Écuelle
Oyrières
Vars
Autet
Savoyeux
Mercey-sur-Saône
Motey-sur-Saône
Cambonin
La Vaivre
Vaudey
Greucourt
Vezet
(La Romaine)
St-Gand
Sept Fontaines
Bourguignon-lès-la-Charité
Grandvelle-et-le-Perrenot
Maizières
La Rente Rouge
Vereux
Pierrejux
La Résie
Auvet-et-la-Chapelotte
Montureux-et-Prantigny
Beaujeu-St-Vallier-et-Pierrejux
La Grange d'Etaule
Ste-Reine
La Charme
La Madeleine
La Vernotte
Les Bâties
Fretigney-et-Velloreille
Fondremand
Chargey-lès-Gray
Prantigny
St-Vallier
L'Étang des Maisons
Forêt de Belle Vaivre
Igny
La Chapelle-St-Quillain
Vaux-le-Moncelot
Recologne-lès-Rioz
Bouhans-et-Feurg
Rigny
St-Roch
Vellemoz
Étrelles-et-la-Montbleuse
Frasne-le-Château
Villers-Bouton
Trésilley
Nantilly
Arc-lès-Gray
Corneux
St-Broing
Sauvigney-lès-Gray
Angirey
Villers-Chemin-et-Mont-lès-Étrelles
Passirey
Gray
Ancier
Vantoux-et-Longevelle
Vellefrey-et-Vellefrange
Velleclaire
Hauterive
Grachaux
Les Roselières
Gray-la-Ville
Nantouard
Citey
Cordonnet
Velet
Mantoche
Battrans
Velesmes-Échevanne
St-Loup-Nantouard
Bucey-lès-Gy
Oiselay-et-Grachaux
Montarlot-lès-Rioz
Forêt des Hauts-Bois
Villefrancon
Gy
Bonnevent-Velloreille
Sorans-lès-Breurey
Esmoulins
Champvans
Cresancey
Vellореille-lès-Choye
Choye
Rochefort
Apremont
Noiron
Le Tremblois
Onay
Champtonnay
Bellevue
St-Maurice
Chaux-la-Lotière
Boult
Germigney
Gommeray
Cugney
Charcenne
Autoreille
Montboillon
Arsans
Lieucourt
Venère
Grands Bois de Pin
Gézier-et-Fontenelay
Étuz
Boulot
Voray-sur-l'Ognon
Buthiers
Vadans
Virey
Courcuire
Bussières
Bonnay
Bonboillon
Tromarey
Chevigney
Valay
Avrigney-Virey
Beaumotte-lès-Pin
Chambornay-lès-Pin
Cussey-sur-l'Ognon
Geneuille
Chevroz
Devecey
Châtillon-le-Duc
La Grde-Résie
Aubigney
Chancey
Cult
Pin
Sauvagney
Hugier
Émagny
Moncley
Auxon-Dessus
Tallenay
Broye-Aubigney-Montseugny
La Résie-St-Martin
Chaumercenne
Motey-Besuche
Brussey
Chevigney-sur-l'Ognon
Auxon-Dessous
Miserey-Salines
Sauvigney-lès-Pesmes
Bay
Marnay
Ruffey-le-Château
Chaucenne
Pesmes
Chassey
Montagney
Sornay
Recologne
Noironte
Pelousey
Pouilley-les-Vignes
Pirey
École-Valentin
Mutigney
Bard-lès-Pesmes
Chenevrey-et-Morogne
Burgille
Audeux
Champagney
Malans
Bresilley
Abbe d'Acey
Jallerange
Courchapon
Franey
Placey
Champvans-les-Moulins
Lavernay
Pagney
Dammartin-Marpain
Thervay
Le Moutherot
Lantenne-Vertière
Mazerolles-le-Salin
Serre-les-Sapins
Franois
Vitreux
Étrabonne
Corcondray
Vaux-les-Prés
Château-Farine
Brans
Ougney
Mercey-le-Grand
Corcelles-Ferrières
Villers-Buzon
Chemaudin
Dannemarie-sur-Crète
Pointre
Montmirey-le-Château
Saligney
Taxenne
Rouffange
Romain
Ferrières-les-Bois
Pouilley-Français
Avanne-Aveney
Beure
Montmirey-la-Ville
Offlanges
Serre-les-Moulières
Gendrey
Louvatange
Berthelange
Grandfontaine
Montferrand-le-Château
Arguel
Moissey
Sermange
Le Pt Mercey
Hyombre
Velesmes-Essarts
Larnod
Rancenay
Pugey
Vriange
Auxange
Évans
St-Vit
Thoraise
Torpes
Busy
Massif de la Serre
L'Abergement
Malange
Salans
Roset-Fluans
Vorges-les-Pins
Menotey
Amange
Romange
Lavans-lès-D.
Monteplain
Dampierre
Osselle-Routelle
Boussières
Montrond-le-Château
Gredisans
Archelange
Lavangeot
Fraisans
Chenecey-Buillon
Châtenois
Orchamps
Ranchot
La Barre
Rans
Grottes d'Osselle
Charnay
Authume
Audelange
Éclans-Nenon
Our
Étrepigney
Courtefontaine
Villars-St-Georges
Abbans-Dessus
Épeugney
Rochefort-s-Nenon
La Bretenière
Plumont
Chouzelot
Cademène
Baverans
Falletans
Byans-s-Doubs
Quingey
Cessey
Courcelles
Fourg
Lavans-Quingey
Palantine
Rurey
Brevans
Azans
Lombard
Pessans
Rouhe
Goux-s/s-Landet
Amondans
Le Temple
Mesmay
Châtillon-s-Lison
Cussey-s-Lison
Liesle
Pointvillers
Montfort
Belvoye
Lizine
Villette-lès-Dole
Samson
Champagne-sur-Loue
Buffard
Ronchaux
Paroy
Échay
Chay
Bartherans
Les Turots
Chatelay
Salins-les-Bains
Forêt de Chaux
Grand Contour
La Comtoise
Doubs
Loue
Ognon

0
2
4
6
8
10 km
141
161
180
A
B
C
D
1
2
3
4
5
Grandvelle-et-le-Perrenot
Maizières
Pennesières
Fondremand
Hyet
Quenoche
Authoison
Filain
Dampierre-sur-Linotte
Presle
Mont Jésus
Chassey-lès-Montbozon
Pont-sur-l'Ognon
Mélecey
Fallon
Abbenans
Bonnal
Tressandans
Thieffrans
Cubrial
Cubry
Rougemont
Fontenois-lès-Montbozon
Cognières
Bouhans-lès-Montbozon
Montferney
Cuse-et-Adrisans
Nans
Uzelle
Roche-s-Linotte-et-Sorans-les-Cordiers
Villers-Pater
Montbozon
Thiénans
Montagney-Servigney
Gouhelans
Gondenans-les-Moulins
Ruhans
Ormenans
Besnans
Mondon
Romain
Fontenelle-Montby
Gondenans-Montby
Soye
Trésilley
La Malachère
Loulans-Verchamp
Montussaint
Côte du Mt Adam
Huanne-Montmartin
Mésandans
Puessans
Rioz
Cenans
Maussans
Beaumotte-Aubertans
Flagey-Rigney
Avilley
Rognon
Trouvans
Viéthorey
Fontaine-lès-Clerval
Tallans
Ollans
Rillans
Tournans
Traitiéfontaine
Blarians
Germondans
Battenans-les-Mines
Vergranne
Clerval
L'Hôpital-St-Lieffroy
Neuvelle-lès-Cromary
Chambornay-lès-B.
Vandelans
La Barre
Cendrey
Rougemontot
Verne
Voillans
Sorans-lès-Breurey
Cirey
Rignosot
La Tour-de-Sçay
Luxiol
La Bretenière
Autechaux
Hyèvre-Paroisse
Branne
Valleroy
Rigney
Fontenotte
Aux-lès-Cromary
Thurey-le-Mont
Corcelle-Mieslot
Mont Bichoux
Baume-les-Dames
Bois-la-Ville
Hyèvre-Magny
Roche-lès-Clerval
Cromary
Palise
Moncey
Villers-Grelot
Val-de-Roulans
Villers-St-Martin
Crosey-le-Petit
Perrouse
Venise
Chaudefontaine
Le Puy
Breconchaux
Grosbois
Fente de Babre
Lomont-s-Crête
Source Bleue
Voray-sur-l'Ognon
Buthiers
Vieilley
Champoux
Pouligney-Lusans
L'Écouvotte
St-Hilaire
Séchin
Esnans
Silley-Bléfond
Pont-les-Moulins
Cusance
Bonnay
Mérey-Vieilley
Châtillon-Guyotte
Vennans
Fourbanne
Roulans
Ougney-Douvot
Guillon-les-Bains
Montivernage
Vellevans
Devecey
Châtillon-le-Duc
Tallenay
Braillans
Marchaux
Amagney
Bretigney-Notre-Dame
Adam-lès-Passavant
Servin
Lanans
Le Grd Rocher
Laissey
Dammartin-les-Templiers
St-Juan
Les Péquignots
Ouvans
Miserey-Salines
Novillars
Thise
Deluz
Vaire-le-Petit
Champlive
Aïssey
Passavant
Vaudrivillers
Landresse
Roche-lez-Beaupré
Vaire-Arcier
Vauchamps
Chalèze
Osse
Glamondans
Bouclans
Côtebrune
Orsans
Courtetain-et-Salans
Vellerot-lès-Vercel
Villers-la-Combe
Chalezeule
Gennes
Nancray
Gonsans
Chaux-lès-Passavant
Grotte de la Glacière
BESANÇON
Montfaucon
Musée des Maisons comtoises
Germéfontaine
Villers-Chief
Morre
Saône
La Chevillotte
Naisey-les-Granges
Magny-Châtelard
Belmont
Bremondans
Épenouse
Pierrefontaine-les-Varans
La Vèze
Mamirolle
Verrières-du-Grosbois
Villedieu-le-Camp
Vercel-Villedieu-le-Camp
Eysson
Domprel
Grandfontaine-s-Creuse
La Sommette
Avanne-Aveney
Arguel
Fontain
Gouffre de Poudrey
Camp militaire
Chevigney-lès-Vercel
Longechaux
Pugey
Le Gratteris
L'Hôpital-du-Grosbois
Adam-lès-Vercel
Loray
Trépot
Mérey-s/s-Montrond
Tarcenay
Foucherans
Charbonnières-les-Sapins
Étalans
Valdahon
Flangebouche
Avoudrey
Montrond-le-Château
Villers-s/s-Montrond
Grotte de Plaisir Fontaine
Dino-Zoo
Guyans-Durnes
Fallerans
Étray
Épenoy
Malbrans
N.D. du Chêne
Saules
Rantechaux
Épeugney
Ornans
Durnes
Vernierfontaine
Passonfontaine
Cademène
Scey-en-Varais
Lavans-Vuillafans
Chasnans
Nods
Courcelles
Rurey
Cléron
Chassagne-St-Denis
Montgesoye
Échevannes
Longemaison
Amondans
Châteauvieux-les-Fossés
Vuillafans
Arc-s/s-Cicon
Gilley
La Roche
Lods
Mouthier-Haute-Pierre
Aubonne
La Chaux
Lizine
Fertans
Flagey
Chantrans
Malans
Amancey
Silley-Amancey
St-Gorgon-Main

142
181
Montbéliard
Audincourt
Valentigney
Mandeure
Bavans
Seloncourt
Hérimoncourt
Porrentruy
L'Isle-s-le-Doubs
Pont-de-Roide
Montécheroux
St-Hippolyte
Belvoir
Maîche
Saignelégier
Le Noirmont
St-Imier
Le Russey
Le Bizot
Cirque de Consolation
Roche du Prêtre
Échelles de la Mort
Saut du Doubs
La Chaux-de-Fonds
Le Locle
Les Brenets
Villers-le-Lac
Morteau
Cernier
Vue des Alpes
Tête de Ran
Courtelary
Le Chasseral
Nods
Lignières
Laténium
Col de Montvoie
Col de Ferrière
Col de la Vierge
Col des Roches
Corniche de Goumois
Gorges du Doubs
Clos du Doubs
Franches Montagnes
Vallon de St-Imier
Mont d'Amin
Lomont
Fessevillers
Trévillers
Goumois
Montandon
Fleurey
Dampjoux
Bief
Vaufrey
Glère
Damvant
Réclère
Grottes de Réclère
Montfaucon
Les Pommerats
Les Breuleux
Tramelan
Renan
Sonvilier
Villeret
Les Bois
Charquemont
Les Fontenelles
Fournet-Blancheroche
Grand'Combe-des-Bois
Montlebon
Les Fins
Fuans
Orchamps-Vennes
Sancey
Vaucluse
Rosureux
Sauvegrand
Bure
Fahy
Chevenez
Courtedoux
Fontenais
Courgenay
Courtemaîche
Grandfontaine
Rocourt
Roche-d'Or
Montancy
Soubey
Epiquerez
Indevillers
Chamesol
Soulce-Cernay
Damprichard
Charmauvillers
Urtière
Thiébouhans
Fontainemelon
Valangin
Boudevilliers
Hauterive
St-Blaise
Marin-Epagnier
La Sagne
Les Hauts-Geneveys
Dombresson
Savagnier
Cressier
Cornaux
Gals
Gampelen
Thielle

0 2 4 6 8 10 km
146
Pierre Moine
Pointe de la Gardette
BOURGNEUF
Pointe des Charniers
L'Herbaudière
La Linière
Guérande
Le Grand-Viel
Plage des Souzeaux
Pointe des Dames
Bois de la Chaise
Le Sableau
Luzay
★ ÎLE DE NOIRMOUTIER
Pointe de Devin
Océanile
Noirmoutier-en-l'Île ★
La Vendette
La Préoire
Bressuire
La Bosse
L'Épine
La Mongendrie
La Guérinière
Le Bonhomme
Le Fier
La Tresson
Pointe de la Loire
La Maison-Rouge
Roches de la Loire
Barbâtre
★★ Passage du Gois
(Route praticable à basse mer)
★ Port du Bec
Les Onchères
La Frandière
La Fosse
Bellevue
La Croix Rouge
Beauvoir-sur-Mer
Pointe de la Fosse
Pointe N.D. de Monts
Fromentine
La Barre-de-Monts
La Grande Côte
Pey de la Blet
Écomusée du Daviaud ★
Forêt des Pays de Monts
CÔTE
Côte
Le Fief-Haut
Kulmino ★
Grande Croix
Les Marguerites
N.-D.-de-Monts
La Mouraine
Plage du Pont d'Yeu
La Tonnelle
Pont d'Yeu
des
Plage de la Tonnelle
Plage St-Jean
St-Jean-de-Monts
Plage des Demoiselles
Monts
DE
LUMIÈRE
Les Chiens Perrins
★★ ÎLE-D'YEU
La Planche à Puare
Port-Joinville ★
Pte du But
Cadouère
Grd Phare
Ker-Châlon
Fort de Pierre-Levée
L'Île-d'Yeu
Ker-Bossy
Saint-Sauveur
Ker-Chauvineau
Le Vx Château
Marais-Salé
Pte du Châtelet
La Croix
Plage des Sabias
Port-de-la-Meule
Anse des Vieilles
Tour
Côte Sauvage
Pte de la Tranche
Pte des Corbeaux
Pré-Vincent
Les Moutiers-en-Retz
La Davière
Sables
Lyorne
Le Collet
Bourgneuf-en-Retz
Les Rivières
Pointe de la Coupelasse
Polders St-Séran
Le Pont-du-Fresne
La Coupelasse
Le Bernard
Les Brochets
Le Fain
Roches de Bouin
Parc à Huîtres
Île de Bouin
Bouin
Les Virées
Port-la-Roche
La Guillaudière
Les Champs
Les Billarderies
Epoids
Le Petit-Fresne
Le Marais-Moreau
Abbe de l'Île Chauve
Le Port
Cossonnière
La Raguenerie
La Gaubretière
Bordevert
le Pt Moulin
St-Gervais
La Pierre-Blanche
Le Grand Pont
La Bonnetière
La Lande
Le Poirot
St-Urbain
Les Quatre Moulins
Les Bouchauds
La Croix-Verte
Le Pré-aux-Filles
Bourrine à Rosalie
Raire
Sallertaine
Marais de Challans
La Paunière
Challans
Le Vieux Cerne
Le Plaud
Le Perrier
Licheret
La Gobet
Pierre Levée
La Cailletenne
Le Grand Pinier
Le Porteau
Le Petit Marais
La Rivière
Soullans
Les Mattes
★ Musée Milcendeau Jean Yole
Les Chapelles
La Fradinière
Le Petit-Bec
Le Grand-Bec
Orouet
La Bourrine du Bois Jucaud
Le Bois-Jucaud
Les Mouettes
La Conge
Le Pissot
La Pège
La Parée-Préneau
St-Hilaire-de-Riez
Les Loires
Sion-s-l'Océan
★ Corniche Vendéenne
Le Plessis
St-Gilles-Croix-de-Vie
Croix-de-Vie
Pte de Grosse Terre
Pte de la Garenne
Le Pont-Jaunay
N.-D. des Dunes
La Sauzaie
Brétignolles-s-Mer
Le Mara

147
E
F
G
H
St-Lumine-de-Coutais
Geneston
St-Philbert-de-Grand-Lieu
Machecoul-St-Même
La Marne
La Limouzinière
St-Colomban
St-Philbert-de-Bouaine
Vieillevigne
La Planche
Corcoué-sur-Logne
Paulx
Saint-Étienne-de-Mer-Morte
Rocheservière
St-André-Treize-Voies
(Montréverd)
Mormaison
L'Herbergement
St-Sulpice-le-Verdon
Touvois
Bois-Chevalier
Legé
Falleron
Froidfond
La Garnache
Chabotterie
Croix de Charette
Historial de la Vendée
Les Lucs-s-Boulogne
St-Étienne-du-Bois
St-Christophe-du-Ligneron
Grand'Landes
Palluau
St-Paul-Mont-Penit
La Chapelle-Palluau
Beaufou
Saligny
Belleville-sur-Vie
(Bellevigny)
St-Denis-la-Chevasse
Commequiers
Apremont
Maché
Aizenay
Le Poiré-sur-Vie
Dompierre-sur-Yon
St-Maixent-sur-Vie
Coëx
St-Révérend
La Genétouze
Mouilleron-le-Captif
Venansault
La Chapelle-Hermier
L'Aiguillon-sur-Vie
Martinet
Beaulieu-s/s-la-Roche
La Chaize-Giraud
Landeronde
Landevieille
St-Julien-des-Landes
St-Georges-de-Pointindoux
La Mothe-Achard
(Achard)
LA ROCHE-SUR-YON
La Ferrière
Ste-Flaive-des-Loups
Aubigny-Les Clouzeaux
Nesmy
Vairé
182
166

0 2 4 6 8 10 km
148
165
183
Clisson
Gétigné
Cugand
Boussay
La Romagne
La Séguinière
St-Léger-s/s-Cholet
Torfou
Tiffauges
La Bruffière
St-Hilaire-de-Loulay
Montaigu
Treize-Septiers
Le Longeron
St-Christophe-du-Bois
Mortagne-sur-Sèvre
Boufféré
St-Georges-de-Montaigu
La Guyonnière
La Boissière-de-Montaigu
Les Landes-Genusson
St-Martin-des-Tilleuls
St-Aubin-des-Ormeaux
La Verrie
St-Laurent-sur-Sèvre
L'Herbergement
La Gaubretière
Beaurepaire
Chambretaud
Chavagnes-en-Paillers
Bazoges-en-Paillers
Les Brouzils
Le Puy du Fou
Les Herbiers
Les Epesses
St-Fulgent
Mesnard-la-Barotière
St-Mars-la-Réorthe
Copechagnière
Refuge de Grasla
La Rabatelière
St-André-Goule-d'Oie
Chauché
Vendrennes
St-Denis-la-Chevasse
St-Paul-en-Pareds
Les Essarts
L'Oie
Mouchamps
Rochetrejoux
Le Boupère
St-Prouant
Ste-Cécile
St-Vincent-Sterlanges
La Ferrière
St-Martin-des-Noyers
St-Germain-de-Prinçay
Sigournais
Chavagnes-les-Redoux
Chantonnay
La Chaize-le-Vicomte
St-Hilaire-le-Vouhis
Tallud-Ste-Gemme
Fougeré
Mouilleron-en-Pareds
Bournezeau
Bazoges-en-Pareds
Thouarsais-Bouildroux
Thorigny
Réorthe
Rives de l'Yon
St-Florent-des-Bois
La Roche-sur-Yon
A
B
C
D
1
2
3
4
5

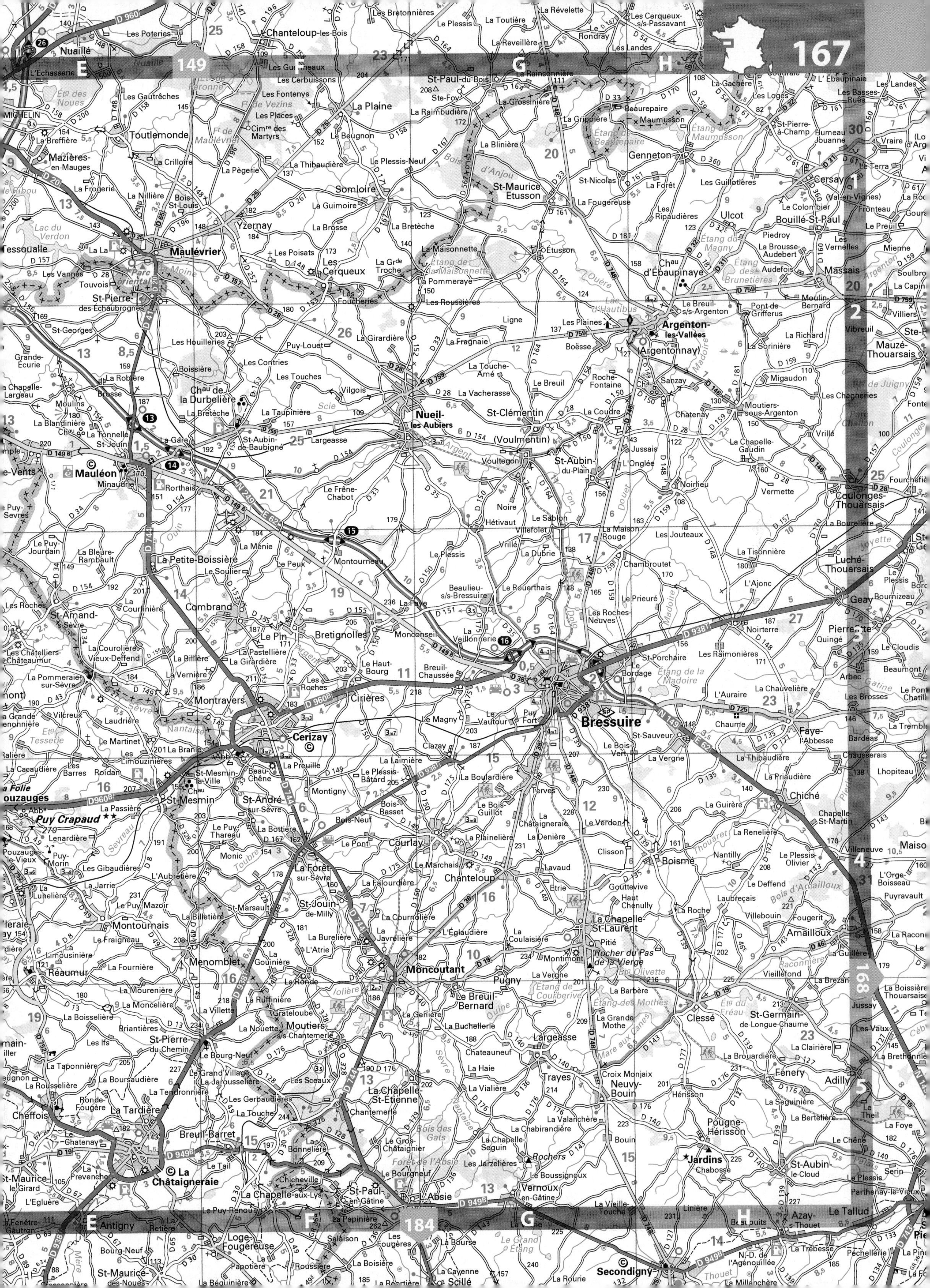

167
149
168
184
E
F
G
H
Nuaillé
Chanteloup-les-Bois
Toutlemonde
Mazières-en-Mauges
Maulévrier
Yzernay
Somloire
La Plaine
St-Paul-du-Bois
St-Maurice-Etusson
Genneton
Cersay
Bouillé-St-Paul
Ulcot
Massais
St-Pierre-des-Échaubrognes
Les Cerqueux
Argenton-les-Vallées
(Argentonnay)
Moutiers-sous-Argenton
Mauléon
Nueil-les-Aubiers
St-Clémentin
(Voulmentin)
St-Aubin-du-Plain
Coulonges-Thouarsais
Luché-Thouarsais
Geay
Pierrefitte
La Petite-Boissière
Combrand
St-Amand-s-Sèvre
Bretignolles
Cirières
Cerizay
Bressuire
Faye-l'Abbesse
Chiché
Montravers
St-Mesmin
Puy Crapaud
St-André-sur-Sèvre
Courlay
Chanteloup
Boismé
Montournais
Menomblet
Moncoutant
Pugny
La Chapelle-St-Laurent
Amailloux
Réaumur
St-Pierre-du-Chemin
Moutiers-s/s-Chantemerle
Le Breuil-Bernard
Largeasse
Clessé
St-Germain-de-Longue-Chaume
La Tardière
Cheffois
La Châtaigneraie
Breuil-Barret
La Chapelle-St-Étienne
Trayes
Neuvy-Bouin
Pougne-Hérisson
Adilly
St-Aubin-le-Cloud
La Chapelle-aux-Lys
St-Paul-en-Gâtine
L'Absie
Vernoux-en-Gâtine
Antigny
Loge-Fougereuse
Secondigny
Azay-s-Thouet
Le Tallud

0 2 4 6 8 10 km
150
167
185
Thouars
Loudun
Airvault
Parthenay
Oiron
St-Jouin-de-Marnes
St-Loup-s-Thouet
Moncontour
Thénezay
Argenton-l'Église
Ste-Radegonde
St-Jacques-de-Thouars
Mauzé-Thouarsais
Coulonges-Thouarsais
Luché-Thouarsais
St-Varent
Availles-Thouarsais
Boussais
Tessonnière
Louin
Maisontiers
Assais-les-Jumeaux
La Grimaudière
Mazeuil
Chouppes
Craon
Doux
Cherves
Vouzailles
Ayron
Chalandray
La Ferrière-en-Parthenay
La Peyratte
Châtillon-sur-Thouet
Viennay
Lageon
Gourgé
Aubigny
Pressigny
Oroux
Maillé
Villiers
Frozes
Vouillé
Champigny-le-Sec
Le Rochereau
Martaizé
Aulnay
La Chaussée
St-Clair
Marnes
Curçay-sur-Dive
Ranton
Glénouze
St-Laon
Mouterre-Silly
Arçay
Pas-de-Jeu
Angliers
Guesnes
Les Trois-Moutiers
Pouançay
Ternay
St-Cyr-la-Lande
Brion-près-Thouet
Louzy
Ste-Verge
Massais
Geay
Pierrefitte
Glénay
Amailloux
Adilly
St-Aubin-le-Cloud
Le Tallud
Azay-s-Thouet
St-Pierre
La Chapelle-Bertrand
Saurais
Sammarçolles
Basses
Raslay
Morton
Bournand
Vézières
Beuxes
Verrue
Amberre
Cuhon
Massognes
Maisonneuve
Charrais
Yvers

L'Île-Bouchard
Ste-Maure-de-Touraine
Champigny-sur-Veude
PARC NATUREL RÉGIONAL
LOIRE-ANJOU-TOURAINE
Richelieu
La Tour-St-Gelin
Chezelles
Rilly-sur-Vienne
Pouzay
Nouâtre
Maillé
Marcilly-sur-Vienne
Verneuil-le-Château
Luzé
Sepmes
Drache
Bournan
Civray-sur-Esves
Marcé-sur-Esves
La Celle-St-Avant
Ports
Port-de-Piles
Pussigny
Bois-Aubry
Braye-sous-Faye
Braslou
Razines
Marigny-Marmande
Antogny le Tillac
Balesmes
Descartes
Buxeuil
Les Ormes
Faye-la-Vineuse
Jaulnay
Dangé-St-Romain
St-Rémy-sur-Creuse
Abilly
Princay
Mondion
Vellèches
Vaux-sur-Vienne
St-Christophe
Sérigny
St-Gervais-les-Trois-Clochers
Leigné-sur-Usseau
Leugny
Berthegon
Orches
Ingrandes
Oyré
La Guerche
Savigny-sous-Faye
Usseau
Sossais
Antran
Mairé
Doussay
Cernay
Thuré
St-Genest-d'Ambière
Lencloître
Scorbé-Clairvaux
Châtellerault
Senillé-St-Sauveur
Coussay-les-Bois
Ouzilly
Colombiers
Cenon-sur-Vienne
Naintré
Availles-en-Châtellerault
Leigné-les-Bois
Marigny-Brizay
Beaumont
Vendeuvre-du-Poitou
Chabournay
Monthoiron
Chenevelles
St-Cyr
Dissay
Vouneuil-s-Vienne
Réserve naturelle du Pinail
Jaunay-Clan
St-Georges-lès-Baillargeaux
Bonneuil-Matours
Futuroscope
Chasseneuil-du-Poitou
Archigny
Migné-Auxances
La Chapelle-Moulière
Ste-Radegonde
La Puye
151
186
170
E
F
G
H
1
2
3
4
5

0 2 4 6 8 10 km
152
169
187
A
B
C
D
1
2
3
4
5
Loches
Beaulieu-lès-Loches
Chartreuse du Liget
Beautertre
Bussière
La Jallaie
Corbery
Ferrière-sur-Beaulieu
Pyramide des Chartreux
Étang des Bois
Mauvières
Poiré
Les Htes Maisons
Le Vallière
Sennevières
La Challerie
Villebasling
Village-Babault
Aubigny
Loché-sur-Indrois
La Gironnerie
Le Bray
La Vincenderie
Gastines
St-Germain
Rigny
Bourg-Neuf
Pyramide St Hubert
Bois de Beaugerais
St-Hippolyte
Les Bordes
Le Grd Village
St-Paul
Vitray
Ballon
Le Donjon
Val-au-Bœuf
St-Cyran-du-Jambot
La Motte-Blanche
Chaudenay
Bossée
Le Fay
Les Usages
La Pagerie
Grillemont
La Chapelle-Blanche-St-Martin
Mouzay
Le Cep
La Blanchardière
Morand
Fretay
Perrusson
Les Fourneaux
Roche-Ploquin
Tour
L'Ouverdière
Les Pinsonnières
Vou
Le Châtellier
St-Jean-St-Germain
Sepmes
Prix
Varennes
L'Auvernière
Bournan
La Chaise
Chillois
Cercay
Ligoire
St Senoch
La Fontaine
Verneuil-sur-Indre
La Pinconnière
St-Martin-de-Bridoré
Bagneux
Civray-sur-Esves
La Louère
Allet
Esves
Epigny
Ligueil
Ciran
La Roche-Bertault
La Houssière
Les Brandelles
St-Senoch
Étang Gargeau
Esves-le-Moutier
La Recordelière
Les Martinaux
Bois de Verneuil
La Chaume
Les Repenellières
Les Courtinais
Prouray
Cussay
La Chênaie
La Thilouardière
La Vernaterie
Bridoré
Fléré-la-Rivière
La Girardière
La Boitière
La Bretonnière
Grand-Rys
Le Reuille
La Bataillerie
La Cigogne
Le Bossard
Nizereille
La Marquetière
Les Bournaichères
Les Cornetteries
La Bauchetière
Les Bourdeaux
Migné
Pauvrelay
Le Châtelier
La Royauté
Paulmy
Ferrière-Larçon
Betz-le-Château
Village-aux-Moreaux
Le Bois-Farraud
Mouline
Châtillon-sur-Indre
Neuilly-le-Brignon
Descartes
Ribault
La Courance
La Brissandière
Ste-Jullite
St-Flovier
La Berjottière
Les Roches
Le Bois d'Aix
Bourdel
Brignon
Les Marquets
Le Crançay
Forêt de Ste Jullite
Les Bédonnières
St-Saturnin
La Salle
L'Estrac
Le Breuil-aux-Gittons
Le Trangé
Larçy
Mt Garni
Forêt du Grd Pressigny
La Celle-Guenand
St-Michel
La Guerrière
Les Effes
Les Cautronnières
Abilly
Les Boulairies
Les Cornetteries
La Belletière
La Grande Echottière
La Côte
Clion
Le Grand-Pressigny
La Raillère
Le Petit-Pressigny
Asnières
Les Grds Morins
Mozay
La Jarrie
Aigronne
La Bobinière
Cléré-du-Bois
La Richaudière
Murs
Silo
Ville-Plate
Courvaux
Chau
Foux
Charnizay
Obterre
Les Michauds
Étang de l'Île
Le Tremblais
Étableau
Favier
La Carte
Les Bertrands
Bois de la Chanteloup
Les Vigeants
Les Bois-des-Cours
Bois des Courtis
La Fauvelière
L'Étang
Limeray
Fougereau
Parc Zoologique
La Hte Touche
Forêt de Preuilly
Les Barreaux
La Petite Guerche
La Guerche
La Muanne
Étang Neuf
Villiers
L'Herbu
Le Village du Bois
Barrou
Le Chêne-Charpentier
Claise
Chaumussay
Les Grdes Goupillères
La Petite Boussée
Le Tronçay
L'Ougerie
La Pétonnière
La Caillonnière
Étang de Notz
Notz-Marafin
Montant
Rocreuse
Mairé
Les Carrés
Les Viaullières
Salvardrie
La Groie
La Malsassière
Preuilly-sur-Claise
Vinceuil
Azay-le-Ferron
La Séboissonnière
Liniers
Montbron
Lésigny
Mouchaux
La Boutelaye
Chambon
Les Htes Thurinières
La Buttière
Le Grd Village
Cheptardière
Carcot
Paulnay
Touche-de-Lay
L'Oasis
Luchet
Marlange
Le Carloy
Boussay
Les Gaillards
La Couture
Availlé
Le Thurrault
Les Froux
Bossay-sur-Claise
Ris
La Caltière
Le Châtelier
Prung
St-Julien
Le Claveau
Mézières-en-Brenne
La Jaltière
Les Buffrières
Rouvray
Parc de Boussay
Villejésus
St-Lifard
Champ-d'Œuf
Sérigny
Le Champion
Lejon
La Ramée
Étang du Moury
St-Michel-en-Brenne
Beaurepaire
Pousieux
Les Draux
La Fougère
Les Moraux
La Revaudière
Bel-Air
La Bonnerie
Notz-l'Abbé
Martizay
La Mardelle
Le Tran
Claise
La Roche-Marteau
Minaudières
Coussay-les-Bois
La Vervolière
Neussouan
Harembure
Clérolles
Étg du Couvent
Réserve naturelle
Chérine
La Roche-Posay
Confluent
Yzeures-sur-Creuse
Cinge
Blizon
Cinq Bondes
Étang Beauregard
Luire
Étabnts Thermaux
La Merci-Dieu
Napre
Les Ferrands
Lignez
Varennes
Marigny
Le Coudray
Les Vallées
Gaudru
Les Bergereaux
Japperenards
La Foi
Étang Poiliers
Étang de Maudasson
Baudrussais
Veaux
Leigné-les-Bois
Russais
La Bessardière
Thais
Launay
Les Bordes
Linge
Grand-Aslon
Gabriau
La Gabrière
Loups
Pleumartin
Cremille
Salvert
Mousseau
Néons-s-Creuse
Tournon-St-Pierre
Lureuil
Étg de Gabriau
Étg de la Gabrière
Le Temple
Étg du Blizon
Le Maupas
Le Faguet
Le Grand-Village
Ecoubesse
Forêt de Pleumartin
Chancelay
Champagne
Bois-Garnault
Tournon-St-Martin
La Borde
Plénions
Le Chopinerie
Le Blizon
Marchais Durand
La Châtaigneraie
Les Touches
Mézeray
La Serenne
La Bergerie
Les Robins
Mallet
Le Boisgoulard
Surjoux
St-Marc
Le Bouchet
Les Bouchaux
La Bourelière
Vicq-sur-Gartempe
Lavaud
Douce
Le Soudun
Pré Picault
La Chauvellière
Brillebault
La Jarrige
Les Sablons
La Varenne
Le Sandillat
Pérusse
Preuilly-la-Ville
Chaume
La Billarderie
La Boudinière
Douadic
Étang de la Mer Rouge
Bois du Bouchet
Rosnay
La Boutinière
Les Cotets
Lussais
Angles-sur-l'Anglin
Lurais
Le Bois
Le Querroir
Les Tessonnières
Cherves
Champcornu
Suin
Vaugirard
Le Fresne
La Coudraie
Dadé
La Chaume
Les Six Maisons
Bas-Bourg
St-Pierre-de-Maillé
Les Berthonnières
Fontgombault
Pouligny-St-Pierre
Avignon
Dintes
La Croix
Petit Dépot
Bois du Chillou
La Guignotrie
Fournioux
Rochers
Creuse
Les Roches
Péziers
Le Breuil
Azé
La Ligne Acadienne
Le Chillou
Mazaire
La Roche-à-Gué
Rive
Coreil
Villebernier
Asnières
Sauzelles
Les Clous
Coulvray
La Molière
Cenan
Piogeard
La Rivière
Le Bois
Tilloux
Bénavant
Mont-la-Chapelle
Madrolles
Nervaux
Les Fourdines
La Croisasse
La Puye
La Bussière
Les Grands Marsilly
Chamousseau
Bousseronde
St-Aigny
Le Blanc
Les Chézeaux
La Musardière
Le Rateau
Les Bergeas
Roche-Bellusson
Mérigny
Le Breuil
Avant
La Brassardière
Vilnet
Ruffec
Peulorge

171
153
172
188
E
F
G
H
CHÂTEAUROUX
Déols
Levroux
Buzançais
Bouges
Écueillé
Vicq-sur-Nahon
Lucay-le-Mâle
Veuil
Buxeuil
St-Florentin
Fontenay
La Chapelle-St-Laurian
Langé
Gehée
Jeu-Maloches
Moulins-sur-Céphons
Heugnes
Selles-sur-Nahon
Frédille
Pellevoisin
Villegouin
Palluau-sur-Indre
St-Genou
St-Martin-de-Lamps
St-Pierre-de-Lamps
Sougé
Francillon
Villegongis
Vineuil
Brion
Liniez
Bretagne
Arpheuilles
St-Lactencin
Chezelles
Villedieu-sur-Indre
Niherne
St-Maur
Ste-Gemme
La Chapelle-Orthemale
Vendœuvres
Neuillay-les-Bois
Méobecq
Luant
Le Poinçonnet
Montierchaume
Étrechet
Arthon
Velles
Mignè
Nuret-le-Ferron
La Pérouille
St-Gaultier
Chasseneuil
Jeu-les-Bois
Forêt de Châteauroux
Bois de Chaume
Bois de Villegongis
Bois de Ferrières
Forêt de Lancosme
Forêt des Brosses
PARC
RÉGIONAL
D 943
D 925
D 956
D 920
A 20
E 9

172
0 2 4 6 8 10 km
C
154
D
171
189
A
B
C
D
1
2
3
4
5
Villaine
Nohant-en-Graçay
Chavannes
La Ray
Lury-sur-Arnon
Coulange
Cornançay
Ralant
Mehun-sur-Yèvre
Chante-Renard
Barmont
Graire
Mérou
La Pommaille
La Guichonnerie
Maurepas
Cerbois
Le Côteau
La Servanterie
Somme
La Motte
Reboursin
Villon
Le Chêne
La Pelote
La Beaupinière
St-Pierre-de-Jards
Les Tureaux
Ville-Perdue
Bourges-Marmagne
Vornault
Le Coudray
Cermelle
Lucay-le-Libre
Chu Gaillard
La Motte
La Cour-au-Gilet
Boitier
Bois de Guilly
Les Orgeries
Le Magny
Guilly
Les Creusets
Le Bois-St-Denis
Preuilly
Bourges-Ste Thorette
Marmig
St-Florentin
Les Champs d'Amour
Vatan
L'Herbay
La Terchauderie
Les Lats
Saragosse
Le Carroir
La Coudray
Chesnaye
Fontenay
Meunet-sur-Vatan
La Foye
Pouzelas
L'Ormeteau
Reuilly
Lazenay
Limeux
Bertigny
Ste-Thorette
Les Chaumes
Cors
La Chapelle
La Chapelle-St-Laurian
Giroux
Pont-Bordat
La Ferté
Jardin
Manzay
Fublaine
Chézeau
Villeneuve
Dangy
Prenay
L'Erable
Concisain
Bois de Font-Moreau
Fontaine-Claire
Villepierre
Les Michots
Les Bergeries
Fontbon
Paudy
Mérolles
Diou
Les Cocuas
Le Souchet
Prunet
Poncet-la-Ville
Yvoy
La Ronde
Pied-de-Bois
Mazières
Plou
Moulin-Neuf
Les Breux
Morthomiers
Bignoux
Vœu
Mignv
Poisieux
Le Bouchet
Villeneuve-sur-Cher
Liniez
Ménétréols-sous-Vatan
Beauvoir
Ste-Lizaigne
Les Maras
La Genevraie
Castelnau Brouillamnon
Villeneuve
Bois du Palais
Rouze
Néroux
Les Monts
Châtillon
St-Florent-sur-Cher
Bellevue
L'Epinière
Pouillault
St-Georges-sur-Arnon
Thoiry
Le Grand Entrevin
Villeneuve
Barillon
La Chaise
Brisevent
Lizeray
Les Bordes
Bois du Roi
Villiers-les-Roses
Chârost
Les Lagnys
Valière
Silo
Chenevière
Saugy
Le Coudray
Champfrost
Civray
Massoeuvre
Bois-Ratier
St-Caprais
Chasseigne
St-Denis
Avail
Pontet
Maison Neuve
Les Ouches
St-Valentin
Chinault
Issoudun
Rosières
La Chapelle-du-Puits
La Vergne
Chanteloup
La Champenoise
Les Loges
Clois
Frapesle
St-Aoustrille
Arnaises
Tassay
St-Ambroix
La Pillourde
Le Grand Malleray
Bellechaume
Lunery
Clanay
Villefavant
Le Raincay
Les Barreaux
St-Hilaire
La Chignaterie
Champlait
Silo
Le Mez
St-Chevrais
L'Echalusse
Richetin
Jean Varenne
Villesaison
Chouday
Bois de Luc
Abbe
Lunerette
Villecourte
La Bussière
Les Epinettes
Les Quatre Routes
Les Villerais
St-Pierre-de-Notz
Thizay
Vilaines
Marande
Théry
Prault
Praslay
Brissantier
Ségry
La Prée
Bois de Ballay
Villiers
Primelles
Thoux
Effes
Corquo
Angeray
Neuvy-Pailloux
Les Arrivés
Le Fay
Gouers
Mareuil-sur-Arnon
Le Petit Malleray
Lisson
Les Sarrays
B. de Chaumet
St-Léger
Condé
Levée de César
La Foucherine
Nouan
Bois Mesmains de l'Ecoron
Thoux
Les Lacs
Les Loges
Ste-Fauste
Le Noyer
La Motte
Cousseron
Les Girards
La Pouge
Bois de Chatin
Dampierre
Les Pruneaux
Beauchemin
La Bouloie
Chérigny
Montierchaume
Crevant
La Lande
Montaboulin
La Ferté
Le Grd Villiers
Le Pit Villiers
Brives
Fontissant
St-Aubin
Mérolles
La Brosse
Colombe
Ecléneuil
Rosiers
Silo
Ablenay
La Jaglotterie
Meunet-Planches
Villechaud
Forêt de Chœurs-Bommiers
La Croix Blanche
Les Gours
La Vève
St-Baudel
Parassay
Nieul
Beaumont
Fourches
Les Bois de Mâron
Diors
Vouillon
Planches
Erables
Etg des Deux Queues
Villecelin
Chezal-Benoît
Scay
Les Loges
La Martinerie
Tilliaire
Mâron
Le Relais
Les Minimes
Les Bindets
Beauvoir
Montlouis
Charmusseau
Châteauroux
Chignay
Le Bois-Ramier
Chiré
La Bruyère
Les Magnoux
Les Sourards
Léday
Bourreau
Piou
Resay
Bommiers
Pruniers
Champmenard
Condé
Lunezay
Ozans
Étrechet
Villemongin
Ambrault
Thonaise
Les Meuniers
La Perrière
La Celle-Condé
Le Plessis
La Forge de-l'Isle
Sanguille
Le Breuil
Feluze
Etg de la Chelouze
Villiers
La Maréchale
Varennes
Blord
Jarry
Les Bouleaux
Les Brunets
Les Cotillons
Ineuil
Clavières
Bellat
Sassierges-St-Germain
Châtre
Bois de Villefort
Le Bois-Prieur
La Cueille
La Preugne
Les Pages
Chatoullé
Carrefour Picard
Buxerolle
Le Grd Plessis
Les Pichons
Les Védeaux
Lassout
Chassepain
L'Eperse
La Forge
Ardentes
Civrenne
Les Tendrons
Lignières
Prévieres
Riaujonc
Les Loges-de-Dressais
Etg de la Villette
Les Giraudons
Les Piverts
Les Jouhannets
Le Plaix
Boisroux
Greuille
Vermanche
Les Gerfaux
St-Août
Le Frêne
Les Baudons
St-Hilaire-en-Lignières
Les Mollats
Larcille
Le Trait
Les Riaux
La Cossonnerie
La Carroux
Les Soupizons
Touchay
L'Ile
Ids-St-Roch
Vigonne
Le Vigneau
Encheur
La Poulinière
Les Jaux
Lavaut
Les Loges-de-Champ
Etg des Pinassières
La Forêt
Vinceuil
Les Dijeux
La Forêt
Les Perrots
Les Forges
La Vieille-Morte
Malleray
Le Gué-de-Veneix
Les Morins
Les Loges
Les Mottes
Jardins N.-D. d'Orsan
La Bonneville
B. de Chanteloube
Fourche
Le Magnet
Le Ris
Villechère
Les Blins
Bretagne
Les Sept Chemins
St-Christophe-en-Boucherie
Rezay
Les Aublancs
Orsan
Rébérantin
Sanglier
Jeu-les-Bois
Etang de Lys-St-Georges
Corlay
Bellet
Les Hérauts
La Breuille
Verneuil-sur-Igneraie
La Berthenoux
Feuillelin
Chauvetons
Besse
St-Pierre-les-Bois
Les Chenilles
Mers-sur-Indre
Mez
Filaine
Bussière
Montipouret
Beaulieu
Jaunoux
Les Houillères
Lys-St-Georges
Courtioux
Les Granges
Chassinières
St-Chartier
Le Bois-Trevy
La Tuilerie-de-Bouchenoire
Maisonnais
Buxières-d'Aillac
Le Plessis
Beaupin
Baudoin
Grand-Foulinin

Fussy
Les Chaumes
Chamfort
Villemont
Ste-Solange
Francheville
La Fringale
Le Grand Marais
Asnières
Brécy
Villeneuve
St-Doulchard
St-Germain-du-Puy
Maubranches
Bellevue
Prouziers
Villabon
Savoye
Solérieux
Les Angelots
Les Chapelles
Puy-Verday
Nohant-en-Goût
Les Perrières
Baugy
Villequiers
Moulins-sur-Yèvre
Farges-en-Septaine
Bois-Bouzon
Pierrelay
BOURGES
Osmoy
Le Préau
Camp d'Avord
Base aérienne
Le Colombier
Saligny-le-Vif
Mornay-Berry
Fauchecourt
La Thibauderie
Lazenay
Savigny-en-Septaine
Carrières-du-Château
Germigny
Quinçay
Guerry
Avord
Soutrin
Les Combes
Vizy
Chassy
Pisse-Vieille
Givaudins
Soye-en-Septaine
Laverdines
Le Grenouillat
Le Cabaret
Faîtin
Crosses
St-Martin
Bengy-sur-Craon
Trouy
Plaimpied-Givaudins
St-Just
Jussy-Champagne
Nérondes
Tendron
La Suée
Soupise
Raymond
Lazenay
Verrières
Lissay-Lochy
Chambon
Vornay
Le Bertray
Mangou
Annoix
Villaires
Bois Margot
Cornusse
Fauminard
Flavigny
Lochy
Arçay
Senneçay
La Roulette
Montavelange
Grand Chemin
Vorly
St-Denis
Défens
Étréchy
Osmery
Croisy
Soulangy
Chailleux
St-Denis-de-Palin
Bois-Sir-Amé
Château
Lugny-Bourbonnais
Les Bourdelins
Ourouer-les-Bourdelins
Ste-Lunaise
Forêt de Soudrain
Levet
Chezal-Chauvier
La Chaussée
Les Bergeries
La Coinche
Ste-Radegonde
Terland
St-Germain-des-Bois
Bussy
Lantan
Singleton
Chalivoy-la-Noix
Rouffeux
Nizerolles
St-Marceau
Les Avignons
Charly
Serruelles
Celon
Poil-Vilain
Boucheteau
Blet
Le Tureau
La Chapelle
La Périsse
Dun-sur-Auron
Cilly
Villers
Contres
Lavineux
Malçay
Chalivoy-Milon
Barantheaume
Coudron
Cernay
Sarolles
Cogny
Marigny
Chavannes
Parnay
BOIS
Chalais
Thaumiers
Ardenais
Sagonne
Givardon
Rousson
Jariolle
Uzay-le-Venon
Les Varennes
Forêt de Maulne
Le Pondy
Verneuil
Les Vornes
Crézançay-sur-Cher
St-Loup-des-Chaumes
Bigny
Les Varines
Bois de Couris
Les Renardières
Bannegon
Neuilly-en-Dun
Augy-sur-Aubois
Vallenay
Thioux
Segogne
Meillant
Arpheuilles
L'Homme
Sarzay
Trécon
La Croix-des-Pouzes
Bruère-Allichamps
La Celle
St-Rhomble
Margerolle
Les Perrons
St-Aignan-des-Noyers
Farges-Allichamps
La Petite-Brande
Vernais
Les Couillets
Grand Bois de Meillant
Le Charnay
Le Teilleux
Cossonnais
Abbe de Noirlac
Nozières
Les Genêts
St-Pierre-les-Étieux
Bessais-le-Fromental
Les Cosses
Rouzaire
Charenton-du-Cher
Ainay-le-Château
Morlac
Orcenais
Orval
Bouzais
Les Roches
St-Amand-Montrond
Bréboeuf
Grandvaux
Valigny
Colombiers
Fontemeurant
Touzelles
Marçais
Drevant
St-Georges-de-Poisieux
La Groutte
Coust
Verneuil
Les Breures
Richebourg
Isle-et-Bardais
Arcomps
Poisieux
Ainay-le-Vieil
Meslon
Le Thureau
Changy
Beauregard
St-Bonnet-Tronçais
Orangery
Loye-sur-Arnon
Fosse-Nouvelle
La Celette
Lételon
Braize
Ardenais
Faverdines
La Perche
Beaumont
Sologne

0 2 4 6 8 10 km
C
156
D
173
1
2
3
4
5
A
B
C
D
191
192
La Marche
Argenvières
Champvoux
Fontaines de Vaux
Forêt des Bertranges
St-Aubin-les-Forges
Les Grandes Vallées
Frasnay
Rigny
Poisson
La Belouse
Renève
Nolay
Mauvron
Poiseux
Chanteloup
Le Liard
Précy
Les Chênes
Eugnes
Silo
Le Chazeau
Usseau
Mimont
Forge-Bas
Les Champ Martin
Bizy
Marcy
Prunevaux
Tronsanges
Les Champignons
Les Aubues
Le Tremblay
Pinay
Roulanges
Satinges
Parigny-les-Vaux
La Quellerie
Arriault
Nyon
Villaine
Crux
Villers
Chaume-Blanche
Le Briou
Le Blaudy
Les Bruères
Le Petit Varennes
Beffes
Chevigny
Garigny
Berry
Doys
Les Chaumes
Les Loges
Forêt d'Aubigny
Germigny-s-Loire
Châteauvert
Les Morins
Pougues-les-Eaux
Mt Givre
Priez
Boulorges
Guérigny
Demeures
Les Vannes
Champaudon
Balleray
(Vaux-d'Amognes)
Sauvage
Apiry
Ourouër
Les Passys
Cognau
Villequiers
La Charnaye
Les Essarts
Chassy
Mornay-Berry
St-Hilaire-de-Gondilly
Menetou-Couture
Marseilles-lès-Aubigny
Le Fournay
Jouet-sur-l'Aubois
Clamour
Les Batis
Les Poids-de-Fer
La Chaume-du-Poids-de-Fer
Soulangy
Foncelin
Garchizy
Azy
Neuilly
Varennes
Pignelin
La Rocherie
Urzy
St-Martin-d'Heuille
Le Gué d'Heuillon
Baugy
Rigolas
Machigny
Villeville
Déjointes
Les Brosses
Fontmorigny
Feuillarde
La Chaume
Les Grevées
La Môle
Vernuche
Fourchambault
Feuilles
La Grippe
Meulot
Montigny-aux-Amognes
Noille
Précilly
Verrières
Le Chêne-Creux
Beaurenard
Torteron
Cours-les-Barres
Crille
Four-de-Vaux
Varennes-Vauzelles
Véninges
Coulanges-lès-Nevers
Chevannes
Le Pont-St-Ours
Trangy
Bois de Veniile
Champ de tir
St-Jean-aux-Amognes
Les Quatre-Vents
Milly
La Vallée
Le Lieu
Patinges
Les Giroflées
Givry
La Folie
Venille
St-Péraville
Nérondes
Les Reaux
Bernay
Malnoue
L'Aubray
Corcelles
Tazière
Aubeterre
Bois de Sauvigny
Fontenay
Silo
Tendron
Les Loges
Les Brûlés
L'Étang de Pin
Marzy
NEVERS
St-Antoine
Chabrulat
Forges
Bois de Cigogne
La Fermeté
La Feuillouse
Ignol
La Bastille
Chalivoy
Le Chautay
Le Briou
Chichevet
Bois des Ribaudières
Cuffy
St-Baudière
Les Brouères
Cloy
Ry
Crot-de-Savigny
St-Éloi
Sauvigny-les-Bois
Bois de Landre
Flavigny
Bar
La Bergerie
Les Chaumes-de-St-Agnan
Les Fourmis
Le Bec d'Allier
Le Guétin
Colombier
Challuy
Le Marais
Plagny
Sermoise-sur-Loire
Thiot
Marigny
Prye
Curty
Feez
Les Crées
Bouchereux
Croisy
La Guerche-sur-l'Aubois
Le Gravier
Bois de Bourrain
La Grenouille
Pont-Canal
Gimouille
Lycée Agricole
La Turlurette
Les Alèdes
Montbalin
Martoux
Fonfrin
Veuillin
La Grâce
Fertot
La Chaume
Les Tuileries
Imphy
Bois de Riat
Les Beaux-Jones
Chau Renaud
Germigny-l'Exempt
Saincaize-Gare
Les Gérots
Les Grands-Charentons
Ville-Neuve
Chau Gaillard
Le Fief
Les Auvergnats
Apremont-sur-Allier
Thé
Aglan
Bois de Faye
Chevenon
Les Commes
Le Vernay
Les Communes
Bois d'Apremont
Boucard
Saincaize-Meauce
Meauce
Le Brignon
Grd Vernay
Romenet
La Chapelle-Hugon
Le Boisseau de Noix
Parc Floral
Gain
Les Noues
Les Pommais
Bée
L'Atelier
Theurau
Jaugenay
Bois-Vert
Les Chamons
Le Port Des-Bois
Les Bordes
La Planche-Chevrier
Long
Les Pitiaux
Loucet
Cussy
Crège
Chéron
Sérigny
Bois de Neuvy
Nioux
Magny-Cours
Pierry
Vereaux
Grossouvre
Les Coqs
Neuvy-le-Barrois
Allier
Le Blénay
La Tour
Soultrait
Uxeloup
St-Ouen-sur-Loire
Chevret
Béard
Cernay
Mars-s-Allier
Bardonnay
Mont
Puits de Maux
Le Fourneau
Moiry
Musée
St-Parize-le-Châtel
Chau de Rosemont
Luthenay-Uxeloup
La Motte Farchat
Sagonne
Beauvais
La Rencontre
Parc des Grivelles
St-Caprais
Châteauneuf
Villars
Taches
Givardon
Le Coudray
Lévigny
Étang de Javoulet
La Place
Pée
Villeneuve
Bois de la Boulée
La Forêt
St-Léger
Les Loges
Les Boulats
Ardenais
Donjon
Sancoins
Dhéré
Les Bruyères-Radon
Les Bruyères-de-Fleury
Les Bertaux
Les Nérondes
Jouy
Mornay-sur-Allier
Audes
La Perrière
St-Vif
La Pointe
La Berlasse
La Bruyère
Bois
Bougy
Le Rivage
Langeron
Maison Rouge
Buy
Cougny
Bois des Cordes
Parenche
Laumoy
Les Chaumes-Sautereaux
Le Grd Vèvre
Le Gué-de-Bourg
Vary
Le Guillot
Alligny
Neuilly-en-Dun
Augy-sur-Aubois
La Barre
Mauboux
Marcigny
Lorgue
Le Patouillat
Azy-le-Vif
Les Loges-Fraillons
Les Lices
Les Brusques
La Mardelle
Les Brosses
St-Aignan-des-Noyers
Le Sautay
Les Berthomiers
Les Noriaux
Les Bruyères-de-Bord
St-Augustin
Château-s-Allier
Précy
Chambon
Livry
St-Pierre-le-Moûtier
Le Bretet
Forêt de Chabet
Étg de Pinet
Chez-Rousse
Les Raguet
Le Charme
Forêt du Perray
Neuville-lès-Decize
Langeron
La Buffère
Leige
Bois de la Brunanse
Taloux
La Barre
Beaumont
Rond-du-Perray
La Vacheresse
Les Giraults
Cossonnais
La Grande-Feuille
La Chevrotière
Le Tremble
Le Veurdre
Rioussé
Paraize
Mussy
Bloux
Le Mellier
Neure
Baume
La Charnée
Courbelon
Le Bas-Rio
Étang du Perray
Étang de Pissegrain
Bruyères-des-Desrues
Cérigny
Le Pénil
Chez-Bois
Venoux
Villefroide
Les Carrais
Montvrin
Neureux
Mln Barat
Mésangy
Prégoux
Tour
Le Rio
Chaume
Le Bouché
Vernay
Chantenay-St-Imbert
Toury-sur-Jour
Le Haut-du-May
Les Vélins
Le Plaid
Chêne
Grd Veau
Lurcy-Lévis
Grd-Beaumont
Pit-Beaumont
Lorbat
La Ferté
St-Imbert
Aménagt en cours
La Loure
Les Quatre Vents
Montbernard
Valigny
La Cinardière
Fublène
Les Royautés
Les Tuileries
Nonay
L'Arizolle
Villebon
Boulat
Les Cacherats
Pouzy-Mésangy
Alligny
Le Bessay
Les Fougeries
Les Bruyères
Les Landes
Lévis
Mézamblin
Étg de Billas
Chavy
La Renardière
Saulnière
Guichards
Les Plots
Les Tardes
Champroux
Les Collins
St-Léo
Aubigny
Tresnay
Arboretum de Balaine
Aurouër
Jarsaud
La Corne-de-Rollay
Couleuvre
Taché
Les Bariteaux
Les Jarreaux
Limoise
Bel-Air
St-Léopardin-d'Augy
Chavagne
Les Roches
Le Reray
Villeneuve-sur-Allier
Les Chamignoux
La Lande
La Folie
Buchepot
Avreuil
Le Bois
Les Bordes
Minard
Morat
Riau
Le Mont
Gâte-Pays
La Beaume
Louzon
L'Épine
Bagneux
La Vigne-Mouton
Rozières
Rd de Brot
Rd de Thiolais
Rd de Beauregard
Les Beugnants
Forêt de Champroux
Civrais
Franchesse
Gennetines
Avrilly
La Croix-de-Vaux

St-Franchy
St-Saulge
St-Maurice
Montapas
Mont-et-Marré
Achun
Aunay-en-Bazois
Chougny
Dun-sur-Grandry
St-Péreuse
Dommartin
St-Hilaire-en-Morvan
Châtin
Bona
Saxi-Bourdon
Châtillon-en-Bazois
Alluy
Tamnay-en-Bazois
Maux
Sermages
St-Firmin
Rouy
Billy-Chevannes
St-Benin-d'Azy
Frasnay-Reugny
Biches
Brinay
Limanton
Moulins-Engilbert
St-Léger-de-Fougeret
Cizely
Tintury
Fertrève
Forêt de Vincence
Onlay
Anlezy
Ville-Langy
Montigny-sur-Canne
Diennes-Aubigny
Vandenesse
St-Honoré-les-Bains
Préporché
Thianges
Trois-Vèvres
Beaumont-Sardolles
La Machine
Isenay
St-Gratien-Savigny
Montaron
Cercy-la-Tour
Verneuil
Sémelay
Sougy-sur-Loire
St-Léger-des-Vignes
Decize
Champvert
Thaix
Remilly
Lanty
Avrée
Fours
Devay
Charrin
Montambert
Savigny-Poil-Fol
Fléty
St-Germain-Chassenay
St-Hilaire-Fontaine
La Nocle-Maulaix
Ternant
Tazilly
Lamenay-sur-Loire
Cossaye
Toury-Lurcy
Gannay-sur-Loire
Cronat
St-Seine
Lucenay-lès-Aix
Vitry-sur-Loire
Maltat
Cressy-sur-Somme
St-Ennemond
La Chapelle-aux-Chasses
St-Martin-des-Lais
Lesme
Bourbon-Lancy
Gennetines
Garnat-sur-Engièvre
Signal de Mont
LOIRE

0 2 4 6 8 10 km
158
C
D
Château-Chinon
Site Gallo-Romain
Arleuf
Le Télégraphe
N. D. de l'Aillant
Anost
MORVAN
Cussy-en-Morvan
Chissey-en-Morvan
Savilly
Manlay
Lucenay-l'Évêque
Roussillon-en-Morvan
Gorges de la Canche
La Celle-en-Morvan
Sommant
Reclesne
Tavernay
Cordesse
Dracy-St-Loup
St-Forgeot
Curgy
AUTUN
Croix de la Libération
Monthelon
Haut-Folin
Bas-Folin
Glux-en-Glenne
St-Prix
Roches de Glenne
La Grde Verrière
Mt Preneley
Onlay
Villapourçon
Fâchin
St-Léger-de-Fougeret
St-Hilaire-en-Morvan
Sermages
Mont Beuvray
St-Léger-s/s-Beuvray
Montaigu
Laizy
Brion
Mesvres
Broye
Étang-s-Arroux
Larochemillay
La Comelle
Poil
Millay
Chiddes
Préporché
Vieille-Montagne
Luzy
Savigny-Poil-Fol
Fléty
Tazilly
Ternant
Mt Dône
St-Didier-s-Arroux
St-Nizier-s-Arroux
Thil-s-Arroux
Charbonnat
La Chapelle-sous-Uchon
Uchon
Signal d'Uchon
La Tagnière
Mt Rouge
Montcenis
Dettey
Temple des Mille Bouddhas
La Boulaye
Cuzy
Montmort
St-Eugène
Mont Tharot
Issy-l'Évêque
Marly-sous-Issy
Mont Tauffrin
Cressy-s-Somme
Grury
Toulon-sur-Arroux
Ste-Radegonde
Mont Dardon
Uxeau
Circuit de Moto-Cross International
St-Berain-sous-Sanvignes
Montceau-les-Mines
Sanvignes-les-Mines
Dompierre-sous-Sanvignes
St-Romain-sous-Versigny
193
A
B
Signal de Mont
Vendenesse-s-Arroux
La Chapelle-au-Mans

177
159
194
178
E
F
G
H
Bligny-sur-Ouche
Savigny-lès-Beaune
Ladoix-Serrigny
Aloxe-Corton
Pernand-Vergelesses
Corgoloin
BEAUNE
Pommard
Volnay
Meursault
Monthelie
Auxey-Duresses
St-Romain
Cirque du Bout du Monde
La Rochepot
St-Aubin
Nolay
Puligny-Montrachet
Chassagne-Montrachet
Santenay
Chagny
Mt de Sène
Épinac
Sully
Le Creusot
Montchanin
Torcy
Couches
Épertully
Saisy
Rully
Mercurey
Givry
Bouzeron
Fontaines
Chalon-sur-Saône
St-Rémy
St-Marcel
Buxy
Jully-lès-Buxy
Montagny-lès-Buxy
Sennecey-le-Grand
Gergy
Allériot
Demigny
Merceuil
Montagny-lès-Beaune
Chorey-lès-Beaune
Bouze-lès-Beaune
Nantoux
Meloisey
Mavilly-Mandelot
Cussy-la-Colonne
Montceau-et-Écharnant
Ivry-en-Montagne
Thury
Champignolles
Maligny
Lacanche
Antigny-la-Ville
Vic-des-Prés
Lusigny-sur-Ouche
Thomirey
Écutigny
Saussey
Santosse
Molinot
Aubigny-la-Ronce
Vauchignon
Cormot-le-Grand
Baubigny
Dezize-lès-Maranges
Sampigny-lès-Maranges
Cheilly-lès-Maranges
Remigny
Chaudenay
Dennevy
St-Gilles
Chamilly
Aluze
St-Léger-s-Dheune
Charrecey
Mellecey
St-Martin-s/s-Montaigu
St-Mard-de-Vaux
St-Jean-de-Vaux
St-Denis-de-Vaux
Dracy-le-Fort
Châtenoy-le-Royal
Champforgeuil
Farges-lès-Chalon
Virey-le-Grand
Crissey
Sassenay
Jambles
Moroges
Rosey
Bissey-s/s-Cruchaud
Granges
St-Désert
Sevrey
Lux
St-Loup-de-Varennes
Varennes-le-Grand
Marnay
St-Ambreuil
Beaumont-sur-Grosne
Laives
Lalheue
St-Boil
Saules
Culles-les-Roches
Genouilly
St-Gengoux-le-National
Mont-St-Vincent
Gourdon
Marigny
St-Eusèbe
St-Micaud
St-Privé
Marcilly-lès-Buxy
Saint-Laurent-d'Andenay
St-Julien-s-Dheune
Écuisses
Essertenne
Perreuil
St-Bérain-s-Dheune
Morey
Châtel-Moron
Barizey
Ste-Hélène
Villeneuve-en-Montagne
Brandon
St-Firmin
St-Pierre-de-Varennes
Dracy-lès-Couches
St-Maurice-lès-Couches
St-Sernin-du-Plain
Collonge-la-Madeleine
Tintry
St-Émiland
St-Gervais-sur-Couches
St-Martin-de-Commune
Morlet
Créot
Paris-l'Hôpital
Change
AUTOROUTE DU SOLEIL
E 15 - E 21
A 6
A 36
E 607
N 80
D 906
D 973
D 974
D 970
D 978
D 981
D 984
D 977
Forêt de Givry
Canal du Centre
Falaises de Cormot
Bois de la Chaume
Combe à la Vieille
Roche Percée

178
0 2 4 6 8 10 km
Nicolas-Cîteaux
Magny-lès-Aubigny
Charrey-sur-Saône
Esbarres
St-Jean-de-Losne
Losne
St-Symphorien-sur-Saône
St-François
Champvans
Samerey
Damparis
Foucherans
C
160
D
Maison-Dieu
Corgoloin
Cussigny
Antilly
Balon
Broin
Auvillars-sur-Saône
Le Port-de-Charrey
Tontenans
Chaugey
Borde-Martenne
Abergement-la-Ronce
Aumur
Belvoye
Tavaux
Gevry
Moux
Argilly
Bagnot
Lechâtelet
Le Port-de-Bonnencontre
Pagny-la-Ville
Franxault
Borde-Rouge
St-Aubin
Bois des Noues
Auxon
Longvay
Labruyère
Glanon
Pagny-le-Château
Montagny-lès-Seurre
Villy-le-Moutier
Villy-le-Brûlé
Vignoles
Chevignerot
Ruffey-lès-Beaune
Montmain
Pouilly-sur-Saône
Chamblanc
Bois de la Bauche
Grosbois-lès-Tichey
Tichey
St-Loup
Molay
Champdivers
Corberon
Reullée
Moisey
Marigny-lès-Reullée
Travoisy
Grosbois
Jossigny
Labergement-lès-Seurre
Seurre
Jallanges
Le Meix
Lanthes
Bousselange
Villangrette
Chemin
Peseux
Silos
La Borde
St-Baraing
Orain
Corgengoux
Meursanges
Mazerotte
Pleuvey
Aignay
Paruey
Chivres
Trugny
Les Jousserots
Moussières
Chaussin
Ste-Marie-la-Blanche
Laborde-au-Château
Chevigny-en-Valière
Forêt de Palleau
La Crose
La Tuilerie
Forêt de Pourlans
Beauchemin
Asnans-Beauvoisin
Longwy-s-le-Doubs
Annoire
Pourlans
Clux
Chazelle
Méchin
Palleau
Le Port
Champseuil
Cercy
Géanges
St-Loup-de-la-Salle
Chaublanc
Sondebois
St-Martin-en-Gâtinois
Molaise
Mont-lès-Seurre
Écuelles
La Villeneuve
Longepierre
Petit-Noir
Hotelans
Neuvelle
St-Gervais-en-Vallière
Les Quatre-Chemins
Bout-d'Amont
Pondrevaux
Corcelles
Charnay-lès-Chalon
Navilly
Pontoux
Es Montots
Varenne-sur-le-Doubs
Charette-Varennes
Lays-sur-le-Doubs
Fretterans
Neublans-Abergement
Les Essards-Taignevaux
La Barre
Pit Pussey
Bragny-sur-Saône
Frontenard
Petit Meix
Les Hays
Les Quarante Arpents
Étang de Baignant
Chauvort
Saunières
Baignant
Allerey-sur-Saône
Les Bordes
Sermesse
Couronne
La Faye
L'Abergement
Pierre-de-Bresse
Grand-Mont
Authumes
Les Rattes
Abergement-St-Jean
Osnay
Raconnay
Verdun-sur-le-Doubs
Ciel
Merley
Étang de Mervins
Quintin
Terrans
Bout-d'Amont
Les Bois
Pit Chouillière
Chouillière
Les Grds Teppes
Les Pites Teppes
Verjux
Toutenant
Le Péroux
Les Flais
Vernes-Guyotte
Le Buisson-Jean-Chêne
Les Grds Champs
Disssey
Mouthier-en-Bresse
Le Pâquier
Gergy
Mont
Pont-de-Charbonneau
Sennecey-en-Bresse
La Coutière
Malplaque
L'Abergement-de-St-Didier
St-Bonnet-en-Bresse
Chavenotte
La Chapelle-St-Sauveur
Les Pernards
Chavenne
Torpes
Mervin
Chevrey
Vaulvry
La Couhée
St-Didier-en-Bresse
Mirbel
Aloise
Boibe
Les Tenaudins
Bellevesvre
St-Maurice-en-Rivière
Chemenot
Chauley
Bois-de-la-Velle
Les Donzeaux
La Motte
Dampierre-en-Bresse
Les Repesses
Neuillon
Les Creuillons
Sassenay
Bougerot
Damerey
La Racineuse
Le Bouchat
Osnard
Reurre
La Chaux
Bacheley
Les Valliers
La Marre
Le Quart
Allériot
Bey
Planche
St-Martin-en-Bresse
Serrigny-en-Bresse
La Picardière
Les Ivolots
Le Rondot
Fontenelle
Les Rabuts
Le Haut-de-Montjay
Les Camus
Crissey
Le Perrey
Perrigny
Les Quatres Routes
Le Villeneuve
Reure-s-Florence
Mervans
La Charmotte
Communautés
La Grde Chancelle
Montjay
Chapelle-Voland
Rue-de-l'Haut
Glairans
Les Autelins
Étang de Chaudenard
La Chancelle
L'Argillois
Les Rivières
Le Vernois
Chalon-sur-Saône
Prondevaux
Montcoy
Seignotte
Villegaudin
Chau de la Marche
Reversey
Soutenans
La Replonge
Le Planois
Les Brantus
Les Roz
Roseraie
Châtenoy-en-Bresse
Montagny
Colnand
Le Veilley
La Tuilerie
Serley
Villes-des-Maréchaux
Les Chênes
Heurarde
Les Piotelats
Les Chavannes
Oslon
St-Marcel
Guerfand
Bois de Montcoy
Les Gautheys
Diombe
Monflin
Championnière
Le Deffait
Bois-Bouleau
Les Rollins
Petit Bêche
Les Blancs
Petit-Nance
Cortot
Rues-Bourdillons
Bellefond
La Madeleine
Les Jacquards
Diconne
Ronfand
St-Claude
La Balme
Bouhans
La Commune
Les Dameys
Lans
Le Brouillat
L'Abergement-Ste-Colombe
Les Marlins
Villeneuve
Devrouze
Les Quatre-Chemins
La Margot
St-Germain-du-Bois
Les Deux-Marronniers
Gérand
Bosjean
Le Villey
La Villeneuve
St-Christophe-en-Bresse
La Chassaigne
La Révaillère
L'Estalet
Bois-de-Long
Les Lorins
Panissière
Sotessard
Cosges
Vizent
Blettes
Épervans
La Motte
Servigny
Les Plates
Villargeault
La Forêt
Le Villerot
Thurey
Quain
Fosse
Prost-des-Vernes
Layer
Sens-sur-Seille
Le Tartre
Jousseaux
Nance
Colombey
Foichot
Boullerand
Les Cottins
Layer
Lessard-en-Bresse
Les Tabourets
Le Peutots
Grde Faye
Condé
Visargent
Frangy-en-Bresse
Gommerand
Charnay-Bas
La Rongère
Pit Servigny
Abbaye-des-Barres
Les Vallots
Les Guillons
Simard
Grde Commune
Les Flattots
Clémencey
Villeneuve
Charnay
Charnay Haut
Nieppe
Sevrille
Ouroux-s-Saône
Port-d'Ouroux
Chirey
Les Durandards
Tronchy
Noisy
Bons-Amis
Le Perroir
Prompy
Balosle
L'Abergement
Les Grandjean
Le Servin
Chamottey
Fontainebrux
Varennes-le-Grand
Marnay
Velard
Tour
St-Germain-du-Plain
Pit Limon
Grd Limon
St-Étienne-en-Bresse
Les Moissons
Le Villey
Vérissey
Meix-Vallant
Meix-Peinot
Villermin
Le Devant
La Grde Tremaillère
Montcony
Villemartin
Mauperrins
Saillenard
Les Tantes
Le Nassey
Roussenne
Les Chillots
Les Chivanys
Le Grd St-Germain
Le Nuzeret
Pite Chize
Narbonne
Les Trigots
Le Faye
La Vernotte
Le Bordiau
Les Seurres
Les Moutrets
La Pite Chaux
Le Vauvril
Les Guillemins Bernard
Long-le-Bief
St-Usuge
Chârangeroux
Les Richards
Les Buissons
Les Vernets-Coulon
St-Cyr
Thorey
Boulay
Les Planches
Putigny
Montret
Juif
Le Bessard
Breuve
Les Varennes
La Ferrière
Le Fay
Beaurepaire-en-Bresse
La Pommeraye
Chasaux
Gigny-sur-Saône
Nully
Bois du Petit Chorme
Baudrières
Grde Chize
Chize
La Momine
Viennette
Les Boulards
Le Monceau
Charmont
Montsavin
Cugny
Le Monceau
Molambief
Montbertière
Chaigne
Beauvoir
Ambutelle
Seugny
Vincelles
Putacrot
Maître-Camps
Les Colots
Villeron
Les Pites
Épervière
Vanoise
Tenarre
Saugy
Villeveny
St-Vincent-en-Bresse
St-André-en-Bresse
Le Châtelet
Le Port-de-Mogny
Branges
Montagny-près-Louhans
Le Moulin Rouge
Le Villard
Savigny-en-Revermont
Lampagny
Colonne
Noiry
Bêcherie
La Frette
Bois-Philibert
Les Pilloux
Chenerie
Pré-du-Vernay
Châteaurenaud
Ratte
Les Chavannes
La Tuilerie
Feuillée
Sennecey-le-Grand
Ormes
Sornay
Les Vincents
La Forêt
Les Sutils
A
B
195
C
D
Les Brulés
Letrey
La Crenière
La Varenne
Savigny-sur-Seille
Lusigny
Louhans-Châteaurenaud
L'Auprétin
Les Badiers
Le Bernoux
Vaudrey
La Tour de Vers
Simandre
Chatenoy
Les Crozes
Le Mollard
Trézoire
Arbain
Chardenet
Bantanges
Les Crochets
Rancy
Gizonge
Grannod
La Croix
Grd Rédy
Les Genevriers
La Barque
Blaine
Marcilly
Aiseray
St-Martin-du-Mont
Sagy
Fontainessot
Vériat
Beauvernois
Chante Merle
Le Villard
Flacey
Silo
Limone
L'Amont
Le Taillet
La Buclière
Patran
Connièvre
Bourgeuil
Sorbonne
A 36
E 60
A 39
D 973
D 970
D 996
D 673
D 678
D 978
D 976
D 968
D 470
D 469
LA COMTOISE
177

179
161
180
196
E
F
G
H
1
2
3
4
5
Brevans
Falletans
Lavans-Quingey
Lombard
Pessans
Liesle
Mesmay
Pointvillers
Brères
Samson
Montfort
Ronchaux
Champagne-sur-Loue
Buffard
Chay
Paroy
Bartherans
Echay
Lizine
Villette-lès-Dole
Baraques du Quatorze
Le Deffois
Le Vernois
Chatelay
Saline royale
La Vieille-Loye
Germigney
Arc-et-Senans
La Loye
Goux
Parcey
Belmont
Santans
Chissey-s-Loue
Cramans
Rennes-s-Loue
Grange-de-Vaivre
By
Myon
Alaise
Éternoz
Augerans
Montbarrey
Écleux
Port-Lesney
La Chapelle-s-Furieuse
Saraz
Nans-s/s-Ste-Anne
Nevy-lès-Dole
Souvans
Ounans
Chamblay
Villers-Farlay
Mouchard
Ivrey
Poupet
Lachaussée
Grotte Sarrazine
Bans
Mont-s/s-Vaudrey
Vaudrey
Villeneuve-d'Aval
Pagnoz
St-Thiébaud
Creux Billard
Ste-Anne
Aiglepierre
Saizenay
Géraise
Crouzet-Migette
Villers-Robert
Rosière
Montmalin
Marnoz
Salins-les-Bains
Clucy
Dournon
La Ferté
Molamboz
St-Cyr-Montmalin
Les Arsures
Pretin
Fort St-André
Cernans
Séligney
Mathenay
Vadans
Villette-lès-Arbois
Montigny-lès-Arsures
Bracon
Ivory
Abergement-lès-Thésy
Thésy
Tassenières
Bretenières
Villers-les-Bois
Aumont
Abergement-le-Grd
Arbois
Mesnay
Chaux-Champagny
Aresches
Oussières
Abergement-le-Pt
Montholier
Biefmorin
Neuvilley
Grozon
Chilly-s-Salins
Lemuy
Pupillin
Reculée des Planches
Les Planches-près-Arbois
La Châtelaine
Montmarlon
Champmaux
Les Deux-Fays
Colonne
Le Chateley
Brainans
Buvilly
Cirque du Fer à Cheval
Pont-d'Héry
Andelot-en-Mgne
Champrougier
Chemenot
Villerserine
Tourmont
Foulenay
Bersaillin
Poligny
Chamole
Grotte des Moidons
Valempoulières
Vers-en-Montagne
Le Larderet
Sellières
Mouchard
Toulouse-le-Château
St-Lothain
Chaussenans
Molain
Miéry
Barretaine
Darbonnay
Croix du Dan
Vaux-sur-Poligny
Monts-de-Vaux
Le Pasquier
Le Latet
Plénise
Onglières
Recanoz
Passenans
Plasne
Montrond
La Feuilla
Moutoux
St-Germain-en-Mgne
Les Nans
Lombard
Mantry
St-Lamain
Frontenay
Les Toupes
Le Fied
Besain
Ardon
Vannoz
Equevillon
Doye
Charency
Brery
Ménétru-le-Vignoble
Granges-de-Ladoye
Les Baraques
Picarreau
Crotenay
Desnes
Arlay
Domblans
Cirque de Ladoye
Ladoye-s-Seille
Blois-s-Seille
Fay-en-Mgne
Champagnole
Sapois
Conte
Ruffey-s-Seille
Voiteur
Château-Chalon
Nevy-s-Seille
La Marre
Pont-du-Navoy
Ney
Bourg-de-Sirod
Sirod
Plainoiseau
Le Louverot
Le Vernois
Bonnefontaine
Monnet-la-Ville
Cize
Quintigny
Montain
Lavigny
Granges-s-Baume
Les Forges
Mont-s-Monnet
Loulle
Syam
L'Étoile
Le Pin
Baume-les-Messieurs
Montigny-s-l'Ain
Pillemoine
Le Vaudioux
St-Didier
Pannessières
Grottes
Cirque de Baume
Les Chalesmes
Villeneuve-s-Pymont
Chille
LONS-LE-SAUNIER
Les Roches de Baume
Crançot
Marigny
Fontenu
Châtelneuf
Rocher de la Baume
Montmorot
Perrigny
Lac de Chalain
Saffloz
Le Fioget
Courlans
Courlaoux
Messia-s-S.
Conliège
Briod
Vevy
Doucier
Chevrotaine
Chaux-des-Crotenay
Courbouzon
Montaigu
Châtillon
Songeson
Entre-Deux-Monts
Chilly-le-Vignoble
Macornay
Revigny
Creux de Revigny
Verges
Collondon
Le Frasnois
Fort-du-Plasne
Gevingey
Publy
Lieffenans
Charcier
La Fruitière
Belvre des Quatre Lacs
Geruge
Vernantois
Blye
Menétrux-en-Joux
Massif du Prélet
Bornay
St-Maur
Denezières
Belvre de la Dame Blanche
Pic de l'Aigle
La Chaux-du-Dombief
Uxelles
Saugeot
Bonlieu
Courbette
Mesnois
Nogna
Vertamboz
Boissia
La Chaumusse

0 2 4 6 8 10 km
162
179
197
A
B
C
D
1
2
3
4
5
Chassagne-St-Denis
Montgesoye
Échevannes
Vuillafans
Châteauvieux
Longemaison
Mt Chaumont
Le Petit Paris
Le Plaimbois
Arc-s/s-Cicon
Gilley
Hautepierre-le-Châtelet
Lizine
Fertans
Chantrans
Flagey
Lods
Mouthier-Haute-Pierre
Aubonne
Lallebois
Narmaud
Crêt Monniot
Echay
Malans
Amancey
Le Grand Bois
Silley-Amancey
Vésigneux
Longeville
Renédale
St-Gorgon-Main
Les Perouses
La Chaux
Les Epercherets
Grotte du Trésor
Bolandoz
Amathay-Vésigneux
Source de la Loue
Mont Pelé
Montbenoît
La Longeville
Reugney
Éternoz
Déservillers
Évillers
Ouhans
Bugny
Montflovin
Hauterive-la-Fresse
Saraz
Nans-s/s-Ste-Anne
Montmahoux
Labergement-du-Navois
Grange-Rouge
Maillot
Granges-Maillot
Septfontaines
Goux-les-Usiers
Mt D'Uziers
Les Sanglards
La Vrine
Lièvremont
Maisons-du-Bois-Lièvremont
Le Chalet
L'Enclos
Vons
Bians-les-Usiers
St-Lazare
La Chaux
Gevresin
Levier
La Ficelle
Bonnenventure
Sombacour
Arçon
Creux Billard
Ste-Anne
Crouzet-Migette
La Chaux
Pissenavache
Vuillecin
Les Alliés
Dournon
Villeneuve-d'Amont
Chapelle-d'Huin
Le Souillot
Dommartin
Doubs
Les Cernets
Grand Taureau
Arc-s/s-Montenot
Villers-s/s-Chalamont
Emmailloche
Chaffois
Houtaud
Pontarlier
Meudon
Verrières-de-Joux
Abergement-lès-Thésy
Pont-à-Moujard
La Cabette
Bois des Auges
Bulle
Granges-Dessous
L'Espérance
Larmont Supérieur
Larmont Inférieur
Les Rosiers
Lemuy
Passage antique
Boujailles
Dompierre-les-Tilleuls
Bannans
Granges-l'Église
Ste-Colombe
Cluse de Joux
Chau de Joux
La Cluse-et-Mijoux
Montmarlon
Courvières
La Cessay
(Granges-Narboz)
Granges-Dessus
Oye-et-Pallet
Station de Boujailles
Bouverans
La Rivière-Drugeon
Montagne du Laveron
Friard
Montpetot
Les Petits-Fourgs
Les Granges Berrard
Sapin Président
Bellevue
Frasne
La Gauffre
Grange-Tavernier
La Joux
La Gaudine
Port Titi
Les Grangettes
Chaon
Les Fourgs
Granges-de-la-Haute-Joux
Supt
Chapois
Étang de Frasne
Bois de Frasne
Bois du Bouquet
Laveron
Malpas
Montperreux
Chapelle-Mijoux
La Grand'borne
Cuvier
Vaux-et-Chantegrue
Chaudron
Lac de St-Point
L'Auberson
Censeau
Bief-du-Fourg
Chantegrue
St-Point-Lac
Le Vézenay
Touillon-et-Loutelet
Esserval-Tartre
Les Grangettes
Bonnevaux
Malbuisson
Les Hôpitaux-Vieux
Grange Fontaine
Col de l'Aiguillon
Le Latet
Plénise
Plénisette
Esserval-Combe
Communailles-en-Montagne
Mi-Bois
Granges-Ste-Marie
St-Antoine
Les Hôpitaux-Neufs
Onglières
Mignovillard
Labergement-Ste-Marie
Les Nans
Mièges
Molpré
Froidefontaine
Jougne
Mournans-Charbonny
Essavilly
Remoray-Boujeons
Fourcatier-et-Maison-Neuve
Métabief
Nozeroy
Longcochon
Les Lanciers
Longevilles-Hautes
Doye
Le Morond
Charency
Rix
Longevilles-Mt-d'Or
Equevillon
Billecul
La Latette
Grange-Bonnet
Boujeons
Ballaigues
Conte
La Favière
Source de l'Ain
Rondefontaine
Brey-et-Maison-du-Bois
Rochejean
Les Tavins
Les Clées
Sapois
Lent
Gellin
Gillois
Fraroz
Cerniébaud
Les Pontets
Villedieu-Les-Rochejean
La Grange Raguin
Mont d'Or
Bretonnières
Sirod
Bourg-de-Sirod
Mont de St Sorlin
Sarrageois
Les Villedieu
Treffay
Perte de l'Ain
Arsure-Arsurette
Le Crouzet
Mouthe
Bief-Girard
Crêt du Vent
La Roulette
Grange-Bousson
La Petite Echelle
Vallorbe
Premier
Croy
Bief-des-Maisons
Reculfoz
Source du Doubs
Le Noirmont
Dent de Vaulion
Juriens
Syam
Crans
Petite-Chaux
La Vernouge
Sapeau
Le Pré-Loin
Vaulion
Les Chalesmes
Chaux-Neuve
Les Essarts
Crêt Sapeau
Les Epoisats
Lac Brêné
Chalet-Dernier
Gorges de la Langouette
Les Planches-en-Mgne
Chez Cornet
La Caille
Landoz-Neuve
Le Pont
La Praz
Moiry
Châtelblanc
Laisinette
Les Charbonnières
Gros Crêt
Le Séchey
Pétra-Félix
Pré-de-Joux
Chaux-des-Crotenay
Foncine-le-Haut
Le Cernois
Lételet
Parc polaire
Le Lieu
L'Abbaye
Col du Mollendruz
Haut du Mollendruz
Côte de Mont-la-Ville
Mont-la-Ville
La Coudre
Entre-Deux-Monts
Foncine-le-Bas
Le Mont Noir
Les Verrières
Esserts-de-Rive
Vers-chez-Grosjean
Cuarnens
La Chaux (Cossonay)
Fort-du-Plasne
Combe des Cives
Le Rocheray
Lac de Joux
Châtel
L'Isle
Le Maréchet
Le Solliat
La Golisse
Le Bucley
Mauraz
Chez-Buffard
Le Sentier
Les Bioux
Chalet du Mont Tendre
Montricher
Villars-Bozon
Chavannes-le-Veyron
Le Voisinal
Derrière-la-Côte
L'Orient
La Racine
Lac-Rouge-Truites
Chapelle-des-Bois
Piguet-Dessus
Chez-le-Maître
Mont Tendre
Grancy
Le Campe
Chenit
Pampigny
Cottens
Les Martins
Comne
Les Mortes
Crêt de Mondisé
Chaumilles
Cunay
Côte de Mollens
Mollens
Sévery
Le Brassus
Pré-de-St Livres
MONT RISOUX
JOUX

181
163
198
E
F
G
H
1
2
3
4
5
Morteau
Villers-le-Lac
Le Locle
La Sagne-Eglise
La Sagne
Les Hauts-Geneveys
Fontainemelon
Fontaines
Engollon
Landeyeux
Valangin
Hauterive
Chaumont
Gampelen
Thielle
Marin-Epagnier
La Tène
Witzwil
Laténium
NEUCHÂTEL
Peseux
Corcelles
Montmollin
Coffrane
Les Geneveys-s-Coffrane
Boudevilliers
Montlebon
Les Fontenottes
Le Cerneux-Péquignot
La Chaux-du-Milieu
Le Cachot
La Gde Joux
Les Ponts-de-Martel
Petit-Martel
Plamboz
Mt Racine
Les Petits-Ponts
La Tourne
Montezillon
Rochefort
Les Tablettes
Colombier
Cormondrèche
Auvernier
Serrières
Milvignes
Bôle
Areuse
Boudry
Cortaillod
Bevaix
Champ-du-Moulin
Chambrelien
Brot-Plamboz
Brot-Dessus
Brot-Dessous
Noiraigue
Travers
Creux du Van
La Grande Béroche
Gorgier
Chez-le-Bart
St-Aubin-Sauges
Montalchez
Provence
Fresens
Mutrux
Vaumarcus
Concise
Corcelles
Onnens
Champagne
Grandson
Yverdon-les-Bains
Couvet
Môtiers
Boveresse
St-Sulpice
Fleurier
Buttes
La Brévine
Le Chasseron
Mauborget
Bonvillars
Fontaines-s-Grandson
Grandevent
Novalles
Bullet
Fiez
Giez
Orges
Valeyres-s-s-M.
Vuiteboeuf
Essert-s/s-C.
Villars-s/s-C.
Montagny
Baulmes
Champvent
Chamblon
Treycovagnes
Mathod
Rances
Suscévaz
Valeyres-s/s-Rances
Orbe
Montcherand
Ependes
Belmont-s-Yverdon
Ursins
Orzens
Suchy
Essertines-s-Yverdon
Chavornay
Pailly
Vuarrens
Penthéréaz
Bavois
Arnex-s-Orbe
Orny
Goumoëns
Villars-le-Terroir
Echallens
Oulens
Bettens
Daillens
St-Barthélemy
Bioley-Orjulaz
Assens
Bretigny-s-Morrens
Etagnières
Boussens
Bournens
Sullens
Morrens
Penthalaz
Cossonay-Gare
Penthaz
Vufflens-la-Ville
Cheseaux
Villars-Ste-Croix
Aclens
Romanel
Crissier
Epalinges
Cugy
Montpreveyres
Servion
Oron-la-Ville (Oron)
Auboranges
Oron-le-Châtel
Châtillens
Essertes
Les Tavernes
Palézieux
Maracon
La Rogivue
Lac de Neuchâtel
Estavayer-le-Lac
Cheyres
Châbles
Font
Lully
Châtillon
Frasses
Montet
Bollion
Seiry
Sévaz
Payerne
Cugy
Vesin
Fétigny
Aumont
Ménières
Nuvilly
Murist
Franex
Rovray
Chavannes-le-Chêne
Yvonand
Arrissoules
Treytorrens
Chêne-Pâquier
Champtauroz
Cuarny
Pomy
Molondin
Cronay
Donneloye
Démoret
Vuissens
Prévondavaux
Praratoud
Surpierre
Cheiry
Villeneuve
Henniez
Seigneux
Lucens
Villars-le-Cte
Curtilles
Lovatens
Dompierre
Prévonloup
Romont
Billens
Hennens
Villaranon
Bussy
Moudon
Chavannes
Siviriez
Rossenges
Syens
Montet (Glâne)
Hermenches
Vucherens
Ropraz
Carrouge
Ecublens
Vulliens
Rue
Ursy
Promasens
Chapelle (Glâne)
Gillarens
Mézières
Ferlens
Bouloz
Porsel
Besencens
Fiaugères
Pont
St-Martin
Progens
Grattavache
Le Crêt
Vaulruz
Vuadens
Sâles
Maules
Romanens
Rueyres
Sommentier
Lieffrens
La Joux
La Magne
Les Ecasseys
Vuisternens-dev.t-Romont
Villariaz
Mézières
Estévenens
Grangettes
Berlens
Le Châtelard
Massonnens
Villarsiviriaux
Villargiroud
Orsonnens
Villarlod
Villarsel-le-Gd
Estavayer-le-Gibloux
Autigny
Chénens
Cottens
Villarimboud
Châtonnaye
Sédeilles
Rossens
Villaz-St-Pierre
Lussy
Middes
Torny-le-Grand
Lentigny
Lovens
Corserey
Prez-vers-Noréaz
Noréaz
Montagny-les-Monts
Montagny-la-Ville
Léchelles
Chandon
Russy
Corsalettes
Oleyres
Domdidier
Avenches
Donatyre
Faoug
Villars-le-Grand
Vallamand-Dessous
Salavaux
Bellerive
Constantine
Montmagny
Chabrey
Delley
Portalban
Gletterens
St-Aubin
Vallon
Chevroux
Forel
Grandcour
Missy
Dompierre
Autavaux
Montbrelloz
Rueyres-les-Prés
Corcelles
Cudrefin
Champmartin
(Vully-les-Lacs)
Mur
Guévaux
Moléson-sur-Gruyères
Plan Francey
Villars-sous-Mont
Le Pâquier
Les Alpettes
Niremont
Le Gibloux

165
0 2 4 6 8 10 km
A
B
C
D
1
2
3
4
5
La Mothe-Achard
Ste-Flaive-des-Loups
Les Granges
La Chausserie
La Salaire
La Bradière
La Burelière
Réserve ornithologique
L'Allerie
Sauveterre
L'Ile-d'Olonne
St-Mathurin
Champclou
Le Pont-Chartran
Olonne-s-Mer
Pierre Levée
La Baudurière
La Girvière
L'Aubraie
La Roulière
Phare des Barges
La Chaume
Pointe de l'Aiguille
Fort St-Nicolas
Rudelière
LES SABLES-D'OLONNE
La Corniche
Puits d'Enfer
Anse de Cayola
Château-d'Olonne
Beauséjour
La Mouzinière
La Pironnière
Musée automobile de Vendée
Les Arpents
Saint-Jean-d'Orbestier
Maison-Neuve
Dagoterie
Le Porteau
Querry-Pigeon
Port-Bourgenay
Les Hautes Mers
Plage du Veillon
Pointe du Payré
Bourgneuf
La Grassière
La Millière
Le Moulin-des-Landes
La Chapelle-Achard
Le Chaigne
L'Epinay
Le Puy-Gaudin
La Barbière-Marchande
Ste-Foy
Grosbreuil
La Rainerie
L'Etablière
L'Epinette
Le Bois-Guiton
La Guigneraie
Le Girouard
Nieul-le-Dolent
Thibaudière
La Vergne
La Prémaudière
La Benatonnière
La Martinière
L'Emerière
La Lièvre
Bois-Grolland
Bois-Jaulin
Le Moulin-des-Landes
Poiroux
Talmont-St-Hilaire
Sorin
Bge de Finfarine
La Clémantinière
La Guignardière
Le Poteau
La Guittière
L'Ensoivière
Les Côtes
La Vinière
Abbe de N.-D. de Lieu-Dieu
Les Airies
Bouillac
La Grange
Jard-sur-Mer
St-Vincent-s-Jard
Maison de Clemenceau
Roche de L'Islatte
La Raisinière
Longeville-s-Mer
St-Hilaire-la-Forêt
Le Pont-Métayer
Dolmen de la Frébouchère
Avrillé
Le Bernard
Le Breuil
Fontaine
St-Avaugourd-des-Landes
Vieux Bourg
Bois-Renard
Aubigny-Les Couzeaux
Tinetière
Mortevieille
La Boissière-des-Landes
La Janière
La Remelière
La Philipière
Le Pain
Nesmy
Chaillot
La Coutancinière
L'Epinette
La Guitardière
La Glorandière
La Bigeoire
Beauchêne
La Bergerie
Miotières
St-Vincent-sur-Graon
Moutiers-les-Mauxfaits
La Bouchetière
Bois-Lambert
Le Givre
Pont Rouge
Le Plessis
La Brunière
La Nozière
Cigogne
La Chaine
Le Rocher
La Mongerie
Les Raboullières
Les Rivières
Angles
La Ville-d'Angles
Saligotière
L'Alouette
Les Conches
Canal de Ceinture
Milieu
La Terrière
Parc Floral
Pointe du Grouin du Cou
Pointe du Chiquet
La Tranche-sur-Mer
La Grière
Ste-Anne
Les Mottes
La Grière-Plage
Pte du Rocher
Anse du Maupas
Les Jars
La Faute
Côte des
PERTUIS
Pte du Lizay
Les Baleines
Conche des Baleines
La Rivière
Les Portes-en-Ré
L'Arche de Noé
Le Gillieux
Pte du Fier
Réserve Naturelle
Fier d'Ars
St-Clément-des-Baleines
Loix
Pte du Grouin
Rade de St-Martin
Fosse de Loix
Ars-en-Ré
Pte de Grignon
Le Martray
La Passe
La Couarde-s-Mer
St-M
Citadelle
Morinant
Pte de Chanchardon
Le Bois-Plage-en-Ré
La Gollandière
Gros-Jonc
Phare de Chanchardon
Les Grenettes
La Noue
ÎLE DE RÉ
D 949
D 36
D 21
D 12
D 747
A 87

166
E
F
G
H
200
184
Bournezeau
Thorigny
St-Florent-des-Bois
Les Pineaux
Château-Guibert
La Jaudonnière
La Réorthe
St-Juire-Champgillon
Ste-Hermine
St-Martin-Lars-en-Ste-Hermine
St-Sulpice-en-Pareds
Cezais
St-Laurent-de-la-Salle
St-Cyr-des-Gâts
Ste-Pexine
Moutiers-s-le-Lay
Mareuil-s-Lay-Dissais
Rosnay
Bessay
Thiré
La Chapelle-Thémer
St-Martin-des-Fontaines
Marsais-Ste-Radégonde
Bourneau
La Couture
St-Jean-de-Beugné
St-Aubin-la-Plaine
St-Étienne-de-Brillouet
St-Valérien
L'Hermenault
Péault
Corpe
Pouillé
Sérigny
Pissotte
La Bretonnière
Les Magnils-Reigniers
Ste-Gemme-la-Plaine
Nalliers
Mouzeuil-St-Martin
Petosse
Longèves
Chasnais
Luçon
Lairoux
Auzay
Le Langon
Chaix
Moreilles
Le Poiré-s-Velluire (Velluire-sur-Vendée)
Montreuil
Fontaines
Doix lès Fontaines
Triaize
Grues
St-Denis-du-Payré
Champagné-les-Marais
Puyravault
Chaillé-les-Marais
Vouillé-les-Marais
Ste-Radégonde-des-Noyers
La Taillée
Le Gué-de-Velluire
Vix
St-Michel-en-l'Herm
L'Aiguillon-sur-Mer
INTERRÉGIONAL
DU
MARAIS
L'Île-d'Elle
Marans
Maillé
Taugon
La Ronde
Charron
Anse de l'Aiguillon
Pointe d'Arçay
Pointe de l'Aiguillon
Pnte St-Clément
Esnandes
Villedoux
Andilly
St-Jean-de-Liversay
Marsilly
St-Ouen-d'Aunis
Longèves
Courçon
Ferrières
Nieul-s-Mer
Nuaillé-d'Aunis
Angliers
St-Sauveur-d'Aunis
L'Houmeau
Lagord
St-Xandre
Puilboreau
Dompierre-s-Mer
Ste-Soulle
Vérines
Anais
Benon
Pnte de Sablanceaux
Rivedoux-Plage
Périgny
Bourgneuf
St-Médard-d'Aunis
LA ROCHELLE
Montroy
Clavette
St-Rogatien
St-Christophe
Virson
Vouhé
Pnte du chef de Baie
Pnte de Chauveau
Les Minimes
D 137
D 949
D 938ter
N 11
N 237
A 83
E 3
E 601

0 2 4 6 8 10 km
183
167
201
1
2
3
4
5
A
B
C
D
La Châtaigneraie
Breuil-Barret
St-Maurice-le-Girard
Chatenay
La Croix-Renard
St-Paul-en-Gâtine
Vernoux-en-Gâtine
Les Jarzelières
Le Busseau
Scillé
Le Beugnon
Antigny
St-Maurice-des-Noues
Loge-Fougereuse
St-Hilaire-de-Voust
La Caillère
St-Martin-Lars-en-Ste-Hermine
Le Champ-St-Père
St-Sulpice-en-Pareds
Cezais
Vouvant
St-Cyr-des-Gâts
St-Laurent-de-la-Salle
La Chapelle-Thémer
St-Martin-des-Fontaines
Marsais-Ste-Radégonde
Bourneau
Marillet
Puy-de-Serre
Centre Minier
Faymoreau
La Chapelle-Thireuil
Fenioux
Mervent
Foussais-Payré
L'Hermenault
Pouillé
Sérigné
Pissotte
L'Orbrie
St-Michel-le-Cloucq
St-Maixent-de-Beugné
Coulonges-s-l'Autize
St-Laurs
Puihardy
Longèves
Petosse
Fontenay-le-Comte
St-Hilaire-des-Loges
Ardin
Béceleuf
Xaintray
Auzay
Le Langon
Chaix
St-Martin-de-Fraigneau
St-Pompain
Faye-sur-Ardin
Fontaines
Nieul-s-l'Autise
Le Poiré-s-Velluire (Velluire-sur-Vendée)
Velluire
Montreuil
Doix lès Fontaines
Bouillé-Courdault
Oulmes
Villiers-en-Plaine
Coudray-Salbart
Vouillé-les-Marais
St-Pierre-le-Vieux
Maillezais
La Taillée
Le Gué-de-Velluire
MARAIS
Vix
Liez
Benet
St-Maxire
St-Rémy
Sciecq
Ste-Christine
Maillé
St-Sigismond
POITEVIN
L'Île-d'Elle
Marans
Le Mazeau
Coulon
Taugon
La Ronde
Damvix
Port
Magné
Bessines
Le Vanneau-Irleau
Arçais
La Garette
St-Jean-de-Liversay
St-Georges-de-Rex
Amuré
Sansais
St-Cyr-du-Doret
St-Hilaire-la-Palud
St-Symphorien
Frontenay-Rohan-Rohan
Courçon
Ferrières
Nuaillé-d'Aunis
Angliers
St-Sauveur-d'Aunis
La Laigne
Cramchaban
Le Bourdet
Prin-Deyrançon
Épannes
Vallans
Granzay-Gript
Mauzé-s-le-Mignon
Benon
Anais
Le Gué-d'Alleré
La Rochénard
La Foye-Monjault
Beauvoir-sur-Niort
Usseau
Val-du-Mignon
St-Médard-d'Aunis
St-Christophe
Virson
Vouhé
Prissé-la-Charrière
A 83
N 11
E 601
N 248
D 148
D 938
D 744
D 650

185
168
186
202
E
F
G
H
1
2
3
4
5
Parthenay
Châtillon-sur-Thouet
La Peyratte
Chalandray
La Ferrière-en-Parthenay
St-Aubin-le-Cloud
Jardins
Hérisson
Le Tallud
St-Pierre
Azay-s-Thouet
La Chapelle-Bertrand
Saurais
Pompaire
La Vaussseau
Latillé
Cirvay-les-Essarts
Allonne
La Boissière-en-Gâtine
St-Pardoux
Soutiers
Beaulieu-s/s-Parthenay
Vouhé
Reffannes
St-Martin-du-Fouilloux
Vasles
Benassay
Lavausseau
Mazières-en-Gâtine
Les Groseillers
St-Marc-la-Lande
St-Lin
Vautebis
Vausseroux
Les Forges
Verruyes
St-Rémy
St-Georges-de-Noisné
Coutières
Chantecorps
Ménigoute
Sanxay
Curzay-sur-Vonne
Champdeniers
Champeaux
Clavé
La Chapelle-Bâton
Fomperron
St-Germier
Jazeneuil
St-Christophe-sur-Roc
Augé
Exireuil
Lusignan
St-Maixent-l'École
Soudan
Rouillé
Cherveux
Azay-le-Brûlé
Nanteuil
St-Martin-de-St-Maixent
Pamproux
Salles
Tumulus
Bougon
St-Gelais
François
Chauray
Ste-Néomaye
Souvigné
Romans
La Crèche
La Mothe-St-Héray
Exoudun
St-Sauvant
Aigonnay
Vouillé
Fressines
Prailles
La Couarde
Chenay
Mougon
Thorigné
Chey
Beaussais-Vitré
Sepvret
Vançais
Prahecq
Celles-s-Belle
Lezay
Ste-Blandine
St-Martin-de-Bernegoue
Ste-Soline
Juscorps
St-Coutant
Melle
St-Hilaire
St-Léger-de-la-Martinière
Vanzay
St-Romans-des-Champs
St-Médard
Brûlain
St-Vincent-la-Châtre
Périgné
Mazières-s-Béronne
St-Romans-lès-M.
St-Génard
Caunay
Hussais-la-Pommeraie
Les Alleuds
Secondigné
Vernoux-sur-Boutonne
Forêt de la Saisine
Forêt de l'Hermitain
Forêt du Fouilloux
Bois de Soudan
Forêt de Montbeil
Champ de Tir
Thouet
Sèvre Niortaise
Dive

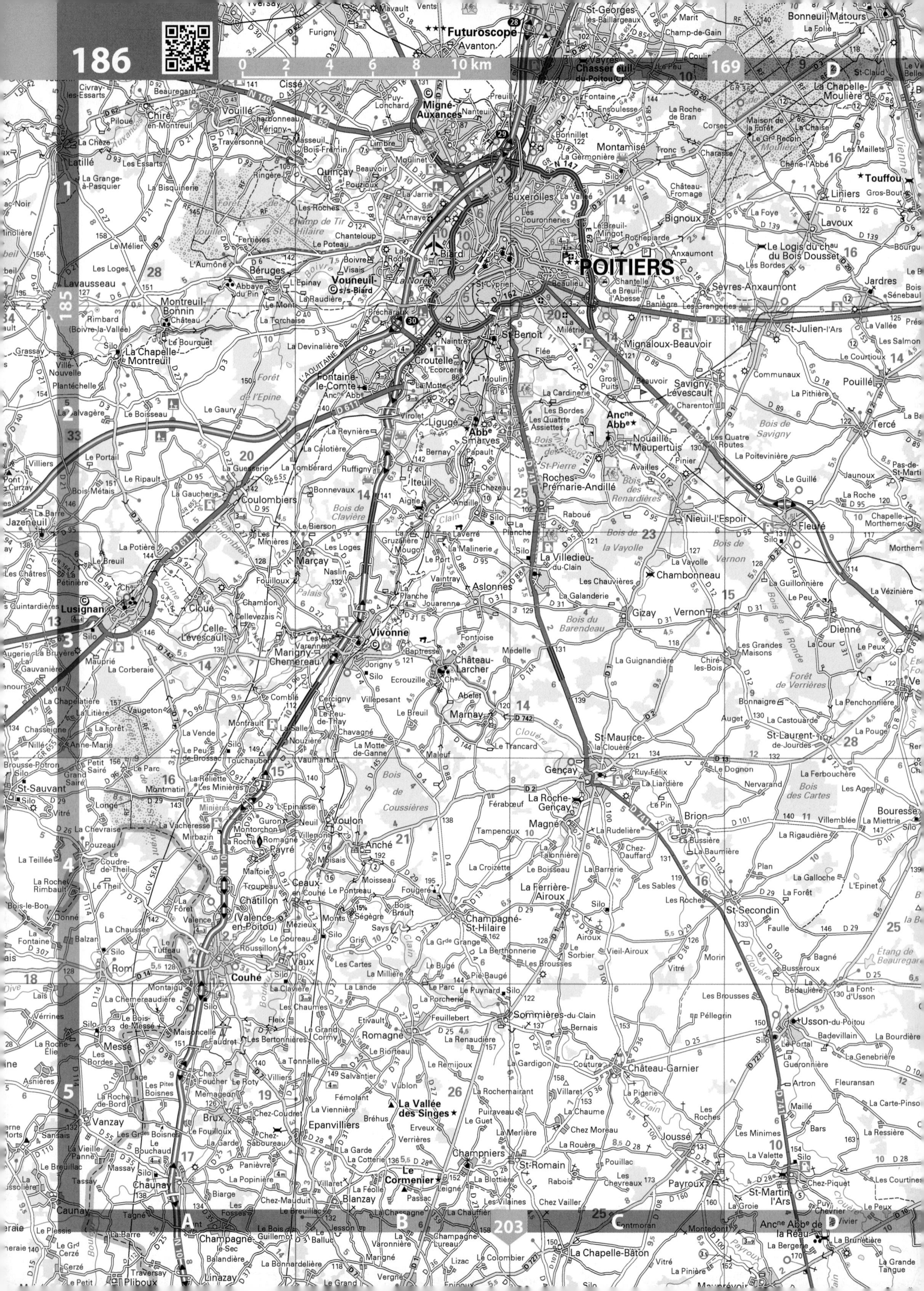
186
169
185
203
0 2 4 6 8 10 km
Futuroscope
Avanton
St-Georges-lès-Baillargeaux
Bonneuil-Matours
Chasseneuil-du-Poitou
Migné-Auxances
Cissé
Vouillé
Chiré-en-Montreuil
Latillé
Quinçay
Buxerolles
POITIERS
Biard
Vouneuil-s/s-Biard
Béruges
Montamisé
Bignoux
Lavoux
Liniers
Touffou
Jardres
Sèvres-Anxaumont
St-Julien-l'Ars
Mignaloux-Beauvoir
St-Benoît
Montreuil-Bonnin
La Chapelle-Montreuil
Croutelle
Fontaine-le-Comte
Ligugé
Smarves
Savigny-Lévescault
Nouaillé-Maupertuis
Pouillé
Tercé
Coulombiers
Jazeneuil
Iteuil
Roches-Prémarie-Andillé
Nieuil-l'Espoir
Fleuré
La Villedieu-du-Clain
Marçay
Aslonnes
Chambonneau
Lusignan
Cloué
Celle-Lévescault
Vivonne
Marigny-Chemereau
Château-Larcher
Gizay
Vernon
Dienné
Marnay
St-Maurice-la-Clouère
St-Laurent-de-Jourdes
Gençay
Magné
St-Sauvant
Anché
Voulon
Champagné-St-Hilaire
La Ferrière-Airoux
Brion
St-Secondin
Châtillon
Couhé
Sommières-du-Clain
Château-Garnier
Usson-du-Poitou
Romagne
La Vallée des Singes
Brux
Vanzay
Chaunay
Champniers
St-Romain
Payroux
St-Martin-l'Ars
Le Cormenier
Blanzay
Messé
Epanvilliers
Champagné-le-Sec
Linazay
La Chapelle-Bâton
Joussé
Forêt de l'Epine
Forêt de Verrières
Bois de Coussières
Bois de Savigny
Champ de Tir de St-Hilaire
Vienne
Clain
Clouère
Vonne
Dive
Boivre
Auxance

170
Archigny
La Croix
Les Six Maisons
Bas-Bourg
St-Pierre-de-Maillé
Les Berthonnières
Fontgombault
Petit Dépot
Bois du Chillou
La Guignotrie
Rochers
Fourniou
Villebernier
Les Roches
E
F
G
H
Le Chillou
Mazaire
La Roche-à-Gué
Rive
Asnières
Sauzelles
Migault
Rochefort
Bénavant
Mont-la-Chapelle
Muant
Coulvray
Madrolles
Molière
Nervaux
La Godet
Cenan
Plogeard
La Rivière
Le Bois
Tilloux
Les Essarts
Ste-Radégonde
La Croisasse
La Puye
La Bussière
Les Grands Marsilly
Chamousseau
Bousseronde
St-Aigny
Les Chézeaux
La Musardière
Chaumont
Roche-Bellusson
Mérigny
Le Blanc
Avant
La Brassardière
Vilnet
Ruffec
Le Rateau
Les Bergeas
Le Breuil
Coubernard
Varennes
Rouilly
Lafont
Les Rosiers
Linier
Le Gâtineau
La Corbière
Le Charreau
Les Glantinière
Plaincourault
Puychevrier
Scévole
Les Crouzats
Mouton
Concremiers
Ingrandes
Les Ages
La Planchette
Charron
Lauthiers
Nalliers
La Grand-Maison
Beauregard
Étang de l'Epineau
La Boutallerie
Artige
La Croix Blanche
Prigny
Forêt de Mareuil
La Chaise
Les Alisons
Le Prémilly
Rolnier
Étang de la Chennerie
La Belivière
Forges
Roche
Villiers
Étang du Blanc
La Barre
Bois-Joubert
Roussac
Paizay-le-Sec
La Maranchère
Les Poulets
Sivouré
St-Savin
Bouesse
Beauvais
Mauvières
L'Espinasse
Chauvigny
La Vaudieu
Pineau
La Babijère
Chalache
St-Germain
Vrassac
La Forêt
St-Hilaire-sur-Benaize
Charneuil
Puyrajoux
Les Gorciers
Fleix
La Caronnière
Silo
La Pluvoisinière
Villiers
Villemort
Béthines
Forêt de Lafat
Fontignon
Céré
Le Peu
Bélâbre
La Brigère
Ancienne Voie Romaine
Tournac
Les Gautiers
Lafat
Les Places
Disac
Joumé
Mongauérand
Antigny
L'Aumone
Lortet
La Suie
Villeneuve
Poiroux
Cougouille
St-Maixent
Marcilly
Nesmes
La Coulonnière
Pouzioux
Charasson
Dinsé
Boussac
Bois-Morand
Doussac
Nermaille
Jemelle
Valdivienne
Les Chaumes
Leignes-sur-Fontaine
La Grange
Les Georgets
Thenet
St-Martin-la-Rivière
Le Breuil
Silo
Tussac
Puisfranc
Villesalem
Le Poiron
Liglet
Bois de Paillet
La Chevrolière
Mortioux
La Petite Ville
Salles-en-Toulon
Le Bouchau
La Forge
Fontprévoir
Pindray
Jouhet
Haims
Le Terrier
Peufavard
La Villecharrault
Le Gaschard
Chapelle-Viviers
Graille
Le Beaupin
Mazert
Les Roches
Fontmorond
St-Aupre
Cubord
Servon
La Cadrie
Eport
La Châtre
La Rivière
L'Abbaye
La Poirière
Silo
La Roche-au-Baussan
Les Gâts
Château-Guillaume
La Tranchaye
Grémont
Chaume
Les Durants
Rillé
L'Age
La Trimouille
Corchon
Ribes
La Mongodar
Bois de Bourgogne
Pruniers
La Braudière
St-Pierre
Planète des crocodiles
La Rue
Journet
Jappe-Loup
Nécropole mérovingienne
Tour
La Chaise
Concise
Le Ris
Martreuil
Civaux
La Tour-au-Cognum
La Chaise
La Loge-Monteil
Toëil
La Chasseigne
Les Bruyères
Monas
Forêt de Lussac
Bois des Coudrières
Laloeuf
La Bodinière
St-Léomer
Regner
Varenne
Le Bouchaux
Loubressac
Octogone
Montmorillon
Camp Militaire
Le Couraseau
L'Epine
Le Coury
La Brosse
Sillars
Tholtet
Le Bergault
Villeneuve
Lussac-les-Châteaux
La Chambu
Moussac
Narablon
Goumas
Mazerolles
Lanterne des Morts
La Frissonnière
Allay
Coulonges
Le Pont
L'Age-Boué
Sazat
Séchaud
La Roche
Vaux
Les Mâts
Ruines romaines
Martray
Fleix
Brigueil-le-Chantre
Lajeon
La Bergerie
Chantegros
La Bobinière
Chante-Loube
Les Vaux
Les Bordes
La Fouchardière
Le Theuil
Les Gâts
Ste-Marie
Bourg-Archambault
Champaudin
La Grand Mothe
Les Ibaudières
Aubière
Corneroux
Forêt de Gouex
Villars
La Porcelaine
Saulgé
Étang de Beaufour
Le Grand Étang
La Bedouche
Eports
Lavaud
Gouex
La Macherie
Lenest
La Machère
Bagneux
Bois de l'Hospice
Château
Champs
La Rallerie
Breux
Ouzilly
L'Expardelière
Lafa
Persac
Poilieu
La Fillolière
La Casine
Borderie
Petite Blourde
Vildard
Plaisance
Le Banchereau
Marchain
La Bétouille
L'Houme
Bois-du-Ris
Verneuil-Moustiers
Queaux
Le Peu
Biais
Abenoux
Puygrenet
Les Mousseaux
La Villatte
Puirajoux
Le Port
Oranville
Beauvais
Moulismes
Portes d'Enfer
Lathus-St-Rémy
La Grossière
La Courandière
Azat-le-Ris
Lemarnière
Chez Renard
La Barre
Monroux
Le Cluzeau
Bourdel
Les Clôtures
Chamousseau
La Potière
Le Peux-Pintureau
Le Petit Poirier
Cruet
Favard
Chez Roch
Préau
Prun
La Châtre
St-Rémy-en-Montmorillon
La Celle
Ris-Chauveron
188
L'Aumônerie
Nérignac
Tersannes
La Grande Roche
Monterbean
Montagne
Sauzet
Basse Barbade
Moussac
Lacombe
Maison-Celle
Saut de la Brame
Le Breuil
Croix-de-la-Gétte
Les Roches
Franche d'Oire
Entrefin
La Grande Ferrière
La Chaume
Donjon
Thiat
Le Mascornu
La Laitière
Chez-Ranger
Le Bouchage
Les Maisons
La Vergne
La Renaudière
Le Ruisseau
Forêt du Défant
Les Buis
Theix
Brame
La Bachellerie
Léglezaud
Lacoux
Barrage de Chardes
Adriers
La Roche
Villemartin
La Loubresse
Chez-Paulet
Frête
Seignère
Les Forges
Combrun
La Dauge
La Bazeuge
Pouillac
La Tache
Les Courtioux
Le Prat
Lanterne des Morts
L'Isle-Jourdain
Chez-Champleau
Bussière-Poitevine
Oradour-St-Genest
Le Chiron
La Bergnerie
Bourpeuil
Bel-Air
Le Puy-Richard
La Dapeire
Dinsac
Les Lezes
St-Paixent
Chez-Mazeraud
Gatebourg
Anveau
Puygibaud
Barrage de la Roche
Roche
Fougère
Chez-Lochou
Val d'Oire-et-Gartempe
Vaux-de-Chaume
Purcy
Darnac
Miaumande
Chabréroux
Chinquioux
Magnac-Laval
Puycatelin
Lagemichène
La Barre
Les Brousses
La Vallette
Voulons
Lamont
La Villatte
Mouterre-sur-Blourde
La Bourgeraudière
204
205
Petavaud
Le Dorat
Lathière
Port de Salles
Les Six Routes
Chez-Vignan
Des Coutumes
Bezaud
Le Tour
Les Forges
Millac
Chez-Toureau
Mas-du-Bost
Pont-St Martin
Les Sebioux
Faye
La Peyrière

0 2 4 6 8 10 km
171
187
206
A
B
C
D
1
2
3
4
5
BRENNE
DE LA
St-Gaultier
Ruffec
Ciron
Rivarennes
Thenay
Chasseneuil
Le Pont-Chrétien-Chabenet
Romefort
Oulches
Argenton-sur-Creuse
St-Marcel
Le Pêchereau
Le Menoux
Bélâbre
Chalais
Luzeret
La Garde-Giron
Prissac
Chazelet
Celon
Vigoux
Bazaiges
Gargilesse-Dampierre
Ceaulmont
Château-Guillaume
Lignac
Dunet
Chénier
Roussines
St-Gilles
Sacierges-St-Martin
St-Civran
Parnac
Chaillac
St-Benoît-du-Sault
Éguzon-Chantôme
Cuzion
Crozant
Tilly
Coulonges
Brosse
La Châtre-Langlin
Mouhet
St-Sébastien
Beaulieu
Bonneuil
St-Martin-le-Mault
Lussac-les-Églises
Verneuil-Moustiers
Jouac
Cromac
Les Grds Chézeaux
Azerables
St-Georges-les-Landes
Mailhac-s-Benaize
St-Sulpice-les-Feuilles
La Chapelle-Baloue
Lafat
St-Germain-Beaupré
St-Léger-Magnazeix
Vareilles
St-Agnant-de-Versillat
St-Léger-Bridereix
Colondannes
Sagnat
Tersannes
Arnac-la-Poste
St-Hilaire-la-Treille
Dompierre-les-Églises
Magnac-Laval
La Souterraine
St-Maurice-la-Souterraine
St-Sornin-Leulac
Noth
Naillat
St-Priest-la-Feuille
Dinsac
La Bazeuge
Forêt de St Benoît
Forêt des Ris
Forêt des Corollans
Forêt de Barrière
Bois de Cochet
Forêt de St-Germain
Creuse
Anglin
Abloux
Benaize
Brame
Sonne

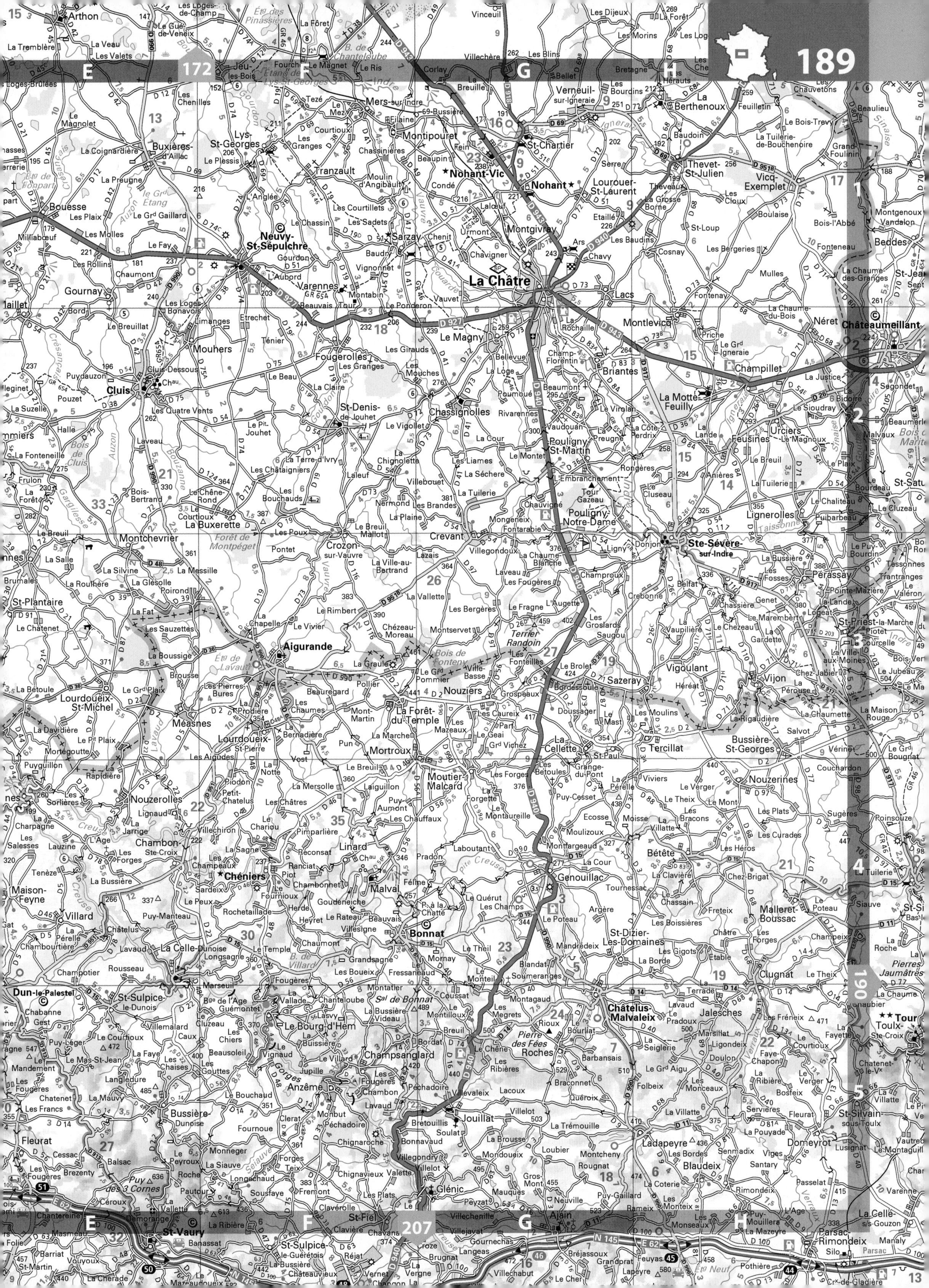

189
172
207
190
E
F
G
H
Arthon
Jeu-les-Bois
Mers-sur-Indre
Montipouret
Lys-St-Georges
Buxières-d'Aillac
Tranzault
Nohant-Vic
Nohant
St-Chartier
Verneuil-sur-Igneraie
La Berthenoux
Thevet-St-Julien
Vicq-Exemplet
Lourouer-St-Laurent
Montgivray
Bouesse
Neuvy-St-Sépulchre
Sarzay
La Châtre
Lacs
Montlevicq
Néret
Châteaumeillant
Gournay
Mouhers
Fougerolles
Le Magny
Briantes
Champillet
La Motte-Feuilly
Cluis
St-Denis-de-Jouhet
Chassignolles
Urciers
Feusines
Pouligny-St-Martin
Lignerolles
Pouligny-Notre-Dame
La Buxerette
Montchevrier
Crozon-sur-Vauvre
Crevant
Ste-Sévère-sur-Indre
Pérassay
St-Plantaire
Aigurande
Vigoulant
St-Priest-la-Marche
Sazeray
Vijon
Lourdoueix-St-Michel
Méasnes
Lourdoueix-St-Pierre
Nouziers
La Forêt-du-Temple
Mortroux
La Cellette
Tercillat
Bussière-St-Georges
Moutier-Malcard
Nouzerolles
Nouzerines
Chambon-Ste-Croix
Linard
Genouillac
Bétête
Chéniers
Malval
Bonnat
Maison-Feyne
Villard
St-Dizier-Les-Domaines
Malleret-Boussac
La Celle-Dunoise
Dun-le-Palestel
St-Sulpice-le-Dunois
Châtelus-Malvaleix
Jalesches
Clugnat
Le Bourg-d'Hem
Champsanglard
Roches
Toulx-Ste-Croix
Anzême
Jouillat
Bussière-Dunoise
Ladapeyre
Blaudeix
St-Silvain-sous-Toulx
Domeyrot
Fleurat
Glénic
Ajain
St-Fiel
St-Vaury
St-Sulpice-le-Guérétois
Parsac-Rimondeix
La Celle-s/s-Gouzon
D 943
D 927
D 940
D 990
D 917
N 145
E 62

0 2 4 6 8 10 km
173
189
208
A
B
C
D
1
2
3
4
5
Marçais
Les Baudons
Tuseau
La Mothe
La Gonne
Bonneville
Le Carroir
Mesaudon
Bouffeloux
Arcomps
Le Grand
Le Bord
Les Boutillats
St-Georges-de-Poisieux
Drevant
La Groutte
Colombiers
Touzelles
St-Mamet
Coust
Verneuil
La Goutte
Ainay-le-Vieil
Ieslon
Changy
La Bruyère
Beauregard
Baignereau
Braize
Lételon
Beaumont
Chauvetons
Besse
St-Pierre-les-Bois
Jaunoux
Les Houillères
Beaulieu
Le Bois-Trevy
Maisonnais
Puy-Ferrand
Le Châtelet
La Perruche
Le Temple
Le Pont
Châtembrun
La Prahas
Ardenais
Loye-sur-Arnon
Les Mazières
La Forêt-Vieille
Montalon
Les Moricots
Le Taillat
Le Ponté
Orange
Tourette
Fosse-Nouvelle
Faverdines
Montrevaux
Gariot
La Celette
La Perche
La Clavelaire
Le Treuil
Le Grand Bord
Les Rainats
La Roche-Bridier
Les Petits Fossés
Buhard
Urçay
Les Arpens
Les Aumes
Vitray
Les Brosses
Dagouret
Meaulne
Magnoux
Les Alliers
Le Plaix
Le Chêne-Fourchu
Étang de Bornacq
Les Archers
Pitié
La Bourgeoisie
La Vilotte
La Borde
Montgenoux
Vandalon
Bois-l'Abbé
Charasse
La Preugne
La Foule
L'Écure
Breuil-Bourgoin
Jardins de Drulon
Étang du Diable
Étang Neuf
La Suche
La Croix-Compas
Le Petit Bord
Les Mazières
Les Bruyères
Chadet
Fonteneau
Beddes
La Forêt
Neuville
Saulzais-le-Potier
Bornacq
La Chaume-des-Granges
St-Jeanvrin
Sept-Fonds
Le Couturon
Étang de Chavroche
Maugenest
St-Christophe-le-Chaudry
Frappon
La Lande
La Croix-Lombrée
Grand-Fond
Les Bardais
Châteaumeillant
Nérondes
Privet
Lavret
St-Maur
Peuteloup
Grand-Besse
L'Alger
Reigny
Goutte-des-Saints
La Coucière
La Presle
Étang de la Loubière
La Bouchatte
Grammont
Le Betoule
Le Chabenat
St-Huret
La Villatte
Le Grd Chaux
Puyravaux
La Rouhanne
Le Petit Vernet
Les Rais
Piaujean
Cornancay
Les Gerpins
Épineuil-le-Fleuriel
Peufelioux
Le Creux
Frémont
La Justice
Dargout
Le Mas
Segondet
La Bidoire
Le Sioudray
La Filaine
Goutte Noire
Culan
Prahas
Chambrette
Vallan
Champmouillé
St-Vitte
Loges
La Cottenson
Trenay
Villaine
Vesdun
Les Rapigeons
Vallon-en-Sully
La Grave
Beaumerle
Bois de Maritet
Malvaux
Chantafret
Le Bouquet
Paimbeau
Villers
La Cour
La Rue-du-Pré
Mondan
Penserolles
La Rairue
Boutais
Murat
Les Prugnes
La Roche
Le Plaix
Bagneux
Rancier
Les Fougères
Souperons
Faye
Tillay
Le Cluzeau
Bourdeau
St-Saturnin
Sidiailles
Malvaux
Moussais
Ste-Agathe
Villevendret
Champvallier
Le Petit Piray
St-Désiré
Reterre
Loze
Nassigny
Le Chaliteau
Le Cluzeau
Puibarbeau
Les Châtres
Moulin-Foulet
Mont
St-Éloy-d'Allier
Chauvière
Bois du Délat
Epalais
Champigny
Forges
Grd Mallet
Bois-Rond
La Couture
Goëlat
Le Soult
La Prugne
Chazemais
Les Petons
Preuille
Vérigny
Maillet
Le Puy-Bourdin
Tessonnes
Le Montet
Courzat
Courzadet
Les Fosses
Courçais
Bron
La Bourse
Pérassay
Trantranges
Epiranges
Marcost
Diane
Les Moutats
La Boutelière
La Gare
Pitrot
La Bouchatte
Les Maisons
Les Chézeaux
Magnette
Montavent
Reugny
Pointe-Mazière
Le Valéron
Le Grd Boueix
Augère
Viplaix
Forgette
La Villette
Coutine
La Crête
Aubes
Bois d'Aubes
Givarlais
St-Priest-la-Marche
Piotet
Le Peu du-Boueix
Villemoy
La Preugne
St-Palais
Le Cluzeau
Les Prugnes
La Courcelle
Bois-Vert
Le Betoux
Les Maisons
Mesples
Maure
Armelle
Bouesse
Ecoutron
Palières
Les Bregettes
La Rousille
Le Rincey
Marçais
La Ville-aux-Moines
Chez-Jabier
Le Jubeau
Le Magnoux
Préveranges
St-Marien
L'Age-Goyard
La Ville-Brûlant
Le Lœuf
Chambérat
La Chapelaude
Les Brandes
Vaux
Savigny
Estivareilles
La Maison Rouge
Jurigny
Lacaud
Le Breuil
Bourzeau
Les Chiez
La Vallas
St-Sornin
Montroir
Les Trillers
Salvot
La Forge
La Ville-Raymond
St-Rémy
Vieillevigne
Pointet
Pardeux
Les Farillats
Argentières
Crozardais
Thizon
Mirebeau
Le Grd Bougnat
St-Pierre-le-Bost
Le Boucheroux
Les Barchauds
St-Victor
Verneix
Couchardon
Le Mont
Peumant
Les Leris
Ricros
Givrette
La Dure
La Prugne
St-Sauvier
Sugère
Les Ages
Fareille
Mtn-Gargot
Huriel
La Genêbrière
Fleuriel
Passat
La Perelle
La Chatre
Sugères
Poinsouze
Fondrinier
La Valette
La Faye
La Croix
Les Boueix
Les Bouets
Archignat
St-Christophe
Lacroze
Grévant
Domérat
Châteaugay
Chezelles
Les Varennes
Marmignolles
Le Cros
Désertines
Cusséjat
Leyrat
Herculat
Le Genest
Vignoux
Beaumont
Boussac-Bourg
La Tuilerie
Boussac
Treignat
Frontenat
Laugère
Jaille
Prunet
Couraud
L'Étang
Chatelard
La Gente
Pauliat
Tanière
La Fayolle
Les Boueix
Siauve
St-Silvain-Bas-le-Roc
La Roussille
Larboret
Le Theil
St-Martinien
Les Grises
Sault
Bellechassagne
Le Plaix
MONTLUÇON
Le Poteau
Champeix
La Roche
La Villette
La Clavière
Lavaufranche
Le Monceau
Montebras
Les Trois Taillants
Le Vernet
Bartillat
Les Montées
Quinssaines
Font-Bouillant
St-Jean
Pierres Jaumâtres
Chateux
Les Buges
Bobenoire
Le Bourgnon
Le Mazurier
La Vie
Teissat
Prémilhat
Le Theil
Le Theix
St-Martial
Pradeau
La Chaume
Chaubier
Beauregard
Soumans
Chaud
Lamaids
Montonaud
Aire
Ouches
Combe-Barre
Lavault-Ste-Anne
La Goutelle
Polier
Bourdesoule
Tour
Toulx-Ste-Croix
La Fayette
Les Maisons
Chazeix
La Chassagne
Bellefaye
Nouhant
Le Roullet
La Bussière
Le Courret
Coursage
Cougour
Néris-les-Bains
Courtioux
Bordessoulle
Chanon
La Motte
Châtre
La Garde
Le Madelon
Basroucheix
Plaids
Le Fressineau
Japin
Silo
Lavaury
Le Mont
Lignerolles
Beauregard
Villebret
St-Joseph
Le Tillou
Chatenet-le-Vx
Le Verger
Lavaud
Bornet
Verneiges
Bord-St-Georges
Le Puy-de-la-Savie
Viersat
Montliard
Teillet-Argenty
Busseuille
Chau de l'Ours
St-Genest
Durdat
La Villatte
Le Pit
Ventenat
Les Fougères
Le Clos
Combraille
Vallière
Le Monteil
Neuville
Bge de Prat
Peuplat
La Grange
Fleurat
St-Silvain-sous-Toulx
Domeyrot
Lusignat
Vautredeix
Le Montaguillaume
Les Vétizons
Trois-Fonds
Theillou
Auge
Reignemours
Lascaux
Richeboeuf
Beaubignat
Ste-Thérence
Bussière
Montrobert
Bois de Tigoulet
La Côte-d'Auge
Lépaud
Ste-Radegonde
Bge de Rochebut
St-Marien
Vrolle
La Forêt
La Crx de Fer
Chantegrue
Bête
Chauges
Huillat
Lut
Saget
Le Sou
Gigoux
Budelière
Mazirat
Entraigues
Frédefond
Le Breuil
Passelat
Varenne
Périgord
La Grde Chaud
Marsat
Le Grd Gros
L'Age
La Cellette s/s-Gouzon
Manerbe
Jonchère
Baleyte
Lajaumont
Villerang
Laux
Gorges
Sellat
Les Châtres
Ranciat
Parsac-Rimondeix
Manaly
Le Puy-Haut
Maurissat
Varennes
Le Châtelet
Dorgues
La Rochette
Le Chézeau
Le Téret
L'Harpe
Silo
Parsac
Les Farges
Chambon-s-Voueize
Étabt Thermal
Baillier-le-Franc
Le Gentioux
La Petite-Marche
Terjat
Crx-de-Gladière
Voueize
A 71
E 11
A 714
E 62
N 145
D 943
D 951
D 997
D 916
D 917
D 40
D 301
D 2144
GR 41
GR 46
Arnon
Sinaise
Joyeuse
Indre
Portefeuille
Queugne
Sogne
Bœuf
Meuzelle
Magieure
Verneigette
Cher
Tigoulet

174
209
192
Isle-et-Bardais
Couleuvre
Limoise
St-Léopardin-d'Augy
Couzon
Bagneux
Tronçais
Cérilly
Franchesse
St-Plaisir
Agonges
Montilly
Theneuille
Bourbon-l'Archambault
St-Menoux
Marigny
Le Brethon
Le Vilhain
Ygrande
Autry-Issards
Souvigny
Louroux-Bourbonnais
St-Aubin-le-Monial
Vieure
Meillers
Gipcy
St-Hilaire
Noyant-d'Allier
Cosne-d'Allier
Venas
Buxières-les-Mines
Châtillon
Cressanges
Tortezais
Sauvagny
Bresnay
Rocles
Tronget
Le Montet
Chavenon
St-Sornin
Treban
Bizeneuille
Murat
Villefranche-d'Allier
Chappes
Deneuille-les-Mines
Deux-Chaises
Meillard
St-Priest-en-Murat
Sazeret
Le Theil
Laféline
Verneuil-en-Bourbonnais
Doyet
Bézenet
St-Marcel-en-Murat
Voussac
Montvicq
Montmarault
St-Bonnet-de-Four
Bransat
Commentry
Malicorne
Target
Cesset
Montord
Hyds
Louroux-de-Beaune
Beaune-d'Allier
Blomard
Fleuriel
Colombier
Vernusse
Chareil-Cintrat
Monestier
Deneuille-lès-C.
Fourilles
Chantelle
La Celle
Louroux-de-Bouble
Chirat-l'Église
Lapeyrouse
Coutansouze
Chezelle
Etroussat
Ussel-d'Allier
Buxières-s/s-Montaigut
Bellenaves
Taxat-Senat
Charroux
Échassières
Ars-les-Favets
A 79
Sazeret-Digoin
en constr.on
Forêt de Tronçais
Forêt des Collettes
Forêt de Messarges
Forêt de Dreuille
E 62
A 71
E 11
N 79
D 953
D 2371
D 46

0 2 4 6 8 10 km
175
191
210
A
B
C
D
MOULINS
Yzeure
Avermes
Trévol
Le Riau
La Vigne-Mouton
Marigny
Montilly
Bagneux
Gennetines
Chézy
Chevagnes
Paray-le-Frésil
La Chapelle-aux-Chasses
St-Martin-des-Lais
Garnat-sur-Engièvre
Beaulon
Lusigny
Pomay
Coulandon
Neuvy
Bressolles
Toulon-sur-Allier
Montbeugny
Thiel-sur-Acolin
Dompierre-sur-Besbre
Parc le Pal
Chemilly
Chapeau
Thoury
St-Pourçain-sur-Besbre
Neuilly-le-Réal
Beauvoir
Mercy
Vaumas
Ch^au de Rochefort
Besson
Fourchaud
Bresnay
Bessay-sur-Allier
Gouise
St-Voir
Thionne
Châtel-de-Neuvre
La Ferté-Hauterive
Monétay-s-Allier
St-Gérand-de-Vaux
Treteau
Vieux Chambord
Jaligny-sur-Besbre
Chavroches
St-Léon
Châtelperron
Sorbier
Montcombroux-les-Mines
Meillard
Verneuil-en-Bourbonnais
Contigny
St-Loup
Montoldre
Bouce
Cindré
Trézelles
Varennes-sur-Tèche
Saulcet
St-Pourçain-sur-Sioule
Varennes-s-Allier
Louchy-Montfand
Paray-s-Briailles
Rongères
Ch^au de Montaigu-le-Blin
Montaigu-le-Blin
Servilly
Barrais-Bussolles
Montord
Chareil-Cintrat
Loriges
Créchy
Langy
St-Gérand-le-Puy
Sanssat
Périgny
Lapalisse
St-Prix
Droiturier
Bayet
Anc^ne Abb^e de St Gilbert
Marcenat
Billy
St-Félix
Magnet
St-Didier-la-Forêt
Barberier
Etroussat
Ussel-d'Allier
St-Germain-des-Fossés
Seuillet
Billezois
Broût-Vernet
A 79 Sazeret-Digoin en constr^on

176
E
F
G
H
Bourbon-Lancy
Maltat
Grury
Uxeau
Ste-Radegonde
Mont Dardon
Signal de Mont
Vendenesse-s-Arroux
Gueugnon
La Chapelle-au-Mans
Chalmoux
Neuvy-Grandchamp
Curdin
Chassy
Oudry
Perrecy-les-Forges
Génelard
Clessy
Palinges
Digoine
St-Vincent-Bragny
Rigny-sur-Arroux
Les Guerreaux
Perrigny-sur-Loire
Gilly-sur-Loire
Pierrefitte-sur-Loire
St-Agnan
La Motte-St-Jean
Digoin
Coulanges
Molinet
Vitry-en-Charollais
Paray-le-Monial
Volesvres
St-Léger-lès-Paray
St-Aubin-en-Charollais
Charolles
Hautefond
Lugny-lès-Charolles
Changy-Tourny
Varenne-St-Germain
St-Yan
Chassenard
St-Léger-sur-Vouzance
Monétay-sur-Loire
Le Pin
St-Didier-en-Donjon
L'Hôpital-le-Mercier
Versaugues
Montceaux-l'Étoile
Nochize
Poisson
Martigny
Le Donjon
Neuilly-en-Donjon
Luneau
Vindecy
Anzy-le-Duc
Avrilly
Varenne-l'Arconce
St-Didier-en-Brionnais
Oyé
Briant
Bourg-le-Comte
Baugy
Marcigny
St-Christophe-en-Brionnais
Ste-Foy
Semur-en-Brionnais
Céron
Chambilly
Lenax
Loddes
Montaiguët-en-Forez
Urbise
Artaix
St-Martin-du-Lac
St-Julien-de-Jonzy
Vauban
St-Laurent-en-Brionnais
Ligny-en-Brionnais
Sail-les-Bains
Chenay-le-Châtel
Melay
Mailly
Iguerande
St-Bonnet-de-Cray
St-Maurice-lès-Châteauneuf
Châteauneuf
Fleury-la-Montagne
St-Edmond
St-Pierre-la-Noaille
Vivans
St-Martin-d'Estreaux
La Pacaudière
211
194
LOIRE
A 79 Sazeret-Digoin en constrᵒⁿ

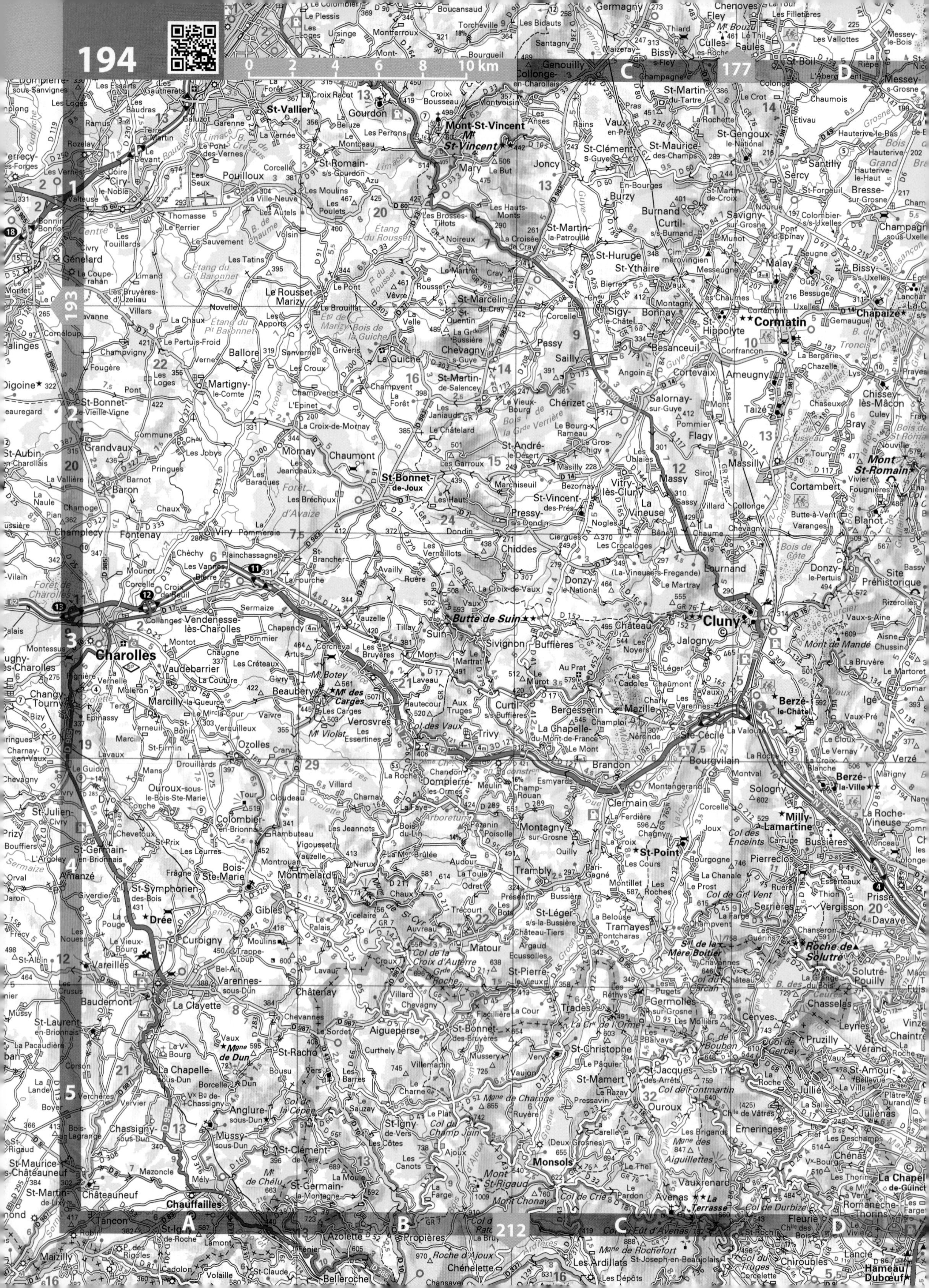
0 2 4 6 8 10 km
177
C
D
193
212
A
B
C
D
1
2
3
4
5
St-Vallier
Gourdon
Mont-St-Vincent
Mt St-Vincent
Genouilly
Collonge-en-Charollais
St-Gengoux-le-National
St-Boil
Pouilloux
Ciry-le-Noble
Génelard
Le Rousset-Marizy
Joncy
Burzy
Burnand
Savigny-sur-Grosne
Sercy
Santilly
St-Martin-la-Patrouille
St-Huruge
St-Ythaire
Malay
Bissy-s/s-Uxelles
Chapaize
Cormatin
Sigy-le-Châtel
Bonnay
St-Hippolyte
Besanceuil
La Guiche
Ballore
Martigny-le-Comte
Chevagny-s-Guye
St-Martin-de-Salencey
Passy
Sailly
Chérizet
Salornay-sur-Guye
Cortevaix
Ameugny
Taizé
Chissey-lès-Mâcon
Palinges
Digoine
St-Bonnet-de-Vieille-Vigne
Grandvaux
Baron
Mornay
Chaumont
St-Bonnet-de-Joux
St-André-le-Désert
Vitry-lès-Cluny
La Vineuse
Massy
Flagy
Massilly
Cortambert
Mont St-Romain
Blanot
Champlecy
Fontenay
Viry
Pressy-s/s-Dondin
St-Vincent-des-Prés
Chiddes
Donzy-le-National
Lournand
Donzy-le-Pertuis
Site Préhistorique
Vendenesse-lès-Charolles
Charolles
Butte de Suin
Suin
Sivignon
Buffières
Château
Cluny
Jalogny
Mont de Mandé
Vaudebarrier
Marcilly-la-Gueurce
Beaubery
Mt des Cargès
Verosvres
Curtil-s/s-Buffières
Trivy
Bergesserin
Mazille
La Chapelle-du-Mont-de-France
Ste-Cécile
Berzé-le-Châtel
Igé
Changy
Ozolles
Col des Vaux
Dompierre-les-Ormes
Brandon
Clermain
Sologny
Berzé-la-Ville
Verzé
Ouroux-sous-le-Bois-Ste-Marie
Colombier-en-Brionnais
Montagny-sur-Grosne
St-Point
Milly-Lamartine
Bussières
La Roche-Vineuse
St-Germain-en-Brionnais
Bois-Ste-Marie
Montmelard
Trambly
Pierreclos
St-Symphorien-des-Bois
Drée
Gibles
St-Léger-s/s-la-Bussière
Tramayes
Vergisson
Davayé
Prissé
Roche de Solutré
Solutré-Pouilly
Curbigny
Matour
Varennes-sous-Dun
Vareilles
La Clayette
Baudemont
Châtenay
Aigueperse
St-Bonnet-des-Bruyères
Trades
St-Pierre-le-Vieux
Germolles-sur-Grosne
Chasselas
St-Laurent-en-Brionnais
Mgne de Dun
St-Racho
St-Christophe
St-Mamert
St-Jacques-des-Arrêts
Col de Fontmartin
Ouroux
Pruzilly
St-Amour-Bellevue
Juliénas
La Chapelle-sous-Dun
Anglure-sous-Dun
Chassigny-sous-Dun
Mussy-sous-Dun
St-Igny-de-Vers
Col du Champ Juin
Monsols
Émeringes
Chénas
St-Clément-de-Vers
Châteauneuf
Chauffailles
St-Germain-la-Montagne
Mont St-Rigaud
Col de Crie
Avenas
La Terrasse
Vauxrenard
Col de Durbize
Fleurie
Romanèche-Thorins
La Chapelle-de-Guinchay
Tancon
St-Igny-de-Roche
Azolette
Propières
Roche d'Ajoux
Chénelette
Les Ardillats
Col du Fût d'Avenas
Mgne de Rochefort
St-Joseph-en-Beaujolais
Chiroubles
Lancié
Hameau Duboeuf
Belleroche
Mazilly

178
E
F
G
H
Sennecey-le-Grand
Louhans-
Châteaurenaud
Tournus
Cuisery
Montpont-en-Bresse
La Chapelle-Thècle
Ménetreuil
La Chapelle-Naude
Bruailles
Ste-Croix
Savigny-sur-Seille
Bantanges
Rancy
Huilly-s-Seille
Loisy
Jouvençon
Simandre
L'Abergement-de-Cuisery
La Genête
Brienne
Romenay
Ratenelle
La Truchère
Réserve naturelle
Pont-Seille
Sermoyer
Lissiat
Arbigny
Vescours
Grandval
St-Trivier-de-Courtes
Vernoux
Curciat-Dongalon
Ferme-Mée de la Forêt
St-Nizier-le-Bouchoux
Courtes
Cormoz
St-Amour
Dommartin-lès-Cuiseaux
Varennes-St-Sauveur
Frontenaud
Condal
Pont-de-Vaux
St-Bénigne
Chavannes-sur-Reyssouze
Reyssouze
Gorrevod
Boz
St-Étienne-s-Reyssouze
Mantenay-Montlin
Servignat
St-Julien-s-R.
St-Jean-s-R.
Lescheroux
Beaupont
Domsure
Foissiat
Jayat
Béréziat
Boissey
Chevroux
Ozan
Asnières-sur-Saône
Montrevel-en-Bresse
Marboz
Malafretaz
Attignat
Cras-s-R.
Étrez
Manziat
Feillens
Vésines
Replonges
MÂCON
Bâgé-la-Ville
Bâgé-le-Châtel
Dommartin
Marsonnas
St-Sulpice
St-Didier-d'Aussiat
St-Martin-le-Châtel
Curtafond
Confrançon
Polliat
Viriat
St-Étienne-du-Bois
St-André-de-Bâgé
Musée de la Bresse
St-Genis-s-M.
St-Cyr-s-M.
Crottet
Pont-de-Veyle
Grièges
Perrex
Vonnas
Mézériat
Vandeins
Buellas
BOURG-EN-BRESSE
St-Denis-lès-Bourg
Brou
Montcet
Chaveyriat
Montracol
St-Rémy
Péronnas
Jasseron
St-Just
Montagnat
Viré
Fleurville
Uchizy
Chardonnay
Plottes
Ozenay
Brancion
Tournus
Clessé
St-Albain
Senozan
Sancé
Hurigny
St-Laurent-s-Saône
Varennes-lès-Mâcon
Crèches-sur-Saône
Cormoranche-sur-S.
Cruzilles-lès-Mépillat
St-André-d'Huiriat
Bey
Garnerans
Illiat
St-Julien-s-Veyle
Chanoz-Châtenay
Biziat
St-Didier-sur-Chalaronne
Neuville-les-Dames
Condeissiat
213
196
A 40
A 39
A 6
D 975
D 906
D 933
D 1079

0 2 4 6 8 10 km
179
195
214
A
B
C
D
Frébuans
Chilly-le-Vignoble
Montaigu
Macornay
Revigny
Creux de Revigny
Publy
Verges
Condamine
Trenal
Gevingey
Vernantois
St-Maur
Charézier
Charcier
Denezières
Uxelles
Vertamboz
St-Martin-du-Mont
Sagy
Bonnaud
Ste-Agnès
Cesancey
Bornay
Courbette
Nogna
Mesnois
Boissia
Patornay
Cogna
Flacey-en-Bresse
Vincelles
Rotalier
Grusse
(La Chailleuse)
Alièze
Poids-de-Fiole
Pont-de-Poitte
Clairvaux-les-Lacs
Hautecour
Orbagna
Beaufort
Maynal
Augisey
Reithouse
Présilly
Dompierre-s-Mont
Marnézia
Mérona
Largillay-Marsonnay
Soucia
Frontenaud
Le Miroir
Cousance
Augea
Cuisia
Gizia
Rosay
Cressia
Rothonay
Moutonne
Beffia
Plaisia
Orgelet
La Tour-du-Meix
Barésia-s-l'Ain
Thoiria
Coyron
Étival
Digna
Chevreaux
Pimorin
Chavéria
Écrille
Meussia
Dommartin-lès-Cuiseaux
Cuiseaux
Champagnat
Loisia
Graye-et-Charnay
Nancuise
Sarrogna
Maisod
Charchilla
Condal
Joudes
Gigny
Monnetay
Chambéria
Onoz
Crenans
Les Crozets
Balanod
Montagna-le-Reconduit
Véria
Savigna
Fétigny
Belvre du Regardoir
St-Amour
L'Aubépin
Andelot-Morval
Marigna-s-Valouse
Chatonnay
Légna
Moirans-en-Montagne
Ravilloles
Domsure
Thoissia
Nanc-lès-St-Amour
Louvenne
Montrevel
La Boissière
Villards-d'Héria
St-Lupicin
Cernon
Chazelles
St-Jean-d'Etreux
Dramelay
Martigna
Lect
Coligny
St-Julien
Dessia
Arinthod
Pratz
Lavans-lès-St-C.
Salavre
Bourcia
Villechantria
St-Hymetière
Cézia
Vescles
Jeurre
Pirajoux
Montagna-le-Templier
Genod
Chemilla
Montcusel
Vaux-lès-St-Claude
Chassal
Molinges
Larrivoire
Verjon
Villemotier
Vosbles
Chancia
Condes
Lavancia-Epercy
Courmangoux
Pouillat
Villeneuve-lès-Charnod
Charnod
Montfleur
Dortan
Rogna
Beny
Germagnat
Coisia
Viry
Choux
Aromas
Thoirette
Arbent
Oyonnax
St-Étienne-du-Bois
Treffort-Cuisiat
Chavannes-s-Suran
Matafelon-Granges
Samognat
Géovreisset
Bellignat
Belleydoux
Meillonnas
Corveissiat
Simandre-s-Suran
Groissiat
Martignat
Apremont
Échallon
Giron
Jasseron
Drom
Izernore
Plagne
Cize
Bolozon
Montréal-la-Cluse
Charix
St-Germain-de-Joux
Ceyzériat
Villereversure
Hautecourt-Romanèche
Nurieux-Volognat
Nantua
Serrières
Revonnas
Peyriat
Port
Le Poizat Lalleyriat
Châtillon-en-Michaille
Leyssard

197
180
215
198
E
F
G
H
Le Frasnois
Entre-Deux-Monts
Foncine-le-Bas
Le Mont Noir
Fort-du-Plasne
Pic de l'Aigle
La Chaux-du-Dombief
Lac-des-Rouges-Truites
Chapelle-des-Bois
Le Sentier
Mont Tendre
Bonlieu
La Chaumusse
St-Laurent-en-Grandvaux
Col de la Savine
Bellefontaine
Le Chenit
Le Brassus
Mollens
Ballens
St-Pierre
Morbier
Roche des Trois Commères
Bois-d'Amont
Col du Marchairuz
Bière
Morez
Crêt de la Neuve
Gimel
St-George
Longirod
Prémanon
Les Rousses
Mont Sâla
Mont Pelé
Marchissy
Le Vaud
Zoo de la Garenne
Bougy-Villars
Château-des-Prés
Lamoura
La Cure
Col de la Givrine
St-Cergue
Arzier
Le Muids
Bassins
Gilly
Rolle
Perroy
Longchaumois
La Rixouse
Genolier
Givrins
Begnins
Vich
Gland
Dully
Bursinel
La Dôle
Crêt Pela
Gingins
Trélex
Prangins
Duillier
St-Claude
Le Crêt Pourri
Chéserex
Grens
Signy-Avenex
Nyon
Yvoire
Nernier
Lajoux
Col de la Faucille
La Rippe
Crassier
Eysins
Septmoncel
Mijoux
Divonne-les-B.
Crans-près-Céligny
Céligny
Messery
Excenevex
Chapeau de Gendarme
Mont-Rond
Vesancy
Chavannes-de-Bogis
Chens-s-Léman
Les Molunes
Gex
Grilly
Founex
Commugny
Coppet
Douvaine
Monts Jura
Colomby de Gex
Échenevex
Cessy
Sauverny
Tannay
Mies
Hermance
Massongy
Lélex
Ségny
Versonnex
Versoix
Loisin
Ballaison
Anières
Veigy-Foncenex
Col de Crozet
Crozet
Collex-Bossy
Corsier
Genthod
Crêt de la Neige
Crêt de Chalam
Sergy
Ferney-Voltaire
Collonge-Bellerive
Meinier
Bellevue
Prévessin-Moëns
St-Genis-Pouilly
Meyrin
Chambésy
Thoiry
Palais des Nations
GENÈVE
Cologny
Vandoeuvres
Choulex
Presinge
Juvigny
Satigny
Vernier
Chêne-Bougeries
Annemasse
Ambilly
Chézery-Forens
Lancy
Thônex
Gaillard
Dardagny
Russin
Onex
Carouge
Veyrier
Vétraz-Monthoux
Péron
Challex
Bernex
Confignon
Troinex
Farges
Avully
Cartigny
Perly
Bossey
Nangy
Pont des Pierres
Chancy
Avusy
Les Treize Arbres
Reignier-Ésery
Crêt de la Goutte
Collonges
Pougny
Collonges-s/s-Salève
Archamps
Les Voirons
PARC NATUREL RÉGIONAL DU HAUT JURA
MONT RISOUX
VALLÉE DE JOUX

0 2 4 6 8 10 km
181
197
216
A
B
C
D
LAUSANNE
LÉMAN
LAC
Cossonay
Morges
Ouchy
Renens
Prilly
Pully
Lutry
Cully
Chexbres
Vevey
Rolle
Aubonne
St-Prex
Préverenges
St-Sulpice
Epalinges
Belmont
Savigny
Puidoux
Corseaux
St-Saphorin
Corniche de Lavaux
Grandvaux
(Bourg-en-Lavaux)
Villette (Lavaux)
Mont-Pèlerin
Bière
Ballens
Apples
Bussy-Chardonney
Echichens
Ecublens
Chavannes
Crissier
Bussigny
Mex
Gollion
Grancy
Cheseaux
Romanel
Cugy
Montpreveyres
Oron-la-Ville
Châtel-St-Denis
Allaman
Perroy
Buchillon
Féchy
Etoy
Mont
Bursinel
Dully
ÉVIAN-LES-BAINS
THONON-LES-BAINS
Amphion-les-Bains
Ripaille
Port Ripaille
Publier
Neuvecelle
Maxilly
Lugrin
Meillerie
Tourronde
St-Gingolph
Le Locum
Bret
Novel
Thollon-lès-M.
Pic de Mémise
Bernex
La Dent d'Oche
Les Cornettes de Bises
Col de Vernaz
La Chapelle-d'Abondance
Abondance
Châtel
Yvoire
Excenevex
Golfe de Coudrée
Sciez
Anthy-sur-Léman
Margencel
Allinges
Armoy
Lyaud
Reyvroz
Vacheresse
La Forclaz
Gges du Pt du Diable
Bonnevaux
Vailly
Lullin
Bellevaux
Le Biot
Seytroux
Abbe N.D. d'Aulps
St-Jean-d'Aulps
Montriond
Morzine
Avoriaz
Les Gets
Roc d'Enfer
Mont Chéry
Le Pleney
Col de Joux Plane
Col de la Ramaz
Mieussy
Taninges
St Jeoire
Onnion
Mégevette
Habère-Poche
Habère-Lullin
Boëge
Bogève
Burdignin
Saxel
Les Voirons
Fessy
Brenthonne
Lully
Perrignier
Massongy
Douvaine
Ballaison
Machilly
Bons-en-Chablais
St-Cergues
Fillinges
Bonne
Nangy
Marcellaz
Peillonnex
Viuz-en-Sallaz
Ville-en-Sallaz
Faucigny
La Tour
Contamine-sur-Arve
Lac de Vallon
Col du Corbier
Col de Cou
Col des Moises
Col de Saxel
Col du Perret
Col de Jambaz
D 1005
D 902
D 903
D 907
E 62
E 25
A 1
A 9

199
181
217
E
F
G
H
Gruyères
Broc
Dent de Broc
Dent du Bourgo
Grattavache
Les Ponts
Le Pâquier
Epagny
Moléson-sur-Gruyères
Estavannens
Enney
Semsales
Les Alpettes
Niremont
Le Moléson
La Vudalla
Villars-sous-Mont
Grandvillard
Les Merlas
Dent de Brenleire
Dent de Folliéran
Le Patchalet
Hochmatt
Sattel
Abländschen
Zweisimmen
Blankenburg
Neuenberg
Mosenried
Oeschseite
Dent de Ruth
Grubenberg
Jeu-de-Quilles
Dent de Savigny
Teysachaux
Vanil Noir
Rochers des Rayes
Les Rodomonts
Vallée des Fenils
Hugeligrat
Saanenmöser
St-Stephan
Rinderberg
Hornberg
Horntauben
Hornfluh
Schönried
Châtel-St-Denis
Les Paccots
Vanil Blanc
Albeuve
Neirivue
Bounavaux
Pointe de Paray
Ciernes-Picat
Les Allamans
Rougemont
Saanen
Gstaad
Gruben
Turbach
Dent de Lys
Lessoc
Les Milliets
Vanil Carré
Les Chaudzes
Pointe de Cray
Lac de Lessoc
Corbetta
Les Rosalys
Pralet
Les Sciernes-d'Albeuve
Les Pléiades
Le Molard
Vanil des Artses
Montbovon
Château-d'Oex
Les Granges
Flendruz
La Videmanette
Le Vanel
Dorfwald
Dürrenwald
Dürrenwaldhorn
Lenk
Wistätthorn
Giferhorn
Lauenenhorn
Cape au Moine
Rossinière
Chaudanne
Pra-Perron
Enhaut
Rocher Plat
Le Rubli
Kalberhöni
Vorder Eggli
Col de la Videmanette
Wasserngrat
Mülkerblatten
Blonay
Col de Sonloup
Les Avants
Col de Jaman
Dent de Jaman
Rochers de Naye
Dent de Corjon
Planachaux
Lac du Vernex
Les Moulins
Les Coulayes
Pays
Gorges du Pissot
Rocher du Midi
Réserve de la Pierreuse
Gummfluh
Grund
Lauenental
Tauben
Trüttlisberg Pass
Leiterli
Betelberg
Monts Chevreuils
Devant de l'Etivaz
Vallée de l'Etivaz
La Douve
Col de Jable
Feutersoey
Lauenen
Hohe Windspillen
Stand
Enge
Stüblenen
Hohberg
Le Tabousset
Lac de l'Hongrin
Col de Chaude
L'Etivaz
Wittenberghorn
Rothorn
Iffigenhorn
Chillon
Territet
Veytaux
Sonchaux
Pointe d'Aveneyre
La Lécherette
Pra Cornet
Les Arpilles
Toumalay
Tschärzistal
Walighürli
Krinnen
Lauenensee
Bühl
Kühdungel
Niesenhorn
Dungelschuss
Iffigensee
Grandchamp
Villeneuve
Col des Mosses
Mont d'Or
L. Lioson
La Tornette
Arnenhorn
Arnensee
Gsteig
Spitzhorn
Geltenalp
Hahnenschritthorn
Schneidehorn
Wetzsteinhorn
Wildhorn
Col de la Pierre du Moëlle
Malatraix
Tour de Famelon
Les Mosses
La Comballaz
Pic Chaussy
Marnex d'en-H.
Cape au moine
Seeberg
Seeberghorn
Sanetschhall
Schafhorn
Noville
Mont d'Arvel
Tour d'Aï
Tour de Mayen
Ormont-Dessous
Chersaule
Isenau
La Palette
Lac Retaud
Reusch
Mittaghorn
Schlauchhorn
Geltengletscher
Six des Eaux-Froides
Rennaz
Le Sépey
Les Voëttes
La Ville
Le Lavanchy
Les Diablerets
Col du Pillon
Oldenegg
Olden
Geltenhorn
Arpelistock
Lac des Audannes
Roche
Berneuse
Leysin
Cergnat
Ormonts
Le Rosex
Les Planches
Vers-l'Eglise
Les Aviolats
Ormont-Dessus
Retaud
Dard
P. Bourquin
Diablerets
Sanetschhorn
Col du Sanetsch
Sex Rouge
Corbeyrier
Chessel
Luan
Feydey
Vallée de la Grande Eau
La Forclaz
Les Chavonnes
Tête de Meilleret
Scex Rouge
Oldenhorn
Tsanfleuron
Le Sérac
Chamossaire
Sex Noir
Donin
Pas-de-Maimbré
Vouvry
Barges
Yvorne
Aigle
Veiges
Gorges de la Grande Eau
Bretaye
Chaux Ronde
Perche
La Laya
Creux de Champ
Pierredar
Glacier de Tsanfleuron
Crêta Besse
Anzère
Vionnaz
Roc d'Orsay
Plambuit
Col de la Croix
La Croix
LES DIABLERETS
Tour St-Martin
Glarey
Visse
La Fava
Culan
Tête Ronde
Somt des Diablerets
Col de Soud
Panex
Illarsaz
Chesières
Villars-s-Ollon
La Verrieyre
Taveyanne
Ollon
Huémoz
Arveyes
Les Chaux
Anzeinde
Pas de Cheville
Mont Gond
Montbas
Prabé
Mayens-de-la-Zour
Ayent
Saxonne
Blignou
Arbaz
Grimisuat
St-Triphon
Collombey-le-Grd
St-Triphon-Gare
Villy
Gryonne
La Barboleusaz
Le Bouillet
Solalex
Col des Essets
Derborence
Tête Pegnat
Vallée de Triquent
Pont du Diable
Binii
Drône
Muraz
Antagnes
Fenalet
Gryon
L'Argentine
Avançon
Tête Tsernou
La Vare
Mont à Cavouère
Sex Riond
Daillon
Chandolin
(Savièse)
St-Germain
Champlan
Molignon
Collombey
Col de la Conche
Pte de Bellevue
Le Corbeau
Monthey
Les Nevres
Chemex
Le Chêne
Le Bévieux
Frenières
Les Plans
Plan-Névé
Tête à Pierre-Grept
Haut de Cry
Dent de Chamosentse
Premploz
Erde
St-Séverin
Granois
Roumaz
Bex
Les Monts
Pont de Nant
Grd Muveran
Aven
St-Bernard
Vétroz
Conthey
SION
Massongex
Choex
Les Giettes
Le Châtel
Javerne
Pte des Savolaires
Nant
Pt Muveran
Rambert
P. de la Morge
Salins
Vex
Troistorrents
Morgins
Daviaz
Grotte
St-Maurice
Lavey-Village
Croix de Javerne
Pte des Martinets
Saille
Ardon
Magnot
Les Agettes
Cascade
Vérossaz
Lavey-Morcles
Lavey-les-Bains
Dent Favre
Dent de Morcles
Ovronnaz
Chamoson
Grugnay
St-Pierre-de-Clages
Aproz
Veysonnaz
Val-d'Illiez
Dent de Valerette
Les Cases
Mortay
Montagnon
Leytron
Nendaz
Brignon
Verrey
Les Collons
Hérémence
Dent de Valère
Les Planeys
L'Aiguille
Epinassey
Escles
Fenestral
Grd Chavalard
Mne de Quieu
Dugny
Produit
Fey
Cerisier
Clèbe
Beuson
Thyon
Ayer
Mex
La Rasse
Le Mont
Lac de Fully
Saillon
Riddes
Condémines
Saclentse
Crête de Thyon
Champéry
Dents du Midi
Chalin
Cime de L'Est
Evionnaz
Collonges
Mne de Fully
Chibo
Isérables
Lac de Tracouet
Mt Rouge
Val d'Hérémence
Val de Nendaz
Antème
Hte Cime
St-Barthélemy
Dent du Salatin
La Balmaz
La Méreune
Mazeimbro
Ecône
Dent de Nendaz
Prarion
Greppon Blanc
Dent de la Chaux
Col du Jorat
Miéville
Cascade de Pissevache
Dorénaz
Sex Carro
Châtaignier
Saxé
L'Airette
Mayens-de-Riddes
Siviez
Les Clous
Col de Susanfe
Van-d'en-Haut
Alesse
Fully
Saxon
Tour
Savoleyres
Chassoure
Mt Gond
Orchera
Bonavau
Susanfe
Vallon de Van
Vernayaz
Branson
Sapin-Haut
Pierre Avoi
Croix de Cœur
Mt Rogneux
Tortin
Dent de Bonavau
Lac de Salanfe
Pont du Gueuroz
Salvan
Charrat
Lac des Vaux
Lac de Cleuson
Le Métailler
Tour Sallière
Col d'Emaney
Les Creusaz
Pas du Lein
Les Prétaires
Les Planards
Mt Gelé
Allèves
Col de Barme
Col de Sagerou
Grd Mt Ruan
Fond de la Combe
Les Marécottes
Emaney
Médettaz
Tour de la Bâtiaz
Le Guercet
Col du Tronc
Le Levron
Verbier
Bge de la Grde Dixence
Col de Barberine
Gorges du Trièteg
Le Trétien
Ravoire
Martigny
Col des Planches
Vollèges
Vallée
Médières
Mt Fort
Grd Mt Calme
Mt Blava
Pic de

200
0 2 4 6 8 10 km
183
**ÎLE DE RÉ
Ste-Marie-de-Ré
La Noue
Sablanceaux
Pnte de Sablanceaux
Pnte du chef de Baie
Pnte de Chauveau
Phare de Chauveau
***LA ROCHELLE
Tour du Lavardin
L'Houmeau
Lagord
Puilboreau
Dompierre-s-Mer
La Pallice
Port-Neuf
Les Minimes
Tasdon
Périgny
St-Rogatien
Aytré
Pnte de Roux
La Plage d'Aytré
Pnte du Chay
Angoulins
St-Jean-des-Sables
La Jarne
Salles-s-Mer
La Jarrie
Croix-Chapeau
PERTUIS D'ANTIOCHE
Tour d'Antioche
Rocher d'Antioche
Pnte de Chassiron
*Phare de Chassiron
Chassiron
La Morelière
Plage de Soubrejon
St-Denis-d'Oléron
La Brée-les-Bains
Les Boulassiers
Port du Douet
Anse du Marais Salé
Anse de Maleconche
St-Georges-d'Oléron
Pnte de Chaucre
Plage des Sables-Vigniers
Pnte de Chardonnière
Boyardville
St-Pierre-d'Oléron
Côte Sauvage
*La Cotinière
Dolus-d'Oléron
Réserve naturelle des Marais
Le Château-d'Oléron
*ÎLE D'OLÉRON
Plage de Vert-Bois
Le Grd-Village-Plage
Port des Salines
*Fort Louvois
Plage de la Giraudière
St-Trojan-les-Bains
La Grande Plage
Pertuis de Maumusson
Pnte de Gatseau
*Châtelaillon-Plage
Pnte de Châtelaillon
Rade des Basques
Réserve naturelle du Marais d'Yves
Pnte du Parc
*Île-d'Aix
Fort Liedot
Fort Boyard
Pnte Ste Catherine
Fort Enet
Pnte de la Fumée
Anse de Fouras
Rade de l'Île d'Aix
*Fouras-les-Bains
Île Madame
Passe aux Bœufs (Route submersible)
Port-des-Barques
**ROCHEFORT
Tonnay
St-Nazaire-s-Charente
Soubise
Moëze
Tour de Juliard
Coureau d'Oléron
**Brouage
Bourcefranc-le-Chapus
Hiers-Brouage
Marennes
Viaduc de la Seudre
Ronce-les-Bains
Pointe Espagnole ou Pointe d'Arvert
Plage de l'Embellie
La Tremblade
Forêt de la Coubre
Arvert
Étaules
Les Mathes
Chaillevette
Mornac-s-Seudre
*La Coubre
Zoo
Pointe de la Coubre
A
B
C
D
218
1
2
3
4
5

201
184
202
219
E
F
G
H
1
2
3
4
5
Surgères
St-Jean-d'Angély
Tonnay-Boutonne
St-Savinien
SAINTES
La Roche-Courbon
St-Porchaire
Taillebourg
Fenioux
Dampierre-s-Boutonne
Mauzé-s-le-Mignon
Beauvoir-sur-Niort
Usseau
Priaires
Marsais
Dœuil-s-le-Mignon
Puyravault
St-Georges-du-Bois
St-Pierre-d'Amilly
St-Saturnin-du-Bois
Vouhé
Forges
Landrais
St-Germain-de-Marencennes
Vandré
Chervettes
Bernay-St-Martin
St-Félix
Migré
Vergné
Loulay
Courant
Lozay
Genouillé
Annezay
Nachamps
St-Loup
Landes
St-Crépin
Puy-du-Lac
Lussant
Moragne
Muron
St-Coutant-le-Grand
Archingeay
Champdolent
Bords
Torxé
Voissay
Ternant
Courcelles
St-Julien-de-l'Escap
Varaize
Bignay
Mazeray
Asnières-la-Giraud
Nantillé
Ste-Même
Juicq
Écoyeux
Brizambourg
Burie
Vénérand
Fontcouverte
Écurat
Nieul-lès-Saintes
St-Georges-des-Coteaux
Corme-Royal
Balanzac
Pessines
Chaniers
Courcoury
Les Gonds
St-Sauvant
St-Césaire
Aumagne
Aulnay
Nuaillé-s-B.
St-Pardoult
Antezant-la-Chapelle
Poursay-Garnaud
Blanzay
Villiers-en-Bois
Zoodyssée
Forêt de Chizé
Réserve Nationale de Chasse
Crazannes
Port-d'Envaux
Plassay
Geay
Romegoux
Beurlay
Trizay
St-Hippolyte
Pont-l'Abbé-d'Arnoult
St-Sulpice-d'Arnoult
Soulignonne
Bussac-s-Charente
Annepont
St-Hilaire-de-Villefranche
Grandjean
Taillant
Les Nouillers
St-Vaize
Charente
Boutonne
A 10
E 5
D 939
D 150
D 739
D 137
E 602

202
0 2 4 6 8 10 km
185
201
220
A
B
C
D
1
2
3
4
5
Melle
St-Hilaire
Chail
Pouffonds
Beauvoir-sur-Niort
St-Médard
Brûlain
St-Romans-lès-Melle
Mazières-s-Béronne
Périgné
Usseau
Prissé-la-Charrière
Les Fosses
Forêt de Chizé
Zoodyssée
Villiers-en-Bois
Chizé
Brioux-sur-Boutonne
Secondigné-sur-Belle
Vernoux-sur-Boutonne
Lusseray
Séligné
Luché-sur-Brioux
Sompt
Gournay-Loizé
Chérigné
Juillé
Villefollet
Asnières-en-Poitou
Fontenille-St-Martin-d'Entraigues
Belleville
St-Étienne-la-Cigogne
Boisserolles
Villeneuve-la-Comtesse
La Croix-Comtesse
St-Séverin-s-Boutonne
Dampierre-s-Boutonne
Asinerie
Availles-sur-Chizé
Ensigné
Paizay-le-Chapt
Loubigné
Aubigné
Loubillé
Migré
Vergné
Coivert
St-Martial
Loulay
Blanzay-s-B.
St-Georges-de-Longuepierre
La Villedieu
Forêt d'Aulnay
Vinax
La Jarrie-Audouin
St-Pierre-de-l'Isle
Salles-lès-Aulnay
St-Mandé-s-Brédoire
Aulnay
Contré
Nuaillé-s-B.
St-Pardoult
Saleignes
Villemain
Antezant-la-Chapelle
Villemorin
Romazières
Paillé
Les Églises-d'Argenteuil
Cherbonnières
Villiers-Couture
Couture-d'Argenson
Néré
Les Éduts
Courcelles
Poursay-Garnaud
Loiré-s-Nie
Seigné
Chives
Les Gours
St-Jean-d'Angély
St-Julien-de-l'Escap
St-Martin-de-Juillers
Le Gicq
Fontaine-Chalendray
Lupsault
Varaize
Gibourne
Fontenet
Les Touches-de-Périgny
Cressé
Bazauges
Barbezières
Asnières-la-Giraud
La Brousse
Bagnizeau
Gourvillette
Beauvais-s-Matha
Ranville-Breuillaud
Nantillé
Ste-Même
Aumagne
Blanzac-lès-M.
Matha
Massac
Bresdon
St-Ouen-la-Thène
Verdille
St-Hilaire-de-Villefranche
Juicq
Bercloux
Aujac
Courcerac
Thors
Sonnac
Louzignac
Siecq
Auge-St-Médard
Le Douhet
Écoyeux
Authon-Ébéon
Prignac
Brizambourg
Mons
Brie-s/s-Matha
Ballans
Anville
Vénérand
Migron
Neuvicq-le-Château
Montigné
Villars-les-Bois
Le Seure
Bréville
Macqueville
Burie
Mesnac
Rouillac
St-Bris-des-Bois
St-Césaire
St-Sulpice-de-Cognac
Ste-Sévère
Houlette
Courbillac
Mareuil
Cherves-Richemont
Sigogne
Vaux-Rouillac
St-Sauvant
Chaniers
Louzac-St-André
Boutiers-St-Trojan
Réparsac
Nercillac
Fleurac
Dompierre
Chérac

203
186
221
204
E
F
G
H
Champniers
St-Romain
Le Cormenier
Chaunay
Blanzay
Caunay
Clussais-la-Pommeraie
La Chapelle-Bâton
Mauprévoir
Pliboux
Linazay
Mairé-Levescault
Savigné
Grottes du Chaffaud
Sauzé-Vaussais
Civray
Charroux
Melleran
La Chapelle-Pouilloux
Limalonges
St-Saviol
Lorigné
Montalembert
St-Macoux
St-Gaudent
Genouillé
Asnois
Montjean
Londigny
Vouléme
Lizant
Surin
Chatain
Pleuville
Pioussay
La Forêt-de-Tessé
Les Adjots
Taizé-Aizie
Theil-Rabier
St-Martin-du-Clocher
Épenède
La Magdeleine
Villiers-le-Roux
Bernac
Ruffec
Le Bouchage
Benest
La Chèvrerie
Bioussac
Paizay-Naudouin-Embourie
Villefagnan
Condac
Alloue
Empuré
Brettes
Nanteuil-en-Vallée
Vx-Ruffec
Raix
Villegats
St-Coutant
Courcôme
Verteuil-s-Charente
Champagne-Mouton
Souvigné
Tuzie
Salles-de-Villefagnan
St-Georges
Le Vieux-Cérier
Ambernac
Bessé
Charmé
Poursac
St-Gourson
Chassiecq
Turgon
Chenon
Chenommet
St-Sulpice-de-Ruffec
Le Grd-Madieu
St-Laurent-de-Céris
Ébréon
Tusson
Lonnes
Parzac
Ligné
Juillé
Couture
Bayers
Aunac
Beaulieu-s-Sonnette
Fontenille
Moutonneau
Villejésus
Lichères
St-Denis
St-Front
Ventouse
Cellefrouin
St-Claud
Fouqueure
Luxé
St-Groux
Fontclaireau
Mouton
Valence
Mansle
Villognon
Puyréaux
La Tâche
Lussac
Nieuil
Marcillac-Lanville
Ambérac
Cellettes
Maine-de-Boixe
St-Ciers-s-Bonnieure
Nanclars
St-Amant-de-Bonnieure
Suaux
La Chapelle
Vervant
St-Angeau
Ste-Colombe
St-Mary
Coulonges
Aussac-Vadalle
Xambes
Vouharte
Coulgens
Les Pins
Chasseneuil-s-Bonnieure
St-Amant-de-Boixe
Villejoubert
Genac-Bignac
Tourriers
La Rochette
Vitrac-St-Vincent
Jauldes
Montignac-Charente
Anais
Agris
Taponnat-Fleurignac
Vars
Rivières
St-Adjutory
Yvrac-et-Malleyrand
Marsac
Vindelle
St-Projet-St-Constant
La Rochefoucauld
Marillac-le-Franc

0 2 4 6 8 10 km
187
203
222
C
D
A
B
L'Isle-Jourdain
Le Vigeant
Barrage de la Roche
Mouterre-sur-Blourde
Millac
Luchapt
St-Barbant
Asnières-sur-Blour
La Chapelle-Bâton
Mauprévoir
Savigné
Grottes du Chaffaud
Charroux
Pressac
Availles-Limouzine
Oradour-Fanais
Gajoubert
Asnois
Pleuville
Surin
Chatain
Abzac
Boisbuchet
Lessac
St-Germain-de-Confolens
Brillac
Coriobona
Esse
Alloue
Benest
Le Bouchage
Epenède
Hiesse
Confolens
Lesterps
St-Christophe
Champagne-Mouton
St-Coutant
Ansac-s-Vienne
Le Vieux-Cérier
Ambernac
St-Maurice-des-Lions
Turgon
Chassiecq
St-Laurent-de-Céris
Manot
Saulgond
Brigueuil
Chabrac
Chirac
Beaulieu-s-Sonnette
Cellefrouin
St-Claud
Roumazières-Loubert
Exideuil-s-Vienne
Chabanais
Étagnac
Rochebrune
Chaillac
Lussac
Nieuil
La Péruse
Genouillac
Suris
Chassenon
Saillat-s-V.
Thermes
St-Mary
Chasseneuil-s-Bonnieure
Cherves-Châtelars
Mazières
Lésignac-Durand
Pressignac
Rochechouart
Vitrac-St-Vincent
Taponnat-Fleurignac
Montembœuf
Massignac
Verneuil
Videix
St-Adjutory
Yvrac-et-Malleyrand
Mazerolles
Chéronnac
La Rochefoucauld
St-Projet-St-Constant
Marillac-le-Franc
Le Lindois
Les Salles-Lavauguyon
Vayres
Rivières
Agris
N 141
E 603
D 951
D 948
D 148
D 741

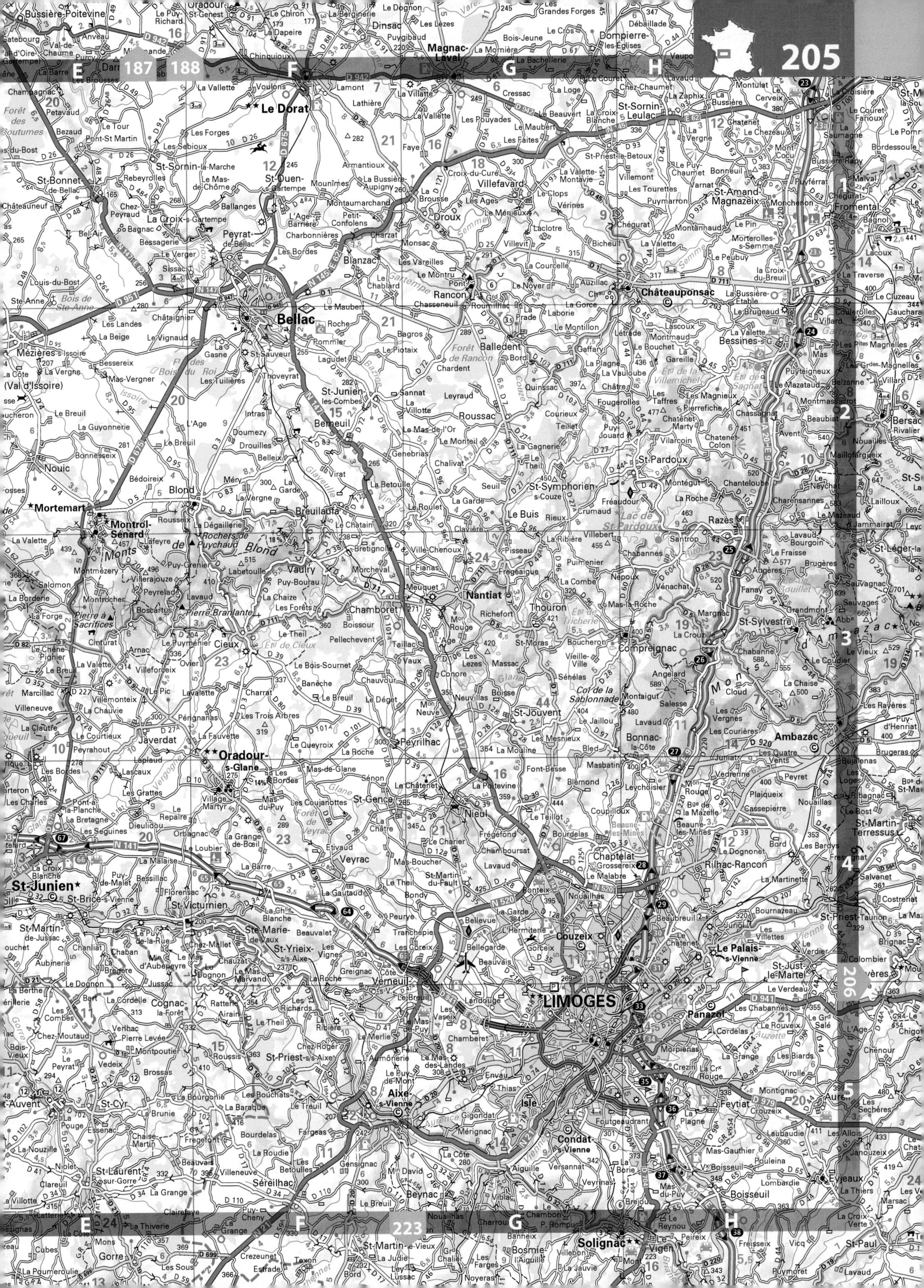
187
188
206
223
E
F
G
H
Bussière-Poitevine
Magnac-Laval
Dinsac
Dompierre-les-Églises
Le Dorat
St-Sornin-Leulac
St-Ouen-s-Gartempe
Villefavard
Chéguraт
St-Amand-Magnazeix
Fromental
Bellac
Rancon
Châteauponsac
Bessines-s-G.
Mézières-s-Issoire
Balledent
Nouic
Blond
St-Junien-les-Combes
Berneuil
Mortemart
Montrol-Sénard
Monts de Blond
Vaulry
Nantiat
Thouron
St-Symphorien-s-Couze
St-Pardoux
Lac de St-Pardoux
Razès
Chamboret
Compreignac
St-Sylvestre
Ambazac
Cieux
Javerdat
Oradour-s-Glane
Peyrilhac
St-Jouvent
Bonnac-la-Côte
Nieul
St-Gence
Veyrac
Chaptelat
Rilhac-Rancon
St-Junien
St-Victurnien
St-Brice-s-Vienne
Ste-Marie-de-Vaux
St-Yrieix-s/s-Aixe
Couzeix
Le Palais-s-Vienne
LIMOGES
Panazol
Cognac-la-Forêt
St-Priest-s/s-Aixe
Aixe-s-Vienne
Isle
Condat-s-Vienne
Feytiat
St-Cyr
St-Laurent-sur-Gorre
Séreilhac
Beynac
Solignac
Le Vigen
Boisseuil
Eyjeaux
St-Paul
Gorre

0 2 4 6 8 10 km
La Souterraine
St-Maurice-la-Souterraine
Tour
Bridiers
Noth
Fleurat
Lizières
St-Priest-la-Feuille
St-Priest-la-Plaine
Le Grand-Bourg
St-Sornin-Leulac
St-Priest-le-Betoux
St-Amand-Magnazeix
Fromental
Bussière-Rapy
Chamborand
St-Pierre-de-Fursac
St-Étienne-de-Fursac
Châtelnet
Gartempe
St-Silvain-Montaigut
Châteauponsac
Bessines-s-G.
Folles
Bénévent-l'Abbaye
Puy de Goth
Marsac
Montaigut-le-Blanc
Laurière
Bersac
Arrènes
Mourioux-Vieilleville
Aulon
Augères
St-Pardoux
Lac de St-Pardoux
Razès
St-Sulpice-Laurière
Ceyroux
Janaillat
St-Goussaud
St-Léger-la-M.
St-Dizier-Leyrenne
Jabreilles-les-Bordes
Pierre Branlante
La Jonchère-St-Maurice
St-Sylvestre
Compreignac
Monts d'Ambazac
Châtelus-le-Marcheix
Ambazac
Les Billanges
St-Pierre-Chérignat
St-Martin-Ste-Catherine
Montboucher
Bonnac-la-Côte
St-Laurent-les-Églises
Pont du Dognon
St-Martin-Terressus
St-Amand-Jartoudeix
Rilhac-Rancon
Le Châtenet-en-Dognon
Sauviat-sur-Vige
St-Priest-Palus
St-Priest-Taurion
Moissannes
Couzeix
Le Palais-s-Vienne
Royères
St-Just-le-Martel
St-Léonard-de-Noblat
LIMOGES
Panazol
St-Moreil
Pont-de-Noblat
Champnétery
Cheissoux
St-Julien-le-Petit
Feytiat
Aureil
Prieuré de l'Artige
Eybouleuf
St-Denis-des-Murs
Bujaleuf
Condat-s-Vienne
Boisseuil
Eyjeaux
La Geneytouse
Augne
St-Amand-le-Petit
Solignac
St-Paul
Masléon
Rozières-St-Georges
Eymoutiers
A
B
C
D
1
2
3
4
5
188
205
224

207
189
225
208
E
F
G
H
Guéret
Ajain
St-Fiel
Glénic
Jarnages
Parsac-Rimondeix
Gouzon
St-Laurent
Pionnat
Vigeville
Cressat
St-Dizier-la-Tour
Pierrefitte
St-Chabrais
St-Loup
Tardes
Ste-Feyre
St-Hilaire-la-Plaine
Chénérailles
Villemonteix
St-Julien-le-Châtel
Le Chauchet
St-Victor-en-Marche
Parc animalier
Peyrabout
Savennes
St-Christophe
St-Yrieix-les-Bois
Moutier-d'Ahun
Ahun
Lavaveix-les-Mines
St-Pardoux-les-Cards
Issoudun-Létrieix
Peyrat-la-Nonière
St-Priest
Lépinas
Sous-Parsat
Chamberaud
St-Martial-le-Mont
St-Médard-la-Rochette
Maisonnisses
Sardent
St-Éloi
Puy-Malsignat
St-Domet
La Chapelle-St-Martial
Le Donzeil
Fransèches
Masgot
La Rochette
Champagnat
Pontarion
St-Georges-la-Pouge
St-Sulpice-les-Champs
St-Avit-le-Pauvre
Ars
St-Maixant
Bosroger
Bellegarde-en-Marche
St-Hilaire-le-Château
Alleyrat
St-Amand
St-Alpinien
St-Silvain-Bellegarde
Pierre-aux-neuf-Gradins
La Pouge
Vidaillat
Chavanat
St-Michel-de-Veisse
Blessac
Aubusson
Soubrebost
Le Monteil-au-Vicomte
Banize
St-Marc-à-Frongier
Moutier-Rozeille
St-Pardoux-le-Neuf
Néoux
St-Avit-de-Tardes
St-Pierre-Bellevue
Vallière
Felletin
Ste-Feyre-la-Montagne
St-Pardoux-Morterolles
St-Yrieix-la-Montagne
St-Frion
St-Quentin-la-Chabanne
Pontcharraud
St-Maurice-près-Crocq
Signal du Pic
Royère-de-Vassivière
St-Marc-à-Loubaud
La Nouaille
St-Georges-Nigremont
Poussanges
Pont de Sénoueix
Gioux
Magnat-l'Étrange
Île de Vassivière
Lac de Vassivière
Beaumont-du-Lac
Gentioux-Pigerolles
Pallier
Clairavaux
Malleret
Le Condrot
Faux-la-Montagne
Féniers
La Villedieu
La Mijoie
Le Rat
Camp de La Courtine

0 2 4 6 8 10 km
207
190
226
A
B
C
D
1
2
3
4
5
Gouzon
Chambon-s-Voueize
Evaux-les-Bains
Chambonchard
Lussat
Tardes
St-Julien-la-Genête
Pierrefitte
St-Chabrais
St-Loup
Chénérailles
Villemonteix
St-Julien-le-Châtel
Peyrat-la-Nonière
Le Chauchet
St-Priest
Sannat
Reterre
Fontanières
Château-s-Cher
Mainsat
Rougnat
Auzances
St-Domet
Puy-Malsignat
Champagnat
Bussière-Nouvelle
La Serre-Bussière-Vieille
Bellegarde-en-Marche
Lupersat
St-Silvain-Bellegarde
Tour-St-Austrille
Brousse
Châtelard
Lioux-les-Monges
Chard
Les Mars
Le Compas
Dontreix
Charensat
Aubusson
St-Maixant
St-Amand
St-Alpinien
Mautes
Le Montel-au-Temple
Mérinchal
Montel-de-Gelat
Villosanges
Tralaigues
St-Bard
La Villeneuve
La Villetelle
St-Avit-de-Tardes
Moutier-Rozeille
Néoux
Ste-Feyre-la-Montagne
Felletin
St-Oradoux-près-Crocq
Crocq
Basville
La Mazière-aux-Bons-Hommes
St-Avit
Landogne
Condat-en-Combraille
La Celle
St-Quentin-la-Chabanne
St-Georges-Nigremont
Pontcharraud
St-Maurice-près-Crocq
Montel-Guillaume
Giat
Voingt
St-Étienne-des-Champs
Puy-St-Gulmier
Poussanges
Croze
Magnat-l'Étrange
St-Agnant-près-Crocq
Fernoël
Clairavaux
Verneugheol
Sauvagnat
Malleret
Beissat
Flayat
Vergheas
Roche-d'Agoux
St-Maurice-près-Pionsat
Charron
Bussières
St-Marcel-en-Marcillat
St-Fargeol
Marcillat-en-Combraille
Terjat
La Petite-Marche
St-Hilaire
Mazan
Courtine
Herment
Prondines

209
191
E
F
G
H
32
227
210
St-Éloy-les-Mines
Montaigut
Youx
Durmignat
Échassières
Bellenaves
Charroux
St-Germain-de-Salles
Lapeyrouse
Louroux-de-Bouble
Coutansouze
Chirat-l'Église
Buxières-s/s-Montaigut
Moureuille
Nades
Lalizolle
Veauce
Valignat
Naves
Taxat-Senat
Jenzat
Sussat
Vicq
Bègues
Saulzet
Chouvigny
Gorges de Chouvigny
Gorges de la Sioule
Menat
Servant
Ébreuil
Gannat
Teilhet
Neuf-Église
Pouzol
St-Rémy-de-Blot
St-Quentin-s-Sioule
Marcillat
Poëzat
Lisseuil
Ste-Christine
Champs
St-Pardoux
Gouttières
St-Julien-la-Geneste
Ayat-s-Sioule
Châteauneuf-les-Bains
St-Hilaire-la-Cx
Jozerand
St-Agoulin
Chaptuzat
Montpensier
St-Gervais-d'Auvergne
Blot-l'Église
Aigueperse
Montcel
Artonne
Charbonnières-les-Vieilles
Gour de Tazenat
Combronde
St-Myon
Aubiat
Thuret
Sardon
Méandre de Queuille
Viaduc des Fades
Queuille
Manzat
Teilhède
Beauregard-Vendon
Davayat
Le Cheix
Loubeyrat
St-Georges-de-Mons
Prompsat
Yssac-la-Tourette
St-Bonnet-près-Riom
Châtel-Guyon
Clerlande
Les Ancizes-Comps
Charbonnières-les-Varennes
Mozac
Riom
Ennezat
Miremont
Montfermy
Pulvérières
Chau de Tournoël
Volvic
Ménétrol
Châteaugay
Malauzat
St-Ours
Puy de Louchadière
Col de la Nugère
Puy de la Coquille
Pontgibaud
Bromont-Lamothe
Puy de Lemptégy
Puy Chopine
Vulcania
Puy de Côme
Puy de Pariou
Orcines
Puy de Dôme
Cébazat
Gerzat
Lussat
Blanzat
Sayat
Nohanent
Montferrand
Aulnat
Pont-du-Château
Chamalières
Royat
Clermont-Ferrand
Beaumont
Aubière
Cournon-d'Auvergne
Mazaye
Ceyssat
Olby
St-Pierre-le-Chastel
Cisternes-la-Forêt
Gelles
Parc Naturel Régional des Volcans d'Auvergne

0 2 4 6 8 10 km
192
209
228
VICHY
Cusset
Bellerive-sur-Allier
Gannat
Aigueperse
Randan
St-Yorre
Maringues
Lezoux
Thiers
Puy-Guillaume
Châteldon
Ris
Mariol
Hauterive
Abrest
Le Vernet
Creuzier-le-Vieux
Creuzier-le-Neuf
St-Germain-des-Fossés
Billy
Marcenat
Magnet
Seuillet
Billezois
St-Étienne-de-Vicq
St-Christophe
Isserpent
Le Breuil
Châtel-Montagne
Le Mayet-de-Montagne
Ferrières-sur-Sichon
Arronnes
Busset
Molles
La Chapelle
Nizerolles
Lachaux
Palladuc
St-Rémy-sur-Durolle
La Monnerie-le-Montel
Celles-s-Durolle
Escoutoux
Vollore-Ville
Vollore-Montagne
Aubusson-d'Auvergne
Courpière
Néronde-s-Dore
Peschadoires
Pont-de-Dore
Dorat
Noalhat
Paslières
Charnat
Luzillat
Limons
Mons
Beaumont-lès-R.
St-Sylvestre-Pragoulin
St-Priest-Bramefant
Serbannes
Brugheas
Espinasse-Vozelle
Cognat-Lyonne
Saulzet
Monteignet-s-l'Andelot
Escurolles
Broût-Vernet
St-Pont
Vendat
Charmeil
St-Rémy-en-Rollat
Le Mayet-d'École
Jenzat
St-Germain-de-Salles
Biozat
Charmes
Poëzat
St-Genès-du-Retz
Denone
Effiat
Montpensier
Bas-et-Lezat
Bussières-et-Pruns
St-Clément-de-Régnat
Villeneuve-les-Cerfs
Thuret
Sardon
St-André-le-Coq
St-Denis-Combarnazat
Surat
St-Ignat
Martres-s-M.
Clerlande
Ennezat
Entraigues
St-Laure
Chappes
Joze
Culhat
Bulhon
Crevant-Laveine
Vinzelles
Orléat
Chavaroux
Lussat
Les Martres-d'Artière
Malintrat
Pont-du-Château
Beauregard-l'Évêque
Seychalles
Bouzel
Moissat
Ravel
Bort-l'Étang
Aulteribe
Vertaizon
Dallet
Lempdes
Aulnat
MONT-RRAND
Cournon-d'Auvergne
St-Bonnet-lès-Allier
Chauriat
Vassel
Espirat
Reignat
Neuville
Site des Hurlevents
Grotte des Fées
Pierre Encize
Roc des Cheirs
Col de la Plantade
Puy Snidre
Puy de Montoncel
Rez de Sol
Margerides
Rocher de Borbes
Roc Blanc
Col du Pertuis
Pierre Pamol
Grün de Chignor
Forêt de Montpensier
Forêt de Marcenat
Limagne

193
229
212
ROANNE
Charlieu
Renaison
Le Coteau
Riorges
Perreux
Mably
Villerest
St-Just-en-Chevalet
St-Germain-Laval
Balbigny
Feurs
Noirétable
St-Symphorien-de-Lay
Régny
La Pacaudière
Ambierle
St-Haon-le-Châtel
Boën-s-Lignon
Pommiers
MONTS DE LA MADELEINE
Gorges de la Loire
LOIRE
Forêt de Lespinasse
Marcigny
Melay
Iguerande
Changy
Noailly
St-Forgeux-Lespinasse
St-Germain-Lespinasse
St-Romain-la-Motte
Pouilly-s/s-Charlieu
St-Nizier-s/s-Charlieu
St-Pierre-la-Noaille
Briennon
La Bénisson-Dieu
St-André-d'Apchon
St-Alban-les-Eaux
Ouches
Lentigny
Commelle-Vernay
St-Cyr-de-Favières
L'Hôpital-s-Rhins
Neulise
Vendranges
St-Priest-la-Roche
St-Polgues
Crémeaux
St-Marcel-d'Urfé
Champoly
Chau d'Urfé
Les Salles
St-Martin-la-Sauveté
Nervieux
Mizérieux
Épercieux-St-Paul
Cleppé
Ste-Foy-St-Sulpice
Bussy-Albieux
Arthun
St-Sixte
L'Hôpital-s-Rochefort
St-Laurent-Rochefort
St-Didier-s-Rochefort
St-Jean-la-Vêtre
St-Priest-la-Vêtre
St-Julien-la-Vêtre
Pierre Charbonnière
St-Nicolas-des-Biefs
St-Bonnet-des-Quarts
Arcon
Cherier
St-Jean-St-Maurice-s-Loire
Dancé
St-Paul-de-Vézelin
Amions
Souternon
Grézolles
St-Julien-d'Oddes
Cordelle
Bully
N.-D.-de-Boisset
St-Vincent-de-Boisset
Parigny
Pradines
Coutouvre
St-Hilaire-s/s-Charlieu
Villers
Jarnosse
Nandax
Vougy
Boyer
Chandon
St-Edmond
Mailly
St-Bonnet-de-Cray
Chenay-le-Châtel
Vivans
St-Martin-d'Estréaux
Sail-les-Bains
Montagny
Fourneaux
Chirassimont
Croizet-s-Gand
St-Just-la-Pendue
St-Marcel-de-Félines
Néronde
Pouilly-lès-Feurs
Civens
Salvizinet
St-Georges-de-Baroille
St-Jodard
Pinay
Ailleux
Cezay
Nollieux
Trelins
Sail-s/s-Couzan
Palogneux
Ste-Agathe-la-Bouteresse
St-Étienne-le-Molard
Poncins

0 2 4 6 8 10 km
211
194
230
Monsols
Beaujeu
Belmont-de-la-Loire
Cours
Thizy-les-Bourgs
Amplepuis
Tarare
Lamure-sur-Azergues
Villefranche-sur-Saône
Le Bois-d'Oingt
L'Arbresle
Feurs
Balbigny
St-Laurent-de-Chamousset
Vaugneray
Ternand
Chamelet
Grandris
Chénelette
Propières
Azolette
Belleroche
Ranchal
Poule-les-Écharmeaux
Les Ardillats
Quincié-en-Beaujolais
Marchampt
Claveisolles
St-Nizier-d'Azergues
St-Bonnet-le-Troncy
St-Vincent-de-Reins
Cublize
Ronno
St-Just-d'Avray
Chambost-Allières
St-Appolinaire
Valsonne
Dareizé
St-Loup
Pontcharra-s-T.
St-Forgeux
Violay
Joux
Affoux
Villechenève
Longessaigne
Montrottier
Bessenay
Brullioles
Savigny
Sain-Bel
Bully
Anse
Gleizé
Lacenas
Denicé
Cogny
Jarnioux
Oingt
Chessy
Châtillon
Lozanne
Dommartin
Lentilly
Pollionnay
Grézieu-la-Varenne
Brindas
Régny
Pouilly-lès-Feurs
Panissières
Montchal
Chambost-Longessaigne
Mt Tourvéon
Mt St-Rigaud
Col de la Croix Rosier
Col du Pin Bouchain
Forêt de Pramenoux
Col de la Luère

213
195
214
231
E
F
G
H
St-Didier-sur-Chalaronne
Châtillon-s-Chalaronne
Neuville-les-Dames
Condeissiat
St-André-s-Vieux-Jonc
Servas
Lent
Péronnas
Montagnat
Certines
La Tranclière
Dompierre-sur-Veyle
Druillat
St-Paul-de-Varax
St-Nizier-le-Désert
Marlieux
St-Trivier-s-Moignans
Sandrans
Villars-les-Dombes
Abb^e de N.-D.-des-Dombes
Le Plantay
Chalamont
Châtillon-la-Palud
St-Maurice-de-Rémens
Ambérieux-en-Dombes
Lapeyrouse
Versailleux
Joyeux
Birieux
Monthieux
St-Marcel-en-Dombes
Rignieux-le-Franc
St-Éloi
Villieu-Loyes-Mollon
Pérouges
Meximieux
Faramans
Bourg-St-Christophe
Pizay
Béligneux
Trévoux
Reyrieux
Civrieux
St-André-de-Corcy
Mionnay
Tramoyes
Montluel
Dagneux
Balan
Niévroz
Neuville-s-Saône
Fleurieu-s-S.
Sathonay
Rillieux-la-Pape
Caluire-et-Cuire
Miribel
Neyron
Thil
Jons
Anthon
Villette-d'Anthon
Jonage
Vaulx-en-Velin
Villeurbanne
Meyzieu
Décines-Charpieu
Pusignan
Janneyrias
Charvieu-Chavagneux
Pont-de-Chéruy
Chavanoz
Loyettes
Lyon
Bron
Chassieu
Genas
Colombier-Saugnieu
Crémieu
St-Priest
Oullins
Ste-Foy-lès-Lyon
Camp de la Valbonne
Parc archéologique de Larina
Ile de Miribel-Jonage
Parc des Oiseaux

0 2 4 6 8 10 km
196
213
232
A
B
C
D
1
2
3
4
5
Ceyzériat
Montagnat
Revonnas
Journans
Tossiat
Certines
Hautecourt-Romanèche
Serrières-sur-Ain
Bolozon
Leyssard
Peyriat
Nantua
Montréal-la-Cluse
Les Neyrolles
Le Poizat-Lalleyriat
Charix
Plagne
Châtillon-en-Michaille
Crêt de Beauregard
Col de Cuvéry
Panorama Plateau de Retord
Col de Bérentin
Col de Belleroche
Chevillard
Condamine
Maillat
Ceignes
Cerdon
St-Alban
Poncin
Neuville-sur-Ain
Pont-d'Ain
Druillat
Jujurieux
Mérignat
Col de Montratier
Lantenay
Outriaz
Brénod
Col de la Cheminée
Col de Pisseloup
Col de Cuvillat
Crêt du Nu
Le Grd Abergement
Le Pt Abergement
Col de Richemont
Lhôpital
Boyeux-St-Jérôme
Corlier
Izenave
Col du Cruchon
Champdor-Corcelles
Ambronay
Ambérieu-en-Bugey
Douvres
St-Denis-en-Bugey
St-Rambert-en-Bugey
Nivollet-Montgriffon
Aranc
Col du Cendrier
Col de la Berche
Hauteville-Lompnes
Col de la Rochette
Ruffieu (Haut Valromey)
Hotonnes
Col de la Biche
Evosges
Oncieu
Argis
Chaley
Tenay
Cormaranche-en-Bugey
Planachat
Lompnieu
Brénaz
Lochieu
Col de la Lèbe
Champagne-en-Valromey
Virieu-le-Petit
Ambutrix
Leyment
Lagnieu
Vaux-en-Bugey
Cleyzieu
Arandas
Conand
Hostiaz
Thézillieu
Belmont-Luthézieu
Artemare
St-Sorlin-en-Bugey
Souclin
Chartreuse de Portes
Calvaire de Portes
Sault-Brénaz
Villebois
Ordonnaz
Prémillieu
Armix
Virieu-le-Grand
Cheignieu-la-Balme
Pugieu
Rossillon
La Balme-les-Grottes
Porcieu-Amblagnieu
Bénonces
Montalieu-Vercieu
Seillonnaz
Lompnas
Contrevoz
Chazey-Bons
Marignieu
Belley
Magnieu
Hières-sur-Amby
Parc archéologique de Larina
Serrières-de-Briord
Bouvesse-Quirieu
Briord
Marchamp
Innimond
St-Germain-les-Paroisses
Andert-et-Condon
Annoisin-Chatelans
Optevoz
Lhuis
Ambléon
Colomieu
Arbignieu
Crémieu
Siccieu-St-Julien-et-Carisieu
Courtenay
Creys-Mépieu
Conzieu
Brens
Virignin
Soleymieu
Arandon
Groslée
Dizimieu
St-Victor-de-Morestel
Groslée-St-Benoît
La Balme
Chazey-sur-Ain
Villette-s-Ain
Château-Gaillard
Blyes
St-Vulbas
St-Jean-de-Niost
St-Romain-de-Jalionas
Vernas
Leyrieu
Cerdon
Grottes du Cerdon
Cluse des Hôpitaux
Cluse de l'Albarine
Montagne de la Raie
Bois de Cuny
Rhône

197

216

233

E F G H

1 2 3 4 5

Bellegarde-s-Valserine
Fort l'Écluse
Défilé de l'Écluse
St-Julien-en-Genevois
Carouge
Gaillard
Reignier-Ésery
La Roche-s-Foron
Collonges-s/s-Salève
Archamps
Neydens
Viry
Valleiry
Chênex
Présilly
Beaumont
Le Salève
Cruseilles
Copponex
Frangy
Musièges
Seyssel
Sallenôves
Allonzier-la-Caille
Thorens-Glières
Évires
Groisy
Villy-le-Pelloux
Charvonnex
Pringy
Argonay
Épagny
Tête du Parmelan
Annecy-le-Vieux
ANNECY
Cran-Gevrier
Meythet
Seynod
Chavanod
Montrottier
Gges du Fier
Lovagny
Poisy
Rumilly
Alby-s-Chéran
Crêt de Châtillon
Sevrier
Menthon-St-Bernard
Talloires
Duingt
La Tournette
Col de la Forclaz
Faverges
Doussard
Lathuile
St-Jorioz
Semnoz
Leschaux
Col de Leschaux
Allèves
Gruffy
Albens
Grésy-s-Aix
Pont du Diable
Lescheraines
Abbe de Hautecombe
La Chambotte
AIX-LES-BAINS
St-Ours
Pt de l'Abîme
Montagne de Bange
Dent de Cruet
Col de Bluffy
Veyrier-du-Lac
Mt Veyrier
Alex
Thônes
Dingy-St-Clair
Col des Glières
Mont Piton
Montagne de Sous-Dine
Ugine
Serraval
Seythenex
Pte de la Sambuy
Col de Tamié
Dent de Pleuven
L'Arcalod
Le Trélod
Lac d'Annecy

0 2 4 6 8 10 km
198
215
234
A
B
C
D
1
2
3
4
5
Les Gets
St Jeoire
Mieussy
Taninges
Samoëns
Sixt-Fer-à-Cheval
Bonneville
Marignier
Cluses
La Roche-s-Foron
St-Pierre-en-Faucigny
Scionzier
Mont-Saxonnex
Arâches-la-Frasse
Les Carroz-d'Arâches
Flaine
Magland
Le Reposoir
Chaîne du Bargy
Thorens-Glières
Col de la Colombière
Le Grand-Bornand
St-Jean-de-Sixt
Entremont
La Clusaz
Thônes
Col des Aravis
Sallanches
Cordon
Combloux
Passy
Plateau-d'Assy
Servoz
St-Gervais-les-Bains
MEGÈVE
Demi-Quartier
Mt d'Arbois
Praz-s-Arly
Flumet
N.-D.-de-Bellecombe
Crest-Voland
Les Saisies
Col des Saisies
Hauteluce
Beaufort
Ugine
Faverges
Albertville
Conflans
Les Contamines-Montjoie
Mont Joly
Col du Joly
Col du Bonhomme
Cormet de Roselend
Bge de Roselend
Désert de Platé
Chaîne des Aravis
Manigod
La Giettaz
Marlens
Queige
Villard-sur-Doron
Le Fayet
Domancy
Col de Joux Plane
Pte de Chamoissière
La Tournette
Serraval
Le Bouchet-Mont Charvin
Sal de Bisanne

199
235
Martigny
Verbier
Champex
Orsières
Vallorcine
Bge d'Emosson
Col de la Forclaz
Col de Balme
Argentière
CHAMONIX-MONT-BLANC
Aiguille du Midi
Tunnel du Mt Blanc
MONT BLANC
Traforo del M. Bianco
Entrèves
Courmayeur
Pré-St-Didier
Morgex
la Salle
La Thuile
Col du Pt St-Bernard
Grandes Jorasses
Mt Dolent
Aigle Verte
Aigle d'Argentière
Aigle du Tour
Grd Col Ferret
Val Ferret
Col du Grd St-Bernard
Grd St-Bernard
Tunnel
Bourg-St-Pierre
Liddes
VALLÉE D'ENTREMONT
Grd Combin
Bge de Mauvoisin
Bge de la Grde Dixence
Mt Gelé
Mt Fort
Le Châble
Sembrancher
Bagnes
St-Rhémy-en-Bosses
Étroubles
St-Oyen
Gran S. Bernardo
AOSTA / AOSTE
Sarre
Aymavilles
Villeneuve
Arvier
Avise
VALLE D'AOSTA
Ollomont
Valpelline
Roisan
Gignod
Allein
Mt Paramont
Becca Nera
Rhêmes-St-Georges

218
0 2 4 6 8 10 km
200
C
D
1
2
3
4
5
A
B
236
La Coubre
Pointe de la Coubre
Bonne Anse
La Palmyre
Zoo
Forêt de la Palmyre
St-Augustin
Breuillet
Mornac-s-Seudre
L'Éguille
St-Sulpice-de-Royan
La Grande Côte
Phare de Terre-Nègre
St-Palais-s-Mer
Vaux-s-Mer
Pontaillac
ROYAN
Médis
Pte de Vallières
St-Georges-de-Didonne
Semussac
Cordouan
Pointe de Grave
Pte de Suzac
Plage de Suzac
Musée
Port Bloc
Fort du Verdon
Port Médoc
Le Verdon-sur-Mer
Le Royannais
Pte de la Chambrette
Meschers-s-Gironde
Talmont-s-Gironde
ZONE PORTUAIRE
Soulac-sur-Mer
Banc des Olives
L'Amélie-sur-Mer
Pointe de la Négade
Lède de la Négade
Talais
Les Mattes
Pointe aux Oiseaux
Grayan-et-l'Hôpital
St-Vivien-de-Médoc
Le Gurp
Lède du Gurp
Étang de la Barreyre
Jau-Dignac-et-Loirac
Richard
Lède de la Canillouse
Vensac
Montalivet-les-Bains
Centre Hélio-Marin
Queyrac
Vendays-Montalivet
Forêt de Vendays
Marais de Lespaut
Gaillan-en-Médoc
Lesparre-Médoc
Forêt du Junca
St-Isidore
Le Pin-Sec
Naujac-sur-Mer

201

E F G H

SAINTES
St-Georges-des-Coteaux
Corme-Royal
Balanzac
Les Gonds
Chaniers
St-Césaire
St-Sauvant
Pessines
Luchat
Pisany
Varzay
St-Romain-de-Benet
Courcoury
Dompierre-s.-C.
Chérac
Louzac-St-André
St-Laurent-de-C.
Javrezac
Chermignac
Rétaud
Thézac
Préguillac
Rouffiac
St-Sever-de-Saintonge
Brives-s-Charente
Salignac-s-Charente
Jarnouzeau
Merpins
Thénac
Meursac
La Jard
Colombiers
Montils
Berneuil
Montpellier-de-Médillan
Rioux
Corme-Écluse
Tesson
Ars
Thaims
St-André-de-Lidon
St-Simon-de-Pellouaille
Villars-en-Pons
St-Léger
St-Seurin-de-Palenne
Pérignac
Gimeux
Grézac
Cozes
Cravans
Souillac
Pons
Bougneau
Coulonges
Lonzac
St-Martial-s-Né
Arces
Gémozac
Jazennes
Tanzac
Échebrune
Biron
Usson
Virollet
Épargnes
Mazerolles
Belluire
Avy
Jarnac-Champagne
Barzan
Givrezac
St-Germain-du-S.
Champagnolles
St-Quantin-de-Rançanne
Fléac-s-S.
Chadenac
Ste-Lheurine
Chenac-St-Seurin-d'Uzet
Marignac
Neuillac
St-Palais-de-Phiolin
St-Grégoire-d'Ardennes
Brie-s/s-Mortagne
Boutenac-Touvent
Mortagne-s-Gironde
Mosnac
St-Georges-Antignac
Neulles
Floirac
Bois
St-Genis-de-Saintonge
Clam
Lussac
St-Fort-s-G.
Lorignac
Plassac
St-Sigismond-de-Clermont
St-Germain-de-Lusignan
Jonzac
Réaux-s-Trèfle
Meux
St-Dizant-du-Gua
Beaulon
St-Ciers-du-Taillon
Guitinières
Nieul-le-Virouil
St-Hilaire-du-Bois
Champagnac
Consac
St-Dizant-du-Bois
St-Simon-de-Bordes
St-Médard
St-Thomas-de-Conac
Semoussac
St-Martial-de-M.
Mirambeau
Allas-Bocage
Agudelle
Villexavier
Ozillac
Fontaines-d'Ozillac
St-Sorlin-de-Conac
St-Georges-des-Agoûts
St-Bonnet-s-Gironde
Soubran
Salignac-de-M.
Rouffignac
Tugéras-St-Maurice
Chaunac
St-Christoly-Médoc
Couquèques
St-Yzans-de-Médoc
Pleine-Selve
Courpignac
Chartuzac
Expiremont
Boisredon
Chamouillac
Coux
Pommiers-Moulons
Ordonnac
St-Seurin-de-Cadourne
St-Palais
St-Ciers-sur-Gironde
St-Caprais-de-Blaye
Montendre
Jussas
St-Estèphe
Vertheuil
St-Aubin-de-Blaye
Marcillac
LE BLAYAIS
GIRONDE

E F G H

237
220

0 2 4 6 8 10 km
202
219
238
A
B
C
D
1
2
3
4
5
Cognac
Jarnac
Segonzac
Archiac
Barbezieux-St-Hilaire
Jonzac
Montendre
Pons
Chaniers
Châteaubernard
Gensac-la-Pallue
Bourg-Charente
Châtre
Julienne
Chassors
Triac-Lautrait
Gondeville
Bassac
Graves-St-Amant
Angeac-Charente
Châteauneuf-s-Charente
Bouteville
St-Preuil
Juillac-le-Coq
Angeac-Champagne
Salles-d'Angles
Gimeux
Genté
Ars
Pérignac
Coulonges
Celles
Lonzac
Échebrune
Biron
Usson
Avy
Chadenac
Jarnac-Champagne
Ste-Lheurine
Neuillac
Marignac
St-Grégoire-d'Ardennes
Mosnac
St-Georges-Antignac
Clam
Neulles
Arthenac
St-Eugène
Lagarde-s-le-Né
St-Médard
Lachaise
Criteuil-la-Magdeleine
Lignières-Sonneville
Touzac
Ambleville
Verrières
St-Fort-s-le-Né
St-Martial-s-Né
Germignac
Cierzac
St-Palais-du-Né
Barret
Guimps
St-Ciers-Champagne
Meux
Allas-Champagne
Brie-s-s-Archiac
Réaux-s-Trèfle
St-Germain-de-Vibrac
Champagnac
St-Maigrin
Reignac
Condéon
Challignac
Salles-de-Barbezieux
St-Bonnet
Angeduc
Vignolles
Ladiville
Viville
Nonaville
Malaville
Éraville
Bonneuil
Le Breuil
Mainxe
Tilloux
St-Même-les-Carrières
Réparsac
Nercillac
Sigogne
Foussignac
Mérignac
Fleurac
Les Métairies
Louzac-St-André
Cherac
St-Laurent-de-C.
Javrezac
Boutiers-St-Trojan
St-Brice
Merpins
Salignac-s-Charente
Brives-s-Charente
Rouffiac
St-Sever-de-Saintonge
Dompierre-s-C.
Montils
Colombiers
St-Seurin-de-Palenne
Bougneau
Montignac
St-Germain-de-Lusignan
St-Hilaire-du-Bois
St-Sigismond-de-Clermont
Guitinières
St-Martial-de-Vitaterne
St-Maurice-de-Tavernole
Lussac
St-Simon-de-Bordes
Ozillac
Fontaines-d'Ozillac
Léoville
Agudelle
Villexavier
Allas-Bocage
Tugéras-St-Maurice
Chaunac
Vibrac
Vanzac
Baignes-Ste-Radegonde
Touvérac
Le Tâtre
Mortiers
Messac
Mérignac
Pommiers-Moulons
Chantillac
Bors
Chevanceaux
Boisbreteau
Brossac
Passirac
Chillac
Oriolles
Bardenac
Guizengeard
St-Vallier
Boresse-et-Martron
Pouillac
Polignac
Jussas
Sousmoulins
Chatenet
Le Pin
Expiremont
Coux
Rouffignac
Chartuzac
Salignac-de-M.
Courpignac
Boisredon
Chamouillac
Marcillac
Rouffignac
Soubran
St-Palais-de-N.
Yviers
Bernuil
Berneuil
Vaux-Rouillac
St-Simon
Vibrac
Moulidars
Nonaville

221
203
239
222
E
F
G
H
1
2
3
4
5
Godinauds
Dorgeville
Grosbot
Lagroux
Le Portal
Fossejoint
Couziers
Anais
Nouaille
Le Breuil d'Anais
Glange
La Morgnière
La Motte
Le Temple
Grande Fosse
Agris
Lavaud
La Marvaillère
Monthézard
Riberolle
La Coutière
Chaufourgne
Rivières
Laprade
Cherves
St-Genis-d'Hiersac
Marsac
Rouhénac
Chapelot
Guissalle
La Faye
Vindelle
Argence
Villeneuve
Les Coussauds
La Chignolle
Les Blancheteaux
Brie
Maine-Joizeau
ANGOULÊME COGNAC
Camp militaire
La Jauvigère
St-Constant
St-Projet-St-Constant
La Rochefoucauld
(la Rochefoucauld-en-Angoumois)
La Gagie
Marillac-le-Franc
La Menardie
La Baconne
Malleyrand
Beaumont
et-Malleyrand
Roissac
Les Grillauds
Les Guérinauds
Neuillac
L'Houme
Tonne
La Chapelle
Balzac
Asnières-s-Nouère
Le Cluzeau
Les Chabots
Les Mesniers
Champniers
Les Frauds
Les Favrauds
Les Chauvauds
Rossignols
Viville
Chez-Suraud
Les Rassats
Puits-de-Nanteuil
Mongoumard
Puy-Vidal
Lage-Baston
Antieu
Corgnac
Bunzac
La Vallade
Les Chaumes
Chez-Gâcon
Lidrac
Limarceau
Gouthiers
Brénat
St-Yrieix-s-C.
Vallade
Le Mas
Gond-Pontouvre
Ruelle-s-Touvre
Les Riffauds
Mornac
Les Deffends
Marsac
Rancogne
Rochebertier
Vilhonneur
Les Combes
Le Châtaignier
St-Sornin
Miaulant
Tarsac
La Vigerie
Moulède
La Grellière
Fléac
Les Planes
St-Cybard
Hiersac
Bel-Air
Magnac
Touvre
Le Quéroy
Chez-Maillet
Pranzac
Vouthon
La Chaise
Grignol
Montbron
Orgedeuil
Fontchevade
Rouzède
Vergnas
Puybon
La Fenêtre
St-Saturnin
Linars
Chez Siret
Trois-Palis
Moulin
Fleurac
La Touche
Pont de Basseau
L'Isle-d'Espagnac
Maumont
Antornac
Lavallade
La Lèche
Trotte-Renard
Ronzac
Treilles
Grottes du Quéroy
La Morandie
Le Got
Chazelles
Chez Pauly
St-Paul
Le Chaillat
Mas-de-Baud
Tourtazeau
Les Rouilloux
Le Maine-Gontier
Eymouthiers
Marsac
Puybertier
Chez-Cagnon
Le Pt de la Meure
St-Michel
L'Oisellerie
Soyaux
ANGOULÊME
Beauregard
Cheville
Nersac
Le Mas
Pombreton
Sireuil
La Côte
Lafont
Breuty
Hurtebise
La Tranchade
Puymoyen
Garat
Ste-Catherine
Arsac
Les Grands Moulins
La Bourlie
Le Gd Maine
Silo
La Petitie
L'Age Martin
Rochepine
Le Poteau
Ste-Catherine
Chez-Vincent
Chez-Marot
St-Germain-de-Montbron
Le Fraisse
Chez-Bouret
Abbe
La Couronne
Chez-Patureau
Les Barbots
Mougnac
Giget
Mⁱⁿ du Verger
Le Got
Le Boisseau
Dirac
Bragette
Les Gdes Tuileries
Bouëx
Chatelard
Mirande
Pontsec
Marthon
Le Maine-Gué
Feuillade
La Grel
Raberie
Bourisson
La Boissière
Charsé
Campt militaire
Sers
Vouzan
La Rochette
Le Maine-Gaubrun
La Cibardie
La Motte
Tutebœuf
Vœuil-et-Giget
Trillaud
Forêt de Dirac
Logis-de-Nanteuil
Le Coussadeau
Le Parc
Maison-Neuve
Grassac
Beaulieu
Le Coufour
Souffrignac
Varaign
Roullet-St-Estèphe
Courrière
La Bréchinie
Le Gd Moulin
La Chapelle-St-Robert
Javerlhac-la-Chapelle-St-R
Les Fontaines
La Foy
Chez-Naulet
L'Andole
Torsac
Tour
Charbontière
Forêt d'Horte
L'Ermite
Coutilles
Doumérac
St-Georges
Claix
La Rochandry
Gersac
Mouthiers-s-Boëme
La Faye
Le Pouyaud
Dignac
Cloulas
Beaulieu
La Ferrière
Labadias
Logis de Forge
Chez-Debeaud
Les Coffres
Chez-Chagneau
Le Mornaud
Le Pellegrain
Houme
La Marotte
Grosbot
Abbe
Faurias
Charras
Mainzac
Ferdinas
Gd-Gillou
Les Héraults
Les Rois
Nanteuillet
Fouquebrune
Peugis
Rougnac
Monchoix
La Cave
Le Tourneau
Hautefaye
St-Cybard
Plassac-Rouffiac
Le Cluzeau
Les Balatries
Vesnes
Villars
Cussac
La Plaigne
Le Cledou
Fayemarteau
Mainfonds
Chez-Moisan
Champagne-Vigny
Voulgézac
La Forêt
Gardes-le-Pontaroux
Le Chatenet
La Martinie
La Pouyade
La Garde
Plambeau
La Farge
Fontro
Le Maine-Giraud
Bécheresse
Ste-Aguitière
Silo
La Mercerie
Rodas
La Normandie
L'Aumônerie
Rocher
Magnac-Lavalette-Villars
Rozet
Lasfonds
Bretanges
Le Maine-Rousset
Connezac
Les Camps
Chadurie
Gare de Charmant
Marsac
Charmant
Lombre
Gardes
Le Peyrat
St-Cybard
Chez-Bernard
Combiers
Les Graulges
Puyloubaro
Beaussac
Le Burguet
La Meulière
(Boisné-La Tude)
Édon
Aucors
Ambelle
La Combe
Leycoussaudie
Blanzac-Porcheresse
La Motte
Vérine
(Côteaux du Blanzacais)
Abbe de Puypéroux
Juillaguet
Ronsenac
L'Étang
Villebois-Lavalette
Blanzaguet-St-Cybard
Fieux
La Rochebeaucourt-et-Argentine
Argentine
Puyrenier
Rudeau-Ladosse
Ladosse
La Vergne
St-Sulpice-de-Mareuil
St-Léger
Pérignac
Chavenat
Les Bordes
Maillebercie
Nadaillac
Ste-Croix-de-Mareuil
Le Bouet
Aignes-et-Puypéroux
Apremont
Charbonnier
Chaumont
Beauvais
St-Priest
(Mareuil-en-Périgord)
La Chapelle-Pommier
Porcheresse
St-Genis-de-Blanzac
L'Age
Chez-Boucher
Les Potiers
La Borde
Jaufrenie
Fontaine
Mareuil
Chaveroche
Chez-Jambon
La Faye
Puyrateau
La Grange
L'Angely
Beaulieu
St-Pardoux-de-Mareuil
Vieux-Mareuil
Marafy
Fessolles
La Léotardie
Nonac
Lémerie
Le Puy
Gurat
Champagne-et-Fontaine
La Vassaldie
Montardy
Beauregard
Le Repaire
St-Eutrope
(Montmoreau)
Vaux-Lavalette
Vendoire
Le Puy-de-Versac
Gouts-Rossignol
Rossignol
La Salle
Monsec
Le Merle
Lavidaud
Chabreville
St-Cybard
Montmoreau-St-Cybard
Monsalut
Clauzuroux
Bregnac
Les Ages
La Buisson
Les Potences
Courgeac
St-Laurent-de-Belzagot
St-Amant-de-Montmoreau
Vésignole
Grésignac
Cherval
La Chapelle-Montabourlet
Maumont (Couvent)
Salles-Lavalette
Nanteuil-Auriac-de-Bourzac
La Chapelle-Grésignac
Léguillac-de-Cercles
Puygombert
Chez-le-Blais
La Vallade
Le Maine-Neuf
Juignac
Auriac-de-Bourzac
Vicroze
Billac
La Croix
La Bonnetie
Les Tremblades
Forêt de St James
La Guide
Fongrenon
St-Martial
Peudry
Les Perrotins
La Vaure
Bel-Air
La Bourgeade
Montignac
Chanseau
La Tour-Blanche
Cercles
Le Bazac
Rocher
St-Laurent-des-Combes
Silo
St-Sébastien
St-Martial-Viveyrol
Le Pontis
Bois de Jovelle
La Marteille
Le Breuil
Les Guichards
Les Bouchiers
Le Plasson
Servolle
Palluaud
Verteillac
Chapdeuil
Lignères
Paussac-et-St-Vivien
Montboyer
Levraud
Le Pasquet
Le Soulard
Bors
Le Bernou
Pillac
Montignac-le-Coq
Bouteilles-St-Sébastien
La Grénerie
L'Épine-Basse
Lajard
Bourg-des-Maisons
St-Just
Forge
Vaux
Le Maine-Roy
La Poterie
Les Marthes
Le Cuq
Puygironde
Les Ages
St-Paul-Lizonne
Lusignac
Coutures
Londet
Flayac
Le Colombier
Brie
Pouvezey
St-Vivien
Maine-d'Euche
Trufière
Courlac
Chez-Blanchet
Bellon
Villedieu
Réau
St-Séverin
Clauzure
Le Maine-Neuf
Fontanaud
Embaudie
La Côte
Bertric-Burée
Moulin-de-Rochereil
La Barde
Le But
Cotinet
Janvray
Nabinaud
Bersac
Potardie
Celles
Gd Brassac
Silo
Orival
St-Romain
Laprade
Comberanche-et-Epeluche
Allemans
La Dérame
Chez-Richard
Bauby
Renamont
Puymaury
St-Martial
Aubeterre-s-Dronne
Bouteilles
La Monerie
Lisle

0 2 4 6 8 10 km
204
221
240
La Rochefoucauld
Montbron
Marthon
Bussière-Badil
Piégut-Pluviers
St-Mathieu
Nontron
Mareuil
Brantôme-en-Périgord
Bourdeilles
St-Jean-de-Côle
Puyguilhem
Grottes de Villars
Roc Branlant
Roc Poperdu
Forge du Diable
Rocher
Saut du Chalard
Forêt d'Horte
Forêt de St James
Bois de Jovelle
Bois de Beaussac
PARC NATUREL RÉGIONAL PÉRIGORD-LIMOUSIN
Marval
Champs-Romain
Vayres
Verteillac
Chazelles
Vouthon
Grassac
Charras
Javerlhac-et-la-Chapelle-St-Robert
Varaignes
Teyjat
Étouars
Busserolles
Champniers-et-Reilhac
Abjat-s-Bandiat
Savignac-de-Nontron
St-Pardoux-la-Rivière
St-Martial-de-Valette
La Chapelle-Montmoreau
Champagnac-de-Belair
Villars
Vieux-Mareuil
Cercles
La Tour-Blanche
Léguillac-de-Cercles
Paussac-et-St-Vivien
Valeuil
Condat-s-Trincou
La Chapelle-Faucher
St-Pierre-de-Côle
Agonac
Biras

205
E
F
G
H
Séreilhac
Beynac
Condat-s-Vienne
Solignac
Le Vigen
Chau de Chalusset
St-Hilaire-Bonneval
Pierre-Buffière
St-Genest-sur-Roselle
St-Paul
St-Laurent-sur-Gorre
Gorre
Champagnac-la-Rivière
Champsac
Pageas
Châlus
Les Cars
Flavignac
Lavignac
Burgnac
Meilhac
Jourgnac
Nexon
St-Maurice-les-Brousses
St-Jean-Ligoure
Rilhac-Lastours
Forêt de Lastours
St-Hilaire-les-Places
Janailhac
St-Priest-Ligoure
Vicq-s-Breuilh
Magnac-Bourg
Bussière-Galant
Dournazac
Tuilerie de Puycheny
La Meyze
La Roche-l'Abeille
Château-Chervix
Firbeix
Ladignac-le-Long
St-Pierre-de-Frugie
Forêt de Vieillecour
Forêt de Fayat
Forêt de Magnac
Le Chalard
La Coquille
St-Priest-les-Fougères
Coussac-Bonneval
St-Yrieix-la-Perche
Montgibaud
Jumilhac
Jumilhac-le-Grand
St-Paul-la-Roche
Glandon
St-Julien-le-Vendômois
Sarrazac
Sarlande
St-Eloy-les-Tuileries
Ségur-le-Château
Lubersac
Angoisse
Nantheuil
Nanthiat
Payzac
Papeterie de Vaux
Beyssenac
Haras
Arnac-Pompadour
224
Corgnac-s-l'Isle
St-Sulpice-d'Excideuil
Clermont-d'Excideuil
Lanouaille
Savignac-Lédrier
St-Cyr-les-Champagnes
St-Sornin-Lavolps
Beyssac
St-Jory-las-Bloux
St-Médard-d'E.
St-Mesmin
Concèze
Lascaux
St-Germain-des-Prés
Excideuil
Preyssac-d'E.
Anlhiac
Génis
Juillac
Vignols
Orgnac-s-Vézère
St-Pantaly-d'Excideuil
St-Martial-d'Albarède
Chabrignac
St-Raphaël
Salagnac
Coulaures
241
Cherveix-Cubas
Boisseuilh
Ste-Trie
Rosiers-de-Juillac
St-Solve
St-Bonnet-la-Rivière
Voutez
1
2
3
4
5

0 2 4 6 8 10 km

206 223 242

Les Allois, Janouzeix, La Chatain, La Croix-Ferrée, Eyjeaux, La Geneytouse, Rouyol, St-Denis-des-Murs, Villejoubert, Le Mas, Menteix, Le Monteil, Langlard, Augne, La Védrenne, Beaulieu

Solignac, Le Vigen, Le Reynou, Peireix, Freisseix, Vicq, La Croix-Verte, St-Paul, Trentalaud, Le Nipoulaud, Peyrat, Masléon, Soumagnas, Virolle, Jalouneix, Veyrieras, La Pierre-de-Neuvic, La Forêt-Chabrouty, Varache, Chassat, Bussy, Farsac, Eymoutiers, Lelac

Chau de Chalusset, La Planche, Puymoret, Les Ribières, Boucolle, Lavaud, La Briderie, Lecuras, La Pomelie, Combret, Roziers-St-Georges, Bonnefont, Landraudie, Sivergnat, La Croix-Lattée, Reilhac, Parsac

St-Hilaire-Bonneval, Le Masgardaud, Luceat, Sagnas, Aigueperse, Lajaumont, Grd-Bueix, Pit-Bueix, Neuvic-Entier, La Veytizou, Golas

Pazat, Meniéras, St-Maurice-Guillat, La Chapelle, Luret, St-Jean-Ligoure, Lacipière, Maraval, Le Bos, Maisons-Neuves, St-Bonnet-Briance, Mazermaud, L'Oradour, Châteauneuf-la-Forêt, Chapoulaudie, Ste-Anne-St-Priest, Chouviat, Légaud

St-Maurice-les-Brousses, Pierre-Buffière, St-Genest-sur-Roselle, Siardeix, Linards, La Bessade, Sautour, Puy de Vaux, Vaux, Lavaud, Villevaleix, Villepragoux, Chez Lissandre

Mimolle, Les Champs, Traslage, La Rongère, Beaubiac, Pit Sautour, Buffangeas, Moussanas, Bessunièras, Villemonteix, Le Theil

Feix, Blanchardie, Fargeas, Ligonnat, Montaigut, Augeras, St-Priest-les-Vergnes, Bethe

Les Vareilles, Pont-Roy, Glanges, Salas, La Valade, La Chabassière, Jumeau-le-Grd, Vénouhant, Serre, Chammont, La Roche, Vaux

Leyssenne, Puymory, Grammagnac, Fargeas, Le Theillomas, Bourdelas, St-Méard, Echizadoux, les Quatre Routes, Aux-Barres, Sussac, Domps, Lachaud, Souffrangeas

Maumond, St-Priest-Ligoure, Nouaillas, Bourdelas, Luchat, Javaudoux, Lascaux, Villevarlange, Martageix, Amboiras, Murat, Beauvais, Champs, Reberol, Le Grd-Bouchet, Le Pit-Bouchet

Lavergne, La Jugie, Janailhac, La Ribière, Vicq-s-Breuilh, Bregeras, La Beylie, Combas, Naboulieras, Cramarigeas, Réjatas, Cholus, Thenèse, Plaisance, La Vialle, Meillac, Les Clos, La Borderie, Le Mazalaigue

Champagnac, Le Mas-la-Ribière, Laurerie, Lardimalie, La Tamanie, Frachet, Curzac, La Croisille-s-Briance, Barnagaud, Excidieux, Forêt Hte, Mazaufroid, Lestivalerie

Lécuras, Nonardie, Le Bournazeau, Tour, Magnac-Bourg, Le Monceau, St-Germain-les-Belles, Le Mas, St-Vitte-s-Briance, Peyroux, La Ribière, Mt Gargan, St-Gilles-les-Forêts, Chaveriviere, Bonnat

Traverse, Le Mas-Brunet, Tourdonnet, Château-Chervix, Dury, Leyssenne, La Boissière, Chassagnat, Les Plats, Rouchoux, Surdoux, Bregeat, Le Pont, Fl des Fayes

La Roche-l'Abeille, Freyssinet, La Buchille, Tourdon, Les Chambaudies, La Flotte, La Villedieu, La Plagne, Manin, Molou, Bellegarde, Journiac, Le Mazaud, Ceux

Royère, Les Croix-d'Hervy, Puy-de-Barre, Montintin, Rouffignac, La Chapelle, Caux, La Valette, Reneix, Chassagnas, Chéron-de-l'Etang

Forêt de Fayat, La Grde Garde, Fayat, Chavagnac, Boussetas, La Porcherie, Mortefond, Chamberet, Lafarge, Ciblac, Theil, Le Mons

La Condamine, Deshaies, Violezeix, Mars, Forêt de Magnac, Le Martoulet, Beau-Soleil, Cirat, Las Bordas, Laurière, Le Mas, La Nouaille, Caud

Drouly, Rilhac, Rouffardie, Haute Faye, Le Fond-Vergnot, Le Breuil, Sauviat, Meilhards, Vergnas, Le Genet

Chadefaine, Biaugeas, Baile, Le Mazeaud, Chataignol, Meuzac, Forge-Neuve, La Maurilla, Masseret, Porte de Corrèze, Les Bertranges, Piquette, La Faye, Lachaud, Magoutière, Soudaine-Lavinadière

Lambertie, La Gabie-de-la-Poule, Courneix, Les Landes, Freygefond, Lamongerie, La Faurie, Puy-Razit, Bourliateau, Arsouze, Chingeat

Goupillas, Cubertafon, Laps, La Vernine, La Grenerie, Ste-Radegonde, La Croix, Le Genet, Le Châtenet, Lapeyre

Bois-Vicomte, Breuil-la-Tour, Pierrefiche, Le Montazeau, Montgibaud, Forsac, Le Montraire, Rilhac-Treignac, La Louche

Le Rouverat, Coussac-Bonneval, Frougeix, L'Hortolary, Benayes, La Courrie, Trix, La Bessade, Le Sargueix, Mazièras, Rivière

La Faye, Lavaud, Bret, Preignant, Salon-la-Tour, Prats, Le Rond-Point, Affieux, La Tranugie

Chaillaud, Sauvagnac, Le Mas, Soirat, Figeas, La Joubertie, Chamassière, La Gare, L'Angle, Lort, Chavagnac, Chaleix, Peyrissac, Rome

La Serre, Chaufaille, La Chapelle-Anty, Puy-Maly, St-Georges, La Bouchotte, Le Beau-Soleil, Le Chatain, Marcilloux, Merciel

Pourriol, Moissac, La Geneste, Quinsac, Le Dognon, La Renaudie, Tournevite, Crousillac, Les Moulins, La Roche, Le Pin, Le Verdier, Le Peuch, Dursas, Vignane

La Guyonie, La Jugie, Pampelune, Les Plats, La Gaudie, Corbier, La Malonie, Vernouille, La Borde, La Tuilerie, Le Plantadis, Fargeas

St-Julien-le-Vendômois, La Rochette, Caramigeas, La Paneterie, La Borie, Les Quatre-Moulins, Etg Bleu, La Borie, Le Vert, Le Cloux, Vernejoux, Le Nat, Ensergueix, Mazière, Le Lonzac, La Tronche

La Ribière, St-Eloy-les-Tuileries, La Croisille, La Fragne, Chez-le-Turc, Rade, Montfumat, Condat-s-Ganaveix, Les Horts, Pommier, Boissy

Lornac, Marsac, Esparsillac, Chassagne, Eyburie, La Faurie-Bacoup, Counil

Ségur-le-Château, Lubersac, La Joubertie, St-Pardoux-Corbier, St-Martin-Sepert, St-Ybard, Faugeras, Centre de détention, Le Cheyroux, La Brousse, Chaillac

Rouveire, Sadarnac, La Borde, Ste-Eulalie, Chaleix, Le Claux, Le Coudert

Villemaux, Paulhac, La Bambinaudie, Leguille, Uzerche, La Besse, Chamboulive, Puy-Grand, La Rue, Orliac

Beyssenac, Arnac, La Genestie, Vassagnac, Grd Brugeron, Baby, Espartignac, Maubec, Pierrefitte, Le Plantadis, Jarenr

L'Aumônerie, Fargeas, Lavaud, Le Puy, Chiniac, La Salesse, Surget, Puy des Fourches, Enval, Chalaud, La Jante, Marliac

Papeterie de Vaux, Pissac, Sarrette, Varagnac, Haras, Arnac-Pompadour, Troche, La Nauche, Le Mas-du-Puy, Ceyrat, St-Jal, Le Châtenet

St-Cyr-les-Champagnes, Ségure, La Noaille, La Roubeyrie, La Mégie, Le Bournazel, Les Mons, Les Fourches

Chaillac, Linard, St-Sornin-Lavolps, La Mazelle, Puy-Juge, Muratet, Vigeois, Le Pouget, Lac de Pontcharal, Marsaleix, Les Noilhettes, Le Mas, Etg Neuf, Bussières, Seilhac

Montalau, Dignac, Beyssac, Le Glandier, Viallevaleix, Repaire, Espieusas, Blanchefort, Montargis, Meneyrol

Sauvagnac, Brussy, Le Mas, La Rivière, Poujol, Bleygeat, Lornac, Bellefond, Lagraulière, Les Ferrières

Chignac, Concèze, La Siauve, Les Fombiardes, Vaynas, La Bugenie, Agier, Bois-de-Bourzat, La Brunie, Cousin

Les Jartes, Semblat, Lascaux, Cros, Le Bart, La Barrière, Le Bariolet, Perpezac-le-Noir, Bouilhac, La Gare, Lavergne, Le Treuil

La Rouve, Aux Picquets, La Divinie, Maillac, Les Combes, Garadis, Orgnac-s-Vézère, Le Monteil, Le Theil, Maisons-Blanches, Les Quatre Routes, Les Barrières, L'Hôpital, St-Clément, Le Bos

Sanas, Juillac, Vignols, La Porcherie, La Chapoulie, Comborn, Chatras, Moncoulon, Laleu, Alzac, Les Quatre Routes, Bach, Céron, Trauje, La Pérussie

Chantecorps, Chabrignac, Rouffignac, Estivaux, Cessac, Chanteix, Borderie, Les Plats, Les Fouges, Naves

Rosiers-de-Juillac, St-Solve, La Chapelle-Salamard, Sajueix, Ceyrat, Les Rejeaudoux, St-Bonnet-l'Enfantier, Chauvignac, Laborie, Le Pouget, Tramond

Neuvialle, Rauzan, Mingedeloup, St-Bonnet-la-Rivière, Voutezac, Le Pilou, Madrias, Le Gauliat, St-Pardoux, La Châtaignier, Leyrat

Chaticot, Lage, La Roche, Sadroc, Moulzac, St-Mexant

A B C D 1 2 3 4 5

225
207
243
226
E
F
G
H
PARC NATUREL RÉGIONAL DE MILLEVACHES EN LIMOUSIN
Meymac
Bugeat
Égletons
Neuvic
La Courtine
Ussel
Tarnac
Peyrelevade
Millevaches
Sornac
St-Merd-les-Oussines
Chavanac
Toy-Viam
Faux-la-Montagne
Gentioux-Pigerolles
Féniers
Le-Mas-d'Artige
St-Setiers
Signal d'Audouze
Pérols-s-Vézère
Mt Bessou
Ambrugeat
Davignac
Combressol
Maussac
Soudeilles
St-Angel
Valiergues
Chirac-Bellevue
Moustier-Ventadour
Chau de Ventadour
Lamazière-Basse
St-Hilaire-Luc
St-Pantaléon-de-Lapleau
Lapleau
Latronche
Rosiers-d'Égletons
Montaignac-St-Hippolyte
Chapelle-Spinasse
St-Hilaire-Foissac
Eyrein
Corrèze
Vitrac-s-M.
Sarran
Puy de Sarran
Meyrignac-l'Église
St-Augustin
Chaumeil
St-Yrieix-le-Déjalat
Grandsaigne
Pradines
Bonnefond
Gourdon-Murat
Lestards
Veix
Viam
Lacelle
Rempnat
Nedde
Suc-au-May
Massif des Monédières
Gimel-les-Cascades
St-Priest-de-Gimel
Champagnac-la-Noailles
Lafage-s-Sombre
Alleyrat
Chaveroche
St-Pardoux-le-Vieux
St-Sulpice-les-Bois
St-Germain-Lavolps
Bellechassagne
St-Rémy
St-Martial-le-Vieux
St-Oradoux-de-Chirouze
Col du Massoubre
Vestiges gallo-romains des Cars
Tourbière du Longeyroux
Puy de Razel
Sérandon
Neuvic d'Ussel
Mestes
St-Étienne-la-Geneste
Rte des Ajustants
la Dordogne

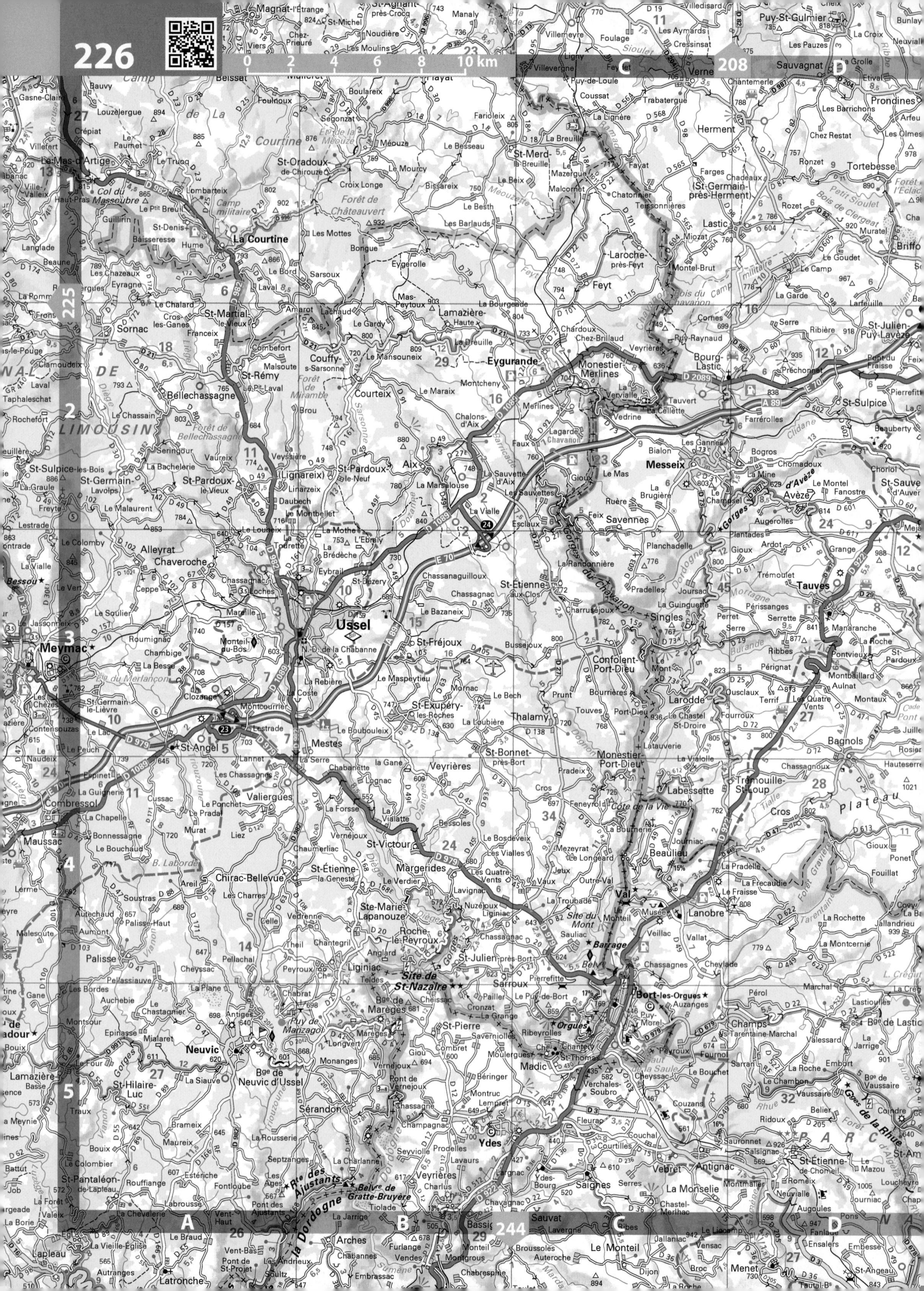
0 2 4 6 8 10 km
208
225
244
A
B
C
D
1
2
3
4
5
Magnat-l'Etrange
St-Michel
Manaly
Villemeyre
Foulage
Les Aymards
Cressinsat
Puy-St-Gulmier
La Croix
Les Pauzes
Villevergne
Puy-de-Loule
Verne
Sauvagnat
La Grolle
Etival
Chantemerle
Prondines
Coussat
Trabatergue
Les Barrichons
Herment
Chez Restat
Les Olmes
Boulareix
Foulnoux
Ségonzat
Farioleix
La Lignère
Louzelergue
Crépiat
Méouze
Le Besseau
La Breuille
St-Merd-la-Breuille
Le Mazergue
Fayat
Farges
Chadeaux
Tortebesse
Le Mas-d'Artige
St-Oradoux-de-Chirouze
Le Mourcy
Croix Longe
Bissareix
Le Beix
Malcornet
Chatonnier
(St-Germain-près-Herment)
Ronzet
Col du Massoubre
Lombarteix
Haut-Pras
Le Ptit Breuil
Camp militaire
Forêt de Châteauvert
Le Besth
Teissonnières
Rozet
Bois de Clergeat
Petit Sioulet
Guillirin
St-Denis
La Courtine
Les Mottes
Bongue
Les Barlauds
Lastic
Muratel
Briffo
Baisseresse
Hume
Langlade
Beaune
Les Chazeaux
Eyragne
Le Bord
Sarsoux
Eygerolle
Laroche-près-Feyt
Miozat
Montel-Brut
Le Goudet
Le Camp
Laval
Feyt
La Garde
Larfeuille
La Pomme
Le Chalard
Mas-Peytoux
Lamazière-Haute
La Bourgeade
Sornac
Cros-les-Ganes
St-Martial-le-Vieux
Amarot
Lachaud
Le Gardy
Chardoux
Chez-Brillaud
Cornes
Serre
Ribière
St-Julien-Puy-Lavèze
Franceix
Combefort
La Dreuille
Puy-Raynaud
Veyrières
Clamoudeix
Malsoute
Couffy-s-Sarsonne
Le Mansouneix
Eygurande
Monestier-Merlines
Bourg-Lastic
Prechonnet
Pont du Fraisse
Laval
St-Rémy
Bellechassagne
Le Pt Laval
Forêt de Mirambe
Courteix
Le Maraix
Montcheny
La Vervialle
Tauvert
La Cellette
Pierrefitte
Taphaleschat
Rochefort
Le Chassain
LIMOUSIN
Forêt de Bellechassagne
Brou
Merlines
Chalons-d'Aix
Vedrine
St-Sulpice
Farrérolles
Beauberty
Seringour
Vaureix
Lagarde
Bialon
Les Gannes
Bogros
St-Sulpice-les-Bois
St-Germain-Lavolps
La Bachelerie
Veyssière
(Lignareix)
St-Pardoux-le-Neuf
Aix
La Sauvette-d'Aix
Faux
Gioux
Le Mas
Messeix
Chomadoux
Choriol
La Graule
St-Pardoux-le-Vieux
Linarzeix
La Marsalouse
Les Sauvettes
La Brugière
Le Champsel
La Mine
Le Montel
Fanostre
St-Sauves-d'Auvergne
Freyte
Le Malaurent
Daubech
Le Montbellet
La Vialle
Ruère
Avèze
Gorges d'Avèze
Estrade
Le Loubeix
La Mothe
L'Ebraly
Esclaux
Feix
Savennes
Augerolles
Plantades
Le Colomby
La Tourette
La Brédèche
Alleyrat
Chaveroche
Eybrail
La Randonnière
Planchadelle
Gioux
Ardot
Grange
Tauves
Contrade
La Vialle
Bessou
Le Vert
Ceppe
Chassagnac
Loches
St-Bézery
Chassanaguilloux
Chassagnac
St-Étienne-aux-Clos
Gorges du Chavanon
Pradelles
Joursac
Trémoulet
Le Soulier
Le Jassonneix
Mareille
Ussel
Le Bazaneix
Charrusejoux
Singles
La Guinguette
Périssanges
Serrette
Perret
Serre
Manaranche
La Roche
Meymac
Roumignac
Chambige
Monteil-du-Bos
N.-D. de la Chabanne
St-Fréjoux
Bussejoux
Confolent-Port-Dieu
Le Mont
Ribbes
Pontvieux
St-Pardoux
La Besse
Bois du Merlançon
La Rebière
Le Maspeytieu
Pérignat
Montbaillard
Aulnat
Les Chèzes
St-Germain-le-Lièvre
Clozange
Montcourrier
La Coste
Mornac
Le Bech
Prunt
Bourrières
Larodde
Ousclaux
Terrif
Les Quatre Vents
Montaux
Contensouzas
Lestrade
St-Exupéry-les-Roches
Touves
Port-Dieu
Le Chastel
St-Droire
Le Lac
Le Boubouleix
La Loubière
Thalamy
Furroux
Bagnols
Le Naudeix
Le Peuch
St-Angel
Mestes
St-Bonnet-près-Bort
Monestier-Port-Dieu
Latauverie
La Vialolle
Trémouille-St-Loup
Chassagnoux
Rosiers
Lannet
La Serre
Chabanette
la Gane
Veyrières
Pradeix
Labessette
Espinet
Les Chassagnes
Lognac
Cros
Plateau
La Guignerie
Cussac
Valiergues
La Forsse
Feneyrol
Côte de la Vie
Cros
Combressol
Le Ponchet
Le Pradal
La Vialatte
Bessoles
La Chapelle
Murat
Liez
St-Victour
Le Bosdeveix
La Bournerie
Journiac
Maussac
Bonnessagne
Le Bouchaud
Vernéjoux
Chaumerliac
Margerides
Les Vialles
Mezeyrat
Le Longeard
Beaulieu
La Pradelle
Giouxy
Ponet
B. Laborde
Le Verdier
St-Étienne-la-Geneste
Les Quatre Vents
Jeux
Outre-Val
La Frecaudie
Fouillat
Lerme
Chirac-Bellevue
Areil
Les Charres
Lavignac
Vaux
Val
Soustras
Nuzéjoux
Liginiac
La Troubade
Le Monteil
Musée
Lanobre
La Rochette
Jallandrieu
Autechaud
Palisse-Haut
Vedrenne
Ste-Marie-Lapanouze
Site du Mont
Sauliac
Veillac
Vallat
Aumont
Malesoute
Celle
Roche-le-Peyroux
Chassagnac
Barrage
La Montcernie
Le Theil
Chantegril
Anglard
St-Julien-près-Bort
Chassagnes
Cheylade
Palisse
Pellachal
Cheyssac
Liginiac
Peyroux
Site de St-Nazaire
Sarroux
Pierrefitte
Belv.
Pellassiauve
Teldes
Cheissac
Marchal
Pérol
Lastioulles
Gane
Les Bordes
La Plane
Auchebie
Chabrat
Bge de Marèges
Cronzat
Pailler
La Grange
Le Puy-de-Bort
Bort-les-Orgues
Auzanges
Puy-Morel
Le Chastagnier
Antiges
Puy de Manzagol
St-Pierre
Ribeyrolles
Orgues
Champs-sur-Tarentaine-Marchal
Bge de Lastic
Epinasse
Mialaret
Longvert
Saverniolles
Chantery
Valessard
La Jarrige
Bouix
Neuvic
Monanges
Giou
Combret
Madic
St-Thomas
Moulergues
Peyroux
Fournol
Embort
Le Four
Gorges
Vernejoux
Béringer
Verchales-Soubro
Cheyssac
Saut de la Saule
Le Bouchet
La Roche
Bge de Vaussaire
Lamazière-Basse
St-Hilaire-Luc
La Siauve
Bge de Neuvic d'Ussel
Pont de Vernejoux
Le Chambon
Vaussaire
Gorges de la Rhue
Montruc
Lempret
Couzans
Traux
Sérandon
Chassagne
Fleurac
Couchal
Ridoux
Belier
Coindre
Brameix
Champagnac
Ydes
Rhue
Forêt
PARC
Maureix
La Rousserie
Seyviolle
Prodelles
Courtilles
Saurionnet
Salsignac
St-Étienne-de-Chomeil
Le Mazou
Le Colombier
Septzanges
La Charlanne
Lavaurs
Ydes-Bourg
Saignes
Vebret
Antignac
Romeix
St-Pantaléon-de-Lapleau
Estériche
Rouffiange
Fontloube
Rte des Ajustants
Belvre de Gratte-Bruyère
Veyrières
Charlus
La Monselie
Montmallier
Neuvialle
Journiac
Louchevre
Labrousse
Pont des Ajustants
Tiolade
Chavagnac
Serres
Chastel-Merlhac
Augoules
La Chevalerie
Vent-Haut
La Jarrige
Bassignac
Sauvat
Lavergne
Gibes
Le Lioçamp
Pons
Fanlade
Le Braud
Arches
Jallaniac
Vensac
Ensalers
La Vieille-Église
Vent-Bas
Furlange
Vendes
Montgrous
Broussoles
Auteroche
Le Monteil
Lapleau
Pont de St-Projet
Chabannes
Les Andrieux
Embesse
Latronche
Soultz
Embrassac
Chabrespine
Dijon
Broc
Menet
St-Angeau
la Dordogne
Dordogne
Sumène
E 70
A 89
D 1089
D 2089
D 979
D 982
D 922

227
209
245
228
23
E
F
G
H
1
2
3
4
5
Clermont-Ferrand
Chamalières
Royat
Beaumont
Aubière
Cournon-d'Auvergne
Orcines
Puy de Dôme
Puy de Pariou
Pt Puy de Dôme
Ceyssat
Mazaye
Cisternes-la-Forêt
Gelles
Col de Ceyssat
Puy de Monchier
Col de la Moreno
Puy de Laschamps
Ceyrat
St-Genès-Champanelle
Plau de Gergovie
Pérignat-lès-Sarliève
Romagnat
Le Cendre
Orcet
La Roche-Blanche
La Batisse
Chanonat
Veyre-Monton
Les Martres-de-Veyre
Mirefleurs
St-Pierre-Roche
Rochefort-Montagne
Orcival
Nébouzat
Montlosier
Puy de la Vache
Puy de Lassolas
Aydat
Lac d'Aydat
Montagne de la Serre
Mont Redon
St-Saturnin
St-Amant-Tallende
Tallende
Roche Branlante
Laqueuille
Roche Tuilière
Roche Sanadoire
Lac de Guéry
La Banne d'Ordanche
Murat-le-Quaire
PARC NATUREL RÉGIONAL DES VOLCANS D'AUVERGNE
Montpeyroux
Coudes
Plauzat
Champeix
Montaigut-le-Blanc
Neschers
St-Nectaire
Murol
Lac Chambon
Puy de Mazeyres
le Mont-Dore
La Bourboule
Roche Vendeix
Pic du Capucin
Col de la Croix St-Robert
Puy de Sancy
MONTS DORE
Chambon-des-Neiges
Puy de Bessolles
St-Floret
Issoire
Perrier
Meilhaud
Besse-et-St-Anastaise
Super-Besse
Lac Pavin
Puy de Montchal
Creux de Soucy
Vassivière
Puy d'Ysson
Solignat
Vodable
Colamine-s/s-Vodable
Gorges de Courgoul
Valbeleix
La Roche Nité
Picherande
Compains
Lac de Bourdouze
Lac Chauvet
Lac de Montcineyre
Col de la Chaumoune
Égliseneuve-d'Entraigues
Espinchal
La Godivelle
Réserve naturelle
St-Alyre-ès-Montagne
Vallée de Rentières
Rentières
Ardes-s-Couze
Mazoires
Col de la Pierre Plantée
Chanterelle
Montboudif
Condat
Marcenat
Le Luguet
CÉZALLIER
Anzat-le-Luguet
Blesle
St-Étienne-sur-Blesle
Gorges de l'Alagnon
Lempdes
Massiac
Vallée des Saints
St-Germain-Lembron
Boudes
Villeneuve
Gignat
Torsiac
Autrac
Lac des Moines
Abbaye de Féniers
Roche Pointue
Gorges

0 2 4 6 8 10 km
210
227
246
A
B
C
D
Issoire
Billom
Sauxillanges
Usson
Vic-le-Comte
Courpière
Cunlhat
St-Germain-l'Herm
La Chaise-Dieu
Brioude
Paulhac
Auzon
Brassac-les-Mines
Ste-Florine
Parentignat
Nonette
Busséol
Montpeyroux
Cournon-d'Auvergne
St-Dier-d'Auvergne
Sugères
Brousse
Auzelles
Échandelys
Fournols
Olliergues
St-Amant-Roche-Savine
Col des Fourches
Vollore-Ville
Vollore-Montagne
Aubusson-d'Auvergne
Sermentizon
Mauzun
Montmorin
Manglieu
St-Babel
Yronde-et-Buron
Lempdes-s-Allagnon
Jumeaux
Champagnac-le-Vieux
Chassignolles
St-Alyre-d'Arlanc
PARC NATUREL RÉGIONAL
LIVRADOIS
MONTS DU LIVRADOIS
DU LIVRADOIS - FOREZ
Gorges de l'Alagnon

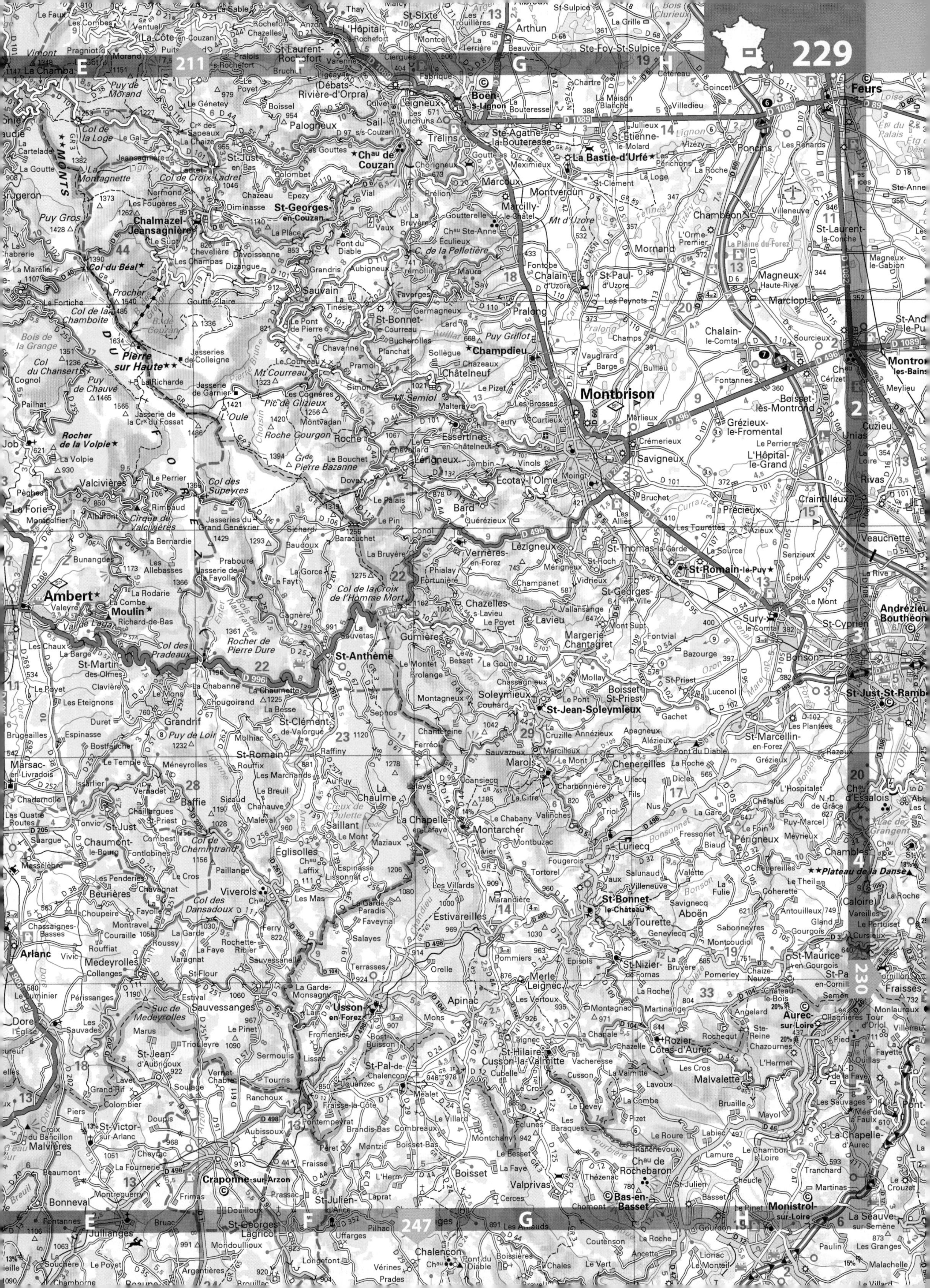

211
230
247

E F G H

Feurs
Boën-s-Lignon
St-Germain-Laval
Ste-Agathe-la-Bouteresse
St-Étienne-le-Molard
La Bastie-d'Urfé
Poncins
Ch^au de Couzan
Sail-s/s-Couzan
Trelins
Marcoux
Marcilly-le-Châtel
Montverdun
Chalmazel-Jeansagnière
St-Georges-en-Couzan
Col du Béal
Sauvain
St-Bonnet-le-Courreau
Champdieu
Pralong
Chalain-d'Uzore
St-Paul-d'Uzore
Mornand
Chambéon
St-Laurent-la-Conche
Magneux-Haute-Rive
Marclopt
Chalain-le-Comtal
Pierre sur Haute
Monts du Forez
Col du Chansert
Puy de Chauvé
Châtelneuf
Mt Semiol
Essertines-en-Châtelneuf
Lérigneux
Roche
Montbrison
Savigneux
Grézieux-le-Fromental
L'Hôpital-le-Grand
Moingt
Ecotay-l'Olme
Bard
Précieux
Rocher de la Volpie
Valcivières
Col des Supeyres
Cirque de Valcivières
Ambert
Moulin
Col de la Croix de l'Homme Mort
Verrières-en-Forez
Lézigneux
St-Thomas-la-Garde
St-Romain-le-Puy
Sury-le-Comtal
Chazelles-s-Lavieu
Lavieu
St-Georges-Hte-Ville
Margerie-Chantagret
Col des Pradeaux
Rocher de Pierre Dure
St-Anthème
Gumières
Soleymieux
St-Jean-Soleymieux
Boisset-St-Priest
Bonson
St-Just-St-Rambert
Andrézieux-Bouthéon
St-Cyprien
St-Martin-des-Olmes
Grandrif
Puy de Loire
St-Clément-de-Valorgue
St-Marcellin-en-Forez
Marols
Chenereilles
Baffie
St-Romain
La Chaulme
Saillant
La Chapelle-en-Lafaye
Montarcher
Luriecq
Périgneux
Chambles
Plateau de la Danse
Col de Chemintrand
Églisolles
Viverols
Col des Dansadoux
Estivareilles
St-Bonnet-le-Château
Aboën
St-Maurice-en-Gourgois
Arlanc
Medeyrolles
Usson-en-Forez
Apinac
Merle-Leignec
St-Nizier-de-Fornas
Aurec-sur-Loire
Suc de Medeyrolles
Sauvessanges
St-Jean-d'Aubrigoux
St-Pal-de-Chalencon
St-Hilaire-Cusson-la-Valmitte
Rozier-Côtes-d'Aurec
Malvalette
La Chapelle-d'Aurec
St-Victor-sur-Arlanc
Craponne-sur-Arzon
Boisset
Valprivas
Ch^au de Rochebaron
Bas-en-Basset
Monistrol-sur-Loire
St-Julien-d'Ance
St-Georges-Lagricol
Chalencon
La Séauve-sur-Semène

0 2 4 6 8 10 km
22
212
229
248
A
B
C
D
1
2
3
4
5
Feurs
Montrond-les-Bains
Chazelles-s-Lyon
St-Symphorien-sur-Coise
St-Laurent-de-Chamousset
Ste-Foy-l'Argentière
St-Galmier
Veauche
Andrézieux-Bouthéon
St-Just-St-Rambert
St-Chamond
Rive-de-Gier
La Grand-Croix
Lorette
Sorbiers
ST-ÉTIENNE
La Ricamarie
Le Chambon-Feugerolles
Firminy
Aurec-sur-Loire
Bourg-Argental
St-Genest-Malifaux
Le Bessat
Mornant
Pélussin
Vaugneray
Yzeron
Duerne
Montromant
Aveize
Brussieu
Courzieu
Brindas
Thurins
Messimy
Soucieu-en-Jarrest
Orliénas
Rontalon
St-Martin-en-Haut
Larajasse
Riverie
St-Sorlin
St-Didier-s/s-Riverie
Ste-Catherine
St-Romain-en-Jarez
St-Martin-la-Plaine
St-Joseph
Chagnon
Genilac
Châteauneuf
Dargoire
Tartaras
St-Paul-en-Jarez
Farnay
Ste-Croix-en-Jarez
Pavezin
Chuyer
La Terrasse-s-Dorlay
Doizieux
St-Chamond
La Valla-en-Gier
Tarentaise
Planfoy
Rochetaillée
St-Jean-Bonnefonds
Villars
St-Priest-en-Jarez
La Talaudière
L'Étrat
La Tour-en-Jarez
La Fouillouse
St-Héand
Fontanès
St-Christo-en-Jarez
Marcenod
Châtelus
Chevrières
Grammond
St-Denis-s-Coise
Coise
Pomeys
Grézieu-le-Marché
Viricelles
Maringes
Bellegarde-en-Forez
St-André-le-Puy
Virigneux
Meys
Souzy
Haute-Rivoire
Les Halles
St-Martin-Lestra
St-Barthélemy-Lestra
Salt-en-Donzy
Valeille
Cuzieu
Unias
Rivas
Craintilleux
Veauchette
St-Cyprien
Bonson
St-Médard-en-Forez
Chambœuf
Aveizieux
St-Bonnet-les-Oules
La Gimond
Pierre la Bauche
Mt Morin
Crêt St-Georges
Col de la Gachet
Valfleury
Cellieu
St-Genest-Lerpt
Roche-la-Molière
Unieux
Fraisses
St-Paul-en-Cornillon
St-Maurice-en-Gourgois
Chambles
Plateau de la Danse
St-Victor-s-L.
Lac de Grangent
Chalain-d'Uzore
St-Ferréol-d'Auroure
Pont-Salomon
La Chapelle-d'Aurec
St-Just-Malmont
St-Romain-les-Atheux
St-Didier-en-Velay
La Séauve-sur-Semène
Jonzieux
Marlhes
St-Régis-du-Coin
Crêt de Chaussitre
Col du Grand Bois ou de la République
Thélis-la-Combe
Graix
Colombier
St-Julien-Molin-Molette
St-Appolinard
Véranne
Roisey
Maclas
Bessey
Crêt de l'Œillon
Mont Pilat
Crêt de la Perdrix
Les 3 Dents
Gouffre d'Enfer
Guizay
PARC NATUREL RÉGIONAL DU PILAT
Signal de St-André
St-André-la-Côte
Chaussan
St-Laurent-d'Agny
Col de Malval
Col de la Luère
Crêt de Montvieux
Crêt de Baronnette
Col du Fayet
St-Marcel-lès-Annonay
Burdignes
St-Sauveur-en-Rue
Boulieu-lès-A.
Savas
Longes
Trèves
Échalas
Loire

231
213
232
249
E
F
G
H
LYON
Bron
Chassieu
Genas
Décines-Charpieu
Pusignan
Pont-de-Chéruy
Janneyrias
Charvieu-Chavagneux
LYON SAINT-EXUPÉRY
Colombier-Saugnieu
Crémieu
Ste-Foy-lès-Lyon
La Mulatière
Oullins
St-Fons
St-Priest
Vénissieux
Pierre-Bénite
Irigny
Corbas
Feyzin
Mions
Toussieu
St-Bonnet-de-Mure
St-Laurent-de-Mure
Satolas-et-Bonce
Chamagnieu
Grenay
St-Pierre-de-Chandieu
Villemoirieu
Tignieu-Jameyzieu
Chozeau
Panossas
Frontonas
St-Marcel-Bel-Accueil
Vernaison
Charly
Solaize
St-Symphorien-d'Ozon
Chaponnay
Heyrieux
Valencin
La Verpillière
St-Quentin-Fallavier
Villefontaine
Vaulx-Milieu
L'Isle-d'Abeau
Sérézin-du-Rhône
Grigny
Simandres
Communay
Marennes
Ternay
Luzinay
St-Just-Chaleyssin
Bonnefamille
Diémoz
Bourgoin-Jallieu
Domarin
Givors
Chasse-s-Rhône
Chuzelles
Villette-de-Vienne
Seyssuel
Serpaize
Septème
Oytier-St-Oblas
St-Georges-d'Espéranche
Charantonnay
Artas
Crachier
St-Agnin-s-Bion
Loire-s-Rhône
St-Romain-en-Gal
Ste-Colombe
VIENNE
Pont-Evêque
Estrablin
Moidieu-Détourbe
Beauvoir-de-Marc
Royas
St-Jean-de-Bournay
Meyrieu-les-Étangs
Ste-Anne-s-Gervonde
Culin
St-Cyr-s-le-Rhône
Ampuis
Tupin-et-Semons
Jardin
Savas-Mépin
Villeneuve-de-Marc
Châtonnay
Eyzin-Pinet
Reventin-Vaugris
Chonas-l'Amballan
St-Sorlin-de-Vienne
Meyssiez
Lieudieu
Les Côtes-d'Arey
Chalon
Cour-et-Buis
St-Julien-de-l'Herms
Semons
Les Roches-de-Condrieu
St-Prim
Cheyssieu
Monsteroux-Milieu
Montseveroux
Arzay
Bossieu
La Côte-St-André
Auberives-s-Varèze
Vernioz
St-Alban-de-Varèze
Clonas-s-Varèze
Primarette
Ornacieux
Balbins
St-Maurice-l'Exil
Assieu
La Chapelle-de-Surieu
Moissieu-sur-Dolon
Revel-Tourdan
Pommier-de-Beaurepaire
Faramans
Penol
St-Romain-de-Surieu
Pisieu
Sardieu
Le Péage-de-Roussillon
Roussillon
Bellegarde-Poussieu
Pajay
Ville-s/s-Anjou
Sonnay
Pact
Anjou
St-Barthélemy
Beaurepaire
Marcilloles
St-Siméon-de-Bressieux
Salaise-s-Sanne
Agnin
Limony
Bougé-Chambalud
Jarcieu
Lapeyrouse-Mornay
Beaufort
Thodure
Viriville
Châtenay
Sablons
Chanas
Épinouze
Marcollin
Lentiol
Manthes
Lens-Lestang
Marnans
Peyraud
St-Rambert-d'Albon
St-Sorlin-en-Valloire
Moras-en-Valloire
Le Grand-Serre
Anneyron
Hauterives
Palais Idéal
St-Clair-sur-Galaure
Montfalcon
Roybon
Forêt des Blaches
Forêt de Bonnevaux
Bois de Taravas
Camp de Chambaran

0 2 4 6 8 10 km
214
231
250
A
B
C
D
1
2
3
4
5
Crémieu
Courtenay
Arandon
Morestel
Brangues
Le Bouchage
Groslée-St-Benoît
Izieu
Brégnier-Cordon
Murs-et-Gélignieux
Champagneux
St-Genix-sur-Guiers
Yenne
La Balme
Brens
Virignin
Peyrieu
Dizimieu
Soleymieu
Trept
St-Hilaire-de-Brens
Salagnon
Sermérieu
Passins
Vézeronce-Curtin
St-Sorlin-de-Morestel
Vasselin
Vignieu
St-Chef
St-Savin
L'Isle-d'Abeau
Bourgoin-Jallieu
Domarin
Ruy
Montcarra
Butte de Montceau
Rochetoirin
St-Jean-de-Soudain
La Tour-du-Pin
St-Clair-de-la-Tour
Dolomieu
Faverges-de-la-Tour
La Chapelle-de-la-Tour
Les Avenières
Veyrins-Thuellin
Walibi
(Parc d'attractions)
Corbelin
Granieu
Aoste
Chimilin
La Bâtie-Montgascon
Romagnieu
Le Pont-de-Beauvoisin
Belmont-Tramonet
Domessin
Les Abrets en Dauphiné
Fitilieu
St-André-le-Gaz
Cessieu
Nivolas-Vermelle
Meyrié
Sérézin-de-la-Tour
St-Didier-de-la-Tour
Ste-Blandine
St-Victor-de-Cessieu
Montagnieu
Le Passage
Charancieu
Pressins
St-Ondras
Succieu
Torchefelon
Châteauvilain
Badinières
St-Agnin-s-Bion
Les Éparres
Culin
Tramolé
Eclose
Biol
Doissin
Panissage
Virieu
Chélieu
Chassignieu
Valencogne
Montferrat
Velanne
Paladru
St-Sulpice-des-Rivoires
St-Geoire-en-Valdaine
Voissant
St-Bueil
St-Martin-de-V.
St-Albin-de-Vaulserre
St-Jean-d'Avelanne
La Bâtie-Divisin
Montrevel
Blandin
Belmont
Flachères
St-Didier-de-Bizonnes
Champier
Bizonnes
Chabons
Eydoche
Nantoin
Burcin
Charavines
Bilieu
Massieu
Merlas
Miribel-les-Échelles
Col des Mille Martyrs
Le Pin
Lac de Paladru
Longechenal
Mottier
Col du Banchet
Bévenais
Le Grand-Lemps
Colombe
Oyeu
Apprieu
Chirens
St-Nicolas-de-Macherin
St-Aupre
St-Laurent-du-Pont
St-Étienne-de-Crossey
La Côte-St-André
Gillonnay
St-Hilaire-de-la-Côte
La Frette
Plaine de Bièvre
Plaine du Liers
Grenoble-St-Geoirs
Brézins
Sillans
Rives
Renage
Réaumont
St-Cassien
Voiron
La Murette
St-Blaise-du-Buis
Coublevie
St-Julien-de-Raz
La Buisse
St-Étienne-de-St-Geoirs
Izeaux
Beaucroissant
Moirans
St-Jean-de-Moirans
Voreppe
Pommiers-la-Placette
Col de la Placette
Col de la Charmette
St-Joseph-de-Rivière
St-Geoirs
St-Paul-d'Izeaux
Tullins
Vourey
St-Quentin-sur-Isère
Veurey-Voroize
Bressieux
St-Pierre-de-B.
Viriville
Châtenay
Marnans
Brion
St-Michel-de-St-Geoirs
Morette
La Forteresse
Col de Toutes Aures
Col Lachard
Col du Cognet
Quincieu
Montaud
Roybon
Chasselay
Vatilieu
Poliénas
Noyarey
St-Égrève
Proveysieux
Quaix
Mont-St-Martin
Fontanil-Cornillon
Dent de Moirans
Bec de l'Echaillon
Chantesse
La Sûre
Chartreuse
A 43
A 48
A 49
E 70
E 711
E 713
D 1006
D 1075
D 1085
D 1516
D 522
D 517
D 119
D 519
D 520

233
215
251
234
AIX-LES-BAINS
CHAMBERY
Le Bourget-du-Lac
La Motte-Servolex
Grésy-s-Aix
St-Alban-Leysse
La Ravoire
Challes-les-Eaux
Montmélian
St-Pierre-d'Albigny
Miolans
Grésy-sur-Isère
Pont du Diable
L'Arcalod
Lescheraines
Le Châtelard
Jarsy
Aillon-le-Jeune
Dent du Chat
Mont du Chat
Mont Revard
Crx du Nivolet
PARC NATUREL RÉGIONAL DU MASSIF DES BAUGES
Col de Tamié
Aiton
Chamousset
Montgilbert
Le Grand Filon
Col du Granier
Mt Granier
Chapareillan
Pontcharra
Allevard
La Rochette
Les Marches
Myans
Entremont-le-Vx
St-Pierre-de-Chartreuse
Monastère de la Grde Chartreuse
Cirque de St-Même
Le Touvet
Goncelin
Crolles
Froges
Brignoud
Tencin
Theys
Pic du Frêne
BELLEDONNE
Col du Glandon
Combe d'Olle
Le Rocher Blanc
Col des Sept Laux
St-Colomban-des-Villards
La Toussuire
St-Sorlin-d'Arves
Col de la Croix de Fer
St-Christophe-la-Grotte
Grottes des Echelles
Aiguebelette-le-Lac
Col de Couz
La Chapelle-Blanche
Détrier
Arvillard

0 2 4 6 8 10 km
216
233
252
A
B
C
D
1
2
3
4
5
Albertville
Conflans
Fort du Mont
Venthon
La Roche Pourrie
Mt Mirantin
Pnte de la Grde Journée
Tours-en-Savoie
Col de la Bathie
Le Grd Mont
Col de la Louze
Pnte du Comborsier
La Tournette
Sécheron
Grd Arc
Col de Basmont
Mt Bellachat
Défilé du Pas de Briançon
Aiguebelle
Randens
Montgilbert
Montsapey
Le Grand Filon
St-Georges-d'Hurtières
Argentine
St-Alban-d'Hurtières
Pic du Rignolet
Grd Pic de la Lauzière
Chaîne de la Lauzière
Épierre
Le Gros Villan
Col de la Madeleine
St-Léger
La Chapelle
St-François-Longchamp
Le Cheval Noir
Les Chavannes-en-Maurienne
Montgellafrey
Montaimont
N.-D.-du-Cruet
La Chambre
St-Martin-sur-la-Chambre
St-Étienne-de-Cuines
St-Avre
Col du Chaussy
Le Mollard des Bœufs
Col de Valbuche
Aigle de la Grde Moenda
Ste-Marie-de-Cuines
Montvernier
Pontamafrey-Montpascal
Le Châtel
Hermillon
St-Jean-de-Maurienne
Villargondran
St-Pancrace
Jarrier
La Toussuire
Fontcouverte-la-Toussuire
Albiez-le-Jeune
Albiez-Montrond
Casse Massion
Crêt de la Chal
Col d'Arves
St-Sorlin-d'Arves
Montricher-Albanne
St-Martin-de-la-Porte
St-Julien-Mont-Denis
Croix des Têtes
Grand Perron des Encombres
Pnte de la Masse
Col des Encombres
Col de la Pierre Blanche
Mt Bréguin
Cime de Caron
Pnte du Bouchet
Plan Bouchet
Pnte Rénod
Orelle
St-Martin-d'Arc
Valmorel
Crève Tête
Celliers
Les Avanchers-Valmorel
C. de la Coche
Fontaine-le-Puits
Moûtiers
Salins-Fontaine
Brides-les-Bains
Pierre-Larron
Aigueblanche
La Léchère
Bonneval
Feissons-sur-Isère
Rognaix
Cevins
St-Paul-s-Isère
La Bathie
Esserts-Blay
Monthion
N.-D.-des-Millières
Grignon
Gilly-sur-Isère
Frontenex
Tournon
Verrens-Arvey
Plancherine
Col de Tamié
Plateau des Teppes
Mercury
St-Vital
Grésy-sur-Isère
Bonvillard
Bonvillaret
Fort de Montperché
Aiton
St-Jean-de-Belleville
Pnte du Grd Niélard
Pnte du Mottet
St-Martin-de-Belleville
Pas de Cherferie
Plan des Queux
Les Menuires
Val-Thorens
Mt de la Chambre
Mt du Vallon
Roc des Trois Marches
Mt de la Challe
Méribel-Mottaret
Méribel
Croix des Verdons
Somt de la Saulire
Courchevel 1850
Courchevel 1550
La Tania
Les Allues
Les Trois Vallées
Bozel
St-Bon-Tarentaise
Champagny-en-Vanoise
Pralognan-la-Vanoise
Mt Bochor
Dent de la Portetta
Pt Mt Blanc
Roc Merlet
Col de Chanrouge
Cirque de Génépy
Col Rouge
Col du Grd Infernet
Aigle de Péclet
Mt de Péclet
Mt du Borgne
Aigle de Polset
Pnte de Thorens
Pnte de l'Observatoire
Col d'Aussois
Col de Chavière
Aigle Doran
Aussois
MASSIF DE LA
Montagny
Feissons-sur-Salins
Croix de Feissons
Hautecour
St-Marcel
Etroit du Siaix
Montgirod
Centron
Aime-la-Plagne
Mâcot-la-Plagne
La Plagne
La Grande Rochette
Col de la Grde Forcle
Roc du Bécoin
Mt Jovet
Grde Côte
Plagne-Bellecôte
Belle-Plagne
Roche de Mio
Peisey-Nancroix
Mt St-Jacques
Landry
Bourg-St-Maurice
La Rosière
Les Chapelles
Crêt du Rey
Le Grd Crêtet
Roche à Thomas
Le Quermoz
Grand-Naves
Cormet d'Arêches
Pnte de Riondet
Mt Coin
Col du Coin
Col de Bresson
Pierre Menta
Le Roignais
Col du Grd Fond
Aigle du Grd Fond
Bge de Roselend
Boudin
Arêches
Beaufort
Col de Méraillet
Cormet de Roselend
La Terrasse
Vallée des Chapieux
Défilé d'Entreroches
Thénésol
La Lauzière

235
217
253
E
F
G
H
1
2
3
4
5
Col du Pt St-Bernard
Mt Paramont
Becca Nera
Grand Assaly
Testa del Rutor
Valgrisenche
Becca du Lac
La Pte Sassière
Col du Mont
Montvalezan
Villaroger
Ste-Foy-Tarentaise
Rhêmes-St-Georges
Becca del Merlo
Punta di Tzaboc
Becca di Tei
Colle della Finestra
Rhêmes-Notre-Dame
Val di Rhêmes
Valsavarenche
la Grivola
Cogne
Val di Cogne
PARCO NAZIONALE DEL GRAN PARADISO
Gran Paradiso
Ciarforon
Colle del Nivolet
Ceresole Reale
Lago di Ceresole
Le Monal
Aigle Rouge
Mt Pourri
La Martin
Barrage de Tignes
Réserve de la Grande Sassière
Aigle de la Grde Sassière
Col de Rhême-Golette
Tignes
Val-d'Isère
Rer de Bellevarde
Col de la Galise
Belvre de la Tarentaise
Tête du Solaise
C. de l'Iseran
Pnte des Lessières
Belvre de la Maurienne
Col des Fours
L'Ecot
Bonneval-sur-Arc
Evettes
Carro
Levanna Centrale
Levanna Orientale
Monte Unghiasse
Groscavallo
PARC NATIONAL DE LA VANOISE
Grde Motte
Pnte de la Grde Casse
Col de la Vanoise
Grand Roc Noir
Bessans
St-Antoine
Vallée d'Avérole
L'Albaron
Uia di Ciamarella
Bessanese
Balme
Lanslebourg-Mont-Cenis
Lanslevillard
Val Cenis
Col de la Met
Col du Mont Cenis
Lac du Mont Cenis
MASSIF DU MT CENIS
Pnte de Charbonnel
Croix Rousse
Col de l'Autaret
Usseglio
Rocciamelone
Moncenisio
Novalesa
Sollières-Sardières
Termignon
Bramanette

236
0 2 4 6 8 10 km
218
254
Côte d'Argent
Lesparre-Médoc
La Bresquette
St-Isidore
Escot
Bouries
Conneau
Plassan
Gausseron
Liard
St-Gaux
Lagune
Le Pin-Sec
Forêt du
Lizan
Naujac-sur-Mer
Magagnan
La Prise
Hourtin-Plage
Louley
Le Pit Mont
Contaut
Marais dit Palu
Les Genêts
C.F.M.
Lande de Vignolles
Cartignac
Le Port
Piqueyrot
Bas-Bré
Hourtin
Hourtin Port
Lagunan
Silo
Haut-Bré
Pey-de-Camin
Lachanau
Lac
Pointe-Blanche
Caillava
Berle de
PARC NATUREL
RÉGIONAL
DU MÉDOC
Le Crohot de France
La Gracieuse
Lupian
Phares d'Hourtin
d'Hourtin-
Ste-Hélène-de-Hourtin
Mourlan
Garthieu
Carcans
Craste Lambert
Ste-Hélène-de-l'etang
Le Crohot-des-Cavales
Berdillan
Pipeyrous
Bombannes
Couyras
Carcans-Plage
Villeneuve
Maubuisson
Carcans
Couyrasseau
Le Pouch
Cap de-Ville
Troussas
Berron
Mayne-Pauvre
Le Montaut
Raouset
Réserve naturelle
Étang de Cousseau
L'Alexandre
Devinas
Brach
Lande de-L
Lacanau-Océan
Le Huga
Landes de Méogas
Grand Ludée
Petit Ludée
Talaris
l'Ardilouse
Le Moutchic
Méogas
Constanteni
Carreyre
Landes du Bourg
Lac
Narsot
Lande
de
Le Tedey
de
Mejos
Taussac
Villeneuve
Le Port
Lacanau
Taussac
Le Lion
Lacanau
La Grde Escourre
Les Nerps
Au Chalet
Aux Andraux
Planque-Peyre
Longarisse
Le Bernos
Craste de la Levade
Ste-Hélène
Lède du Grd Bernos
Tronquats
Mistre
Étang de Batejin
Le Grand Courgas
Landes de
Le Petit Courgas
Bedillon
Dunes du Hughey
Landes du Gartiou-Croutat
Craste de Castagnot
Lacousteyre
Étang de Batourtot
Saumos
Landes d'Eyron
Le Gressier
Étang de Lède Basse
Grand Bos
Le Porge-Océan
Petit Bos
Maisonneuve
Serigas
Lescarran
Le Temple
Gleyse Vielle
Vignas
Dunes de Partillot
Le Porge
Sautuges
Le Crastieu
La Jenny
Laruau
Lande des Courtious Brûlés
Bois de Boutas
Lauros
Le Pas-du-Bouc
Forêt du Porge
Silo
Les Dorat
Maisonnieu
Grand Crohot Océan
Dune du Grd Crohot
Lège-Cap Ferret
Mautans
Blagon
A
B
C
D
1
2
3
4
5

219
E
F
G
H
Ordonnac
Cadourne
St-Seurin-de-Cadourne
St-Palais
St-Ciers-sur-Gironde
St-Caprais-de-Blaye
Port des Callonges
(Souméras)
Jussas
Site archéologique de Brion
St-Corbian
St-Estèphe
Vertheuil
LE BLAYAIS
Braud-et-St-Louis
St-Aubin-de-Blaye
Marcillac
Donnezac
Corignac
Chepniers
Phare de Trompeloup
Cos-d'Estournel
Cissac-Médoc
Lafite-Rothschild
Mouton-Rothschild
Pauillac
Île Philippe
Île de Patiras
Anglade
Étauliers
Reignac
Bussac-Forêt
St-Androny
Eyrans
Cartelègue
Générac
Saugon
St-Lambert
Pichon-Longueville
Latour
Île Bouchaud
St-Seurin-de-Cursac
Mazion
Campugnan
St-Julien-Beychevelle
Beychevelle
St-Laurent-Médoc
St-Genès-de-Blaye
St-Martin-Lacaussade
St-Paul
St-Girons-d'Aiguevives
St-Savin
St-Yzan-de-Soudiac
Île Nouvelle
Citadelle
Blaye
Cars
Berthenon
Lanessan
Cussac-Fort-Médoc
Fort-Médoc
Plassac
Berson
St-Christoly-de-Blaye
St-Vivien-de-Blaye
St-Mariens
Civrac-de-Blaye
Cavignac
Lamarque
Maucaillou
Listrac-Médoc
Île Verte
Villeneuve
St-Ciers-de-Canesse
St-Trojan
Teuillac
Pugnac
Cézac
Arcins
Samonac
Mombrier
Cubnezais
Moulis-en-Médoc
Soussans
Margaux
Île du Nord
Comps
Bayon-sur-Gironde
Lansac
Tauriac
Marsas
Marcenais
Castelnau-de-Médoc
Avensan
Cantenac
Bec d'Ambès
Île Cazeau
Bourg
Grottes de Pair-non-Pair
St-Laurent-d'Arce
Peujard
Gauriaguet
Prignac-et-Marcamps
Virsac
St-Genès-de-Fronsac
Labarde
Macau
Le Mayne
Ambès
St-Gervais
Aubie-et-Espessas
Arsac
GARONNE
Dordogne
Le Bouilh
Périssac
Mouillac
St-André-de-Cubzac
Vérac
Ludon-Médoc
Le Pian-Médoc
Cubzac-les-Ponts
Tarnès
Cadillac-en-Fronsadais
Parempuyre
St-Louis-de-Montferrand
St-Vincent-de-Paul
St-Romain-la-Virvée
Asques
Lugon-et-l'Île-du-Carnay
Salaunes
Ambarès-et-Lagrave
St-Germain-de-la-Rivière
St-Aubin-de-Médoc
Blanquefort
Bassens
St-Loubès
St-Michel-de-Fronsac
St-Médard-en-Jalles
Le Taillan-Médoc
Ste-Eulalie
St-Sulpice-et-Cameyrac
Eysines
Bruges
Carbon-Blanc
Yvrac
Montussan
Beychac-et-Caillau
Le Haillan
Le Bouscat
BORDEAUX
Lormont
Cenon
Planète Bordeaux
Martignas-sur-Jalle
Mérignac
BORDEAUX-MÉRIGNAC
Caudéran
Artigues-près-Bordeaux
Pompignac
Floirac
Tresses
Sallebœuf
Fargues-St-Hilaire
St-Germain-du-Puch
Camarsac
St-Jean-d'Illac
Talence
Bouliac
Carignan-de-Bordeaux
Pessac
Bonnetan
Croignon
Loupes
Cursan
255
238
A 10
E 5
L'AQUITAINE
Réserve naturelle
Aquitaine Lac Nord
Relais d'Aquitaine

0 2 4 6 8 10 km
220
237
256
A
B
C
D
Chevanceaux
Bors
Sousmoulins
Chatenet
Le Pin
Bardenac
Guizengeard
St-Vallier
Boresse-et-Martron
Yviers
Marcillac
Donnezac
Corignac
Chepniers
Pouillac
St-Palais-de-Négrignac
Sauvignac
Rioux-Martin
Montlieu-la-Garde
St-Martin-d'Ary
Neuvicq
Orignolles
Reignac
Bussac-Forêt
Montguyon
Saugon
Clérac
Bedenac
Boscamnant
St-Savin
St-Yzan-de-Soudiac
Cercoux
St-Aigulin
St-Christoly-de-Blaye
St-Mariens
La Clotte
Civrac-de-Blaye
Cavignac
Laruscade
Chamadelle
La Barde
Pugnac
Cézac
Lapouyade
Les Églisottes-et-Chalaures
Cubnezais
Marsas
Marcenais
Tizac-de-Lapouyade
Maransin
Bayas
Lagorce
Les Peintures
Le Fieu
St-Laurent-d'Arce
Peujard
Gauriaguet
St-Ciers-d'Abzac
St-Martin-de-Laye
Guîtres
Coutras
Virsac
St-Gervais
St-Genès-de-Fronsac
St-Martin-du-Bois
Sablons
Porchères
Périssac
Bonzac
Abzac
St-Médard-de-Guizières
Camps-s/-l'Isle
Mouillac
Vérac
Galgon
Savignac-de-l'Isle
St-Denis-de-Pile
St-Seurin-s/-l'Isle
St-André-de-Cubzac
Tarnès
Villegouge
St-Sauveur-de-Puynormand
Cubzac-les-Ponts
St-Romain-la-Virvée
Cadillac-en-Fronsadais
Saillans
Lalande-de-Pomerol
Les Artigues-de-Lussac
Petit-Palais-et-Cornemps
Asques
Lugon-et-l'Île-du-Carnay
Ambarès-et-Lagrave
St-Germain-de-la-Rivière
St-Aignan
La Rivière
Les Billaux
Néac
Lussac
Tayac
St-Loubès
Izon
St-Michel-de-Fronsac
Fronsac
Pomerol
Montagne
St-Cibard
Ste-Eulalie
St-Sulpice-et-Cameyrac
Libourne
St-Georges
Puisseguin
Bassens
Carbon-Blanc
Vayres
Parsac
St-Philippe-d'Aiguille
Montussan
Arveyres
St-Émilion
St-Christophe-des-Bardes
Gardegan-et-Tourtirac
Beychac-et-Caillau
Planète Bordeaux
St-Hippolyte
St-Laurent-des-Combes
St-Étienne-de-Lisse
Ste-Colombe
Belvès-de-Castillon
Artigues-près-B.
St-Germain-du-Puch
St-Sulpice-de-Faleyrens
St-Pey-d'Armens
St-Magne-de-C.
Pompignac
Génissac
Tresses
Sallebœuf
Cadarsac
Nérigean
Moulon
Vignonet
Castillon-la-Bataille
Floirac
Fargues-St-Hilaire
Camarsac
Cabara
Ste-Terre
Bouliac
Carignan-de-Bordeaux
Tizac-de-Curton
Branne
Civrac-s/-Dordogne
Moulets-et-Villemartin
Loupes
Croignon
Baron
St-Quentin-de-Baron
Grézillac
Lugaignac
St-Jean-de-Blaignac
Ste-Florence
Cursan
Dordogne
Isle
Dronne

239
221
257
240
E
F
G
H
Montboyer
Pillac
St-Paul-Lizonne
Lusignac
Coutures
Courlac
St-Séverin
Bertric-Burée
Nabinaud
Bersac
Comberanche-et-Epeluche
Allemans
Celles
Grd-Brassac
Orival
St-Romain
Aubeterre-s-Dronne
Laprade
Bourg-du-Bost
Villetoureix
St-Victor
Montagrier
Rouffiac
St-Quentin-de-Chalais
St-Antoine-Cumond
Chassaignes
La Rigale
St-Méard-de-D.
Tocane-St-Apre
St-Avit
Bonnes
Les Essards
Cumond
Ribérac
St-Martin-de-Ribérac
Douchapt
Bazac
St-Privat-des-Prés
Festalemps
Vanxains
St-Pardoux-de-Drône
Fayolle
Mensignac
St-Aulaye-Puymangou
St-Vincent-Jalmoutiers
St-Sulpice-de-Roumagnac
Segonzac
Parcoul-Chenaud
Ponteyraud
Siorac-de-Ribérac
St-Aquilin
Chantérac
La Jemaye
Creyssac
Léguillac-de-l'Auche
Servanches
St-André-de-Double
St-Vincent-de-Connezac
St-Astier
St-Michel-l'Écluse-et-Léparon
St-Jean-d'Ataux
St-Germain-du-Salembre
Échourgnac
St-Léon-s-l'I.
Neuvic
St-Étienne-de-Puycorbier
Beauronne
Douzillac
Eygurande-et-Gardedeuil
St-Barthélemy-de-Bellegarde
St-Michel-de-Double
St-Louis-en-l'Isle
Vallereuil
St-Martin-l'Astier
St-Laurent-des-Hommes
St-Médard-de-Mussidan
St-Front-de-Pradoux
Sourzac
St-Séverin-d'Estissac
Ménesplet
St-Martial-d'Artenset
Mussidan
St-Jean-d'Estissac
Villamblard
Montpon-Ménestérol
Beaupouyet
Bourgnac
Montréal
Issac
St-Hilaire-d'Estissac
St-Sauveur-Lalande
St-Géry
Les Lèches
Église-Neuve-d'Issac
Beleymas
Montagnac-la-Crempse
St-Martin-de-Gurson
St-Géraud-de-Corps
Bosset
St-Julien-de-Crempse
Carsac-de-G.
St-Rémy
St-Jean-d'Eyraud
Laveyssière
Fraisse
St-Georges-Blancaneix
Alix
Maurens
Montpeyroux
Monfaucon
Lunas
Ginestet
St-Méard-de-Gurçon
St-Vivien
Montazeau
Queyssac
Nastringues
Le Fleix
Lembras
Bonneville-et-St-Avit-de-Fumadières
Fougueyrolles
La Force
BERGERAC
Montcaret
Sardy
Vélines
Port-Ste-Foy-et-Ponchapt
St-Pierre-d'Eyraud
Prigonrieux
Creysse
St-Antoine-de-Breuilh
Lamonzie-St-Martin
Gardonne
Cours-de-Pile
Ste-Foy-la-Grande
St-Philippe-du-Seignal
Forêt de la Double
Forêt du Landais
Dronne
Isle
Dordogne
Crempse

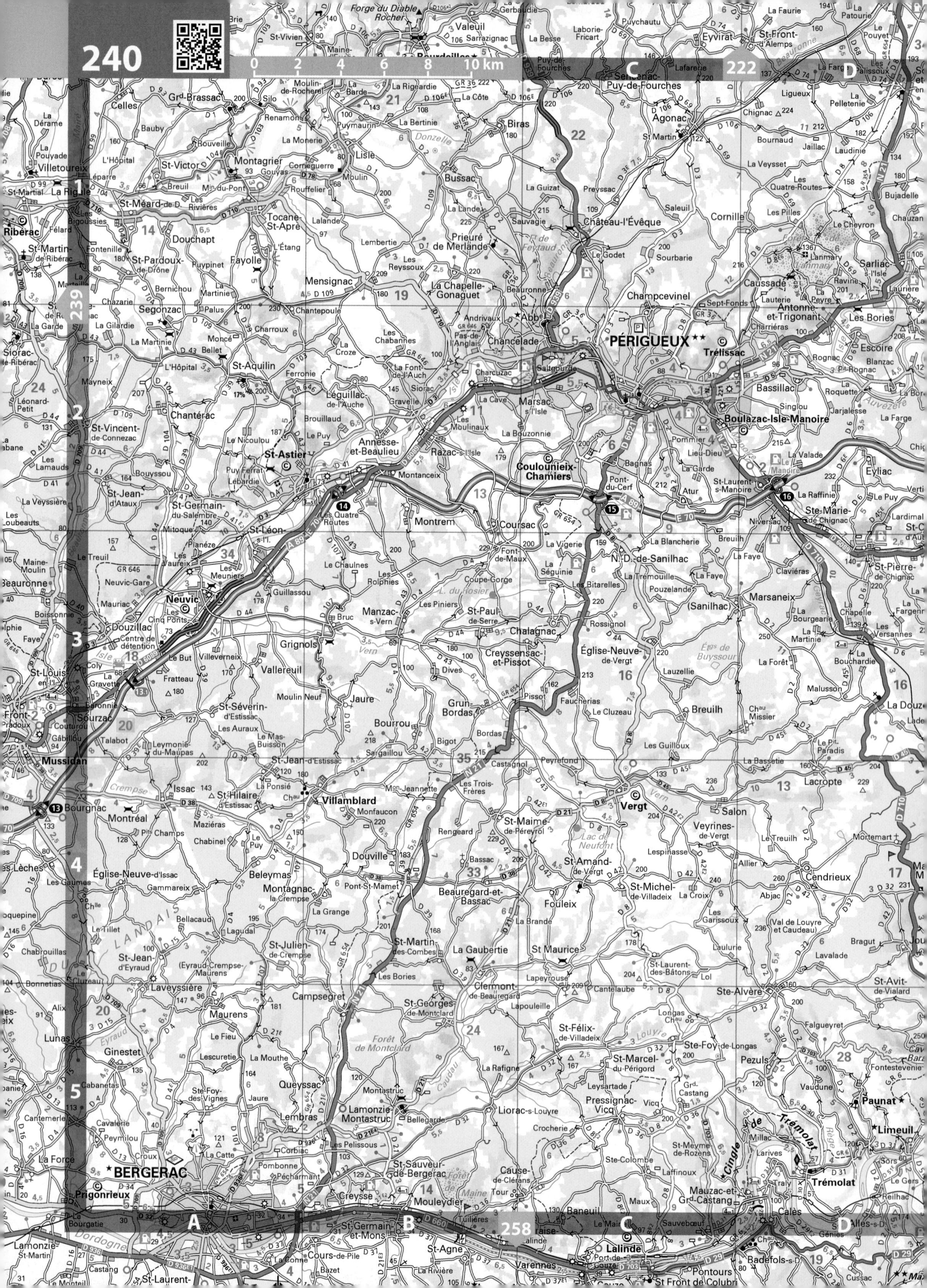

0 2 4 6 8 10 km
222
239
258
A
B
C
D
1
2
3
4
5
PÉRIGUEUX
BERGERAC
Ribérac
Neuvic
Mussidan
Vergt
Lalinde
Trélissac
Boulazac-Isle-Manoire
Coulounieix-Chamiers
Chancelade
St-Astier
Villamblard
Tocane-St-Apre
Montagrier
Lisle
Bussac
Agonac
Château-l'Évêque
Champcevinel
Mensignac
La Chapelle-Gonaguet
Annesse-et-Beaulieu
Razac-s-l'Isle
Marsac-s-l'Isle
Bassillac
Sarliac-s-l'Isle
Antonne-et-Trigonant
Escoire
Eyliac
St-Laurent-s-Manoire
Atur
Coursac
Montrem
Manzac-s-Vern
Grignols
Douzillac
Sourzac
Bourgnac
St-Hilaire-d'Estissac
Issac
Montréal
Douville
St-Martin-des-Combes
Campsegret
Lamonzie-Montastruc
Lembras
Queyssac
Maurens
Laveyssière
Ginestet
Lunas
St-Sauveur-de-Bergerac
Mouleydier
Creysse
Prigonrieux
Cendrieux
Ste-Alvère
Pezuls
Paunat
Limeuil
Trémolat
Mauzac-et-Grd-Castang
Lacropte
Marsaneix
Salon
Veyrines-de-Vergt
St-Amand-de-Vergt
Fouleix
St-Michel-de-Villadeix
St-Félix-de-Villadeix
St-Marcel-du-Périgord
Pressignac-Vicq
Liorac-s-Louyre
Cause-de-Clérans
Clermont-de-Beauregard
St-Georges-de-Montclard
Beauregard-et-Bassac
St-Maime-de-Péreyrol
Église-Neuve-de-Vergt
Creyssensac-et-Pissot
Chalagnac
St-Paul-de-Serre
Grun-Bordas
Vallereuil
St-Séverin-d'Estissac
St-Jean-d'Estissac
Beleymas
Montagnac-la-Crempse
St-Julien-de-Crempse
Forêt de Montclard
Cingle de Trémolat
Dordogne
Isle
Vern
Crempse
Louyre
Caudau
A 89
N 21
D 709
D 710

223
E
F
G
H
Excideuil
St-Germain-des-Prés
St-Pantaly-d'Excideuil
Preyssac-d'E.
Anlhiac
Génis
Coulaures
St-Raphaël
Salagnac
Ste-Trie
Cherveix-Cubas
Boisseuilh
Rosiers-de-Juillac
St-Bonnet-la-Rivière
St-Solve
Voutezac
Mayac
Tourtoirac
Segonzac
Objat
Ste-Eulalie-d'Ans
St-Pantaly-d'Ans
Hautefort
Teillots
St-Robert
Ayen
Vars-s-Roseix
St-Cyprien
Coubjours
Louignac
Chourgnac
Temple-Laguyon
Nailhac
Badefols-d'Ans
St-Aulaire
Perpezac-le-Blanc
La Boissière-d'Ans
Puy d'Yssandon
Yssandon
Brignac-la-Plaine
Brouchaud
Gabillou
Granges-d'Ans
Ste-Orse
La Chapelle-St-Jean
Villac
Montagnac-d'Auberoche
Bauzens
Châtres
St-Rabier
Varetz
Castel Novel
Limeyrat
Ajat
Peyrignac
Mansac
Beauregard-de-Terrasson
Cublac
St-Pantaléon-de-Larche
Azerat
Rastignac
La Bachellerie
Terrasson-Lavilledieu
Thenon
Fossemagne
Le Lardin-St-Lazare
Condat-s-Vézère
Les Farges
Pazayac
Larche
Bars
Auriac-du-Périgord
Coly
Chavagnac
St-Cernin-de-Larche
Chasteaux
Montignac
Aubas
St-Amand-de-Coly
Lascaux
Rouffignac-St-Cernin-de-Reilhac
Plazac
La Vermondie
le Thot
Losse
Thonac
Valojoulx
La Chapelle-Aubareil
Jayac
Nadaillac
Estivals
St-Léon-s-Vézère
Sergeac
Archignac
St-Geniès
Paulin
Peyzac-le-Moustier
La Roque St-Christophe
Tursac
Marcillac-St-Quentin
Salignac-Eyvigues
Borrèze
Manaurie
Les Eyzies-de-Tayac-Sireuil
Grand Roc
Font-de-Gaume
Marquay
Ch.au de Commarque
Cabanes du Breuil
Proissans
Jardins d'Eyrignac
Le Bugue
Campagne
Puymartin
Moulin de la Tour
Ste-Nathalène
Prats-de-Carlux
Simeyrols
Orliaguet
Souillac
Meyrals
Sarlat-la-Canéda
St-Vincent-le-Paluel
Carlux
Peyrillac-et-Millac
Audrix
Castels
St-Cyprien
Redon-l'Espi
St-André-d'Allas
Rouffillac
Calviac-en-Périgord
Cazoulès
259
242
Beynac-et-Cazenac
St-Vincent-de-Cosse
Montfort
Carsac-Aillac
Ste-Mondane
St-Julien-de-Lampon
Fénelon
Nadaillac-de-Rouge
A 89
E 70
D 704
D 6089

0 2 4 6 8 10 km
224
C
D
241
260
A
B
1
2
3
4
5
TULLE
Naves
St-Clément
Objat
Allassac
Donzenac
Ste-Féréole
St-Robert
Ayen
St-Aulaire
Perpezac-le-Blanc
Puy d'Yssandon
Yssandon
Brignac-la-Plaine
Varetz
Castel Novel
Ussac
Malemort
St-Pantaléon-de-Larche
BRIVE-LA-GAILLARDE
Terrasson-Lavilledieu
Larche
Pazayac
Cosnac
Aubazine
Puy de Pauliat
Dampniat
Noailles
Beynat
Chasteaux
Gouffre de la Fage
Jugeals-Nazareth
Turenne
Collonges-la-Rouge
Meyssac
Nespouls
Brive-Vallée de la Dordogne
Estivals
Cressensac
Gignac
Sarrazac
St-Amand-de-Coly
Salignac-Eyvigues
Jardins d'Eyrignac
Borrèze
Curemonte
Puy d'Issolud
Vayrac
Martel
Carennac
Souillac
Carlux
Lanzac
Belvédère de Lanzac
Belvé de Copeyre
Creysse
Meyronne
Grottes de Lacave
Lacave
Pinsac
Gouffre de Roque-de-Cor
Gouffre de Padirac
Padirac
Carsac-Aillac
Cingle de Montfort
Fénelon
St-Julien-de-Lampon
Ste-Mondane
Dordogne
Rouffillac
Cazoulès
Peyrillac-et-Millac
Lachapelle-Auzac
Orliaguet
Simeyrols
Ste-Nathalène
Proissans
St-Geniès
Archignac
Jayac
Nadaillac
Chartrier-Ferrière
St-Cernin-de-Larche
Lissac-s-Couze
Chavagnac
Sadroc
St-Pardoux-l'Ortigier
St-Mexant
St-Germain-les-Vergnes
Chameyrat
Cornil
St-Hilaire-Peyroux
Le Chastang
Palazinges
Lanteuil
Albignac
Ligneyrac
Saillac
Marcillac-la-Croze
Puy-d'Arnac
Branceilles
Chauffour-sur-Vell
Les Quatre-Routes-du-Lot
Strenquels
St-Michel-de-Bannières
Végennes
Queyssac-les-Vignes
Bétaille
Floirac
St-Denis-lès-Martel
Cuzance
Baladou
Mayrac
St-Sozy
Montvalent
Miers

243
225
261
244
E
F
G
H
1
2
3
4
5
Eyrein
Gimel-les-Cascades
St-Priest-de-Gimel
Champagnac-la-Noaille
Lafage-s-Sombre
Lapleau
Soursac
Latronche
Marcillac-la-Croisille
Clergoux
St-Martial-de-Gimel
St-Bonnet-Avalouze
Bge de la Valette
St-Merd-de-Lapleau
St-Pardoux-la-Croisille
Bge de l'Aigle
Chalvignac
Laval-s-Luzège
Spontour
Dordogne
Gumond
Gros-Chastang
Espagnac
St-Paul
Pandrignes
La Roche-Canillac
Champagnac-la-Prune
St-Martin-la-Méanne
St-Bazile-de-la-Roche
St-Bonnet-Elvert
Bassignac-le-Haut
Auriac
Darazac
Puy du Bassin
Rilhac-Xaintrie
Chaussenac
Bge du Chastang
St-Privat
St-Julien-aux-Bois
Pleaux
Barriac-les-Bosquets
Servières-le-Château
St-Martial-Entraygues
Argentat
St-Chamant
Forgès
St-Sylvain
Monceaux-s-Dordogne
Hautefage
St-Geniez-ô-Merle
Tours de Merle
St-Bonnet-les-Tours-de-Merle
St-Cirgues-la-Loutre
Cros-de-Montvert
Arnac
St-Christophe-les-Gorges
St-Martin-Cantalès
St-Illide
Sexcles
Goulles
La Chapelle-St-Géraud
Mercœur
St-Julien-le-Pèlerin
Rouffiac
St-Santin-Cantalès
St-Victor
Reygade
Camps-St-Mathurin-Léobazel
Gorges de la Cère
Montvert
Laroquebrou
Nieudan
Cahus
Laval-de-Cère
St-Gérons
St-Étienne-Cantalès
Bge de St-Etienne-Cantalès
St-Paul-des-Landes
Teyssieu
Glanes
Bretenoux
Biars-s-Cère
Castelnau
Lacapelle-Viescamp
Glénat
La Ségalassière
Frayssinhes
Souscevrac
St-Céré
Montal
N.-D. de Verdale
St-Saury
Roumégoux
Le Rouget-Pers
St-Mamet-la-Salvetat
Grotte de Presque

0 2 4 6 8 10 km
226
243
262
A
B
C
D
1
2
3
4
5
Mauriac
AURILLAC
Salers
Anjony
Tournemire
Fontanges
Trémolière
Auzers
Riom-ès-Montagnes
Bge de l'Aigle
Laroquebrou
Arpajon-s-Cère
St-Paul-des-Landes
Bge de St-Etienne-Cantalès
Pesteils
Vic-sur-Cère
Messilhac
Naucelles
La Vigne
Chau de Branzac
Gorges de la Dordogne
Gges de la Maronne
Gges de la Bertrande
Vallée de la Jordanne
Vallée du Mars
Gge de St-Vincent
Route des Crêtes
Orgues de Peyre Grosse
Puy Violent
Puy Mary
L'Élancèze
Col de Legal
Col de Bruel
Col de Neronne
Col d'Aulac
Puy de Girgols
Col de Fontbulin
Col du Croizet
Forêt de Miers
Ydes
Saignes
Bassignac
Sauvat
Trizac
Le Vigean
Drugeac
Pleaux
Ally
Chaussenac
St-Martin-Valmeroux
St-Cernin
St-Chamant
St-Illide
Jussac
Reilhac
Ytrac
Lacapelle-Viescamp
Montvert
St-Géron
St-Étienne-Cantalès
Carlat
Vézac
Polminhac
Roannes-St-Mary
Le Falgoux
Le Vaulmier
St-Vincent-de-Salers
Moussages
Menet
Lapleau
Soursac
Latronche
Chalvignac
Brageac
Rilhac-Xaintrie
Arnac
St-Santin-Cantalès
St-Victor
Nieudan
Ayrens
Crandelles
Marmanhac
Laroquevieille
Lascelle
St-Cirgues-de-Jordanne
Mandailles-St-Julien
Thiézac
PARC

245
227
263
246
E
F
G
H
1
2
3
4
5
CÉZALLIER
MONTS DU CANTAL
D'AUVERGNE
VOLCANS
Condat
Montgreleix
Marcenat
Le Luguet
Anzat-le-Luguet
Leyvaux
St-Étienne-sur-Blesle
Espalem
Grenier-Montgon
Lugarde
St-Bonnet-de-Condat
Landeyrat
Pradiers
Allanche
Vèze
Molèdes
Laurie
Ste-Madeleine
Massiac
Auriac-l'Église
Molompize
St-Saturnin
Ségur-les-Villas
Vernols
Charmensac
Peyrusse
Ferrières-St-Mary
Bonnac
St-Mary-le-Plain
St-Poncy
Plateau du Limon
Dienne
Chavagnac
Chalinargues
Joursac
Neussargues-Moissac
Talizat
Rézentières
Vieillespesse
Lastic
Lavigerie
Laveissière
Murat
Chastel-s-Murat
Virargues
Celles
Coltines
Le Lioran
Super-Lioran
Plomb du Cantal
Puy Brunet
Col de la Fageole
Montchamp
Tiviers
Mentières
Coren
Andelat
Roffiac
St-Flour
Valuéjols
Ussel
Laveissenet
Albepierre
Tanavelle
Paulhac
Cussac
Les Ternes
Villedieu
Anglards-de-St-Flour
Viaduc de Garabit
Chaliers
Malbo
Brezons
Cézens
Séniers
Chau d'Alleuze
Faverolles
Loubaresse
Narnhac
Pierrefort
St-Martin-sous-Vigouroux
Gourdièges
Neuvéglise
Oradour
Lavastrie
Bge de Grandval
Belvédère de Mallet
Fridefont
Paulhenc
Thérondels
Pont de Tréboul
Ste-Marie
Gorges de la Truyère
Maurines
Albaret-le-Comtal
Arcomie
Chaudes-Aigues
Lieutadès
Jabrun
Anterrieux
Les Monts-Verts

0 2 4 6 8 10 km
228
C
D
Chaise-Dieu
DU LIVRADOIS - FOREZ
Brioude
Paulhac
Lamothe
Cohade
Agnat
Bard
Allevier
St-Laurent-Chabreuges
Fontannes
Vieille-Brioude
Lavaudieu
Lespinasse
Massiac
Ste-Madeleine
St-Victor
Grenier-Montgon
Espalem
Bosbonparent
St-Beauzire
Lubilhac
Vals-le-Chastel
Montclard
Frugières-le-Pin
Javaugues
Aubagnac
St-Préjet-Armandon
Domeyrat
St-Didier-s-Doulon
Berbezit
Connangles
St-Pal-de-Senouire
Sembadel
Collat
La Chomette
Salzuit
Chassagnes
Paulhaguet
Josat
La Chapelle-Bertin
Ste-Marguerite
Mazerat-Aurouze
Couteuges
St-Ilpize
Villeneuve-d'Allier
St-Just-près-Brioude
Lorlanges
Mercœur
La Chapelle-Laurent
Loubaresse
St-Poncy
Ally
Plateau d'Ally
Lavoûte-Chilhac
Blassac
Chilhac
Cerzat
St-Privat-du-Dragon
St-Georges-d'Aurac
Chavaniac-Lafayette
Ste-Eugénie-de-Villeneuve
Varennes-St-Honorat
Jax
Celoux
St-Cirgues
Aubazat
St-Austremoine
Arlet
Mazeyrat-d'Allier
Vissac-Auteyrac
Langeac
Mt Briançon
Lastic
Rageade
Chazelles
Cronce
Ferrussac
Siaugues-Ste-Marie
Soulages
Vèdrines-St-Loup
Chastel
Pinols
Chanteuges
St-Arcons-d'Allier
Montchamp
Tiviers
St-Julien-des-Chazes
Ste-Marie-des-Chazes
La Durande
Forêt de la Margeride
Vabres
St-Gal
Desges
Tailhac
Pébrac
Prades
St-Bérain
Gorges
Charraix
Cubelles
Ruynes-en-Margeride
Clavières
Mont Mouchet
Auvers
Chazelles
Venteuges
St-Privat-d'Allier
Monistrol-d'Allier
l'Allier
La Besseyre-St-Mary
Saugues
de Garabit
Chaliers
Lorcières
Paulhac-en-Margeride
Julianges
Loubaresse
Montgrand
Montchauvet
Grèzes
Esplantas-Vazeilles
St-Préjet-d'Allier
Croisances
Rocher de la Roche
Chaulhac
St-Privat-du-Fau
St-Léger-du-Malzieu
Albaret-Ste-Marie
Blavignac
Thoras
Le Malzieu-Ville
Le Malzieu-Forain
Chanaleilles
Chambon-le-Château
St-Symphorien
A
B
264
M O N T A G N E

229
265
248
E
F
G
H
Craponne-sur-Arzon
St-Julien-d'Ance
Bas-en-Basset
Monistrol-sur-Loire
Ste-Sigolène
Retournac
Chamalières-sur-Loire
Vorey
Beaux
Yssingeaux
Bessamorel
Lavoûte-sur-Loire
St-Paulien
Allègre
Loudes
St-Vidal
Polignac
LE PUY-EN-VELAY
Espaly-St-Marcel
Aiguilhe
Brives-Charensac
Blavozy
St-Germain-Laprade
St-Julien-Chapteuil
Massif du Meygal
Montusclat
Champclause
Fay-sur-Lignon
St-Front
Laussonne
Moudeyres
Le Monastier-sur-Gazeille
Vallée du Lignon
Cussac-s-Loire
Solignac-sur-Loire
Cayres
Costaros
Le Bouchet-St-Nicolas
Les Estables
Mt Mézenc
Gerbier de Jonc
Arlempdes
Goudet
Le Béage
Landos
Présailles
Freycenet-la-Cuche
Chaudeyrolles
Gorges de la Loire
Suc de Bellecombe
Mt Gerbizon

0 2 4 6 8 10 km
230
247
266
A
B
C
D
Monistrol-sur-Loire
La Séauve-sur-Semène
St-Didier-en-Velay
St-Victor-Malescours
Marlhes
Jonzieux
St-Régis-du-Coin
Bourg-Argental
St-Marcel-lès-Annonay
Boulieu-lès-A.
Annonay
Davézieux
St-Sauveur-en-Rue
Burdigne
Taillard
Suc des 3 Chiens
St-Romain-Lachalm
Ste-Sigolène
St-Pal-de-Mons
Les Villettes
Riotord
Dunières
Col de la Charousse
Vanosc
Villevocance
Roiffieux
Roche Péréandre
Monestier
Vocance
Raucoules
Montfaucon-en-Velay
St-Julien-Molhesabate
Grd Felletin
St-Julien-Vocance
St-Alban-d'Ay
Quintenas
St-Romain-d'Ay
St-Symphorien-de-Mahun
Montregard
St-Bonnet-le-Froid
Col du Rouvey
Satillieu
Lapte
Chenereilles
St-Pierre-sur-Doux
Mne de Chaix
Col des Baraques
Lalouvesc
Tence
Le Mas-de-Tence
St-André-en-Vivarais
Mne du Besset
Col du Marchand
Col de Juvenet
Vaudevant
Col de Fontay
St-Victor
St-Jeures
La Chapelle-s/s-Rochepaule
Col du Faux
St-Félicien
Rochepaule
Lafarre
Pailharès
Devesset
Le Chambon-sur-Lignon
Mazet-St-Voy
Pic du Lizieux
St-Jeure-d'Andaure
Col du Buisson
Village miniature
Tour de Rochefort
Bozas
Arlebosc
Chau de Rochebloine
Nozières
Empurany
Le Crestet
Mars
St-Agrève
Labatie-d'Andaure
Désaignes
Lamastre
Chau de Retourtour
St-Romain-le-Désert
Fay-sur-Lignon
Les Vastres
Intres
(St-Julien-d'Intres)
St-Julien-Boutières
La Citadelle
Col de St-Genest
Col du Mazel
St-Barthélemy-Grozon
St-Basile
Col des Fans
St-Clément
Lachapelle-s/s-Chanéac
Chau de Rochebonne
St-Jean-Roure
Col de Montreynaud
Serre de la Roue
Chaudeyrolles
Mt Signon
Chanéac
St-Martin-de-Valamas
St-Cierge-s/s-le-Cheylard
St-Prix (Belsentes)
St-Apollinaire-de-Rias
Roche Pointue
Croix de Peccata
Rocher de Brion
Le Cheylard
Châteauneuf-de-Vernoux
Mt Mézenc
Crx de Boutières
Arcens
St-Michel-d'Aurance
Col de Ceyssoular
St-Jean-Chambre
Col de l'Ardéchoise
Borée
Mariac
Accons
Vernoux-en-Vivarais
Chau de la Tourrette
Suc de Sara
St-Martial
Serre en Don
St-Christol
Beauvène
Chalencon
Col de Comberon
PARC NATUREL
Dornas
Gluiras
St-Maurice-en-Chalencon
Corniche
Gerbier de Jonc
Suc de Séponet
St-Andéol-de-Fourchades
Col de Joux
St-Genest-Lachamp
St-Michel-de-Chabrillanoux
St-Fortunat-s-Eyrieux
Source de la Loire
Le Chambon
Albon-d'Ardèche
St-Pierreville
St-Sauveur-de-Montagut
Dunières-s-Eyrieux
Rocher des Baux

231
267
250
E
F
G
H
1
2
3
4
5
Épinouze
Chanas
Marcollin
Lentiol
Manthes
Lens-Lestang
St-Sorlin-en-Valloire
Moras-en-Valloire
St-Rambert-d'Albon
Anneyron
Le Grand-Serre
Roybon
Hauterives
Palais Idéal
St-Clair-sur-Galaure
Montfalcon
St-Désirat
Tour
Albon
Andance
Andancette
Châteauneuf-de-Galaure
St-Martin-d'Août
Tersanne
Montrigaud
Forêt de Chambaran
St-Martin-des-Rosiers
Beausemblant
Laveyron
Talencieux
Mureils
St-Christophe-et-le-Laris
Col de la Madeleine
La Motte-de-Galaure
St-Avit
Montchenu
Miribel
St-Bonnet-de-Valclérieux
St-Vallier
St-Uze
Claveyson
Ratières
Bathernay
St-Laurent-d'Onay
St-Appolinard
Sarras
Crépol
Forêt de Thivolet
St-Antoine-l'Abbaye
Ozon
St-Barthélemy-de-Vals
Roches qui dansent
Le Chalon
Montmiral
Ponsas
Charmes-sur-l'Herbasse
Margès
St-Michel-sur-Savasse
Eclassan
Arras-sur-Rhône
Arthémonay
Montagne
Sécheras
Serves-sur-Rhône
Bren
St-Donat-sur-l'Herbasse
Geyssans
Érôme
Marsaz
Parnans
Gervans
Chantemerle-les-Blés
Chavannes
Peyrins
Triors
Châtillon-St-Jean
St-Lattier
Lemps
Vion
Larnage
St-Jean-de-Muzols
Crozes-Hermitage
Tain-l'Hermitage
Mercurol-Veaunes
St-Bardoux
Clérieux
Mours-St-Eusèbe
Génissieux
Eymeux
Tournon-s-R.
Chanos-Curson
Romans-sur-Isère
St-Paul-lès-Romans
St-Nazaire-en-Royans
La Baume-d'Hostun
St-Barthélemy-le-Plain
Mauves
Granges-les-Beaumont
Bourg-de-Péage
Jaillans
St-Jean-en-Royans
Glun
Beaumont-Monteux
Châteauneuf-sur-Isère
Chatuzange-le-Goubet
Corniche du Rhône
Plats
Pont-de-l'Isère
Beauregard-Baret
Oriol-en-Royans
Châteaubourg
Panorama
St-Marcel-lès-Valence
Alixan
Rochefort-Samson
Bouvante
St-Romain-de-Lerps
Marches
Besayes
Barbières
Cornas
Bourg-lès-Valence
Montélier
Charpey
St-Vincent-la-Commanderie
St-Péray
Ch^au de Crussol
Guilherand-Granges
VALENCE
Col de Tourniol
Peyrus
Léoncel
Col de la Bataille
Malissard
Chabeuil
Châteaudouble
Col des Limouches
Toulaud
Soyons
Grotte de Soyons
Montvendre
Combovin
Portes-lès-Valence
Barcelonne
La Gr^d Dent
Col de Bacchus
St-Georges-les-Bains
Beaumont-lès-Valence
Charmes-s-Rhône
Montéléger
Beauvallon
Étoile-sur-Rhône
Gorges d'Omblèze
Ch^au de Pierre-Gourde
Col J. Cavalli
La Baume-Cornillane
Plan-de-Baix
Ourches
Upie
La Voulte-s-Rhône

250
0 2 4 6 8 10 km
249
232
268
A
B
C
D
1
2
3
4
5
Tullins
St-Michel-de-St-Geoirs
La Forteresse
Brion
Roybon
Chasselay
Quincieu
Serre-Nerpol
Vatilieu
Cras
Poliénas
St-Quentin-sur-Isère
Veurey-Voroize
Noyarey
Montaud
Fontanil-Cornillon
St-Égrève
Proveysieux
Mont-St-Martin
N.-D.-de-l'Osier
Chantesse
L'Albenc
Vinay
Varacieux
Murinais
Bessins
Chevrières
St-Appolinard
St-Vérand
St-Marcellin
Têche
Beaulieu
Cognin-les-Gorges
Malleval-en-Vercors
Rovon
St-Gervais
La Rivière
Autrans
Engins
Sassenage
Fontaine
Seyssinet-Pariset
St-Nizier-du-Moucherotte
Le Moucherotte
Seyssins
Lans-en-Vercors
Autrans-Méaudre-en-Vercors
Rencurel
Villard-de-Lans
Claix
Varces-Allières-et-Risset
Vif
St-Paul-de-Varces
Chatte
St-Sauveur
St-Bonnet-de-Chavagne
St-Pierre-de-Chérennes
Beauvoir-en-R.
St-Romans
La Sône
St-Hilaire-du-Rosier
St-Lattier
St-André-en-Royans
Presles
Pont-en-Royans
Choranche
Gorges de la Bourne
St-Just-de-Claix
Auberives-en-Royans
St-Nazaire-en-Royans
La Motte-Fanjas
St-Thomas-en-Royans
Ste-Eulalie-en-R.
Châtelus
St-Julien-en-Vercors
St-Martin-en-Vercors
Corrençon-en-Vercors
La Cote 2000
La Grde Moucherolle
St-Laurent-en-Royans
Echevis
St-Jean-en-Royans
Combe Laval
Grds Goulets
Oriol-en-Royans
Les Barraques-en-Vercors
St-Martin-le-Colonel
St-Antoine-le-Grand
La Chapelle-en-Vercors
Château-Bernard
Miribel-Lanchâtre
St-Guillaume
Bouvante
St-Agnan-en-Vercors
St-Andéol
Gresse-en-Vercors
St-Paul-lès-Monestier
Monestier-de-Clermont
Col du Fau
Sinard
Avignonet
Monteynard
Treffort
Col de la Bataille
Vassieux-en-Vercors
Mémorial
Le Grd Veymont
Col de l'Allimas
Roissard
Pont de Brion
St-Michel-les-Portes
St-Martin-de-Clelles
Clelles
Mt Aiguille
Col de Rousset
St-Julien-en-Quint
Chichilianne
Marignac-en-Diois
Chamaloc
Omblèze
Gorges d'Omblèze
Montagne de Lans
Montagne de Lans
Vercors
Parc Naturel Régional du Vercors
Réserve Naturelle des Hauts Plateaux du Vercors
Forêt de Lente
Col de Menée
Col de Tourniol
St-Antoine-l'Abbaye
Montagne
Eymeux
La Baume-d'Hostun
Beauregard-Baret
Lavars
Le Monestier
Pas de la Ville

251
233
269
252
Crolles
Froges
Bernin
Brignoud
St-Ismier
Biviers
Montbonnot-St-Martin
Meylan
Le Versoud
Domène
Murianette
Gières
Venon
Revel
Uriage-les-Bains
Chamrousse
Crx de Chamrousse
Vaulnaveys-le-Haut
Brié-et-Angonnes
Jarrie
Vizille
Séchilienne
Laffrey
Le Sapey
La Morte
L'Alpe-du-Grd-Serre
La Motte-d'Aveillans
La Mure
Lavaldens
Villard-St-Christophe
Valbonnais
Entraigues
Le Périer
Chantelouve
Ornon
Col d'Ornon
Le Bourg-d'Oisans
Allemont
Vaujany
Oz
Alpe-d'Huez
Huez
Villard-Reculas
La Garde
Auris
Mont-de-Lans
Les Deux-Alpes
Venosc
Bge du Chambon
Combe de Malaval
La Grave
Le Râteau
Pic du Lac Blanc
Pic de l'Étendard
Col de la Croix de Fer
Col du Glandon
St-Sorlin-d'Arves
St-Jean-d'Arves
Grd Pic de Belledonne
CHAINE DE BELLEDONNE
Massif des Grandes Rousses
Le Rocher Blanc
Le Taillefer
Gorges de la Romanche
St-Christophe-en-Oisans
MASSIF DES ÉCRINS
PARC NATIONAL
Valjouffrey
Valsenestre
Pic d'Olan
N.-D. de la Salette
Corps
Bge du Sautet
Mens
Cordéac
St-Firmin
St-Maurice-en-Valgodemard
La Chapelle-en-Valgaudémar
Valgaudemar

252
0 2 4 6 8 10 km
234
251
270
A
B
C
D
1
2
3
4
5
St-Jean-d'Arves
St-Sorlin-d'Arves
Fontcouverte-La-Toussuire
Villarembert
Le Corbier
Albiez-Montrond
Montricher-Albanne
St-Julien-Mont-Denis
Villargondran
St-Martin-d'Arc
St-Michel-de-Maurienne
Col du Télégraphe
Valloire
Valmeinier
Orelle
St-André
Fourneaux
Modane
Aussois
Avrieux
La Norma
Valfréjus
Tunnel du Fréjus
Bardonècchia
Col du Galibier
Pic Blanc du Galibier
Grand Galibier
Col du Lautaret
La Grave
Villar-d'Arêne
La Meije
Le Râteau
Le Monêtier-les-Bains
Névache
Plampinet
Col de l'Échelle
Col de Granon
La Salle-les-Alpes
Villeneuve
Chantemerle
Serre-Chevalier
St-Chaffrey
Montgenèvre
BRIANÇON
Puy-St-Pierre
Puy-St-André
Villar-St-Pancrace
Prelles
St-Martin-de-Queyrières
L'Argentière-la-Bessée
Vallouise
Puy-St-Vincent
Les Vigneaux
Pelvoux
Ailefroide
Mt Pelvoux
Barre des Écrins
Pic de Neige Cordier
Pic des Agneaux
Col des Grangettes
La Bérarde
Tête de la Maye
Plan du Carrelet
Les Rouies
Pic d'Olan
La Chapelle-en-Valgaudémar
Sirac
Aigle de Morges
Mt Thabor
Roche Bernaude
Pic de Rochebrune
Vallée de la Clarée
Vallée de la Guisane
Vallée Étroite
Vallée de Celse Nière
Combe de Malaval
Aigles d'Arves
Le Goléon
Pic des Trois Évêchés
Galibier-Grandes-Rousses
PARC DES ÉCRINS

E
F
G
H
235
271
1
2
3
4
5
MASSIF
DU Mt CENIS
Lac du Mont Cenis
Moncenisio
Novalesa
Rocciamelone
Susa
Bussoleno
Chiomonte
Exilles
Salbertrand
Oulx
Sauze d'Oulx
Pragelato
Fenestrelle
Usseaux
Colle delle Finestre
M. Orsiera
Sestriere
M. Fraitève
Perosa Argentina
Pinerolo
Torre Pèllice
Luserna S. Giovanni
Bric Ghinivert
Bric Froid
Bric Bouchet
Punta Cornour
Pic de Rochebrune
Abriès
Aiguilles
Château Queyras
Ville-Vieille
Dent d'Ambin
Vallon d'Etache
St-Pierre d'Extravache
Giaglione
Gravere
Meana di Susa
Mattie
Bruzolo
Chianocco
Condove
Villar Focchiardo
S. Antonino di Susa
Roure
Pomaretto
Villar Perosa
S. Germano Chisone
Prarostino
Massello
Perrero
Prali
Bobbio Pellice
Villar Pellice
Lusernetta
Rorà
Sauze di Cesana
Clavière
Cesana Torinese
Bousson
Col d'Izoard
PARC
Ristolas

0 2 4 6 8 10 km
A
B
C
D
1
2
3
4
5
236
272
Lège-Cap Ferret
Grand Crohot Océan
Dune du Gd Crohot
Le Pas-du-Bouc
Lauros
Le Cousteau de la Machine
Réserve naturelle
Arès
La Pignada
Jane-de-Boy
Claouey
Dune de Bayle
Les Jacquets
Le Truc Vert
Le Petit Piquey
Le Grand Piquey
Piraillan
Le Canon
L'Herbe
Villa-Algérienne
La Vigne
Belisaire
Cap Ferret
Andernos-les-Bains
Le Mauret
Taussat
Cassy
Le Nan
Le Renet
Lanton
Certes
Pte de Branne
Audenge
La Courbe
Les Trucailles
Réservoirs à Poissons
Bas-Vallon
Vigneau
Tagon
Biganos
Facture
Le Teich
Parc ornithologique du Teich
Ruat
Gujan-Mestras
Port de Larros
La Hume
Pte de l'Aiguillon
Les Bordes
Meyran
Lamothe
Balanos
Mios
BASSIN D'ARCACHON
Île aux Oiseaux
Parcs à huîtres
ARCACHON
Les Abatilles
Le Moulleau
Pyla-sur-Mer
La Teste-de-Buch
Pilat-Plage
Les Miguelots
Le Truc de la Truque
Le Courneau
Zoo
Montmorency
Forêt Nezer
Cap Ferret
Banc du Toulinguet
Réserve naturelle du Banc d'Arguin
Dune du Pilat
Gaillouneys
Dunes de Ginestras
Le Petit Nice
Forêt usagère de la Teste
Pointe d'Arcachon
Cazaux
Champ de Tir
La Salie-Nord
La Salie-Sud
Curepipe
Dunes des Places
Étang de Cazaux et de Sanguinet
Les Hautes Rives
Port-Maguide
Petite Male
Biscarrosse-Plage
Ispes
En Mayotte
La Broutasse
Navarrosse
Goubern
Bosque
En Belliard
Millas
En Bergoin
Pit Étang de Biscarrosse
Trappe
En Hill
Biscarrosse
Hourtiquets
En Bonnet
Étang de Biscarrosse et de Parentis
CENTRE D'ESSAIS DES LANDES
Lahitte
Les Mouliès
Le Bôo
Naoutoy
Bourruque
Parentis-en-Born
Le Lac
Mothes
Langeot
Bernon
Louse
Sanguinet
Lombard
Le Bougès
Méoule
Once
Le Clerc
Courneilley
Sillac
Le Petit Lagnereau
Forêt de Lagnereau
Forêt de Lugos
Silo
Gare de Lugos
Lugos
Forêt de Salles
Narp
Canal
Forêt usagère de Biscarrosse
Larreillet
CENTRE D'ESSAIS
Bida
La Crab
La-Porte-des-Landes
Caudos
Le Caplanne
Salles
Le Mayne
Béguey
Lanot
Bilos
Arnautille
Castandet
Gassian
Larrieu
Peylon
Peylahon
Hobre
Lillet
Arnauton
Caze
Peyot
Petit Caudos
Moura
Le Voisin
Les Douils
Quartier-Bas
Lacan de-M
Les Argentières
Lubec
Hougueyra
La Possession
PARC NATUREL RÉGIONAL
Les Dorat
Maisonnieu
Silo
Mautans
Blagon
Les Chalets
Les Nargues
Jossaume
La Huillarde
Les Courtious Brûlés
Terrain
La Gde Heyre
La Poi
Flor
D 106
D 3
D 650
D 1250
A 660
N 250
D 216
D 218
D 652
D 46
D 110
D 146
D 259
D 256
D 112
D 147
D 108
D 348

255
BORDEAUX
Mérignac
Cenon
Artigues-près-B.
Floirac
Tresses
Fargues-St-Hilaire
Camarsac
Martignas-sur-Jalle
Caudéran
La Bastide
St-Jean-d'Illac
Talence
Pessac
Bègles
Bouliac
Carignan-de-Bordeaux
Bonnetan
Croignon
Cursan
Gradignan
Canéjan
Latresne
Lignan-de-B.
Sadirac
Créon
Villenave-d'Ornon
Cénac
Camblanes-et-Meynac
Quinsac
Madirac
St-Caprais-de-Bordeaux
St-Genès-de-Lombaud
Cestas
Léognan
Cadaujac
Cambes
Baurech
Tabanac
Haux
St-Médard-d'Eyrans
Isle-St-Georges
Ayguemorte-les-Graves
Martillac
Le Tourne
Langoiran
Capian
Beautiran
Portets
La Brède
Castres-Gironde
Lestiac-s-Garonne
Paillet
Cardan
Saucats
St-Selve
Virelade
Rions
Podensac
Béguey
St-Morillon
Cérons
Le Barp
Cabanac-et-Villagrains
St-Michel-de-Rieufret
Barsac
Illats
Villagrains
Landiras
Pujols-sur-Ciron
Guillos
Bommes
Sauternes
St-Magne
Budos
Léogeats
Louchats
Hostens
Origne
Balizac
Noaillan
Belin-Béliet
Villandraut
Le Tuzan
St-Symphorien
St-Léger-de-Balson
Uzeste
Saugnacq-et-Muret
Préchac
Cazeneuve
Belhade
Argelouse
Moustey
Bourideys
GARONNE
GASCOGNE
E
F
G
H
237
256
273
1
2
3
4
5

256
0 2 4 6 8 10 km
238
255
274
A
B
C
D
1
2
3
4
5
Castillon-la-Bataille
Fargues-St-Hilaire
Camarsac
Tizac-de-Curton
Bouliac
Carignan-de-Bordeaux
Bonnetan
Croignon
Baron
St-Quentin-de-Baron
Grézillac
Lugaignac
Branne
Cabara
St-Jean-de-Blaignac
Ste-Terre
Ste-Florence
Civrac-s-Dordogne
Pujols
Ste-Radegonde
Latresne
Lignan-de-B.
Loupes
Cursan
Le Pout
Espiet
Daignac
Guillac
St-Aubin-de-B.
St-Pey-de-Castets
St-Vincent-de-Pertignas
Bossugan
Cénac
Camblanes-et-Meynac
Sadirac
Créon
Camiac-et-St-Denis
Dardenac
Naujan-et-Postiac
Jugazan
Rauzan
Mérignas
Doulezon
La Sauve
St-Léon
Blésignac
Faleyras
Madirac
Quinsac
St-Caprais-de-Bordeaux
St-Genès-de-Lombaud
Romagne
Courpiac
Bellefond
Labarthe
Ruch
Lugasson
Cessac
Frontenac
Blasimon
Mauriac
Cambes
Baurech
Haux
Targon
Bellebat
Baigneaux
St-Médard-d'Eyrans
Isle-St-Georges
Tabanac
Capian
Ayguemorte-les-Graves
Le Tourne
Langoiran
Beautiran
Mongenan
Portets
Castres-Gironde
Lestiac-s-Garonne
Villenave-de-Rions
Soulignac
Montignac
Ladaux
Martres
Daubèze
Cleyrac
St-Genis-du-Bois
St-Brice
Sauveterre-de-Guyenne
Caumont
Arbanats
Paillet
Cardan
Escoussans
Cantois (Porte-de-Benauge)
Coirac
St-Selve
Arbis
St-Pierre-de-Bat
Castelviel
St-Sulpice-de-Pommiers
St-Romain-de-Vignague
St-Martin-du-Puy
Castelmoron-d'Albret
Virelade
Rions
Benauge
Laroque
Donzac
Gornac
St-Hilaire-du-Bois
Rimons
St-Morillon
Podensac
Béguey
Omet
Mourens
Cadillac
St-Félix-de-Foncaude
Landerrouet-sur-Ségur
Neuffons
Loupiac
St-Martial
St-Laurent-du-Bois
Mesterrieux
Cérons
Monprimblanc
St-Germain-de-Grave
Camiran
St-Exupéry
Loubens
Roquebrune
St-Michel-de-Rieufret
Barsac
Gabarnac
Semens
Malromé
St-André-du-Bois
St-Laurent-du-Plan
Bagas
Ste-Croix-du-Mont
Verdelais
Ste-Foy-la-Longue
Morizès
Les Esseintes
St-Sève
St-Hilaire-de-la-Noaille
Illats
Landiras
Preignac
Le Pian-sur-Garonne
Casseuil
Gironde-sur-Dropt
La Réole
St-Maixant
St-Martin-de-Sescas
Caudrot
Barie
Floudès
Fontet
Pujols-sur-Ciron
Toulenne
St-Pierre-d'Aurillac
St-Macaire
St-Loubert
Bassanne
Guillos
Bommes
Yquem
St-Pardon-de-Conques
Castets-en-Dorthe
Puybarban
Blaignac
Langon
Castillon-de-Castets
Bieujac
Loupiac-de-la-Réole
Hure
Budos
Sauternes
Fargues
Pondaurat
Léogeats
Brannens
Savignac
Noaillac
Orignе
Mazères
Coimères
Balizac
Roquetaillade
Auros
Noaillan
Brouqueyran
Le Nizan
Cazats
Berthez
St-Sauveur-de-Meilhan
Villandraut
Aubiac
Lados
Aillas
Uzeste
Gans
Labescau
Sigalens
Cocumont
St-Léger-de-Balson
Lignan-de-Bazas
Bazas
St-Côme
Gajac
Mitton
Birac
Sendets
Cauvignac
Préchac
Marimbault
Pompéjac
Sauviac
Masseilles
Grignols
Cazeneuve
Cudos
Lavazan
Bourideys
Bernos-Beaulac
Marions
Sillas
Cours-les-Bains
GARONNE
AUTOROUTE DES DEUX-MERS
A 62
E 72
D 936
D 671
D 670
D 10
N 524
A 65
D 655
D 3
D 9

239
258
275
E
F
G
H
Bonneville-et-St-Avit-de-Fumadières
Fougueyrolles
Le Lardot
Montcaret
Sardy
Vélines
Port-Ste-Foy-et-Ponchapt
St-Avit-St-Nazaire
St-Pierre-d'Eyraud
La Force
Prigonrieux
Larbogne
Barrat
Les Masseries
Bourg-d'Abren
Rouquette
St-Avit-du-Tizac
St-Seurin-de-Prats
St-Antoine-de-Breuilh
Les Laurents
St-Aulaye
Ste-Foy-la-Grande
St-Philippe-du-Seignal
Lartigue
Les Briands
Barraux
Madurand
Gardonne
Lamonzie-St-Martin
La Bourgatie
Dordogne
Castang
St-Laurent-des-Vignes
Le Monteil
Cours-de-Pile
Bazet
La Conne
Roumanière
Pessac-s-Dordogne
Eynesse
Barrail
Baby
Pont de la Beauze
Pineuilh
St-André-et-Appelles
Razac-de-Saussignac
Le Maine
La Ferrière
St-Avit-de-Soulège
Appelles
Le Montet
Gensac
Claribes
Marchand
Les Lèves-et-Thoumeyragues
Les Sandeaux
Les Bournets
Saussignac
Gageac-et-Rouillac
Monlongt
Moulin de Malfourat
St-Christophe
Monbazillac
St-Nexans
La Roquille
Le Vigier
La Calevie
Rouffignac-de-Sigoulès
Combet
Labadie
Conne-de-Labarde
St-Quentin-de-Caplong
Thoumeyragues
Caplong
La Grand-Croix
Petit-Bérard
Les Martinaux
Ligueux
St-Martial
Les Martins
Cunèges
Pomport
Bridoire
Les Maules
Ribagnac
Colombier
Peyrelevade
Massugas
Riocaud
Le Raymond
Les Mondains
Monestier
Coutures
La Bastide
Panisseau
Sigoulès
Lestignac
St-Laurent
Le Puch-de-Gensac
Les Guions
Les Ballues
Margueron
Fondefière
Les Bournizeaux
Les Vachers
La Bézage
Foncaussade
Flaugeac
Fomboise
Bouniagues
Pellegrue
Landerrouat
Villeneuve-de-Duras
St-Léger
Maurice
Uffer
Aux-Brisseaux
Thénac
Mescoules
Monsaguel
Les Gentis
Ste-Croix-des-Egrons
Les Combes
St-Astier
Théobon
Monbos
Puyguilhem
Singleyrac
St-Perdoux
Sadillac
Les Mayets
Génas
Blidane
Coup
Les Groleaux
Loubès-Bernac
Bernac
Ste-Innocence
St-Julien-d'Eymet
Esclottes
Lubersac
St-Sernin
Montaillac
Lestang
Mandacou
Les Bertins
Savignac-de-Duras
Ste-Eulalie-d'Eymet
St-Capraise-d'Eymet
St-Ferme
Riquet
Lac de Castelgaillard
St-Jean-de-Duras
Soumensac
Fonroque
Razac-d'Eymet
St-Aubin-de-Cadelech
Plaisance
Ste-Colombe-de-Duras
Baleyssagues
Eylias
Navarre
St-Sulpice-d'Eymet
Montguyard
Dieulivol
Duras
Les Roux
Rouquette
Les Andrieux
Falgueyrat
Le Bost
St-Front
Le Roubineau
Cadelech
La Tuilière
Le Puy
Callochet
Botte
Bayle
La Place
Cogulot
Eymet
Serres-et-Montguyard
Monségur
Ste-Foy-Petit
Pardaillan
Serres
Dropt
Cours-de-Monségur
Piquetuile
Auriac-sur-Dropt
La Sauvetat-du-Dropt
Agnac
La Perche
Queyssel
Lalandusse
Cahuzac
Taillecavat
Pechalhet
Beysserat
St-Pierre-sur-Dropt
Croix-de-Moustier
Moustier
Grande Lande
Queysaguet
Lafage
St-Grégoire
Cazes
St-Sulpice-de-Guilleragues
Trespontets
Latrique
Douzains
Lauzun
St-Nazaire
Laterrière
St-Romain
Iffour
Lévignac-de-Guyenne
St-Vincent
Nicaud
Cadillac
Périé
Roumagne
Gontiers
Monteton
St-Pardoux-Isaac
Bourgougnague
St-Vivien-de-Monségur
St-Géraud
Allemans-du-Dropt
Nadau
Lacombe
Sérignac-Péboudou
Les Gds Eyriaux
Gadras
St-Colomb-de-Lauzun
Larougie
Ste-Croix
Puysserampion
Miramont-de-Guyenne
Montaut
Fossès
Lorette
Mourgues
Marot
La Tourelle
Prade
St-Michel-de-Lapujade
Caubon-St-Sauveur
St-Sauveur
Cougouille
Cambes
Lavergne
Matelis
Maurillac
Gervinie
Peyrière
Laborie
Lac du Saut du Loup
Bois-Vert
Lamothe-d'Ales
Ségalas
St-Maurice-de-Lestapel
Penaud
Lachapelle
Moreau
Salabès
St-Martin-Petit
Castelnau-sur-Gupie
St-Avit
St-Martin
Beffery
Bladet
Rat
Montignac-de-Lauzun
Monviel
Lamothe-Landerron
Mauvezin-s-Gupie
Robert
Chapelle
Armillac
Laroche
Lagupie
Gupie
Les Vennes
Maury
Lagaillardie
Monbahus
Les Escarreys
Escassefort
Seyches
Guine-du-Bois
Montignac-Toupinerie
Pignéra
Laperche
Rouffiac
Les Ringauds
Beaupuy
Lalane
Ste-Bazeille
Le Peyrou
Allemans
Moirax
Andrieux
Labarque
Moulinet
Magdelaine
St-Laurent
Le Pin
St-Étienne-de-Londres
Nozières
St-Barthélemy-d'Agenais
Villebramar
Lassalle-Pinot
Beyssac
Bouilhats
Ste-Abondance
Peyriès
Coupine
Gondon
Couthures-sur-Garonne
Michelon
Faget
Castaing
Virazeil
Jean-du-Puy
St-Pierre-de-Londres
Puymiclan
Les Bourdets
Laliguet
Tombebœuf
Lafaurie
Bernès
Garonne
Gaujac
La Gazelle
St-Benoit
Tourtrès
Colombier
Esquirol
Marcellus
Marmande
Le Luc
Rebec
Agmé
Labarthe
Taradel
Lassalle
Garrigues
Poussac
Labretonie
Brech
Montastruc
St-Pastour
St-Jean
Coussan
Birac-sur-Trec
Bistauzac
Limouzin
Maurice
Tolzat
Fougassié
Montpouillan
St-Pardoux-du-Breuil
Moniceau
St-Pierre-de-Nogaret
Capot
Hautesvignes
Verteuil-d'Agenais
Roquepiquet
Coulx
St-Pierre-de-Caubel
Maurasse
Sendets
Pont-des-Sables
Longueville
Port-Traucat
Tour
Pailles
Dubédat
Gontaud-de-Nogaret
Colombier
Brugnac
Lastuques
Carron
Silos
Monclar
Taillebourg
Le Vieux-Varès
Montardit
Verdegas
Reginat
Pinel
Fourques-sur-Garonne
Caumont-sur-Garonne
St-Sauveur
Fauguerolles
Samazan
Maurignac
Villotte
Grateloup-St-Gayrand
La Mothe
Teyssel
Sénestis
Fauillet
Tolzac
Varès
Sermet
Roubertou
Ste-Marthe
St-Martin
Revenac
St-Caprais
Jean-del-Roc
Peyrebrune
Fauché
Lissandre
St-Étienne-de-Fougères
Le Mas-d'Agenais
Mérignac
Cap-du-Bosc
Grand-Jean
Tulle
Artigues
Lagarde
La Castagnade
Castelmoron
Guérin
Avance
Forêt du Mas d'Agenais
Lagruère
Lamarque
Église
St-Juin
St-Étienne
Église
St-Gayrand
Laparade
Tourraille
Fongrave
Arnautis
Bouglon
Grézet-Cavagnan
Le Clavier
Tonneins
Les Baudons
Tolgue
St-Martin
Baurillon
Argenton
Ste-Gemme-Martaillac
Garreau
Calonges
Pleyde
Monbarbat
Marsac
Roubillon
Cavagnan
Fazanis
Barry
Boissié

0 2 4 6 8 10 km
240
257
276
A
B
C
D
1
2
3
4
5
Dordogne
St-Sauveur-de-Bergerac
Pombonne
Pécharmant
Corbiac
Les Pelissous
Cause-de-Clérans
Ste-Colombe
St-Meyme-de-Rozens
Laffinoux
Cingle
Millac
Larives
Trémolat
Mauzac
Gd-Castang
Baneuil
Le Maine
Lalinde
Sauveboeuf
Calès
Alles-s-D.
St-Génies
La Bourgatie
Lamonzie-St-Martin
St-Germain-et-Mons
Cours-de-Pile
St-Capraise-de-Lalinde
St-Agne
Varennes
Port-de-Couze
Pontours
Badefols-s-D.
Couze-et-St-Front
St Front de Colubri
La Mothe
Cussac
Cadouin
Castang
St-Laurent-des-Vignes
Bazet
La Rivière
Lanquais
Roumanière
Fonpieule
Le Monteil
Ferrière
St-Christophe
Bournazel
Bourzac
Bio
Couleyrie
Molières
Bordial
Monlongt
Moulin de Malfourat
Monbazillac
St-Nexans
Verdon
Phénix
Bourniquel
Bayac
Bannes
Lespinasse
La Calevie
Rouffignac-de-Sigoulès
Combet
Labadie
Conne-de-Labarde
St-Aubin-de-Lanquais
Faux
La Salvet
Pomport
Bridoire
Les Maules
Ribagnac
Colombier
Soulbarède
Peyrelevade
Le Rocal
Monmadalès
Monsac
La Micalie
Beaumont-du-Périgord
Le Mayne
Peyssou
Salles
St-Avit-Sénieur
Sigoulès
Lestignac
Foncaussade
Fomboise
Flaugeac
Bouniagues
St-Cernin-de-Labarde
Poujols
Montaut
Naussannes
Borderie
Foncroze
Boulegue
Mescoules
Monbos
Singleyrac
Sadillac
St-Perdoux
Monsaguel
Leydou
(Beaumontois-en-Périgord)
Labouquerie
Brassac
Montferrand-du-Périgord
Ste-Croix
Ste-Innocence
St-Julien-d'Eymet
Les Mayets
Issigeac
Bardou
Le Pic
Blanc
Vuidepot
Moulins
St-Léon-d'Issigeac
Nojals-et-Clotte
Les Andrieux
Petit Brassac
(St-Julien-Innocence-Eulalie)
St-Capraise-d'Eymet
Mandacou
Perrou
Boisse
Monmarvès
Larocal
Rampieux
Barjou
Lolme
Fonroque
Eylias
Razac-d'Eymet
St-Aubin-de-Cadelech
Plaisance
Eyrenville
Canterane
Cavarcou
Faurilles
Rieu-de-Pey
Les Peyrouliers
Lavalade
Montguyard
Cavarc
Roquepine
Ste-Sabine-Born
Tourliac
Truelles
St-Cassien
Barriat
Les Roux
Rouquette
La Tuilière
Cadelech
Falgueyrat
Le Bost
St-Quentin-du-Dropt
Born-de-Champs
Monseyrou
Fonqueyrade
Les Andrieux
Le Bearnes
Catus
Ste-Radegonde
Malacoste
Naresse
Bariats
Lagnel
Monpazier
Eymet
Serres-et-Montguyard
Queyssel
Cahuzac
St-Dizier
Doudrac
(Mazières-Naresse)
Gounis
Larche
Gaugeac
St Germain
Dropt
Parranquet
Labrame
La Perche
Lalandusse
Castillonnès
Loys
Lasplaces
Pechalhet
Queysaguet
Lafage
St-Grégoire
Servelaure
Ferrensac
Côte-Rouge
Mazières
Rives
Rayet
St-Martin-de-Villeréal
St-Cernin
Grande Lande
Latrique
Douzains
Laterrière
Villeréal
Parisot
Malcournet
Cladel
Iffour
Lauzun
St-Nazaire
Gontiers
Pompiac
Lage-Hte
Jeancel
Vergt-de-Biron
Biron
St-Pardoux-Isaac
Bourgougnague
Sérignac-Péboudou
Bournel
Courbarieu
Estrade
Les Brugues
St-Laurent
St-Colomb-de-Lauzun
Larougie
Balet
Despoux
Valette
Moussidas
Montaut
St-Étienne-de-Villeréal
Salarial
Miramont-de-Guyenne
La Tourelle
Montauriol
Prade
Born
Dévillac
Bertis
Lacapelle-Biron
Lavergne
Matelis
Maurillac
Gervinie
Tourette
Laborde
Combet
Genibrède
St-Avit
Lac du Saut du Loup
Lamothe-d'Ales
Ségalas
St-Maurice-de-Lestapel
Lougratte
Cardayres
Rocadet
St-Eutrope-de-Born
Laussou
Bonnenouvelle
Bois-Vert
Rat
Envals
Bladet
Salabès
Montignac-de-Lauzun
Millac
Laboutie
St-Vivien
Piis
St-Sardos-de-Laurenque
Armillac
Lagaillardie
Laroche
Monviel
La Barrouille
Lespinasse
Laroque
Paulhiac
Gavaudun
Laperche
Roufflac
Andrieux
Monbahus
Les Ringauds
Peries
Calpres
Boudy-de-Beauregard
Barbas
Roquefère
Laures
Birou
Salles
Allemans
Labarque
Moulinet
Cancon
Soulies
Montagnac-s-Lède
Villebramar
Lassalle-Pinot
Beauregard
Cayzac
Coupine
Peyriès
Gondon
Lentignac
St-Paul
Les Bonnals
Boulède
Tuilerie-de-Pech-Redon
Monflanquin
Tombeboeuf
Cailladelles
Canteloube
Laliguet
Tourtrès
Lafaurie
Colombier
Beaugas
Jean-d'Ardot
Calviac
Lacaussade
Labarthe
Esquirol
Lasserre
Soulodres
Trabade
Costes
Taradel
Montastruc
St-Pastour
Senezelles
Castelnaud-de-Gratecambe
Crouzillac
Canabazes-le-Vieux
Brech
Corconat
Labarthe
Monségur
Fadèze
Fougassié
Francoulon
Cates
Verteuil-d'Agenais
Roquepiquet
St-Pierre-de-Caubel
Périé
Maurasse
Pailloles
Gaffarot
La Sauvetat-s-Lède
Jean-Barthe
Savignac-s-Leyze
St-Aubin
Carentas
Coulx
Carron
Pont-Traucat
Tour
Lède
Brugnac
Lastuques
Silos
Monclar
Soubirous
Ste-Radegonde
Chapelle
Montmarès
La Guinelle
Verdegas
Réginat
Pinel
Lédat
Poutet
Lamothe-Feyt
Laval
Grateloup-St-Gayrand
La Mothe
Teysset
Grossis
Casseneuil
Rouvre
Cadres
Jardy
Trentels
Sermet
Roubertou
Pinel-Hauterive
Campagnac
Massanes
St-Aignan
Diodé
Lustrac
Moulin
Lagarde
Peyrebrune
Jean-del-Roc
Fauché
Lissandre
St-Étienne-de-Fougères
Lycée agricole
Debèze
Favols
Villeneuve-s-Lot
Moudoulens
Église
St-Gayrand
La Castagnade
Castelmoron
Ste-Livrade-s-Lot
Bias
La Dardenne
Courbiac
St-Sylvestre-s-Lot
Rigoulières
St-Marcel
Laparade
Tourailles
Fongrave
Batuillon
Allez-et-Cazeneuve
Martin
Cailles
Penne-d'Agenais
La Grâce
Port-de-Penne
Puycalvary
St-Martin
Roubillon
Monbarbat
Pujols
Nouaillac
Dausse
Marsac
Gouneau
La Temple
Boissie
Laurier
Tour
Tolzat
Tolgue
Banège
Couze
Dropt
Cuzelou
Lède
Leyze
Lot

259
241
260
277
E
F
G
H
Sarlat-la-Canéda
St-Cyprien
Castels
Redon-l'Espi
St-André-d'Allas
Beynac-et-Cazenac
St-Vincent-de-Cosse
Bézenac
Cazenac
Coux-et-Bigaroque-Mouzens
Marnac
Berbiguières
Allas-les-Mines
Vézac
Montfort
Cingle de Montfort
Carsac-Aillac
Calviac-en-Périgord
St-Julien-de-Lampon
Ste-Mondane
Fénelon
Nadaillac-de-Rouge
Lamothe-Fénelon
Masclat
Veyrignac
Vitrac
Marqueyssac
La Roque-Gageac
Les Milandes
Castelnaud-la-Chapelle
Cénac-et-St-Julien
Domme
Siorac-en-Périgord
Urval
St-Germain-de-Belvès
Cladech
Groléjac
Loupiac
Monplaisant
Sagelat
Belvès (Pays de Belvès)
St-Pardoux-et-Vielvic
Carves
Veyrines-de-Domme
St-Cybranet
Milhac
St-Cirq-Madelon
Fajoles
Rouffilhac
Anglars-Nozac
St-Amand-de-Belvès
Grives
St-Laurent-la-Vallée
St-Martial-de-Nabirat
Nabirat
Payrignac
Grottes de Cougnac
Gourdon
Larzac
Daglan
St-Pompont
Ste-Foy-de-Belvès
Doissat
Orliac
Salles-de-Belvès
Bouzic
St-Aubin-de-Nabirat
Léobard
N.-D. des Neiges
Le Vigan
Prats-du-Périgord
Campagnac-les-Quercy
Florimont-Gaumier
L'Abbaye-Nouvelle
St-Clair
Mazeyrolles
Besse
Salviac
Dégagnac
St-Chamarand
Concorès
Marminiac
Cazals
Rampoux
Lavercantière
St-Germain-du-Bel-Air
St-Cernin-de-l'Herm
Villefranche-du-Périgord
St-Etienne-des-Landes
Gindou
Montcléra
Les Arques
Peyrilles
Blanquefort-s-Briolance
Sauveterre-la-Lémance
Loubejac
St-Caprais
Thédirac
Uzech
Gigouzac
St-Front-s-Lémance
Frayssinet-le-Gélat
Goujounac
Pomarède
Lherm
Montgesty
Mechmont
St-Denis-Catus
Catus
Pontcirq
Bonaguil
Montcabrier
Cassagnes
St-Médard
Nuzéjouls
Boissières
Plage aux Ptérosaures
Les Junies
St-Martin-le-Redon
Duravel
Puy-l'Évêque
Calamane
Espère
Crayssac
St-Pierre-Lafeuille
Maxou
Fumel
Castelfranc
Labastide-du-Vert
Prayssac
Pescadoires
Touzac
Soturac
Vire-sur-Lot
Lagardelle
Anglars-Juillac
Mercuès
Château de Roussillon
Parnac
Luzech
Caillac
Pradines
Montayral
Grézels
Bélaye
Albas
St-Vincent-Rive-d'Olt
Douelle
CAHORS
Pont Valentré
Lacapelle-Cabanac
Mauroux
Floressas
Sérignac
Cambayrac
Thézac
Bourlens
Le Boulvé
Sauzet
Trespoux-Rassiels
Tournon-d'Agenais
Masquières
St-Matré
Villesèque
Labastide-Marnhac
Courbiac
Saux
D 703
D 710
D 660
D 673
D 811
D 820
D 653
D 656
D 801
GR 36
GR 64
GR 652
Dordogne
Céou
Lot

0 2 4 6 8 10 km
242
259
278
A
B
C
D
Dordogne
Peyrillac-et-Millac
Le Faget
Creysse
St-Sozy
Montvalent
Meyronne
Mansergues
Gintrac
Calviac-en-Périgord
Carsac-Aillac
Cingle de Montfort
Ste-Mondane
St-Julien-de-Lampon
Fénelon
Nadaillac-de-Rouge
Belvédère de Lanzac
Pinsac
La Treyne
Grottes de Lacave
Lacave
Gouffre de Roque-de-Cor
Gouffre de Padirac
Padirac
Miers
Alvignac
Thégra
Veyrignac
Masclat
Lamothe-Fénelon
Grolejac
Loupiac
Calès
Rignac
Milhac
Fajoles
Payrac
Rocamadour
Gramat
Gouffre de Cabouy
St-Cirq-Madelon
Rouffilhac
Anglars-Nozac
Reilhaguet
Couzou
Grottes de Cougnac
Payrignac
Nabirat
Gourdon
St-Projet
Le Vigan
N.-D. des Neiges
St-Aubin-de-Nabirat
Léobard
Ginouillac
Carlucet
Le Bastit
Issendolus
PARC NATUREL RÉGIONAL DES CAUSSES DU QUERCY
St-Cirq-Souillaguet
Soucirac
Séniergues
St-Clair
Montfaucon
Reilhac
Lunegarde
St-Chamarand
Dégagnac
Concorès
Frayssinet
Vaillac
Jardin des Causses du Lot
Rampoux
Lavercantière
St-Germain-du-Bel-Air
Labastide-Murat
Soulomès
Caniac-du-Causse
Quissac
Espédaillac
Gindou
Peyrilles
Lamothe-Cassel
Sénaillac-Lauzès
Thédirac
Montamel
Ussel
Montgesty
Uzech
Gigouzac
St-Martin-de-Vers
Mechmont
St-Denis-Catus
Catus
Lauzès
Sabadel-Lauzès
Blars
Pontcirq
St-Médard
Nadillac
Francoulès
Lentillac-du-Causse
Orniac
Marcilhac-sur-Célé
Nuzéjouls
Boissières
Plage aux Ptérosaures
Calamane
Maxou
St-Pierre-Lafeuille
Cuzals
Crayssac
Espère
Valroufié
Ch.au de Roussillon
Cours
Grotte du Pech-Merle
Gontaut-Biron
Cabrerets
Sauliac-sur-Célé
Luzech
Parnac
Mercuès
Caillac
Pradines
Vers
St-Géry
Bouziès
Défilé des Anglais
Tour-de-Faure
St-Martin-Labouval
Douelle
Laroque-des-Arcs
Lamagdelaine
N.-D. de Vêles
St-Cirq-Lapopie
Cénevières
CAHORS
Pont Valentré
Mont St-Cyr
Arcambal
Bergany
Crégols
Cambayrac
Trespoux-Rassiels
Esclauzels
Villesèque
Flaujac-Poujols
Concots
Lugagnac
Laburgade
Cremps
Limogne-en-Quercy

261
243
E
F
G
H
262
279
St-Céré
Montal
Grotte de Presque
Belmont-Bretenoux
St-Laurent-les-Tours
Latouille-Lentillac
N.-D. de Verdale
Sousceyrac-en-Quercy
Gorges
Lac du Tolerme
Labastide-du-Haut-Mont
Sénaillac-Latronquière
Latronquière
St-Saury
Roumégoux
Le Rouget-Pers
Cayrols
St-Mamet-la-Salvetat
Parlan
Bessonies
Rouziers
St-Julien-de-Toursac
Boisset
Marcolès
Vitrac
St-Vincent-du-Pendit
St-Jean-Lagineste
Ladirat
Gorses
Terrou
Molières
Leyme
Aynac
Bannes
St-Médard-Nicourby
St-Hilaire
Lauresses
Montet-et-Bouxal
Sabadel-Latronquière
St-Cirgues
Quézac
Maurs
St-Étienne-de-Maurs
Leynhac
Espeyroux
St-Maurice-en-Quercy
Anglars
Lacapelle-Marival
Rudelle
Le Bourg
St-Simon
Sonac
Assier
Issepts
Fons
Le Bouyssou
Cardaillac
St-Bressou
Ste-Colombe
Prendeignes
St-Perdoux
Bagnac-sur-Célé
Linac
St-Constant-Fournoulès
Le Trioulou
St-Santin-de-Maurs
St-Santin
Fourmagnac
Camburat
Lissac-et-Mouret
Planioles
Viazac
Figeac
Corn
Cambes
Camboulit
Boussac
Espagnac-Ste-Eulalie
St-Félix
Lunan
Felzins
Lentillac-St-Blaise
Capdenac
Capdenac-Gare
Cuzac
Bouillac
Livinhac
Boisse-Penchot
Decazeville
Flagnac
Montredon
Montmurat
St-Parthem
Firmi
Aubin
Cransac
Faycelles
Béduer
Frontenac
Carayac
St-Pierre-Toirac
Gréalou
Larroque-Toirac
Montbrun
Saujac
Cajarc
Salvagnac-Cajarc
Saut de la Mounine
Grottes de Foissac
Foissac
Balaguier-d'Olt
Salvagnac-St-Loup
Naussac
Asprières
Les Albres
Viviez
Site médiéval
Peyrusse-le-Roc
Galgan
Valzergues
Lugan
Montbazens
Bournazel
Salles-Courbatiès
Drulhe
Vaureilles
Lanuéjouls
Roussennac
Villeneuve
St-Igest
Ols-et-Rinhodes
La Capelle-Balaguier
Ste-Croix
Montsalès
St-Jean-de-Laur
Privezac
Rignac
Belcastel
Maleville
St-Rémy

0 2 4 6 8 10 km
244
261
280
A
B
C
D
1
2
3
4
5
Decazeville
Aubin
Conques-en-Rouergue
Marcillac-Vallon
Maurs
Montsalvy
Entraygues-s-T.
Marcolès
Calvinet
Lafeuillade-en-Vézie
Lapeyrugue
Leynhac
St-Étienne-de-Maurs
Montmurat
Flagnac
Livinhac
Firmi
Cransac
Montbazens
Rignac
Belcastel
Salles-la-Source
Sébazac-Concourès
Gorges du Lot
Causse de Lanhac
CAUSSE DU COMTAL
Puy de l'Arbre
Pic de Kaymard
Puy de Montabès
Site du Bancarel
Gorges de la Truyère
Golinhac
Espeyrac
Sénergues
Campuac
Villecomtal
Pruines
Mouret
Nauviale
St-Cyprien-s-Dourdou
Valady
Clairvaux-d'Aveyron
Bournazel
Roussennac
Goutrens
Escandolières
Auzits
Lugan
Valzergues
Vaureilles
Anglars-St-Félix
Privezac
Lanuéjouls
Mur-de-Barrez
Taussac
Vezels-Roussy
Teissières-lès-Bouliès
Prunet
Labrousse
Messilhac
Lacroix-Barrez
Murols
Leucamp
Ladinhac
St-Hippolyte
Montézic
Campouriez
Florentin-la-Capelle
Le Nayrac
Sénezergues
Junhac
Cassaniouze
St-Antoine
Mourjou
Vieillevie
St-Parthem
St-Santin
St-Constant-Fournoulès
Boisset
St-Julien-de-Toursac
Rouziers
Cayrols
Roannes-St-Mary
St-Mamet-la-Salvetat
Vitrac
Sansac-Veinazès
Muret-le-Château
Rodelle

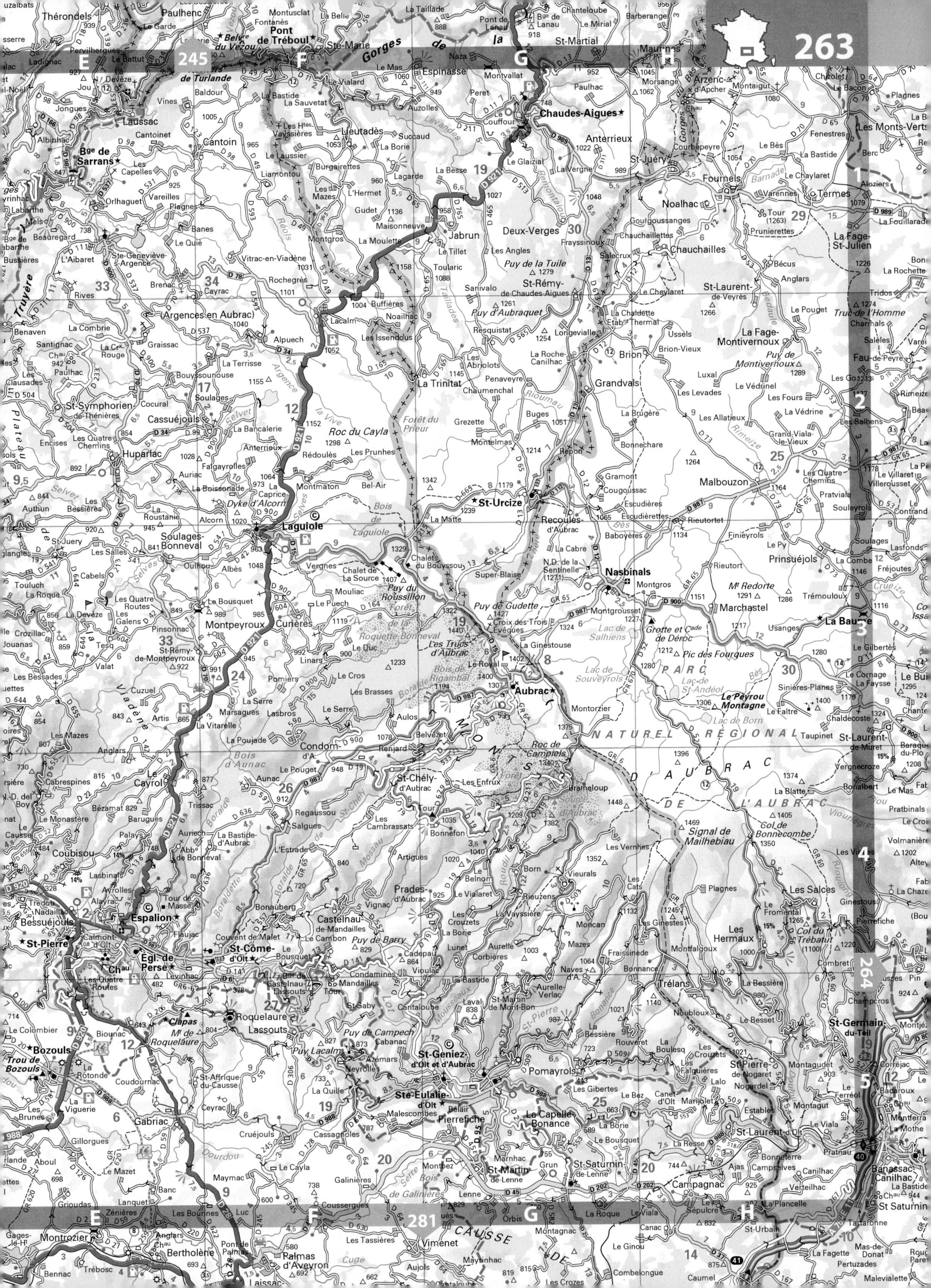

263
245
264
281
Gorges de la Truyère
Chaudes-Aigues
Pont de Tréboul
Lieutadès
St-Rémy-de-Chaudes-Aigues
Deux-Verges
Jabrun
Chauchailles
Fournels
Termes
St-Juéry
Anterrieux
Laussac
Bge de Sarrans
Cantoin
(Argences en Aubrac)
La Trinitat
Roc du Cayla
Laguiole
St-Urcize
Nasbinals
Malbouzon
Prinsuéjols
Marchastel
La Baume
Aubrac
Puy de Gudette
Grotte et Cade de Déroc
Pic des Fourgues
Lac de Salhiens
Lac de Souveyrols
Lac de St-Andéol
Lac de Born
Le Peyrou Montagne
PARC NATUREL RÉGIONAL DE L'AUBRAC
MONTS D'AUBRAC
Roc de Campiels
Signal de Mailhebiau
Col de Bonnecombe
St-Chély-d'Aubrac
Prades-d'Aubrac
Espalion
St-Côme-d'Olt
Castelnau-de-Mandailles
Puy de Barry
St-Geniez-d'Olt et d'Aubrac
Ste-Eulalie-d'Olt
Pierrefiche
Pomayrols
Trélans
St-Laurent-d'Olt
La Capelle-Bonance
St-Martin-de-Lenne
St-Saturnin-de-Lenne
Campagnac
St-Germain-du-Teil
Banassac-Canilhac
Bozouls
Trou de Bozouls
Gabriac
Roquelaure
Lassouts
Bessuéjouls
St-Pierre
Coubisou
Montpeyroux
Curières
Soulages-Bonneval
Cassuéjouls
Huparlac
Montrozier
Bertholène
Palmas d'Aveyron
Vimenet
CAUSSE DE
Plateau de la Viadène
Col du Trébatut
Les Hermaux
Les Salces
La Fage-Montivernoux
La Fage-St-Julien
Les Monts-Verts
Truc de l'Homme

0 2 4 6 8 10 km
246
263
282
Blavignac
Le Malzieu-Ville
Le Malzieu-Forain
Prunières
Apcher
St-Chély-d'Apcher
Chanaleilles
Ste-Eulalie
St-Alban-sur-Limagnole
St-Paul-le-Froid
Grandrieu
Chambon-le-Château
St-Symphorien
Termes
La Fage-St-Julien
Les Monts-Verts
Les Bessons
Rimeize
Fontans
St-Denis-en-Margeride
Roc de Fenestre
Col de la Croix-de-Bor
La Panouse
Col des Trois Sœurs
La Villedieu
St-Sauveur-de-Ginestoux
Aumont-Aubrac
Javols
Serverette
Les Laubies
La Chaze-de-Peyre
Ste-Colombe-de-Peyre
St-Sauveur-de-Peyre
St-Gal
St-Amans
Estables
Col du Cheval Mort
Signal de Randon
Truc de Fortunio
Châteauneuf-de-Randon
Mausolée du Connétable
La Baume
Col des Issartets
Roc de Peyre
Recoules-de-Fumas
Ribennes
Rieutort-de-Randon
Lac de Charpal
Vallée de l'Enfer
Gorges
Parc à loups du Gévaudan
St-Léger-de-Peyre
Lachamp
Can de la Roche
Plateau du Palais du Roi
Col de la Pierre Plantée
Laubert
St-Laurent-de-Muret
Antrenas
Servières
Pelouse
Le Born
Montrodat
Marvejols
Chastel-Nouvel
Allenc
Truc du Midi
Chirac
Mende
Badaroux
Col de la Tourette
Le Monastier-Pin-Moriès
St-Bonnet-de-Chirac
Grèzes
Col de Vielbougue
Barjac
Causse de Changefège
Mt Mimat
Causse de Mende
Lanuéjols
Bagnols-les-Bains
St-Julien-du-Tournel
Chadenet
Ste-Hélène
St-Germain-du-Teil
Balsièges
St-Bauzile
Brenoux
Chanac
Esclanèdes
Les Salelles
Col du Trébatut
La Canourgue
Banassac-Canilhac
St-Étienne-du-Valdonnez
La Croix de Maître Vidal
Col de Montmirat
St Saturnin
Sabot de Malepeyre
Sauveterre
Mont Chabio
AUVETERRE
LA MARGERIDE
Truyère
Colagne
Lot
A 75
N 88
N 106
D 806
A
B
C
D
1
2
3
4
5

247
283
266
E
F
G
H
Landos
Pradelles
Langogne
Coucouron
Issarlès
Le Lac-d'Issarlès
Ste-Eulalie
Gerbier de Jonc
Lachapelle-Graillouse
St-Étienne-du Vigan
Lavillatte
Lanarce
Mazan-l'Abbaye
Montpezat-s/s-Bauzon
Thueyts
Barnas
Mayres
Le Plagnal
St-Alban-en-Montagne
Cellier-du-Luc
St-Étienne-de-Lugdarès
Cheylard-l'Évêque
Luc
Laveyrune
St-Laurent-les-Bains
Col de Meyrand
Le Tanargue
D'ARDÈCHE
Loubaresse
Valgorge
La Bastide-Puylaurent
Forêt de Mercoire
Le Moure de la Gardille
Chasseradès
Massif de Prataubérat
Dompnac
Beaumont
Sablières
Montselgues
Prévenchères
Thines
Planzolles
Belvre du Chassezac
La Garde-Guérin
Villefort
Altier
Pourcharesses
Ste-Marguerite-Lafigère
Malarce-s-la-Thines
Payzac
Chambonas
Les Vans
Gravières
Les Salelles
St-André-Capcèze
Ponteils-et-Brésis
Malons-et-Elze
Le Bleymard
Cubières
Cubiérettes
Col de Finiels
Mont Lozère
Pic Cassini
Mas Camargues
Concoules
Montagne du Goulet
Chaudeyrac
Auroux
Rocles
Naussac-Fontanes
Barrage de Naussac
Chastanier
Pierrefiche
St-Flour-de-Mercoire
Col de la Chavade
Col de la Crx de Bauzon
Forêt de Bauzon
Serre de la Croix de Bauzon
Burzet
Rocles
Joyeuse
Les Assions
Berrias-et-Casteljau
Lablachère
Faugères
St-Genès-de-Beauzon

0 2 4 6 8 10 km
248
265
284
A
B
C
D
1
2
3
4
5
Gerbier de Jonc
Suc de Séponet
Mas-Neuf
Les Jalades
Les Coux
Source de la Loire
Rocher des Baux
Lachamp-Raphaël
Mézilhac
Suc de Montivernoux
Col des Quatre Vios
Le Chambon
Albon-d'Ardèche
Marcols-les-Eaux
St-Pierreville
St-Étienne-de-Serre
Les Ollières-s-Eyrieux
St-Sauveur-de-Montagut
Dunières-s-Eyrieux
St-Michel-de-Chabrillanoux
St-Maurice-en-Chalencon
Chalencon
St-Christol
St-Genest-Lachamp
St-Andéol-de-Fourchades
Col de Joux
Col de la Faye
Sagnes-et-Goudoulet
Usclades-et-Rieutord
Péreyres
Gorges
Suc de l'Areilladou
Cheylard
Le Peyral
Issamoulenc
Pranles
Ajoux
Creysseilles
Pourchères
Lyas
St-Julien-en-St-Alban
St-Vincent-de-Durfort
Col du Tribie
Serre l'Église
Laviolle
Som de la Sapède
Col de la Fayolle
St-Julien-du-Gua
Gorges
Burzet
Suc du Pal
Suc du Mt Aigu
Montpezat-s/s-Bauzon
Suc de Teste la Faye
Éperon de Pourcheyrolles
Gravenne de Montpezat
Labastide-sur-Bésorgues
Juvinas
Antraigues-s-Volane
Coupe d'Aizac
Aizac
Asperjoc
Genestelle
St-Joseph-des-Bancs
Gourdon
Boc de Gourdon
Col de l'Escrinet
Col de l'Arénier
Veyras
Privas
Coux
Serre des Ayres
Chomérac
Alissas
St-Priest
Crête de Blandine
St-Étienne-de-Boulogne
St-Michel-de-Boulogne
Chau de Boulogne
St-Pierre-de-Colombier
Thueyts
Meyras
Chirols
Coulée basaltique
Neyrac-les-Bains
Pont-de-Labeaume
Chau de Chadenac
Vals-les-Bains
Montgrand
Lalevade-d'Ardèche
Rer des Combes
St-Julien-du-Serre
Ucel
Vesseaux
St-Laurent-sous-Coiron
Darbres
Couguioulet
Freyssenet
Col du Benas
Plateau du Coiron
Rochessauve
St-Bauzile
St-Pierre-la-Roche
Berzème
St-Gineis-en-Coiron
Col de Fontenelle
St-Martin-le-Supérieur
St-Martin-l'Inférieur
Sommet de Bournazon
Fabras
Prades
Jaujac
Labégude
Mercuer
St-Privat
Coupe de Jaujac
St-Cirgues-de-Prades
Lentillères
Aubenas
St-Didier-s/s-Aubenas
Mirabel
Sceautres
Grottes de Montbrun (Habons troglodytiques)
Pic de Chenavari
Col de la Crx de Millet
Prunet
Chazeaux
Ailhon
St-Étienne-de-Fontbellon
Fons
St-Pierre-sous-Aubenas
Lussas
St-Jean-le-Centenier
St-Pons
Aubignas
Rochemaure
Lachapelle-s/s-Aubenas
St-Sernin
Lavilledieu
Som de la Croix Julian
Villeneuve-de-Berg
Muséal
Théâtre romain
Le Teil
Alba-la-Romaine
Rocles
Joannas
Chassiers
Largentière
Tauriers
Sanilhac
Vogüé
St-Germain
Parc Aérocity
Vinezac
Lanas
Terme Noir
Sauveplantade
Rochecolombe
Montréal
Laurac-en-Vivarais
Uzer
St-Maurice-d'Ardèche
Balazuc
St-Maurice-d'Ibie
St-Thomé
Valvignères
Viviers
Vernon
Ribes
Joyeuse
Rosières
Chauzon
Gorges
Défilé
Pradons
La Chadenède
Les Salelles
Gras
Larnas
Gge de la Ste-Baume
St-Montan
Lablachère
Notre-Dame-de-Bon-Secours
Gorges de la Beaume
Labeaume
Ruoms
Lagorce
Som de Sigaud
Dent de Rez
Col d'Eyrole
St-Alban-Auriolles
Sampzon
Vallon-Pont-d'Arc
Grotte Chauvet 2-Ardèche
St-Remèze
Belvédère
Bourg-St-Andéol
Pierrelatte
Les Assions
Chandolas
Grospierres
Rocher
Vans
Berrias-et-Casteljau
Bois de Païolive
Salavas
Pont d'Arc
Plateau des Gras
Belvre du Serre de Tourre
Aven de Marzal
Bidon
Cité du Barrage

267
249
268
285
E
F
G
H
St-Georges-les-Bains
Charmes-s-Rhône
Beaumont-lès-Valence
Montéléger
Beauvallon
Étoile-sur-Rhône
Les Vernets
La Paillette
Chau de Pierre-Gourde
l'Eyrieux
Beauchastel
La Voulte-s-Rhône
Montmeyran
La Baume-Cornillane
Col J. Cavalli
Plan-de-Baix
Montrond
Ourches
Upie
Ambonil
Montoison
Mt Miery
Gigors-et-Lozeron
Eygluy-Escoulin
Beaufort-sur-Gervanne
Rompon
Livron-sur-Drôme
Allex
Vaunaveys-la-Rochette
Cobonne
Suze
Montclar-sur-Gervanne
Le Pouzin
Loriol-sur-Drôme
Eurre
Grane
Donjon
Crest
Aouste-sur-Sye
(Mirabel-et-Blacons)
(Véronne)
Gaudichart
Chabrillan
Cliousclat
Saulce-s-Rhône
Mirmande
Montpourchier
Baix
Divajeu
(Divajeu)
Saillans
Espenel
(Piégros-la-Clastre)
(Aubenasson)
St-Sauveur-en-Diois
Autichamp
La Roche-s-Grane
Col de Tartaiguille
Col du Devès
Peygrand
Col de la Grde Limite
Les Tourrettes
Le Logis-Neuf
Cruas
St-Vincent-de-Barrès
(La Répara-Auriples)
Roche Colombe
Le Pertuis
Pas de Lauzens
Roynac
Marsanne
Condillac
La Coucourde
Le Grd Travers
Saou
Soyans
Francillon-sur-Roubion
Mornans
Le Poët-Célard
Bourdeaux
Bézaudun-sur-Bîne
Col de Gourdon
Puy-St-Martin
Cléon-d'Andran
Mt Peyrieux
Sauzet
La Laupie
Bonlieu-sur-Roubion
Manas
Charols
Savasse
St-Marcel-lès-Sauzet
St-Gervais-sur-R.
Rochebaudin
Pont-de-Barret
Félines-s-Rimandoule
(Truinas)
Montélimar
Montboucher-sur-Jabron
La Bâtie-Rolland
Salettes
Eyzahut
Col du Pertuis
Serre-Gros
Mgne du Poët
Crupies
Col Soubeyrand
Montagne de Couspeau
Chateauneuf-de-Mazenc
La Bégude-de-Mazenc
Souspierre
(Comps)
(Orcinas)
Puygiron
Portes-en-Valdaine
Le Poët-Laval
Dieulefit
Vesc
Bouvières
Espeluche
La Touche
Allan
(Rochefort-en-Valdaine)
Aleyrac
Montjoux
Mt Rachas
Serre Pelé
Col de la Croix
Malataverne
Montjoyer
Roche-St-Secret-Béconne
Châteauneuf-du-Rhône
N.-D. de Montcham
N.-D. d'Aiguebelle
Salles-sous-Bois
Taulignan
Montbrison
Teyssières
Donzère
Réauville
Roussas
Valaurie
Grignan
Le Pègue
Rousset-les-Vignes
Condorcet
St-Pantaléon-les-Vignes
Les Granges-Gontardes
La Garde-Adhémar
Chantemerle-lès-Grignan
Chamaret
Colonzelle
Grillon
Valréas
Venterol
Aubres
Nyons
Clansayes
Montségur-sur-Lauzon
Richerenches
Les Pilles
Eyroles
St-Ferréol-Trente-Pas

0 2 4 6 8 10 km
250
267
286
C
D
A
B
Die
Jardin des découvertes
Col de Rousset
Vassieux
But de St-Genis
But de l'Aiglette
But Sapiau
Somt de Tourte-Barreaux
Pas de Chabrinel
Mt Aiguille
Tête de la Graille
Chichilianne
Clelles
Lavars
Le Percy
Le Monestier du Percy
Col de Marignac
Marignac-en-Diois
Chamaloc
Les Planeaux (Romeyer)
Ponet-et-St-Auban
Vachères-en-Quint
St-Andéol
Ste-Croix
Pontaix
Barsac
Vercheny
Saillans
Aurel
Espenel
St-Benoit-en-Diois
Rimon-et-Savel
Barnave
Recoubeau-Jansac
Montmaur-en-Diois
Molières-Glandaz
Laval-d'Aix
Aix-en-Diois (Solaure en Diois)
Châtillon-en-Diois
Cirque d'Archiane
Archiane
Treschenu-Creyers
Glandasse
Menglon
St-Roman
Luc-en-Diois
Pic de Luc
Le Claps (Rochers)
Lesches-en-Diois
Miscon
Col de Menée
St-Maurice-en-Trièves
Lalley
Col de Grimone
Glandage
Grimone
Boulc
Col de Cabre
Col de Lus
Toussière
Pennes-le-Sec
Aucelon
Montlaur-en-Diois
La Chaudière
Pradelle
Rochefourchat
Brette
Poyols
Beaumont-en-Diois
Jonchères
Volvent
St-Nazaire-le-Désert
Bellegarde-en-Diois
Charens
Beaurières
Val-Maravel
Montagne de Couspeau
Crupies
Gumiane
Chalancon
Establet
La Motte-Chalancon
Arnayon
Valdrôme
La Charce
Rottier
Bruis
Ste-Marie
Montmorin (Valdoule)
Cornillon-sur-l'Oule
Cornillac
Villeperdrix
Pommerol
Rémuzat
St-May
Sahune
Montréal-les-Sources
Verclause
Rosans
Moydans
Ribeyret
St-André-de-Rosans
Sorbiers
Montjay
L'Épine
Col de la Saulce
Col de Palluel
Pelonne
Curnier
Arpavon
Les Pilles
Aubres
Nyons
Le Poët-Sigillat
Montaulieu
Bellecombe-Tarendol
Montferrand-la-Fare
Chanousse
Condorcet
Eyroles
St-Ferréol-Trente-Pas
Valouse
Bouvières
Vesc
Bézaudun-sur-Bîne
Montagne de la Lance
L E S   B A R O N N I E S
Montagne de l'Aup
Montagne de Angèle
Montagne de Raton
Mgne de Marausse
Col de Pommerol
La Fromagère
La Beaume
La Bâtie-des-Fonds
Aiguille
La Piarre
Chaures
D 93
D 94
D 994
D 993
D 539
D 61
D 135

Col Accarias
Mens
Cordéac
Les Côtes-de-Corps
Corps
Bge du Sautet
Aspres-lès-Corps
St-Firmin
St-Maurice-en-Valgodemard
St-Jacques-en-Valgodemard
Col des Vachers
Péou de St-Maurice
Roche Courbe
Grun de St-Maurice
Ambel
Pellafol
Beaufin
Monestier-d'Ambel
Col des Festreaux
St-Baudille-et-Pipet
Tréminis
L'Obiou
Col de Mens
Défilé de la Souloise
Tête de Lapras
Crête de Samaroux
Tête de l'Aupet
Grd Ferrand
Le Glaizil
Chauffayer
Les Costes (Aubessagne)
St-Eusèbe-en-Champsaur
La Motte-en-Champsaur
Vieux Chaillol
Pic de Colle Blanche
Molines-en-Champsaur
Pic Pétarel
Pic de Disdier
Pic de Pian
Col de Font Froide
Aigle du Midi des Andrieux
Navette
Oulles du Diable
Aigle de Morges
Les Choucières
Montagne de Féraud
Dévoluy
Défilé des Étroits
Col du Noyer
Superdévoluy
Agnières-en-Dévoluy
Col de Rioupes
Vallon de la Jarjatte
Crête des Aiguilles
Col du Festre
Serre Lacroix
Mne d'Aurouze
Pic Ponçon
Observatoire
Plau de Bure
Pic de Bure
Tête de Claudel
Pic Ponson
Bec de l'Aigle
St-Bonnet-en-Champsaur
Poligny
Chaillol 1600
La Fare-en-Champsaur
St-Julien-en-Champsaur
Buissard
Forest-St-Julien
Chabottes
St-Léger-les-Mélezes
Ancelle
Pic Queyrel
Pte de Lingustier
(Champoléon)
Col Bayard
Col de Manse
Refuge Napoléon
Pic de Gleize
Col de Gleize
Col de Chabanottes
Pic Melette
Col de Rabou
Rocher de la Palette
Laye
St-Laurent-du-Cros
Tête de Garnesier
Roc de Garnesier
Tête des Ormans
Col de Lauteret
Col des Tours
Défilé de Potrachon
Col de Gaspardon
Forêt des Sauvas
Tête de Clappe
Mne de Charance
Charance
Rabou
La Rochette
La Bâtie-Neuve
GAP
Rambaud
La Bâtie-Vieille
Montgardin
Avançon
N.-D.-du-Laus
St-Étienne-le-Laus
Demoiselles coiffées
Espinasses
Montmaur
Montagne de Durbonas
Agnielles
La Faurie
Veynes
Aspres-sur-Buëch
Furmeyer
La Freissinouse
Manteyer
Pelleautier
Mne de Céüse
Pic d'Oule
Col de la Bachassette
Châteauneuf-d'Oze
Oze
Serre de l'Aigle
St-Auban-d'Oze
Aspremont
Chabestan
Le Saix
Col des Guérins
Sigoyer
Col d'Espréaux
Col de la Beaume
La Pte Céüse
Neffes
Col du Villar
Jarjayes
Lettret
Châteauvieux
Tallard
Valserres
Remollon
Théus
Piégut
Rochebrune
Venterol
Fouillouse
Col de Foureyssasse
Esparron
Vitrolles
Barcillonnette
Lardier-et-Valença
La Saulce
Curbans
Gigors
Bellaffaire
Col de Sarraut
Turriers
Faucon-du-Caire
Roche Cline
Col des Sagnes
Le Caire
Monêtier-Allemont
Claret
Ventavon
Crête des Selles
Col de Faye
Serres
Savournon
Le Bersac
Montrond
Mne d'Aujour
Mne de Rochefort
Montagne de St-Genis
Roc de Longue Dent
La Bâtie-Montsaléon
Eyguians
Lazer
La Motte-du-Caire
Clamensane
Bayons
Rer Chabrier
Les Tourniquets
Tête de Charbonnier
Somt de Tête Grosse
251
287
270

0 2 4 6 8 10 km
252
269
288
A
B
C
D
1
2
3
4
5
PARC
NATIONAL
DES
ÉCRINS
L'Argentière-la-Bessée
Belvre du Pelvoux
Col de la Pousterle
Puy-St-Vincent
Pic de Hr Mouriare
Tête du Peyron
Pic du Béal Traversier
Aigle de Morges
Pic de Vallonpierre
Sirac
Pic de Parières
Pic de la Cavale
Puy Rivarol
Pré Chaumette
Les Choucières Vertes
Pas de la Cavale
Tête de Soulaure
Tête de Dormillouse
Crête de Dormillouse
Crête de Prarol
Freissinières
Col d'Anon
Tête de la Lauzière
Col des Lauzes
Rer Touard
La Roche-de-Rame
Grd Serre de la Cavale
Pntes de Rougnoux
Dormillouse
Vallée de Freissinières
Mne de Cédera
Pnte des Estaris
Col de Prelles
Col de Freissinières
Aigle de Cédera
Somt de Prelles
Roc des Hommes
Gouffre de Gourfouran
Champcella
Tête de Gaulent
Le Piquet
Grd Pinier
Somt Drouvet
Lac Faravel
Champoléon
Pt Pinier
Le Tuba
Tête de Vautisse
Roche Charnière
St-Crépin
Roc d'Alibrandes
Orcières-Merlette
Forest-des-Estaris
Prapic
Pic de Rochelaire
Tête de Couleau
Eygliers
Mont-Dauphin
Guillestre
Orcières
Roc Blanc
Tête de Fouran
Réotier
Chaillol 1600
St-Jean-St-Nicolas
Drac Noir
Le Carabrut
Tête des Maïtz
Col des Tourettes
Tête de Clotinaille
St-Clément-sur-Durance
Risoul
Peyre-Haute
Chabottes
Pnte de la Diablée
Le Pain de Sucre
Grde Autane
Pte Autane
Le Barle
Le Mourre Froid
St-Léger-les-Mélezes
Risoul 1850
La Coupa
Tête de Soleil Bœuf
Pic de Pied Brun
Tête de l'Hivernet
Châteauroux-les-Alpes
Ancelle
Pnte de Serre
Tête de Lucy
Tête de Colly
Pnte de Fleurendon
Belvre de l'Homme de Pierre
Pic du Clocher
Col de Chérine
Col de Valbelle
Col de Moissière
Le Piolit
Les Parias
Réallon
Mt Guillaume
La Pousterle
Aigles de Chabrières
C. de la Cloche
St-André-d'Embrun
Pic de Chabrières
Les Croix de Viandre
Puy-St-Eusèbe
Pic St-André
Pic de Crévoux
St-Apollinaire
Embrun
Crévoux
Pnte de l'Eyssina
Chorges
Prunières
Baratier
St-Sauveur
Col du Crachet
Montgardin
Savines-le-Lac
Les Orres
Le Pic Haut
Rocher de Serre
Col de Parpaillon
Grd Parpaillon
Demoiselles coiffées
Pic de Morgon
Abbe de Boscodon
Forêt de Boscodon
Crête du Lauzet
Tête de la Mazelière
Pic de Boussolenc
Mt Colombis
Col de Pontis
Pic de Charance
Cirque du Bragousse
Cirque de Morgon
Sauze-du-Lac
Belvre I. Wilhelm
Bge de Serre-Ponçon
Espinasses
Rousset
Col de la Rousse
Joug de l'Aigle
Le Pouzenc
L'Aupillon
Grd Bérard
La Bréole
Tête de la Gipière
La Montagnette
Col de l'Ane
Col des Orres
Col de la Pare
La Chalanche
Ubaye
St-Vincent-les-Forts
Le Lauzet-Ubaye
Tête de Louis XVI
Bois Noir
Col St-Jean
Dormillouse
Col des Fillys
(Méolans-Revel)
Les Thuiles
St-Pons
Barcelonnette
Turriers
Col des Garcinets
St-Martin-lès-Seyne
(Montclar)
Col Bas
Pic de Savernes
Siolane des Besses
Pra Loup
Le Sauze
Selonnet
Pic de Bernardez
Roche Bénite
Pte Séolane
Grde Séolane
Somt de Tête Grosse
Tête de Charbonnier
Crête des Mélezes
Seyne
Col des Thuiles
Tête Grosse
Col du Fanget
Somt de la Chanau
Col de Maure
Tête de Chabrière
Tête de Vescal
Tête de la Sestrière
Bachelard
N 94
D 900

271
253
289
E
F
G
H
1
2
3
4
5
Abriès
Col d'Urine
Crête de Gilly
Têtedu Pelvas
Pic de l'Agrenier
Col du Tronchet
Eygliers
Souliers
(Château-Ville-Vieille)
Ristolas
La Monta
Rge Napoléon
Col de la Croix
Curbarant
Colle del Baracun
Pralapia
Raymond
Carbonieri
Pic de la Lauze
Peinin
Pic de Maloqueste
L'Echalp
Mt Parroussin
Pta Pleng
M. Frioland
Rucas
Alpe Uvert
Pilone d. Piovale
Rouet
Ville-Vieille
Les Prats
Crête du Mourre-Froid
Demoiselle coiffée
Château Queyras
Som Bucher
L'Ange Gardien
Pic Arnaudet
Pic du Fond de Peinin
Pic de Ségure
Petit Belvédère
Pic du Rondet
M. Manzol
Battaglione
M. Granero
Colle Sea Bianca
Pta Sea Bianca
Colle delle Porte
Pta d'Ostanetta
Colle Bernardo
Castelletto
S. Giacomo d'Agliasco
La Gardiole de l'Alp
Gaudissard
Molines-en-Queyras
RÉGIONAL
PARC
Mt de Bramousse
Montbardon
Crête de Caramagne
Le Grd Queyras
Pic Foréant
Crête de la Taillante
Lac Egourgeou
Bergerie-sous-Roche
Grand Belvédère
Col de la Traversette
Colle della Gianna
Serre Uberto
Borgo
Crissolo
S. Chiaffredo
Ostana
Ghisola
Pierre-Grosse
Fontgillarde
Prés de Fromage
Rocher d'Annibal
Lac Foréant
La Chapelue
Le Veyer
La Chalp
St-Véran
Pic de Chau Renard
Col Vieux
La Grde Aiguillette
Mt Viso
Giacoletti
L. Fiorenza
Pian del Re
M. Granè
Bramousse
Chets de Bramousse
Col de Fromage
Pnte de Rasis
Le Raux
Aigue Blanche
Aigue Agnelle
Refuge Napoléon
Pic Traversier
Crête de Beauregard
Col Agnel
le Pain de Sucre
L. Chiaretto
Oncino
Calcinere
S. Margherita
Col de Bramousse
Le Villard
Col des Estronques
Crête de Curlet
QUEYRAS
Pic de Caramantran
Col St-Véran
Soustra
Col de Vallante
Visolotto
Viso Mozzo
M. Viso
M. Cialancie
Ruata
Serre
Croce Turnour
San Lorenzo
Ste-Cécile
St Roch
Pnte des Marcellettes
N.-D. de Clausis
Tête de Longet
Col Blanchet
Costa Ciabert
Gagliardone
Pta tre Chiosis
Vallanta
Sella
Pta Barraco
Pta Michelis
Arlongo
Pian Munè
La Clapière
Ceillac
Rioufenc
Tête des Toillies
Chianale
Passo S. Chiaffredo
Cristillan
Vallon du Mélezet
Pied-du-Mélezet
Cime-du-Mélezet
La Raille
Col de Cristillan
Col du Longet
L. Bleu
Tour Real
Savigliano
L. Nero
Cima delle Lobbie
Pta Rasciassa
Colle di Luca
Ta di Garitta Nuova
Borgata Danna
La Mouretière
Cade de la Pisse
Pnte de Saume
Le Longet
Péouvou
Pontechianale
Colle di Cervetto
La Main de Dieu
Crête des Veyres
Lac Ste-Anne
Rocher de l'Échasse
Bric de Rubren
Maddalena
Castello
Villaretto
Bosco de l'Alève
M. Reisasso
Cima di Crosa
Pic des Heuvières
Col Tronchet
Col Girardin
Le Gâ
M. Ferra
M. Pietralunga
M. Passet
Rabioux
Bertines
Serre di Raie
Becetto
Dragoniere
M. Ricordone
Réserve Naturelle du Val d'Escreins
Pic de la Font Sancte
Pnte d'Escreins
Maurin
Combe Brémond
Tête de Malacoste
Pic du Pelvat
Bellino
Chau
Caldane
Confine
Villar
Calchesio
Chiotti
Rore
Pics des Houerts
Panestrel
Col des Houerts
Maljasset
Serrière de la Testera
Pelvat de Chabrière
Varaita di Bellino
Pusterle
Chiesa
Casteldelfino
Torrette
Sampeyre
Pratolungo
Crête des Couniets
La Barge
Aiguille Pierre André
Pnte Hte de Mary
Tête de l'Autaret
S. Anna
Pleyne
Chiazale
Valle Varaita
La Mortice
Col de Serenne
Lacs de Marinet
Dents de Maniglia
Col de l'Autaret
Cle Bicocca
M. Morfreid
Cle di Sampeyre
Tenou
Pelvo d'Elva
Viani
M. Nebin
M. Rastcias
M. Birrone
Col de Mary
Lacs du Roure
Pnte du Fond du Roure
Elva
Chiosso
M. Ciarm
Chesta
Tête de Paneyron
St-Antoine
Aiguille de Chambeyron
Cle di Bellino
Brec de l'Homme
Les 9 Couleurs
M. Faraut
Rca la Marchisa
Colle delle Sagneres
M. Cugulet
Goria
Pont du Châtelet
La Souvagea
Lac Long
Col de la Gypière
M. Albrage
M. Chersogno
Cucchiales
Rce Pertus
Rubbio
Colonnes Coiffées
Serennes
Fouillouse
Lac Premier
Brec de Chambeyron
Campiglione
Cesani
Morinesio
Stroppo
Langra
Pagliero
Les Prats
M. Ruissas
B. de Debalens
B. de l'Eyssilloun
Stroppia
M. Boulliagna
Villa
Alma
Macra
Lóttulo
St-Paul-sur-Ubaye
Rochers de St Ours
Col de Stroppia
Rocca Bianca
San Michele Prazzo
S. Martino
Maurengo
Ansoleglio
Colle
Pas de la Reyssole
Col de Mirandol
Col du Vallonnet
Roche Blanche
Chiappera
Rca di Ciarm
Ussolo
Prazzo
Ponte-Marmora
Albaretto
Celle di Macra
Combal
Redoute de Berwick
Tête de l'Homme
Meyronnes
St-Ours
Somt de la Meyna
Tête de Sautron
Lausetto
Saretto
Villaro
Acceglio
Inf.
Sup.
M. Buch
Ugo
Chiotto
Paglières
Moschières
Les Gleizolles
Fort de Tournoux
Col de Sautron
Pontemaira
Sorgti della Maira
Maddalena
Frere
Valle
Marmora
(Val d'Oronaye)
Tête de l'Alp
Tête de Virayssé
Col des Monges
Alto Vallonasso
Rca Corna
Canosio
Fort de Roche-la-Croix
B. des Chalanches
Certamussat
P. Rippert
La Condamine-Châtelard
Larche
Tête Dure
Aigle Jean Coste
S. Giacomo
Arata
M. Cialme
M. Chialmo
Chialvetta
Colle Soleglio Bue
M. Piegù
Tolosano
Rocca Cernauda
Bois des Tardées
B. de la Lauze
Bec du Lièvre
Tête de Moïse
C.A.I.
Valliera
Tête de Siguret
Maison-Méane
Tête de Vauclave
Preit
Tête du Coin de l'Ours
L. d'Oronaye
Col de Ruburent
Grangia Rosano
Pratorotondo
Rca dell Aquila
Reccia
M. Tibert
Campomolino
Pas de Grégoire
Bec de l'Aigle
Col de Larche (Colle della Maddalena)
M. Cassorso
Gias Lauset
Cle Sibolet
Chiappi
Castelmagno
Jausiers
Guégnier
Servino
Pso della Gardetta
Chiampasso
Gias Maro
L'Ubac
Vallon des Sagnes
Tête de Fer
L. della Maddalena
Source
Rca la Meja
Cle del Mulo
Cle del Vallonetto
M. Oserot
Lans
Le Villard
Serre de Bouréou
Argentera
Cle Margherina
Cle Valcavera
Pta Parvo
Colle Viribianc
M. Brar
La Frache
La Chalannette
La Prégonde
Cne Donnadieu
Cabane di Goretta
Bersezio
Glas Bandia
M. Borel
Le Villard-de-Faucon
Le Rochas
L. des Sagnes
Chlle du Lauzanier
L. du Lauzanier
M. Giordano
M. Omo
Tête de l'Enchastraye
Cma delle Lose
Cma Piconiera
L. des Hommes
Rer des 3 Evèques
Barricate
M. Sale
Pontebernardo
M. Bersajo
Le Pis
Tête de Pelouse
San Giacomo
chastrayes
Crx de l'Alpe
Tête de l'Empeloutier
Pas de la Cavale
Col de Pouriac
Pte delle Barricate
Moriglione
M. Nebius
M. di Vinadio
Cime de Voga
Mt Aiga
Murenz
Castello
S. Lorenzo
Sambuco
Trinità
Le Mourre Haut
Cirque du Salso Moreno
Gias Bal
M. Bassura
Villetta
Neraissa Sup.
Tête Dure
Caserne de Restefond
Restefond
Camp des Fourches
Pietraporzio
Neraissa Inf.
Neghino
Aisone
Oratoire
Col de Raspaillon
Col des Fourches
Talarico all'Ubac
Cma del Rouss
M. Autes
Col de Fer
Montagne de l'Alpe
Col de Fours
N.-D. du Très Haut
Col de la Bonette
Bousiéyas
Cime des Blanches
M. Vaccia
Vinadio
Goletta
Le Pra
Planche
Cime de la Bonette
Lacs de Vens
M Vallonnet
Zanotti al Piz
M. Ciaval
Bagni di Vinadio
Pratolungo
Ruviera
Les Longs
Bayasse
Col de la Moutière
Col de Colombart
Vens
Clai sup
Tête de l'Ubac
Tête de Glaudon
Sestrière
Tête de la Blanche
DU MERCANTOUR
NATIONAL
M. Ciastella

0 2 4 6 8 10 km
254
292
A
B
C
D
1
2
3
4
5
Biscarrosse
Hourtiquets
En Bonnet
Étang de Biscarrosse et de Parentis
CENTRE D'ESSAIS DES LANDES
Zone militaire interdite
Lahitte
Les Mouliès
Le Bôo
Naoutoy
Bourruque
Le Lac
Parentis-en-Born
Les Espalanques
Pons
Gastes
Le Pourjeau
Herran
Les Forges
Hillan
Esleys
Lucats
Dupouy
Maynage
Lafont
Pelouche
Mongaillard
Forêt de Piche
St-Trosse
Forêt de Ligautenx
Forêt de Ste-Eulalie
P. de l'Oustaline
Ste-Eulalie-en-Born
Grand Ligautenx
Petit Ligautenx
Lette de Selbiat
Courant de Ste Eulalie
Souleyraou
Pontenx-les-Forges
Menaut
Guirosse
Bestaven
Baxente
Lüe
Étang d'Aureilhan
Jean de-Crabe
Bouricos
Fontaine miraculeuse
Cantaloup
Mimizan-Plage
Merquedey
Vigon
Aureilhan
St-Paul-en-Born
La Barde
Larrousseau
Daricau
Haza
Médous
Mimizan
Villenave
Gillet
Cantaure
Côte d'Argent
Baschoc
Ménèou
Terrenave
Réserve
Salin
Chéou
Angoulin
Esting
Lette d'Esting
Leych
Gaye
Archus
22
Jouanicot
Escource
Bias
Jouanon
Bouheben
Forêt de St-Julien-en-Born
Capas
Lisacq
28
16
Larden
Salbert
Lestajaou
Contis-Plage
P. Rose
Lesbordes
Silo
Tresse
Tuquelets du Nord
La Lette
21
Le Cusson
Contis-les-Marais
Caoule
Guetch
Mézos
Courant de Contis
Tuquelets du Sud
St-Julien-en-Born
Casteja
Onesse
Onesse-Laharie
Les Pignats
Lafitte
Cap-de-l'Homy Plage
Laharie
Le Cout
Lit-et-Mixe
Uza
Grand Coulin
Hourre
Harenoin
Padaou
Sindères
Lévignacq
Moulin-Vieux
Miquéou
Lugadets
Naboude
Mixe
Vignacot
Carpit
Le Bousquet
Frouas
Louise
Bernadic
Mathiouic
Caillaube
Le Souquet
St-Girons-Plage
St-Girons
Lesperon
Boucaou
Labaste
Bernadon
Cerboueyre
Criéré
(Vielle-St-Girons)
Forêt de Vielle-St-Girons
L'Océan
Péliou
Jeantot
Gracian
Gournau
Vielle
Linxe
Rion-des-Landes
Arnaoutchot
Mansenes
Pouin
Leurteyroun
Huchet
Courant d'Huchet
Pas du Loup
Étang de Léon
Escalus
Pichelèbe
Castets
Réserve naturelle
(St-Michel-Escalus)
Marquis
Lestage
Boos
Autoroute des Landes
Vignac
Lassalle
Escource

273
Bidaou
La Crabette
Mirador
Lesquire
La Nave
Belhade
Laglèyre
Argelouse
Silo
La Trougne
L'Abeilley
Bourideys
Capdarrieux
Castelnau
Marianne
Hourtoy
Montauzey
Botte
La-Porte-des-Landes
Moustey
Berdoy
Les Ombres
Mothes
Malet
Vieux-Richet
Richet
Haut-Richet
Moucheruc
La Ville
Harribey
Barthe
Bourdieu
Liposthey
Menroux
Pissos
Sore
Lavigne
Pignada
Autoroute des Landes
Escourssolles
Bern
Traounquet
Barade de Rouzet
Pte Barade
Le Thus
Callen
Lagassey
Dumène
Grison
Naou
Gruey
Daugnague
La Crotte
PARC NATUREL RÉGIONAL
Luxey
Le Hallot
Peyronnet
Silo
Bel-Air
Cantegrit
Houssats
Mahan
Forêt de Landes
DES LANDES
Guisoua
Labrit
Guidenson
Trensacq
Lagavarre
Labouheyre
Commensacq
Capbat
La Gelère
Sarroucas
DE GASCOGNE
Écomusée la Grande Lande (Marquèze)
Silo
Lesgoudies
Nan
Sabres
Perrègue
Las Broudes
Mautoire
Lompré
Le Sen
Pouybaquedis
Marais du Platiet
Peyticq
Silo
Couartes
Maguide
Pouy Blanc
Labrit
La Place
Maurin
Luglon
Vert
Marais de l'Anguille
Marais du Brau de Pian
Peyrau
Cornalis
Cachen
Bélis
Tauladon
Hourats
Sanglia
Bezin
Garein
Puy Luçon
Brocas
Réserve de chasse d'Arjuzanx
Parc-de-Poussade
Branenx
Estrigon
Choux
Arjuzanx
Moulin Vieux
Morcenx-Bourg
Castillon
Arengosse
Bagatelle
La Chapelle
Guillemensous
Canenx-et-Réaut
Barbet
Le Fruit
Pelegarie
Cère
Geloux
Ygos-St-Saturnin
Lagraulet
Maisonnave
Villenave
Serroun
Réaut
La Bastide
Ousse-Suzan
Marrouat
Lucbardez-et-Bargues
Mougnoc
Rey
Matha
Birbe
Parentis-d'Uchacq
Piroc
Suzan
Bouniart
Garbay
St-Martin-d'Oney
Menjoulicq
St-Avit
Le Caloy
Beylongue
Silos
Pouy
Coumet
Uchacq-et-Parentis
Douze
Mellan
Campet-et-Lamolère
Lamolère
Base aérienne
MONT-DE-MARSAN
Raubet
St-Orens
Gaube
E
F
G
H
255
274
293

274
0 2 4 6 8 10 km
256
273
294
La Trave
Matha
Marimbault
Pompéjac
Birac
Sendets
Bijoux
Gadine
Cauvignac
St-Loubert
Romestain
Sauviac
Masseilles
Grignols
Balahade
Auzac
Flaujacq
Cours-les-Bains
Luas
Les Gillets
Libet
Cudos
St-Clément
Lavazan
Marions
Sillas
La Rode
Ruffia
Bourideys
Merrein
Peygros
Bernos-Beaulac
Beaulac
Insos
Capdarrieux
Souis
Bernatgé
Musset
Antagnac
Heulies
Cazalis
Lucmau
Briel
Barthos
Taves
Pechon
Pètron
Mauriac
Beys
Lerm-et-Musset
St-Martin-Curton
Lagassey
Naou
Escaudes
Les Trisets
Les Bordes
Bialayre
Saurine
Beauzia
Carnine
Goualade
Destrac
Biret
Captieux
Frayon
Grison
Cœur d'Aquitaine
Grd Lèbe
Castelnau
Paropy
Pejouans
PÉGIONAL
Bouchon
Giscos
St-Michel-de-Castelnau
La Fille
Pindères
Rivedieu
Pichon
Les Barbes
Lartigue
Pompog
Lagavarre
Maillas
Parsol
Les Cultures
Champ de Tir
Chalan
Hourquey
Videau
Lubans
St-Clair-de-Gouts
Sauméjan
Le Pont Long
Rieussout
Publanc
Monturon
Le Poteau
Allons
Houeillès
Luxuriguey
Silos
Capchicot
Étang de Graoulie
Thivet
Tourneuve
Las Broudes
Traverses
Lubernos
Pouybaquedis
Grateloup
Bourriot-Bergonce
Silo
La Gare
Bergonce
Miquelot
Carreft du Tremblant
Maurin
Le Bouché
Lencouacq
Retjons
Vialote
Gouaillardet
Losse
Lubbon
Lussolle
Chau de Peyrebère
Cachen
Bélis
Chinanin
Lugazaut
Maison Neuve
Chicoy
Peyrebère
Guinas
Arue
Estampon
Tauladon
Nabias
St-Gor
Lapeyrade
Perret
Roquefort
Vielle-Soubiran
Pijo
Bellevue
Rimbez
Cazaubon
Maillères
Carrère
Estigarde
Sarbazan
St-Martin-de-Noët
Canenx-et-Réaut
Le Jay
Loustalot
Laslangaches
Balen
Lou Maïsouot
Jourdan
Corbleu
Arouille
Herré
Buros
Réaut
Douzevielle
Parisot
Créon-d'Armagnac
Beillons
Paguy
Labrise
St-Julien-d'Armagnac
Bostens
St-Justin
Fondat
Betbezer-d'Armagnac
Chicot
Gabarret
Lucbardez-et-Bargues
Pouydesseaux
Bernet
Labastide-d'Armagnac
Cap-de-la-Hargue
Rouge
Lagrange
Le Marais
Lasserre
Escala
Pillelardit
Silo
N.-D.-des Cyclistes
Briat
Barbotan-les-Thermes
St-Avit
Lacquy
Noel
Gaillères
Le Caloy
Chateau-Garreau (Écomusée)
Mauvezin-d'Armagnac
Tavernes
St-Cricq
Parleboscq
Ste-Foy
Le Frêche
Bégué
Lac d'Uby
Lacaze
La Bataille
Cazaubon
St-Christau
Mura
Monclar
Eglo
MONT-DE-MARSAN
Maureillan
St-Vidou
Brechan
Cucassé
Laballe
Le Sentex
Mauléon
Églis
Ciron
Giscos
Gouaneyre
Douze
Estampon
Launet
Vialote
Midou

275
257
276
295
Tonneins
Casteljaloux
Aiguillon
Nérac
Condom
Lavardac
Damazan
Port-Ste-Marie
Clairac
Colayrac-St-Cirq
Walibi Aquitaine
Laplume
La Romieu
Fourcès
Montréal-du-Gers
Mézin
Moncrabeau
Francescas
Calignac
Moncaut
Montagnac-s-Auvignon
Estillac
Roquefort
Aubiac
Le Mas-d'Agenais
Villeton
Monheurt
Buzet-s-Baïse
Feugarolles
Vianne
Barbaste
Durance
Houeillès
Bouglon
Argenton
Sos
Poudenas
Réaup-Lisse
Castelnau-d'Auzan
Lagarde
Marsolan
St-Mézard
Bruch
Sérignac-sur-G.
Montesquieu
Prayssas
Lusignan-Petit
Montpezat
Granges-sur-Lot
Fongrave
Dolmayrac
Varès
Grateloup-St-Gayrand
Sénestis
Ste-Marthe
Villefranche-du-Queyran
Anzex
Caubeyres
Fargues-s-Ourbise
Pompiey
Xaintrailles
Mongaillard
Ambrus
St-Pierre-de-Buzet
Thouars-s-G.
St-Laurent
Clermont-Dessous
Bazens
Galapian
Lagarrigue
St-Salvy
Frégimont
Espiens
Saumont
Nomdieu
Fieux
Lamontjoie
St-Vincent-de-Lamontjoie
Ligardes
Gazaupouy
Castelnau-sur-l'Auvignon
Larroque-Engalin
Berrac
Cassaignes
Larroque-sur-l'Osse
Lannes
Fréchou
Andiran
Beaumont
Séviac
Lauraët
Caussens
Blaziert
Béraut

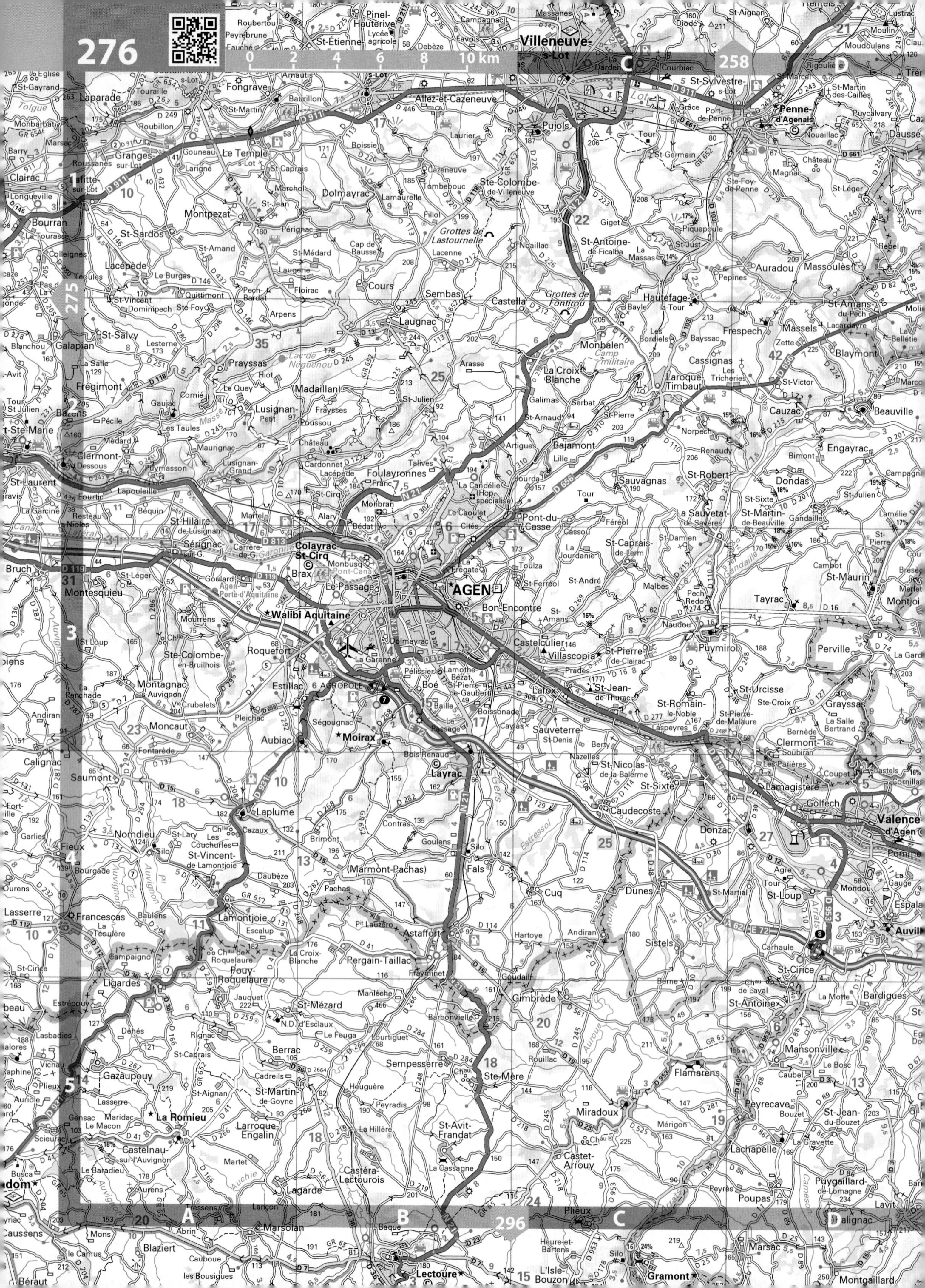
0 2 4 6 8 10 km
Villeneuve-s-Lot
Pujols
St-Sylvestre-s-Lot
Penne-d'Agenais
Fongrave
Allez-et-Cazeneuve
Le Temple-s-Lot
Granges-sur-Lot
Lafitte-sur-Lot
Clairac
Laparade
Bourran
Montpezat
Dolmayrac
Ste-Colombe-de-Villeneuve
Grottes de Lastournelle
St-Antoine-de-Ficalba
Hautefage-la-Tour
Auradou
Massoulès
St-Sardos
Lacépède
Cours
Sembas
Castella
Grottes de Fontirou
Laugnac
Prayssas
Monbalen
Frespech
Massels
Blaymont
Galapian
St-Salvy
Frégimont
Lusignan-Petit
(Madaillan)
La Croix Blanche
Laroque-Timbaut
Cauzac
Beauville
Clermont-Dessous
St-Laurent
Foulayronnes
Bajamont
Engayrac
St-Robert
Dondas
Sauvagnas
La Sauvetat-de-Savères
St-Martin-de-Beauville
St-Hilaire-de-Lusignan
Colayrac-St-Cirq
Sérignac-sur-G.
Bruch
Montesquieu
Le Passage
Brax
AGEN
Pont-du-Casse
St-Caprais-de-Lerm
St-Maurin
Tayrac
Walibi Aquitaine
Bon-Encontre
Roquefort
Ste-Colombe-en-Bruilhois
Montagnac-s-Auvignon
Estillac
Boé
Castelculier
St-Pierre-de-Clairac
Puymirol
Perville
St-Jean-de-Thurac
St-Romain-le-Noble
St-Urcisse
Grayssas
Moncaut
Aubiac
Moirax
Layrac
Sauveterre-St-Denis
Lafox
Clermont-Soubiran
Calignac
Saumont
Laplume
St-Nicolas-de-la-Balerme
St-Sixte
Lamagistère
Golfech
Valence d'Agen
Caudecoste
Donzac
Nomdieu
St-Vincent-de-Lamontjoie
Fieux
Fals
Cuq
Dunes
St-Loup
(Marmont-Pachas)
Francescas
Lasserre
Lamontjoie
Astaffort
Sistels
Auvillar
Pergain-Taillac
Pouy-Roquelaure
Ligardes
St-Cirice
Gimbrède
St-Mézard
St-Antoine
Bardigues
Berrac
Sempesserre
Ste-Mère
Mansonville
Flamarens
Gazaupouy
Miradoux
Peyrecave
St-Martin-de-Goyne
La Romieu
Larroque-Engalin
St-Avit-Frandat
St-Jean-du-Bouzet
Castelnau-sur-l'Auvignon
Castéra-Lectourois
Castet-Arrouy
Lachapelle
Lagarde
Puygaillard-de-Lomagne
Poupas
Marsolan
Plieux
Lavit
Mons
Blaziert
Marsac
Lectoure
Gramont
L'Isle-Bouzon
Montgaillard
275
258
296
A B C D
1 2 3 4 5

259
278
297
E
F
G
H
Tournon-d'Agenais
Masquières
Le Boulvé
Fargues
Carnac-Rouffiac
Cambayrac
Villesèque
Rassiels
Labastide-Marnhac
Le Montat
St-Matré
Courbiac
Saux
Anthé
Bagat-en-Quercy
St-Pantaléon
St-Daunès
Lhospitalet
Montaigu-de-Quercy
Belvèze
Montcuq-en-Quercy-Blanc
Lascabanes
Cézac
Pern
Roquecor
St-Cyprien
Ste-Alauzie
St-Laurent-Lolmie
Montlauzun
Ste-Juliette
Castelnau-Montratier
Touffailles
Lauzerte
Tréjouls
Sauveterre
Montagudet
Miramont-de-Quercy
Cazes-Mondenard
St-Nazaire-de-Valentane
Montbarla
Montfermier
Brassac
Labarthe
Montesquieu
Durfort-Lacapelette
Vazerac
Molières
Castelsagrat
St-Paul-d'Espis
Lafrançaise
St-Vincent-Lespinasse
Moissac
Montastruc
Piquecos
Albias
Malause
St-Nicolas-de-la-Grave
Lizac
Labastide-du-Temple
Meauzac
Lamothe-Capdeville
Castelsarrasin
Albefeuille-Lagarde
La Ville-Dieu-du-Temple
MONTAUBAN
Castelmayran
Montbeton
St-Porquier
Léojac
Castelferrus
Cordes-Tolosannes
Escatalens
Lacourt-St-Pierre
Bressols
Fajolles
Montech
Labourgade
Corbarieu
Bourret
Larrazet
Garonne
Tarn
Aveyron
Lemboulas
Barguelonne
Lendou

0 2 4 6 8 10 km
260
277
298
Rassiels
Villesèque
St-Pantaléon
Lascabanes
Cézac
Labastide-Marnhac
Le Montat
Flaujac-Poujols
Aujols
Laburgade
Cremps
Concots
Esclauzels
Lugagnac
Limogne-en-Quercy
Escamps
Bach
Varaire
Beaureg
CAUSSE DE LI
du Lot
Phosphatières du Cloup d'Aural
Lhospitalet
Cieurac
Lalbenque
Vaylats
Saillac
Pern
Fontanes
Montdoumerc
St-Alauzie
St-Cyprien
Labastide-de-Penne
Belmont-Ste-Foi
Camp de Caylus
St-Projet
Castelnau-Montratier
Belfort-du-Quercy
Mouillac
Lacapelle-Livron
Puylaroque
Caylus
Montpezat-de-Quercy
Lapenche
Cayriech
St-Georges
Montfermier
Montalzat
Labarthe
Lavaurette
Molières
Auty
Septfonds
Monteils
Caussade
St-Antonin-Noble-Val
Grotte du Bosc
St-Vincent
Grotte du Capucin
St-Cirq
Puycornet
Mirabel
N.D. des Misères
Réalville
Forêt du Bretou
Cazals
Piquecos
Albias
Cayrac
Bioule
Montricoux
Montastruc
Lamothe-Capdeville
Nègrepelisse
Penne
Gorges de l'Aveyron
Villemade
Bruniquel
Montauban
Vaïssac
Puygaillard-de-Quercy
Puycelsi
Léojac
Génébrières
Bressols
La Salvetat-Belmontet
Monclar-de-Quercy
La Sauzière-St-Jean
St-Nauphary
Corbarieu
Montdurausse
St-Urcisse
Aveyron
Tescou
A B C D
1 2 3 4 5

261
E
F
G
H
299
280
1
2
3
4
5
Villeneuve
Villefranche-de-Rouergue
Rieupeyroux
Najac
Cordes-s-Ciel
Carmaux
ALBI
Sauveterre-de-Rouergue
Naucelle
Belcastel
Rignac
Anglars-St-Félix
Privezac
Maleville
Compolibat
Prévinquières
La Capelle-Bleys
Lunac
Laguépie
St-Martin-Laguépie
St-André-de-Najac
Monteils
Sanvensa
La Rouquette
Martiel
Savignac
Laramière
Vidaillac
Puylagarde
Parisot
Castanet
Cornusson
Abbe de Loc-Dieu
Abbe de Beaulieu-en-Rouergue
Varen
Verfeil
Mirandol-Bourgnounac
Pampelonne
Tanus
Crespin
Monestiés
Chlle St Jacques
Salles
Milhavet
Villeneuve-s-Vère
Cagnac-les-Mines
Le Garric
Valderiès
St-Benoît-de-C.
Blaye-les-Mines
Rosières
Lescure-d'A.
St-Juéry
Arthès
Mauriac
Cahuzac-s-Vère
Donnazac
Souel
Les Cabannes
Vindrac-Alayrac
Labarthe-Bleys
Mouzieys-Panens
Marnaves
Milhars
Laparrouquial
Le Ségur
Lacapelle-Ségalar
Montirat
St-Christophe
Jouqueviel
Bor-et-Bar
La Salvetat-Peyralès
Castelmary
Tayrac
Crespinet
Saussenac
St-Grégoire
Gorges de l'Aveyron
Gorges du Viaur
Viaduc
D 911
D 922
D 600
N 88
D 905
D 926

0 2 4 6 8 10 km
262
279
299
RODEZ
Baraqueville
Rieupeyroux
Sauveterre-de-Rouergue
Naucelle
Viaduc du Viaur
Carmaux
ALBI
Réquista
Cassagnes-Bégonhès
Luc-la-Primaube
Salles-la-Source
Sébazac-Concourès
Belcastel
Pampelonne
Brousse-le-Château
Ambialet
Onet-le-Château
Salmiech
Calmont
Ste-Juliette-s-Viaur
Moyrazès
Colombiès
Druelle
Flavin
La Selve
Durenque
Connac
Valence-d'Albigeois
St-Jean-Delnous
Lédergues
Rullac-St-Cirq
Auriac-Lagast
Crespin
Tanus
Ste-Gemme
Mirandol-Bourgnounac
La Salvetat-Peyralès
Prévinquières
Compolibat
Lescure-Jaoul
Privezac
Anglars-St-Félix
Rignac
Goutrens
CAUSSE DU COMTAL

281
263
282
300
E
F
G
H
1
2
3
4
5
Montrozier
Bertholène
Palmas d'Aveyron
Laissac-Sévérac-l'Église
Forêt des Palanges
Sévérac-l'Église
Gaillac-d'Aveyron
CAUSSE DE SÉVÉRAC
Col de Lagarde
Sévérac-d'Aveyron
Col de Palassy
St-Saturnin-de-Lenne
Campagnac
Lapanouse
Laissac
PARC NATUREL RÉGIONAL DES GRANDS CAUSSES
Le Massegros
Ségur
Arques
Le Vibal
Lac de Pont de Salars
Pont-de-Salars
Prades-Salars
Vézins-de-Lévézou
Mt Caune
Puech del Pal
Col d'Engayresque
Canet-de-Salars
Lac de Pareloup
Salles-Curan
Curan
Mt Seigne
St-Léons
Micropolis
St-Laurent-de-Lévézou
PLATEAU DU LÉVÉZOU
Comberoumal
St-Beauzély
Verrières
Rivière-s-Tarn
Mostuéjouls
Le Rozier
Peyreleau
Cornicne du Causse
Cité de pierres de Montpellier-le-Vieux
Aguessac
Compeyre
Paulhe
Puech d'Andan
Forêt du Causse Noir
Millau
Peyre
Viaduc de Millau
Creissels
St-Georges-de-Luzençon
Castelnau-Pégayrols
Montjaux
Viala-du-Tarn
St-Rome-de-Tarn
St-Victor-et-Melvieu
Ayssènes
Le Truel
Les Costes-Gozon
St-Rome-de-Cernon
Sargels
La Bastide-Pradines
Lapanouse-de-Cernon
Ste-Eulalie-de-Cernon
La Cavalerie
CAUSSE
Camp militaire du Larzac
Roquefort-s-Soulzon
Tournemire
St-Affrique
St-Izaire
St-Jean-d'Alcapiès
Viala-du-Pas-de-Jaux
Pic de Cougouille
L'Hospitalet-du-Larzac
Rer St-Pierre
Calmels-et-le-Viala
LA MÉRIDIENNE
A 75
E 11
N 88
D 911
D 992
D 999
D 809

0 2 4 6 8 10 km
CAUSSE DE SAUVETERRE
CAUSSE MÉJEAN
CAUSSE NOIR
PARC NATIONAL DES CÉVENNES
PARC RÉGIONAL
Camp militaire
St-Saturnin
Sabot de Malepeyre
La Tieule
Le Massegros
St-Georges-de-Lévéjac
Point Sublime
Cirque des Baumes
Les Détroits
Roc des Hourtous
GORGES DU TARN
Roc du Serre
La Malène
Ste-Enimie
Cirque de Pougnadoires
Chau de la Caze
Cirque de St Chély
St-Chély-du-Tarn
Laval-du-Tarn
Mont Chabio
Quézac
Ispagnac
Castelbouc
Montbrun
Florac
Les Bondons
Bédouès-Cocurès
Mas-St-Chély
Col de Coperlac
Hures-la-Parade
Plaine Chanet
Nivoliers
Chaos de Nîmes le Vieux
Vebron
Les Vignes
St-Rome-de-Dolan
Montbuisson
St-Pierre-des-Tripiers
Aven Armand
Roc St-Gervais
Gorges de la Jonte
Arcs de St Pierre
Corniches du Causse Méjean
Le Rozier
Peyreleau
Mostuéjouls
Grotte de Dargilan
Meyrueis
Col de Perjuret
Fraissinet-de-Fourques
Rousses
Corniche
Corniche du Causse Noir
Terrasses du Truel
Veyreau
Cité de pierres de Montpellier-le-Vieux
Roquesaltes (Rochers)
Le Rajol
La Roque-Ste-Marguerite
Lanuéjols
Roquedols
Abîme de Bramabiau
St-Sauveur-Camprieu
Col de Prat-Peyrot
MONT AIGOUAL
Observatoire
Arboretum de l'Hort de Dieu
Col de la Séreyrède
L'Espérou
Valleraugue
Canyon de la Dourbie
Trèves
Causse-Bégon
Gorges de la Dourbie
Dourbies
Col du Minier
Cantobre
Roc Nantais
Nant
St-Jean-du-Bruel
Col de l'Homme Mort
Col des Pottes
Col de Mouzoules
Le Vigan
Aulas
Arrigas
Aumessas
Molières-Cavaillac
Avèze
La Cavalerie
L'Hospitalet-du-Larzac
Sauclières
Col de la Barrière
Campestre-et-Luc
A B C D
1 2 3 4 5
264 281 301 302

283
265
284
302
303
E
F
G
H
Villefort
Sommet de Finiels
Col de Finiel
Mont Lozère
Pic Cassini
Mas Camargues
Concoules
Ponteils-et-Brésis
Malons-et-Elze
Les Vans
Berrias-et-Casteljau
Bois de Païolive
Le Pont-de-Montvert
Vialas
Génolhac
Aujac
Malbosc
Banne
St-Paul-le-Jeune
Sénéchas
Bordezac
Grotte de la Cocalière
Montagne du Bougès
Col du Bougès
Chamborigaud
Gagnières
Bessèges
Courry
Peyremale
La Vernarède
Portes
Robiac-Rochessadoule
Meyrannes
St-Ambroix
Cassagnas
St-Privat-de-Vallongue
St-Julien-des-Points
Ste-Cécile-d'Andorge
Le Martinet
St-Florent-s-Auzonnet
Molières-s-Cèze
St-Jean-de-Valériscle
Les Mages
St-André-de-Lancize
St-Hilaire-de-Lavit
St-Michel-de-Dèze
Le Collet-de-Dèze
Col de la Baraque
Branoux-les-Taillades
La Grand-Combe
Laval-Pradel
St-Germain-de-Calberte
St-Martin-de-Boubaux
Lamelouze
Les Salles-du-G.
Rousson
St-Julien-les-Rosiers
Soustelle
Salindres
Ste-Croix-Vallée-Française
St-Étienne-Vallée-Française
Moissac-Vallée-Française
Cévennes
St-Martin-de-Valgalgues
St-Paul-la-Coste
Cendras
St-Privat-des-Vieux
Servas
Col de St-Pierre
Saumane
Les Plantiers
L'Estréchure
Peyrolles
St-Jean-du-Gard
Mialet
Grotte de Trabuc
Musée du Désert
ALÈS
St-Christol-lès-Alès
Méjannes-lès-Alès
Mons
Col de l'Asclier
Soudorgues
Thoiras
Corbès
Générargues
Bambouseraie de Prafrance
Anduze
Bagard
St-Hilaire-de-Brethmas
St-Hippolyte-de-Caton
Deaux
Vézénobres
Lasalle
Boisset-et-Gaujac
Ribaute-les-Tavernes
N.-D.-de-la-Rouvière
St-Martial
Colognac
St-Bonnet-de-Salendrinque
Vabres
Tornac
Massillargues-Attuech
Cardet
Massanes
Cassagnoles
St-Roman-de-Codières
St-Félix-de-Pallières
Lézan
Maruéjols-lès-Gardon
Boucoiran-et-Nozières
Brignon
Cros
Monoblet
Fressac
Durfort-et-St-Martin-de-Sossenac
Ledignan
St-Bénézet
Domessargues
Sumène
St-Hippolyte-du-Fort
Canaules-et-Argentières
Savignargues
Aigremont
Mauressargues
St-Julien-de-la-Nef
La Cadière-et-Cambo
Moulès-et-Baucels
Logrian-Florian
Puechredon
St-Géniès-de-Malgoires
Ganges
Sauve
St-Théodorit
Montagnac
Montignargues

0 2 4 6 8 10 km
266
283
303 304
A B C D
1 2 3 4 5
Grotte Chauvet 2-Ardèche
Vallon-Pont-d'Arc
St-Alban-Auriolles
Sampzon
Chalamelas
Les Vans
Grospierres
Salavas
Vieux-Vallon
Les Tunnels
Berrias-et-Casteljau
Bois de Paiolive
Comps
Le Rouret
Pont d'Arc
Chames
Cirque
Plateau des Gras
Belvre du Serre de Tourre
Aven de Marzal
Belvres de Gaud
Balcon d'Autridge
Gorges de l'Ardèche
Réserve naturelle
Labastide-de-Virac
Beaulieu
St-Remèze
Bidon
Bourg-St-Andéol
St-Marcel-d'Ardèche
Belvres de Gournier
La Madeleine
Belvre de la Cathédrale
Hte Corniche
Maladrerie des Templiers
Grand Belvédère
Belvre du Ranc-Pointu
St-Marcel
Aven de la Forestière
Aven d'Orgnac
Bois de Ronze
Barjac
Vagnas
Bessas
St-Paul-le-Jeune
St-André-de-Cruzières
St-Sauveur-de-Cruzières
Mas Reboul
Le Garn
Orgnac-l'Aven
Laval-St-Roman
Aiguèze
St-Martin-d'A.
St-Just-d'Ardèche
Rhône
St-Privat-de-Champclos
St-Julien-de-Peyrolas
Courry
St-Brès
Meyrannes
St-Ambroix
Molières-s-Cèze
St-Jean-de-Maruéjols-et-Avéjan
la Salamandre
Montclus
Issirac
St-Christol-de-Rodières
Salazac
St-Paulet-de-Caisson
Pont-St-Esprit
Tharaux
Rochegude
St-André-de-Roquepertuis
Chartreuse de Valbonne
Carsan
St-Alexandre
St-Denis
Les Mages
Rivières
Méjannes-le-Clap
Goudargues
Cornillon
St-Laurent-de-Carnols
St-Julien-de-Cassagnas
Rousson
Chau d'Allègre
Allègre-les-Fumades
Fons-s-Lussan
La Roque-sur-Cèze
St-Michel-d'Euzet
St-Nazaire
St-Gervais
Salindres
Bouquet
Navacelles
Les Concluses
Verfeuil
St-André-d'Olérargues
Bagnols-s-Cèze
Servas
Lussan
Sabran
Brouzet-lès-Alès
Guidon du Bouquet
St-Marcel-de-Careiret
Orsan
Seynes
Vallérargues
La Bruguière
St-Laurent-la-Vernède
Cavillargues
St-Pons-la-Calm
Tresques
Laudun-l'Ardoise
Mons
St-Just-et-Vacquières
Fontarèches
Pougnadoresse
Le Pin
Connaux
Méjannes-lès-Alès
Monteils
Belvézet
Bois de St-Quentin
Gaujac
St-Paul-les-Fonts
St-Hippolyte-de-Caton
Euzet
Vallabrix
St-Victor-la-Coste
St-Étienne-de-l'Olm
Aigaliers
St-Quentin-la-Poterie
La Capelle-et-Masmolène
Pouzilhac
Vézenobres
Baron
Foissac
Montaren-et-St-Médiers
St-Hippolyte-de-Montaigu
Martignargues
Serviers-et-Labaume
St-Maurice-de-Cazevieille
St-Césaire-de-Gauzignan
Flaux
Uzès
St-Siffret
Valliguières
Cruviers-Lascours
Castelnau-Valence
Collorgues
Aubussargues
Forêt de Malmont
Garrigues-Ste-Eulalie
Arpaillargues-et-Aureillac
St-Maximin
Argilliers
Castillon-du-Gard
St-Hilaire-d'Ozilhan
Brignon
Moussac
St-Dézéry
Bourdic
Vers-Pont-du-Gard
St-Chaptes
Blauzac
Sanilhac-Sagriès
Collias
Pont du Gard
Remoulins
Maurressargues
Sauzet
St-Geniès-de-Malgoirès
Montignargues
La Rouvière
(Ste-Anastasie)
Gorges du Gardon
Fournès
Estézargues
St-Bonnet-du-Gard
Dions

267
La Garde-Adhémar
Ch^lle du Val-des-Nymphes
Clansayes
Montségur-sur-Lauzon
Richerenches
Colonzelle
Grillon
Valréas
St-Pantaléon-les-Vignes
Rousset-les-Vignes
Grotte de Rochecourbière
La Grande Tuilière
Novézan
Vaux
Aubres
Les Pilles
Nyons
Gorge
Les Parèjats
Le Devès
Ste-Perpétue
St-Pierre
Les Estangs
St-Martin
St-Rimbert
C. de la Croix
Châteauneuf-de-Bordette
Garde Grosse
Les Bayles
Rochebrune
Col la Vôte
Vinsobres
Le Pont-de-Mirabel
Les Cornuds
Les Blaches
Mirabel-aux-Baronnies
Piégon
Beauvoisin
Bénivay-Ollon
St-Jean
Rieu Sec
Ferme aux crocodiles
St-Paul-Trois-Châteaux
St-Restitut
St-Sépulcre
St-Juste
Solérieux
La Baume-de-Transit
Le Colombier
Visan
N.-D. des Vignes
La Rouverette
Chabrières
Barry
La Borie
St-Turquoit
Chapelle St-Sauveur
Bouchet
St-Maurice-sur-Eygues
Plan-de-Mirabel
Beaulieu
Ouvrages de Donzère Mondragon
St-Pierre
St-Ferréol
Gourdon
Suze-la-Rousse
Les Quatre Chemins
Tulette
La Baude
Villedieu
St-Georges
Les Jonchiers
Propiac
Etab^t Thermal
Mérindol-les-Oliviers
Bollène
St-Blaise
Lignane
Buisson
St-Roman-de-Malegarde
Ste-Croix
La Tuilière
Puyméras
Faucon
La Penne-sur-l'Ouvèze
Moulin-Gauthier
Pierrelongue
St-Michel
La Croisière
Plan-Juliéras
Derboux
L'Étang
Rochegude
Le Débat
Ruines Romaines
St-Romain-en-Viennois
Taulignan
Vaison-la-Romaine
Mollans-sur-Ouvèze
Pas-du-Ventoux
Les Richards
St-Ariès
Mondragon
Ste-Cécile-les-Vignes
Galifet
Notre-Dame
Cairanne
Rasteau
Roaix
St-Marcellin-lès-Vaison
Crestet
St-André
Entrechaux
Veaux
Les Farjons
Massillan
Hauteville
(Uchaux)
Bois de la Montagne
Lagarde-Paréol
Alcyon
N.-D. d'Aubusson
Séguret
Crête du Rissas
Sommet de la Plate
St-Roch
Les Valettes
Les Breteaux
Mornas
La Galle
St-Estève
Sérignan-du-Comtat
St-Marcel
La Couranconne
St-Paul
St-Jean
Le Martinet
Sablet
Montmirail
Romane
Crête de St-Amand
Cque de St-Amand
Beaumont-du-Ventoux
Ste-Marguerite
Les Alazards
Ramayettes
N.-D. du Groseau
Mornas Village
Île des Brotteaux
Piolenc
Aigueville
L'Harmas J.H. Fabre
Les Roards
Travaillan
Plan-de-Dieu
St-André
L'Encieu
Château-Neuf
Col du Cayron
Dentelles de Montmirail
Suzette
Malaucène
La Bégude
La Baumette
Le Cheval-Blanc
Camaret-sur-Aigues
Violès
Gigondas
St-Christophe
La Pinière
N.-D. de l'Annonciation
Abbaye Ste-Madeleine
Ch^lle Piaud
ORANGE
Arc de Triomphe
Théâtre Antique
Coirol
Belvédère
Marcoule
Malijay
La Grange Neuve
Font-Bonne
Tour Sarrazine
Vacqueyras
Lafare
La Roque Alric
Le Barroux
Le Paty
Crillon-le-Brave
Bédoin
N.-D. du Moustier
N.-D. d'Aubune
St-Hippolyte-le-Graveyron
Martignan
La Rivasse
Millet
Codolet
Caderousse
Chabert
Causans
Pavane
Les Roques
Beaumes-de-Venise
St-Véran
Caromb
Modène
Jonquières
Beauregard
Les Sablons
St-Paulet
L'Euze
St-Pierre-de-Vassols
Souquette
Les Maridats
L'Ardoise
La Gironde
Beaucastel
Aubignan
Rocan
Serres
Île de la Piboulette
Maucoil
Mont-Redon
Courthézon
Verclos
Tourreau
Sarrians
Loriol-du-Comtat
Les Brançay
St-Alban
Mormoiron
Montfaucon
Vaudieu
Le Montellier
Les Taillades
Grande Levade
Talaud
Aqueduc
Mazan
Cimetière
St-Geniès-de-Comolas
Châteauneuf-du-Pape
Husson
Ch^au de l'Hers
Fortia
La Nerte
Bédarrides
Carpentras
N.-D. des Anges
Fonze
Castel-Font
Roquemaure
Les Fines Roches
St-Louis
Auzon
Traslepuy
St-Joseph
Monteux
Bournereau
Parc Spirou
F^t de Clary
Truel
Clairefontaine
Aqueria
Sauveterre
Bne de Sauveterre
Grand-Vaucros
Beauchamp
Entraigues-sur-la-Sorgue
Sorgues
St-Didier
St-Félix
N.-D. de Vie
Unang
Venasque
Forêt de Venasque
Tringuevedel
St-Anthelme
Pujaut
Clos-Méjean
Forgayade
Domaine de Villeneuve
La Motte
Althen-des-Paluds
Nesque
Pernes-les-Fontaines
La Giridé
(Hôpital)
Tavel-Sud
Le Grand Montagne
Île de la Barthelasse
Les Durmaines
Insolas
L'Oseraie
Guerre
Vedène
Trévouse
Les Valayans
St-Joseph
Le Beaucet
Gorges
Villeneuve-lès-Avignon
Miaulonne
Parc du Soleil et du Cosmos
Robert
La Bardesque
St-Gens
La Crémade
Pouraque
Rochefort-du-Gard
Moulinas
Pont-St-Bénézet
Le Pontet
St-Saturnin-lès-Avignon
Grotte de Thouzon
Sorgue
Velleron
Cambuisson
Mourre de la Belle Étoile
La Bégude-de-Saze
Les Angles
La Fontaine-du-Buis
Morières-lès-Avignon
Jonquerettes
La Chapelle Font Ségugne
Montfavet
L'Isle-sur-la-Sorgue
St-Antoine
Saumane-de-Vaucluse
Fontaine-de-Vaucluse
Abb^e de Sénanque
Sénancole
Les Arts
AVIGNON
Le Thor
Châteauneuf-de-Gadagne
La Grillette
St-Pierre-Lavernède
Cambageon
Mt de Vergues
L.G.V. Méditerranée
Parc des Expositions
I.N.R.A.
Gordes
Village des Bories
Aqueduc
304
305
286
E
F
G
H
1
2
3
4
5

0 2 4 6 8 10 km
268
285
305
306
A
B
C
D
1
2
3
4
5
Nyons
Aubres
Les Pilles
Curnier
Arpavon
Montréal-les-Sources
Rosans
Le Poët-Sigillat
Bellecombe-Tarendol
Lemps
Montferrand-la-Fare
Montjay
Chanousse
Montaulieu
Ste-Jalle
St-Sauveur-Gouvernet
Roussieux
Châteauneuf-de-Bordette
Rochebrune
Bésignan
Chauvac-Laux-Montaux
Villebois-les-Pins
Étoile-St-Cyrice
Beauvoisin
Vercoiran
Ste-Euphémie-s-O.
Montguers
Laborel
Bénivay
Buis-les-Baronnies
La Roche-sur-le-Buis
St-Auban-sur-l'Ouvèze
Montauban-sur-l'Ouvèze
Ste-Colombe
Propiac
Mérindol-les-Oliviers
La Penne-sur-l'Ouvèze
La Rochette-du-Buis
Le Poët-en-Percip
Izon-la-Bruisse
Ballons
Faucon
Pierrelongue
Eygaliers
Plaisians
Eygalayes
Lachau
Mollans-sur-Ouvèze
Aulan
Villefranche-le-Château
St-Léger-du-Ventoux
Séderon
Entrechaux
Brantes
Barret-de-Lioure
Montfroc
Mt Serein
Savoillan
Reilhanette
Montbrun-les-Bains
Les Omergues
MONT VENTOUX
Ferrassières
Aurel
Bédoin
Flassan
Sault
St-Trinit
Revest-du-Bion
Mormoiron
Villes-sur-Auzon
Monieux
St-Christol
Banon
Blauvac
Méthamis
Malemort-du-Comtat
Venasque
Simiane-la-Rotonde
Le Beaucet
Murs
Lioux
St-Saturnin-lès-Apt
Oppedette
Vachères
Gordes
Roussillon
Rustrel
Gignac
Gargas
Colorado de Rustrel
Abbe de Sénanque
Village des Bories
Gorges de la Nesque
Plateau d'Albion
Montagne d'Albion
Col des Tempêtes
Col de Murs
Gouffre du Caladaire
PARC NATUREL RÉGIONAL DU MONT-VENTOUX
DES BARONNIES PROVENÇALES
VAUCLUSE

287
269
288
306
307
E
F
G
H
Montrond
Méreuil
St-Genis
Ventavon
Monêtier-Allemont
Claret
Le Caire
Jalinier
La Motte-du-Caire
Melve
Bayons
Clamensane
Eyguians
Lazer
Lagrand
Saléon
Upaix
Théze
Sigoyer
Laragne-Montéglin
Monteglin
Le Poët
Vaumeilh
Nibles
Valavoire
Châteaufort
Valernes
Mison
Antonaves
St-Pierre-Avez
Salérans
Ribiers
Sisteron
Bevons
Noyers-sur-Jabron
St-Vincent-sur-Jabron
Châteauneuf-Miravail
Signal de Lure
Salignac
Sourribes
Thoard
Peipin
Aubignosc
Volonne
Château-Arnoux St-Auban
Châteauneuf-Val-St-Donat
L'Escale
Mallefougasse-Augès
Montfort
Cruis
St-Donat
Mirabeau
Aiglun
Mallemoisson
Malijai
Fontenelle
Les Mées
Peyruis
St-Étienne-les-Orgues
Ongles
Fontienne
Ganagobie
Sigonce
Lurs
Limans
Forcalquier
Pierrerue
Niozelles
N.-D. des Anges
Mane
Prieuré de Salagon
Sauvan
La Brillanne
Oraison
Puimichel
Entrevennes
Le Castellet
St-Julien-d'Asse
Bras-d'Asse
Estoublon
Mézel
Dauphin
St-Maime
Villeneuve
St-Michel-l'Observatoire
Brunet
Observatoire de Hte Provence
Route Napoléon
Rochers des Mées
Durance
Authon
St-Geniez
Entrepierres
Le Castellard-Mélan
Hautes-Duyes
Barras
Champtercier
Digne
Les Monges
Col de Clapouse
Col St Antoine
Col de la Croix
Pas de Bonnet
Montagne de Lure
Col de la Mairie
Pas de la Graille
Forêt de Cruis
Défilé de Pierre Écrite
N.-D.-de-Dromon
Chabre
Vilhosc
Prieuré

288
0 2 4 6 8 10 km
287
270
308
A
B
C
D
1
2
3
4
5
Selonnet
Seyne
Les Jurans
Chardavon
Chabanon
La Haute-Combe
La Basse-Combe
Tête Grosse
Col du Fanget
Grand-Puy
Maure
Cabane des Mulets
Col de Maure
Le Grd Puy
Couloubrous
Clot de Bouc
Charcherie
L'Infernet
Auzet
La Sambue
le Moulin
Le Vernet
Roussimat
le Marzenc
Somt de la Chanau
Crête de Val-Haut
La Rouchaye
L'Oratoire
La Citadelle
Les Cimettes
Baudinard
La Sapie
Clue de Verdaches
Vaux
Col de Clapouse
Le Château
Barles
Verdaches
Le Haut Vernet
Le Forest
Somt de Chine
Les Sauvans
Somt de Nibles
St-Clément
Blayeul Somt
Col du Labouret
Le Villard
Le Labouret
Feissal
Col St Antoine
Clues de Barles
Site du vélodrome
Crête de Blayeul
Col de Pont Belle
Ainac
Lambert
Esclangon
Boullard
St-Pierre
Beaujeu
Le Clucheret
Chaudol
Recuit
La Javie
Notre-Dame
N.-D. de Lauzière
Le Bès
Malefiance
Site de l'Ichtyosaure
La Robine-sur-Galabre
Hautes-Duyes
Le Clouet
Le Villard
Le Guéni
Le Forest
Col de la Croix
Ste Madeleine
Thoard
La Bigue
Crête de Liman
Le Mousteiret
Le Brusquet
Le Plan
Les Isnards
Marcoux
Dalle à ammonites
L'Andran
Courbons
Pas de Bonnet
Champtercier
DIGNE-LES-BAINS
N.-D. du Bourg
St Vincent
Chlle la Croix
La Sèbe
St-Pancrace
Etabnt Thermal
Les Sieyes
Les Augiers
La Tour
La Treille
Plan-de-Gaubert
Gaubert
Les Hostelleries
Somt de Cousson
Entrages
St-Michel de Cousson
Le Chaffaut-St-Jurson
Les Fons
La Braïsse
St-Jurson
Les Grillons
Carmejane (École d'Agricre)
Châteauredon
La Gourrée
Chabrières (621)
Clue de Chabrières
N.-D. des Cornettes
St-Pierre
Mézel
Le Brusc
N.-D. de Liesse
Beynes
Mne de Beynes
Les Cardaires
Col de la Croix
Bellegarde
Estoublon
Les Orésonnis
Trévans
St André
Gorges de Trévans
Gros-Jas
Le Poil
Saule-Mort
Maulans
Majastres
La Bégude-Blanche
La Blache
St-Georges
Col de St Jurs
St-Jurs
Ravin de Balène
Allès
Naverre
Serre de Mont
Draix
La Rouine
Archail
Somt de Cucuyon
Pic de Couard
Clue de la Peine
La Peine
Vaumet
Le Villard
Col de Coupe
Plan-de-Chaude
Les Dourbes
Col du Pas de Labaud
Somt du Grasson
Montagne de Coupe
Les Sauzeries-Hautes
Les Sauzeries-Basses
Laubre
Les Dourbettes
(Clumanc)
Le Riou
Valaury
La Tour
La Clappe
Col de Corobin
Les Nèbles
Chambaresc
Toueste
Le Gion
Chauvet
Source
Chaudon
Somt de St Martin
Creisset
Chaudon-Norante
St-Jacques
St-Lions
La Basse-Palud
Barrême
Pont du Pas d'Escale
Valbonette-Basse
La Barre
La Sapée
Le Riou d'Ourgeas
Soleil Bœuf
Mgne de Vibres
Crête de Montmuye
La Melle
N.-D. des Clots
Senez
Route Napoléon
La Tuilière
La Maure
Le Bas-Chadoul
Tour
Blieux
Chiran
Clue de Taulanne
Taulanne
Col des Leques
Somt de Pompe
Chanolles
Col de la Cine
Somt de Cluchemet
La Reynière
(Tartonne)
Le Thouron
Col du Défend
Chapelle
Rebière
Somt de la Sapée
Douroulles
Lambruisse
Mne de Tournon
Mne de Charvet
Col de Séoune
St-Thomas
Château-Garnier
Notre-Dame
Thorame-Basse
La Bâtie
Mne de l'Allier
Somt de la Reynière
Somt du Cugulet
Le Castellet
Somt de Mouchon
Les Challans
Hyèges
Moriez
Gévaudan
Col de la Pierre Plantée
Bois de Lieye
Chalvet
Col des Robines
St-André-les-Alpes
Méouilles
Tour
Angles
Pont St-Julien
Courchons
St-Julien-du-Verdon
Lac de Castillon
Somt du Castellard
Lioux
Blaron
La Baume
Bge de Castillon
Le Cheiron
La Palud
Lac de Chaudanne
Demandolx
Croix de la Mission
Vergons
Clue de Vergons
Notre-Dame de Valvert
Col de Toutes Aures
Pic de Chamatte
Crête de Chamatte
Crête des Serres
La Mure-Argens
Allons
Col d'Allons
Le Fugeret
Bontes
La Moutière
St-Domnin
Vaucluse
Le Puy de Rent
Pic de Rent
Bois de la Condamine
N.-D. de la Fleur
Col de la Colle St-Michel
Thorame-Haute-Gare
Argens
Mne de Maurel
Mne de Cordœil
Font-Gaillarde
Colle Baudet
St-Michel-Peyresq
Peyresq
Rocher du L
Grotte des Méailles
Méailles
Thorame-Haute
Pont de Villaron
Bois du Mont
Le Courradour
Le Moustier
Ondres
Crête du Pas
Gges de St-Pierre
St Pierre
Villars-Heyssier
Beauvezer
La Combe
Roufleiran
Laupon
Bois de Monier
Villars-Colmars
La Grd Croix
Col de Lachen
Col de Vachière
Somt de Denjuan
Col de la Baisse
Mne du Carton
Chavailles
Blégiers
Heyre
Les Combes
Faillefeu
Tercier
Tête de l'Adrech de Vachière
Somt du Mourre de Simanice
Sangraure
Prads-Haute-Bléone
La Favière
Les Eaux Chaudes
Somt de la Croix
Vière
Mariaud
Saume-Longe
Somt du Tromas
Montagne de l'Ubac
Mne du Cheval Blanc
Somt de Mourre-Frey
Côte Longue
La Valette
Mne de Chamatte
Somt de Valdemars
Somt du Caduc
Mourre-Gros
Les Mées
Tête de l'Estrop
Tête Noire
Col de Vautreuil
Pic des Têtes
Roche Close
Mgne des Têtes
Tête de Chabrière
Tête de la Sestrière
Tête de Vescal
Plan Bas
Les Trois Evêchés
Col d'Allos
La Foux-d'Allos
La Foux
Roche Grande
La Baume
La Baumelle
Bouchier
Val d'Allos
St-Pierre
Allos
Le Seignus
Le Gros Tapy
Somt de Valcibière
N.-D.-de-Valvert
L'Autapie
Haut-Chaumie
Bas-Chaumie
Forêt de Colmars
Chasse
Colmars
Fort de Savoie
Fort de France
La Colle
Pont Misson
Le Grd Cheval de Bois
Col du Talon
Le Super-Allos
Villard
Bachelard
Gges de la Malune
Le Pain de Sucre
Les Agneliers
Thuiles
Costebelle
Roche Bénite
Pte Séolane
Les Clarionds
Grde Séolane
l'Abbaye de Laverq
l'Aiguillette
Neillère
Pic de Bernardez
Pompiéry
Molanes
Uvernet
Gaudissard
(Uvernet-Fours)
Pont du Fau
Le Fau
Ste-Rose
Surville
La Liberne

E
271
F
G
H
289
Cime de la Bonette
Col de Restefond
Camp des Fourches
Col de Raspaillon
Col de Fer
Lacs de Vens
Mt Ténibre
Vinadio
Sambuco
Pietraporzio
Pratolungo
Bagni di Vinadio
Col de la Moutière
NATIONAL
DU MERCANTOUR
St-Dalmas-le-Selvage
Col de la Cayolle
St-Étienne-de-Tinée
Auron
Las Donnas
Isola
Isola 2000
Corborant
Col de la Lombarde
Mt Malinvern
Mt St-Sauveur
Entraunes
Mt Mounier
PARC
NATIONAL
DU
MERCANTOUR
Gorges de Valabres
Col Ferrière
St-Martin-d'Entraunes
Châteauneuf-d'Entraunes
Villeneuve-d'Entraunes
Péone
Valberg
Beuil
Roubion
Roure
St-Sauveur-sur-Tinée
Rimplas
St-Dalmas (Valdeblore)
Guillaumes
Croix du Sapet
Mt St-Honorat
Gges de Daluis
Daluis
Gges supres du Cians
Ilonse
Marie
Pierlas
Dôme de Barrot
Sausses
St-Léger
Pont de St-Léger
La Croix-s-Roudoule
Lieuche
Rigaud
Thiéry
Clans
Bairols
Puget-Rostang
Puget-Théniers
Touët-sur-Var
Tournefort
Massoins
291
Entrevaux
Villars-sur-Var
Malaussène
Clue de Rouaine
Montagne de Gourdan
La Penne
Ascros
La Rochette
Val-de-Chalvagne
St-Pierre
St-Antonin
Toudon
Mt Vial
Revest-les-Roches
Défilé du Chaudan
Tourette-du-Château
Ubraye
Amirat
Collongues
Clue du Riolan
Sallagriffon
Cuébris
Roquesteron
Vieux-Pierrefeu
Bonson
Sigale
Roquesteron-Grasse
Clue d'Aiglu
309
Aiglun
Conségudes
Pierrefeu
Gilette
Briançonnet
Gars
Clue de St-Auban
Montagne de Charamel

0 2 4 6 8 10 km
St-Étienne-de-Tinée
Auron
Las Donnas
Isola
Isola 2000
Entraunes
Col des Champs
St-Martin-d'Entraunes
Châteauneuf-d'Entraunes
Villeneuve-d'Entraunes
Péone
Valberg
Beuil
Roubion
Roure
St-Sauveur-sur-Tinée
Guillaumes
Croix du Sapet
Mt St-Honorat
Mt Mounier
Mt St-Sauveur
Le Gd Coyer
PARC NATIONAL DU MERCANTOUR
Gorges de Daluis
Gorges du Cians
Daluis
Sausses
Méailles
Annot
Ilonse
Pierlas
Lieuche
Thiéry
Rigaud
Touët-sur-Var
Puget-Théniers
Pont de St-Léger
Entrevaux
Villars-sur-Var
Massoins
Tournefort
La Penne
Ascros
Toudon
Clue de Rouaine
Val-de-Chalvagne
Collongues
Sigale
Roquesteron
Clue d'Aiglun
Aiglun
Conségudes
Bouyon
St-Auban
Clue de St-Auban
Col de Bleine
Thorenc
Greolières
Coursegoules
Gréolières-les-Neiges
Montagne du Cheiron
PARC NATUREL RÉGIONAL DES PRÉALPES D'AZUR
Valderoure
Peyroules
Séranon
Caille
Andon
Plateau de Calern
Col de Vence
Baou de St-Jeannet
288
289
308
309
A
B
C
D
1
2
3
4
5

E
F
G
H
M. Matto
Cima di Lausetto
REGIONALE
ALPI MARITTIME
Terme di Valdieri
Asta Soprana
Punta Stella
Bozano
Argentera
la Madre di Dio
Diga del Chiotas
Genova
Cima del Baus
Cima di Brocan
F. Remondino
Ponte della Rovina
Monte Barra
L. Rovina
S. Giacomo di Entracque
Punta Savina
M. Carboné
M. Aiera
M. Garbella
M. Bussaia
Palanfrè
Trinità
S. Lucia
Ciolla Fama
Tetto Curune
Sant'Anna
Limone-Piemonte
S. Giovanni
Gias Creusa Sottano
Gias Creusa Soprano
Limonetto
Tête Chaudon
Col de la Boaire
Mt de Carsène
P. Garelli
Pnte Marguareis
Gouffre de Scarason
Col des Seigneurs
Cime du Bec
Col de Tende
Tunnel de Tende
M. del Frisson
Roche de l'Abisse
Col du Sabion
Cime de l'Agnel
Cime du Gélas
Mt Clapier
Cime de Frémamorte
Col de Salèse
Cime du Mercantour
Cime de l'Agnel
Col de Cerise
Mt Pélago
Cime de Fenestre
La Maledie
Le Boréon
Mt Archas
Salese
Cascade
Cime de l'Agnellière
Madone de Fenestre
Mt Neillier
Cime du Piagu
Von de la Madonne de Fenestre
Col de Prals
Cime de la Palu
Mt Lapassé
Col de Férisson
Cime de la Valette
St-Martin-Vésubie
La Colmiane
Pic de Colmiane
Venanson
Berthemont-les-Bains
Valmasque
L. Long
Mt Ste Marie
Fontanalbe
Baisse de Valmasque
Mt du Gd Capelet
Mt Bégo
Vée des Merveilles
PARC
Les Merveilles
Mt des Merveilles
Cime du Diable
Mt Capelet Sup.
Pas du Diable
NATIONAL
Casterino
Mt Chajol
Canaresse
Mt Agnelet
La Minière de Vallaure
Baisse de Peyrefique
Tende
La Brigue
N.-D. des Fontaines
Mt Bertrand
Col Roux
Cime Missoun
Mt Bergiorin
Morignole
Pas du Tanarel
St-Dalmas-de-Tende
Cime de la Nauque
Pnte de la Corne de Bouc
Cime de Corvo
Granile
Bergue-Supérieur
Bergue-Inférieur
Ggès de Paganin
Paganin
Cime de Durasque
Val-del-Prat
Tête de la Nave
Cime de Marte
Monte Gerbonte
Mt de Collardente
Roquebillière
Belvédère
Col de Raus
Cime de Tuor
Plateau de la Céva
Cime de Coss
Col de St Véran
Pnte des Trois Communes
L'Authion
Mille Fourches
Forêt de Caïros
Fontan
Ggès de Bergue
Saorge
(Traversée impossible)
Madone del Poggio
Mt Peyrevieille
Mt Grai
Mt Torrage
Mt Lègue
Pas de Muratone
La Bollène-Vésubie
Camp d'Argent
Col de Turini
MERCANTOUR
Mt Ventabren
Lantosque
Cime de Suorcas
Turini
Ggès de Saorge
La Giandola
L'Arpette
Tête d'Alpe
Breil-s-Roya
Pigna
Castel Vittorio
Moulinet
Mangiabo
Col de Brouis
Cime du Bosc
Mt Forquin
Piène-Haute
Mt Colombin
Cime de Peïra-Cava
Pierre Plate
Peïra-Cava
Ggès du Piaon
Utelle
La Madone d'Utelle
Belvre du Saut-des-Français
Duranus
Col St-Roch
Col de l'Orme
Col de l'Ablé
Sospel
Mt Agaisen
Olivetta-San-Michele
Airole
M. Abellio
Rocchetta-Nervina
Apricale
Perinaldo
Ggès de la Vésubie
Défilé du Chaudan
Col du Dragon
Coaraze
Lucéram
Col de Braus
St-Roch
Mt Barbonnet
Col St-Jean
Col de Castillon
Castillon
Mt Razet
Mt Grammont
Dolceacqua
Levens
Mt Férion
Col de la Croix
Touët-de-l'Escarène
L'Escarène
Berre-les-Alpes
Mt Méras
Col Segra
Mt Ours
Col des Banquettes
Cime de Restaud
Sant'Antonio
Camporosso
Vallebona
Plan-du-Var
La Roquette
St-Martin-du-Var
Bendejun
Châteauneuf
Contes
Col de Nice
Gorges du Paillon
Pic de Baudon
Peille
Ste-Agnès
Castellar
Ventimiglia
Bordighera
Tourrette-Levens
Aspremont
Mt Chauve
Carros
Peillon
Gorbio
L'Annonciade
Roquebrune-
MENTON
Jins Hanbury
Capo Mortola
Cap-Martin
Colomars
Falicon
St-André-de-la-Roche
Drap
La Trinité
Laghet
309
Beausoleil
Cap Martin
MONTE-CARLO
La Condamine
Col d'Èze

0 2 4 6 8 10 km
272
312
A
B
C
D
1
2
3
4
5
Vielle-St-Girons
Gracian
Jeantot
Vielle
Linxe
Pouin
Leurteyroun
L'Océan
Huchet
Courant d'Huchet
Pas du Loup
Étang de Léon
Pichelèbe
Réserve naturelle
Escalus
(St-Michel-Escalus)
Castets
Moliets
Marquis
Léon
St-Michel
Camerade
Taller
Maa
Castillon
Lacay
Moliets-Plage
Ét. de Moliets
Le Village-sous-les-Pins
Quartier-Laguain
Le Conte
Moliets-et-Maa
Betoy
Minjouay
Chanchon
Autoroute des Landes
Étang de Laprade
Étang de Coidoum
Messanges-Plage
Messanges
Bayle
Ét. de Moysan
Grangeon
Herm
Petit Marquis
Cluquetardi
Quartier-Caliot
Vieux-Boucau-les-Bains
Tustête
Tropica parc
Azur
Étang de Soustons
Port d'Albret
Ét. de Pinsolle
Coudère
Magescq
Tastet
Larroze
Le Houdin
Candale
Nerthe
Soustons
Leborde
Forêt de Soustons
Abbesse
Guin
Dolouets
Plage des Casernes
Étang Hardy
Hardy
La Bagnère
Duha
Gaillou-de-Pountaout
La Pince
Étang Blanc
N.-D. de Fatima
St-Paul-lès-Dax
Seignosse-le-Penon
Les Monts
Gourby
Seignosse-les-Estagnots
Réserve naturelle
Étang Noir
Seignosse
Frat
Tosse
Saas
Angoume
Eyranx
St-Vincent-de-Xaintes
Mées
Lac d'Hossegor
Sorts-Hossegor
Lagrollet
St-Geours-de-Maremne
Rivière-Saas-et-Gourby
Adour
Hossegor
Saubion
Thermes-de-Saubusse
La Rocque
Tercis-les-Bains
L'Étoile
de Capbreton
Casablanca
Œyreluy
Pont d'Hiern
Angresse
St-Vincent-de-Tyrosse
Vimport
Camp
Étabt thermal
St-Pand
Capbreton
Bourret
Una
Saubusse
Luy
Josse
Petit Carrère
Siest
Heugas
Bénesse-Maremne
St-Jean-de-Marsacq
Pont Lamarquèze
Orist
Mahourat
Moulin de Bénesse
Silo
Puyau
Pey
Bernets
Réserve Naturelle du Marais d'Orx
Saubrigues
Geloux
Castets
Lesponte
Mombet
Labenne-Océan
Labenne
Orx
Gayrosse
La Mine
Bassecq
St-Lon-les-Mines
Ugne
Montauzet
Navachon
Lacarmenté
Tastet
Ondres-Plage
Castets
Villenave
Rasport
St-Étienne-d'Orthe
Le Moulin à Vent
Bellegarde
Larrouy
Bélus
Cagn
Ondres
Beynes
Lac d'Irieu
St-Martin-de-Hinx
Port-de-Lanne
L. du Turc
Larroque
Monchoisi
Lalanne
Tarnos-Plage
Camiade
St-André-de-Seignanx
Ste-Marie-de-Gosse
Le Pont
Pissot
Biarrotte
Peyrehorade
St-Martin-de-Seignanx
La Pipette
Bordus
Le Bec du Gave
Orthevielle
Chau d'Aspremont
Castagnet
Tarnos
Biaudos
Monplaisir
Labadie
Benzin
Horgave
Gaves Réunis
Castillon
Vincennes
Quartier-Neuf
St-Laurent-de-Gosse
Les Barthes
Hastingues
Cauneille
La Barre
Boucau
Abbe d'Arthous
Œyregave
Chiberta
L. de Chiberta
Brit
Saubis
Grand Villenave
Sames
St-Étienne
St-Barthélemy
St-Jean
La Bourgade
Bordes-du-Haut
Rodigo
Cantons
Les Barthes
Montpellier
Guiche
BAYONNE
Anglet
Lissalde
Bordes-du-Bas
Burre
Oyhanto
Lahonce
Quartier-du-Port
Urcuit
Urt
Lagaillardie
Qr le Baron
Lanusse
St-Pierre-d'Irube
Cr de Mouguerre
Asserol
Lassarrade
Butte de Miremont
Chau de Gramont
Les Cinq-Cantons
St-Pé-de-Léren
Negresse
Souhy
Ardanavy
Joyeuse
Came
Mouguerre
Briscous-les-Salines
Séquillon
Nogues
Qr des Tisserands
Bidache
La Gaîté
Bassussarry
Larraldia
Briscous
Bardos
Qr Lambert
Mentachoury
Qr du Battan
Le Mech
Guinend
Arcangues
Berriotz
Elizaberry
Mendialcu
Monastère des Bénédictines
Abbaye de Belloc
Lihoury
Qr de Mixe
La Ferrerie
Labas
Villefr
Arbonne
Héguia
Pilota-Plaza
L'Enseigne
Bidouze
Arancou
Alotz
Arrauntz
Villefranque
Hérauritz
Route d'Hasparren
La Bastide-Clairence
B. de Tartas
Mixe
Qr de Bentaberry

293
273
294
313
E
F
G
H
Beylongue
Silos
Pouy
Coumet
Quartierot
Uchacq-et-Parentis
Campet-et-Lamolère
Lamolère
Base aérienne
St-Jean-d'Août
Gournau
Rion-des-Landes
Piroc
Suzan
Garbay
Mellan
Raubet
St-Orens
Gaube
Boos
Lestage
Quartier-de-Marcel
St-Yaguen
Ricq
Carsen-Ponson
Pouy-des-Trucs
Cougnala
Le Cos
Patton
Meilhan
Barlac
Le Caloy
Bertheuil
St-Pierre-du-Mont
Laluque
Lesgor
Perichon
Luzou
Cangrand
Ponson
Malet
Ste-Croix
Bourg-Neuf
Campagne
St-Perdon
Loustalet
Parpaillot
Ronsacq
Candille
Tartas
Carcarès-Ste-Croix
Grd Candeles
Lestronques
La Gare
Le Leuy
Haut-Mauco
Bégaar
Guiroton
Le Cout
Bernadia
Jeanbidaou
Marrein
Mugriet
Aurice
Petche
Pontonx-s-l'Adour
N.-D. de Buglose
Buglose
St-Jean-de-Lier
Audon
Gouts
Pelin
Souprosse
St-Étienne
Lamothe
Deyouan
Bas-Mauco
Durou
Gurgues
Gousse
Vicq-d'Auribat
Onard
Goudosse
Cauna
Lagastet
Gendarme
Étabnt thermal
Préchacq-les-Bains
Cassen
Poyanne
Laurede
Laguillon
Toulouzette
St-Sever
Ste-Eulalie
Téthieu
Louer
St-Geours-d'Auribat
Nerbis
Augreilh
Loubart
St-Vincent-de-Paul
Mugron
Boucosse
Silos
Arènes
Arcet
Fleurus
Soustras
Escales
Cazaubon
Goos
Gamarde-les-Bains
Montaut
Hauriet
Banos
Yzosse
Mouras
Lourquen
Labouyrie
Candresse
Hinx
Nousse
Montfort-en-Chalosse
Lahosse
Poyaller
Brocas
Audignon
Captan
Eyres-Moncube
Pouy de Monts
Narrosse
St-Aubin
Aules
Dumes
Sort-en-Chalosse
Laur
Beyrie
Larbey
Maylis
Doazit
Barrat
La Capère
Bégu
Poyartin
Gibret
Baigts
Caupenne
Candale
Horsarrieu
Saugnac-et-Cambran
Garrey
Lurbe
Bergouey
Marquebielle
Ste-Colombe
Téoulé
Ozourt
Castelnau-Chalosse
St-Laurent
Serreslous-et-Arribans
Aubagnan
Macouaou
Mimbaste
Clermont
Donzacq
Lamasquère
Lataulade
St-Cricq-Chalosse
St-Girons
Hagetmau
Cap-de-Monpeyroux
Pachiou
B. de Labarthe
Bastennes
Gaujacq
Le Trace
Serres-Gaston
Bellegarde
Agès
Lande d'Agès
St-Martin
Pomarez
Labatjuzan
Vieux-Bourg
Le Pouy
Grotte du Pape
Brassempouy
Lembeye
Arènes
Cazalis
Labastide-Chalosse
Pouillon
Maréchal
Charles
Lamothe
Estibeaux
Mouliéron
Castel-Sarrazin
Momuy
Lacrabe
Morganx
Le Bourgadot
Nassiet
Cazalon
Misson
Argoubet
Amou
Casenave
Monségur
Mouscardès
Arsague
Castaignos-Souslens
Argelos
Mant
Habas
Tilh
Villandrau
Marpaps
Poudenx
Peyre
Mongetm
Labatut
Ossages
Bonnegarde
Beyries
St-Girons-en-Béarn
Bonnut
Sault-de-Navailles
Bassercles
Castelner
Malaussanne
Bellevue
Ste-Marie
Labeyrie
Arget
Cricq-Gave
Lahontan
N.-D. d'Abet
Puyoô
St-Boès
Mastrot
Loup
Moustrou
Lacadée
St-Médard
Ramous
Bellocq
Baigts-de-Béarn
Mont du Gal Foy
Sallespisse
Hagetaubin
Casteide-Candau
Morlanne
Qr du Guilhat
Qr du Bois
Argelès
Aurit
Bérenx
Salles-Mongiscard
Castétarbe
St-Picq
Cassaber
Sarrabère
Cazenave
Orthez
Balansun
Mascouette
Pomps
Carresse-Cassaber
Lavie
Baure
Noarrieu
Mesplède
Bouillon
Cazet
Marlat
Uzan
Géus-d'Arzacq
Auterrive
Salies-de-Béarn
N'Haux
Castétis
Arthez-de-Béarn
Castagnède
Ste-Suzanne
Le Cout
Lanneplaà
Mondrans
Biron
Lescloupé
Argagnon
Castillon
Arnos
Pène de Mu
Plèchot
Brassalay
Sarpourenx
Arrac
Caubin
Doazon
Lasbordes
Trescoint
Laà-Mondrans
Escos
Oraàs
Ozenx
Adour
Midouze
Luy
Louts
Gabas
Bahus
Gave de Pau
Saleys

0 2 4 6 8 10 km
MONT-DE-MARSAN
Uchacq-et-Parentis
Base aérienne
St-Jean-d'Août
Centre pénitentiaire
St-Médard
St-Pierre-du-Mont
St-Perdon
Mazerolles
Bougue
Beaussiet
Laglorieuse
Bretagne-de-Marsan
Villeneuve-de-Marsan
St-Cricq-Villeneuve
Perquie
Pujo-le-Plan
Artassenx
Bascons
Maurrin
Castandet
Benquet
Haut-Mauco
Bas-Mauco
Grenade-sur-l'Adour
St-Maurice-sur-Adour
Larrivière-St-Savin
Bordères-et-Lamensans
Cazères-sur-l'Adour
Le Vignau
Lussagnet
St-Gein
Hontanx
Bourdalat
Monguilhem
Toujouse
Maupas
Le Houga
Magnan
Montgaillard
Fargues
Renung
Duhort-Bachen
Aire-sur-l'Adour
Barcelonne-du-Gers
Eugénie-les-Bains
Classun
Buanes
Montsoué
Eyres-Moncube
Pouy de Montsoué
Sarraziet
Coudures
Hagetmau
Aubagnan
Vielle-Tursan
St-Loubouer
Bahus-Soubiran
Urgons
Pécorade
Castelnau-Tursan
Geaune
Samadet
Serres-Gaston
Lande d'Agès
Payros-Cazautets
Sorbets
Clèdes
Latrille
Ségos
Arboucave
Puyol-Cazalet
Miramont-Sensacq
Lacajunte
Pimbo
Philondenx
Arzacq-Arraziguet
Garlin
Moncla
Sarron
St-Agnet
Aurensan
Verlus
Viella
Aubous
Aydie
Diusse
Castetpugon
Mont-Disse
Conchez-de-Béarn
Cadillon
Tadousse-Ussau
Baliracq-Maumusson
Mascaraàs-Haron
St-Jean-Poudge
Ribarrouy
Taron-Sadirac-Viellenave
Burosse-Mendousse
Vialer
Séméacq-Blachon
Arricau-Bordes
Lalongue
Gayon
Lespielle
Claracq
Lalonquette
Garlède-Mondebat
Mialos
Séby
Fichous-Riumayou
Bouillon
Pomps
Morlanne
Louvigny
Vignes
Coublucq
Pouliacq
Méracq
Boueilh-Boueilho-Lasque
Poursiugues-Boucoue
Cabidos
Montagut
Malaussanne
Mongeť
Mant
Monségur
Morganx
Poudenx
Peyre
Castelner
Arget
Piets-Plasence-Moustrou
Sté-Colombe
Dumes
Riscle
Tarsac
St-Mont
Corneillan
Bernède
Labarthète
Lannux
Maumusson-Laguian
Vergoignan
Lelin-Lapujolle
Caumont
St-Germé
Arblade-le-Bas
Luppé-Violles
Lanne-Soubiran
St-Griède
St-Martin-d'Armagnac
Laujuzan
Mormès
Perchède
Lias-d'Armagnac
Estang
Castex-d'Armagnac
Montégut
Lannemaignan
Mauléon-d'Armagnac
Monclar
Mauvezin-d'Armagnac
Monlezun-d'Armagnac
Arthez-d'Armagnac
Le Frêche
Lacquy
Ste-Foy
Pillelardit
St-Avit
Lagrange
Castillon
Arnos
Doazon
Mazerolles
Momas
Argelos
Viven
Auga
Thèze
Miossens-Lanusse
Carrère
Lannecaube
Mouhous
Arreule
Lonçon
Uzan
Géus-d'Arzacq
Lube
Escurès
Corbère-Abères
Bassillon-Vauzé
A
B
C
D
1
2
3
4
5
274
293
314

E F G H

275

Le Marais
Lasserre
Pibeque
Pellenaut
Larroque-sur-l'Osse
Marrin
Parleboscq
Castelnau-d'Auzan
Labarrère
Montréal-du-Gers
Tour de Luzan
Le Glèze
Tavernes
St-Cricq
Lacaze
Eitron
Béziey
Villa gallo-romaine
Séviac
Arquizan
Moreau
Rome
Lassale
Baqué
Lamarque
Beaumont
Larressingle
Pouy
Peyriac
Caussens
Mons
Mura
Bouau
Rieupeyroux
Egli
Lauraët
Routges
Couchet
Malossane
Béraut
Le Camus
Laballe
Église
Houeillères
Pomiro
Montaut
Vopillon
Fondelin
Herret
Ste-Fauste
Le Sentex
Cabeil
Doat
Lacs d'Armagnac
Lamothe
Tour
St-Lanne
Péatge
Cape
Ramounet
Cassaigne
Trizac
St-Orens-Pouy-Petit
Pouy-Petit
Le Tourné
Cutxan
Maignan
Pouchalan
Guinlet
Esplavis
Bretagne-d'Armagnac
Pardeillan
Le Verduzan
Lagraulet-du-Gers
Mouchan
Leberon
Château de Tauzia
Maignaut-Tauzia
Millet
Espujos
Cap-Pelat
Larroudé
Esbérous
Broustet
Garderon
Larroussa
Armagnac
St-André
Abbaye de Flaran
Le Canonge
Ordac
Laboge
Campagne-d'Armagnac
St-Aubin
Escagnan
Cazeneuve
Gondrin
Busca-Maniban
Rouquettes
Valence-sur-Baïse
Monluc
St-Puy
Eauze
La Pelinguette
Mansencome
Réans
Le Duret
Estivau
Forêt de Gondrin
Carreté
Camarade
Avéron
Ayzieu
Artigau
Pontet
St-Amand
Lapouche
Courrensan
Polignac
Roques
Ampeils
Bidalet
Blancaste
Pennevert
Jeandaugé
Le Béziat
Aulagnères
Le Terme
Pléou
Le Prada
Cacarens
Pardailhan
Beaucaire
Ayguetinte
Sauboires
Crespalet
La Paix
Mauras
Cadignan
Bordes
Lagardère
Bourrouillan
Moussinot
Lesquirle
Ramouzens
Le Laca
Bezolles
Larroque
Salles-d'Armagnac
Bourguet
Galaubas
Bétricot
Justian
Le Soulan
Silo
Manciet
Rageperdix
Noulens
Lannepax
Pourquet
Lasserre
Rozès
Castéra-Verduzan
Lamothe
Bascous
Le Cavé
Mourède
Castéra-Vieux
Ste-Christie-d'Armagnac
Espas
Arnaute
Jouéou
Miran
Le Comte
Bouit
Testalade
Le Courdé
Baradot
Camp de Haut
Bonas
Bordes
Labarthe
Lalanne
Pessalle
Marambat
St-Paul-de-Baïse
Lescout
La Parisienne
Dému
Daugue
Beaulieu
Gimat
Le Bar
Nogaro
Cravencères
Lagraulas
Vic-Fezensac
Las Bordères
Mestaunet
St-Michel
Séailles
Carget
Loubédat
Réchet
Aste
St-Pé
Pléhaut
Jegun
Sion
Avéron-Bergelle
Castillon-Debats
Bagatelle
Le Peyré
Lézian
Bats
Préneron
Herrebouc
Antras
Margouët-Meymes
Le Parre
St-Jean-Poutge
Forêt d'Aignan
Roquebrune
Tour gallo-romaine
Bétous
Pouquet
Caillavet
Ramensan
Bouzon-Gellenave
Castelmore
Pujos
Sabazan
Bédat
Cahuzères
Cos
Le Boupat
La Roque
Bois de Mazous
Las
Biran
Aignan
Blanin
la Plagne
Belmont
Chat
Le Marteret
Tour
Fustérouau
St-Laurent
Lupiac
Mauret
Lartigue
Gellenave
Lacoste
Castelnavet
Lapeyrie
Gignan
Tudelle
Le Mas
Ordan-Larroque
Termes-d'Armagnac
Mimort
Pujos
Fromentas
Cazaux-d'Anglès
Montgaillard
Bazian
Le Brouilh-Monbert
La Barthe
Pouydraguin
Ardens
St-Yors
Laubare
Izotges
Ponsan
Loussous-Débat
Bières-En-Armagnac
St-Pierre-d'Aubézies
Riguepeu
Cassebertats
Mazères
Tasque
Croute
Couloumé-Mondebat
Peyrusse-Grande
Pitron
Labenne
Nux
Montégut
Peyrusse-Vieille
Callian
Forêt de Montpellier
St-Arailles
Lasserade
Mondebat
Boussas
Duransan
Gazax-et-Baccarisse
Castelnau-d'Anglès
Mirannes
Barran
Galiax
Capmartin
Cazieux
Malajasse
Silo
La Martinique
Goux
Préchac-sur-Adour
Plaisance
Ricau
Baccarisse
Savis
Sabarros
Soubaignan
La Castagnère
Baulat
Pagès
Beaumarchés
Louslitges
Cadiran-de-Bas
Pontic
Ju-Belloc
Mazères
Cayron
Maurat
Barrottes
St Fris
Donjon
Montesquiou
L'Isle-de-Noé
Bassoues
St-Aunix-Lengros
Belloc
Coutens
Esparbès
Armous-et-Caux
Ballot
Encantans
Lassalle
Carole
Courties
Les Oulès
La Plagne
Haget
Le Prat
Mouchès
Ladevèze-Rivière
Tieste-Uragnoux
Héres
Tourdun
Scieurac-et-Flourès
Lamazère
La Madeleine
Mascaras
Bois de Bassoues
Pouylebon
Estipouy
Le Trouette
Vicnau
Soublecause
Labatut-Rivière
Ladevèze-Ville
Juillac
Laveraët
Castille
Garac
Monclar-sur-Losse
Valentées
Miramont
Beaulieu
Espagnet
St-Pierre
Christaud
Artigues
Armentieux
Marciac
N.-D. de la Croix
Mirande
Idrac-Respaillès
Caussade-Rivière
Bars
Les Perdigues
Estirac
Pelacave
Cornac
Pallanne
Lacas
Villefranque
Auriébat
Sarrazan
Marignan
St-Martin
En Guillempey
St-Médard
La Flourette
Sauveterre
St-Justin
Ricourt
Marseillan
Loran
Sombrun
Blousson-Sérian
Le Choumac
Berdoues
Maubourguet
Tillac
Laas
St-Maur
Verdier
Lahitte-Toupière
La Carrère
Peymoune
Ourdan
Campouran

296

0 2 4 6 8 10 km
276
295
316
Lectoure
Marsolan
Castéra-Lectourois
Plieux
Castet-Arrouy
Lachapelle
Puygaillard-de-Lomagne
Tressens
Lancon
Baqué
Caussens
Abrin
Blaziert
Cauboue
les Bousigues
Béraut
St-Orens-Pouy-Petit
Pouy-Petit
Maignaut-Tauzia
Roquepine
Terraube
St-Geny
Lac des Trois Vallées
Heure-et-Bartens
L'Isle-Bouzon
Gramont
Marsac
Montgaillard
St-Créac
Mauroux
St-Martin-de-Las-Oumettes
Aurimont
Castéron
Mas-d'Auvignon
Pellebit
Monluc
St-Puy
Pauilhac
Larroque
Le Ramier
Aurenque
(Magnas)
Le Lau
Aérium
St-Clar
Frans
Avezan
Gaudonville
Tudet
Castelnau-d'Arbieu
Lamothe-Goas
Bréchan
St-Léonard
Tournecoupe
Cumont
La Sauvetat
Sérillac
Mestres
Larroumiouac
Argentens
Fleurance
St-Lary
Aux Capots
Ste-Radegonde
Laurensan
Urdens
Lamothe-Endo
Brugnens
Le Chicoy
Pessoulens
Estramiac
Marignac
Avensac
Ayguetinte
Larroque-St-Sernin
Castéra-Verduzan
Cézan
Réjaumont
Lagarde
Géran
Cadeilhan
Bivès
Bajonnette
Tillac
Homps
Montestruc-sur-Gers
Préchac
Baleyron
Lalanne
La Bouzigue
Goutz
Monfort
Solomiac
Esclignac
St-Amand
Bonas
Bordes
Lavardens
Puységur
Latour
Pis
La Bourdette
Ayges-Mortes
Ste-Gemme
St Blaise
Taybosc
St-Brès
Casteljaloux
Miramont-Latour
Gavarret-sur-Aulouste
Jegun
Encondesse
Mérens
Roquefort
Ste-Christie
Tourrenquets
Maravat
Lauret
Sérempuy
Labrihe
Peyrusse-Massas
Castillon-Massas
Mirepoix
Puycasquier
Tourrens
Mansempuy
Antras
Esparbenet
Arcamont
La Testère
Gaudoux
Bosc-Mouro
St-Lary
Roquelaure
Rambert
Preignan
Fond-du-Bois
Crastes
Augnax
St-Antonin
Mauvezin
Lasserre
Larrama
Montaut-les-Créneaux
Couayroux
Les Quatre Chemins
En-Casagnard
Empaillon
Castin
Nougaroulet
Lucvielle
St-Sauvy
St-Martin-du-Hour
Ordan-Larroque
Gardes
Lamothe
Malartic
Lassalle
Coignax
Ansan
Blanquefort
Duran
Bataille
Lucante
St Cricq
Emmare
Labbubée
Leboulin
Lahitte
Léchaux
St-Jean-de-Bazillac
Tufferis
Castel St-Louis
Bois d'Auch
AUCH
Montégut
Soulan
Marsan
Lasserre
Aubiet
Ste-Marie
Nux
Embats
Roquetaillade
Pessan
Bonnefont
Beaulieu
Barran
La Martinique
Aylies
Lacavant
La Castagnère
N.-D. du Cédon
Pavie
La Rochette
Lartigolle
Lussan
N.-D. de Cahuzac
Gimont
Abbe de Planselve
L'Isle-Arné
Campezaygues
Juilles
Lasséran
Salleneuve
Pépieux
Besmaux
Les Pachères
Auterive
Enjouet
L'Isle-de-Noé
St-Jean-le-Comtal
Lasseube-Propre
Silo
St-Caprais
Montiron
Les Lannes
Cazaux
Castelnau-Barbarens
Quinsac
St-Guiraud
Bédéchan
Aurimont
Mouchès
Lamazère
En-Martet
Boucagnères
Gramont
Haulies
St-André
Hillet
En Campan
Fangeau
Vicnau
Miramont-d'Astarac
Orbessan
Mazères
Pontéjac
Tirent-Pontéjac
Laurac
Lahas
Baupas
Labéjan
Montagnan
Durban
Traversères
En Brusc
Boulaur
Prieuré
Tirent
Bézéril
Noilhan
Artigues
Idrac-Respaillès
Le Turc
Sansan
Aulin
Montastruc
Lartigue
Saramon
Polastron
St-Martin
Plavès
Garrane
Ornézan
Héréchou
Sémézies
St-Martin-Gimois
Villeneuve
Lacassagne
Loubersan
Artiguedieu
Seissan
Monferran-Plavès
Faget-Abbatial
Sémézies-Cachan
Mongausy
Tancouet
St-Soulan
Combis
St-Médard
La Flourette
Mongardin
Noailhan
Lamaguère
Cachan
Baillasbats
Larroucau
St-Élix-d'Astarac
Samatan
Verdier
Clermont-Pouyguillès
Labarthe
Compans
Tachoires
Libou
Saintes
Montamat

297
277
298
317
E
F
G
H
Garganvillar
Escatalens
Montech
Labourgade
Montain
Bourret
Larrazet
Sérignac
Finhan
Labastide-St-Pierre
Montbartier
Corbarieu
Reyniès
St-Nauphary
Orgueil
Villebrumier
Nohic
Campsas
Bessens
Mas-Grenier
Monbéqui
St-Sardos
Belbèse
Vigueron
Beaumont-de-Lomagne
Auterive
Comberouger
Dieupentale
Verdun-s-Garonne
Canals
Fabas
Fronton
Bouillac
Escazeaux
Savenès
Grisolles
Pompignan
Faudoas
Beaupuy
Gariès
Lagraulet-St-Nicolas
Aucamville
Le Burgaud
Bellesserre
Castelnau-d'Estrétefonds
Bouloc
Villaudric
Cabanac-Séguenville
Brignemont
St-Rustice
St-Cézert
Ondes
Grenade
Villeneuve-lès-B.
Cox
Drudas
Launac
St-Jory
Cépet
Labastide-St-Sernin
St-Sauveur
Puysségur
Pelleport
Larra
Merville
Bruguières
Montberon
Cologne
Lareole
Cadours
Le Grès
Gratentour
Ardizas
Caubiac
Thil
Bretx
Lespinasse
Seilh
Gagnac
St-Alban
Castelginest
Encausse
St-Cricq
Garac
St-Paul-s-S.
Daux
Aussonne
Fenouillet
Thoux
Vignaux
Bellegarde-Ste-Marie
Menville
Montaigut-s-Save
Mondonville
Beauzelle
Aucamville
Launaguet
Roquelaure-St-Aubin
Monbrun
Le Castéra
Lévignac
Cornebarrieu
Ste-Livrade
Pradère-les-Bourguets
Blagnac
Razengues
Beaupuy
Ségoufielle
Mérenville
Colomiers
Clermont-Savès
L'Isle-Jourdain
Léguevin
Pibrac
Brax
Monferran-Savès
Fourès
Pujaudran
Tournefeuille
Frégouville
Marestaing
La Salvetat-St-Gilles
Castillon-Savès
Auradé
Lias
Plaisance-du-Touch
Caumont
Endoufielle
Fontenilles
Cugnaux
Portet-s-Garonne
Ramonville-St-Agne
Empeaux
Saiguède
Fonsorbes
Villeneuve-Tolosane
Pinsaguel
St-Thomas
Pompiac
Seysses-Savès
St-Lys
Frouzins
Roques
Vigoulet-Auzil
Nizas
Seysses
Roquettes
Lacroix-Falgarde
Savignac-Mona
Bragayrac
Ste-Foy-de-Peyrolières
Lamasquère
Pins-Justaret
Goyrans
GARONNE
Forêt de Bouconne
Camp militaire

0 2 4 6 8 10 km
278
297
318
A
B
C
D
1
2
3
4
5
St-Nauphary
Bonrepos
Orgueil
Nohic
Villebrumier
Varennes
Montdurausse
Verlhac-Tescou
Monclar-de-Quercy
Beauvais-sur-Tescou
Montgaillard
Salvagnac
St-Urcisse
Tauriac
Montvalen
Villemur-sur-Tarn
Bondigoux
Layrac-s-Tarn
Villematier
Mirepoix-sur-Tarn
La Magdelaine-sur-Tarn
Bessières
Roquemaure
Grazac
Rabastens
Coufouleux
Lisle-sur-Tarn
Montans
Loupiac
Parisot
Giroussens
St-Sulpice-la-Pointe
Buzet-s-Tarn
Mézens
Paulhac
Montjoire
Vacquiers
Bouloc
Villeneuve-lès-B.
Villaudric
Fronton
Castelnau-de-Montmiral
Cahuzac-s-Vère
Montels
Brozé
St-Martin-l'Espinas
Le Verdier
Vieux
St-Lieux-lès-Lavaur
Lavaur
Ambres
St-Jean-de-Rives
Lugan
Azas
Roquesérière
Montastruc-la-Conseillère
Gémil
Garidech
Montberon
Gratentour
Pechbonnieu
St-Loup-Cammas
Castelginest
Fonbeauzard
Launaguet
Aucamville
St-Jean
L'Union
Rouffiac-Tolosan
Castelmaurou
Gragnague
Bonrepos-Riquet
Verfeil
Montpitol
Garrigues
St-Agnan
Labastide-St-Georges
Beaupuy
Montrabé
Lavalette
Mondouzil
Pin-Balma
Balma
Gauré
Teulat
Bannières
Belcastel
Montcabrier
Viviers-lès-Lavaur
Veilhes
Villeneuve-lès-Lavaur
Maurens-Scopont
Vendine
Francarville
Saussens
Vallesvilles
Drémil-Lafage
Flourens
Mons
Quint-Fonsegrives
TOULOUSE
Aigrefeuille
Lanta
Prunet
Loubens-Lauragais
Le Faget
Cuq-Toulza
Lauzerville
St-Orens-de-Gameville
Auzielle
Ste-Foy-d'Aigrefeuille
Aurin
Mascarville
Albiac
La Salvetat-Lauragais
Caraman
Auriac-sur-Vendinelle
Maureville
Préserville
Odars
Labège
Escalquens
Belberaud
Fourquevaux
Castanet-Tolosan
Ramonville-St-Agne
Pechbusque
Vieille-Toulouse
Portet-s-Garonne
Vigoulet-Auzil
Pechabou
Pompertuzat
Lacroix-Falgarde
Goyrans
Rebigue
Caragoudes
Ségreville
Cambiac
Mouzens
Puéchoursi
Roquevidal
Massac-Séran
Marzens
Teyssode
Lacougotte-Cadoul
Forêt de Sivens
Forêt de Buzet
Forêt de Giroussens
Tarn
Agout
Tescou
Girou
Saune
Canal
Parc Floral
Brames-Aigues
Col des Calmettes

299
279
319
300
E
F
G
H
1
2
3
4
5
ALBI
St-Juéry
Lescure-d'A.
St-Michel-de-L.
Arthès
Cagnac-les-Mines
Castanet
Cestayrols
Ste-Croix
Fayssac
Senouillac
Castelnau-de-Lévis
Labastide-de-Lévis
Terssac
Marssac-s-T.
Rivières
Lagrave
Florentin
Le Sequestre
Puygouzon
Saliès
Cambon
Cunac
Rouffiac
Carlus
Fréjairolles
Labastide-Dénat
Poulan-Pouzols
Aussac
Cadalen
Fénols
Orban
Dénat
Lamillarié
Lombers
Réalmont
Ronel
Roumégoux
Fauch
Mouzieys-Teulet
Villefranche-d'Albigeois
Bellegarde-Marsal
Ambialet
Presqu'île d'Ambialet
Sérénac
Crespinet
St-Grégoire
Saussenac
Teillet
Calvayrac
Mont-Roc
Rayssac
Le Frayssé
St-André
Raulinet
Arifat
St-Antonin-de-Lacalm
St-Lieux-Lafenasse
Montredon-Labessonnié
Graulhet
Montdragon
St-Julien-du-Puy
St-Genest-de-Contest
Laboutarie
Lasgraisses
Sieurac
Labessière-Candeil
Brousse
Moulayrès
Lautrec
Vénès
Peyregoux
St-Germier
Roquecourbe
Lacrouzette
Burlats
Vabre
St-Pierre-de-Trivisy
Serviès
Cuq
Guitalens-L'Albarède
Vielmur-s-Agout
Jonquières
Carbes
Fréjeville
Sémalens
Cambounet-s-le Sor
Puylaurens
St-Germain-des Prés
Soual
Viviers-lès-Montagnes
Saïx
Navès
Castres
Lagarrigue
Valdurenque
Noailhac
Boissezon
Labruguière
Caucalières
Payrin-Augmontel
Aussillon
Pont-de-Larn
Bout-du-Pont-de-Larn
St-Salvy-de-la-Balme
Cambounès
Escoussens
St-Affrique-les-Montagnes
Lempaut
Blan
St-Sernin-lès-Lavaur
Palleville
Garrevaques
Lagardiolle
St-Avit
Belleserre
Dourgne
Massaguel
Sept Faux
Peyro-Clabado
Chaos de la Balme
Gorges
Agout
Dadou
Tarn
Thoré
A 68
N 88
N 126
N 112
D 612
D 999
D 622
D 621

0 2 4 6 8 10 km
281
299
320
A
B
C
D
1
2
3
4
5
PARC NATUREL RÉGIONAL DES GRANDS CAUSSES
PARC NATUREL RÉGIONAL DU HAUT-LANGUEDOC
MONTS DE LACAUNE
MONTS DE L'ESPI
Brousse-le-Château
St-Izaire
St-Affrique
Vabres-l'Abbaye
Fraissines
Coupiac
Montclar
Trébas
Plaisance
Martrin
St-André
Curvalle
Alban
Le Fraysse
Miolles
Balaguier-s-Rance
St-Sernin-s-Rance
St-Juéry
Rebourguil
Calmels-et-le-Viala
Montlaur
Belmont-s-Rance
Combret
Camarès
Massals
Montfranc
Pousthomy
Paulinet
Rayssac
St-Salvi-de-Carcavès
Laval-Roquecezière
Le Masnau-Massuguiès
St-Pierre-de-Trivisy
Montazel
Senaux
Escroux
Murasson
Barre
Peux-et-Couffouleux
St-Sever-du-Moustier
Lacaze
Gijounet
Lacaune
Moulin-Mage
Espérausses
Berlats
Vabre
Brassac
Nages
Murat-s-Vèbre
La Salvetat-sur-Agout
Fraisse-sur-Agout
Cambounès
Anglès
Le Soulié
St-Vincent-d'Olargues
St-Pons-de-Thomières
Riols
Prémian
Rouairoux
Bout-du-Pont-de-Larn
Col de Sié
Col du Bouissou
Montgrand
Roc de Montalet
Puech de Singladou
Lac du Laouzas
Lac de la Raviège
Lac des Saints-Peyres
Col de Fontfroide
Col du Cabaretou
Cap Redoundé
Plo de Canac
D 999
D 902
D 622
D 607

301
282
302
321
E
F
G
H
1
2
3
4
5
Roquefort-s-Soulzon
Ste-Eulalie-de-Cernon
GRANDS CAUSSES
L'Hospitalet-du-Larzac
La Blaquererie
Combe-Redonde
Alzon
Campestre-et-Luc
St-Jean-d'Alcapiès
Viala-du-Pas-de-Jaux
Pic de Cougouille
Le Rouquet
Caussenuéjouls
La Gruelle
Belvézet
La Salvetat
La Couvertoirade
St-Paul-des-Fonts
(St-Jean-et-St-Paul)
Rocher du Larzac
Tour des Aiguillons
Cornus
Prévinquières
Les Menudes
Les Infruts
St-Beaulize
La Fajole
Antignes
La Pezade
Canals
Sorbs
Le Mas Andral
Mascourbe
Marnhagues
(Marnhagues-et-Latour)
St-Maurice-de-Sorgues
Sorgues
Combefère
Mas-Raynal
Rochers
Le Caylar
Le Cros
St-Félix-de-Sorgues
Fondamente
Montpaon
St-Rome
Léaumard
Aven de Mas-Raynal
Plateau de Guilhaumard
LARZAC
St-Michel
Latour
Moulès
Canabols
Rebouissses
St-Julien
Tournadous
Les Rives
Madières
Mas Audran
Le Bouis
Montagnol
Laval
Pas de Licous
St-Xist
Larbussel
Tapies
Labastide des Fonts
St-Félix-de-l'Héras
Pas de l'Escalette
Camp-Rouch
La Prade
Tesselières
Pas-de-Ceilhes
Le Clapier
Mas-Hugonenq
Bouviala
Romiguières
Les Sièges
Montmagnon
Belvre de l'Escalette
Col Notre-Dame
Rocozels
Ceilhes-et-Rocozels
Mas-Neuf
Autignaguet
Labeil
Fne de Beaume-Baucar
Pégairolles-de-l'Escalette
Mas-de-Rouquet
La Canourgue
Cenomes
Col de St-Pierre
Fayet
Laroque
Pierrefiche
La Frezie
Roqueredonde
Bergerie
Cirque de Labeil
Cirque du
La Roque
St-Pierre-de-la-Fage
Mas de Grèse
Col du Perthus
Lauroux
Bout du Monde
Gourgas
Forêt
Rouvignac
des Monts
La Borie-Noble
Plateau de l'Escandorgue
Plateau du
Poujols
Soubès
St-Étienne-de-Gourgas
Tauriac-de-Camarès
Les Cabrils
Col de l'Homme Mort
Gabriac
Brusque
Maussac
Puy du Lion
Bges d'Avène
Brès
La Dalmerie
Joncelets
St-Sauveur
Moulières
Condamines
Pic de Vinas
Aubaygues
St-Privat
Les Salces
Avène
Les Bains d'Avène
Vinas
Causse
Laboissière
Cabrierettes
Soulages
Les Plans
Fozières
Fanjaud
La Vagne
Sadde
Bobes
Labiras
St-Thomas
Mélagues
Les Planes
La Rode-Basse
St-Barthélemy
Bois de Melac
Campeyroux
Lodève
Le Thérondel
Prieuré St-Michel-de-Grandmont
Joncels
Bernagues
Ambayran
La Vayssede
Le Coural
Serviès
Truscas
Valeyrac
Col de la Baraque de Bral
Campestre
Soumont
Usclas-du-Bosc
Rocher des Vierges
La Daguette
Mont de Montmare
Ste Colombe
Gges de l'Orb
Sérieys
Vasplongues
Mas-de-Mérou
Le Bosc
St-Jean-de-la-Blaquière
St-Pierre-des-Cats
Col de Thalis
Mont Frech
Roc Mendic
Cazilhac
Taillevent
Le Pont d'Orb
N.-D. de Nize
Laval-de-Nize
Villecun
Olmet-et-Villecun
Mas d'Alary
Loiras
La Séguinerie
Col des Clares
Méguillou
Lunas
Briandes
St-Julien
St-Martin
Le Viala
St-Saturnin-de-Lucian
Col de Coustel
Albès
Col du Layrac
Mt Agut
St-Martin
Gours
Lavalette
Le Puech
St-Alban
St-Amans-de-Mounis
Bouissou
Col de la Pause
Le Bousquet-d'Orb
Les Pascals
St-Amans
Les Hémies
Rabéjac
St-Guiraud
St-Geniès-de-Varensal
Graissessac
Fontenilles
Le Ruffas
Plo de Laurier
Le Mourel
Le Mas-Delon
La Fourille
Cartels
Laulo
La Croix-de-Mounis
Plaisance
Mècle
Les Nières
Peyremale
Sénegra
Camplong
Mas Colombier
Caunas
Véreilles
Dio-et-Valquières
St-Martin-des-Combes
Les Valarèdes
Toucou
St-Fréchoux
l'Auverne
Castanet-le-Haut
Andabre
St-Étienne-Estréchoux
Rongas
St-Xist
Frangouille
Boubals
Col de Dio
Chlle de Roubignac
Vernazoubres
Octon
Celles
Lac du Salagou
Sommet de l'Espinouse
La Combe
Clochers
Castanet-le-Bas
La Tour-sur-Orb
Brenas
Basse
Mas-Audran
St-Gervais-sur-Mare
Plo des Brus
Compeyre
Cours
La Roche
Vérénoux
Boussagues
Viaduc
Le Mas-Blanc
C. de la Merquière
Campillergues
Le Mas-Bas
Pradels
Le Mas de Clergues
La Grange-Montagne
Les Bories
Col de l'Ourtigas
Col de Pierre-Plantée
C. des Treize Vents
Maurian
Clairac
Le Bousquet
Mérifons
Liausson
Clermont-l'Hérault
Le Pradal
Pont du diable
Carlencas-et-Levas
Roques
Mt Mars
Mne de Liausson
N.-D. du Peyroux
C. de Madale
Bardejean
La Billière
Villemagne-l'Argentière
Bédarieux
Le Mas Bousquet
Cirque de Mourèze
Rosis
C. des Avels
Taussac-la-Billière
Levas
Salasc
Mourèze
Villeneuvette
C. des Princes
Fraisse
La Sesquière
Nissergues
Le Mas-Canet
Mont Caroux
La Fage
Lamalou-les-Bains
N.-D. de Capimont
Tunnel du Col du Buis
B. de l'Evers
Les Vignals
Taussac
Mas Nouguier
Mas-du-Rouet
Marbre
Le Mas-Roujou
Pic de Vissou
Combes
Villecelle
Hérépian
Poux-Sec
Les Montades
Valmascle
Lieuran-Cabrières
Colombières-sur-Orb
Le Martinet
St-Martin-de-l'Arçon
La Caumette
Moulinas
Soumartre
B. de Pouzes
Pézènes-les-Mines
Fournols
Bois des Moulesses
Cabrières
Les Crozes
Péret
Mons
La Coste
Aire Vieille
Le Poujol-sur-Orb
Les Aires
St-Michel de Mourcairol
Bois de Lestellier
Bel-Air
Fos
Paders
Le Mas-Rouch
Aspiran
Gorges d'Héric
La Pomarède
Margal
Violès
Faugères
Mas-Rolland
(Montesquieu)
Vailhan
L'Étang
Moulin
Tarassac
Ornac
Pic de la Coquillade
La Borie-Nouvelle
Roquessels
Fontès
Paulhan
La Voulte
Plaussenous
Suc de Calen
Cabrerolles
Caussiniojouls
La Trivalle
Estaussan
La Tour du Pin
Aigues-Vives
Neffiès
Adissan
Gorges
Vieussan
Le Pin
Lau
Laurens
Castelsec
Rouvigno
La Liquière
Boissezon
Mézeilles
Laurenque
St-Nazaire-de-Ladarez
Marbre
Gabian
Nizas
Caux
Ceps
Lenthéric
Autignac
Cassan
Roujan
Marbre
Tour
Roquebrun
Grézan
Fouzilhon
N.-D. de Mougères
Margon
Dauriac
Lézignan-la-Cèbe
Berlou
Cascade
Mt Peyroux
Loubatières
A 75
E 11

302
0 2 4 6 8 10 km
283
301
322
Alzon
Cirque de Navacelles ★★★
Cirque de Vissec
Vissec
Blandas
Rogues
Montdardier
Pommiers
St-Bresson
Ganges
Laroque
Cazilhac-Le-Haut
Grotte des Lauriers
Plateau de Thaurac
Grotte des Demoiselles ★★★
Agonès
Brissac
St-Bauzille-de-Putois
Montoulieu
St-Hippolyte-du-Fort
Pompignan
Ferrières-les-Verreries
Gorges de la Vis
Montagne de la Séranne
St-Maurice-Navacelles
St-André-de-Buèges
St-Jean-de-Buèges
Pégairolles-de-Buèges
Causse-de-la-Selle
St-Martin-de-Londres
Mas-de-Londres
Pic St-Loup
Notre-Dame-de-Londres
Valflaunès
St-Mathieu-de-Tréviers
Cazevieille
Viols-le-Fort
Grotte de Clamouse
St-Guilhem-le-Désert ★★
Puéchabon
Argelliers
Aniane
Gignac
St-Gély-du-Fesc
Murles
Combaillaux
Vailhauquès
Montarnaud
La Boissière
Les Matelles
St-Clément-de-Rivière
Prades-le-Lez
Montferrier-sur-Lez
Clapiers
Grabels
Juvignac
Clermont-l'Hérault
Lodève
St-Félix-de-Lodez
Ceyras
St-André-de-Sangonis
Montpeyroux
Jonquières
St-Jean-de-Fos
Lagamas
Canet
Brignac
Pouzols
Popian
St-Paul-et-Valmalle
St-Georges-d'Orques
Murviel-lès-Montpellier
Pignan
Lavérune
St-Jean-de-Védas
Saussan
Fabrègues
Cournonterral
Cournonsec
Montbazin
Gigean
Mireval
Villeneuve-lès-Maguelone
Vic-la-Gardiole
Le Pouget
Vendémian
Plaissan
Puilacher
Tressan
Aspiran
Bélarga
Paulhan
Campagnan
St-Pargoire
Usclas-d'Hérault
Villeveyrac
Abbaye de Valmagne
Montagnac
Poussan
Nébian
Villeneuvette
Adissan
Nizas
Cazouls-d'Hérault
Lézignan-la-Cèbe
A 750
A 75
A 9
E 11
D 986
D 999
D 32
D 4
A
B
C
D
1
2
3
4
5

303
284
323
304
E
F
G
H
Lédignan
Domessargues
St-Chaptes
Canaules-et-Argentières
Durfort-et-St-Martin-de-Sossenac
St-Jean-de-Crieulon
Aigremont
Mauressargues
Sauzet
Puechredon
Logrian-Florian
St-Théodorit
Montagnac
Montignargues
St-Geniès-de-Malgoires
La Rouvière
La Calmette
Dions
Gouffre Espeluca
Le Castélas
Quissac
Moulézan
St-Bauzély
Bragassargues
Cannes-et-Clairan
Montmirat
Fons
Vallonguette
Camp des Garrigues
Pic de Guerre
Poulx
Cabrières
Orthoux-Sérignac-Quilhan
Crespian
St-Mamert-du-Gard
Gajan
Vallongue
Massillan
Tour de Tholozan
St-Gervasy
Sardan
Vic le-Fesq
Parignargues
NÎMES
Marguerittes
Brouzet-lès-Quissac
Combas
Montpezat
St-Pierre-de-Vacquière
Les-Hauts-de-Nîmes
Gailhan
Lecques
Carnas
St-Clément
Fontanès
Salinelles
Aspères
St-Côme-et-Maruéjols
Clarensac
Caveirac
Tour Magne
Arènes
Rodilhan
Bouillargues
St-Césaire
Les Espagnols
Garrigues
St-Julien-de-Salinelles
Campagne
Sommières
Villevieille
Souvignargues
Aujargues
Calvisson
St-Dionisy
Langlade
Milhaud
Nages-et-Solorgues
Oppidum
Caissargues
Garons
Bernis
Boissières
Buzignargues
Galargues
Saussines
Junas
Congénies
Aubais
Uchaud
Aubord
NÎMES-ARLES-CAMARGUE
Boisseron
St-Hilaire-de-Beauvoir
St-Jean-de-Cornies
Aigues-Vives
Mus
Vergèze
Vestric-et-Candiac
Générac
Beaulieu
St-Christol
St-Sériès
Villetelle
Codognan
Beauvoisin
St-Drézéry
Saturargues
Restinclières
Vérargues
Ambrussum
Gallargues-le-Montueux
Vauvert
Castries
St-Geniès-des-Mourgues
Lunel
Aimargues
Le Cailar
Franquevaux
Vendargues
Baillargues
St-Brès
Valergues
Lunel-Viel
Marsillargues
Lansargues
St-Just
St-Aunès
Mudaison
St-Nazaire-de-Pézan
St-Laurent-d'Aigouze
Gallician
Étang de Scamandre
Étang du Charnier
Mauguio
Candillargues
TPELLIER
Étang de Mauguio ou de l'Or
MONTPELLIER-MÉDITERRANÉE
PARC DES EXPOSITIONS
Aigues-Mortes
Pérols
Carnon-Plage
La Grande-Motte
Le Grau-du-Roi
Seaquarium
Port-Camargue
Palavas-les-Flots
Golfe d' Aigues-Mortes
Pointe de l'Espiguette
L'Espiguette
Sylvéréal
Avignon
Pont-de-Gau
Petite Camargue

304
0 2 4 6 8 10 km
284
303
325
Remoulins
Fournès
Estézargues
Domazan
Saze
AVIGNON
Rochefort-du-Gard
lès-Avignon
Le Pontet
Morières-lès-A.
Montfavet
St-Privat
La Baume
St-Bonnet-du-Gard
Sernhac
Lédenon
Poulx
Cabrières
St-Gervasy
Bezouce
Meynes
Montfrin
Théziers
Aramon
Barbentane
Rognonas
Châteaurenard
Noves
Marguerittes
Redessan
Rodilhan
Manduel
Bouillargues
Jonquières-St-Vincent
Beaucaire
Comps
Vallabrègues
Boulbon
Tarascon
Graveson
Maillane
Eyragues
St-Rémy-de-Provence
Les Antiques
Glanum
Les Baux-de-Provence
St-Étienne-du-Grès
St-Gabriel
Fontvieille
Moulin de Daudet
Paradou
Maussane-les-Alpilles
Mouriès
Abbe de Montmajour
ARLES
Raphèle-lès-Arles
St-Martin-de-Crau
Garons
Bellegarde
Fourques
St-Gilles
NÎMES-ARLES-CAMARGUE
Musée de la Camargue
Albaron
Étang de Vaccarès
PARC NATUREL RÉGIONAL DE LA CAMARGUE
PLAINE
Le Sambuc
Mas-Thibert
Salin-de-Badon
Étang de Malagroy
Étang de l'Impérial
Étang de Monro
Étang du Landre
Marais du Vigueirat
Le Grand Rhône
Rhône
Durance
Chaîne des Alpilles
La Montagnette
Gardon

St-Saturnin-lès-Avignon
Grotte de Thouzon
Velleron
Cambuisson
La Crémade
Pouraque
Les Vergiers
Murs
Les Beylons
Le Château
Lioux
Fontjouvale
L'Isle-s-la-Sorgue
Le Thor
St-Antoine
Saumane-de-Vaucluse
Mourre de la Belle-Étoile
Fontaine-de-Vaucluse
Abbe de Sénanque
Joucas
Les Gardiols
Les Barbiers
Villars
Les Petits Clements
Gordes
Village des Bories
Roussillon
Les Cortasses
Les Sauvestres
Cabrières-d'Avignon
Les Cèdres
Chaussée des Géants
Gargas
Apt
Caumont-sur-Durance
Velorgues
Lagnes
Les Imberts
Musée
St-Pantaléon
N.-D.-de-Lumières
Goult
Pont Julien
L'Isolette
Saignon
Chartreuse de Bonpas
Le Petit Palais
Les Vignères
Trente-Moutte
Coustellet
Beaumettes
Les Tourrettes
Les Agnels
Cavaillon
Bel-Air
Maubec
Oppède
Ménerbes
Lacoste
Les Maquignons
St-Véran
Les Chapelins
Buoux
Auribeau
Sivergues
St-Sauveur
St-Andiol
Robion
Taillades
Oppède le Vieux
Petit Luberon
Abb St-Hilaire
Bonnieux
Enclos des Bories
Prieuré de St-Symphorien
Fort de Buoux
Plan-d'Orgon
Mollégès
Vidauque
Forêt
Hautes Plaines
MONTAGNE DU LUBERON
Massif des Cèdres
Pré de Roustan
La Chambarelle
Bastidon-du-Pradon
Tête des Buisses
Gerbaud
Vaugines
Cucuron
Cheval-Blanc
Orgon
N.-D.-de-Beauregard
L'Aumône
Le Trou-du-Rat
Rers des Onze Heures
Belvre les Portallets
Roquefraîche
Cap de Serre
Lourmarin
Puyvert
La Font-de-l'Orme
Champeau
Mérindol
Les Borrys
Les Beaumes
Fonteinille
Puget
Lauris
Cadenet
Malconseil
St-Sixte
Eygalières
La Campane
Le Perier-Redon
La Fabrique
La Lempe
Malespine
Bas-Iclons
Le Colombier
Les Plaines
Sénas
La Tapie
Mallemort
Brame-Jean
Charleval
Abbe de Silvacane
Les Marmets
La Baronnerie
Bonneval
Roquemartine
Castelas de Roquemartine
Tour
Les Opies
Grottes de Calès
Mne du Défends
Pont-Royal
La Roque-d'Anthéron
Bassin de St-Christophe
Aureille
Eyguières
Lamanon
Alleins
Vernègues
Colline de Roque Rousse
Ravin de Tallagard
Les Taillades
Plau de Sèze
Chaîne des Côtes
Caire-Val
St-Estève-Janson
Les Paluds
Temple romain
Janet
Pt-St-Paul
Rognes
Régine
Gd-Brahis
Craponne
La Jasse
Curebourse
Badasset
Aurons
Aiguebelle
Lambesc
Le Puy Ste-Réparade
Mas-Neuf
La Calanque
St-Suffren
Brest
Château la Coste
La Cride
Le Merle (École d'Agric.)
Les Cabanes
Les Blazots
Les Canourgues
Salon-de-Provence
L'Étape
Beaulieu
Chaîne de la Trévaresse
La Samatane
Bel-Air
Pélissanne
La Barben
Chau
Zoo
Touloubre
St-Cannat
Valmousse
La Madeleine
Les Décanis
Le Seuil
Ganay
Le Luquier
Centre de détention
Beauchamps
Canal d'Istres
Suffren
Grans
Gigery
Val-d'Estable
Forêt de St-Cannat
Les Quatre-Termes
La Montauronne
Gd-St-Jean
Font-Rousse
Camp militaire
Miramas
Caseneuve
Lançon-Provence
AUTOROUTE DU SOLEIL
Le Val de Sibourg
Camaïsse
Lignane
Pontès
La Ste-Croix
Belval
Le Pont-de-Rhaud
Contoux
Champ de Tir
Chaîne d'Éguilles
Éguilles
Valserre
Le Verry
CENTRE D'ESSAIS
Miramas-le-Vx
Cornillon-Confoux
La Fare-les-Oliviers
Coudoux
Les Figons
Les Guigues
Calissanne
Moulin-du-Pont
LA PROVENÇALE
St-Chamas
St-Léger
Pont-Flavien
Sulauze
Les Baïsses
Les Quatre-Tours
Ventabren
Pont de la Fare
La Bastide-Neuve
Velaux
Gallice
Les Tuilières
Les Milles
La Bayanne
Étg de l'Olivier
Oppidum du Castellan
Port de Beau Rivage
La Bosque
Meynes
St-Pons
ISTRES-LE-TUBÉ
St-Estève
Aqueduc de Roquefavour
Istres
Mauran
La Mérindolle
Aix-la-Duranne
Boucasson
Port des Heures Claires
La Suzanne
Saragousse
ÉTANG
Bouquet
La Tour-d'Arbois
Rassuen
Les Quatre-Vents
Rognac
Ranquet
Berre-l'Étang
L'Agneau
Vitrolles
Massane
Port du Passet
Étang de Vaïne
Hydroaérodrome
La Mounine
Bouc-Bel-Air
Étg de Lavalduc
St-Mitre-
Les Pins
Aix-en-Provence TGV
Les Carabins
Calas
La Champouse

0 2 4 6 8 10 km
287
305
327
Apt
Saignon
Villars
Gignac
Colorado de Rustrel
Caseneuve
Viens
Oppedette
Aubenas-les-Alpes
Observatoire de Hte Provence
Mane
Prieuré de Salagon
Sauvan
Niozelles
La Brillanne
St-Michel-l'Observatoire
Dauphin
St-Maime
Villeneuve
Reillanne
Céreste
Montjustin
Villemus
St-Martin-les-Eaux
Volx
Manosque
Montfuron
Mont d'Or
Pierrevert
Mont Toutes Aures
Ste-Tulle
Corbières-en-Provence
Gréoux-les-Bains
Vinon-sur-Verdon
Verdon
Durance
Buoux
Sivergues
Auribeau
Castellet-en Luberon
Mourre Nègre
Grand Lubéron
PARC NATUREL RÉGIONAL DU LUBERON
Vitrolles-en-Luberon
Peypin-d'Aigues
La Bastide-des-Jourdans
Cabrières-d'Aigues
La Motte-d'Aigues
St-Martin-de-la-Brasque
Grambois
Beaumont-de-Pertuis
Vaugines
Cucuron
Sannes
Ansouis
Cadenet
La Tour-d'Aigues
Villelaure
Pertuis
Mirabeau
Défilé de Mirabeau
St-Paul-lès-Durance
Centre d'Études de Cadarache (C.E.A.)
Ginasservis
Peyrolles-en-Provence
Meyrargues
Jouques
Le Puy-Ste-Réparade
Château la Coste
Venelles
Rians
Artigues
Esparron
Montagne Ste-Victoire
La Croix de Provence
Gorges de l'Infernet
Vauvenargues
St-Marc-Jaumegarde
AIX-EN-PROVENCE
Le Tholonet
Beaurecueil
Puyloubier
Pourrières
Châteauneuf-le-Rouge
Rousset
Meyreuil
Gardanne
Bouc-Bel-Air
Luynes
Fuveau
Trets
Peynier
St-Maximin-la-Ste-Baume
Ollières
Seillons-Source-d'Argens
Mont Aurélien
AUTOROUTE DU VAL DE DURANCE

307
287
288
328
308
E
F
G
H
1
2
3
4
5
Bois de St-Martin
Le Castellet
Bras-d'Asse
Ancn Village
La Bégude-Blanche
Maulans
Soleil Bœuf
Majastres
St-Julien-d'Asse
La Blache
St-Georges
Col de St Jurs
Valbonne
Trabaye
Poteau de Telle
St-Jurs
Brunet
Allès
Ravin de Balène
Le Taillas
La Tuilière
Le Grand Logisson
Pas-de-Laval
Naverre
Serre de Montdenier
Le Bas-Chadoul
Tour
Clue de Taulanne
Taulanne
Chiran
le Grd Mourre
Blieux
La Maurelière
Montmuye
Pré Chauvin
La Val-d'Asse
Mas St-Andrieux
Puimoisson
Ségriès
Colostre
N.-D. de Beauvoir
Moustiers-Ste-Marie
Vincel
Venascle
Le Pavillon
Les Brochiers
Les Louches
Mourre de Chanier
Crête de Montdenier
Les Subis
Crête des Traversières
La Tuilière
Chasteuil
Porte de St-Jean
Berbené
Mauroue
Grand-Arlane
St-Martin
Auvestre
Valensole
PARC
NATUREL
RÉGIONAL
DU
VERDON
Clue de Chasteuil
le Règles
Rougon
Clue de Carejuan
Point Sublime
Mont-St-Maxime
Roumoules
Campagne
Les Mégis
St-Clair
Val d'Angouire
La Clue
Châteauneuf-lès-M.
Chle St-Jean
Temple
Baptistère
Riez
Pontfrac
Bel-Air
la Trinité
École
Le Galetas
Le Plan
Lioune
Le Serre
Col de la Crx de Châteauneuf
Col de l'Olivier
Barbin
La Palud-sur-Verdon
Boulogne
B. de Colle de Breis
Breis
St-Antoine
Puberclaire
Montagnac-Montpezat
Les Roux
Ravin de Pinet
Pinet
Allemagne-en-Provence
Lac de Sainte Croix
Les Salles-sur-Verdon
Aiguines
Col d'Illoire
Mayreste
Belvre de Mayreste
Col d'Ayen
GRAND CANYON DU VERDON
Cirque de Vaumale
Chanteraine
Corniche Sublime
Rte. des Crêtes
Barre de l'Escalès
Sentier Martel
Collet Barris
Trigance
St-Maymes
Chalet Martel
St-Martin-de-Brômes
Lauris
Chautabrie
Bellioux
Albiosc
Ste-Croix-du-Verdon
Les Bastides
Grand Margès
Balcons de la Mescla
Montpezat
St-Saturnin
Bauduen
La Médecine
Falaise des Cavaliers
Tels de Fayet
Pont de l'Artuby
Bge de Gréoux
Sorbiou
Esparron-de-Verdon
Bge de Ste-Croix
CAMP
Grand Plan de Canjuers
Pl. Plan de Canjuers
Canyon de l'Artuby
St-Laurent-du-Verdon
N.-D. de Baudinard
Font-Castellan
Basset
Les Bessons
Du Défends Vieux
Gorges du Verdon
La Chérine
Baudinard-s-Verdon
Mocrouis
MILITAIRE
Les Puits-Neufs
Quinson
Artignosc-s-Verdon
La Colle
La Barre
Les Rouvières
L'Eclou
Ste-Maxime
Bge-de-Quinson
Fontayne
La Citerne
Serrière de Lagne
Le Logis-Neuf
Les Maisons
Les Bernes
Pampelonne
La Gde-Nouguière
Lagne
Les Mouches
La Ricarde
Bois de Malassoque
St-Andrieux
Les Aumades
La Mourotte
Villeneuve
Bois St Jean
Signal de l'Aigle
Les Cuguions
Collet de l'Aigle
Mgne de Barjaude
Les Guis
La Roquette
St-Jean
La Neuve
Moissac-Bellevue
N.-D. de Liesse
La Cabrière
Le Logis-Aveine
Le Pardigaou
Notre-Dame
Mgne de Beau-Soleil
La Gde-Bastide
Grd Blé
Orat.
Régusse
Lauquier
Vérignon
La Basse-Nouguière
Lavelan
N.-D. d'Église
Montmeyan
St-Priest
Nartuby d'Ampus
N.-D. de Spéluque
Gros-Bec
Aups
Mgne des Espiguières
Cresson
Les Vergelins
Couan
Bois des Prannes
Verdière
St-Roch
Bois de Queiraud
Tour
Bois de Peléna
Bury
Le Grand-Nans
Fabrègues
Ampus
Château
N.-D. de Bellevue
Le Gros Bois
La Curnière
Le Grd Rougiers
La Bréguière
Cormeil
Plérimond
Tourtour
Taurenne
St-Pierre-de-Tourtour
Olves
La Gde Rimade
La Grange
Puy de la Sigue
Varages
St-Pothin
Tavernes
Le Logis
Amphoux
Fox-Amphoux
Bresc
St-Barthélemy
La Tuilière
Villecroze
Florielle
Rebouillon
Les Annelles
La Serre
Rau des Écrevisses
Barras
Le Grd Pouvet
Sillans-la-Cascade
St-Jean
St-Romain
Les Mandins
Le Villard
Thuerry
Matourne
Lentier
La Clappe
La Prégentière
St-Barnabé
Salernes
Cascade
Les Plans
Le Figueiret
Pierre
Les Marroliers
Barjols
Fauvery
Pontevès
Le Gaudran
Le Babadié
Antouïdane
Le Flayosque
Petit Bessillon
Gros Bessillon
Monastère-St-Joseph
Mgne du Serre
Les Salgues
Flayosc
Cantarelle
St-Sauveur
Riforan
Abée
Sauve-Clare
Rigouards
Val-Rosé
Tours
Cotignac
Mentone
Basse-Maure
Le Pigeonnier
Bois de Bessillon
Les Moulières
Berne
Brue-Auriac
Collombe
Font-Taillade
N.-D. de Grâces
Bouillidou
Entrecasteaux
Masseboeuf
St-Antonin-du-Var
Ermitage St-Ferréol
Notre-Dame
La Forêt
Margui
Les Salettes
Ste-Foy
La Clapière
N.-D. de Benva
Lorgues
St-Estève
Châteauvert
Bois de Correns
Nestuby
Les Miquelets
St-Jeaume
N.-D. de Floriège
Rouvière
Von Sourn
Robernier
Mappe
Cadry
Doumet
Correns
Montfort-sur-Argens
Carcès
Les Camails
Le Moutas
Abbe du Thoronet
Vignaubière
Miraval
Les Férauds
Pont d'Argens
Les Manéous
La Martinette
Bras
N.-D. d'Espérance
St-Étienne
Font-Couverte
Réal-Martin
Les Riaux
Lac de Carcès
Bauxite
Forêt de la Darboussière
Le Thoronet
St-Louis
Les Crotes
Tarade
Les Germains
Bauxite
La Bastide
Bois du Val
Ribeirotte
Le Val
St-Vincent
N.-D. du Glaive
Pomples
Mgne des Ubacs
Les Bertrands
Astros
Vins-sur-Caramy
Chau-Requier
Les Muraires
Vidauban
Vaubelle
Notre-Dame
Chau
Cabasse
Mgne de la Bouissière
Le Recou
Entraygues
Chaumes
Caramy
Argens
Bresque
Cassole
Eau Salée
Vallon de Gaudran
Verdon
Sainte Croix
Lac de Sainte Croix

0 2 4 6 8 10 km
289
307
329
A
B
C
D
1
2
3
4
5
Castellane
Clue de Taulanne
Col des Leques
Demandolx
Soleilhas
St-Auban
Clue de St-Auban
Briançonnet
Gars
Clue d'Aiglun
Amirat
Collongues
Les Mujouls
Col de Bleine
Thorenc
Valderoure
Séranon
Caille
Andon
Peyroules
La Garde
Col des Portes
Col de Luens
Route Napoléon
St-Thyrse
Robion
Pont-de-Soleils
Point Sublime
Clue de Chasteuil
Clue de Carejuan
Le Bourguet
Châteauvieux
La Martre
Brenon
Trigance
Le Castellas
Bargème
La Bastide
La Roque-Esclapon
Col de Valferrière
Mgne de l'Audibergue
Escragnolles
Pas de la Faye
Belvre de Baou Mourine
Balcons de la Mescla
Pont de l'Artuby
Comps-sur-Artuby
MILITAIRE
CANJUERS
Mons
Souterroscope de la Baume Obscure
St-Vallier-de-Thiey
Grottes de St-Cézaire
St-Cézaire-sur-Siagne
Cabris
Roche Taillée (Aqueduc romain)
Col du Bel-Homme
Seillans
Fayence
Tourrettes
Callian
Montauroux
Bargemon
Montferrat
Ampus
Châteaudouble
Claviers
Callas
Figanières
Draguignan
Flayosc
Lorgues
Trans-en-Provence
La Motte
Le Muy
Les Arcs
Ste-Roseline
Taradeau
Vidauban
Bagnols-en-Forêt
St-Paul-en-Forêt
Les Adrets-de-l'Esterel
Mt Vinaigre
MASSIF DE L'ESTEREL
Puget-s-Argens
Roquebrune-sur-Argens
Fréjus
Fréjus-Plage
St-Raphaël
Agay
Boulouris
Valescure
Lac de St-Cassien
CAMP MILITAIRE
Gorges de Pennafort
Forêt de Terres Gastes
Rocher de Roquebrune
Sommet du Peynier
D 6085
D 955
D 562
A 8
D N7

289
290
E
F
G
H
Sigale
Roquesteron-Grasse
Conségudes
Bouyon
Cheiron
NATUREL
RÉGIONAL
PRÉALPES
D'AZUR
Gréolières
Coursegoules
Bézaudun-les-Alpes
Le Broc
Gilette
Bonson
Levens
Coaraze
L'Escarène
Contes
Châteauneuf-Villevieille
Tourrette-Levens
Peillon
Gorbio
Carros
Aspremont
Colomars
Falicon
Gattières
St-Jeannet
Baou de St-Jeannet
Col de Vence
Coursegoules
Cipières
Gourdon
Tourrettes-sur-Loup
Vence
St-Paul-de-Vence
La Colle-sur-Loup
Cagnes-s-M.
St-Laurent-du-Var
Villeneuve-Loubet
Cros-de-Cagnes
NICE
NICE CÔTE-D'AZUR
Cimiez
St-André-de-la-Roche
La Turbie
Èze
Cap-d'Ail
Beaulieu-sur-Mer
Villefranche-sur-Mer
St-Jean-Cap-Ferrat
Cap Ferrat
GRASSE
Magagnosc
Châteauneuf-Grasse
Opio
Le Bar-s-Loup
Valbonne
Sophia-Antipolis
Biot
Marineland
Mouans-Sartoux
Mougins
Pégomas
ANTIBES
Vallauris
Le Cannet
Golfe-Juan
Juan-les-Pins
Cap d'Antibes
Mandelieu-la-Napoule
CANNES
Pnte de la Croisette
Île Ste-Marguerite
Île St-Honorat
Îles de Lérins
La Napoule
Théoule-sur-Mer
Le Trayas
Pic du Cap Roux
l'Esterel
Anthéor
Dramont
Baie des Anges
CÔTE
D'AZUR
Golfe Juan
Golfe de la Napoule
Cap-Martin
Cap Martin
Beausoleil
MONTE-CARLO
La Condamine
MONACO
3
4
5

0 2 4 6 8 10 km
C
292
D
Capbreton
1
2
3
4
5
A
B
Labenne-Océan
Labenne
Ondres-Plage
Ondres
Tarnos-Plage
Tarnos
Boucau
La Barre
Chiberta
L. de Chiberta
Chambre d'Amour
Pnte St-Martin
Rer de la Vierge
BAYONNE
Anglet
★★ BIARRITZ
Ilbarritz
La Négresse
St-Pierre-d'Irube
L. de Mouriscot
Bidart
Ste-Madeleine
Les Embruns
Bassussarry
Arcangues
Arbonne
Plage de Parlementia
Guéthary
CÔTE BASQUE
★★ ST-JEAN-DE-LUZ
Pnte de Ste-Barbe
★★Corniche Basque
Socoa
Ciboure
Abbadie ★★
Hendaye-Plage
Hendaye
Urrugne
I. Amuitz
Cabo Higer
Pnte de Ste-Anne
Punta Turulla
Na Sa de Guadalupe
Alto del Jaizkibel
Hondarribia
Monte Jaizkibel
Irun
Behobie
Biriatou
Col de Courlecou
Herboure
Olhette
San Martzial
Mt Choldocogagna
Ascain
Ahetze
Ustaritz
Larressore
Halsou
Jatxou
Villefranque
Arraunt
Espelette
Souraïde
St-Pée-s-Nivelle
Ibarron
Serres
Chantaco
Fagosse
Lande d'Ordotz
Arnaga
Itxassou
Sare
Ainhoa
Col de St-Ignace
Ihicelaya
Mdne de Ciboure
Col d'Ibardin
★★★ La Rhune
Xantelerreka/Elzaurdia
C. de Lizuniaga
Pic d'Ibantelli
Zugarramurdi
Grottes de Sare
Cuevas de Bruja
Urdazubi/Urdax
Dantxarinea
Dancharia
Col des Trois-Croix
Pic du Mondarrain
Artzamendi
Col de Pinodieta
Mt Urzumu
Mt Ereby
Col des Trois Bornes
Pic Sayberri
Col de Lizarrieta
Bera
Zalain
San Antón
Endarlatsa
Pagogaña
Castillo del Inglés
Erlaitz
Aiako Harria (Peñas de Aia)
Ermita de San Antón
Collado de Arichulegui
Bianditz
Alto de Bianditz
Mte Aguerregui
Elizalde
Gurutze
San Narziso
Ergoien
Altzibar y Karrika (Oiartzun)
Ugaldetxo
Lezo
Uruenea
Cuevas de Landarbaso
Monte Aldura
Zaria
Lesaka
Berrizaun
Urritzokieta
Etxalar
Domekea
Igantzi
Unanue
Pagolleta egaña
Artikutza
Altueta
Arano
Santiago
San Juan
San José
Arantza
Apaola
Azkilarrea
Arrigaztelu
Montes de Bidasoa
Azcusa
Bardo
Izcolegui
Collado de Edquisaroy
Puerto de Otxondo
Alcurrunz
Collado Achuela
Goizamendi
Amaiur/Maya
Pico Gorramakil
Gorramendi
Azpilkueta
Legate
Parque Natural Señorio de Bertiz
Goizueta
Araña
Descarga
Loizate
Ecaitza
Arzán
Sunbilla
Mendaur
Asquin
Otesón
Oronoz
Bozate
Arizkun
Erratzu
Iñarbil
Gorostapalo
Elhorrikoa
Lizartzu
Pic d'Iguzki
Laxia
Telleria
Olha
Amotz
Amezpetu
Cherchebruit
Etchenika
Lac de St-Pée
Istilharte
Lehenbiscay
Alotz
Amamanénia
Berriotz
Larraldia
Mentachoury
Hérauritz
Halty
Séminaire
Forêt d'Ustaritz
Ouhabia
Nivelle
Bidasoa
Río Oiartzun
Río Añarbe
Río Urumea
Río Latsa
Río Olavidea
Río Maia
Valle del Baztan

292
293
E
F
G
H
Angresse
St-Vincent-de-Tyrosse
Saubusse
Œyreluy
St-Pandelon
Saugnac-et-Cambran
Josse
Siest
Heugas
Mimbaste
Bénesse-Maremne
St-Jean-de-Marsacq
Orist
Pey
Bénesse-lès-Dax
Saubrigues
Orx
St-Lon-les-Mines
Gaas
Pouillon
Estibeaux
St-Étienne-d'Orthe
Cagnotte
Misson
St-Martin-de-Hinx
Bélus
Port-de-Lanne
Mouscardès
St-André-de-Seignanx
Ste-Marie-de-Gosse
Habas
Biarrotte
Biaudos
Orthevielle
Peyrehorade
Labatut
Ossages
St-Laurent-de-Gosse
Hastingues
Abbe d'Arthous
Cauneille
Sorde-l'Abbaye
Œyregave
St-Barthélemy
Sames
St-Cricq-du-Gave
Lahontan
Puyoô
Guiche
Bordes-du-Haut
Ramous
Bellocq
Léren
Lahonce
Urcuit
Urt
Bérenx
Ch. de Gramont
St-Pé-de-Léren
Cassaber
Bidache
Came
Carresse-Cassaber
St-Dos
Briscous
Salies-de-Béarn
Auterrive
Castagnède
La Bastide-Clairence
Labastide-Villefranche
Arancou
Escos
Oraàs
Abitain
Athos-Aspis
Bergouey-Viellenave
Burgaronne
Orion
Sauveterre-de-Béarn
Ayherre
Orègue
Arraute-Charritte
Hasparren
Masparraute
Ilharre
Autevielle-St-Martin-Bideren
Andrein
Guinarthe-Parenties
Osserain-Rivareyte
St-Gladie-Arrive-Munein
Bonloc
Grottes d'Isturitz et d'Oxocelhaya
Isturits
Amorots-Succos
Béguios
Labets-Biscay
Gabat
Arbouet-Sussaute
Amendeuix-Oneix
Montfort
Tabaille-Usquain
Mendionde
Macaye
St-Martin-d'Arberoue
Luxe-Sumberraute
Garris
Espiute
St-Esteben
Méharin
Aïcirits-Camou-Suhast
Arbérats-Sillègue
Gestas
Rivehaute
St-Palais
Domezain-Berraute
Etcharry
Nabas
Louhossoa
Hélette
Béhasque-Lapiste
Beyrie-sur-Joyeuse
Aroue-Ithorots-Olhaïby
Armendarits
Orsanco
Larribar-Sorhapuru
Lichos
Iholdy
Uhart-Mixe
Charritte-de-Bas
Pont-Noblia
Lohitzun-Oyhercq
Bidarray
Ostabat-Asme
Arhansus
Ainharp
Espès-Undurein
Irissarry
Ossès
St-Martin-d'Arrossa
Suhescun
Juxue
Viodos-Abense-de-Bas
Larceveau-Arros-Cibits
Pagolle
Ainhice-Mongelos
Jaxu
Gamarthe
Bunus
Mauléon-Licharre
Irouléguy
Bussunarits-Sarrasquette
St-Étienne-de-Baïgorry
Anhaux
Ascarat
Ispoure
Lacarre
Ibarrolle
St-Just-Ibarre
Musculdy
Garindein
Ordiarp
Gotein-Libarrenx
Roquiague
330
313

0 2 4 6 8 10 km
292
310
330
18
A
B
C
D
St-Martin-de-Hinx
Port-de-Lanne
Ste-Marie-de-Gosse
Peyrehorade
Chau d'Aspremont
Biarrotte
Orthevielle
St-Martin-de-Seignanx
Biaudos
Tarnos
Castillon
Boucau
St-Laurent-de-Gosse
Hastingues
Abbe d'Arthous
Cauneille
Œyregave
Gaves Réunis
St-Barthélemy
Les Barthes
Montpellier
Adour
BAYONNE
Anglet
Sames
Guiche
Bordes-du-Haut
Bordes-du-Bas
Lahonce
Urcuit
Urt
Lagaillardie
Lassarrade
Butte de Miremont
Chau de Gramont
Bidache
Came
St-Pierre-d'Irube
Cx de Mouguerre
Mouguerre
Briscous
Bardos
Arcangues
Arbonne
Villefranque
Landes d'Hasparren
La Bastide-Clairence
Abbaye de Belloc
Monastère des Bénédictines
Ustaritz
Jatxou
Halsou
Larressore
Route Impériale des Cimes
Hasparren
Ayherre
Orègue
Arraute-Charritte
Masparraute
Bergouey-Viellenave
Labets-Biscay
St-Pée-s-Nivelle
Espelette
Souraïde
Cambo-les-Bains
Grottes d'Isturitz et d'Oxocelhaya
Isturits
Bonloc
Mendionde
Macaye
Amorots-Succos
Béguios
Luxe-Sumberraute
Garris
St-Martin-d'Arberoue
St-Esteban
Méharin
Itxassou
Pas de Roland
Ainhoa
Mt Ursuya
Mt Urzumu
St-Palais
Louhossoa
Hélette
Col des Trois-Croix
Pic du Mondarrain
Artzamendi
Dantxarinea
Dancharia
Adarre
Mt Baygoura
Moiné Mendia
Armendarits
Beyrie-sur-Joyeuse
Iholdy
Urdazubi/Urdax
Col de Méhatché
Pic d'Iguzki
Lizartzu
Halzamendy
Bidarray
Irissarry
Hochahandy
Uhart-Mixe
Puerto de Otxondo
Pic d'Iparla
Pico Gorramakil
Gorramendi
St-Martin-d'Arrossa
Ossès
Suhescun
Ostabat-Asme
Larceveau-Arros-Cibits
Col des Palombières
Jarra
Ainhice-Mongelos
Gamarthe
Bunus
Ibarrolle
St-Just-Ibarre
Col d'Ispéguy
St-Étienne-de-Baïgorry
Irouléguy
Bustince-Iriberry
Lacarre
Bussunarits-Sarrasquette
Anhaux
Ispoure
Uhart-Cize
St-Jean-Pied-de-Port
St-Jean-le-Vieux
Ahaxe-Alciette-Bascassan
Elizondo
Col d'Elhorrieta
Vallée des Aldudes
Col d'Aharza
Munhoa
Caro
St-Michel
Aincille
Lecumberry
Hosta
Pic de Belchou
Banca
Col d'Urdanzia
Béhorléguy
Mendive
Pic de Zabozé
Aldudes
Luzaide/Valcarlos
Arnéguy
Estérençuby
Pic de Béhorléguy
Col d'Aphanize
Urepel
Col d'Haltza
Ahusquy
St-Sauveur

Misson
Mouscardès
Habas
Tilh
Arsague
Amou
Castaignos-Souslens
Marpaps
Bonnegarde
Beyries
Peyre
Labatut
Ossages
St-Girons-en-Béarn
Bonnut
Sault-de-Navailles
Bassercles
Castelner
Labeyrie
Arget
Lahontan
Puyoô
St-Boès
Ste-Marie
Mastrot
Lacadée
St-Médard
Ramous
Bellocq
Baigts-de-Béarn
Sallespisse
Hagetaubin
Casteide-Candau
Morlanne
Bérenx
Salles-Mongiscard
Orthez
Balansun
Mesplède
Pomps
Carresse-Cassaber
Salies-de-Béarn
Baure
Magret
Castétis
Arthez-de-Béarn
Uzan
Auterrive
Castagnède
Ste-Suzanne
Lanneplaà
Biron
Argagnon
Castillon
Doazon
Arnos
Escos
Oraàs
Trescoint
Laà-Mondrans
Sarpourenx
L'Hôpital-d'Orion
Ozenx-Montestrucq
Castetner
Maslacq
Urdès
Boumourt
Athos-Aspis
Burgaronne
Orion
Loubieng
Mont
Lacq
Serres-Ste-Marie
Casteide-Cami
Sauveterre-de-Béarn
Lendresse
Arance
Artix
Autevielle-St-Martin-Bideren
Andrein
Orriule
Sauvelade
Abidos
Labastide-Monréjeau
Guinarthe-Parenties
Barraute-Camu
Laàs
Lagor
Os-Marsillon
Osserain-Rivareyte
St-Gladie-Arrive-Munein
Narp
Castetbon
Mourenx
Labastide-Cézéracq
Montfort
Tabaille-Usquain
Ossenx
Noguères
Besingrand
Espiute
Araujuzon
Audaux
Bugnein
Pardies
Gestas
Araux
Vielleségure
Abos
Tarsacq
Arbérats-Sillègue
Rivehaute
Viellenave-de-Navarrenx
Bastanès
Lahourcade
Domezain-Berraute
Nabas
Méritein
Siros
Etcharry
Castetnau-Camblong
Navarrenx
Monein
Parbayse
Aroue-Ithorots-Olhaïby
Charre
Susmiou
Jasses
Ogenne-Camptort
Arbus
Lichos
Sus
Cuqueron
Artiguelouve
Angous
Dognen
Charritte-de-Bas
Arrast-Larrebieu
Lay-Lamidou
Lucq-de-Béarn
Lohitzun-Oyhercq
Gurs
Préchacq-Navarrenx
Lasserre-Bellegarde
Ainharp
Espès-Undurein
Moncayolle-Larrory-Mendibieu
Saucède
Lacommande
Aubertin
Préchacq-Josbaig
L'Hôpital-St-Blaise
Viodos-Abense-de-Bas
Aren
Cardesse
Berrogain-Laruns
Geüs-d'Oloron
St-Goin
Poey-d'Oloron
Pagolle
Chéraute
Géronce
Mauléon-Licharre
Orin
Verdets
Ledeuix
Lasseube
Garindein
Estialescq
Musculdy
Moumour
Roquiague
Esquiule
Estos
Goès
Ordiarp
Gotein-Libarrenx
Barcus
St-Pée-d'en-Bas
Oloron-Ste-Marie
Escout
Idaux-Mendy
Bidos
Menditte
Sauguis-St-Étienne
Agnos
Herrère
Aussurucq
Féas
Gurmençon
Ossas-Suhare
Ance
Trois-Villes
Ogeu-les-Bains
Eysus
Buziet
Tardets-Sorholus
Aramits
Asasp
Sunharette
Alos-Sibas-Abense
Arette
Lurbe-St-Christau
Montory
Issor
Laguinge-Restoue
Lichans-Sunhar
293
331
314
E
F
G
H

314
0 2 4 6 8 10 km
294
313
332
A
B
C
D
1
2
3
4
5
PAU
Lescar
Lons
Billère
Jurançon
Gelos
Bizanos
Morlaàs
Serres-Castet
PAU-PYRÉNÉES
Lac d'Uzein
Arzacq-Arraziguet
Garlin
Lembeye
Nay
Coarraze
Pontacq
LOURDES
Arudy
Gan
Rébénacq
Sévignacq-Meyracq
Asson
Lestelle-Bétharram
Sanctuaire
St-Pé-de-Bigorre
Soumoulou
Espoey
Artigueloutan
Idron
Lée
Ousse
Sendets
Andoins
Assat
Angaïs
Bordes
Baliros
Boeil-Bezing
Pardies-Piétat
N.-D. de Piétat
Arros-de-Nay
Bourdettes
Mirepeix
Baudreix
Beuste
Lagos
Bénéjacq
Bordères
Labatmale
Lamarque-Pontacq
Barzun
Livron
Hours
Lucgarier
Gomer
Nousty
Limendous
Lourenties
Espéchède
Arrien
Saubole
Eslourenties-Daban
Aast
Gardères
Luquet
Ger
Ossun
Plateau de Ger
Mazères-Lezons
Aressy
Uzos
Meillon
Rontignon
Narcastet
St-Ambroise
Tout-y-Croit
Bosdarros
Haut-de-Bosdarros
Les Pindats
Les Labassères
Artiguelouve
Laroin
Cuqueron
Aubertin
St-Faust
Lacommande
Lasseube
Lasseubetat
Haut-de-Gan
Labarthe
Belair
Herrère
Escout
Escou
Ogeu-les-Bains
Buziet
Buzy
Bescat
Lys
Bruges-Capbis-Mifaget
Capbis
Izeste
Ste-Colome
Pont-du-Moulin
Montaut
St-Vincent
Peyraube
Barlest
Loubajac
Peyrouse
Poueyferré
Forêt de Mourle
Pouey-Mayou
Siros
Poey-de-Lescar
Aussevielle
Denguin
Tarsacq
Arbus
Beyrie-en-Béarn
Bougarber
Labastide-Monréjeau
Labastide-Cézéracq
Bésingrand
Uzein
Caubios-Loos
Sauvagnon
Vielleneve-d'Arthez
Cescau
Casteide-Cami
Serres-Ste-Marie
Boumourt
Mazerolles
Momas
Aubin
Bournos
Doumy
Argelos
Astis
Navailles-Angos
St-Armou
Anos
St-Castin
Montardon
Buros
Maucor
Bernadets
St-Jammes
Serres-Morlaàs
Ouillon
Sedzère
Gabaston
Lespourcy
Urost
Lombia
Sedze-Maubecq
Bédeille
Escaunets
Villenave-près-Béarn
Séron
Ponson-Debat-Pouts
Ponson-Dessus
Higuères-Souye
St-Laurent-Bretagne
Baleix
Bentayou-Sérée
Maure
Abère
Anoye
Momy
Lucarré
Gerderest
Riupeyrous
Barinque
Escoubès
Monassut-Audiracq
Lussagnet-Lusson
Sévignacq
Lasclaveries
Cosledaà-Lube-Boast
Simacourbe
Samsons-Lion
Peyrelongue-Abos
Lalonquère-Juillacq
Maspie-
Miossens-Lanusse
Auriac
Viven
Auga
Thèze
Lalonquette
Carrère
Mouhous
Lannecaube
Lalongue
Gayon
Lespielle
Escurès
Castillon
Corbère-Abères
Bassillon-Vauzé
Arricau-Bordes
Séméacq-Blachon
Monpezat
Crouseilles
Lasserre
Aurions-Idernes
Arroses
Cadillon
Vialer
Burosse-Mendousse
Taron-Sadirac-Viellenave
St-Jean-Poudge
Ribarrouy
Mascaraàs-Haron
Baliracq-Maumusson
Tadousse-Ussau
Castetpugon
Diusse
Conchez-de-Béarn
Mont-Disse
Aydie
Aubous
Moncla
Portet
Viella
Cannet
Verlus
Projan
Sarron
St-Agnet
Miramont-Sensacq
Puyol-Cazalet
Lacajunte
Péchevin
Lauret
Philondenx
Monget
Malaussanne
Montagut
Arget
Cabidos
Poursiugues-Boucou
Boueilh-Boueilho-Lasque
Coublucq
Vignes
Pouliacq
Claracq
Méracq
Garlède-Mondebat
Mialos
Séby
Lème
Fichous-Riumayou
Larreule
Lonçon
Uzan
Pomps
Bouillon
Garos
Louvigny
Piets-Plasence-Moustrou
Morlanne
Arnos
Doazon
Castillon
Castelner
Peyre
Camp militaire d'Astra
Forêt Bastard
Cité des Abeilles
Ollé-Laprune
Perpignaa
Chapelle-de-Rousse
Jolys
Bel-Air
Cicabat
Vignoble de Gaye
Brana
Haras
Fort de César
Le Hameau d'Ousse
Chaperot
Les Pyrénées
Ermitage
Igon
Dutau Tour
B. de Carrasquet
St-Georges
L'Oustau
Pont
Zoo
Mifaget
Pédestarrès
Pucheux
Étab. thermal
Bois de Bénéjacq
LA PYRÉNÉENNE
Luy de Béarn
Luy de France
Gave de Pau
Gave d'Ossau
Bois d'Arudy
Bois du Pacq
Bager
Pont-Germe
A 64 - E 80
A 65
D 817
D 834
D 943
D 940
D 936
N 134
E 7

Plaisance
Marciac
Bassoues
Montesquiou
Mirande
L'Isle-de-Noé
Maubourguet
Vic-en-Bigorre
Rabastens-de-Bigorre
Puntous de Laguian
Miélan
Trie-sur-Baïse
TARBES
Aureilhan
Séméac
Bordères-sur-l'Échez
Barbazan-Debat
Tournay
Lannemezan
Capvern-les-Bains
295
333
316
E
F
G
H

0 2 4 6 8 10 km
296
315
334
A
B
C
D
Gimont
N.-D. de Cahuzac
Abbe de Planselve
Pessan
Lussan
L'Isle-Arné
Beaulieu
Lasseran
L'Isle-de-Noé
St-Jean-le-Comtal
Besmaux
Les Pachères
Auterive
Lasseube-Propre
Enjouet
Silo
St-Caprais
Mauvezin
Montiron
Mouchès
Lamazère
Boucagnères
Castelnau-Barbarens
Bédéchan
Aurimont
St-André
Miramont-d'Astarac
Haulies
Tirent-Pontéjac
Lahas
Labéjan
Durban
Orbessan
Traversères
Lartigue
Boulaur
Bézéril
Noilhan
Idrac-Respaillès
Sansan
Saramon
Polastron
St-Martin-Gimois
Ornézan
Loubersan
Seissan
Monferran-Plavès
Faget-Abbatial
Sémézies-Cachan
Mongausy
St-Soulan
St-Médard
Lamaguère
St-Élix-d'Astarac
Samatan
Berdoues
Clermont-Pouyguillès
Labarthe
Tachoires
Montamat
Gaujac
Lombez
Pouy-Loubrin
Pellefigue
Belloc-St-Clamens
Lourties-Monbrun
Moncassin
Moncorneil-Grazan
Simorre
Sauveterre
Puylausic
Betcave-Aguin
Sabaillan
St-Élix-Theux
St-Arroman
Masseube
Bellegarde
Meilhan
Tournan
Montadet
Esclassan-Labastide
Villefranche
Espaon
Garravet
Sauviac
Lagarde-Hachan
Sère
Gaujan
Cadeillan
Boissède
Montaut
Samaran
Panassac
Bézues-Bajon
Monties
Monbardon
Molas
Mirambeau
Frontignan-Savès
Viozan
Aujan-Mournède
St-Ost
Aussos
Sarcos
Puymaurin
L'Isle-en-Dodon
Martisserre
Ste-Aurence-Cazaux
Ponsan-Soubiran
Monlaur-Bernet
Arrouède
Nénigan
Agassac
Ambax
Cuélas
Chélan
Cabas-Loumassès
Anan
Castelgaillard
St-Blancard
Lunax
Coueilles
Riolas
Manent-Montané
Lalanne-Arqué
St-Ferréol-de-Comminges
Montesquieu-Guittaut
St-Frajou
Guizerix
Peyret-St-André
Sariac-Magnoac
Mont-d'Astarac
St-Laurent
Péguilhan
Salerm
Fabas
Larroque
Thermes-Magnoac
Castelnau-Magnoac
Puntous
Montbernard
Hachan
Barthe
Betbèze
Mondilhan
Boulogne-sur-Gesse
Lilhac
Peyrissas
Betpouy
Aries-Espénan
Organ
Lalanne
Castéra-Vignoles
St-André
Eoux
Cizos
Devèze
Pouy
Blajan
St-Pé-Delbosc
Escanecrabe
Esparron
Vieuzos
Gensac-de-Boulogne
Montgaillard-sur-Save
Ciadoux
Benque
Caubous
Villemur
Monléon-Magnoac
St-Loup-en-Comminges
Sabarros
Laran
Gaussan
Nizan-Gesse
Lespugue
Saman
Boussan
Montoulieu-St-Bernard
Alan
Bazordan
Montmaurin
Charlas
Cassagnabère-Tournas
St-Lary-Boujean
Lassales
Sarrecave
Recurt
Monlong
Aurignac
N.-D. de Garaison
Sarremezan
Cardeilhac
Peyrouzet
Balesta
St-Élix-Séglan
Tajan
Boudrac
Cazaril-Tambourès
Larroque
St-Marcet
Aulon
Bouzin
Le Fréchet
Arné
Lalouret-Laffiteau
Larcan
Cazeneuve-Montaut
Réjaumont
Lécussan
St-Plancard
Lodes
Auzas
Laffite-Toupière
St-Ignan
Latoue
Villeneuve-Lécussan
Sédeilhac
Loudet
Saux-et-Pomarède
Lieoux
Sepx
Proupiary
Mancioux
Uglas
Lannemezan
Anquevielle
Le Cuing
Pomarède
St-Roch
Castillon
St-Martory
Landorthe
Arnaud-Guilhem
Lestelle-de-St-Martory
Villeneuve-de-Rivière
St-Médard
Ponlat-Taillebourg
Les Bourdalats
Les Spéhis

317
297
318
335
E
F
G
H
En Mercé
St-Aguets
Ferme des Loups
Embonneau
La Girette
Mérenvielle
Forêt
Brax
Ste Germaine
Pibrac
Colomiers
Clermont-Savès
L'Isle-Jourdain
Les Pintous
Léguevin
Tournefeuille
Monferran-Savès
Robineau
Les Quintarets
Fourès
Pujaudran
Tellère
Clairette
Castel Nouvel
St-Martin-du-T.
Armurié
Frégouville
La Borde-Neuve
Marestaing
Arquès
Lartus
Battut
Lapeyrouse
Les Vitarelles
Lardenne
Le Mirail
Monnède
Castillon-Savès
Entiau
Les Arramous
Pyroutet
La Salvetat-St-Gilles
Marquisat
Aurade
Goudourvielle
Blanquefort
Lias
St-Flour
Aussonnelle
Plaisance-du-Touch
Règue Longue
Caumont
Fontenilles
Le Téoula
Zoo
Coustau
Houtpoul
St-Simon
Endoufielle
Labric
Le Garros
Bonrepos-sur-Aussonnelle
La Pichette
Camp militaire
La Béguère
Frayssinet
Cugnaux
Portet-s-Garonne
Ramonville-St-Agne
Pechbusque
Fonsorbes
Le Peyrigué
Empeaux
Saiguède
La Martinette
Pescadoures
Les Demoiselles
Monbel
Villeneuve-Tolosane
Vieille-Toulouse
Pompiac
St-Thomas
Seysses-Savès
St-Lys
Aiguebelle
Espie
Ratou
Aujoulets
Frouzins
Pinsaguel
Auzeville-Tolosane
Castanet-Tolosan
Nizas
Le Mona
Mathieu
N.-D. de Lamothe
Faugarousse
Seysses
Roques
Vigoulet-Auzil
Pourcet
Ste-Foy-de-Peyrolières
Nauses
Roquettes
Lacroix-Falgarde
Savignac-Mona
Bragayrac
La Salvetat-de-Ste-Foy
En Gilos
Cambernard
Péres
Lamasquère
Beaucru
Pins-Justaret
Justaret
Goyrans
Rebigue
Lahillaire
Monblanc
Sabonnères
St-Clar-de-Rivière
Saudrune
Saubens
Dille
Aureville
Pébées
Huguerie
Labastidette
Muret
Villate
Le Marchand
Pitau
Place del Serié
Sauvimont
Montgras
St-Médard
Beaufort
Parayre
Bougnol
La Serre
La Combe
Le Canton
Brioudes
Clermont-le-Fort
Montégut-Savès
Amades
Lahage
L'Espérès
Nagut
Les Pioules
Labarthe-sur-Lèze
Julia
Espanès
St-Loube
Forgues
La Cassagne
Vernhole
Rabé
Venerque
Laymont
Gayrimont
La Menjotte
Jottes
Lherm
La Peyrouse
Vernet
Le Vernet
Espeyrouzes
Monès
Plagnole
Pesquières
Borret
Poucharramet
St-Hilaire
La Pielle
La Croix-Blanche
Moulin-Augé
Manivielle
Eaunes
Estantens
Grépiac
Le Pin-Murelet
St-Romain
Rieumes
La Hillère
Touges
Le Fauga
Les Flambans
Lagardelle-sur-Lèze
Labruyère-Dorsa
Gensac
Montpézat
Lautignac
Barrère
La Grangette
Capdebat
Latour
Lavernose-Lacasse
St-Amans
Labuach
Ribonnet
Pellepoix
Maurat
Redon
Burguerolles
Vignolles
Gaillard-Tournié
Vivies
Les Bruzes
Mouzens
Bagues
Sajas
Tour
Montastruc-le-Vieux
Montastruc-Savès
Nère
Savères
Mansencal
Hourton
Les Vignes
Bérat
Obélisque
ONERA
Mauzac
Garouste
Les Pitchous
Beaumont-sur-Lèze
Calac
Miremont
Moles
St-Araille
Latour
Magnan
Cap-Dessus
Castex
Longages
Le Gaillard-du-Port
Rouget
Arpizou
Montaut
Sénarens
Labastide-Clermont
Bois-de-la-Pierre
La Tourette
La Linde
Noé
Auribail
Magrens
Randal
Pouy-de-Touges
Meillan
Guillamet
Volvestre
Capens
St-Sulpice-sur-Lèze
Lagrâce-Dieu
Hélipon
Moussats
Castets
Tremoulet
Moureau
Lacaze
Saintes
Castiès-Labrande
Labrande
Carretère
Gratens
Coulat
Bertranas
Crabères
Lacroix
St-Hypolite
Marquefave
Puydaniel
Mauressac
L'Orme
Larroudé
Peyssies
St-Michel
Balas
Les Gazaillas
Marignac-Lasclares
Les Arrougès
Lafitte-Vigordane
La Senciat
Montgazin
Loulé
Pélechenne
Grazac
Castelnau-Picampeau
Pétord
Carbonne
Les Gaspardes
Goutemajou
Lastronques
Esperce
Caujac
Rogé
Montégut-Bourjac
Le Fousseret
St-Élix-le-Château
La Terrasse
Lacaugne
Petit Jouannet
Ste-Quitterie
Montoussin
Guibail
Salles-s-Garonne
Le Mancies
La Pointe
Le Pastisse
Malsang
Lézat-sur-Lèze
St-Paul
Escayre
Benque
L'Elysée
Mourlens
Caillaouet
Mounes
Tachoires
Gariat
Lavelanet-de-Comminges
Rieux-Volvestre
Le Coq
Pys
Les Benbcassès
Mondavezan
St-Julien-sur-Garonne
Mailholas
Latrape
Castère
Flourac
Soulès
St-Ybars
Gaillac-Toulza
Terrebasse
La Tuilerie
Lescuns
Sana
Gargaillous
Larrouset
Blancotte
Labernède
Montplaisir
Jouan-Nadaou
Bax
Monfaucon
Castagnac
Louise
Bentenac
St-Julien
Les Boupax
La Chapelle
Labrioulette
Berbaux
Gensac-s-Garonne
Canens
Lapeyrère
Massabrac
Donauld
St-Sernin
Soulancé
Palaminy
Cazères
Goutevernisse
Capitany
Goueytés
Bourruts
Montesquieu-Volvestre
Latour
Nogarède
Blansac
Ste-Suzanne
Durfort
Couladère
Les Pesques
St-Christaud
Villeneuve-du-Latou
Mignou
Montclar-de-Comminges
Mauran
Artiguon
Luquet
Gouzens
Thouars-sur-Arize
Loubaut
Palays
Méras
Sieuras
Le Pigeon
Gélis
Poutéou
Canalès
Tapia
La Junquière
Ausseing
Tour
Roquefort-s-Garonne
St-Michel
Les Mandillets
Larbaut
La Horge
La Grangette
Fornex
Castex
Martignac
Pigailh
Le Fossat
Bajou
St-Martin-d'Oydes
Ausseing
Plagne
Le Plan
Le Pas-du-Fauga
Les Crouzettes
Micas
La Bastide-de-Besplas
Barraca
Latour
Augeron
Montberaud
Gaillard-du-Bosc
Carla-Bayle
Le Fustié
Pe des Carrières
Furne
Belbèze-en-Comminges
Cassagne
Les Bernès
Cérizols
Petites
La Verrerie
Poudelay
La Souleillane
Ste-Croix-Volvestre
Croix-de-Fer
Argain
Mailhac
Barailles
La Rivière
Daumazan-sur-Arize
Les Cazalères
Montbrun
Campagne-sur-Arize
Les Andréous
Castéras
Artigat
Bidau
Thibaud
Toulouse
Moscou
Pont-des-Demoiselles
Rangueil
Pouvourville
Auzil
Lacroix
Verdach
Flau
Sieuras
Bouet
St-Colombe
Mouillonne
Latou

0 2 4 6 8 10 km
298
317
336
A
B
C
D
TOULOUSE
Balma
Mondouzil
St-Pierre
Montcabrier
Bannières
Viviers-lès-Lavaur
Pratviel
Roquevidal
Flourens
Quint-Fonsegrives
Drémil-Lafage
Vallesvilles
Bourg-St-Bernard
Francarville
Saussens
Villeneuve-lès-Lavaur
Maurens-Scopont
Vendine
Algans
Cambon-lès-Lavaur
Cuq-Toulza
Aigrefeuille
St-Pierre-de-Lages
Lanta
Prunet
Loubens-Lauragais
Le Faget
Ramonville-St-Agne
Lauzerville
St-Orens-de-Gameville
Ste-Foy-d'Aigrefeuille
Mascarville
Albiac
Portet-s-Garonne
Pechbusque
Auzielle
Aurin
La Salvetat-Lauragais
Labège
Préserville
Caraman
Auriac-sur-Vendinelle
Mouzens
Castanet-Tolosan
Escalquens
Odars
Maureville
Vigoulet-Auzil
Belberaud
Fourquevaux
Tarabel
Mervilla
Pechabou
Caragoudes
Lacroix-Falgarde
Pompertuzat
Cambiac
St-Julia
Goyrans
Rebigue
Mourvilles-Basses
Ségreville
Aureville
Deyme
Labastide-Beauvoir
Toutens
Falga
Corronsac
Donneville
Varennes
Beauville
Clermont-le-Fort
Montgiscard
Baziège
St-Germier
Maurens
Espanès
Montbrun-Lauragais
Cessales
Vaux
Venerque
Pouze
Belbèze-de-Lauragais
Trébons-sur-la-Grasse
St-Vincent
St-Félix-Lauragais
Ayguesvives
Villenouvelle
Montgaillard-Lauragais
Lux
Issus
Montesquieu-Lauragais
St-Rome
Vallègue
Rieumajou
Grépiac
Noueilles
Villefranche-de-Lauragais
Folcarde
Labruyère-Dorsa
Vieillevigne
St-Paulet
St-Léon
Montmaur
Auragne
Gardouch
Renneville
Avignonet-Lauragais
Montferrand
Nailloux
Seyre
Soupex
Airoux
Mauvaisin
Montclar-Lauragais
Seuil de Naurouze
Auterive
Montgeard
Beauteville
Lagarde
Gourvieille
Obélisque de Riquet
Labastide-d'Anjou
Ricaud
Puydaniel
Mauressac
Monestrol
Baraigne
Aignes
Caignac
St-Michel-de-Lanès
Molleville
Cintegabelle
Marquein
Belflou
Mas-Stes-Puelles
Grazac
Caujac
Calmont
Gibel
Salles-sur-l'Hers
Cumiès
St-Quirc
Villeneuve-la-Comptal
Lissac
Fajac-la-Relenque
Montauriol
La Louvière-Lauragais
Ste-Camelle
Payra-sur-l'Hers
Labatut
Mazères
Mézerville
Gaillac-Toulza
Canté
Peyrefitte-sur-l'Hers
Saverdun
Molandier
Marliac
St-Sernin
Mayreville
St-Amans
Justiniac
Brie
Belpech
Pech-Luna
Durfort
Esplas
Montaut
Cahuzac
Gaja-la-Selve
Unzent
Le Vernet
Gaudiès
Pécharic-et-le-Py
Ribouisse
Le Fossat
St-Martin-d'Oydes
Bonnac
Villeneuve-du-Paréage
Plaigne
Lafage
Villautou
Lescousse
St-Amans
Bézac
Tremoulet
Lapenne
Plavilla
Artigat
St-Michel
La Bastide-de-Lordat
Camp militaire
Roc Redon
St-Félix
Canal du Midi
Ariège
Hers

Castres
Mazamet
Revel
Sorèze
Castelnaudary
CARCASSONNE
LA CITÉ
Bram
Montréal
Fanjeaux
Labruguière
Aussillon
Pont-de-Larn
Sémalens
Puylaurens
Soual
Saïx
Viviers-lès-Montagnes
Dourgne
Saissac
Montolieu
Conques-sur-Orbiel
Villemoustaussou
Trèbes
Mas-Cabardès
Les Cammazes
Arfons
Montagne Noire
Pic de Montaud
PARC NATUREL RÉGIONAL DU HAUT-LANGUEDOC
Forêt de Montaud
Bassin de St-Ferréol
Pas du Sant
Mont Alric
Grotte de Calel
Labécède-Lauragais
St-Papoul
Villepinte
Alzonne
Pezens
Pennautier
Villegailhenc
Aragon
Ventenac-Cabardès
Moussoulens
Caux-et-Sauzens
Alairac
Lavalette
Cazilhac
Palaja
Couffoulens
Preixan
Roullens
Villasavary
Prouille
Brézilhac
Mazerolles-du-Razès
Cailhau
Cailhavel
St-Martin-Lalande
Villespy
Cenne-Monestiés
Verdun-en-Lauragais
Villemagne
Issel
Peyrens
Les Brunels
Vaudreuille
Durfort
Lescout
St-Affrique-les-Montagnes
Verdalle
Massaguel
Escoussens
Aiguefonde
Caucalières
Payrin-Augmontel
Valdurenque
Lagarrigue
Noailhac
Boissezon
Labastide-Esparbairenque
Roquefère
Villanière
Limousis
Lastours
Salsigne
Villardonnel
Fraisse-Cabardès
Brousses-et-Villaret
Cuxac-Cabardès
Caudebronde
La Tourette-Cabardès
Miraval-C.
Fontiers-Cabardès
Laprade
Pradelles-Cabardès
Les Martys
Lacombe
Foncroisette
Villeneuve-Minervois
Villegly
Bagnoles
Malves-en-Minervois
Fontiès-d'Aude
Montirat
Monze
Berriac
A 61
E 80
N 126
N 112
D 6113
299
337
320

0 2 4 6 8 10 km
300
C
D
319
338
A
B
C
D
1
2
3
4
5
HAUT-LANGUEDOC
(Cambon-et-Salvergues)
La Salvetat-sur-Agout
Fraisse-sur-Agout
Col de Fontfroide
Le Bez
Plaisance
Verdier
Rouquié
Pont de Calas
Col de Caunan
Cambounès
Esperières
Viala
Col du Fauredon
Cristol
Les Girmanes
Bge de la Raviège
Lac de la Raviège
Caussillols
Col de Vergnolou
Pic de Guillou
La Resclause
Lixiriès
Rescol
Pomarède
Le Cambaissy
La Mouline
Le Fau
Roc de Layre
Col de la Bane
Mauroul (St-Julien)
Courtorgues
Col du Poirier
Durenque
Les Orts
Bouisset
Lasfaillades
Le Rialet
(Lasfaillades)
Anglès
Les Crouzettes
Le Banès
Le Jounié
Goutine-de-Maur
Combeluffe
Planacan
Col de la Baraque
Forêt de Combesalat
MONTS
DE
L'ESPINOUSE
St-Vincent-d'Olargues
Raspaillac
Pestous
Violgues
Le Cros
Cassagnoles
Baissescure
Saut de Vésoles
Gorges de Colombières
Lignières
Ft de Gatimort
Les Combals
Lac des Saints-Peyres
Ramiès
La Souque
Sept-Faux
Vergnolles
Croix de St-Brancari
Le Soulié
Caudezaures
Le Moulinet
La Fajole
Somail
Laglade
Prémian
St-Étienne-d'Albagnan
La Fumade
Cailho
Ichis
Mezerac
Bge des Sts-Peyres
Le Vintrou
Frégefond
Cors
B. de la Blanque
St Pons
C. du Cabaretou
Bordevieille
La Vacarie
Bézis
Gransagnes
Espine
Mont
Brassac
Tarbouriech
Brettes
Riolet
Lizarne
Riols
Mézouilhac
Sahuc
Campels
N.-D. de Tredos
Montlhuc
Le Mariech
Gorges du Banquet
Salesses
Le Banquet
Vialanove
Marthomis
Prouilhe
St-Pons-de-Thomières
Cassillac
Marso
Euzèdes
Ferrières-Poussarou
Cucussac
Bout-du-Pont-de-Larn
Faumontagne
Caylus
Rouairoux
Larroque
Sabo
Grotte de La Devèze
Col de Rodomouls
Rodomouls
Pousselières
Mazamet
Le Bousquet
St-Amans-Valtoret
Les Costes
Rieussequel
Sauveterre
Labastide-Rouairoux
Col de la Fenille
Courniou
Roulio
Cathalo
Rieussec
Défilé de l'Ilouvre
Les Raynauds
St-Amans-Soult
Soult-Berg
Cambraud
Albine
La Ribaute
Lacabarède
Dressous
Cantignous
Le Ver
Usclats
C. des Usclats
B. de Sérignan
Cavenac
Combeliobert
Condades
Cartouyre
Les Yés
Tréby
HAUT-LANGUEDOC
Lacabarède
Borio-Crémade
Verreries-de-Moussans
Pech Mage
Pardailhan
Cauduro
Forêt de Nore
Roquerlan
Aymard
Galinié
Fournas
Col de Serières
Ste-Colombe
Copujol
Col de Trémolis
Malibert
Babeau-Bouldoux
Coulouma
La Louvière
Sales
Lebrat
Pic de Nore
Roc de Peyremaux
Peyrefiche
Brian
Lucarnis
La Mourarié
La Garrigue
Les Conquets
Donnadieu
N.-D. de Nazareth
Tudery
NOIRE
Col de Salette
Chiffre
Roc Suzadou
Mt Cayroux
Campredon
Favayrolles
Rieussec
Pradelles-Cabardès
Castans
Linas
Quintaine
Escandelle
Lespinassière
Mancès
Authèze
Boisset
Lacan
St-Martial
Barroubio
Assignan
Col de la Prade
Roquedaut-Rocher
Masnaguine
Ferrals-les-Montagnes
Labastide-Esparbairenque
St-Peyre
Cassagnoles
Vélieux
Bellerazé
La Garrigue
Gimios
Roc du Tonnerre
Rieussec
Citou
Fourneliers
Cantignergues
Les Barrières
Le Bouis
Les Gours
St-Jean-de-Minervois
La Roueyre
Serre de Montredon
Clamoux
Castanviels
Argentières
Cailhol
St-Hippolyte
Grave
Seriès
Gouffre de l'Aigle
Pujol-de-Bosc
Labeouradou
St-Julien-de-Molières
Bois-Bas
Le Cazal
Cazelles
Ilhes
Fournes-Cabardès
Cabrespine
Roc de Moussu
Saussenac
Canyon de la Cesse
Ponts naturels
Minerve
Vialanove
Paguignan
Babio
Trassanel
Camplong
Lauriole
Fournes
La Caunette
Gorges de la Clamoux
Les Rivières
Brama
Fauzan
Le Pech
Limousis
Marbre
Calamiac
Pic St-Martin
La Crémade
Cesseras
Aigne
Aigues-Vives
Agel
Bize-Minervois
Caunes-Minervois
N.-D. du Cros
Félines-Minervois
Centeilles
St-Germain
Azillanet
Salsigne
Salleles-Cabardès
Villerambert
Paulignan
La Livinière
La Mignarde
La Ramière
La Prade
Les Tuileries
Argeliers
Lacombe-du-Sault
Villeneuve-Minervois
Trausse
Siran
Artix
Tinal-d'Abrens
Les Tuileries
Cadirac
Mailhac
Cabezac
Prat-Majou
Villegly
Russol
Peyriac-Minervois
Pépieux
Beaufort
Serre d'Oupia
Pouzols-Minervois
Mirepeisset
Villarzel-Cabardès
Floris
Massiac
Le Marquisat
Olonzac
Oupia
St-Charles
Laure-Minervois
Rieux-Minervois
Azille
Ste-Valière
Parazols
Fabas
Argent-Double
Homps
Bagnoles
Jouarres
Ginestas
St-Pierre
Gibalaux
St-Eugène
Tourouzelle
Ventenac-en-M.
Malves-en-Minervois
St-Roch
L'Estagnol
Canal du Midi
Villalier
Naucadéry
St-Frichoux
La Redorte
Argens-Minervois
Roubia
Paraza
Villepeyroux
La Valsèque
Ste-Cécile
Sérame
St-Nazaire-d'Aude
Bouilhonnac
Étang asséché de Marseillette
L'Étang
Castelnau-d'Aude
Boulandière
Tour
Canet
Raissac-d'Aude
Marcorignan
Villedubert
Aigues-Vives
Sept Serous
Fontarèche
Montredon
Le Moulin
Puichéric
La Bastide
Montrabech
Trèbes
Rustiques
Badens
Naudy
Roquecourbe-Minervois
Escales
La Domèque
Berriac
Miremont
N.-D. de Colombier
Lézignan-Corbières
Villedaigne
Ste Eulalie
Tour
Laparre
Les Capucins
St-Julia
Marseillette
Blomac
St-Couat-d'Aude
Montbrun-des-C.
Villenouvette
Montlegun
Millegrand
Conilhac-Corbières
Cruscades
St-James
Fontiès-d'Aude
Barbaira
Capendu
Gaujac
Pont
Montredon-des-Corbières
Moux
St-Estève
Chle de Canos
Ornaisons
Floure
Douzens
Orbieu
Les Corbières
Luc-sur-Orbieu
Bizanet
Montirat
Chau de Miramont
Miramont
Comigne
Autoroute des Deux Mers
Jourre
Fontcouverte
Grd Caumont
Montagne d'Alaric
Roc Gris
Bouscat
Boutenac
Monze
Pradelles-en-Val
Réquy
N.-D. de Consolation
Roc de l'Aigle
Ferrals-les-Corbières
Gasparets
Saint-Julien
Quillanet
Monastère de Gaussan
Villemajou
Fabrezan
Bretonne
D 612
D 620
D 610
D 6113
D 11
D 907
D 5
D 14
D 68
D 150
D 169
D 111
D 118
D 610
A 61
E 80
GR 7
GR 36
GR 71
GR 77

301

E F G H

Col de l'Ourtigas
Col de Pierre-Plantée
C. de Madale
Rosis
C. des Avels
Réserve Nationale
Les Bourdelles
Le Pradal
Clairac
La Gure
Pont du diable
Villemagne-l'Argentière
Taussac-la-Billière
Bédarieux
Carlencas-et-Levas
Mérifons
La Lieude
Malavieille
Roques
Salasc
Le Mas Bousquet
Le Mas-Canet
Levas
Taussac
Madale
Douch
Le Fraisse
Le Poujol-sur-Orb
La Sesquière
Bardejean
Nissergues
St-Vital
La Fage
P. des Ecrivains Combattants
Villecelle
Combes
Lamalou-les-Bains
Mont Caroux
Héric
Gorges d'Héric
Le Vernet
N.-D. de Capimont
Tunnel du Col du Buis
B. de l'Evers
Les Vignals
Mas Nougier
Mas-du Rouet
Marbre
Pic de Vissou
Le Mas-Roujou
Hérépian
Colombières-sur-Orb
St-Martin-de-l'Arçon
Le Martinet
Moulinas
La Caumette
Soumartre
Poux-Sec
B. de Pouzes
Pézènes-les-Mines
Les Montades
Valmascle
Lieuran-Cabrières
Fournols
Bois des Moulesses
Les Crozes
Cabrières
Péret
Les Pradals
La Coste
Mons
La Pomarède
Aire Vieille
Margal
Violès
Les Aires
St-Michel de Mourcairol
Bois de Lestellier
Bel-Air
Faugères
Fos
Paders
Mas-Rolland (Montesquieu)
Le Mas-Rouch
Aspiran
Moulin Tarassac
La Voulte
La Trivalle
Plaussenous
Pic de la Coquillade
La Borie-Nouvelle
Roquessels
Vailhan
L'Étang
Paulhan
Estaussan
Suc de Calen
Cabrerolles
Caussiniojouls
Fontès
Tour
Vieussan
La Tour du Pin
Aigues-Vives
Castelsec
Neffiès
Adissan
Gorges de l'Orb
Le Pin
Le Lau
La Liquière
Laurens
Boissezon
Rouvigno
Marbre
Nizas
Mézeilles
Laurenque
St-Nazaire-de-Ladarez
Lenthéric
Gabian
Ceps
Cassan
Roujan
Caux
Mausse
Tour
Marbre
Autignac
Grézan
Fouzilhon
N.-D. de Mougères
Margon
Daurion
Lézignan-la-Cèbe
Berlou
Roquebrun
Cascade
Mt Peyroux
Causses-et-Veyran
Coujan
Pouzolles
Loubatières
Le Parc Ste-Hélène
St-Jean de Bébian
Les Carratiers
St-Geniès-de-Fontedit
Magalas
Cazillac
Lugné
Marbre
Jougrand
Puissalicon
St-Jean
Alignan-du-Vent
St-Siméon
Bois de Cessenon
La Maurerie
Le Priou
La Bosque
Veyran
Tour
Coulobres
Abeilhan
St-Martial
Tourbes
Pézenas
Vernazobre
Viranel
St-Martin-des-Champs
Espondeilhan
St-Roch
Prades-sur-Vernazobre
Cessenon-sur-Orb
Murviel-lès-Béziers
Réals
Puimisson
N.-D. des Pins
Combejean
Cazedarnes
Pailhès
Cabrerolles
Servian
Valros
Nézignan-l'Évêque
Castelnau-de-Guers
Pierrerue
Cazals-Vieil
Thézanel
Sévignac
Thézan-lès-Béziers
Lieuran-lès-Béziers
St-Appolis
Fontjun
Abbe de Fontcaude
Montmajou
Milhau
Aspiran
Corneilhan
Bassan
La Prade
La Bégude-de-Jordy
La Roque
St-Pierre
St-Thibéry
Pont Romain
Cébazan
Fraisse
Cazouls-lès-Béziers
Canterranes
Ribaute
Masacy
La Baume
Montblanc
Bellevue
La Manière
Lignan-sur-Orb
Villenouvette
Boujan-sur-Libron
Les Fargoussières
Creissan
St-Geniès
Maraussan
Bel-Air
Les Castans
La Vière
La Valmale
Bessan
Fontanche
Puisserguier
Malemort
Raissac
Béziers
Maureilhan
St-Jean-de-Libron
Clairac
Le Grand Bois
Béziers-Montblanc
Coussergues
Caillan
Cruzy
Roueyre
La Provenquière
Poussan-le-Bas
Cabrials
St-Bauzille
Montmarin
Sailles
Quarante
La Fourcade
La Tour
St-Jean-de-la-Cavalerie
La Grassette
Le Neuf Preignes
La Jourdane
Curatier
Seriège
Malviès
Capestang
Montady
Gourgasse
Écluses de Fonserannes
Béziers Cap d'Agde
Le Vieux Preignes
La Gardie
Vias
L'Étang de Montady
St-Martin-le-Grd
La Miquelle
Cers
Preissan
La Croisade
L'Étang
Colombiers
Canal du Midi
Villeneuve-lès-Béziers
Le Terral
Quarante
La Grangette
Capestang
Poilhes
Oppidum d'Ensérune
Poussan-le-Haut
Sahuc
Bayssan
Sauvian
Portiragnes
Vias-Plage
Bassoul
Montels
La Redonde
Le Viala
Nissan-lez-Enserune
L' Espagnac
Port-Cassafières
Tamarissière
Ouveillan
Abbe Fontcalvy
Nazoure
Rabbes
Sérignan
Portiragnes-Plage
Le Grau d'Agde
Amphoralis
Aubian
Périès
Lespignan
Vendres
Sérignan-Plage
Sallèles-d'Aude
Pont des Graves
La Vernède
Clotinières
Puech-Blanc
La Vistoule
Orb
L' Étang de Vendres
Moussoulens
St-Marcel-d'Aude
Cuxac-d'Aude
Pont de Fleury
La Batisse
Valras-Plage
Védilhan
Coursan
Salles-d'Aude
Le Pech
La Barque
Ricardellette
Céleyran
Fleury
La Pagèze
Aude
La Yole
Moussan
Oppidum de Montlaures
Bougna
Fresquet
Narbonne-Vinassan
Chlle
Malvezy
les Levrettes
Les Pouzets
St-Félix
Puech de Labade
Moyau
Les Cabanes-de-Fleury
Grau de Vendres
Narbonne
Laquirou
L'Oustalet
Étang de Pissevaches
Vinassan
Marmorières
La Languedocienne
Parc de la campana
Cazeneuve
Camplazens
Gouffre de l'Œil Doux
Naturel
Parc
Clape
Tour
Veyret
Armissan
Vires
St-Pierre-la-Mer
Terrain militaire
Les Hauts de Narbonne
Moujan
L'Hospitalet
Port de Brossolette
Pech Redon
Ricardelle
Lunes
Craboules
Régional
Montagne de la Clape
Coffre de Pech Redon
Rouquette
Narbonne-Plage
Quières
Montplaisir
Les Monges
Montfrort
N.-D. des Auzils
Le Pech-Rouge
Rochegrise
La Nautique
Cimetière marin
Le Rec
Les Ayguades

322

339

1 2 3 4 5

322
0 2 4 6 8 10 km
A
B
C
D
1
2
3
4
5
302
321
Soumont
Usclas-du-Bosc
Grotte de Clamouse
Puéchabon
Pont du Diable
Rocher des Vierges
Arboras
Le Bosc
Mas-de-Mérou
St-Jean-de-la-Blaquière
Le Barry
St-Saturnin-de-Lucian
Montpeyroux
St-Jean-de-Fos
Aniane
Mas Neuf
Lavalette
Le Puech
St-Alban
Salelles
St-Guiraud
Jonquières
St-Genies
Les Pascals
St-Amans
Plo de Laurier
Le Mourel
Le Ruffas
Mas Colombier
Les Hémiès
Rabéjac
Cartels
St-Fréchoux
Laulo
Rabieux
St-Étienne
Ste-Brigitte
Lagamas
St-Dominique
La Boissière
Dio-et-Valquières
St-Martin-des-Combes
Les Valarèdes
Toucou
L'Auverne
Mas-Audran
St-Félix-de-Lodez
Gignac
Capion
St-Martin
Celles
Vernazoubres
Col de Dio
Brenas
Octon
Lac du Salagou
Lacoste
Ceyras
St-André-de-Sangonis
N.-D. de Grâce
Mas de Navas
St-Jean-d'Aumière
Mas de Capdaniel
La Tour-sur-Orb
Le Mas-Blanc
C. de la Merquière
Campillergues
Le Mas Bas
Pradels
Le Mas de Clergues
La Grange-Montagne
Les Bories
Cambous
Larcade
L'Hermitage
Le Bousquet
Carlencas-et-Levas
Mérifons
Liausson
Mt Mars
Mare de Liausson
Clermont-l'Hérault
Brignac
Popian
La Taillade
Bédarieux
La Lieude
Malavieille
Roques
Cirque de Mourèze
N.-D. du Peyroux
Villeneuvette
Le Mas Bousquet
Levas
Le Mas-Canet
Salasc
Mourèze
Nébian
Pouzols
St-Bauzille-de-la-Sylve
Mas-d'Arnaud
La Sablière
Canet
Taussac
Mas Nouguier
Mas-du-Rouet
Boyne
Marbré
Pic de Vissou
Le Mas-Roujou
Fouscaïs
Les Vignals
Tunnel du Col du Buis
B. de l'Evers
Les Montades
Valmascle
Lieuran-Cabrières
Tressan
Le Pouget
Vendémian
Mas-Clavel
(Aumelas)
La Caumette
Soumartre
Poux-Sec
B. de Pouzes
Pézènes-les-Mines
Fournols
Bois des Moulesses
Cabrières
Les Crozes
Péret
Dourbie
Puilacher
Rouvièce
L'Estang
Le Grd Puech
Bois de Lestellier
Bel-Air
La Borie-Nouvelle
Faugères
Roquessels
Fos
Paders
Mas-Rolland (Montesquieu)
Le Mas-Rouch
Aspiran
Bélarga
Plaissan
Vailhan
Cabrials
Caussiniojouls
Castelsec
Fontès
L'Étang
St-Martin
Paulhan
Campagnan
Mne de la Moure
Neffiès
Adissan
Usclas-d'Hérault
St-Pargoire
Bedel
La Liquière
Laurens
Marbre
Gabian
Nizas
Lenthéric
Autignac
Grézan
Cassan
Roujan
Caux
Lavagnac
St-Pons-de-Mauchiens
Marcouine
Villeveyrac
La Clapière
Les Campaucels
Abbaye de Valmagne
Fouzilhon
N.-D. de Mougères
Margon
Daurion
Lézignan-la-Cèbe
Cazouls-d'Hérault
La Grangette
Puech de Madame
Pouzolles
Loubatières
Le Parc Ste-Hélène
St-Jean de Bébian
Montagnac
Bessilles
Veyrac
Magalas
Cazillac
Peyne
Aumes
Valjoyeuse
Farlet
La Rouquette
Carratiers
St-Geniès-de-Fontedit
Puissalicon
St-Jean
Alignan-du-Vent
St-Siméon
St-Martin-de-Graves
St-Martin-de-la-Garrigue
Montmèze
Loupian
Tour
Coulobres
Espondeilhan
Abeilhan
St-Martial
Tourbes
Pézenas
Plau des Parédous
St-Hilaire
St-Paul-le-Haut
Villa Loupian
St-Martin-des-Champs
Puimisson
N.-D. des Pins
St-Roch
Conas
Castelnau-de-Guers
La Castillonne
Creyssels
Font-Mars
Pailhès
Thézan-lès-Béziers
Lieuran-lès-Béziers
Cabrerolles
Servian
Valros
Nézignan-l'Évêque
Ste-Rose
Mèze
Île de Thau
Corneilhan
Bassan
La Prèpe
La Roque
St-Appolis
Pinet
La Grand-Grange
Parcs à Huîtres
Aspiran
Ribaute
La Bégude-de-Jordy
St-Pierre
Thongue
St-Thibéry
Pont Romain
St-Jean-des-Sources
Félines
Le Mourre-Blanc
Salines de Villeroy
Canterannes
Masacy
Lignan-sur-Orb
Boujan-sur-Libron
La Baume
Bellevue
Montblanc
La Vière
La Gardie
Pomérols
La Bellonette
Villenouvette
St-Génies
Les Castans
Florensac
La Grenatière
La Rouquette
Villeroy
Bel-Air
La Valmale
Bessan
La Fadèze
Maureilhan
Raissac
Béziers
St-Jean-de-Libron
Clairac
Grand Bois
Béziers-Montblanc
Marseillan
Poussan-le-Bas
St-Bauzille
Coussergues
St-Louis
Moure
Veyrac
Caillan
Bassin de Thau
La Tour
Cabrials
St-Jean-de-la-Cavalerie
Montmarin
Hérault
La Grassette
Le Neuf Preignes
La Jourdane
Riac
Le Castellas
Gourgasse
Écluses de Fonséranes
Béziers Cap d'Agde
Le Vieux Preignes
Étang de Bagnas
St-Martin-le-Grd
La Miquelle
Cers
La Gardie
Les Onglous
Marseillan-Plage
Colombiers
Villeneuve-lès-Béziers
Vias
Agde
Mt St-Loup
Poussan-le-Haut
Bayssan
Portiragnes
Vias-Plage
Maraval
Nissan-lez-Enserune
Sauvian
L'Espagnac
Port-Cassafières
N.-D. du Grau
La Guirandette
Port-Ambonne
Sérignan
Tamarissière
Le Grau-d'Agde
Le Môle
Vendres
Portiragnes-Plage
Aqualand
Le Cap-d'Agde
Lespignan
Rochelongue
Cap-d'Agde
Sérignan-Plage
Fort Brescou
Rocher de la Lauze
Puech-Blanc
Clotinières
La Vistoule
Orb
L'Étang de Vendres
Pont de Fleury
La Batisse
Valras-Plage
Salles-d'Aude
La Yole
La Pagèze
Fleury

MONTPELLIER
Castelnau-le-Lez
Le Crès
Castries
Lunel
Aimargues
Vendargues
Baillargues
St-Brès
Valergues
Lunel-Viel
Marsillargues
Lansargues
St-Just
Mudaison
St-Aunès
Candillargues
Mauguio
St-Nazaire-de-Pézan
Teyran
Jacou
Clapiers
Montferrier-sur-Lez
Prades-le-Lez
Assas
St-Vincent-de-Barbeyrargues
St-Gély-du-Fesc
Combaillaux
Murles
Vailhauquès
Montarnaud
Grabels
Juvignac
St-Georges-d'Orques
St-Paul-et-Valmalle
Murviel-lès-Montpellier
Pignan
Lavérune
St-Jean-de-Védas
Saussan
Fabrègues
Lattes
Pérols
Carnon-Plage
La Grande-Motte
Le Grau-du-Roi
Seaquarium
Port-Camargue
Pointe de l'Espiguette
L'Espiguette
Palavas-les-Flots
Villeneuve-lès-Maguelone
Maguelone
Mireval
Vic-la-Gardiole
Gigean
Montbazin
Frontignan
Frontignan-Plage
Sète
La Corniche
Mont St-Clair
Montagne de la Gardiole
Étang de Mauguio ou de l'Or
MONTPELLIER-MÉDITERRANÉE
PARC DES EXPOSITIONS
Golfe d' Aigues-Mortes
GOLFE DU
E
F
G
H
1
2
3
4
5
303
324

0 2 4 6 8 10 km
304
323
Vauvert
Aimargues
Lunel
Le Cailar
Marsillargues
St-Laurent-d'Aigouze
St-Gilles
Fourques
Franquevaux
Gallician
Étang de Scamandre
Étang du Charnier
Musée de la Camargue
Albaron
Aigues-Mortes
Sylvéréal
Avignon
Mas de Capette
Méjanes
PLAINE
PARC
DE
LA
NATUREL
RÉGIONAL
DE
CAMARGUE
Étang de Vaccarès
Île de Mornes
Étang de Malagroy
Étang de l'Impérial
Petite Camargue
Pont-de-Gau
Parc ornithologique
Musée
Stes-Maries-de-la-Mer
Port Gardian
Grau d'Orgon
Phare de la Gacholle
Digue à la Mer
Golfe de Beauduc
Beauduc
Pointe du Sablon
L I O N
Espiguette
Salins-du-Midi
Étang du Roi
Le Grau-du-Roi
A
B
C
D
1
2
3
4
5

E
F
G
H
305
326
1
2
3
4
5
Salon-de-Provence
Pélissanne
Aurons
La Barben
Lançon-Provence
La Fare-les-Oliviers
Berre
Mouriès
Raphèle-lès-Arles
St-Martin-de-Crau
St-Hippolyte
Moulès
Tourniaire
Caphan
Vilpail
Balarin
La Fourbine
Bois-Vert
La Calanque
La Jasse
Mas-Neuf
Les Paluds
Les Cabanes
Le Merle (École d'Aviation)
Les Blazots
Bel-Air
Les Canourgues
La Samatane
La Lieutenante
Poscros
Le Luquier
Centre de détention
Beauchamps
Grans
Miramas
Le Vallon
Les Poulagères
Suffren
Entressen
Étang d'Entressen
Camp militaire
Parc militaire de Bausseng
Mas de Fray
Mas des Aulnes
La Dynamite
Mas de Pernes
Le Grd Mas
Le Mas-Chauvet
Le Verry
Centre d'Essais
La Ste-Croix
Belval
Le Pont-de-Rhaud
Contoux
Miramas-le-Vx
Cornillon-Confoux
Champ de Tir
St-Chamas
St-Léger
Pont-Flavien
Sulauze
Calissanne
Les Guigues
Les Baïsses
Pont de la Tour
La Bosque
Plaine de la Crau
Vergières
Bellan
Beynes
L'Armellière
Mas Giraud
Capeau
Pt St-Jean
Mas-Thibert
Mas d'Icart
Marais du Vigueirat
Le Sambuc
La Forêt
Tour du Valat
Mas de Peint
Le Pt Patis
Grd Boisviel
Étang du Landre
Marais du Retour
Le Retour-des-Aires
La Bayanne
Istres-le-Tubé
Oppidum du Castellan
Istres
Boucasson
Port des Heures Claires
Port de Beau Rivage
Mauran
St-Estève
Bouquet
La Suzanne
Étang de Berre
Rassuen
Les Quatre-Vents
Ranquet
Massane
Varage
St-Mitre-les-Remparts
Oppidum St-Blaise
Lavalduc
Les Carabins
Valin
Fos-s-Mer
La Fossette
Le Ventillon
Feuillane
Les Bannes
La Pte Porcelette
Tour de Parade
La Porcelette
Musée
Le Radeau
Rebatun
Le Relais
Boisverdun
Peaudure
Chatrouse
Marquises
La Louisiane
Pt Badon
Gd Badon
Le Vedeau
Chamone
La Grd Ponche
La Bélugue
l'Eysselle
Salin-de-Giraud
Faraman
Bac de Barcarin
Plan du Bourg
Salin du Relai
Salin du Caban
Étang de l'Oiseau
Terminal minéralier
Terminal méthanier
Terminal pétrolier
Terminal à Conteneurs
Port de Fos
Pointe de St-Gervais
Plage-de-Fos
Port-de-Bouc
Port-St-Louis-du-Rhône
Phare de St-Louis
la Palissade
Étang de Faraman
Grand Rhône
Plage de Piémanson
They de la Gracieuse
They de Roustan
Étang de Grd Palun
Golfe de Fos
N.-D. des Marins
Martigues
Croix-Ste
La Lèque
Lavéra
Port pétrolier de Lavéra
Ponteau
Cal. des Renaïres
Plage des Laurons
Pointe de Bonnieu
Les Ragues d'Arnette
La Couronne
Carro
Cap Couronne
Ile Aragnon
Ste-Croix
Les Tamaris
Les Ventrons
St-Pierre
St-Julien-les-Martigues
Agut
Les Rouges
La Folie
Sausset-les-Pins
Carry-le-Rouet
Chaîne de l'Estaque
Bois de Châteauneuf
La Mède
Châteauneuf-les-Martigues
La Bastide-Blanche
Les Tourels
Marseille-Provence
La Pointe
Port de la Pointe
Port du Passet
N.-D. de Caderot
Canal de Craponne
Canal d'Istres
Grand Rhône
Canal du Vigueirat
Marais de Meyranne
Étang des Aulnes
N 568
N 569
N 113
A 54
E 80
A 55
D 113
D 10
D 5
D 268
D 35
D 36

326
0 2 4 6 8 10 km
305
Istres
Aqueduc de Roquefavour
Rognac
Berre-l'Étang
Vitrolles
Aix-en-Provence T.G.V.
Cabriès
Les Pennes-Mirabeau
Marignane
MARSEILLE-PROVENCE
St-Victoret
Étang de Berre
DE
BERRE
Fos-s-Mer
Oppidum St-Blaise
St-Mitre-les-Remparts
N.-D. des Marins
Martigues
Port-de-Bouc
Port de Fos
Terminal minéralier
Terminal méthanier
Terminal pétrolier
Phare de St-Louis
Lavéra
Port pétrolier de Lavéra
La Mède
Châteauneuf-les-Martigues
Les Tourels
Gignac-la-Nerthe
Le Rove
L'Estaque
Chaîne de l'Estaque
Bois de Châteauneuf
Bois de Carry
St-Julien-les-Martigues
Sausset-les-Pins
Carry-le-Rouet
Ensues-la-Redonne
Niolon
Méjean
Madrague-de-Gignac
Carro
Cap Couronne
Ile Aragnon
La Côte Bleue
GOLFE
DE
FOS
They de la Gracieuse
Ponteau
Plage des Laurons
Pointe de Bonnieu
Les Ragues d'Arnette
La Couronne
Ste-Croix
Les Tamaris
Le Rouet-Plage
Rade de Marseille
MARSEILLE
Île Ratonneau
Le Frioul
Île Pomègues
Cap Caveaux
Îles du Frioul
Chau d'If
Rade d'Endoume
Plages du Prado
La Madrague-de-Montredon
Mt Rose
Cap Croisette
Île Tiboulen
Île Maire
Les Goudes
Île de Planier
Île de Jarre
A
B
C
D
1
2
3
4
5

306
328
E
F
G
H
1
2
3
4
5
Meyreuil
Châteauneuf-le-Rouge
Bannettes
La Bégude
Rousset
Mas-de-Cadenet
La Grde Bauquière
Sacaron
La Bastide-Blanche
Pourcieux
Luynes
La Malouesse
Le Canet
St-Maximin-la-Ste-Baume
Mont Aurélien
Olympe
Valabre (Lycée agricole)
Bouc-Bel-Air
Gardanne
Fuveau
Les Michels
Peynier
Trets
La Grd Boise
Jas-de-Bassas
New-Powrcelles
Biver
Chau Bas
Les Rigauds
Pascaret
Gréasque
Belcodène
Oratoire St-Jean-du-Puy
Les Puits
PARC NATUREL
Brandine
Clos-de-Barry
Martelle
Bonlon
Valiancelle
Simiane-Collongue
Les Moulières
La Diote
Mimet
Les Rampauds
La Valentine
Pomme
Valdonne
Baume de Marron
Les Gorguettes
Le Pigeonnier
Les Boyers
Montagne de Regagnas
Kirbon
Pas de la Couelle
Les Adrets
La Jauberte
Rougiers
Vieux-Rougiers
Les Putis
Les Marres
Les Frères
Pilon du Roi
St-Savournin
Cadolive
N.-D. des Anges
Auberge-Neuve
La Bouilladisse
Peypin
Pas-de-Trets
Boutot
Moulin-de-Redon
St-Zacharie
St-François
Châteauneuf
Bauxite
Grde Étoile
Chaîne de l'Étoile
Grottes Loubière
La Montade
Chau Gombert
Les Termes
Les Pégoulières
La Destrousse
Auriol
Le Pujol
Les Bosq
Mont-Vert
N.-D. d'Orgnon
Nans-les-Pins
Ste-Baume
RÉGIONAL
Le Régage
Pichauris
Col du Marseillais
P.-de-Joux
La Bourdonnière
Le Logis-Neuf
Roquevaire
Lascours
Forêt domaniale de la Ste-Baume
La Grde Bastide
La Ste-Baume
L'Adret
Les Glacières
Mazaugues
Plan-de-Cuques
N.-D. du Château
Allauch
Crx de Garlaban
Croix-Rouge
Le Merlan
St-Jérôme
La Rose
Les Olives
St-Estève
Col de Roussargue
Tête de Roussargue
La Coutronne
Plan-d'Aups-Ste-Baume
Hôtellerie
Joug de l'Aigle
Signal de la Ste-Baume
Le Mourre d'Agnis
St-Pilon
Pont-de-l'Étoile
St-Pierre-les-A.
Col de l'Espigoulier
Roque Forcade
Pic de Bertagne
MASSIF DE LA SAINTE BAUME
Le Latay
La Verguine
Le Pied-de-la-Colle
Riboux
SAINTE
BAUME
La Treille
Camoins-les-Bains
Les Trois-Lucs
St-Julien
Napollon
St-Jean-de-Garguier
Gémenos
La Valentine
Aubagne
Les Camoins
Eoures
La Bastidonne
Parc de St-Pons
St-Barnabé
La Pomme
Chibron
Signes
Beaupré
St-Marcel
St-Menet
Le Charrel
Mt Cruvelier
Cuges-les-Pins
O.K. Corral (Parc d'attractions)
Castellet Paul-Ricard
La Capelette
St-Loup
Ste-Marguerite
PARC NATIONAL
La Penne-sur-Huveaune
Carnoux-en-Provence
Petit-Rouvière
Julhans
Col de l'Ange
Pinval
Le Camp-du-Castellet
Puits-d'Encastre
Plateau de Siou-Blanc
Jas-de-Laure
Chaîne de St-Cyr
Mt St-Cyr
Mt Carpiagne
La Gélade
Camp militaire
Les Barles
Roquefort
Rouvière
Le Cabot
La Panouse
Vaufrèges
Le Redon
Valmante
Fourniers
Roquefort-la-Bédoule
Pas d'Oullier
Mauregard
La Bégude
Le Grd Caunet
Les Jas-de-Clare
Ste-Anne-du-Castellet
Rocher de l'Aigle
Col de la Gineste
Logisson
Ston de Cassis
Les Janots
Ste-Croix
Luminy
Forêt de la Gardiole
Massif de Puget
Cassis
Mt de la Saoupe
Ceyreste
Partiteur de Fauvy
Orat.
Le Brûlat
Le Castellet
Le Beausset
Mont Caume
Morgiou
CALANQUES
La Fontasse
Port-Miou
N.-D. de Bon-Voyage
Pas de la Colle
Le Baguier
Les Plaines Baronnes
Jeanseaume
La Cadière-d'Azur
Beausset-Vieux
Ste-Anne-d'Évenos
Col du Corps de Garde
Sormiou
Cal. de Sormiou
Cap Morgiou
Grotte Cosquer
Cal. de Sugiton
Cal. de Morgiou
Cal. de Port-Miou
Cal. de Port-Pin
Cal. d'En-Vau
Rte des Crêtes
Cap Canaille
Grde Tête
Sémaphore
N.-D. de la Garde
Clos des plages
La Ciotat
Liouquet
Les Lecques
St-Côme
St-Cyr-sur-Mer
Le Plan-du-Castellet
Broussan
Baou de Quatre Oures
Évenos
Le Croupatier
Île Calseraigne
Congloué
Les Calanques
Cal. de Figuerolles
Cap de l'Aigle
Île Verte
Cap Liouquet
La Madrague
Pnte Grenier
Les Baumelles
Rampale
Poutier
Orphelinat
Gros de Ste-Anne
Le Gros Cerveau
Gorges d'Ollioules
Châteauvallon
Ollioules
Port-d'Alon
La Peyrière
Zoo
Pnte du Déffend
Pierreplane
Bandol
Île de Bendor
Pnte de la Cride
Sanary-sur-Mer
Fort de Six-Fours
N.-D. de Pépiole
Les Playes
La Beaucaire
La Seyne-s-Mer
Institut Océanographique Paul Ricard
La Coudoulière
Grd Rouveau
Îles des Embiez
Le Brusc
Île du Grd Gaou
Île du Pt Gaou
Six-Fours-les-Plages
Mar-Vivo
Les Sablettes
Fabrégas
La Lèque
Presqu'île du Cap Sicié
N.-D. du Mai
Cap Sicié
Janas

0 2 4 6 8 10 km
16
C
307
D
1
2
3
4
5
A
B
327
Correns
Montfort-sur-Argens
Carcès
Abbe du Thoronet
Le Thoronet
Vignaubière
Le Moutas
Miraval
Les Férauds
Les Riaux
Bauxite
Le Val
St-Vincent
N.-D. du Glaive
Vins-sur-Caramy
Cabasse
Chau-Requier
Mgne de la Boussière
Mgne des Ubacs
Les Germains
Les Bertrands
Pomples
Les Muraires
Le Recou
St-Pastour
Le Vieux-Cannet
Notre-Dame
Martelle
Vaubelle
Cambarette Nord
LA PROVENCALE
A 8
E 80
Boulon
Fontrouvière
Terrasses de Provence
Les Gaëtans
Les Censiés
Tourves
Valiancelle
Campdumy
St-Martin
La Seigneurie
Brignoles
Le Luc
Le Cannet-des-Maures
St-Pré
Bauxite
La Celle
La Gayolle
St-Julien
Moulin-de-Caramy
L'Escarelle
Vieux-Rougiers
Camps-la-Source
Pérégrinage
Piqueroc
Bedin
Commanderie-de-Peyrassol
La Hte Verrerie
Les Lauves
Roc de Candelon
Marbre
Montagne de la Loube
Flassans-sur-Issole
La Lauzade
St-Quinis
Barre de St-Quinis
Besse-s-Issole
Blanquefort
Gasqui
Repenti
Ste-Anastasie-sur-Issole
Ste-Agathe
Autodrome du Var
Les Glacières
Mazaugues
Les Mollières
Bois de Garéoult
Bellevue
Garéoult
Forcalqueiret
La Roquebrussanne
Forêt de Mazaugues
Le Mourre d'Agnis
La Crx de Bontar
Gangasset
Gonfaron
Village de tortues
La Tuilière
Le Latay
La Verguine
Néoules
Rocbaron
Thèmes
Carnoules
Pignans
La Fouquette
N.-D. du Figuier
Forêt des Mayons
Col des Fourches
SAINTE BAUME
Mas-de-Peyrougier
La Foux
Puget-Ville
N.-D. des Anges
Le Canadel
Signes
Pilon St-Clément
Col de la Bigue
Ste-Philomène
Méounes-lès-Montrieux
Mas-de-Brun
Forêt de Pignans
La Sauvette
Beaupré
Capelière
Le Martinet
Barre de Cuers
La Ruol
Le Fédon
Haras du Gapeau
Le Cigalou
Aumerade
Les Vidaux
Crête des Martels
Vaudrèches
Montrieux-le-Vieux
Chartreuse de Montrieux-le-Jeune
Pachoquin
La Portanière
Le Peyrol
Jas de Laure
Plateau de Siou-Blanc
Belgentier
Cuers
Beauvais
La Tuilière
Collobrières
d'Encastre
Forêt de Morières
Valcros
Font-Freye
Montaud
La Rivière
La Rode
Pierrefeu-du-Var
Baisse du Castellas
La Portanière
Montrieux
La Guiranne
Ste-Christine
La Bouisse
Sigaloux
Sommet de Laquina
Rocher de l'Aigle
Roca Troca
Solliès-Toucas
Vallée-de-Sauvebonne
Les Vanades
St-Guillaume
Col de Babaou
Morière-le-Cap
Grand Cap
La Mayonnette
Camp-Long
MASSIF DES MAURES
Valaury
Les Aiguiers
Les Terrins
Les Laugiers
La Navarre
La Grde-Bastide
Sauvebonne
Mont Caume
Solliès-Pont
Solliès-Ville
Camp militaire
Baux Rouges
Arboretum
Col de Grattaloup
Le Revest-les-Eaux
La Tour
Maraval
Le Decapris
Pas-du-Cerf
Forêt des Maures
Les-Hauts-de-Porquerolles
Col du Corps de Garde
Tourris
La Farlède
Les Borrels
N.-D.-des-Maures
Tamary
La Galinette
Bormes-les-Mimosas
Baou de Quatre Oures
Les Pomets
La Ripelle
Les Laures
Les Mauniers
Le Viet
Jardin d'oiseaux tropicaux
Évenos
Les Moulins
Dardennes
Le Coudon
Fort du Girardon
La Castille
Les Martins
La Tuilerie
La Clapière
St-Honoré
Le Croupatier
Mt Faron
Les Moulières
Mesclans
Les Sauvans
Le Loli
Les Jassons
La Verrerie
Gorge d'Ollioules
Zoo
Fort de la Crx Faron
Mémorial
La Valette-du-Var
La Crau
Le Fenouillet
Le Plan-du-Pont
Les Maurettes
Hyères
La Londe-les-Maures
Le Galoupet
Réserve du Trapan
Châteauvallon
Super-Toulon
Les Caroubiers
Mauvanne
La Beaucaire
Le Touar
Pauline
La Moutonne
La Bayorre
Les Bormettes
Léoube
St-Nicolas
Les Salins-d'Hyères
L'Argentière-Plage
La Garde
Col du Serre
Riquier
Port-Pothuau
Berriau-Plage
Port-de-Miramar
Brégançon
Cabasson
N.-D. de Pépiole
Pont-du-Suve
Le Paradis
Mt des Oiseaux
N.-D. de Consolation
Cap de Léoube
Le Camp Laurent
La Seyne-s-Mer
Pont-de-la-Clue
Le Pradet
Ayguade-Ceinturon
Le Mourillon
Cap Brun
Ste-Marguerite
Carqueiranne
La Californie
Cap de Brégançon
Fort Balaguier
TOULON
Fort de la Colle-Noire
Costebelle
Hyères-Plage
La Garonne
Base aéronavale
Tamaris
Les Oursinières
Fontbrun
Les Salettes
L'Almanarre
Port d'Hyères
Six-Fours-les-Plages
Mar-Vivo
Fr. Ital.
St-Mandrier-sur-Mer
Cap de Carqueiranne
Canebas
Fort de la Gavaresse
Le Pradon
RADE D'HYÈRES
Les Sablettes
St Elme
Le Pin-Roland
Musée de la Mine
Salins des Pesquiers
La Capte
Fabrégas
Pnte de Marégau
Cap Cépet
Presqu'île de St-Mandrier
Golfe de Giens
Étg des Pesquiers
Presqu'île de Giens
N.-D. du Mai
Les Fourmigues
Giens
ÎLES
Cap Sicié
La Madrague
Cap de l'Estérel
Cap des Mèdes
Port du Niel
La Tour-Fondue
Île de Porquerolles
Pointe Escampobariou
Pte Passe
Plage Notre-Dame
Grande Passe
Île du Grd Ribaud
Pnte du Lequin
Notre-Dame
Cap Rousset
Porquerolles
Fort de la Repentance
Sémaphore (140)
Pnte du Grd Langoustier
Mt des Salins
Conservatoire Botanique National
Pnte de l'Oustau de Dièu
Cap d'Arme

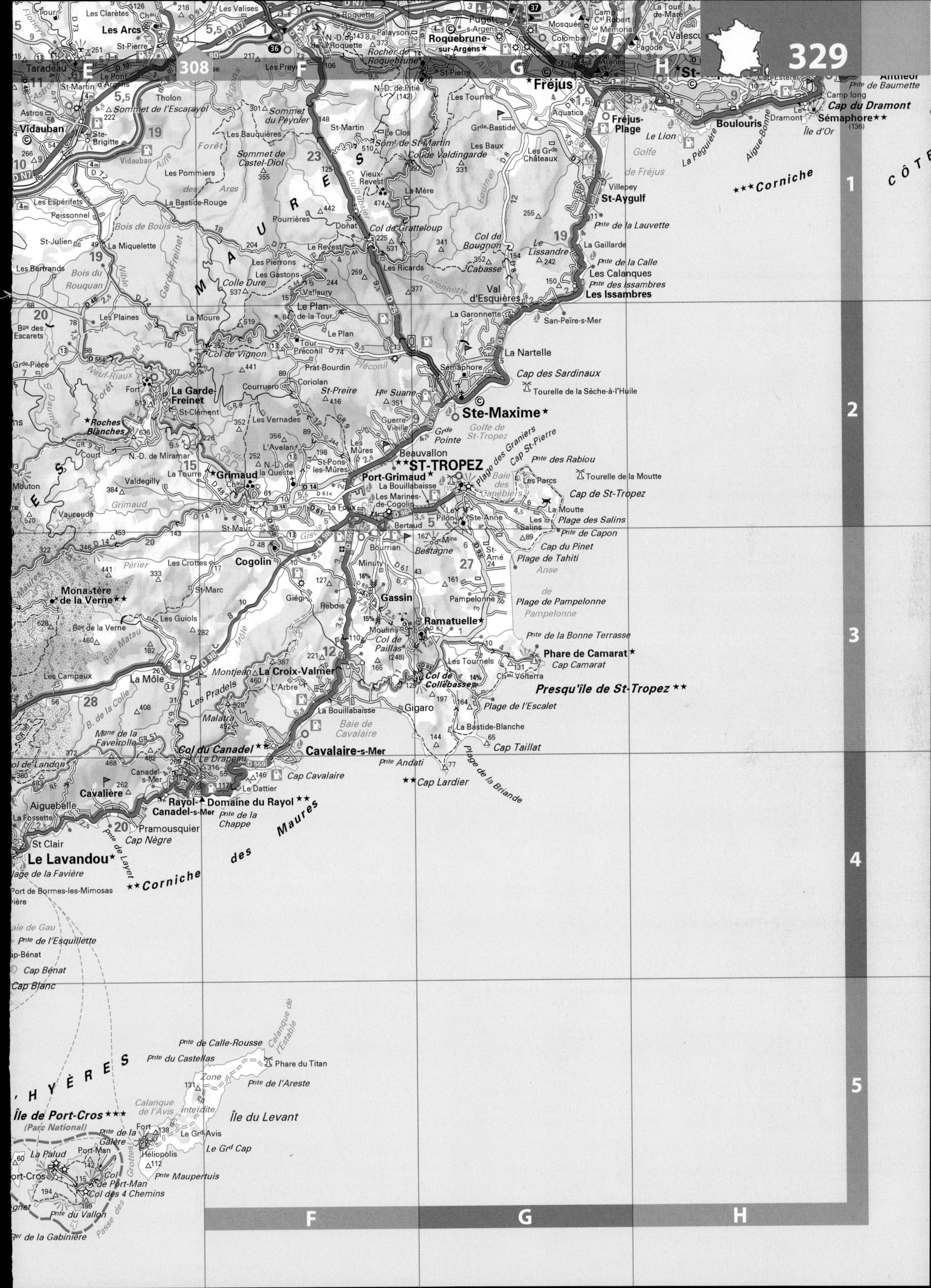

Les Arcs
Taradeau
Vidauban
Roquebrune-sur-Argens
Fréjus
Fréjus-Plage
Boulouris
Cap du Dramont
Sémaphore
Golfe de Fréjus
Corniche
St-Aygulf
Pnte de la Lauvette
La Gaillarde
Les Calanques
Les Issambres
San-Peïre-s-Mer
La Nartelle
Cap des Sardinaux
Ste-Maxime
Golfe de St-Tropez
ST-TROPEZ
Port-Grimaud
Grimaud
Cogolin
La Garde-Freinet
Col de Vignon
Roches Blanches
Monastère de la Verne
Gassin
Ramatuelle
Plage de Pampelonne
Phare de Camarat
Cap Camarat
Presqu'île de St-Tropez
Col de Collebasse
Plage de l'Escalet
Cap Taillat
Cap Lardier
La Croix-Valmer
Cavalaire-s-Mer
Cap Cavalaire
Col du Canadel
Rayol-Canadel-s-Mer
Domaine du Rayol
Cavalière
Aiguebelle
Pramousquier
Cap Nègre
Le Lavandou
Corniche des Maures
Cap Bénat
Cap Blanc
HYÈRES
Île de Port-Cros
(Parc National)
Île du Levant
Phare du Titan
La Mône
Les Pradels
Massif des Maures
Vaucaude
Cap de St-Tropez
Plage des Salins
Cap du Pinet
Plage de Tahiti
F
G
H
1
2
3
4
5

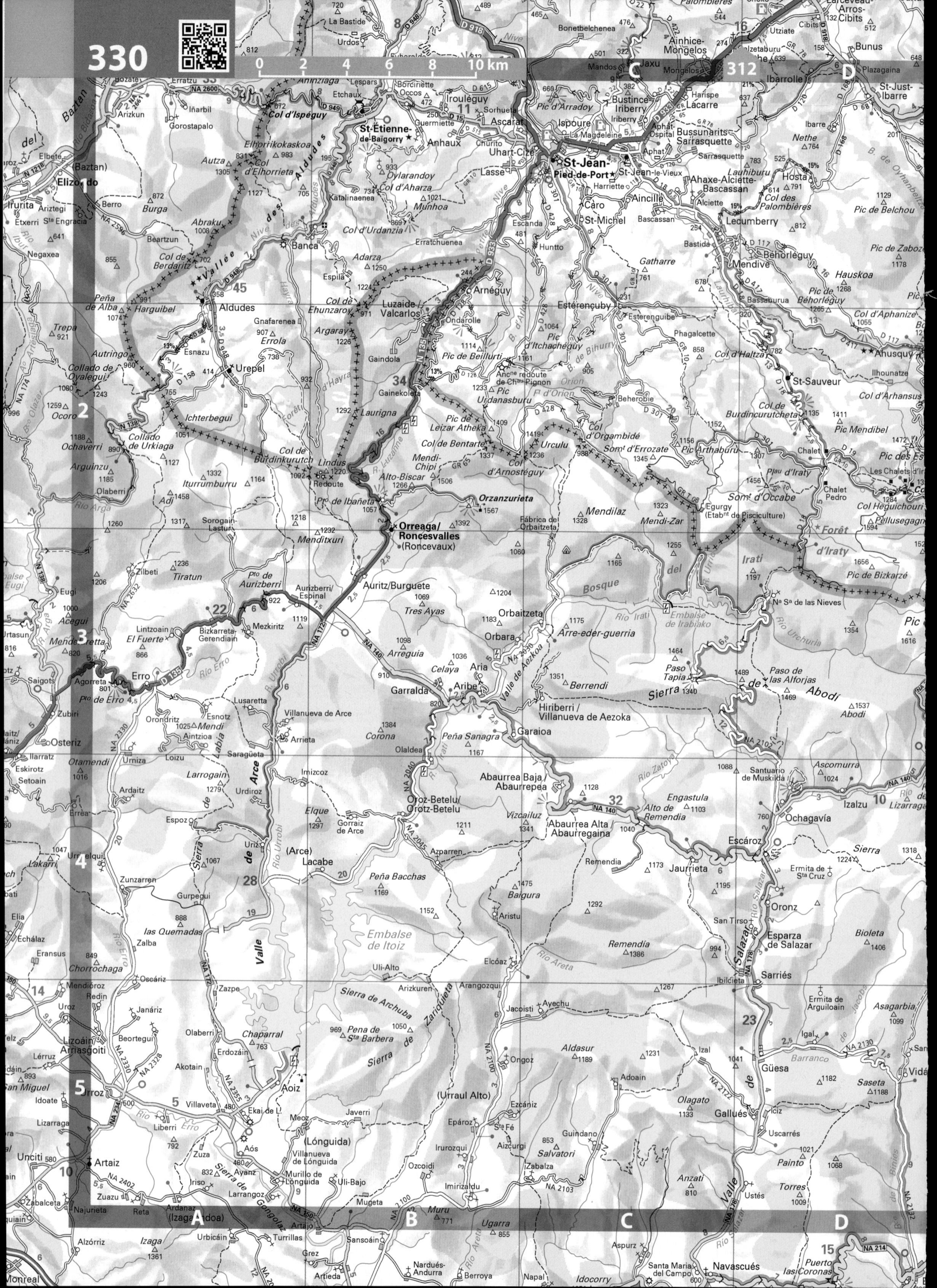

0 2 4 6 8 10 km
312
Col d'Ispéguy
St-Étienne-de-Baïgorry
Anhaux
Irouléguy
Ascarat
Lasse
Uhart-Cize
St-Jean-Pied-de-Port
St-Jean-le-Vieux
Ispoure
Bustince-Iriberry
Lacarre
Aïnhice-Mongelos
Jaxu
Mongelos
Ibarrolle
St-Just-Ibarre
Bunus
Larceveau-Arros-Cibits
Bussunarits-Sarrasquette
Ahaxe-Alciette-Bascassan
Aincille
Caro
St-Michel
Lecumberry
Mendive
Béhorléguy
Estérençuby
Arnéguy
Luzaide/Valcarlos
Banca
Aldudes
Urepel
Esnazu
Vallée des Aldudes
Col de Berdaritz
Harguibel
Elizondo
Irurita
Arizkun
Erratzu
Baztan
Col d'Elhorrieta
Oylarandoy
Col d'Aharza
Munhoa
Col d'Urdanzia
Col de Ehunzaroy
Argaray
Lauriga
Lindus
Col de Burdinkurutch
Redoute
Alto-Biscar
Col de Bentarte
Pic de Leizar Atheka
Col d'Arnostéguy
Urculu
Pic d'Orion
Pic Urdanasburu
Pic de Beillurti
Pic d'Itchachéguy
Orzanzurieta
Pto de Ibañeta
Orreaga/Roncesvalles
(Roncevaux)
Menditxuri
Mendilaz
Fábrica de Orbaitzeta
Auritz/Burguete
Aurizberri/Espinal
Pto de Aurizberri
Tiratun
Zilbeti
Eugi
Sorogain-Lastur
Iturrumburru
Adi
Collado de Urkiaga
Ochaverri
Arguinzu
Olaberri
Río Arga
Ocoro
Autza
Abraku
Burga
Berro
Col d'Haltza
St-Sauveur
Col de Burdincurutcheta
Pic Mendibel
Col d'Arhansus
Chalet Pedro
Col Heguichouri
Forêt d'Iraty
Pic de Bizkarzé
Bosque del Irati
Egurgy
Somt d'Occabe
Mendi-Zar
Pic Arthaburu
Col d'Orgambidé
Somt d'Errozate
Pic des Escaliers
Col d'Aphanize
Ahusquy
Hosta
Pic de Belchou
Col des Palombières
Pic de Béhorléguy
Hauskoa
Pic de Zabozé
Embalse de Irabiako
Ns Sa de las Nieves
Río Irati
Orbaitzeta
Orbara
Arre-eder-guerria
Tres Ayas
Arreguia
Celaya
Aria
Aribe
Garralda
Valle de Aezkoa
Berrendi
Hiriberri / Villanueva de Aezoka
Garaioa
Paso Tapia
Sierra de Abodi
Paso de las Alforjas
Abodi
Río Urchuria
Bizkarreta-Gerendiain
Lintzoain
El Fuerte
Mezkiritz
Mendeteretta
Acegui
Erro
Agorreta
Pto de Erro
Río Erro
Zubiri
Osteriz
Saigots
Lusaretta
Esnotz
Villanueva de Arce
Arrieta
Corona
Olaldea
Peña Sanagra
Abaurrea Baja / Abaurrepea
Abaurrea Alta / Abaurregaina
Vizcailuz
Alto de Remendia
Engastula
Santuario de Muskilda
Ochagavía
Izalzu
Escároz
Jaurrieta
Ascomurra
Río Zatoya
Oroz-Betelu/Orotz-Betelu
Gorraiz de Arce
Elque
Imizcoz
Larrogain
Urdiroz
Saragüeta
Loizu
Urniza
Otamendi
Setoain
Eskirotz
Ardaitz
Erroa
Espoz
Uriz
Urrelqui
Lakarri
Zunzarren
Gurpegui
Sierra de Labia
Valle de Arce
Río Urrobi
(Arce)
Lacabe
Azparren
Peña Bacchas
Bargura
Aristu
Remendia
Embalse de Itoiz
las Quemadas
Zalba
Echálaz
Eransus
Chorrochaga
Oscáriz
Zazpe
Mendióroz
Redin
Uroz
Janáriz
Olaberri
Beortegui
Chaparral
Erdozáin
Akotain
Lizoáin-Arriasgoiti
Lérruz
San Miguel
Idoate
Irroz
Lizarraga
Villaveta
Ekai de L.
Aoiz
Liberri
Uli-Alto
Arizkuren
Sierra de Archuba
Pena de Sta Barbera
Sierra de Zariquieta
Arangozqui
Elcóaz
Jacoisti
Ayechu
Ongoz
Aldasur
Adoain
Izal
Güesa
Barranco
Igal
Asagarbia
Ermita de Arguiloain
Sarriés
Ibilcieta
Esparza de Salazar
Bioleta
San Tirso
Oronz
Ermita de Sta Cruz
Sierra
Salazar
Vidángoz
Saseta
Gallués
Iciz
Uscarrés
Painto
Olagato
Guindano
Salvatori
Anzati
Torres
Ustés
Valle
(Urraul Alto)
Ezcániz
Epároz
Aizcurgi
Irurozqui
Ozcoidi
Zabalza
Imirizaldu
Meoz
Javerri
(Lónguida)
Villanueva de Lónguida
Murillo de Lónguida
Uli-Bajo
Aós
Zuza
Ayanz
Iriso
Larrangoz
Sierra de Gongolaz
Artaiz
Unciti
Zuazu
Zabalceta
Najurieta
Reta
Ardanaz (Izagaondoa)
Mugeta
Muru
Ugarra
Artajo
Urbicáin
Turrillas
Sansoáin
Alzórriz
Izaga
Grez
Artieda
Nardués-Andurra
Berroya
Aspurz
Santa María del Campo
Navascués
Napal
Idocorry
Puerto las Coronas
Monreal
A
B
C
D

331
313
332
E
F
G
H
Pagolle
Chéraute
Mauléon-Licharre
Geronce
Dous
Orin
Verdets
Ledeuix
Garindein
Musculdy
Hoquy
Sallet-de-Haut
Bois de Josbaig
Moumour
Verlée
Estos
Libarrenx
Roquiague
Esquiule
Légugnon
Goès
Précilhon
Gotein-Libarrenx
Pondeilh
Escout
Ordiarp
Idaux-Mendy
Ste-Barbe
Caparnia
Barcus
Somt de Cambillou
B. de Bervielle
St-Pée-d'en-Bas
St-Pée-d'en-Haut
Oloron-Ste-Marie
Escou
Bidos
Bouderon
Herrère-de-Bas
Lasseube
Mendy
Paradis
Agnos
Herrère
Menditte
Minone
Chabalgoïti
Bouès
Carrère
Soeix
Gurmençon
Aussurucq
Sauguis-St-Étienne
St-Étienne
La Madeleine
Féas
Carrères
Barrate
Suhare
Ossas-Suhare
B. de Gouloume
Ance
Labaig
Boy
Arros-d'Oloron
Ogeu-les-Bains
Trois-Villes
Col de Sustary
Soum d'Aulis
Forêt de Bugangue
Tour
Eysus
Buziet
Cihigue
Sommet d'Erretzu
Joos
Serreuille
Col d'Etche
Gave d'Ossau
Tardets-Sorholus
Camou-Cihigue
Alos-Sibas-Abense
Aramits
Bois de Bugangue
Asasp
Étabnt thermal
Pic des Vautours
Abense-de-Haut
Soum de Ségu
Sunharette
Alçay-Alçabéhéty-Sunharette
Lanne-en-Barétous
St-Christau
Lurbe-St-Christau
Bois du Bager
Sibas
Sunhar
Forez
Bisarce
Restoue
Arette
Issor
Bois du Pacq
Bois d'Arudy
Potto
Charritte-de-Haut
Lichans-Sunhar
Laguinge-Restoue
Montory
Pic Mail-Arrouy
Arhan
Lacarry-Arhan-Charritte-de-Haut
Etchebar
Athérey
Haux
Pic d'Arguibelle
Aphoura
Licq-Athérey
Etcheber
Barlanès
Vert d'Arette
Escot
Barescou
Col de Marie-Blanque
Barsault
Pic Laramendy
Défilé d'Escot
B. de la Pène d'Escot
Plateau de Bénou
Bois de Harribelsette
Pic Salhagagne
Dulon
Pic de Sudou
Soum de Liorry
Col de Lie
Lourdios-Ichère
Trône du Roi
Pic Roumendarès
Sarrance
Pic de l'Ourlène
B. de Bergouey
La Mouline
Col d'Ordabure
Soum d'Ire
Candau
Col d'Aran
Pic d'Igountze
Col d'Ichère
Bois d'Ichère
Pont-Suzon
Larrau
Gave de Larrau
Col de Lakurde
Pic d'Arbouty
Pic de Legorre
Le Layens
Pic Montagnon
Laugibar
La Caserne
Pic d'Issarbe
B. d'Arbouty
Pic Soulaing
Plau d'Ourdinse
Pic de Mousté
Pic Mailh Massibe
B. de St-Joseph
St-Joseph
Negumendi
Crevasses d'Holcarté
Col de Suscousse
Col de Houratate
Col de Labays
Forêt d'Issaux
Rochers des cinq-Monts
Col d'Erroymendi
Ste-Engrâce
Bedous
Aydius
Pic Bareilles
Sarimendi
Grand Etroit
Gorges de Kakuetta
Pic de Guilhers
Pas de Guilhers
Col de Bouezou
Osse-en-Aspe
Orcun
Athas
Jouers
Col de Soudet
Arette-Pierre-St-Martin
Accous
Col de Sie
Pic Lorry
Col d'Arrioutort
Gorges d'Ujarre
Col de la Pierre St-Martin
B. de Pétraoube
Lées-Athas
Lées
Chardékagagna
La Verna
Larrégorry
Pescamou
Pas d'Azuns
Mail d'Eygarri
Obélisque Despourrins
Pic de Bergon
Pic de la Gentiane
Pic Lakhoura
P. d'Arlas
Tête Sauvage
Pic du Soumcouy
Pont d'Esquit
Montagnon d'Iseye
Otchogorrigagna
Portillo de Eraice
Labérouat
Pic d'Arapoup
Col d'Iseye
Pic d'Anchet
Castillo
Alto Laza
Sa de Anialarra
Pic de Coutende
Pic d'Ourtasse
Belvé
L'Estanguet
Cette-Eygun
Pic Permayou
Venta de Arrako
Larrondo
Budogula
Longa
Pic d'Anie
Le Billare
Bois de Bresme
Lescun
Vallée
Lac d'Isabe
Table des trois Rois
Dec de Lhurs
Gave de Lescun
Lhers
Camy
Tuquet
Pic de Sesques
Sierra
Maz
Pic d'Ansabère
Bois de Lazerque
Etsaut
Capéran de Sesques
Uztárroz
Borce
Pont de Sebers
Gges du P. d'Enfer
Pic Gaziès
Igardacua
Petrechema
Punta de Arniota
Pic de Laraille
Pic Lariste
Pic de Labigouer
Fort du Portalet
Pic d'Aulion
Ibon de Acherito
Col de Pau
Pic de Burcq
B. du Pacq
Lac de Bious-Artigues
Isaba
Barranco de Belabarce
Zuriza
Parc
B. du Baralet
Urdos
Soum de la Hourquette
Peña Escaurre
Tacheras
Chipeta
La Mina
Pic Rouge
La Cristallère
Pic d'Ayous
Sierra de Arrigorrieta
Alano
National
Pic du Baralet
Larry
C. d'Ayous
Rio Aragon Subordan
Pic d'Arlet
Pic Hourquette
Urzainqui
Forca
Monte Campanil
Pic des Moines
Roncal
Punta Barrena
Calveira
Choza Funia
Casto
Puerto de Acheri
Pic de Gabedaille
Les Forges d'Abel
Pyrénées
Ermita de San Sebastián
Ermita de la Virgen de Zuberoa
Sagarra
Escale d'Aigue-Torte
Sierra de Bernera
Pic d'Arnousse
Valle de Astún
Garde
Sierra de San Miguel
Barranco de Gadalar
Valle
Sierra del
Sa de los Cuellos de Lenito
Hecho
Visaurin
Ibón de Astanés
Tunnel du Somport
Peyrenère
Col du Somport
Candanchú
Punta del Raso
la Cuta
Sierra de Aisa o de Aspe
Pico de
Anaye
Ermita de Ntra Sra del Camino
Ermita de Puyeta
Ansó
Siresa
Ramirez
Pico de la Garganta
Somport
Algaralleta
Morral
Bordas del Levati
Canfranc-Estación
Ibón de
Fago
Moreniello
Hecho
Sierra de
Cucuruzuelo
Larrón

0 2 4 6 8 10 km
314
331
A
B
C
D
1
2
3
4
5
Rébénacq
Igon
Asson
Pucheux
St-Vincent
Pouey-Mayou
Barlest
Loubajac
St-Georges
Peyrade
Lestelle-Bétharram
Montaut
Sanctuaire
Parc Zoologique
Arudy
Sévignacq-Meyracq
Mifaget
Bois du Pacq
Gtes du Pont-Germe
Izeste
Ste-Colome
Pédestarrès
Capbis
Pont-du-Moulin
St-Pé-de-Bigorre
Peyrouse
LOURDES
Poueyferré
Bartrès
Biscaye
Le Zoum
Louvie-Juzon
Pé-de-Hourat
Pène-Peyrau
Arthez-d'Asson
Grottes de Bétharram
Col de Marie-Blanque
Barsault
Mgne du Rey
Castet
Col de Castet
Les Oules
Pène de la Hèche
Les Toupiettes
Peyras
Rieulhes
Le Béout
Gouffre d'Aspin
Plateau de Bénou
N.-D. de Houndaas
Ayguelade
Omex
Pic de l'Ourlène
Col d'Aran
B. de Bergouetis
Bilhères
Bielle
Le Mail
Som de Sesenite
Pic Durban
Pic de Merdanson
Soum de Moulle
Calibet
Pic de Monbula
Forêt de St-Pé-de-Bigorre
Réserve Naturelle
Soum de Montne
Pic de Pibeste
Ségus
Ossen
Viger
Lugagnan
Falaise aux Vautours
Pène de Béarn
Pic de Males Ores
Montagnon
Béon
Gère-Bélesten
Col de Jaout
Le Tousseau
Pic du Moulle de Jaout
Soum d'Arriste
Pic Mondragon
La Herrère
Pic de l'Estibète
Soum de Conques
Col d'Andorre
Soum du Prat du Rey
Pibeste-Aoulhet
Agos-Vidalos
Ouzous
Salles
Pic de Mousté
Malh Massibe
Rochers des cinq-Monts
Monplaisir
Aste-Béon
Geteu
Pic d'Auzu
Col de Louvie
Etchartes
Soum de Granquet
Col de Spandelles
Sère-en-L.
Ayzac-Ost
Gez
Boô-Silhen
St-Pastous
Aydius
Pic Bareilles
Louvie-Soubiron
Ferrières
Pic Navaillo
Soum de Pène
Argelès-Gazost
Ayros-Arbouix
Vier-Bordes
Col de Sieste
Pic Lorry
Col d'Arrioutort
Béost
Laruns
Bages
Assouste
Aas
Soum de Grum
Mgne Verte
Crêtes Blanches
Col d'Aubisque
Arbéost
Pic de Bazès
Col de Couraduque
Gaillagos
Arras-en-Lavedan
Arcizans-Dessus
Lau-Balagnas
Préchac
Pic de Bergon
Gge du Hourat
Pic de la Gentiane
Montagnon d'Iseye
Eaux-Bonnes
Col de Soum
Cap d'Aout
Aucun
Bun
Sireix
Arcizans-Avant
St-Savin
Adast
Beaucens
Col d'Iseye
Col d'Anchet
B. d'Assouste
Les Eaux-Chaudes
Goust
Pont d'Enfer
Pic de Gourzy
Gourette
Cirque du Litor
Col du Soulor
Arrens-Marsous
Terre-Nère
Col des Bordères
Turon de Béne
Uz
Soulom
Pierrefitte-Nestalas
Villelongue
Pic Permayou
Lac d'Isabe
Gges du Bitet
Pic de Ger
Plau d'Anouilhas
Pène Médaa
Pic de la Latte de Bazen
La Corniche
Grd Gabizos
Pouey-Laun
Artouech
Esplaus
Labat de Bun
Labat d'Aucun
Estaing
Gorge de Luz
Pic de Sesques
VALLÉE D'OSSAU
Col de Lurdé
Pic de Goupey
Pène Blanque
Sanctus
Col d'Uzious
Géougue d'Arre
Vallée d'Arrens
Pic du Midi d'Arrens
Miaous
Pic de Cabaliros
Col de Contente
Pont de Méyabat
Capéran de Sesques
Vielettes
Le Tech
Lac d'Estaing
Les Colonies
Pic de Viscos
Viscos
Pic de la Sagette
Pic Gaziés
Soussouéou
Pic Estibère
Pic des Tourettes
Pic Arrouy
Tucoy
Soum de Bassia du Hob
Moun Né
Cauterets
Canceru
Chet de la Reine Hortense
Luz-Ardiden
Col de Riou
Pic Biscau
Gabas
Pic du Pt Lurien
Fabrèges
L. de Fabrèges
Porte d'Arrens
Soum de Grum
Cque du Lys
Cambasque
Plau du Lisey
Soum des Aulhères
Grust
Sazos
Pic d'Auliou
Pic Lavigne
Lac de Bious-Artigues
L. de Migouélou
Le Courouaou
L. de Suyen
Étabts Thermaux
La Raillère
Étabt de Pisciculture
Soum de la Hourquette
Pic d'Ayous
Pont de Camps
Le Lurien
Lac d'Artouste
Larribet
Balaïtous (Ledormeur)
Grd Barbat
Lac d'Ilhéou
Pic de Péguère
Cascades
Cade de Lutour
Soum d'Arriou Né
Soum de Naout Coste
St-Sauveur
Lacs d'Ayous
Pic Saoubiste
Col de Suzon
Col d'Arrious
C. d'Ayous
Pic Hourquette
Palas
L. de Batcrabère
Pont d'Espagne
Val de Jéret
Vallée de Lutour
La Fruitière
Pic du Midi d'Ossau
L. Bersau
Pic Peyreget
Pombie
Soques
Pont d'Arrious
Lacs d'Arrémoulit
A. Michaud
Gler de las Néous
PARC NATIONAL DES PYRÉNÉES
Pic Arrouy
Pic de Gaube
Soum de Peyre-Lance
Pic d'Ardiden
Pic des Moines
Valle de Astún
PYRÉNÉES
Cirque d'Anéou
Pic d'Arriel
Balaïtous
Vée du Marcadau
Pic Mayouret
Russel
Pic d'Arnousse
Peyrenère
Pic de Soques
Pic du Pourtalet
Col du Pourtalet
Aguas Limpias
Alfonso XIII
Embalse de Respomuso
Grde Fache
Pic de Cambalès
Lacs de Cambalès
Pic Araillous
Marcadau (E. Wallon)
Lac de Gaube
Pic de Chanchou
Col de Culaous
Col du Somport
Candanchú
Pic d'Anéou
Embalse de la Sarra
Port du Marcadau
Grd Pic de Péterneille
Pic Chabarrou
Pic d'Estibe Aute
L. d'Estom
Pic de Cestrède
L. d'Estom Soubiran
Pico de Anayet
Anayet
Peña Foradada
Picos del Infierno
Embalse de Bachimaña
Embalses de Bramatuero
Grd Pic d'Arratille
Les Oulettes
Pic de la Sède
Pic des Oulettes
Hourquette d'Ossoue
Bayssellance
Malh Arrouy
Soum d'Aspé
Campo de Troya
El Formigal
Sallent de Gállego
Embalse de Gállego
Collado de Izas
Embalse de Lanuza
Lanuza
Balneario de Panticosa
Picos del Serrato
Vignemale
Soum Blanc de Secugnat
Canfranc-Estación
Ibón de Samán
Pico de los Tres Hombres
Pasino
Peñas de Fenias
Garganta del Escalar
Embalse de Brazato
Bge d'Ossoue
Vallée d'Ossoue
N.-D. des Neiges
Larrón
Pico de Escarra
Río Escarra
Embalse del Escarra
Tarañones
Escarrilla
Pico del Brazato
Pic de Lourdes
Pic de Lary
Pena del Calcin
Ibón Tramacastilla
Sandinies
Pico de Baldairan
Pico de Villá
Embalse de Ip
Río Aguilero
Tramacastilla de Tena
Panticosa
Río Bolática
Pic Gabiet
Pic de la Bernatoire
Collarada
Peña Nevara
Peña Reiona
El Pueyo de Jaca
Embalse de Búbal
Pico de Ferreras
Pic de Tentes
Port de Boucharo
Villanúa
Peña Telera
Piedrafita de Jaca
Saqués
Hoz de Jaca
Pico de las Escuelas
Sarradets
Búbal
Ibon de Sabocos
Bujaruelo (1338)
Río Otal
le Taillon
Brèche de Roland
Valle de Tena
Sierra de Tendeñera
Monasterio de Sta Elena
Parque Na

315
E
F
G
H
Lannemezan
Bagnères-de-Bigorre
Capvern
Capvern-les-Bains
Pic du Midi de Bigorre
Col du Tourmalet
Col d'Aspin
Gouffre d'Esparros
Grotte de Médous
Le Bédat
Parc Thermal de Salut
Hibarette
St-Martin
Lanne
Bénac
Barry
Visker
Averan
Layrisse
Orincles
Julos
Loucrup
Montgaillard
Paréac
Escoubès-Pouts
Pouts
Arcizac-ez-Angles
Arrayou-Lahitte
Gez-ez-Angles
Ossun-ez-Angles
Les Angles
Artigues
Sère-Lanso
Juncalas
Castelloubon
Neuilh
Arrodets-ez-Angles
Germs-sur-l'Oussouet
Donjon
Labassère
Ourdis-Cotdoussan
Pic de la Clique
Gazost
Aranou
La Scierie
Pic de l'Oussouet
Pic de Montaigu
Pic de Lhens
Col de Tramassel
Pic de Barran
Col d'Ouscouaou
Lac d'Isaby
Lac Bleu
Soum Arrouy
Col d'Aoube
Pène Taillade
Soum de Nère
Barèges
Sers
Viey
Viella
Esterre
Betpouey
Luz-St-Sauveur
Pic d'Ayré
Font d'Ayré
Lienz
P. de la Gaubie
Super-Barèges
P. de la Caoubère
Débat
Bernac-Dessus
Barbazan-Dessus
Arcizac-Adour
Bastourrat
Vielle-Adour
Hiis
Montgaillard
Antist
Ordizan
Trébons
Hauban
Astugue
Pouzac
Oueilloux
Oléac-Dessus
Luc
Hitte
Poumarous
Orignac
Cieutat
La Hounte
Le Hailla
Argelès-Bagnères
Mérilheu
Uzer
Bettes
Castillon
Lies
Col des Palomières
Gerde
Asté
Beaudéan
Graouo
Campan
St-Roch
Lesponne
Vallée de Lesponne
Abay
Chiroulet
Galade
Rimoula
Peyras
Pic de Hount Blanque
Ste-Marie-de-Campan
Casque du Lhéris
Pic d'Asté
Soulagnets
Le Monné
Col du Couret
Fne Sulfureuse de Labassère
Chelle-Spou
Ricaud
Gourgue
Péré
Artiguemy
Bonnemazon
Bourg-de-Bigorre
Durban
Benqué
Mauvezin
Molère
Espieilh
Sarlabous
Esconnets
Fréchendets
La Serre
Bastère
Marsas
Asque
Banios
Escots
Bulan
Lomné
Espèche
Laborde
Labastide
Esparros
Arrodets
Pic de Montégut
Las Tachouères
Pic d'Arneille
Col de Coupe
Hèches
Houeydets
Bégole
Lanusse
Cahanet
Lutilhous
Lagrange
Tilhouse
Avezac-Prat-Lahitte
Pinas
Cantaous
La Barthe-de-Neste
Tuzaguet
Escala
Montoussé
Bizous
St-Laurent-de-Neste
Anères
Aventignan
Izaux
Lortet
Bazus-Neste
St-Arroman
Mazouau
Gazave
Montsérié
Hautaget
Montégut
Nestier
Bize
Nistos
Seich
Col de l'Aubague
Cap d'Estivère
Col d'Estivère
Pène Haute
Rebouc
Pic de Montaut
Sarrancolin
Ilhet
Mt Castéra
Pic de Douly
Pic du Mt Aspet
Beyrède-Jumet
Jumet
Camous
Fréchet-Aure
Ardengost
Col de l'Aouet
Cap Nestès
Vallée d'Aure
Forêt des Baronnies
Signal de Bassia
Pène de Téoulère
Col de Beyrède
La Laurence
La Séoube
Cabadur
St Michel
Gripp
Pène Lounque
Col d'Arizes
Espiadet
Marbre
Payolle
Sarrat de Bon
Artigues-Campan
Cade du Garet
Bagnet
La Mongie
Taoulet
C. de Sencours
Observatoire les Laquets
P. Blanque
L. de Peyrelade
Lac d'Oncet
Pic de Pène Blanque
Pène Arrouye
Pic des Quatre Termes
Campana de Cloutou
Lac de Gréziolles
L'Arbizon
Pic d'Aulon
Pic de Baztan
Lavedan
Aulon
Grges de Lurgues
Aspin-Aure
Pla del Naou
Cabanes de Camoudiet
Barrancoueu
Hourquette d'Ancizan
Arreau
Cadéac
Ancizan
Guchen
Grézian
Gouaux
Bazus-Aure
Guchan
Pailhac
Jézeau
Cazaux-Debat
Ris
Lançon
Bordères-Louron
Bareilles
Sommet du Tempia
Mont Né
Forêt de Bareilles
Massif de Néouvielle
Col d'Aubert
Pic de Néouvielle
Col de Madaméte
Pic d'Estibère
Lac d'Aumar
Pic d'Anglade
Lac d'Aubert
L. d'Orédon
Lac de l'Oule
Col de Portet
Espiaube
Soulan
Vielle-Aure
Vignec
St-Lary-Soulan
Azet
Sailhan
Estensan
Bourisp
Camparan
Grailhen
Col du Pla
Avajan
Vielle-Louron
Adervielle-Pouchergues
Génos
Loudenvielle
Germ
Cazaux-Dessus
Cazaux-Fréchet-Anéran-Camors
Estarvielle
Mont
Jurvielle
Poubeau
Col de Peyresourde
Peyragudes
Cap des Pales
Pic de Bergons
L. du Pourtet
Pic de Maucapéra
L. de Rabiet
Lac de Cap de Long
Bge de Cap-de-Long
Parc National des Pyrénées
Pragnères
Trimbareilles
Pic d'Espade
Pic Long
Pic Méchant
Pic de Bugatet
Pic de Campbieil
Granges de Campbieil
Port de Campbieil
Piau-Engaly
Soum des Salettes
Aragnouet
Le Plan d'Aragnouet
Fabian
Boucagnère
Le Pont du Moudang
Méyabat
Tramezaïgues
Maison-Blanche
Pic de Tramezaïgues
Pic d'Arrouye
Pla-d'Adet
Eget
Cadeilhan-Trachère
Soum de Matte
Pène Male
Cade de Couplan
Sapinière de Couplan
Col d'Azet
Val-Louron
Cap de Toudous
Artiguelongue
Pic de Pichebrou
P. Tisné
N.-D. des Neiges
Vallée du Rioumajou
Vallée de Louron
Pic de Cuneille
Pic d'Aret
Pic de Sarrouès
Grges du Moudang
Pic de Garlitz
Pic de la Géla
Hourquette de Héas
Héas
N.-D. de Héas
Bge des Gloriettes
Pic de Gerbats
Port Vieux
Tunnel d'Aragnouet-Bielsa
Pic de la Haille
Pic d'Arrouyette
Pic de Thou
Frédançon
Pic de Lustou
P. du Prat
Tramezaygues
Pas de Couret
Montségu
Val d'Esquierry
Pic de Hourgade
Lassoula
L. de Caillauas
Chaos de Coumély
Mgne de Coumély
Pimené
Cirque de Troumouse
Cirque d'Estaubé
Soum de Bieil
Pic de Troumouse
Espuguettes
Grd Astazou
Tuquerouye
Marboré
Pic de Pinède
Monte Perdido
Port de Barroude
Tunel de Bielsa
Hospital de Parzan
Pic de la Munia
Sierra de Liena
Port de Héchempy
Port du Moudang
Pic d'Arriouère
Hospice de Rioumajou
Pic de Batoua
Pic de Guerreys
Pic de l'Abeille
L. de Pouchergues
Pic Schrader
Pic des Gourgs blancs
Pic des Spijoles
Pic de l'Espade
Port d'Ourdissetou
Port du Plan
Pic d'Ourdissetou
Port de Aygues-Tortes
Pic Perdiguère
Parzan
de Ordesa
Na Sa de Pineta
Valle de Pineta
Lac d'Espingo
Lac du Portillon
Port de Pierrefite
L. de Bordères
Pic du Lion
Vallée d'Oueil
Mgne d'Espiaup
Bourg-d'Oueil
Chalets St-Néré
Mgne d'Areng
Cne de Saubette
Gouaux-de-Larboust
Oô
Val d'Astau
Lac d'Oô
334
Inst d'études atmosphériques
La Demi-Lune
Camelot
Peyre-Hicade
Barbet
Auérets
Escourtats
Aruats
Tourrudats
Les Terrats
Uzè
Boila
Hourquet
Spou
L'Escaladieu (Ancne Abbe)
Luz
La Coume
Hl de la Côte
Mont
Haut-Nistos
Nistos-Haut
Nistos-Bas
Sausset
Héchettes
Léchan
Pénart
Bonrepaire
La Serre
Mour
Le Plan
Esponne
Bastan
Bourisp
Pla del Naou
Ilhan
La Prade
Armenteule
Aranvielle
Anéran
Camors
Pouy
Is
Tour
Agos
Packe
Pont d'Esdouroucats
L. Tourrat
Port de Ba
Plateau
Lanespède
Ozon-Darré
D 935
D 918
D 929
D 938
D 817
A 64
E 80
A 138
GR 10

0 2 4 6 8 10 km
316
333
St-Gaudens
Montréjeau
Valentine
Miramont-de-Comminges
Estancarbon
Labarthe-Inard
Pointis-Inard
Beauchalot
Montespan
Landorthe
Savarthès
St-Médard
Villeneuve-de-Rivière
Ponlat-Taillebourg
Les Tourreilles
Cuguron
Lannemezan
St-Laurent-de-Neste
Aventignan
Gourdan-Polignan
Ardiège
Aspret-Sarrat
Encausse-les-Thermes
Soueich
Ganties
Lespiteau
Rieucazé
Figarol
Montgaillard-de-Salies
Rouède
Grtes de Gargas
Lombrès
Tibiran-Jaunac
Valcabrère
St-Bertrand-de-Comminges
Barbazan
Labroquère
Col de Hountérède
Régades
Payssous
Cabanac-Cazaux
Aspet
Chein-Dessus
Col des Pérès
Izaourt
Loures-Barousse
Luscan
Génos
Malvezie
Arbon
Izaut-de-l'Hôtel
Mauléon-Barousse
Ferrère
Saléchan
Siradan
Frontignan-de-Comminges
Bastion des Frontignes
Antichan-de-Frontignes
Moncaup
Juzet-d'Izaut
Col de Buret
Razecueillé
Pic de Paloumère
Herran
Pic de Cagire
Col de Portet-d'Aspet
Portet-d'Aspet
St-Lary
Augirein
Orgibet
Galey
Marignac
Cierp-Gaud
St-Béat
Boutx
Le Mourtis
Tuc de l'Etang
Col de Menté
Lez
Arlos
Argut-Dessous
Col d'Artigascou
Fos
Melles
Cap de la Pique
Pic de Crabère
Col d'Aouéran
Pic de la Calabasse
Col d'Auarde
Sentein
Antras
Bourg-d'Oueil
Vallée d'Oueil
Kiosque de Mayrègne
Sommet d'Anténac
Cazaux-Layrisse
Burgalays
Gouaux-de-Luchon
Pic de Burat
Pic de Bacanère
Pic de Sacaube
Bausen
Canejan
Pontaut
Salles-et-Pratviel
Antignac
Moustajon
Juzet-de-Luchon
St-Aventin
Col de Peyresourde
Peyragudes
Cap des Pales
Castillon-de-Larboust
Oô
Bagnères-de-Luchon
Montauban-de-Luchon
St-Mamet
Superbagnères
Pic de Poujastou
Bossòst
Les
Estany Layó
Montlude
Planet des Barrancs
Sauth deth Pish
Vall de Varradès
Arres
Vilamòs
Es Bòrdes
Begòs
Arròs
Vila
Vilac
Vielha
Betrén
Escunhau
Casarilh
Garòs
Arties
Salardú
Gessa
VAL D'ARAN
Puerto de Beret
Pico de Mompius
Artiga de Lin
Vall de la Artiga de Lin
Uelhs deth Joèu
Reserva Nacional
Pic Perdiguère
Pic des Crabioules
Lac Vert
Lac d'Espingo
Gouffre d'Enfer
Vallée du Lys
Vallée de la Pique
Hospice de France
Pic de Sacroux
Pas de la Montjoie
Port de Vénasque
Col de la Glère
Pic de Sauvegarde
Pic de la Mine
Pic de Cécire
Val d'Esquierry
Lac d'Oô
Port de Balès
Mont Né
Pic de Mauberme
Pic de Serre Haute
Port de la Hourquette
Gouffre Martel
Grotte de la Cigalère
Pico de Entrescaballos
Monte de Garós
Arenyo
Rocanera
Campalias

317
336
E
F
G
H
1
2
3
4
5
Roquefort-s-Garonne
Ausseing
St-Michel
Le Plan
Montberaud
Fornex
La Bastide-de-Besplas
Castex
Daumazan-sur-Arize
Carla-Bayle
Artigat
Sieuras
Méras
Thouars-sur-Arize
Palays
Petites Pyrénées
Cérizols
Belbèze-en-Comminges
Cassagne
Escoulis
Ste-Croix-Volvestre
Lahitère
Montbrun-Bocage
Campagne-sur-Arize
Castéras
Pailhès
Lanoux
Marsoulas
Betchat
Fabas
Mérigon
Montfa
Sabarat
Les Bordes-sur-Arize
Le-Mas-d'Azil
Grotte du Mas-d'Azil
Gabre
Tourtouse
Bédeille
Bagert
Lasserre
Montardit
Mauvezin-de-Ste-Croix
Camarade
Cabanères
PARC NATUREL RÉGIONAL DES PYRÉNÉES ARIÉGEOISES
La Bastide-du-Salat
Barjac
Contrazy
Aigues-Juntes
Mercenac
Taurignan-Castet
Lacave
Prat-Bonrepaux
Caumont
Taurignan-Vieux
Gajan
Lorp-Sentaraille
Montesquieu-Avantès
Clermont
Allières
St-Barthélemy
Suzan
La Bastide-de-Sérou
Francazal
Montgauch
St-Lizier
Montjoie-en-Couserans
Lescure
Rimont
Castelnau-Durban
Durban-s-Arize
Montels
Cazavet
Montégut-en-Couserans
St-Girons
Eycheil
(Encourtiech)
Rivèrenert
Esplas-de-Sérou
Montagagne
Moulis
Engomer
Audressein
Villeneuve
Lacourt
Erp
MASSIF
Som^t de Portel
Cescau
Castillon-en-Couserans
Col de Portet
Col de la Crouzette
Col de Péguère
(Boussenac)
Les Bordes-s-Lez
Uchentein
Arrien-en-B.
Bethmale
Alos
Soueix-Rogalle
Massat
Biert
Col des Caougnous
Col de Port
Vallée de Bethmale
Tuc des Pelades
Col de Catchaudégué
Sentenac-d'Oust
Oust
Seix
Ercé
Vallée du Garbet
Pic de Montgarié
Cap Ner
Tuc de Quer Ner
Aulus-les-Bains
Pic des Trois Seigneurs
Mont Valier
Col de Pause
Couflens
Pic de Montbéas
Port de Lers
Guzet-Neige
Salau
Pic de Soubirou
Pic de Freychet
Auzat
Pic Rouge de Bassiès
Pico de Moredo
Cap de Ruhos
Mont Rouch
Pic de Certascan
Pointe des Trois Comtes
Port de l'Artigue
Vall del Noguera Pallaresa
Cabeza de Marimanya
Pic de Ventolao
Pic de Brougat
Les Cadelats
Baqueira

0 2 4 6 8 10 km
318
335
340
A
B
C
D
1
2
3
4
5
Le Vernet
Unzent
La Fargue
Carla-Bayle
Lescousse
St-Amans
Bézac
Gaillac
St-Michel
Artigat
Thibaud
Lanoux
Pailhès
Madière
Monesple
St-Victor-Rouzaud
Escosse
Lafitte
Pamiers
Rieux-de-Pelleport
Varilhes
Benagues
St-Jean-du-Falga
St-Bauzeil
Artix
Montégut-Plantaurel
Loubens
Aigues-Juntes
Cazaux
Crampagna
Dalou
Ségura
La Bastide-de-Sérou
Cadarcet
Baulou
Loubières
St-Jean-de-Verges
Gudas
Vernajoul
FOIX
Pradières
L'Herm
Montgaillard
Ferrières-sur-Ariège
Brassac
Ganac
Bénac
Burret
Serres-sur-Arget
St-Pierre-de-Rivière
Montoulieu
St-Paul-de-Jarrat
Celles
Mercus-Garrabet
Arignac
Saurat
Bédeilhac-et-Aynat
Surba
Rabat-les-Trois-Seigneurs
Parc de la Préhistoire
Tarascon-s-Ariège
Ussat
Ornolac-Ussat-les-Bains
Niaux
Capoulet-et-Junac
Miglos
Auzat
Vicdessos
Sem
Goulier
Lercoul
Siguer
Château-Verdun
Aston
Les Cabannes
Verdun
Luzenac
Unac
Ax-les-Thermes
Orgeix
Orlu
Ascou
Sorgeat
Ignaux
Vaychis
Tignac
Signal de Chioula
Montségur
Lavelanet
Roquefixade
Nalzen
Freychenet
Montferrier
Villeneuve-d'Olmes
Bénaix
L'Aiguillon
Dreuilhe
Laroque-d'Olmes
Léran
Régat
Tabre
Aigues-Vives
Limbrassac
Mirepoix
Vals
Teilhet
Manses
Coutens
Besset
Tourtrol
Vira
Calzan
Malléon
Ventenac
Roquefort-les-Cascades
Ilhat
Leychert
Péreille
Raissac
Col de Py
Col de Marrous
Col de Port
Pic de l'Aspre
Pic de St-Barthélemy
Pic de Soularac
Carrière de Trimouns
Montagne de Tabe
Pic des Trois Seigneurs
Pic de Fontfrède
Pic d'Estibat
Pic de Montcamp
Pic du Midi de Siguer
Pic de Baljésou
Pic du Col de Gros
Pic des Redouneilles
Mont Fourcat
Mont Pastouret
Pays de Sault
Plateau de Beille
Pas de l'Ours
Gorges de la Frau
Forêt d'Embeyre
Montagne de la Frau
Camurac
Comus
Prades
Montaillou
Roc de Quercourt
Pic de Serembarre
Pic de Mède
Fougax-et-Barrineuf
Grotte de Niaux
Grotte de Lombrives
Lordat
Bestiac
Caussou
Axiat
Vèbre
Urs
Lassur
Garanou
Savignac-les-Ormeaux
Mérens
Col de Chioula
Col de Marmare
Col de la Lauze
Col de Montségur
Col de la Peyre
Col del Bouich
Pic de Montmiou
Pic du Far
Roc de Querquéou
Pic de Boucarle
Pic de Pioulou
Col de Grail
Illiers-et-Laramade
Suc-et-Sentenac
Orus
Gestiès
Bouan
Aulos
Larcat
Sinsat
Verdun
Senconac
Caychax
Appy
Les Cadelats
Montcalm
Mounicou
Marc
Pradières
Bouychet
Pique d'Endron
Massayre
Pont des Clarans
Station de Beille
Mt Redon
Colmajou
Campalou
Col des Finestres
Pic Espaillat
Bourbourou
Le Picot
Pla de la Lauze
Cazenave-Serres-et-Allens
Pic du Han
Les Monts d'Olmes
Planas
Pic de la Lauzate

337
319
338
341
Fanjeaux
Lasserre-de-Prouille
Villeneuve-lès-Montréal
Alairac
Lavalette
Cazilhac
Orsans
Fenouillet-du-Razès
Cailhavel
Goulens
Cavanac
Couffoulens
Leuc
Monze
Ferran
Cailhau
Preixan
La Courtète
Mazerolles-du-Razès
Gramazie
Villarzel-du-Razès
Montclar
Rouffiac-d'Aude
Verzeille
Mas-des-Cours
Hounoux
Cambieure
Brugairolles
Malviès
Villefloure
Pech Gros
Fajac-en-Val
Montgradail
Belvèze-du-Razès
Routier
St-Martin-de-Villereglan
Cépie
Pomas
Ladern-sur-Lauquet
Escueillens-et-St-Just-de-Bélengard
Bellegarde-du-Razès
Alaigne
Lauraguel
St-Hilaire
Lignairolles
Donazac
Gaja-et-Villedieu
Pieusse
Roc des Trois Seigneurs
Greffeil
Villar-en-Val
Labastide-en-Val
Caudeval
Monthaut
Pauligne
Loupia
Peyrefitte-du-Razès
Limoux
Gardie
Villebazy
Villar-St-Anselme
Malras
Pomy
Corbières
Villelongue-d'Aude
Pic de Gradal
Pic de Balaguier
La Digne-d'Aval
La Digne-d'Amont
St-Polycarpe
Clermont-sur-Lauquet
Courtauly
La Bezole
Ajac
Castelreng
Cournanel
Benoit
Belcastel-et-Buc
Cauneille-s-Lauquet
Villardebelle
Col de la Louvière
Camon
Sonnac-sur-l'Hers
Col de l'Espinas
Magrie
Tourreilles
Roquetaillade
Étroit d'Alet
Alet-les-Bains
Missègre
Milobre de Bouisse
St-Benoît
Col de Dieude
St-Couat-du-Razès
Col de St-Benoît
Roquetaillade
Véraza
Bois d'Ournes
Valmigère
Chalabre
Bourigeole
Bouriège
Conilhac-de-la-Montagne
Terroles
Bouisse
Montjardin
Piccolordy
Festes-et-St-André
La Serpent
Le Cazal-Ste-Marie
Villefort
Sarrat Gros
Col de Festes
Antugnac
Luc-s-Aude
Peyrolles
Arques
Montazels
Couiza
Cassaignes
Serres
Albières
Rivel
Rouvenac
Espéraza
Coustaussa
Col de Paradis
Puivert
Col des Tougnets
St-Jean-de-Paracol
Campagne-sur-Aude
Donjon
Rennes-le-Château
Pech Cardou
Le Pech
Campagne-les-Bains
Rennes-les-Bains
Sougraigne
Fourtou
Col de la Babourade
Campgast
Nébias
St-Ferriol
Granès
Col de la Fage
Forêt de Ste-Colombe
Quillan
St-Just-et-le-Bézu
Le Bézu
Bugarach
Col du Linas
Pic de Bugarach
Camps-sur-l'Agly
Coudons
Ginoles
Belvis
St-Julia-de-Bec
St-Louis-et-Parahou
Plateau de Sault
Belvianes-et-Cavirac
Trou du Curé
Défilé de Pierre-Lys
Col de St-Louis
Roc Paradet
Belfort-s-Rebenty
Défilé de Joucou
Joucou
Quirbajou
St-Martin-Lys
Prugnanes
Roquefeuil
Espezel
Galinagues
Serre des Buis
Marsa
Cailla
Col Campérie
Caudiès-de-Fenouillèdes
Niort-de-Sault
Mazuby
Axat
Lapradelle
Pullaurens
Fenouillet
Fosse
Mérial
Rodome
Aunat
Bessède-de-Sault
Artigues
Gorges de St-Georges
Pech des Carabatets
Salvezines
Défilé d'Adouxes
La Fajolle
Pic d'Ourthizet
Fontanès-de-Sault
Le Clat
Forêt de Gesse
Gincla
Vira
Le Vivier
Campagna-de-Sault
Grottes de l'Aguzou
Forêt de Navarre
Ste-Colombe-sur-Guette
Port de Pailhères
Escouloubre
Le Bousquet
Roquefort-de-Sault
Montfort-sur-Boulzane
Sarrat Naout
Sournia
Mijanès
Rouze
Col de Moulis
Col de Garavel
Counozouls
Rabouillet
Le Puch
Artigues
Col d'Aussières
Pic Dourmidou
Forêt de Salvanère
Carcanières
Quérigut
Col de Jau
Serre d'Escales
Roc Cornut
Rocher du Roussillou
Roque Jalère
Tour de Mascara

0 2 4 6 8 10 km
320
337
342
Monze
Pradelles-en-Val
Montlaur
Camplong-d'Aude
Fabrezan
Ferrals-les-Corbières
Boutenac
Ornaisons
Bizanet
Moux
Douzens
Fontcouverte
Roc de l'Aigle
N.-D. de Consolation
Mas-des-Cours
Villefloure
Pech Gros
Fajac-en-Val
Arquettes-en-Val
Servies-en-Val
Col de Taurize
Pech de Taurize
Villar-en-Val
Villetritouls
Rieux-en-Val
Taurize
Labastide-en-Val
Villemagne
Lagrasse
Ribaute
Vaugelas
Les Vals
Tournissan
St-Laurent-de-la-Cabrerisse
Thézan-des-Corbières
Montséret
St-André-de-Roquelongue
Villerouge-la-Crémade
Caunettes-en-Val
Mayronnes
St-Pierre-des-Champs
Talairan
Coustouge
Fontjoncouse
Jonquières
Clermont-sur-Lauquet
Plateau de Lacamp
St-Martin-des-Puits
Serre de Blanes
Caunette-s-Lauquet
Villardebelle
Lairière
Chau de Durfort
Vignevieille
Termes
Félines-Termenès
Villerouge-Termenès
Col du Prat
Col de Villerouge
Albas
Cascastel-des-Corbières
Durban-Corbières
Montjoi
Salza
Bouisse
Lanet
Mouthoumet
Laroque-de-Fa
Davejean
Pech Montaut
Col de Bedos
Villeneuve-les-Corbières
Quintillan
Palairac
Serre de Quintillan
St-Jean-de-Barrou
Fraissé-des-Corbières
Albières
Pont d'Orbieu
Auriac
Dernacueillette
Massac
Maisons
Montgaillard
Embres-et-Castelmaure
Col d'Extrême
Ségure
Tuchan
Chau d'Aguilar
Col de Redoulade
Fourtou
Col de Cédeillan
Pech de Fraysse
Soulatgé
Rouffiac-des-Corbières
Roc Fourcat
Chau de Peyrepertuse
Cubières-sur-Cinoble
Duilhac-s/s-Peyrepertuse
Padern
Paziols
Camps-sur-l'Agly
Gorges de Galamus
St-Antoine-de-Galamus
Cucugnan
Chau de Quéribus
Grau de Maury
Col du Tribi
Vingrau
Centre européen de Préhistoire
Tautavel
Prugnanes
St-Paul-de-Fenouillet
Maury
Lesquerde
Clue de la Fou
Fosse
St-Martin
St-Arnac
Rasiguières
Latour-de-France
Estagel
Cases-de-Pène
Espira-de-l'Agly
Rivesaltes
Felluns
Ansignan
Lansac
Planèzes
Calce
Baixas
Peyrestortes
Prats-de-Sournia
Trilla
Cassagnes
Montner
Sournia
Pézilla-de-Conflent
Caramany
Bélesta
Col de la Bataille
Força Réal
St-Estève
Campoussy
Trévillach
Corneilla-la-Rivière
Pézilla-la-Rivière
Villeneuve-la-Rivière
Baho
Montalba-le-Château
Néfiach
Millas
Roc Cornut
Tarerach
Opoul-Périllos
Fort de Salses
D 613
D 611
D 117
N 116

339
321
343
E
F
G
H
1
2
3
4
5
Armissan
St-Pierre-la-Mer
Port de Brossolette
Narbonne-Plage
Moujan
Pech Redon
L'Hospitalet
Coffre de Pech Redon
Rouquette
Montagne de la Clape
Les Monges
N.-D. des Auzils
Cimetière marin
Le Pech-Rouge
Les Ayguades
Le Rec d'Argent
Vires
Terrain militaire
Les Hauts de Narbonne
Lunes
Craboules
Montfort
Montplaisir
Rochegrise
La Nautique
Grd Mandirac
Les Pesquis
Bages
Estarac
Gruissan
Gruissan-Plage
Musée
Île St-Martin
L'Évêque
L'Ayrolle
Peyriac-de-Mer
Î. de Planasse
Réserve africaine
Île de l'Aute
LA NARBONNAISE
Étang de Bages et de Sigean
Grau de la Vieille Nouvelle
Le Hameau du Lac
Île Ste-Lucie
La Courtive
Villefalse
Les Cabanes
Salin de Ste-Lucie
Sigean
Port-la-Nouvelle
Parc éolien des Corbières maritimes
Cap Romarin
Marbre
La Palme
Salin de Lapalme
Les Cabanes-de-Lapalme
St-Pancrace
Étg de Lapalme
MÉDITERRANÉE
Grau de la Franqui
La Franqui
Caves
Treilles
Cap Leucate
Leucate
Leucate-Plage
Fitou
Les Cabanes-de-Fitou
Grau de Leucate
Port-Fitou
Pnte de la Corrège
Étang de Leucate ou de Salses
Port-Leucate
Aquamagic
Grde Dosse
Paquebot Lydia (ensablé)
Garrieux
Île de la Coudalère
Luna Park
Port-Barcarès
Centre nautique
Camp militaire
Port St-Ange
Le Barcarès
St-Laurent-de-la-Salanque
Torreilles-Plage
Claira
Jouègue
Torreilles
Villelongue-de-la-Salanque
Ste-Marie-la-Mer
Ste-Marie-Plage
Bompas
Canet-en-Roussillon
PERPIGNAN
Canet-Plage
Cabestany
L'Esparrou

340
336
0 2 4 6 8 10 km
Pic de Pioulou
Génat
Grotte de Niaux
Ornolac-Ussat-les-Bains
Pas de Souloumbrie
Pic de St-Barthélemy
Pic de Soularac
Montagne de Tabe
Aulus-les-Bains
Col d'Agnes
Pic de Girantes
Port de Saleix
Suc-et-Sentenac
Orus
Illiers-et-Laramade
Niaux
Capoulet et-Junac
Bouan
Sinsat
Verdun
Aulos
Senconac
Caychax
Appy
Axiat
Col de Latrape
Prat
Mataou
Guzet-Neige
Col d'Escots
Pic de Freychet
Pic de Mt Rouge
Pic de Séron
Auzat
Vicdessos
Sem
Lercoul
Miglos
Norgeat
Gestiès
Siguer
Goulier (Val-de-Sos)
Olbier
Col de Grail
Château-Verdun
Larcat
Aston
Les Cabannes
Vèbre
Urs
Lordat
Bestiac
Lassur
Garanou
Luzenac
Unac
Perles-et-Castelet
Pic Rouge de Bassiès
Pic du Far
Bassiès
Pla de Montcamp
Pic du Col Taillat
Mt Redon
B. des Coumels
Pic de Couillac
Pic de Turguilla
Pointe des Trois Comtes
Pique d'Endron
Pic du Midi de Siguer
Pic de Baljésou
Massayre
Station de Beille
Pont des Clarans
Plau de Beille
Savignac-les-Ormeaux
Colmajou
Pic de Certascan
Port de l'Artigue
Montcalm
L'Artigue
Marc
Pradières
Les Cadelats
Pic de Brougat
Étg d'Izourt
Étg de Gnioure
Pic des Redouneilles
Pic du Col de Gros
Col des Finestres
Prat Moll
Bourbourou
Campalou
Pic Espaillat
Bordes de Ison
B. de Alertrot
Pic de Montcalm
Pic du Port de Sullo
Pic d'Estats
Le Picot
Pic de Malcaras
Pic de l'Aspre
Pic de Bourbonne
Pic du Pas de Bouc
Peyregrand
Bge de Laparan
Quioulès
Col de la Didorte
Tute de l'Ours
Pic de Canalbonne
Orrhys de Carla
Pic de Tristagne
Pic de Siguer
Pic du Thoumasset
Pic de Riet
Pic de Lauzate
Montareño
B. de Ruburu
Pic du Port (Pic de Font Blanca)
Port de Bagnels
Pic de l'Estagnole
Pic de Caballière
Garsan
Col de Beil
Pic de l'Étg Rebenty
Pic de la Rouge
Orrhys de la Crouz
Vall Ferrera F.E.M.
Port de Bouet
Port de Rat
Arcalís
Pic de Catavardis
El Serrat
Pic de Serrère
Étg de Fontargent
Pic de Ruille
Tudela
Pic de Médécourbe
Pic des Bareytes
Les Salines
Pic de l'Estanyó
Pic de la Portaneille
Port de Fontargente
Col de l'Albe
Monteixo
Sierra de Monteixo
Vall Ferrera
Llorts
E. de Cabana Sorda
La Baladosa
Pic de Nérassol
Pic de la Cabanette
Roc Mele
L'Hospitalet-près-l'Andorre
Cardós
Areu
Vallpeguera
Alt de Comapedrosa
Arinsal
Pics de Casamanya
ANDORRA
l'Aldosa
El Tarter
Vall d'Inclés
Soldeu
Pic de la Cabaneta
Tor
Norís
Mas de Ribafeta
La Cortinada
Ansalonga
Sornàs
Canillo
Ransol
Sant Joan de Caselles
Port Dret
Bordes d'Envalira
Alt de la Capa
Erts
Ordino
Coll d'Ordino
Xixerella
Pal
Escàs
Prats
Santuari de Meritxell
Tossal de la Llosada
Alins
Port de Cabús
Coll la Botella
Gorja
Bony de les Neres
Sant Romà
Grand
Túnel d'Envalira
Capifonds
Mànìga
Pic dels Llacs
La Massana
Encamp
Vila
Les Bons
Port d'Envalira
Pas de la Casa
Pic de Font Frède
Sispony
Anyós
Els Cortals
Pic Alt del Cubil
Sierra de Cubil
Coll. de Sabollera
Salòria
Collada de Montaner
Pic de Carroi
Escaldes-Engordany
El Tremat
Estany d'Engolasters
Alt del Griu
Grau Roig
Circ dels Pessons
Circ de Font Nègre
Pics Orientaux de Font Nègre
Os de Civís
Pic d'Aós
ANDORRA LA VELLA
Sant Miquel d'Engolasters
Pic dels Pessons
Tossal Braibal
Pic Nègre d'Envalira
Bordes de Conflent
Salòria
F.E.M.
Sta Coloma
Entremesaigues
Riu Madriu
Estany de l'Illa
Estany de Montmalús
Portella Blanca
Pic de Peyrefourque
Bordes de Llosá
Aixàs
Bixessarri
Aixovall
Certers
Obaga de Nou Fonts
Coll. de Vall Civera
de Camp Colomer
Puigpedrós (ou P. de Campcardos)
Ermita de Sta magdalena
Coll. de Vista
Santuari de Canolich
Llumeneres
Civís
Sant Julià de Lòria
Nagol
Aixirivall
Pic dels Estanyons
Muga
Folch
Deveza
Fontaneda
Port Negre
Pic Negre
P. de Monturull
Pic de la Portelleta
Ras de Conques
Ars
Asnurri
Mas d'Alins
Aubinyà
Els Plans
Bordes de la Peguera
E. de la Pera
Torre dels Soldats
Sierra de la Velleta
La Carabassa
Girul
Meran
Monchetas
Sant Joan Fumat
Argolell
Farga de Moles
Juberri
Bosc de la Rabassa
Arcavell
S. de Arcavell
Cap del Rec
Pelat de Talltendre
Eller
Coll de Baseta
Seix
Solanell
Roc de la Creu
Santa Creu
Albet
Estelareny
Puig Punsó
Aranser
Corborriu de la Llosa
Sant Andreu
Sendes
Bescaran
Pla de Lles
Talltendre
Turbiàs
Lles de Cerdanya
Orden
Cortàs
Anserall
Castellnou de Carcolze
Sa de la Tuta
Ardòvol
Calvinyà
Aristot
Músser
Prullans
Bellestar
El Pont de Bar
Traveseres
Castellbò
La Seu d'Urgell/ Seo de Urgel
Estamariu
Beneidó
Roca Redonda
Pallerols
Aravell
Castellciutat
Les Torres
La Cabana
Banys de Sant Vicenç
Toloriu
Martinet
Bellver de Cerdanya
Riu
Avellanet
Vall
Alàs i Cerc
El Segre
Turo de Patallin
Arsègue
Bar
Montella
Montferrer i Castellbò
Ortedó
A
B
C
D
1
2
3
4
5

E
F
G
H
337
342
1
2
3
4
5
Axat
Gorges de St-Georges
Pech des Carabatets
Puilaurens
Salvezines
Gincla
Montfort-sur-Boulzane
Ste-Colombe-sur-Guette
Counozouls
Roquefort-de-Sault
Col de Garavel
Le Bousquet
La Calm
Forêt de Gesse
Forêt de Navarre
Gesse
Le Clat
Bessède-de-Sault
Aunat
Rodome
Niort-de-Sault
Mazuby
Roquefeuil
Espezel
Galinagues
Belcaire
Camurac
Comus
Prades
Montaillou
Mérial
Défilé d'Adouxes
La Fajolle
Col du Pradel
Pic de Serembarre
Col de Chioula
Sorgeat
Ascou
Ax-les-Thermes
Orgeix
Orlu
Vallée d'Orlu
Forge d'Orlu
Dent d'Orlu
Pic de Tarbezou
Port de Pailhères
Mijanès
Rouze
Usson-les-Bains
Escouloubre
Campagna-de-Sault
Gres de l'Aguzou
Fontanès-de-Sault
Pic d'Ourthizet
Le Puch
Artigues
Le Pla
Le Mas
Carcanières
Quérigut
Chau du Donézan
Col des Hares
Col de Moulis
Carcanières-les-Bains
Escouloubre-les-Bains
Villeneuve Rebiscane
Forêt de Gravas
Pic Dourmidou
Forêt de Salvanère
Col de Jau
Serre d'Escales
Tour de Mascara
La Coume
La Glèbe
Pic du Bernard-Sauvage
Madrès
PARC
NATUREL
RÉGIONAL
Pic de Tour
Serrat Grand
Urbanya
Nohèdes
PYRÉNÉES
Betllans
Col de Portus
Pic de la Pelade
Col de Sansa
Puig d'Escoutou
La Mouline
Mt Coronat
La Tartère
Villefranche-de-Conflent
N.-D.-de-Vie
Serdinya
Jujols
Evol
Thuir d'Evol
Oreilla
Olette
Souanyas
Escaro
Nyer
Défilé des Graüs
Canaveilles
Canaveilles-les-Bains
Thuès-les-Bains
Thuès-Entre-Valls
Gorges de la Carança
Fontpédrouse
Prats-Balaguer
Pic de Gallinas
Pic de Rives Blanques
Col de Mantet
Mantet
Col del Pal
Pùig de Très Estelles
Pic de Serre-Gallinière
Pic de la Dona
Portella de Mantet
Vallter 2000
Pic du Géant
Roc Colom
Pla des Hospitalets
Pic de Coma Armada
Coll de Pal
Gra de Fajol
Ulldeter
Pic de la Marrana
Pic de la Vache
Pico de Mantinello
Torreneules
Coma de Vaca
Setcases
la Redonella
Puig de les Agudes
Balandrau
Queralbs
Vall de Núria
Santuari de Núria
Núria
Pic de Finestrelles
Pic de Sègre
Col de Nuria
Pic des Nou Fonts
Pic de Llouzes
Puigmal
Pic de Dorria
Pla de Salinas
Cime de Courne Mourère
Coll. de Toses
La Molina
Super Molina
Túnel de Cadí
Toses
Dòrria
Urús
Masella
Alp
Das
Urtx
Queixans
Sanavastre
Mòsoli
All
El Vilar
Soriguerola
Talltorta
Saga
Ger
Bolvir de Cerdanya
Sant Martí d'Aravó
Puigcerdà
Bourg-Madame
Age
Palau-de-Cerdagne
Les Pereres
Vilallobent
Nahuja
Osséja
Valcebollère
Col de Pradeilles
Pic de la Tossa d'Err
Err-Puigmal 2900
Las Planes
Puig d'Estaque
Col de Llo
Cotzé
La Jassette
Gorges du Sègre
Llo
Saillagouse
Err
Vedrignans
Ste-Léocadie
Llous
Palau
Caldégas
Onzès
Col de Llous
Gorguja
Llívia
Estavar
Col Rigat
Eyne
Eyne 2600
Bajande
Aqueducs
Villeneuve-des-Escaldes
Angoustrine
Cereja
Dorres
Brangoly
Egl. Belloch
Enveitg
Ur
Latour-de-Carol
Yravals
Guils de Cerdanya
Saneja
Rigolisa
Béna
Riutés
Fanès
Courbassil
Carol
Tours Carol
Targassonne
Égat
Thémis
Villalte
Chaos
Font-Romeu-Odeillo-Via
Ermitage
Bolquère
Super-Bolquère
Odeillo
Four Solaire
C.N.R.S.
Col de la Perche
St-Pierre-dels-Forcats
Planès
St-Thomas-les-Bains
La Cabanasse
Gisclard
Mont-Louis
Fetges
Sauto
Serrat de la Tausse
P. Séjourné
Serre de Clavéra
Llar
Les Cortals
La Llagonne
Col de la Llose
Col de la Quillane
El Dormidor
Forêt de Clavéra
Caudiès-de-Conflent
Ayguatébia-Talau
Lloumet
Tourol
Talau
Railleu
Sansa
Col de Creu
Villeneuve
Matemale
Lac de Matemale
Les Angles
Pic Bastard
Forêt de Cami Ramadel
Formiguères
Forêt de la Matte
Réal
Odeillo
Puyvalador
Rieutort
Fontrabiouse
Espousouille
Pic de Ginèvre
Coume de Ponteils
Gorg Estelat
Le Roc Blanc
Porteillie d'Orlu
Pic de Cimet
Mérens-les-Vals
Cap de Carbone
Le Liate
Pic de l'Homme
Lac de Naguilles
Étangs de Campoureils
Pic de Beys
Pic d'Étang Faury
Grde Porteille
Pic Peric
Pic de la Coumette d'Espagne
Pic du Pam
Pics Rouges
Pic de Madides
d'Auriol
Les Besines
Pic Pédrous
Porteille de la Grave
Étang de Lanous
Le Touzal Colomé
Lac des Bouillouses
Mont Llaret
Roc d'Aude
Lac d'Aude
Pic de Font-Vive
Puymorens
Pic Carlit
Étang Llat
Étang Pradeille
Combeleran
Pla des Avellans
Col del Pam
Roc de la Calme
Pic Occtal de Col Rouge
Bge du Passet
Porté-Puymorens
Roc del Pounchut
NATUREL
RÉGIONAL
DES
PYRÉNÉES
CATALANES
Pic Padro
Serrat des Loups
Pic des Mauroux
Pyrénées 2000
N 116
N 260
D 618
N 20

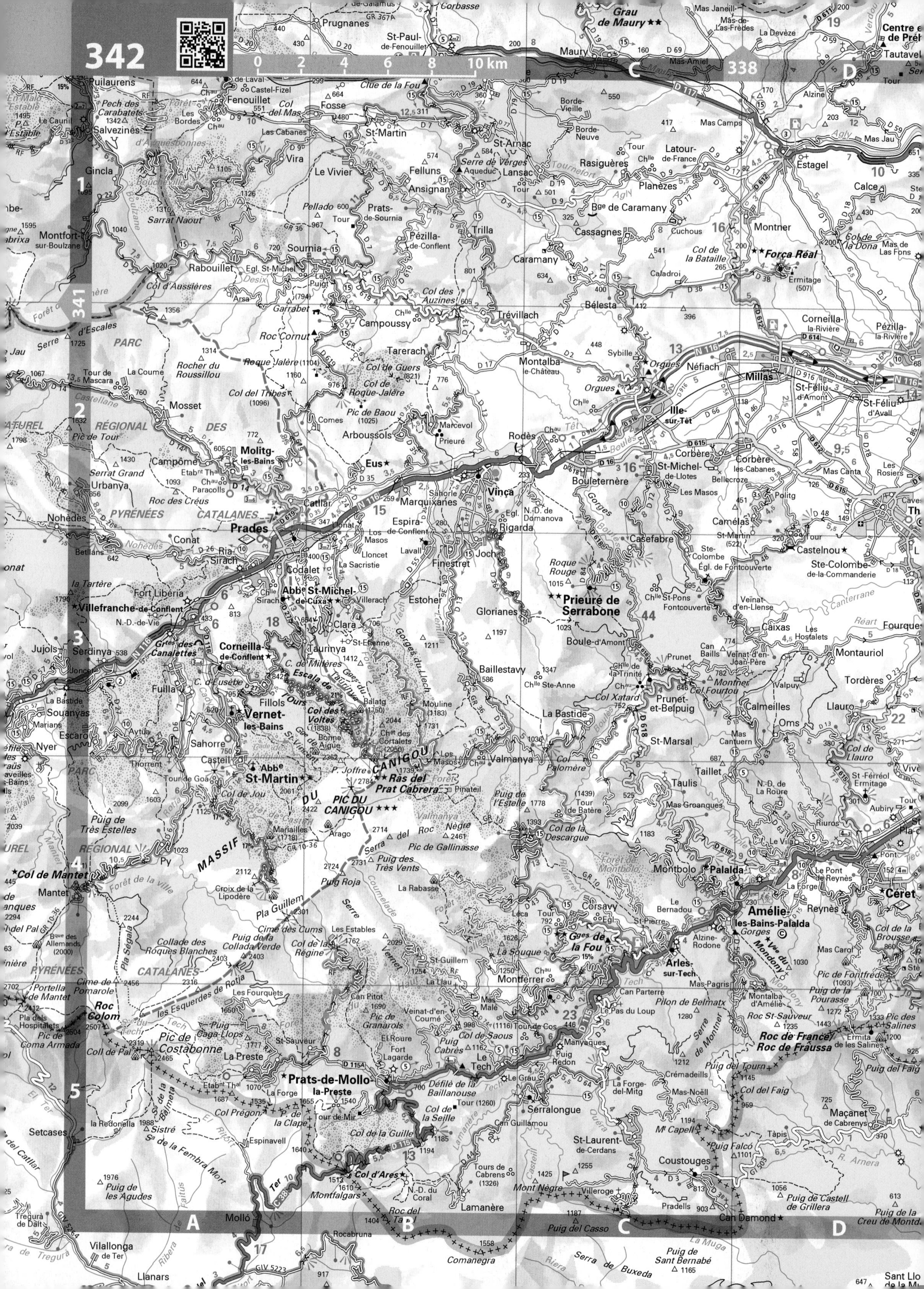
0 2 4 6 8 10 km
338
341
A
B
C
D
1
2
3
4
5
Grau de Maury
Prugnanes
St-Paul-de-Fenouillet
Corbasse
Mas Janeill
Mas-de-Las-Frèdes
La Devèze
Centre et de Préh.
Tautavel
Maury
Mas-Amiel
Puilaurens
Fenouillet
Castel-Fizel
Clue de la Fou
Pech des Carabatets
Col del Mas
Fosse
Salvezines
St-Martin
St-Arnac
Borde-Vieille
Borde-Neuve
Mas Camps
Alzine
Agly
Mas Jau
Estagel
Las Cabanes
Vira
Le Vivier
Felluns
Serre de Vergès
Aqueduc
Lansac
Tour
Rasiguères
Latour-de-France
Tournefort
Gincla
Ansignan
Planèzes
Calce
Bge de Caramany
Boucheville
Sarrat Naout
Pellado
Prats-de-Sournia
Pézilla-de-Conflent
Trilla
Cassagnes
Cuchous
Montner
Col de la Dona
Mas de Las Fons
Montfort-sur-Boulzane
Rabouillet
Egl. St-Michel
Sournia
Caramany
Col de la Bataille
Força Réal
Caladroi
Ermitage
Col d'Aussières
Desix
Arsa
Puigt
Garrabet
Col des Auzines
Trévillach
Bélesta
Forêt d'Escales
Serre d'Escales
Parc
Campoussy
Roc Cornut
Tarerach
Col de Guers
Montalba-le-Château
Sybille
Orgues
Néfiach
Millas
Corneilla-la-Rivière
Pézilla-la-Rivière
Rocher du Roussillou
Roque Jalère
Col de Roque-Jalère
Tour de Mascara
La Coume
Col del Tribes
Pic de Baou
Marcevol
Prieuré
Ille-sur-Têt
St-Féliu-d'Amont
St-Féliu-d'Avall
Mosset
Castellane
Régional
Des
Naturel
Pic de Tour
Comes
Arboussols
Rodès
Têt
Boulès
Corbère
Corbère-les-Cabanes
Molitg-les-Bains
Campôme
Serrat Grand
Urbanya
Roc des Créus
Paracolls
Eus
St-Michel-de-Llotes
Bouleternère
Bellecroze
Les Masos
Mas Canta
Les Rosiers
Nohèdes
Pyrénées
Catalanes
Catllar
Sahorle
Marquixanes
Vinça
N.-D. de Domanova
Rigarda
Gorges
Poltg
Caméllas
Prades
Conat
Ria-Sirach
Espira-de-Conflent
Los Masos
Joch
Casefabre
St-Martin
Ste-Colombe
Égl. de Fontcouverte
Tour
Castelnou
Ste-Colombe-de-la-Commanderie
Betllans
Codalet
Lloncet
La Sacristie
Lavall
Finestret
Roque Rouge
Villefranche-de-Conflent
Fort Libéria
La Tartère
Abbe St-Michel-de-Cuxa
Villerach
Estoher
Prieuré de Serrabone
Chlle St-Pons
Fontcouverte
Veïnat d'en-Llense
Canterrane
Réart
Fourques
N.-D.-de-Vie
Sirach
Clara
Glorianes
Boule-d'Amont
Caixas
Les Hostalets
Montauriol
Jujols
Serdinya
Grtes des Canalettes
Corneilla-de-Conflent
St-Étienne
Taurinya
C. de Millères
Escala de l'Ours
Baillestavy
Chlle Ste-Anne
Can Bailis
Prunet
Veïnat-d'en-Joan-Père
Montner
Col Fourtou
Valpuy
Tordères
Souanyas
Marians
Escaro
Aytua
Fuilla
C. d'Eusèbe
Fillols
Vernet-les-Bains
Balatg
Col des Voltes
Mouline
Col Xatard
Prunet-et-Belpuig
La Bastide
Calmeilles
Oms
Llauro
Nyer
Sahorre
Bonne Aigue
Chet des Cortalets
St-Marsal
Mas Cantuern
Col de Llauro
Castell
Thorrent
Tour de Goa
Abbe St-Martin
Canigou
Ras del Prat Cabrera
P. Joffre
Valmanya
Col Palomère
Pinateil
Taillet
N.-D. de La Roure
St-Ferréol Ermitage
Col de Jou
Pic du Canigou
Puig de l'Estelle
Tour de Batère
Taulis
Mas Groanques
Aubiry
Puig de Très Estelles
Massif
Mariailles
Arago
Roc Nègre
Col de la Descargue
Riuros
Le Vila
Serra del Roc
Pic de Gallinasse
Puig des Très Vents
Forêt de Montbolo
Montbolo
Palalda
Le Pont de Reynès
La Forge
Céret
Col de Mantet
Mantet
Py
Croix de la Lipodère
Puig Roja
La Rabasse
Corsavy
Le Bernadou
Amélie-les-Bains-Palalda
Reynès
Pla Guillem
Cime des Cums
Les Estables
Gges de la Fou
Alzine-Rodone
Gorges du Mondony
Col de la Brousse
Bque des Allemands
Pla Ségala
Collade des Roques Blanches
Puig de la Collada Verde
Col de la Régine
St-Guillem
La Souque
Arles-sur-Tech
Mas Carol
Cime de Pomarole
Montferrer
Mas-Pagris
Pic de Fontfrède
Portella de Mantet
Les Fourquets
Can Pitot
Mas Malé
Can Parterre
Pilon de Belmatx
Montalba-d'Amélie
Puig de la Pourasse
Roc Colom
Pla dels Hospitalets
Pic de Coma Armada
Les Esquerdes de Rotja
Puig Caga-Llops
Pic de Granarols
Veïnat-d'en-Coumé
Le Pas du Loup
Roc St-Sauveur
Pic des Salines
Coll de Pal
Pic de Costabonne
St-Sauveur
El Roure
Fort Lagarde
Col de Saous
Tour de Cos
Manyaques
Serre de Montner
Roc de France/Roc de Frausa
Ermita de les Salines
La Preste
Prats-de-Mollo-la-Preste
Puig Cabrès
Le Tech
Le Grau
Puig Redon
Crémadeills
Puig del Tourn
Puig del Faig
Etabnt Thal
La Forge
Défilé de la Baillanouse
Col de la Seille
Serralongue
La Forge-del-Mitg
Mas-Noëll
Col del Faig
Maçanet de Cabrenys
Setcases
Col Prégon
Pic de la Clape
Tour de Mir
Can Guillamou
Mt Capell
Puig Falcó
Tàpis
La Rebonella
Sistré
Sa de la Fembra Mort
Espinavell
Col de la Guille
St-Laurent-de-Cerdans
Coustouges
R. Arnera
Puig de les Agudes
Col d'Ares
N.-D. du Coral
Tours de Cabrens
Mont Nègre
Villeroge
Pradells
Puig de Castell de Grillera
Tregurà de Dalt
Montfalgars
Roc del Tabl
Lamanère
Can Damond
Puig de la Creu de Montdal
Molló
Rocabruna
Puig del Casso
Puig de Sant Bernabé
La Muga
Vilallonga de Ter
Ter
Ribera de Faitús
Serra de Tregurà
Comanegra
Serra de Buxeda
Llanars
Sant Llorenç de la Muga

Paquebot Lydia (ensablé)
Port-Barcarès
Le Barcarès
Port St-Ange
Rivesaltes
St-Hippolyte
St-Laurent-de-la-Salanque
Torreilles-Plage
Claira
Peyrestortes
Torreilles
Villelongue-de-la-Salanque
Ste-Marie-la-Mer
Ste-Marie-Plage
Pia
Bompas
St-Estève
Le Vernet
Canet-en-Roussillon
PERPIGNAN
Canet-Plage
Cabestany
Baho
St-Nazaire
Saleilles
Canohès
Alénya
Théza
Ponteilla
Pollestres
Villeneuve-de-la-Raho
St-Cyprien-Plage
Corneilla-del-Vercol
St-Cyprien
Les Capellans
Montescot
Bages
Trouillas
Elne
Latour-Bas-Elne
Aqualand
Villemolaque
St-Jean-Lasseille
Ortaffa
Banyuls-dels-Aspres
Brouilla
Palau-del-Vidre
Argelès-s-Mer
Argelès-Plage
Port-Argelès
Tresserre
St-Génis-des-Fontaines
St-André
Racou-Plage
Fort Miradou
Collioure
Port-Vendres
CÔTE VERMEILLE
PLAINE DU ROUSSILLON
Le Boulou
Villelongue-dels-Monts
Sorède
Laroque-des-Albères
Montesquieu-des-Albères
Cap Béar
Site de Paulilles
Cap Oullestreil
N.-D. de Consolation
Tour Madeloc
Tour de la Massane
Banyuls-sur-Mer
Cap l'Abeille
Cap Réderis
Cap Peyrefite
Cap Canadell
Cerbère
Cap Cerbère
C. des Balitres / C. des Belitres
Portbou
Pta Clapé
Colera
Cap Lladró
Platja de Garbet
Cap de Ras
Els Estanys de Dalt
El Port de Llançà
Llançà
Cap Gros
Le Perthus
Col du Perthus / Coll del Pertús
Fort de Bellegarde
Pic des 3 Termes
Col de l'Orry
Puig de les Guardes
Serra de l'Albera
Col de Banyuls
Puig de la Calme
Col del Tourn
Serra de la Balmeta
Puig de Taravaus
Puig d'Esquers
Puig Tifell
La Jonquera
Cantallops
Agullana
Darnius
Capmany
Sant Climent Sescebes
Espolla
Rabós
Vilamaniscle
Masarac
Mollet de Peralada
Garriguella
La Valleta
La Vall de Sta Creu
Port de la Selva
Vilajuïga
Biure
Boadella
Tudela
E
F
G
H
1
2
3
4
5
339

344
0 2 4 6 8 10 km
A
B
C
D
1
2
3
4
5
FRANCE
ITALIE
Genova
Savona
Nice
Marseille
Toulon
Livorno
Piombino
Bastia
l'Île-Rousse
CORSE
Ajaccio
Propriano
Porto-Vecchio
MER MÉDITERRANÉE
MER TYRRHÉNIENNE
SARDEGNA
LIAISONS MARITIMES PERMANENTES
Anse
Marine d'Alga
Pnta di Solche
Pnta di l'Acciolu
Anse de Pinzuta
Mte Orlando
Plage de l'Ostriconi
Anse de Peraiola
Ogliastro
Lozari
Pnta d'Arco
Cima lo Caigo
Mte Negro
Ile de la Pietra
L'Île-Rousse
Parc de Saleccia
Guardiola
Pnta Vallitoni
Marine de Davia
Monticello
Capo Mirabo
Pnta di Paraso
Capo Niello
Bocca di Carbonaja
Corbara
Occiglioni
Palmento
Col de Casella
Algajola
Marine de St-Ambroggio
Mte S. Angelo
Sta-Reparata-di-Balagna
Regino
Pigna
Couvt de Corbara
Capo Corbino
Palasca
Pnta di Spano
Tepina
Praoli
St'Antonino
Codole
Belgodere
Baie d'Algaio
la Trinité
Costa
Pte de la Revellata
Pnta Caldano
346
Aregno
Lavatoggio
Couvt de Marcasso
Cateri
Speloncato
Calvi
Golfe de la Revellata
Golfe de Calvi
Col de Salvi
Avapessa
Murato
Grotte des
Bocca di u Prunu
Bocca a la Leccia
Stelaio
Ville-di-Paraso

E
F
G
H
1
2
3
4
5
CAP CORSE
I. de la Giraglia
(Réserve naturelle)
Pnta di Agnello
Tour
Capo Grosso
Tollare
Barcaggio
Cima di a Campana
Pnta di Corno di Becco
Mte Maggiore
Iles Finocchiarola
(Réserve naturelle)
Capo Bianco
Poggio
(Ersa)
Sta Maria
Granaggiolo
C de Serra
Baie de Tamarone
Belvre du Moulin Mattei
Cannelle
Botticella
Col St-Nicolas
Rogliano
Baie de Centuri
Centuri-Port
Orche
Macinaggio
I. de Capense
(Réserve naturelle)
Mute
Tours
Camera
Olivo
Centuri
Vignale
Annonciation
(ancien couvent)
Sottana
Bettolacce
Tomino
Morsiglia
Pruno
Mucchieta
Mte di u Castello
Meria
Marine de Meria
Capo Corvoli
Mte Fornello
Pastina
Golfe d'Aliso
Pnta della Filetta Soprana
Mte Castello
Morteda
Ancien couvent St-François
Col de Ste Lucie
Luri
Alessandro
Campo
Pino
Tour de Sénèque
Poggio
Piazza
Sta-Severa
Mte Minervio
Fieno
Castiglione
Tufo
Marine de Luri
Pnta Minervio
Castello
Mte Liccioli
Mte Castello
Minerbio
Adamo
Barrettali
Piazza
Marine de Porticciolo
Mte di St' Angelo
Ortali
Cagnano
Tour de Losse
Mte Alticcione
Ghilloni
Marine de Giottani
Conchiglio
La Pedina
Mte di a Croce
Pietracorbara
Marinca
Canari
Cortina
Orneto
Marine de Pietracorbara
Pinzuta
Selmacci
Piazza
Mte Cuccaro
Cima di e Folicce
Punta di Canelle
St Michel
Abro
Moline
Crosciano
Ste Catherine
Marine de Canelle
Ogliastro
Sisco
Marine de Sisco
Barrigioni
Balba
Vicaja
Lainosa
Rocher d'Albo
Guado Grande
Olcani
Mte Corvo
Mte Merizatodio
Marine d'Albo
Monte Stello
Silgaggia
Fort
Couvent
Nonza
Bocca di Sta Maria
Sta-Maria-Assunta
Castello
Erbalunga
Brando
Mte Capra
Pozzo
GOLFE DE ST FLORENT
Grillasca
Celle
Poretto
Olmeta-di-Capocorso
Lavasina
Sta-Maria-di-Lota
Partine
Marine de Negru
Mte Pruno
Figarella
Miomo
Mandriale
Bocca di S Leonardo
St-Hyacinthe
Acquatella
Braccolaccia
Muchieta
Grigione
Marine de Farinole
San Martino-di-Lota
Canale
Pietranera
Anse de Faggiola
Punta di Curza
Farinole
Cima di Gratera
Ville-di-Pietrabugno
Alzeto
Palagaccio
Pnta di Santolino
Plage de Saleccia
Plage de Loto
Ste Lucie
Pnta Vecchiaia
Guaitella
Ghignu
Pnta Mortella
P. de Patrimonio
Fiume Albino
Serra di Pigno
Étang de Loto
Patrimonio
Cardo
Col de S. Bernardino
Palazzo
Citadelle
Mont Robbia
les Marines du Soleil
Poggio
Monserato
BASTIA
DES AGRIATES
Phare de Fornali
Barbaggio
Suerta
Mte di Arazza
Mont Genova
Mte Castagne
Treperi
Mte Secco
Col de Teghime
St-Florent
Ancne Cath. de Nebbio
Mte St' Angelo
P. de Chiurlino
Mte Lavezzo
Casta
S. Pancrace
Poggio
Furiani
Bocca di Vezzu
Baccialu
Mte a Mazzola
Mte a Torra
La Marana
P. du Diable
Champ
Olivacce
Cima di Pedi Pilato
St-François
Poggio-d'Oletta
Bge de Padula
Oletta
Biguglia
Casatorra
Mont Filetto
Ruaghiola
Aliso
Cima di u Zuccarello
Mte di Tuda
Casetta
Pineto
Olmeta-di-Tuda
Défilé de Lancone
Mte Ambrica
Bocca di S. Pancrazio
Col de S. Stefano
Ile S. Damiano
Les Sables de Biguglia
Lavandaggio
Sto-Pietro-di-Tenda
Vallecalle
Réserve Naturelle
Fusaja
Ortale
Cima a Muzelli
Mte Torricelle
San-Gavino-di-Tenda
Rapale
Valrose
Étang de Biguglia
Urtaca
Égl. de San Cesareo
San Michele
Mon d'arrêt
Camp militaire
Mte Asto
Sorio
Rutali
Plage de la Marana
Cima di Mitilelli
St Laurent
Pieve
Murato
Cima di Taffoni
Bocca a Croce
Lama
Égl. de San Nicolao
Borgo
Revinco
BASTIA-PORETTA
Mte Buggientone
Plage de Pineto
Bocca di Tenda
347
La Canonica
(Anne cath.)
Cima di Pinzali
Lucciana
Pietralba
San Parteo
Fouilles de Mariana
Mte Reghia di Pozzo
Col de Bigorno
Cima di Tanona
Vignale
Scolca
Casamozza
Mte Maggiore
Bigorno
Campitello
Volpajola

346
0 2 4 6 8 10 km
A
B
C
D
1
2
3
4
5
348
Pnta di l'Acciolu
Anse de Pinzuta
Mte Orland
★Plage de l'Ostriconi
Anse de Peraiola
Ogliastro
T 30
Lozari
Pnta d'Arco
Cima lo Caigo
Mte Negro
★Ile de la Pietra
★L'Île-Rousse
Parc de Saleccia
Guardiola
Monticello
Pnta Vallitoni
Marine de Davia
Curzo
Bocca Fogata
Corbara
Capo Mirabo
Pnta di Paraso
Capo Niello
Col de Casella
Bocca di Carbonaja
Algajola
Occiglioni
Palmento
Sta-Reparata-di-Balagna
Marine de St-Ambroggio
★Mte S. Angelo
★Pigna
Couvt de Corbara
Capo Corbino
Regino
Palasca
Pnta di Spano
Tepina
Belgodere
St Antonino
Baie d'Algaio
Praoli
la Trinité
Costa
Occhiatana
Bocca di u Prunu
Pte de la Revellata
Pnta Caldano
Lumio
Capo d'Occi
Aregno
Lavatoggio
Couvt de Marcasso
Cateri
Tuani
Ville-di-Paraso
Speloncato
Bocca Capanne
Golfe de la Revellata
Calvi★★
Golfe de Calvi
St-Pierre
★★Col de Salvi
Bocca di a Battaglia
Bocca di a Leccia
Stellaio
Grotte des Veaux Marins
Camp militaire
Avapessa
Murato
Cima di Tornabue
Anse de Recisa
★N. D. de la Serra
Fiume Secco
St-Rainier
Muro
Nessa
Mte Tolo
Pioggiola
Altiani
Bocca a a Croce
Pnta Cataraghiu
Pietra Major
(Montegrosso)
Lunghignano
Cassano
Feliceto
St Pancrace
Forcini
Cima a u Cugnu
Olmi-Cappella
Champ de Tir
Montemaggiore
St-Alban
Zilia
S. Partéo
Mausoleo
Vallica
Baie de Nichiareto
Pnta di Cantaleli
Capu di a Veta
CALVI-STE-CATHERINE
Capo di u Tir
Cima Gazele
Ste-Restitude★
Gorges de la Tartagine★
Capo a u Cavallo
Sémaphore
Moncale
Calenzana
Mte Grosso
Bocca Serria
Capo Rutalbo
Capo Piano
Capo a e Vacche
Pnta di Sordali
Cima Gallichiccia
Mte Cintu
Pnta Radiche
Capo Porcarello
Suare
Capo a Dente
Bocca di Laggiarello
33
Capo Mondolo
Capo Iovo
Mte Padro
Capo Selolla
San Quilico
Étg de Crovani
Bie de Santucce
Col de Tartagine
Réserve de Chasse
Capo di a Morsetta
Mon Cantre
Bocca di Marsolinu
26
Champ de Tir
Cima di a Statoghia
Asco
Argentella
Pieve
Capo Ghinepaco
Chaos de Bocca Rezza
Capo Ladroncello
Bocca di l'Ondella
Pont Génois
Baie de Crovani
Feravola
Capo di l'Argentella
Amago
Pnta di Alovano
Bonifato
Réserve de faune d'Asco
Mte Martino
Capo di Vegno
Cirque de Bonifato
Pnta Gialba
Giunte
Bergerie de Pinnera
Pnta Ciuttone
Bocca Bassa
Casa-Vecchia
Carozzu
Spasimata
PARC
Pnta Bonasa
Bocca di Bonasa
Forêt de Bonifato
Réserve de Chasse
Capo a u Ceppo
Forêt de Carrozzica
★Golfe de Galéria
Léva
Santa Lucia
Prezzuna
Capo Formicolaio
La Mufrella
La Caldane
Capo Bianco
Pnta Jumentella
Pnta Stollo
Tour
Olmo
Marsolino
Crête de Chiumi
Lucca
Haut-Asco
Bies de Manica
Capo Razino
Pnta Rossa
Capo Porcolicato
Galéria
Le Fango
Vee du Fango
Pnta Scala
Capo Stranciacone
Capo a u Perdato
Capo Terri Corscia
Chiornia
Altore
Mte CINTO★★★
Capo Tuo
Pnta Validori
Capo Tondo
Tuarelli
Capo a e Poste
Pnta Minuta
Lac Cinto
Ercu (non gardé)
Bergerie de Bicharello
Golfe de Focolara
Colombo
Capo Ovaggia
Manso
Bies de Candela
Forêt du Cavicchia
Mte Fosco
Bie de Cesta
Pnta Nera
Focolara
Pirio
Capo Bugello
Filosorma
Cascade
Cavallaracce
Punta Palazzu
Bocca di Fuata
Pnta di Literniccia
Capo Rosso
Bardiana
Capo Uccello
Capo al Mangano
Corscia
I. de Gargalo
Elbo
Ombria
Capo di Tartavello
Monte-Estremo
Mte Albano
Lozzi
Golfe de Solana
Col de Palmarella
Capo Manganello
Capo di Eltro
Ste Marie Couvt
Capo Tafonato
Paglia Orba
Grotte des Anges
Poggio
Pietra-Zitamboli
Calacuccia
Scandola
★★★Réserve Naturelle
Girolata
P. de la Rocce
Trouée du Tafonato★
Ciottulu di i Mori
Calasima
Couvt
Tour
★★Golfe
Plage de Tuara
Saliser
Bocca di Melza
Capo di a Media
Réserve de Chasse
Ometa
E Cuscola
Capo di Capronale
Pnta Scopiccia
Albertacce
Sidossi
Punta Rossa
Pnta Muchillina
de Girolata
Capo di Curzo
Col de la Croix★★
Capo a u Cellu
Capo Toso
Capo di Guagnerola
Pnta Licciola
Casamaccioli
Bocca a l'Arinella
Pnta Scandola
Osani
Curzo
Pinito
Capo a u Quercetu
A Tossella
★Bergeries de Radule
Frascaja
Capo di Valandro
Capo d'Osani
Capo Senino
Mte Senino
Partinello
Serriera
Bocca a u Verghiolu
★★Col de Cocavera
Le Forcelle
Bergerie
Capo di a Candela
Pnta a la Scopa
Vetricela
Capo Paolo
Anse de Lignaggia
Plage de Gradelle
Plage de Caspio
Capo a u Frassello
Capo Aggitorio
Col de Vergio
Popaghia
Forêt de Valdu-Niellu
Capo Facciato
★★★GOLFE
Pnta Bianca
Plage de Bussaglia
Capo a la Vetta
Col de Salto★★
Vergio
Bergeries de Colga
Pnta Artica
Pnta di Castelluccio
DE PORTO
Marine de Porto
Porto★
Vaïta
Capo d'Ota
Capo Ferolata
Cades d'Aitone
Aitone
Forêt d'Aitone
Col de St Pierre
Mte Tozzo
Col de Stazzona
Bie d'Insèche
Bie de Ceppo
Anse de Castagna
★P. de Pianella
★Gges de Spelunca
Ota
Évisa
Capo di Melo
Tavulella
U Territore
Lac de Nino
Anse de Ficajola
★★★Les Calanche
P. de Porto
P. de Piana
P. de l'Onda
Cascade
Cristinacce
Cimatella
Bies de Vaccaia
Capo a u Chiostro
A Pianetta
Les Roches bleues
Capo d'Orto
24
P. de Cario
Tombalo
Chidazzo
P. de la Tavulella
Capezzolo
Capo a u Pruno
Bocca d'Acqua Ciarnente
Capo a Sorbi
Capo Vardiola
Col d'Osini
Vistale
Tour de Turghiu
★★Capo Rosso
Piana★
★★Col de Lava
Foce d'Orto
Capo di u Vitullo
Capo a la Polmonaccia
Marignana
Col de Sevi
l'Inscinosa
Manganu
Capo a la Moneta
Lac de Capitello
Capo Macendole
Capo S. Angelo
Poggio
Renno
Cascade de Piscia a l'Onda
Lac de Creno
Mte St'Eliseo
La Rinella
Capo a le Porte
Bocca Soglia
Bie de Bellebone
Bocca di San Martino
Capo a la Forcella
Cerasa
Macinaggio
Letia
St-Roch
Capo a e Pantane
Bie de Caracuto
Mte Rao
★Soccia
Orto★
Pnta a i Tuselli
★Plage d'Arone
Capo a le Forcelle
St-Martin
Étabt Thermal
Poggiolo
Guagno
Guagno-les-Bains
Fiume Grosso
Pnta a i Muzzolini
Golfe de Topiti
P. de Chiuni
Malzone
Revinda
Capu di Calazzu
Balogna
Capo Sorro
Bocca di Sorru★
Vico
Murzo
Chigliani
Pnta di Porcilelle
Bocca di Missicelli
Forêt de Pastricciola

347
345
349
E
F
G
H
1
2
3
4
5
BASTIA
St-Florent
Barbaggio
Col de Teghime
Furiani
Anc^ne Cath. de Nebbio
Oletta
Biguglia
Poggio-d'Oletta
Olivacce
St-François
La Marana
Pineto
Les Sables de Biguglia
Île S. Damiano
Réserve Naturelle
Col de S. Stefano
Défilé de Lancone
Olmeta-di-Tuda
Vallecalle
Rapale
Sto-Pietro-di-Tenda
San-Gavino-di-Tenda
San Michele
Murato
Rutali
Sorio
Pieve
Urtaca
Lama
Mte Asto
Borgo
BASTIA-PORETTA
Plage de la Marana
Plage de Pineto
La Canonica
Fouilles de Mariana
Lucciana
Vignale
Scolca
Casamozza
Pietralba
Bigorno
Campitello
Volpajola
Lento
Cap Sud
Torra
Arena
Prunelli-di-Casacconi
Vescovato
Olmo
Venzolasca
Querciolo
Anghione
San Pancrazio
Sorbo-Ocagnano
Castellare-di-Casinca
Penta-di-Casinca
Folelli
San-Pellegrino
Loreto-di-Casinca
Canavaggia
Barchetta
Canaja
Campile
Bisinchi
Crocicchia
Castello-di-Rostino
Valle-di-Rostino
Moltifao
Ponte Nuovo
Ponte-Leccia
Piedigriggio
Popolasca
Prato-di-Giovellina
Castiglione
Morosaglia
Ortiporio
Giocatojo
Casabianca
Penta-Acquatella
Silvareccio
Porri
Parc Galea
Taglio-Isolaccio
Casalta
Piano
Pruno
Pero-Casevecchie
Talasani
Poggio-Mezzana
Ste Lucie de Moriani
Moriani-Plage
La Porta
Ficaja
Scata
San-Damiano
San-Gavino-d'Ampugnani
Velone-Orneto
Mte S. Petrone
Croce
Polveroso
Piazzole
Nocario
Verdese
Couvt d'Orezza
Campana
Piedicroce
Monacia-d'Orezza
Rapaggio
Parata
San-Giovanni-di-Moriani
Sta-Lucia-di-Moriani
San-Nicolao
Saliceto
Aiti
Lano
Omessa
Soveria
Castirla
Francardo
San Quilico
Erone
Cambia
Rusio
Carticasi
Piedipartino
Carcheto-Brustico
Stazzona
Carpineto
Valle-d'Orezza
Sta-Reparata-di-Moriani
Felce
Tarrano
Cervione
Ste Christine
Valle-di-Campoloro
Prunete
Corniche de la Castagniccia
Tralonca
Piobetta
Pietricaggio
Perelli
Valle-d'Alesani
Ortale
St'Andréa-di-Cotone
Careggia
San-Giuliano
Mte Cecu
Corte
Sta-Lucia-di-Mercurio
Sermano
Bustanico
Novale
Piazzali
Pietra-di-Verde
Chiatra
Alzi
Mazzola
Alando
St'Andréa-di-Bozio
Favalello
Castellare-di-Mercurio
Pianello
Moïta
Canale-di-Verde
Matra
Col de Casardo
Phare d'Alistro
Linguizzetta
Campi
Zalana
Zuani
Tox
Col de San Cervone
Erbajolo
Focicchia
Altiani
Ampriani
Pietraserena
Tallone
Casanova
Poggio-di-Venaco
Riventosa
Sto-Pietro-di-Venaco
Venaco
Col de Bellagranajo
Serraggio
Pont Génois
Piedicorte-di-Gaggio
Giuncaggio
Pancheraccia
Bravone
Marine de Bravone
Noceta
Rospigliani
Vezzani
Pt du Vecchio
Col de Morello
Fort de Pasciolo
Vivario
Antisanti
Casabertola
Frassiccia
Tallone
Riva-Bella
Étang de Terrenzana
Chlle Ste Marie
Muracciole
Pietroso
Casevecchie
Vaccaja
Campo-Quercio
Cateraggio
Col de Sorba
Tattone
Mte Cardo
Lac de Bellebone
Mte Corbaia
Tavignano

0 2 4 6 8 10 km
346
350
A
B
C
D
1
2
3
4
5
Piana
Col de Lava
Bocca di San Martino
Capo Macendole
Marignana
Col de Sevi
Capo S. Angelo
Renno
Letia
Orto
Poggiolo
Guagno
Pnta a i Tuselli
Plage d'Arone
Golfe de Topiti
P. de Chiuni
Malzone
P. de Fornello
Pnta d'Orchino
Plage de Chiuni
Golfe de Chiuni
Col de Torraccia
Lozzi
Pancone
Rondolino
Couvent
Le Couvent
Pnta d'Omigna
Plage de Pero
Golfe de Pero
Rocca Marina
Pnte de Cargèse
Cargèse
Plage de Ménasina
Plage de Stagnoli
Pnta Molendino
Revinda
Capu di Calazzu
Capo a la Cuma
Capo di Vaglio
Cathédrale St'Appiano
Serra Camiola
Tour de Sagone
Sagone
Esigna
Mte al Frate
Capo a la Vetta
Balogna
Col de St-Antoine
Vico
Couvent de St-François
Nesa
Appricciani
Capo a la Cuma
Arbori
Parapoggio
Capo a le Saltelle
Rochers
Cerasa
Casanova
Coggia
Vedolaccia
Murzo
Chigliani
Bocca di Sorru
Capo a Luco
Muna
A Sposata
Mte Tretorre
Rosazia
Cascade de l'Ancone
Azzana
Salice
Pastricciola
Rezza
Lopigna
P. de Truggia
Mela
Pnte Puntiglione
Port de Sagone
Plage du Liamone
Ambiegna
Col d'Ambiegna
Casaglione
Arro
Pnta d'Alsiviso
Pnta di a Vida
Tiuccia
Chau de Capraja
Sari-d'Orcino
S. Damiano
Piana Maio
St' Eliseo
Bocca di Tartavellu
Pnta Pecorella
Tour
Vero
Pnta d'Ucciani
Statue-menhir de Tavera
Ucciani
Carbuccia
Tavaco
Suaricchio
GOLFE DE SAGONE
Pnta Capigliolo
Golfe de la Liscia
Tour d'Ancone
Pnte de Palmentoio
Cannelle
St'Andréa-d'Orcino
Bocca di Sarcoggio
Mte Maio
Sarrola-Carcopino
Pantano
Pnta di Montalbi
Calcatoggio
Valle-di-Mezzana
Pnta Vida
Pevani
Col de S. Bastiano
Molendino
Appietto
Pnta Pastinaca
Mandriolo
Rocher Gozzi
Mte St-Angelo
Mte Rosso
Col de Listincone
Peraccia
St-Antoine
Col de Carazzi
Olmo
Peri
Renoso
Pnta Parragiola
Bocca di Carbinica
Cocovoni
Port Provençal
Pnta Ficaggiola
Golfe de Lava
Loriaggio
S. Benedetto
Muro
Cinto
Pichio
Zalla
Afa
Cuttoli-Corticchiato
Col de Mercujo
Tolla
Pnta S. Pietro
Ocana
Pnta di Pietra Rossa
Pnta d'Aquilone
Alata
Tuscia
Ranochieto
Mezzavia
Mte Aragnasco
Capo di Feno
Tour
Pnta di a Vena
Villanova
Bocca di Pruno
Tombeau
Pozzo di Borgo
Mte St' Angelo
Gravona
Cala di Fico
Pnta di Lisa
Les Milelli
Castelluccio (Ancn Pénitencier)
Pisinale
Anse de Minaccia
St-Antoine
Champ de Tir
Mte Salario
Nécropole
Pnta Alta
Ariadne
Vignola
Scudo
Chlle des Grecs
Citlle
Pnte d'Aspreto
AJACCIO NAPOLÉON BONAPARTE
AJACCIO
Col de la Seghia
Tour de Capitello
Marina Viva
Botaccina
P. de la Pierre
Bastelicaccia
Pisciatello
Barracone
Cauro
Pnta Cervello
Pnta Grimaldella
Suarella
Eccica-Suarella
Bocca di St Antonio
Pnte de la Parata
Tour de la Parata
I. Porre
Îles Sanguinaires
Sémaphore
Grande Sanguinaire
Porticcio
Pnta Porticcio
St-François
Mte Rosso
Col de St-Georges
Pnta Castellare
Grosseto-Prugna
Molini
GOLFE D'AJACCIO
Plage d'Agosta
Col de Bellevalle
Cozzanaccio
Col de Luminataja
Albitreccia
Pnte de Sette Nave (Presqu'île d' Isolella)
Agnarello
La Crociata
Pietrosella
Bisinao
Guarguale
Urbalacone
Tour
Plage de Ruppione
C. d'Aja Bastiano
Pnta di Rossagio
Cognocoli-Monticchi
Port de Chiavari
Acellasca
Sta-Manza
Pila-Canale
Î. Piana
Verghia
Forêt de Chiavari
Col de Chenova
Pnta di u Monte
Pnta di u Ballatoio
Bicchisano
Pnte di a Castagna
La Castagna
Tour
Pozzacccio
Portigliolo
Ancn pénitencier de Chiavari
Col de Gradello
Col de Cortone
Pnta dell'Orco
Golfe d'Arena Rossa
Campestra
Pnta di u Carapono
Coti-Chiavari
P. de Copala
P. de Calzola
Ariezza
Saparella
Pratavone
Cala di Cacao
Figoni
Acqua Doria
Zivignola
Tassinca
Stiliccione
Casalabriva
Pnta Guardiola
Monte Bianco
Tour
Pnta di Tavis
Marmontaja
Pnta di u Forcono
Favallello
Site préhistorique de Filitosa
Sollacaro
Capu di Muru
Cala d'Orzo
Pnta Tonda
Suara
Plage de Cupabia
Baie de Cupabia
Pietra Rossa
Serra-di-Ferro
P. du Taravo
Mte Barbato
Olmeto
Tour
Capu Neru
Cala di Ciglio
Tour de Capannella
Porto-Pollo
Abbartello
Tour de Micalona
Castello de Cuntorba
Pnta di Porto Pollo
Olmeto-Plage
Tour de la Calanca
Propriano
GOLFE DE VALINCO
Sources thermales de Baracci
Vetaro

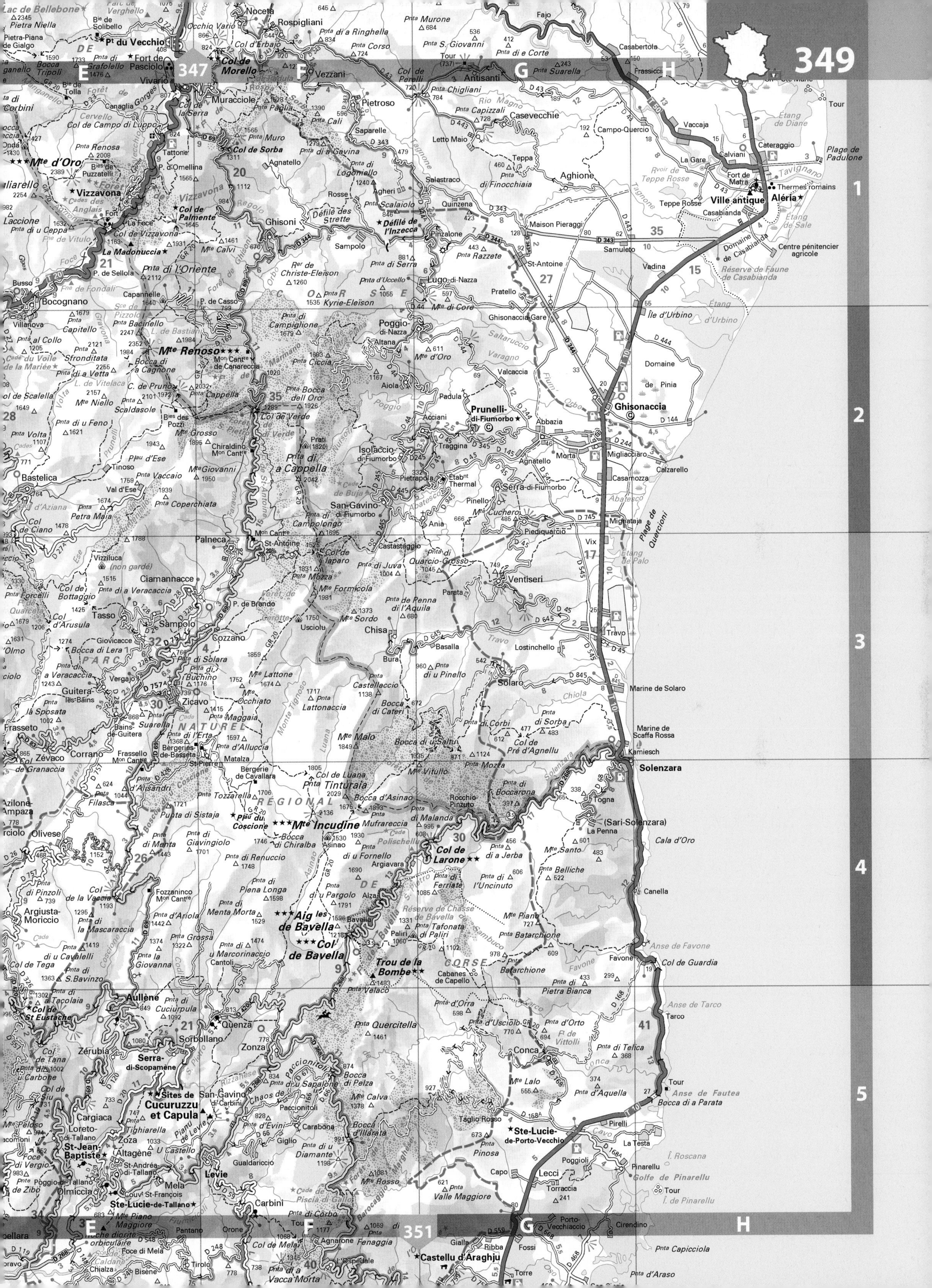
347
E
F
G
H
1
2
3
4
5
351
Pt du Vecchio
Col de Morello
Vezzani
Antisanti
Casabertola
Frassicci
Pietroso
Casevecchie
Vaccaja
Cateraggio
Plage de Padulone
Étang de Diane
Vizzavona
Col de Sorba
Col de Palmente
Col de Vizzavona
La Madonuccia
Ghisoni
Défilé de l'Inzecca
Rosse
Aghione
Ville antique
Aléria
Thermes romains
Centre pénitencier agricole
Réserve de Faune de Casabianda
Étang de Sale
Maison Pieraggi
Samuleto
Vadina
St-Antoine
Lugo-di-Nazza
Pratello
Bocognano
Mte d'Oro
Mte Renoso
Poggio-di-Nazza
Ghisonaccia-Gare
Île d'Urbino
Étang d'Urbino
Domaine de Pinia
Ghisonaccia
Prunelli-di-Fiumorbo
Abbazia
Migliacciaro
Calzarello
Isolaccio-di-Fiumorbo
Pietrapola
Etabnt Thermal
Morta
Casamozza
Bastelica
Pnta di a Cappella
Col de Verde
San-Gavino-di-Fiumorbo
Serra-di-Fiumorbo
Ania
Mignataja
Plage de Quercioni
Palneca
Piediquarcio
Vix
Étang de Palo
Ventiseri
Ciamannacce
Tasso
Sampolo
Cozzano
Chisa
Travo
Lostinchello
Solaro
Marine de Solaro
Zicavo
Guitera-les-Bains
Zévaco
Corrano
Mte Malo
Marine de Scaffa Rossa
Kamiesch
Solenzara
Col de Pré d'Agnellu
Mte Incudine
Pnta Tinturaia
Tozzarella
Plau du Coscione
Olivese
Col de Larone
Aig les de Bavella
Col de Bavella
Trou de la Bombe
Tarco
Anse de Tarco
Anse de Favone
Favone
Col de Guardia
Canella
Cala d'Oro
Sari-Solenzara
Aullène
Col de St Eustache
Quenza
Zonza
Serra-di-Scopamène
Sorbollano
Zérubia
San-Gavino-di-Carbini
Sites de Cucuruzzu et Capula
Levie
Carbini
St-Jean-Baptiste
Ste-Lucie-de-Tallano
Conca
Ste-Lucie-de-Porto-Vecchio
Anse de Fautea
Bocca di a Parata
Tour
Pinarellu
Golfe de Pinarellu
Lecci
Torraccia
Porto-Vecchiaccio
Cirendino
Castellu d'Araghju
Fossi
Pnta Capicciola
Pnta d'Araso
Foce di Mela
Orone
Pantano

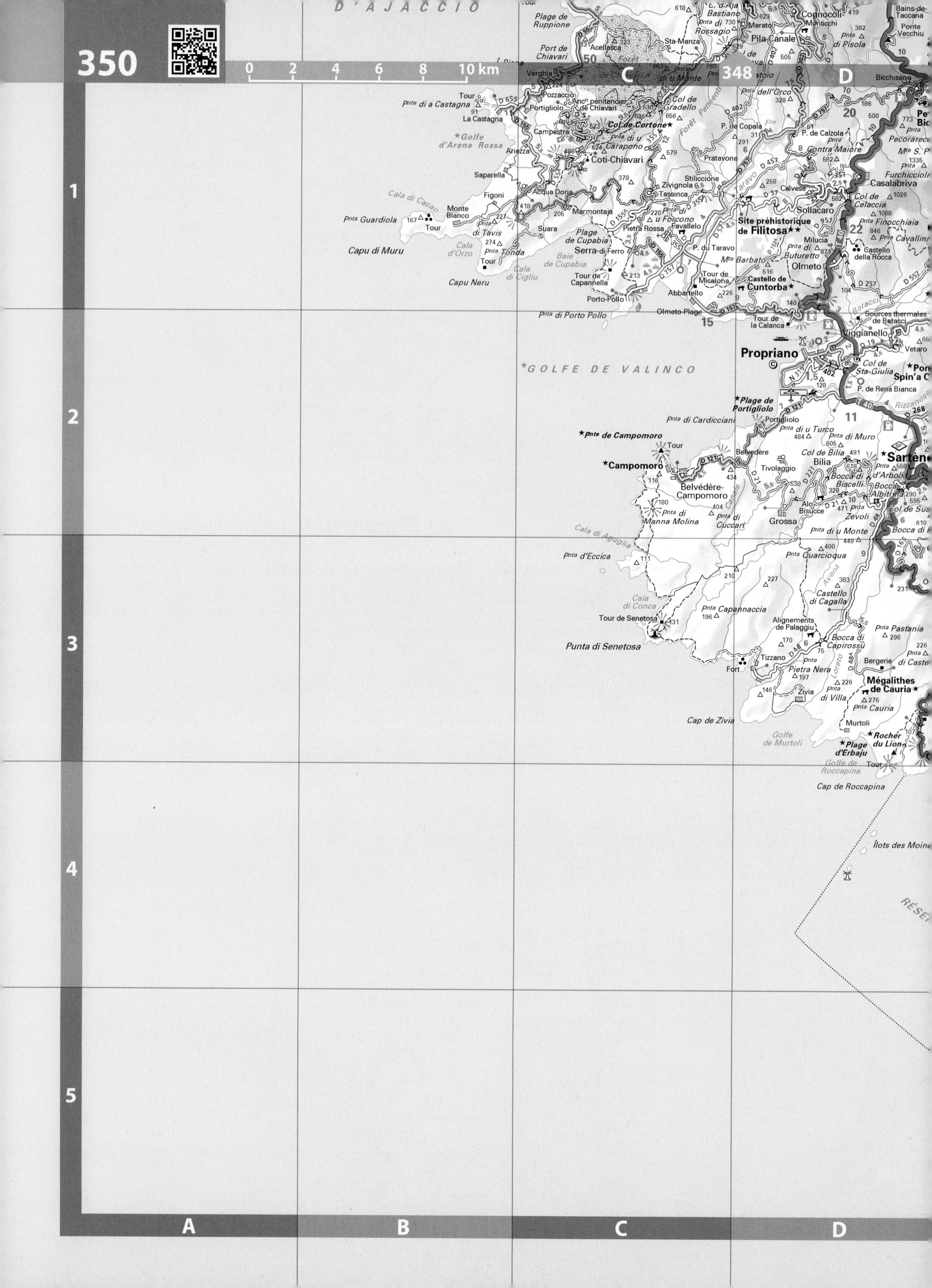

350
348
D'AJACCIO
0 2 4 6 8 10 km
A
B
C
D
1
2
3
4
5
Plage de Ruppione
Port de Chiavari
Verghia
Acelasca
Sta-Manza
Pila-Canale
Cognocoli-Monticchi
Pnta di Pisola
Bains-de-Taccana
Ponte Vecchiu
Bicchisano
Pnte di a Castagna
La Castagna
Portigliolo
Pozzaccio
Ancn pénitencier de Chiavari
Col de Gradello
Col de Cortone
Campestra
Golfe d'Arena Rossa
Ariezza
Coti-Chiavari
Pnta di u Carapono
P. de Copala
P. de Calzola
Contra Maiore
Pecorarecci
Saparella
Fignoni
Pratavone
Stiliccione
Zivignola
Tassinca
Calvese
Casalabriva
Sollacaro
Col de Celaccia
Finocchiaia
Pnte Cavallini
Cala di Cacao
Monte Bianco
Pnta Guardiola
Tour
Acqua Doria
Marmontaja
Pnta di Tavis
Suara
Pnta di u Forcono
Pietra Rossa
Favallello
Site préhistorique de Filitosa
Milucia
Pnta di Buturetto
Castello della Rocca
Capu di Muru
Cala d'Orzo
Pnta Tonda
Plage de Cupabia
Baie de Cupabia
Serra-di-Ferro
P. du Taravo
Mte Barbato
Olmeto
Cala di Cigliu
Capu Neru
Tour de Capannella
Tour de Micalona
Castello de Cuntorba
Abbartello
Porto-Pollo
Pnta di Porto Pollo
Olmeto-Plage
Tour de la Calanca
Sources thermales de Baracci
Viggianello
Vetaro
Propriano
GOLFE DE VALINCO
Col de Sta-Giulia
Spin'a Cavallu
P. de Rena Bianca
Plage de Portigliolo
Portigliolo
Pnta di Cardicciani
Pnte de Campomoro
Campomoro
Pnta di u Turco
Pnta di Muro
Belvédère
Col de Bilia
Bilia
Sartène
Tivolaggio
Bocca di Biscelli
Pnta d'Arboli
Belvédère-Campomoro
Bocca Albitrina
Pnta di Manna Molina
Alo Bisucce
Pnta di Cuccari
Grossa
Zevoli
Col de Suara
Cala di Agulia
Pnta di u Monte
Pnta d'Eccica
Pnta Quarcioqua
Castello di Cagalla
Cala di Conca
Tour de Senetosa
Pnta Capannaccia
Alignements de Palaggiu
Bocca di Capirossu
Pnta Pastania
Punta di Senetosa
Tizzano
Fort
Pnta Pietra Nera
Bergerie
Mégalithes de Cauria
Zivia
Pnta di Villa
Pnta Cauria
Cap de Zivia
Murtoli
Golfe de Murtoli
Plage d'Erbaju
Rocher du Lion
Golfe de Roccapina
Cap de Roccapina
Îlots des Moines
RÉSER

351
Porto-Vecchio
Bonifacio
Ste-Lucie-de-Porto-Vecchio
Figari
Sotta
Levie
Zonza
Quenza
Aullène
Conca
Lecci
Pianottoli-Caldarello
Golfe de Porto-Vecchio
Plage de Palombaggia
Plage de Sta-Giulia
Baie de Rondinara
Île Lavezzi
Île Cavallo
Archipel des Lavezzi
Capo Pertusato
Castellu d'Araghju
Col de Bavella
Aig les de Bavella
Sites de Cucuruzzu et Capula
Figari-Sud Corse
Bouches de Bonifacio
Parc Marin International
Parco Nazionale dell' Arcipelago della Maddalena
Isola Maddalena

FRANCE ADMINISTRATIVE

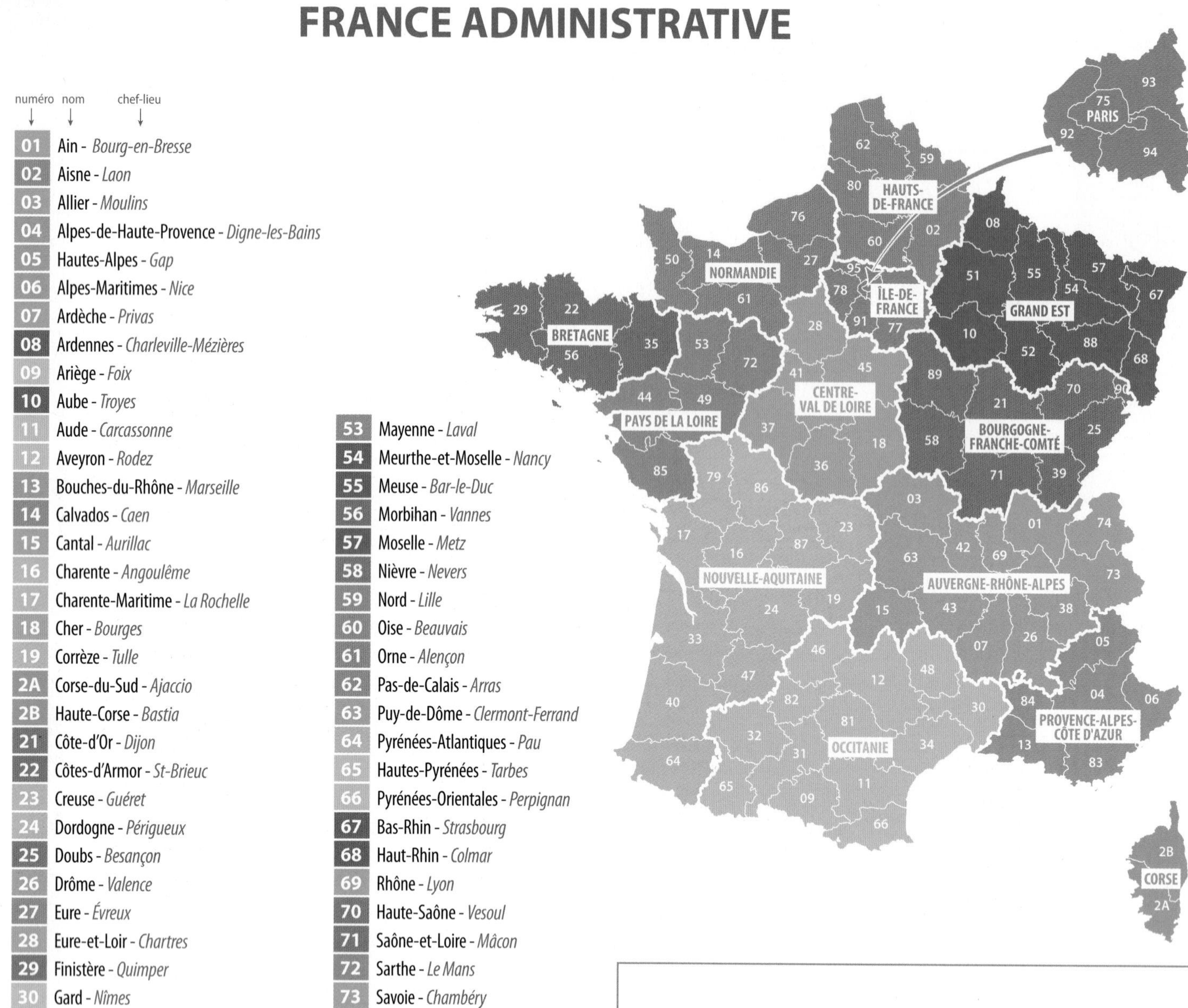

numéro	nom	chef-lieu
01	Ain	*Bourg-en-Bresse*
02	Aisne	*Laon*
03	Allier	*Moulins*
04	Alpes-de-Haute-Provence	*Digne-les-Bains*
05	Hautes-Alpes	*Gap*
06	Alpes-Maritimes	*Nice*
07	Ardèche	*Privas*
08	Ardennes	*Charleville-Mézières*
09	Ariège	*Foix*
10	Aube	*Troyes*
11	Aude	*Carcassonne*
12	Aveyron	*Rodez*
13	Bouches-du-Rhône	*Marseille*
14	Calvados	*Caen*
15	Cantal	*Aurillac*
16	Charente	*Angoulême*
17	Charente-Maritime	*La Rochelle*
18	Cher	*Bourges*
19	Corrèze	*Tulle*
2A	Corse-du-Sud	*Ajaccio*
2B	Haute-Corse	*Bastia*
21	Côte-d'Or	*Dijon*
22	Côtes-d'Armor	*St-Brieuc*
23	Creuse	*Guéret*
24	Dordogne	*Périgueux*
25	Doubs	*Besançon*
26	Drôme	*Valence*
27	Eure	*Évreux*
28	Eure-et-Loir	*Chartres*
29	Finistère	*Quimper*
30	Gard	*Nîmes*
31	Haute-Garonne	*Toulouse*
32	Gers	*Auch*
33	Gironde	*Bordeaux*
34	Hérault	*Montpellier*
35	Ille-et-Vilaine	*Rennes*
36	Indre	*Châteauroux*
37	Indre-et-Loire	*Tours*
38	Isère	*Grenoble*
39	Jura	*Lons-le-Saunier*
40	Landes	*Mont-de-Marsan*
41	Loir-et-Cher	*Blois*
42	Loire	*St-Étienne*
43	Haute-Loire	*Le Puy-en-Velay*
44	Loire-Atlantique	*Nantes*
45	Loiret	*Orléans*
46	Lot	*Cahors*
47	Lot-et-Garonne	*Agen*
48	Lozère	*Mende*
49	Maine-et-Loire	*Angers*
50	Manche	*St-Lô*
51	Marne	*Châlons-en-Champagne*
52	Haute-Marne	*Chaumont*
53	Mayenne	*Laval*
54	Meurthe-et-Moselle	*Nancy*
55	Meuse	*Bar-le-Duc*
56	Morbihan	*Vannes*
57	Moselle	*Metz*
58	Nièvre	*Nevers*
59	Nord	*Lille*
60	Oise	*Beauvais*
61	Orne	*Alençon*
62	Pas-de-Calais	*Arras*
63	Puy-de-Dôme	*Clermont-Ferrand*
64	Pyrénées-Atlantiques	*Pau*
65	Hautes-Pyrénées	*Tarbes*
66	Pyrénées-Orientales	*Perpignan*
67	Bas-Rhin	*Strasbourg*
68	Haut-Rhin	*Colmar*
69	Rhône	*Lyon*
70	Haute-Saône	*Vesoul*
71	Saône-et-Loire	*Mâcon*
72	Sarthe	*Le Mans*
73	Savoie	*Chambéry*
74	Haute-Savoie	*Annecy*
75	Ville de Paris	*Paris*
76	Seine-Maritime	*Rouen*
77	Seine-et-Marne	*Melun*
78	Yvelines	*Versailles*
79	Deux-Sèvres	*Niort*
80	Somme	*Amiens*
81	Tarn	*Albi*
82	Tarn-et-Garonne	*Montauban*
83	Var	*Toulon*
84	Vaucluse	*Avignon*
85	Vendée	*La Roche-sur-Yon*
86	Vienne	*Poitiers*
87	Haute-Vienne	*Limoges*
88	Vosges	*Épinal*
89	Yonne	*Auxerre*
90	Territoire-de-Belfort	*Belfort*
91	Essonne	*Évry-Courcouronnes*
92	Hauts-de-Seine	*Nanterre*
93	Seine-Saint-Denis	*Bobigny*
94	Val-de-Marne	*Créteil*
95	Val-d'Oise	*Pontoise*

RESTRICTIONS DE CIRCULATION LIÉES À LA POLLUTION DANS LES VILLES

www.certificat-air.gouv.fr

Sous réserve de l'adhésion d'autres métropoles ou territoires.

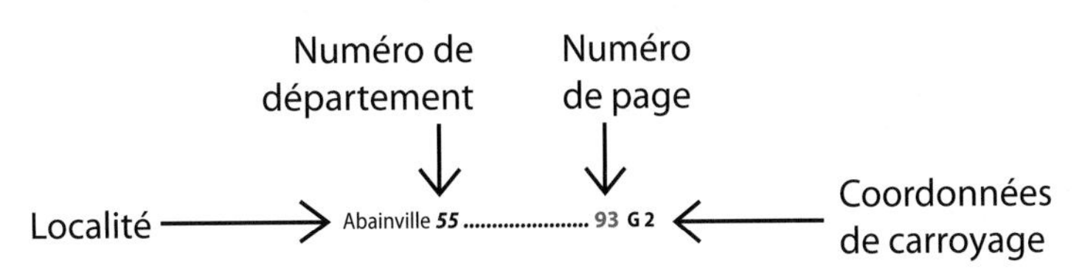
Numéro de département
Numéro de page
Localité
Abainville 55 ... 93 G2
Coordonnées de carroyage

A

B

C

D

E

A B C D E F G H I J K L M N O P Q R S T U V W X Y Z

H

I

J

K

L

A B C D E F G H I J K L M N O P Q R S T U V W X Y Z

M

A B C D E F G H I J K L M N O P Q R S T U V W X Y Z

Mesnil-Verclives 27 ... 36 D3
Le Mesnil-Vigot 50 ... 31 H4
Le Mesnil-Villeman 50 ... 51 H2
Le Mesnil-Villement 14 ... 53 G3
Le Mesnilbus 50 ... 31 H4
Le Mesnillard 50 ... 52 B5
Mesnois 39 ... 196 C1
Les Mesnuls 78 ... 57 G4
Mespaul 29 ... 71 G4
Mesplède 64 ... 293 G5
Mesples 03 ... 190 B3
Mespuits 91 ... 87 G5
Mesquer 44 ... 145 H3
Messac 17 ... 220 B5
Messac 35 ... 126 B2
Messais 86 ... 168 C3
Messanges 21 ... 159 H5
Messanges 40 ... 292 B2
Messas 45 ... 132 C3
Messé 79 ... 186 A5
Messei 61 ... 53 F4
Messein 54 ... 94 D1
Messeix 63 ... 226 C2
Messemé 86 ... 168 D1
Messery 74 ... 197 H3
Messeux 16 ... 203 G2
Messey-sur-Grosne 71 ... 177 G5
Messia-sur-Sorne 39 ... 179 E5
Messigny-et-Vantoux 21 ... 160 A2
Messilhac *Château de* 15 ... 244 D5
Messimy 69 ... 230 D1
Messimy-sur-Saône 01 ... 213 E2
Messincourt 08 ... 27 G4
Messon 10 ... 114 C2
Messy 77 ... 59 E2
Mesterrieux 33 ... 256 D3
Mestes 19 ... 226 B3
Mesves-sur-Loire 58 ... 156 B4
Mesvres 71 ... 176 C3
Métabief 25 ... 180 C4
Les Métairies 16 ... 220 C1
Métairies-Saint-Quirin 57 ... 96 B1
Méteren 59 ... 4 A5
Méthamis 84 ... 286 A5
Métigny 80 ... 11 H5
Metting 57 ... 68 A4
Mettray 37 ... 151 H2
Metz 57 ... 65 H1
Metz-en-Couture 62 ... 14 A5
Metz-le-Comte 58 ... 157 G2
Metz-Robert 10 ... 115 E4
Metz-Tessy 74 ... 215 G3
Metzeral 68 ... 120 C4
Metzeresche 57 ... 46 B4
Metzervisse 57 ... 45 H3
Metzing 57 ... 47 F5
Meucon 56 ... 124 B3
Meudon 92 ... 58 B4
Meuilley 21 ... 159 H5
Meulan 78 ... 57 H1
Meulers 76 ... 20 C2
Meulin 71 ... 194 B4
Meulles 14 ... 54 D2
Meulson 21 ... 138 B4
Meunet-Planches 36 ... 172 B4
Meunet-sur-Vatan 36 ... 172 A1
Meung-sur-Loire 45 ... 132 D3
Meurcé 72 ... 107 H2
Meurchin 62 ... 8 C4
Meurcourt 70 ... 141 F3
La Meurdraquière 50 ... 51 G3
Meures 52 ... 116 D2
Meurival 02 ... 41 E3
Meursac 17 ... 219 E1
Meursanges 21 ... 178 A2
Meursault 21 ... 177 G2
Meurville 10 ... 116 A2
Meuse 52 ... 117 H4
Meusnes 41 ... 153 F4
Meussia 39 ... 196 D2
Meuvaines 14 ... 33 F3
Meuvy 52 ... 117 H3
Meux 17 ... 220 B4
Le Meux 60 ... 39 F2
Meuzac 87 ... 224 B3
Mévoisins 28 ... 86 B3
Mévouillon 26 ... 286 C2
Meximieux 01 ... 213 H4
Mexy 54 ... 45 E1
Mey 57 ... 45 H5
Meyenheim 68 ... 121 E4
Meylan 38 ... 251 E1
Meylan 47 ... 275 E4
Meymac 19 ... 225 G3
Meynes 30 ... 304 B1
Meyrals 24 ... 241 F5
Meyrand *Col de* 07 ... 265 H3
Meyrannes 30 ... 283 H2
Meyrargues 13 ... 306 B4
Meyras 07 ... 266 A2
Meyreuil 13 ... 306 A5
Meyriat 01 ... 214 A1
Meyrié 38 ... 232 A2
Meyrieu-les-Étangs 38 ... 231 H3
Meyrieux-Trouet 73 ... 233 E1
Meyrignac-l'Église 19 ... 225 E5
Meyronne 46 ... 242 C5
Meyronnes 04 ... 271 E4
Meyrueis 48 ... 282 B3
Meys 69 ... 230 B1
Meyssac 19 ... 242 D3
Meysse 07 ... 267 E3
Meyssiez 38 ... 231 G3
Meythet 74 ... 215 G3
La Meyze 87 ... 223 G2
Meyzieu 69 ... 213 G5
Mézangers 53 ... 106 C2
Mèze 34 ... 322 D3
Mézel 04 ... 288 A4
Mezel 63 ... 228 A1
Mézenc *Mont* 43 ... 247 H5
Mézens 81 ... 298 B3
Mézeray 72 ... 129 G2
Mézères 43 ... 247 G2
Mézériat 01 ... 195 G5
Mézerolles 80 ... 12 C3
Mézerville 11 ... 318 C4
Mézidon 14 ... 34 A5
La Mézière 35 ... 104 A2
Mézières-au-Perche 28 ... 109 H2
Mézières-en-Brenne 36 ... 170 D4
Mézières-en-Drouais 28 ... 56 D5
Mézières-en-Gâtinais 45 ... 112 A4
Mézières-en-Santerre 80 ... 22 D3
Mézières-en-Vexin 27 ... 37 E5
Mézières-lez-Cléry 45 ... 133 E3
Mézières-sous-Lavardin 72 ... 107 G3
Mézières-sur-Couesnon 35 ... 80 D5
Mézières-sur-Issoire 87 ... 205 E2
Mézières-sur-Oise 02 ... 24 B3
Mézières-sur-Ponthouin 72 ... 108 A2
Mézières-sur-Seine 78 ... 57 G2
Mézilhac 07 ... 266 B1
Mézilles 89 ... 135 G4
Mézin 47 ... 275 F4
Méziré 90 ... 142 C4
Mézos 40 ... 272 C4
Mézy-Moulins 02 ... 60 C1
Mézy-sur-Seine 78 ... 57 G2
Mezzavia 2A ... 348 C3
Mhère 58 ... 157 H4
Mialet 24 ... 223 E3
Mialet 30 ... 283 G4
Mialos 64 ... 294 B5
Miannay 80 ... 11 F3
Michaugues 58 ... 157 F4
Michelbach 68 ... 143 E1
Michelbach-le-Bas 68 ... 143 G3
Michelbach-le-Haut 68 ... 143 G3
Michery 89 ... 89 F5
Midi de Bigorre *Pic du* 65 ... 333 F3
Midrevaux 88 ... 93 H4
Mièges 39 ... 180 A4
Miel *Maison du* 63 ... 209 G4
Miélan 32 ... 315 G2
Miellin 70 ... 142 B1
Miermaigne 28 ... 109 F2
Miers 46 ... 260 D1
Miéry 39 ... 179 F3
Mietesheim 67 ... 68 D3
Mieussy 74 ... 216 B1
Mieuxcé 61 ... 83 G4
Mifaget 64 ... 332 B1
Migé 89 ... 136 B4
Migennes 89 ... 114 A5
Miglos 09 ... 336 B5
Mignafans 70 ... 141 H5
Mignaloux-Beauvoir 86 ... 186 C2
Mignavillers 70 ... 141 H5
Migné 36 ... 171 E5
Migné-Auxances 86 ... 186 B1
Mignères 45 ... 112 B4
Mignerette 45 ... 112 B4
Mignéville 54 ... 96 A2
Mignières 28 ... 86 A5
Mignovillard 39 ... 180 B3
Migny 36 ... 172 C2
Migré 17 ... 201 G2
Migron 17 ... 201 H5
Mijanès 09 ... 337 E5
Mijoux 01 ... 197 F3
La Milesse 72 ... 107 G4
Milhac 46 ... 259 H1
Milhac-d'Auberoche 24 ... 241 E3
Milhac-de-Nontron 24 ... 222 D4
Milhaguet 87 ... 222 D2
Milhars 81 ... 279 E4
Milhas 31 ... 334 C2
Milhaud 30 ... 303 H2
Milhavet 81 ... 279 F5
Milizac 29 ... 70 C5
Millac 86 ... 204 C1
Millam 59 ... 3 F4
Millançay 41 ... 153 H2
Millas 66 ... 342 D2
Millau 12 ... 281 H4
Millay 58 ... 176 A3
Millebosc 76 ... 11 E5
Millemont 78 ... 57 F4
Millencourt 80 ... 13 F5
Millencourt-en-Ponthieu 80 ... 11 H3
Millery 21 ... 158 D1
Millery 54 ... 65 H4
Millery 69 ... 231 E2
Les Milles 13 ... 305 H5
Millevaches 19 ... 225 G2
Millières 50 ... 31 G4
Millières 52 ... 117 G3
Millonfosse 59 ... 9 F5
Milly 50 ... 52 B5
Milly 89 ... 136 C3
Milly-la-Forêt 91 ... 88 A4
Milly-Lamartine 71 ... 194 D4
Milly-sur-Bradon 55 ... 43 H2
Milly-sur-Thérain 60 ... 37 H1
Milon-la-Chapelle 78 ... 58 A5
Mimbaste 40 ... 293 E4
Mimet 13 ... 327 E1
Mimeure 21 ... 159 E5
Mimizan 40 ... 272 B2
Mimizan-Plage 40 ... 272 B2
Minard *Pointe de* 22 ... 73 G3
Minaucourt-le-Mesnil-lès-Hurlus 51 ... 42 D4
Mindin 44 ... 146 C3
Minerve 34 ... 320 C3
Mingot 65 ... 315 F3
Mingoval 62 ... 7 H5
Miniac-Morvan 35 ... 79 H3
Miniac-sous-Bécherel 35 ... 103 H1
Minier *Col du* 30 ... 282 C4
Les Minières 27 ... 56 B3
Le Minihic-sur-Rance 35 ... 50 C5
Minihy-Tréguier 22 ... 73 E3
Minorville 54 ... 65 F4
Minot 21 ... 138 D4
Minversheim 67 ... 68 D4
Minzac 24 ... 239 E4
Minzier 74 ... 215 F2
Miolans *Château de* 73 ... 233 H2
Miolles 81 ... 300 A1
Miomo 2B ... 345 G4
Mionnay 01 ... 213 F4
Mions 69 ... 231 F1
Mios 33 ... 254 D3
Miossens-Lanusse 64 ... 314 B2
Mirabeau 04 ... 287 H4
Mirabeau 84 ... 306 C3
Mirabel 07 ... 266 C3
Mirabel 82 ... 277 H4
Mirabel *Parc d'attractions* 63 ... 209 H4
Mirabel-aux-Baronnies 26 ... 285 H1
Mirabel-et-Blacons 26 ... 267 H2
Miradoux 32 ... 276 C5
Miramar 06 ... 309 E5
Miramas 13 ... 305 E4
Mirambeau 17 ... 219 G4
Mirambeau 31 ... 316 D3
Miramont-d'Astarac 32 ... 296 A5
Miramont-de-Comminges 31 ... 334 C1
Miramont-de-Guyenne 47 ... 257 G3
Miramont-de-Quercy 82 ... 277 F3
Miramont-Latour 32 ... 296 B3
Miramont-Sensacq 40 ... 294 B4
Mirande 32 ... 295 H5
Mirandol-Bourgnounac 81 ... 279 G4
Mirannes 32 ... 295 H4
Miraumont 80 ... 13 G4
Miraval-Cabardès 11 ... 319 H3
Mirbel 52 ... 92 D5
Miré 49 ... 128 D3
Mirebeau 86 ... 168 D4
Mirebeau-sur-Bèze 21 ... 160 C2
Mirebel 39 ... 179 G5
Mirecourt 88 ... 94 D5
Mirefleurs 63 ... 228 A1
Miremont 31 ... 317 H3
Miremont 63 ... 209 E4
Mirepeisset 11 ... 320 D4
Mirepeix 64 ... 314 C5
Mirepoix 09 ... 336 D1
Mirepoix 32 ... 296 B3
Mirepoix-sur-Tarn 31 ... 298 B2
Mireval 34 ... 323 F3
Mireval-Lauragais 11 ... 319 E4
Miribel 01 ... 213 F5
Miribel 26 ... 249 H1
Miribel-Lanchâtre 38 ... 250 D4
Miribel-les-Échelles 38 ... 232 D4
Mirmande 26 ... 267 F2
Le Miroir 71 ... 196 A2
Miromesnil *Château de* 76 ... 20 B2
Mirvaux 80 ... 12 D5
Mirville 76 ... 19 E5
Miscon 26 ... 268 C3
Miserey 27 ... 56 C1
Miserey-Salines 25 ... 161 H3
Misérieux 01 ... 213 E3
Misery 80 ... 23 G2
Mison 04 ... 287 F2
Missé 79 ... 168 A2
Missècle 81 ... 299 E3
Missègre 11 ... 337 H2
Missery 21 ... 158 D3
Missillac 44 ... 125 G5
Missiriac 56 ... 103 E5
Misson 40 ... 293 E4
Missy 14 ... 33 F5
Missy-aux-Bois 02 ... 40 A3
Missy-lès-Pierrepont 02 ... 25 E4
Missy-sur-Aisne 02 ... 40 C2
Misy-sur-Yonne 77 ... 89 E5
Mitry-le-Neuf 77 ... 59 E2
Mitry-Mory 77 ... 59 E2
Mitschdorf 67 ... 69 E2
Mittainville 78 ... 57 F5
Mittainvilliers-Vérigny 28 ... 85 H3
Mittelbergheim 67 ... 97 F3
Mittelbronn 57 ... 68 A4
Mittelhausbergen 67 ... 97 G1
Mittelhausen 67 ... 68 D5
Mittelschaeffolsheim 67 ... 68 D5
Mittelwihr 68 ... 121 E2
Mittersheim 57 ... 67 F3
Mittlach 68 ... 120 C4
Mittois 14 ... 54 B1
Mitzach 68 ... 120 C5
Mizérieux 42 ... 211 H5
Mizoën 38 ... 251 H3
Mobecq 50 ... 31 G3
Moca-Croce 2A ... 349 E4
Modane 73 ... 252 D1
Modène 84 ... 285 H4
Moëlan-sur-Mer 29 ... 100 C5
Les Moëres 59 ... 3 H2
Mœrnach 68 ... 143 F4
Moëslains 52 ... 92 C2
Mœurs-Verdey 51 ... 61 E5
Mœuvres 59 ... 14 A4
Moëze 17 ... 200 D3
Moffans-et-Vacheresse 70 ... 141 H4
La Mogère *Château de* 34 ... 303 E4
Mogeville 55 ... 44 C4
Mognard 73 ... 215 F5
Mogneneins 01 ... 213 E1
Mognéville 55 ... 63 F4
Mogneville 60 ... 38 D3
Mogues 08 ... 27 H4
Mohon 56 ... 102 D3
Moidieu-Détourbe 38 ... 231 G3
Moidrey 50 ... 80 C2
Moigné 35 ... 104 A3
Moigny-sur-École 91 ... 88 A4
Moimay 70 ... 141 G5
Moineville 54 ... 45 F5
Moings 17 ... 220 B3
Moingt 42 ... 229 G2
Moinville-la-Jeulin 28 ... 86 C4
Moirans 38 ... 232 C5
Moirans-en-Montagne 39 ... 196 D3
Moirax 47 ... 276 B3
Moiré 69 ... 212 C3
Moiremont 51 ... 43 E5
Moirey 55 ... 44 B4
Moiron 39 ... 179 E5
Moiry 08 ... 27 H5
Moisdon-la-Rivière 44 ... 127 E4
Moisenay 77 ... 88 C2
Moislains 80 ... 23 G1
Moissac 82 ... 277 F4
Moissac-Bellevue 83 ... 307 G3
Moissac-Vallée-Française 48 ... 283 E3
Moissannes 87 ... 206 C4
Moissat 63 ... 210 B5
Moisselles 95 ... 58 C1
Moissey 39 ... 161 E4
Moissieu-sur-Dolon 38 ... 231 G4
Moisson 78 ... 57 F1
Moissy-Cramayel 77 ... 88 B2
Moissy-Moulinot 58 ... 157 G3
Moisville 27 ... 56 B3
Moisy 41 ... 132 A2
Moïta 2B ... 347 G4
Les Moitiers-d'Allonne 50 ... 28 D5
Les Moitiers-en-Bauptois 50 ... 31 G2
Moitron 21 ... 138 C4
Moitron-sur-Sarthe 72 ... 107 G2
Moivre 51 ... 62 D2
Moivrons 54 ... 65 H4
Molac 56 ... 125 E3
Molagnies 76 ... 37 F1
Molain 02 ... 14 D5
Molain 39 ... 179 G3
Molamboz 39 ... 179 F2
Molandier 11 ... 318 C5
Molas 31 ... 316 C3
Molay 39 ... 178 D1
Molay 70 ... 140 B3
Môlay 89 ... 137 E4
Le Molay-Littry 14 ... 32 C3
La Môle 83 ... 329 E3
Moléans 28 ... 110 A3
Molèdes 15 ... 245 G1
Molène *Île* 29 ... 74 B2
Molère 65 ... 333 G1
Molesme 21 ... 115 G5
Molesmes 89 ... 136 A5
Molezon 48 ... 282 D3
Moliens 60 ... 21 G4
Molières 24 ... 258 D1
Molières 46 ... 261 F1
Molières 82 ... 277 H3
Les Molières 91 ... 58 A5
Molières-Cavaillac 30 ... 282 D5
Molières-Glandaz 26 ... 268 B2
Molières-sur-Cèze 30 ... 283 H2
Moliets-et-Maa 40 ... 292 B1
Moliets-Plage 40 ... 292 B1
Molinchart 02 ... 24 C5
Molines-en-Queyras 05 ... 271 E1
Molinet 03 ... 193 F3
Molineuf 41 ... 131 H5
Molinges 39 ... 196 D3
Molinghem 62 ... 7 G3
Molinons 89 ... 114 A2
Molinot 21 ... 177 F1
Molins-sur-Aube 10 ... 91 G4
Molitg-les-Bains 66 ... 342 A2
Mollans 70 ... 141 G4
Mollans-sur-Ouvèze 26 ... 285 H2
Mollard *Col du* 73 ... 252 A1
Mollau 68 ... 120 B5
Mollégès 13 ... 305 E2
Molles 03 ... 210 C2
Les Mollettes 73 ... 233 G3
Molleville 11 ... 318 D4
Molliens-au-Bois 80 ... 22 C1
Molliens-Dreuil 80 ... 21 H2
La Mollière 80 ... 11 E2
Mollkirch 67 ... 97 E2
Molompize 15 ... 245 H1
Molosmes 89 ... 137 E2
Moloy 21 ... 159 H1
Molphey 21 ... 158 C3
Molpré 39 ... 180 A4
Molring 57 ... 67 F3
Molsheim 67 ... 97 F1
Moltifao 2B ... 347 E2
Les Molunes 39 ... 197 E3
Momas 64 ... 314 A2
Mombrier 33 ... 237 G3
Momères 65 ... 315 E5
Momerstroff 57 ... 46 C5
Mommenheim 67 ... 68 D4
Momuy 40 ... 293 H4
Momy 64 ... 314 D3
Mon Idée 08 ... 26 A2
Monacia-d'Aullène 2A ... 351 E3
Monacia-d'Orezza 2B ... 347 G3
Monaco MCO ... 309 H5
Monampteuil 02 ... 40 D1
Monassut-Audiracq 64 ... 314 C2
Le Monastère 12 ... 280 D1
Le Monastier 48 ... 264 A4
Le Monastier-sur-Gazeille 43 ... 247 G5
Monay 39 ... 179 F3
Monbadon 33 ... 238 D4
Monbahus 47 ... 257 H4
Monbalen 47 ... 276 C2
Monbardon 32 ... 316 B3
Monbazillac 24 ... 257 H1
Monbéqui 82 ... 297 G1
Monblanc 32 ... 317 E2
Monbos 24 ... 257 G2
Monbouan *Château de* 35 ... 104 D4
Monbrun 32 ... 297 E4
Moncale 2B ... 346 C2
Moncassin 32 ... 316 A2
Monçaup 31 ... 334 B2
Moncaup 64 ... 314 D2
Moncaut 47 ... 275 H3
Moncayolle-Larrory-Mendibieu 64 ... 313 F4
Moncé-en-Belin 72 ... 130 A2
Moncé-en-Saosnois 72 ... 84 A5
Monceau-le-Neuf-et-Faucouzy 02 ... 24 D3
Monceau-le-Waast 02 ... 25 E5
Monceau-lès-Leups 02 ... 24 C4
Monceau-Saint-Waast 59 ... 15 G3
Monceau-sur-Oise 02 ... 25 E1
Les Monceaux 14 ... 34 C5
Monceaux 60 ... 38 D3
Monceaux-au-Perche 61 ... 84 D3
Monceaux-en-Bessin 14 ... 33 E3
Monceaux-l'Abbaye 60 ... 21 G4
Monceaux-le-Comte 58 ... 157 G3
Monceaux-sur-Dordogne 19 ... 243 E3
Moncel-lès-Lunéville 54 ... 95 G1
Moncel-sur-Seille 54 ... 66 C4
Moncel-sur-Vair 88 ... 94 A4
La Moncelle 08 ... 27 F4
Moncetz-l'Abbaye 51 ... 62 D5
Moncetz-Longevas 51 ... 62 B2
Moncey 25 ... 162 A2
Monchaux 80 ... 11 E1
Monchaux-Soreng 76 ... 11 E5
Monchaux-sur-Écaillon 59 ... 14 D2
Moncheaux 59 ... 8 D4
Moncheaux-lès-Frévent 62 ... 12 D2
Monchecourt 59 ... 14 B2
Monchel-sur-Canche 62 ... 12 C2
Moncheux 57 ... 66 B3
Monchiet 62 ... 13 F3
Monchy-au-Bois 62 ... 13 F3
Monchy-Breton 62 ... 7 H5
Monchy-Cayeux 62 ... 7 F5
Monchy-Humières 60 ... 39 F1
Monchy-Lagache 80 ... 23 H2
Monchy-le-Preux 62 ... 13 H2
Monchy-Saint-Éloi 60 ... 38 D3
Monchy-sur-Eu 76 ... 10 D4
Moncla 64 ... 294 C4
Monclar 32 ... 294 D1
Monclar 47 ... 257 H5
Monclar-de-Quercy 82 ... 278 C5
Monclar-sur-Losse 32 ... 295 H5
Moncley 25 ... 161 H3
Moncontour 22 ... 78 C4
Moncontour 86 ... 168 C3
Moncorneil-Grazan 32 ... 316 B2
Moncourt 57 ... 66 D5
Moncoutant 79 ... 167 F4
Moncrabeau 47 ... 275 G5
Moncy 61 ... 53 E3
Mondavezan 31 ... 317 E5
Mondelange 57 ... 45 H4
Mondement-Montgivroux 51 ... 61 E4
Mondescourt 60 ... 23 H5
Mondevert 35 ... 105 F3
Mondeville 14 ... 33 H4
Mondeville 91 ... 87 H3
Mondicourt 62 ... 13 E4
Mondigny 08 ... 26 C3
Mondilhan 31 ... 316 B4
Mondion 86 ... 169 G2
Mondon 25 ... 162 C1
Mondonville 31 ... 297 G4
Mondonville-Saint-Jean 28 ... 86 D5
Mondorff 57 ... 45 H1
Mondoubleau 41 ... 109 E5
Mondouzil 31 ... 298 A4
Mondragon 84 ... 285 E2
Mondrainville 14 ... 33 F5
Mondrecourt 55 ... 63 H1
Mondrepuis 02 ... 25 G1
Mondreville 77 ... 112 B3
Mondreville 78 ... 57 E3
Monein 64 ... 313 H3
Monès 31 ... 317 E3
Monesple 09 ... 336 A1
Monestier 03 ... 191 H5
Monestier 07 ... 248 C2

N

O

P

A
B
C
D
E
F
G
H
I
J
K
L
M
N
O
P
Q
R
S
T
U
V
W
X
Y
Z

S

A B C D E F G H I J K L M N O P Q R **S** T U V W X Y Z

T

U

V

A B C D E F G H I J K L M N O P Q R S T U V W X Y Z

Plans

Curiosités
Bâtiment intéressant - Tour
Édifice religieux intéressant

Voirie
Autoroute - Double chaussée de type autoroutier
Échangeurs numérotés : complet - partiels
Grande voie de circulation
Rue réglementée ou impraticable
Rue piétonne - Tramway
Parking
Tunnel
Gare et voie ferrée
Funiculaire, voie à crémaillère
Téléphérique, télécabine

Signes divers
Édifice religieux
Mosquée - Synagogue
Ruines
Jardin, parc, bois - Cimetière
Stade - Golf
Hippodrome
Piscine de plein air, couverte
Vue
Monument - Fontaine
Port de plaisance - Phare
Information touristique
Aéroport - Station de métro
Gare routière
Transport par bateau : passagers et voitures, passagers seulement
Bureau principal de poste restante
Hôtel de ville
Université, grande école
Bâtiment public repéré

Town plans

Sights
Place of interest - Tower
Interesting place of worship

Roads
Motorway - Dual carriageway
Numbered junctions: complete, limited
Major thoroughfare
Unsuitable for traffic or street subject to restrictions
Pedestrian street - Tramway
Car park
Tunnel
Station and railway
Funicular
Cable-car

Various signs
Place of worship
Mosque - Synagogue
Ruins
Garden, park, wood - Cemetery
Stadium - Golf course
Racecourse
Outdoor or indoor swimming pool
View
Monument - Fountain
Pleasure boat harbour - Lighthouse
Tourist Information Centre
Airport - Underground station
Coach station
Ferry services: passengers and cars - passengers only
Main post office with poste restante
Town Hall
University, College
Public buildings

Stadtpläne

Sehenswürdigkeiten
Sehenswertes Gebäude - Turm
Sehenswerter Sakralbau

Straßen
Autobahn - Schnellstraße
Nummerierte Voll - bzw. Teilanschlussstellen
Hauptverkehrsstraße
Gesperrte Straße oder mit Verkehrsbeschränkungen
Fußgängerzone - Straßenbahn
Parkplat
Tunnel
Bahnhof und Bahnlinie
Standseilbahn
Seilschwebebahn

Sonstige Zeichen
Sakralbau
Moschee - Synagoge
Ruine
Garten, Park, Wäldchen - Friedhof
Stadion - Golfplatz
Pferderennbahn
Freibad - Hallenbad
Aussicht
Denkmal - Brunnen
Yachthafen - Leuchtturm
Informationsstelle
Flughafen - U-Bahnstation
Autobusbahnhof
Schiffsverbindungen: Autofähre, Personenfähre
Hauptpostamt (postlagernde Sendungen)
Rathaus
Universität, Hochschule
Öffentliches Gebäude

Plattegronden

Bezienswaardigheden
Interessant gebouw - Toren
Interessant kerkelijk gebouw

Wegen
Autosnelweg - Weg met gescheiden rijbanen
Knooppunt / aansluiting: volledig, gedeeltelijk
Hoofdverkeersweg
Onbegaanbare straat, beperkt toegankelijk
Voetgangersgebied - Tramlijn
Parkeerplaats
Tunnel
Station, spoorweg
Kabelspoor
Tandradbaan

Overige tekens
Kerkelijk gebouw
Moskee - Synagoge
Ruïne
Tuin, park, bos - Begraafplaats
Stadion - Golfterrein
Renbaan
Zwembad: openlucht, overdekt
Uitzicht
Gedenkteken, standbeeld - Fontein
Jachthaven - Vuurtoren
Informatie voor toeristen
Luchthaven - Metrostation
Busstation
Vervoer per boot: Passagiers en auto's - uitsluitend passagiers
Hoofdkantoor voor poste-restante
Stadhuis
Universiteit, hogeschool
Openbaar gebouw

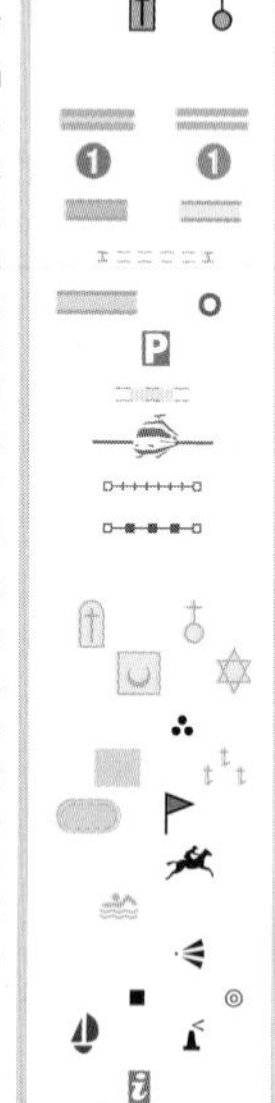

Piante

Curiosità
Edificio interessante - Torre
Costruzione religiosa interessante

Viabilità
Autostrada - Doppia carreggiata tipo autostrada
Svincoli numerati: completo, parziale
Grande via di circolazione
Via regolamentata o impraticabile
Via pedonale - Tranvia
Parcheggio
Galleria
Stazione e ferrovia
Funicolare
Funivia, cabinovia

Simboli vari
Costruzione religiosa
Moschea - Sinagoga
Ruderi
Giardino, parco, bosco - Cimitero
Stadio - Golf
Ippodromo
Piscina: all'aperto, coperta
Vista
Monumento - Fontana
Porto turistico - Faro
Ufficio informazioni turistiche
Aeroporto - Stazione della metropolitana
Autostazione
Trasporto con traghetto: passeggeri ed autovetture - solo passeggeri
Ufficio centrale di fermo posta
Municipio
Università, scuola superiore
Edificio pubblico

Planos

Curiosidades
Edificio interesante - Torre
Edificio religioso interesante

Vías de circulación
Autopista - Autovía
Enlaces numerados: completo, parciales
Via importante de circulacíon
Calle reglamentada o impracticable
Calle peatonal - Tranvía
Aparcamiento
Túnel
Estación y línea férrea
Funicular, línea de cremallera
Teleférico, telecabina

Signos diversos
Edificio religioso
Mezquita - Sinagoga
Ruinas
Jardín, parque, madera - Cementerio
Estadio - Golf
Hipódromo
Piscina al aire libre, cubierta
Vista parcial
Monumento - Fuente
Puerto deportivo - Faro
Oficina de Información de Turismo
Aeropuerto - Estación de metro
Estación de autobuses
Transporte por barco: pasajeros y vehículos, pasajeros solamente
Oficina de correos
Ayuntamiento
Universidad, escuela superior
Edificio público

Plans de ville

Town plans / Stadtpläne / Stadsplattegronden
Piante di città / Planos de ciudades

■ Amiens - *plan de ville + QR Code*
● Ajaccio - *QR Code*

Comment utiliser les QR Codes ?

1) Téléchargez gratuitement (ou mettez à jour) une application de lecture de QR Codes sur votre smartphone
2) Lancez l'application et visez le code souhaité
3) Le plan de la ville désirée apparaît automatiquement sur votre smartphone
4) Zoomez / Dézoomez pour faciliter votre déplacement !

How to use the QR Codes

1) Download (or update) the free QR Code reader app on your smartphone
2) Launch the app and point your smartphone at the required code
3) A map of the town/city will appear automatically on your smartphone
4) Zoom in/out to help you move around

Wie verwendet man QR Codes ?

1. Laden Sie eine Applikation zum Lesen von QR Codes (oder ein Update) kostenlos auf Ihr Smartphone herunter.
2. Starten Sie die Applikation und lesen Sie den gewünschten Code.
3. Der gewünschte Stadtplan erscheint automatisch auf Ihrem Smartphone.
4. Vergrößern/Verkleinern Sie den Zoom, um Ihre Fahrt zu erleichtern.

Hoe moet u de QR Codes gebruiken?

1. Download (of update) gratis een app om QR codes op uw smartphone te lezen
2. Start de app en selecteer de gewenste code
3. De gewenste stadsplattegrond verschijnt automatisch op uw smartphone
4. Zoom in of uit om uw verplaatsing beter te kunnen zien!

Come si usano i codici QR ?

1. Scarica gratuitamente (o aggiorna) un'applicazione di lettura di codici QR sul tuo smartphone
2. Lancia l'applicazione e punta il codice desiderato
3. La pianta della città desiderata appare automaticamente sul tuo smartphone
4. Zooma/dezooma per spostarti più facilmente!

Cómo utilizar los códigos QR

1. Descargue (o actualice) gratuitamente una aplicación de lectura de códigos QR para su smartphone
2. Abra la aplicación y seleccione el código deseado
3. El plano de ciudad deseado aparece automáticamente en su smartphone
4. Haga zoom adelante/atrás para facilitar el desplazamiento

AIX-EN-PROVENCE
0 150 m
ATELIER CÉZANNE
MANOSQUE
ARLES, AVIGNON
CARRIÈRES DE BIBÉMUS, VAUVENARGUES
JAS DE BOUFFAN, FONDATION VASARELY
NICE, TOULON
MARSEILLE
Cathédrale
Musée des Tapisseries
Cloître
VIEIL AIX
Tourreluque
Pavillon de Vendôme
Thermes Sextius
Tour de l'Horloge
Pl. de l'Hôtel-de-Ville
Palais Monclar
Madeleine
Richelme
Hôtel de Boyer d'Éguilles
Palais de Justice
Conservatoire Darius Milhaud
ALLÉES PROVENÇALES
Fontaine de la Rotonde
Cours Mirabeau
Caumont Centre d'Art
Maison natale de Cézanne
Grand Théâtre de Provence
Hôtel de Marignane
QUARTIER MAZARIN
Fontaine des 4 Dauphins
Pavillon Noir
Musée Granet
St-Jean-de-Malte
Cité du Livre
PARC RAMBOT
PARC JOURDAN
Apt
Colorado de Rustrel
Gignac
Ste-Croix-à-Lauze
St-Michel-l'Observatoire
Villars
Chaussée des Géants
St-Pantaléon
N.-D.-de-Lumières
Goult
Ménerbes
Lacoste
Bonnieux
Enclos des Bories
Saignon
Buoux
Sivergues
Fort de Buoux
Prieuré de St-Symphorien
LUBÉRON
MONTAGNE DU LUBÉRON
Massif des Cèdres
Vaugines
Cucuron
Lourmarin
Puyvert
Mérindol
Lauris
Puget
Cadenet
Abbe de Silvacane
La Roque-d'Anthéron
Charleval
Durance
Pertuis
St-Estève-Janson
Rognes
Le Puy-Ste-Réparade
Château la Coste
Meyrargues
Peyrolles-en-Provence
Jouques
Lambesc
St-Cannat
Chaîne de la Trévaresse
Venelles
Éguilles
Oppidum d'Entremont
Ventabren
Aqueduc de Roquefavour
AIX-EN-PROVENCE
Vauvenargues
St-Marc-Jaumegarde
Montagne Ste-Victoire
La Croix de Provence
Gorges de l'Infernet
Puyloubier
Le Tholonet
Beaurecueil
Meyreuil
Rousset
Gardanne
Bouc-Bel-Air
Cabriès
Vitrolles
Rognac
Fuveau
Trets
Peynier
Belcodène
Gréasque
Simiane-Collongue
Les Pennes-Mirabeau

AMIENS
Picquigny
Samara
Argœuves
Poulainville
Allonville
Querrieu
Rivery
Camon
Longueau
Salouël
Pont-de-Metz
Boves
Dury
Saleux
Daours
Villers-Bretonneux
Corbie
Fouilloy
Glisy
Blangy-Tronville
Cagny
St-Fuscien
Sains-en-Amiénois
Hébécourt
Vers-s-Selles
Bacouel-s-Selle
Creuse
Quevauvillers
Fluy
Revelles
Bougainville
Clairy-Saulchoix
Pissy
Seux
Guignemicourt
Bovelles
Briquemesnil-Floxicourt
Saisseval
Ferrières
Saveuse
Dreuil-lès-A.
Ailly-s-Somme
Breilly
Fourdrinoy
Cavillon
Le Mesgé
Oissy
Crouy-St-Pierre
Yzeux
Belloy-s-Somme
La Chaussée-Tirancourt
St-Sauveur
St-Vaast-en-Chaussée
Bertangles
Montonvillers
Coisy
Cardonnette
Rainneville
Molliens-au-Bois
Montigny-s-l'Hallue
Béhencourt
St-Gratien
Bussy-lès-Daours
Lamotte-Brebière
Vecquemont
Aubigny
Marcelcave
Cachy
Gentelles
Fouencamps
Berteaucourt-lès-Thennes
Thennes
Thézy-Glimont
Cottenchy
Domart-sur-la-Luce
Hangard
Démuin
Aubercourt
Wiencourt-l'Équipée
Ignaucourt
Cayeux-en-Santerre
Mémorial australien
Vaire-s/s-Corbie
Hamelet
Le Hamel
Sailly-Laurette
Lamotte-Warfusée
Treux
Méricourt-l'Abbé
Heilly
Franvillers
ABBEVILLE
ARRAS, DOULLENS
CAMBRAI, ALBERT
PICQUIGNY
DAOURS, CORBIE
ROUEN, LE HAVRE
CAMPUS UNIVERSITAIRE
SAINS-EN-AMIÉNOIS
JARDIN ARCHÉOLOGIQUE DE ST-ACHEUL, ST-QUENTIN, COMPIÈGNE
FAUBOURG ST-MAURICE
FAUBOURG ST-PIERRE
LA HOTOIE
ST-ROCH
HENRIVILLE
FAUBOURG DE BEAUVAIS
FAUBOURG DE NOYON
ST-LEU
St-Firmin
Zoo
Jardin des plantes
Théâtre de marionnettes
St-Leu
St-Germain
Beffroi
Bailliage
MAISON DE LA CULTURE
CATHÉDRALE NOTRE-DAME
JARDIN DE L'ÉVÊCHÉ
Maison du Sagittaire et Logis du Roi
Palais de Justice
Hôtel de Berny
Ancien théâtre
Tour Perret
Gare
Musée de Picardie
Comédie de Picardie
Hôtel Bouctot-Vagniez
Cirque Jules-Verne
Maison de Jules Verne
Étang de St-Pierre
Parc St-Pierre
Étang de Rivery
Maison des Hortillonnages
L'île aux Fagots
Hortillonnages
SOMME
Pl. Vogel
Pl. au Fil
Pl. Gambetta
Pl. du Maréchal Foch
Pl. Longueville
Pl. A. Fiquet
Pl. du Don
Pl. Parmentier
Pl. St-Michel
Pl. d'Aguesseau
Pl. R. Goblet
Pl. du Maréchal Joffre
Pl. de la Teinturerie
Prom^de de la Hotoie
SQ. DES 4 CHÊNES
Q. Bélu
Pont du Cange
0 150 m
N

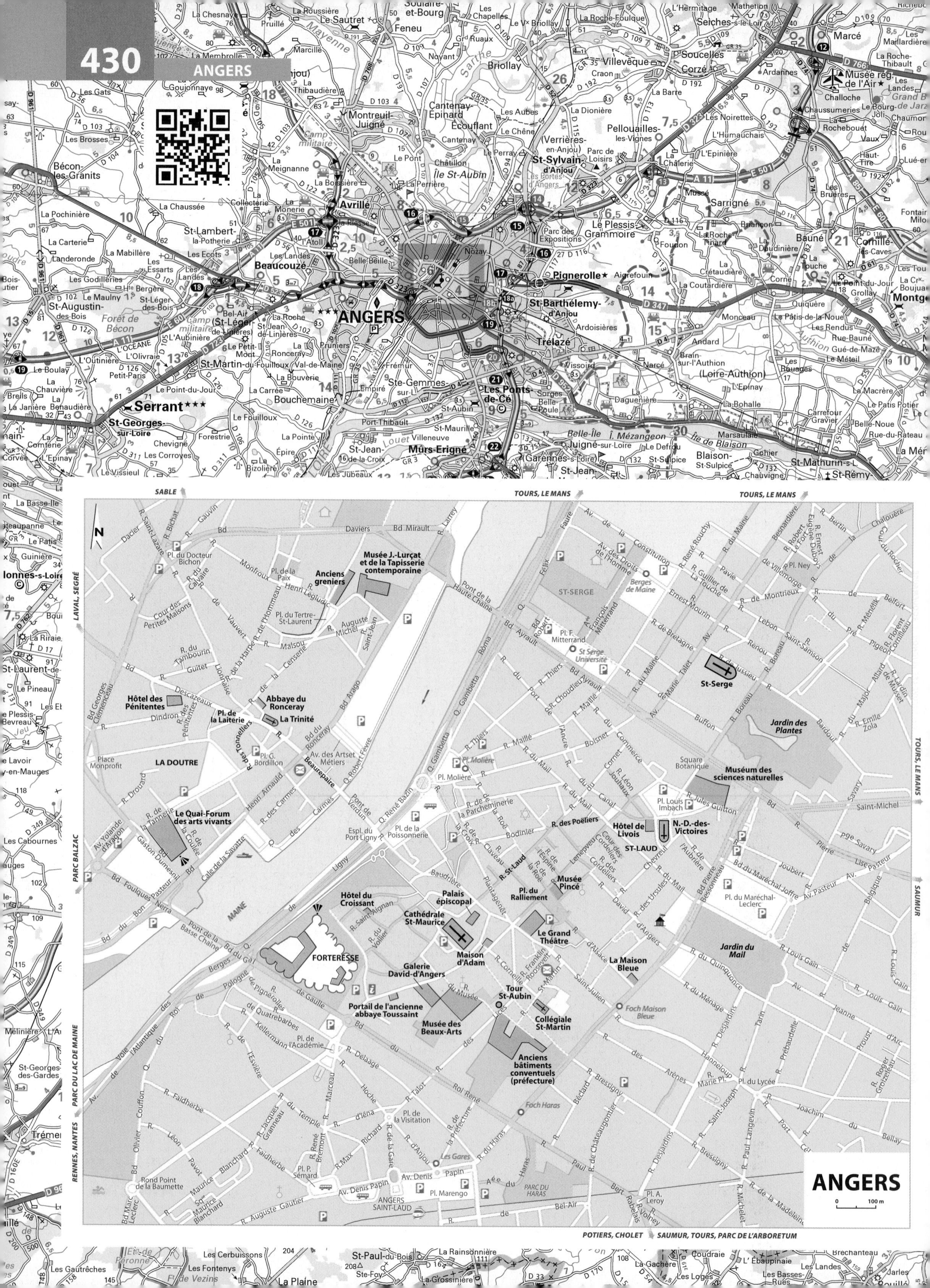
Avrillé
Beaucouzé
ANGERS
St-Barthélemy-d'Anjou
Trélazé
Pignerolle
Les Ponts-de-Cé
Ste-Gemmes-sur-Loire
Bouchemaine
Mûrs-Erigné
St-Sylvain-d'Anjou
Écouflant
Cantenay-Épinard
Montreuil-Juigné
Briollay
Villevêque
Soucelles
Pellouailles-les-Vignes
Sarrigné
Le Plessis-Grammoire
Bauné
Corzé
Marcé
Seiches-s-le-Loir
Feneu
Bécon-les-Granits
St-Augustin-des-Bois
St-Lambert-la-Potherie
St-Léger-des-Bois
St-Martin-du-Fouilloux
St-Jean-de-Linières
St-Georges-sur-Loire
Serrant ★★★
Savennières
Épiré
Blaison-St-Sulpice
St-Mathurin-s-L.
Brain-sur-l'Authion
Andard
Corné
Musée rég. de l'Air ★
Forêt de Bécon
Île St-Aubin
Camp militaire
Loire
Maine
Sarthe
Mayenne
Louet
SABLE
TOURS, LE MANS
LAVAL, SEGRÉ
PARC BALZAC
PARC DU LAC DE MAINE
RENNES, NANTES
SAUMUR
POTIERS, CHOLET
SAUMUR, TOURS, PARC DE L'ARBORETUM
ANGERS
0
100 m
Musée J.-Lurçat et de la Tapisserie contemporaine
Anciens greniers
ST-SERGE
Berges de Maine
St Serge Université
St-Serge
Jardin des Plantes
Hôtel des Pénitentes
Abbaye du Ronceray
Pl. de la Laiterie
La Trinité
LA DOUTRE
Place Monprofit
Le Quai-Forum des arts vivants
Muséum des sciences naturelles
Square Botanique
Pl. Louis Imbach
Hôtel de Livois
N.-D.-des-Victoires
ST-LAUD
R. des Poëliers
Pl. Molière
Pl. de la Poissonnerie
Espl. du Port Ligny
Musée Pincé
Pl. du Ralliement
Le Grand Théâtre
Palais épiscopal
Hôtel du Croissant
Cathédrale St-Maurice
Maison d'Adam
FORTERESSE
Galerie David-d'Angers
Portail de l'ancienne abbaye Toussaint
Musée des Beaux-Arts
Tour St-Aubin
Collégiale St-Martin
La Maison Bleue
Foch Maison Bleue
Anciens bâtiments conventuels (préfecture)
Foch Haras
Jardin du Mail
Pl. du Maréchal-Leclerc
Pl. de l'Académie
Pl. de la Visitation
Les Gares
ANGERS SAINT-LAUD
Pl. Marengo
Rond Point de la Baumette
PARC DU HARAS
Pl. A. Leroy
Pl. du Lycée
Pl. F. Mitterrand
Pl. Ney
Pl. du Docteur Bichon
Pl. de la Paix
Pl. du Tertre-St-Laurent
Pl. G. Bordillon
MAINE
Pont de la Haute Chaîne
Pont de la Basse Chaîne
Pont de Verdun
Bd du Roi René
Bd Foch
Bd du Maréchal Joffre
Bd Ayrault
Bd Arago
Bd Descazeaux
Bd Daviers
Bd Henri Arnauld
Bd Gaston Dumesnil
Bd du Bon Pasteur
Bd Carnot
Bd Saint-Michel
Bd de Strasbourg
Av. des Droits de l'Homme
Av. Yolande d'Aragon
Av. Marie Talet
Av. Denis Papin
Voie de l'Atlantique
Quai Gambetta
Quai Robert Fèvre
Cale de la Savatte
R. Toussaint
R. Plantagenêt
R. St-Laud
R. Lenepveu
R. du Mail
R. d'Alsace
R. de la Roë
R. Baudrière
R. de la Parcheminerie
R. Bressigny
R. David d'Angers
R. Boreau
R. du Quinconce
Ernest Mourin
Jules Guitton
R. du Maine

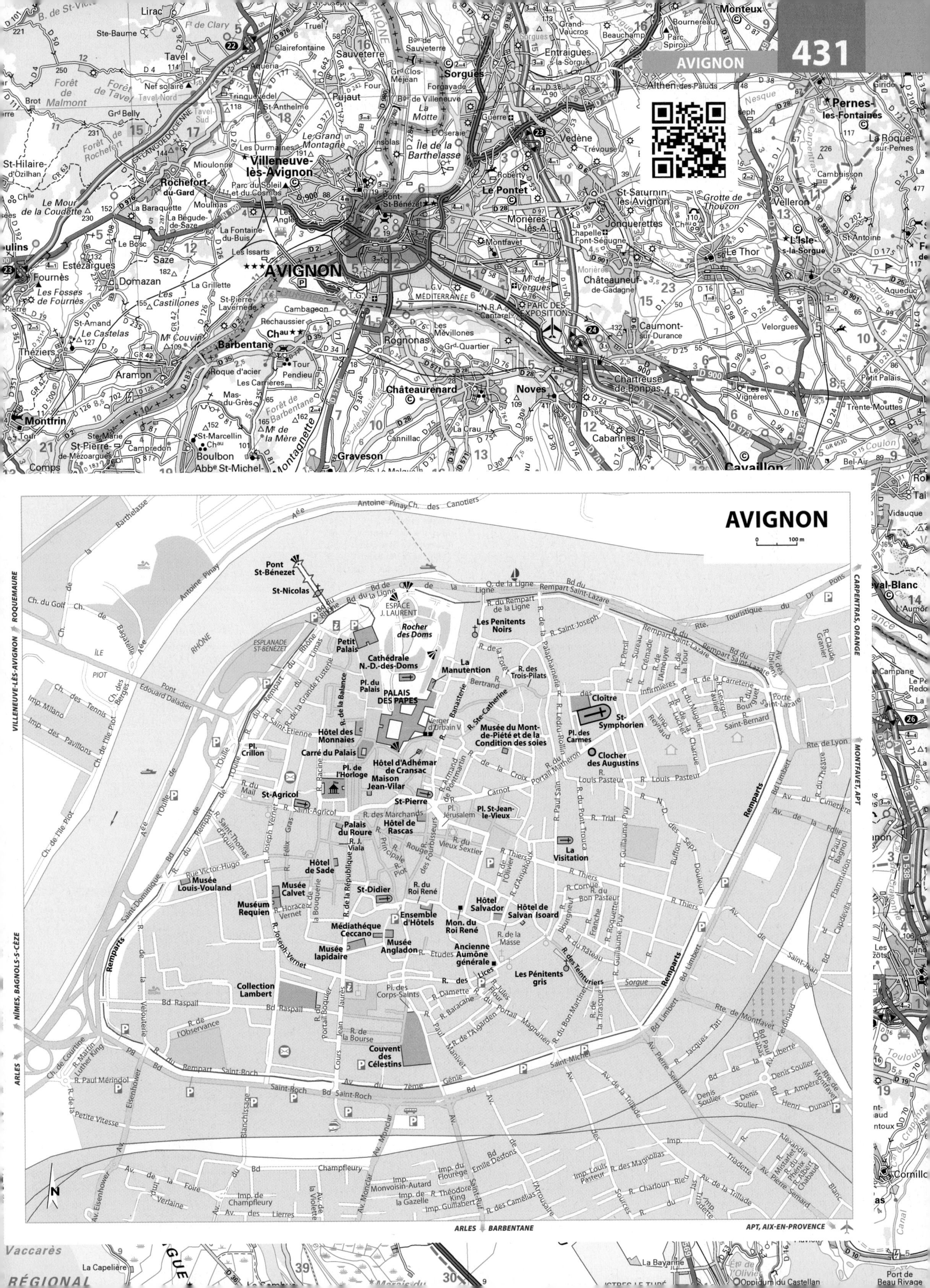
AVIGNON
Villeneuve-lès-Avignon
Rochefort-du-Gard
Sorgues
Le Pontet
Vedène
Morières-lès-A.
Montfavet
Châteaurenard
Noves
Barbentane
Rognonas
Graveson
Boulbon
Montfrin
Aramon
Théziers
Fournès
Estézargues
Domazan
Saze
Les Angles
Pujaut
Sauveterre
Tavel
Lirac
Entraigues-s-la-Sorgue
Monteux
Pernes-les-Fontaines
Velleron
L'Isle-s-la-Sorgue
Le Thor
Châteauneuf-de-Gadagne
Caumont-sur-Durance
Jonquerettes
St-Saturnin-lès-Avignon
Cabannes
Chartreuse de Bonpas
Cavaillon
Île de la Barthelasse
Pont-St-Bénezet
PARC DES EXPOSITIONS
AVIGNON
0 100 m
Pont St-Bénezet
St-Nicolas
ESPACE J. LAURENT
Rocher des Doms
Petit Palais
Cathédrale N.-D.-des-Doms
Pl. du Palais
PALAIS DES PAPES
La Manutention
Les Penitents Noirs
Hôtel des Monnaies
Carré du Palais
Pl. Crillon
Pl. de l'Horloge
Hôtel d'Adhémar de Cransac
Maison Jean-Vilar
St-Agricol
St-Pierre
Pl. St-Jean-le-Vieux
Musée du Mont-de-Piété et de la Condition des soies
Cloître
St-Symphorien
Pl. des Carmes
Clocher des Augustins
Palais du Roure
Hôtel de Rascas
Hôtel de Sade
Musée Calvet
Musée Louis-Vouland
Muséum Requien
St-Didier
R. du Roi René
Ensemble d'Hôtels
Mon. du Roi René
Hôtel Salvador
Hôtel de Salvan Isoard
La Visitation
Médiathèque Ceccano
Musée Angladon
Musée lapidaire
Ancienne Aumône générale
Les Pénitents gris
Collection Lambert
Couvent des Célestins
Pl. des Corps-Saints
Remparts
Bd Raspail
Bd Saint-Roch
Bd Saint-Michel
Bd Limbert
Rhône
ÎLE PIOT
ESPLANADE ST-BÉNEZET
VILLENEUVE-LÈS-AVIGNON, ROQUEMAURE
NÎMES, BAGNOLS-S-CÈZE
ARLES
ARLES BARBENTANE
APT, AIX-EN-PROVENCE
MONTFAVET, APT
CARPENTRAS, ORANGE

BESANÇON
0 200 m
VESOUL, NANCY
MONTBÉLIARD, MULHOUSE
MONTBÉLIARD, MULHOUSE, BAUME-LES-DAMES
GRAY, DOLE, BEAUNE, CHALON-SUR-SAÔNE
MONTFAUCON, PONTARLIER, MORTEAU, LAUSANNE
LONS-LE-SAUNIER
Jardin Botanique
QUARTIER BATTANT
Hôtel de Champagney
Hôtel Jouffroy
Ste-Madeleine
Tour de la Pelote
Musée des Beaux-Arts et d'Archéologie
Pl. de la Révolution
Pl. Marulaz
Pl. Pasteur
Pl. du 8 Septembre
St-Pierre
Quai Vauban
Hôtel d'Emskerque
Palais de Justice
Statue de Victor Hugo
Grande-Rue
Pl. J. Cornet
Cité des arts
Hôpital St-Jacques
N.-D.-du-Refuge
Palais Granvelle
Porte Noire
Hôtel Mareschal
Kursaal
Anc. palais archiépiscopal
St-Jean
Porte Rivotte
R. Mégevand
Préfecture
Fontaine des Dames
Hôtel Bonvalot
Horloge astronomique
Poteaux des Fusillés
Chapelle St-Étienne
Citadelle
Tour du Roi
Tour de la Reine
Chemins de ronde
Musée de la Résistance et de la Déportation
Chaudanne
LA BUTTE
PROMENADE CHAMARS
PROMENADE MICAUD
Ancien couvent des grands-carmes .... E
Ancien hôpital du St-Esprit .. G
Bibliothèque municipale .. B
Espace Vauban .... M¹
Maison Natale de Victor Hugo .... N
Musée comtois .... M²
Muséum de Besançon ..... M³
Promenade Granvelle ...... Q
Promenade Vauban .... S
Sq. archéologique A.-Castan Vestiges romains V
BESANÇON ★★
Gy ★
Moncley ★
Marnay
St-Vit
Boussières
Ornans ★
Musée des Maisons comtoises ★
Grottes d'Osselle
Quingey

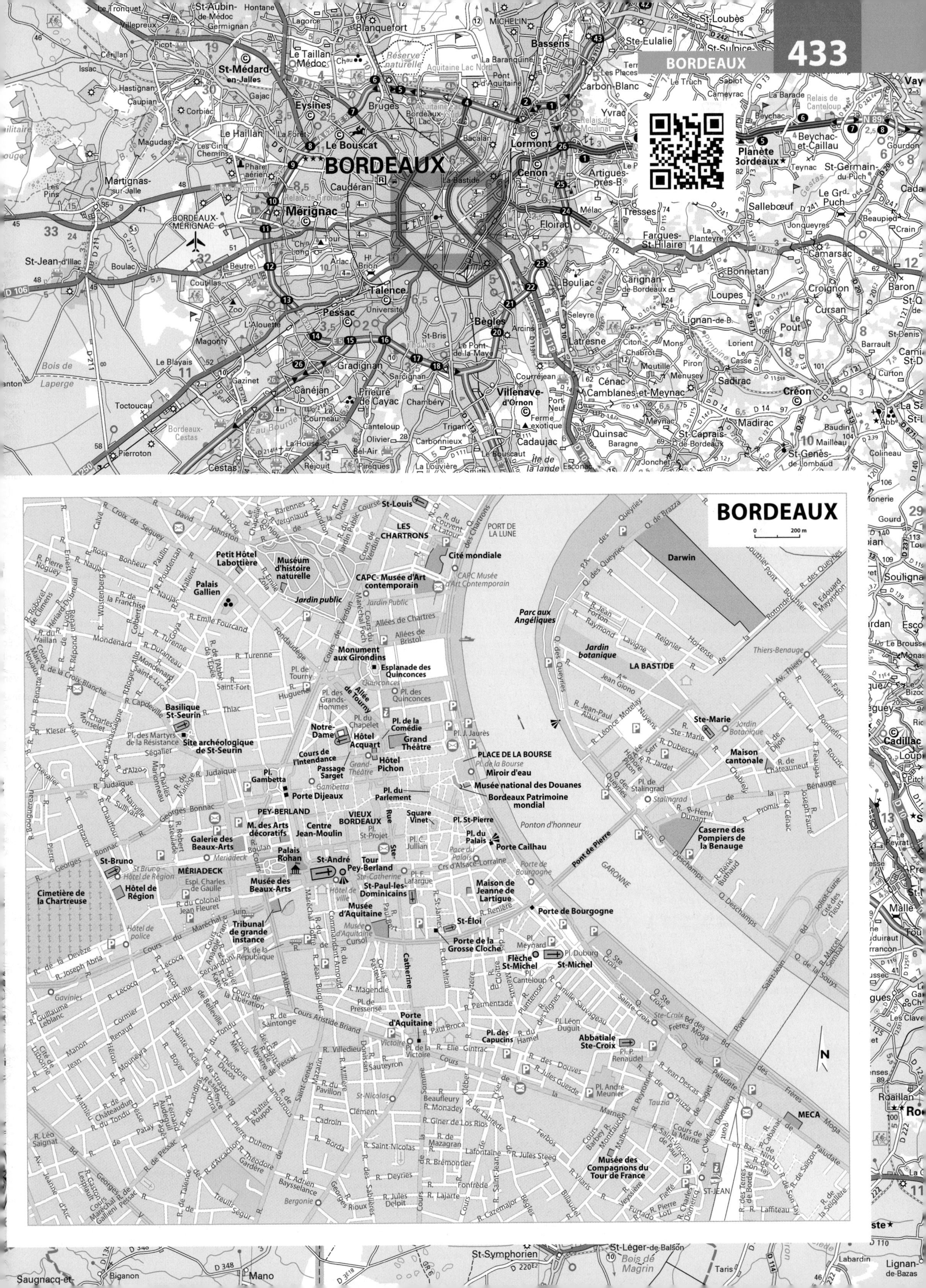
BORDEAUX
St-Médard-en-Jalles
Eysines
Le Bouscat
Blanquefort
Le Taillan-Médoc
Bruges
Mérignac
Caudéran
Pessac
Talence
Bègles
Gradignan
Villenave-d'Ornon
Cenon
Lormont
Floirac
Bassens
Carbon-Blanc
Artigues-près-B.
Bouliac
Latresne
Carignan-de-Bordeaux
Fargues-St-Hilaire
Créon
Sadirac
Martignas-sur-Jalle
St-Jean-d'Illac
Canéjan
Cestas
Cadaujac
Planète Bordeaux
BORDEAUX-MÉRIGNAC
BORDEAUX
0 200 m
LES CHARTRONS
Cité mondiale
CAPC- Musée d'Art contemporain
Muséum d'histoire naturelle
Jardin public
Palais Gallien
Petit Hôtel Labottière
Monument aux Girondins
Esplanade des Quinconces
Basilique St-Seurin
Site archéologique de St-Seurin
Notre-Dame
Hôtel Acquart
Pl. de la Comédie
Grand Théâtre
Hôtel Pichon
PLACE DE LA BOURSE
Miroir d'eau
Musée national des Douanes
Bordeaux Patrimoine mondial
Porte Dijeaux
PEY-BERLAND
VIEUX BORDEAUX
M. des Arts décoratifs
Centre Jean-Moulin
Galerie des Beaux-Arts
Palais Rohan
St-André
Tour Pey-Berland
St-Bruno
MÉRIADECK
Hôtel de Région
Cimetière de la Chartreuse
Musée des Beaux-Arts
St-Paul-les-Dominicains
Musée d'Aquitaine
Tribunal de grande instance
Porte Cailhau
Maison de Jeanne de Lartigue
Porte de Bourgogne
St-Éloi
Porte de la Grosse Cloche
Flèche St-Michel
St-Michel
Porte d'Aquitaine
Pl. des Capucins
Abbatiale Ste-Croix
Musée des Compagnons du Tour de France
MECA
ST-JEAN
Pont de Pierre
GARONNE
Parc aux Angéliques
Jardin botanique
LA BASTIDE
Darwin
Ste-Marie
Maison cantonale
Caserne des Pompiers de la Benauge
PORT DE LA LUNE

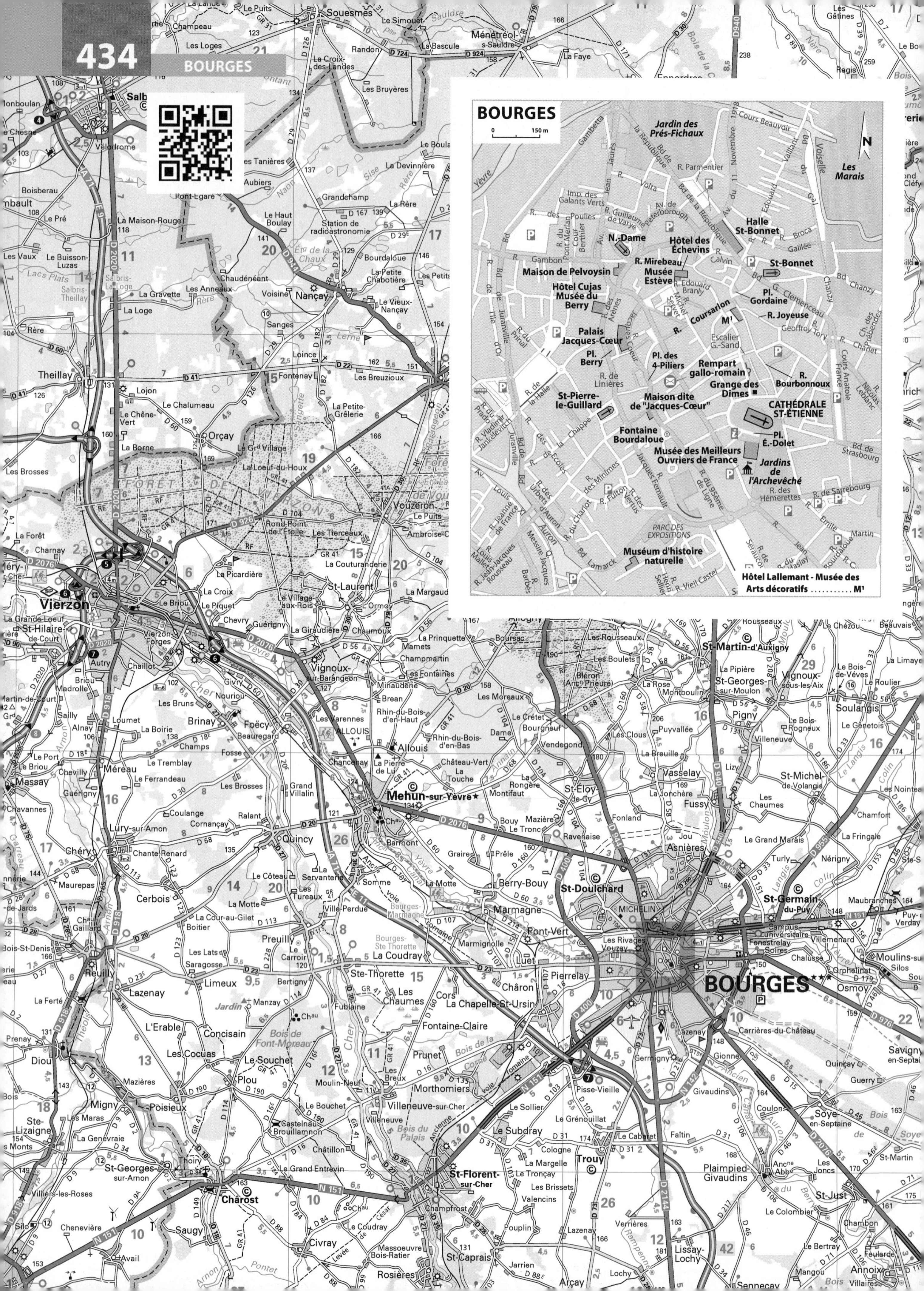
BOURGES
0
150 m
N
Jardin des Prés-Fichaux
Les Marais
Halle St-Bonnet
N.-Dame
Hôtel des Échevins
St-Bonnet
Maison de Pelvoysin
R. Mirebeau
Musée Estève
Hôtel Cujas Musée du Berry
Pl. Gordaine
R. Joyeuse
Palais Jacques-Cœur
Pl. Berry
Pl. des 4-Piliers
Rempart gallo-romain
Grange des Dîmes
R. Bourbonnoux
St-Pierre-le-Guillard
Maison dite de "Jacques-Cœur"
CATHÉDRALE ST-ÉTIENNE
Fontaine Bourdaloue
Pl. É.-Dolet
Musée des Meilleurs Ouvriers de France
Jardins de l'Archevêché
PARC DES EXPOSITIONS
Muséum d'histoire naturelle
Hôtel Lallemant - Musée des Arts décoratifs M1
Vierzon
Mehun-sur-Yèvre
BOURGES
St-Doulchard
St-Germain-du-Puy
St-Florent-sur-Cher
Trouy
Chârost
Lury-sur-Arnon
Quincy
Reuilly
Nançay
Vouzeron
Vignoux-sur-Barangeon
Allouis
Foëcy
Brinay
St-Martin-d'Auxigny
Fussy
Asnières
Marmagne
Berry-Bouy
Lazenay
Villeneuve-sur-Cher
Plaimpied-Givaudins
Souesmes
Ménétréol-s-Sauldre
Theillay
Orçay
FORÊT DE VIERZON

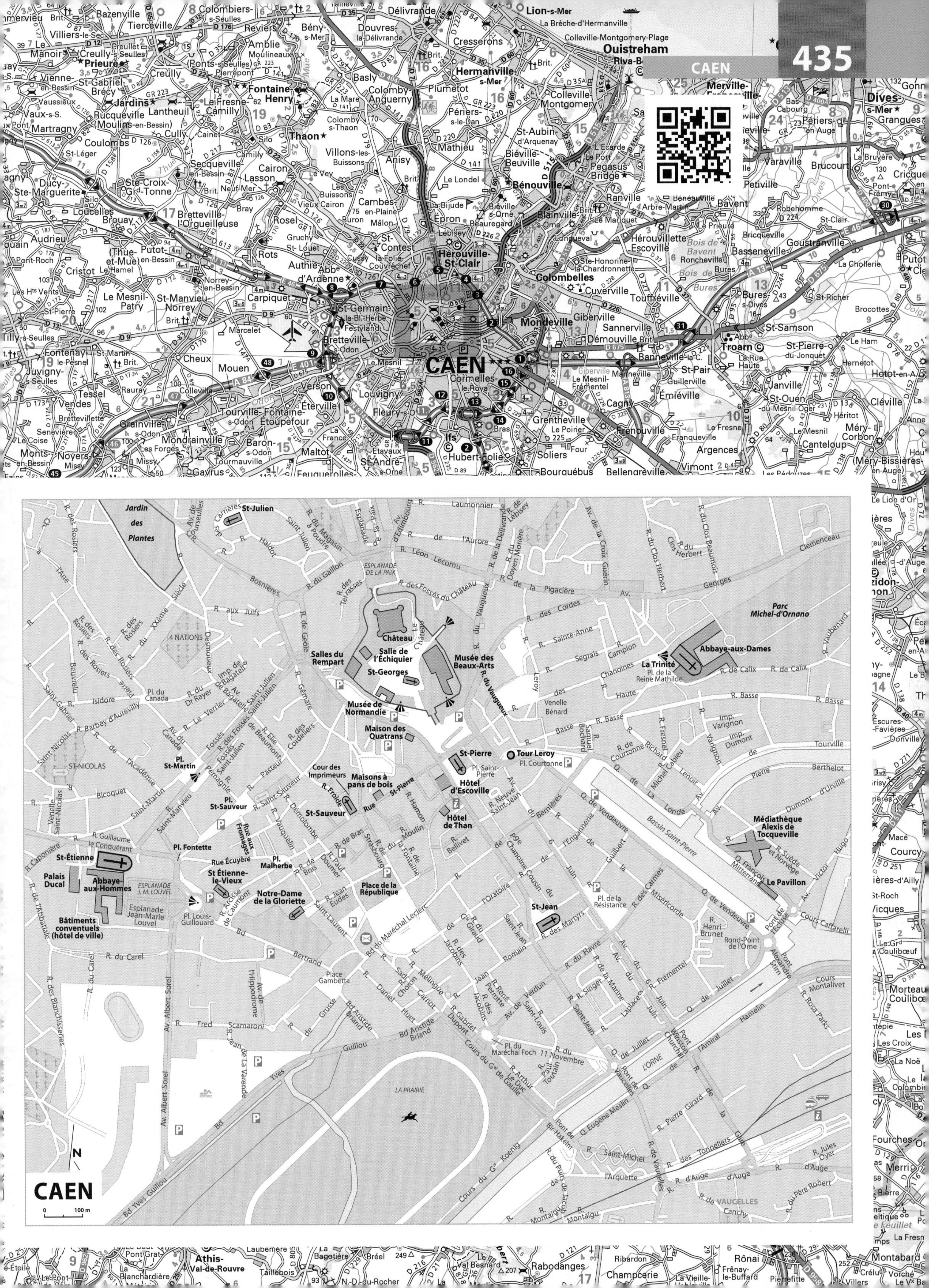
CAEN
Ouistreham
Hérouville-St-Clair
Colombelles
Mondeville
Cormelles-le-Royal
Bretteville-s-Odon
Carpiquet
Louvigny
Ifs
Bénouville
Troarn
Jardin des Plantes
St-Julien
Esplanade de la Paix
Château
Salles du Rempart
Salle de l'Échiquier
St-Georges
Musée des Beaux-Arts
Musée de Normandie
Maison des Quatrans
Parc Michel-d'Ornano
La Trinité
Abbaye-aux-Dames
Pl. de la Reine Mathilde
St-Pierre
Tour Leroy
Pl. Courtonne
Cour des Imprimeurs
Maisons à pans de bois
Hôtel d'Escoville
Hôtel de Than
St-Sauveur
Pl. St-Sauveur
Pl. St-Martin
St-Nicolas
4 Nations
Rue aux Fromages
Pl. Fontette
St-Étienne
Palais Ducal
Abbaye-aux-Hommes
Esplanade J.M. Louvel
Bâtiments conventuels (hôtel de ville)
St Étienne-le-Vieux
Pl. Malherbe
Notre-Dame de la Gloriette
Place de la République
Pl. Louis-Guillouard
St-Jean
Pl. de la Résistance
Médiathèque Alexis de Tocqueville
Le Pavillon
Bassin Saint-Pierre
Rond-Point de l'Orne
Place Gambetta
Pl. du Maréchal Foch
La Prairie
L'Orne
Vaucelles
Bd Maréchal Leclerc
Cours du Gal de Gaulle
Bd Yves Guillou
Av. Albert Sorel
Quai de Vendeuvre
Quai de Juillet
CAEN
0 100 m

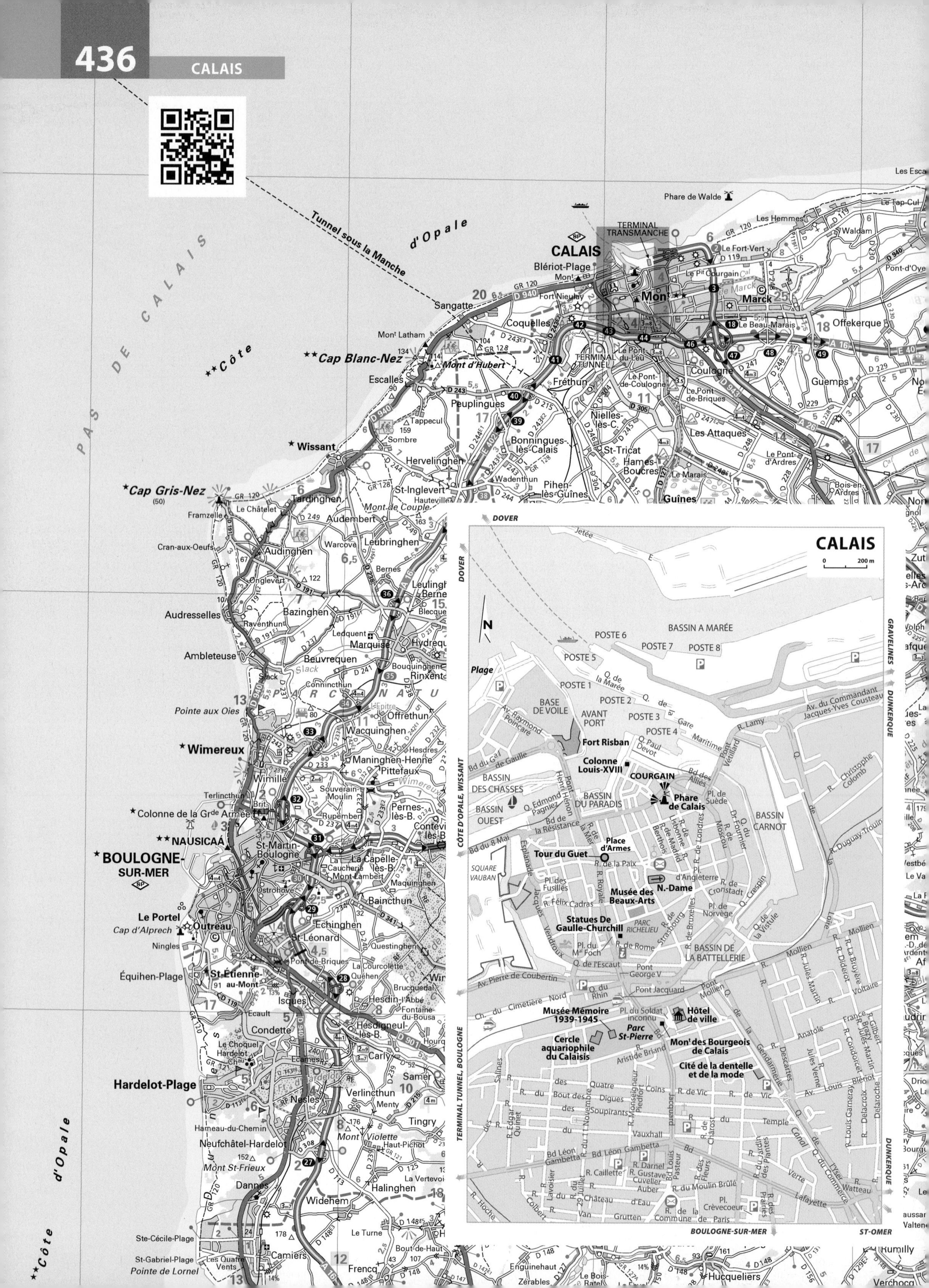

Tunnel sous la Manche
PAS DE CALAIS
d'Opale
★★Côte
CALAIS
TERMINAL TRANSMANCHE
Phare de Walde
Les Hemmes
Le Tap-Cul
Waldam
Le Fort-Vert
Le Pt Courgain
Marck
Blériot-Plage
Fort Nieulay
Sangatte
Coquelles
TERMINAL TUNNEL
Le Pont-du-Leu
Le Pont-de-Coulogne
Coulogne
Le Beau-Marais
Offekerque
Guemps
Le Pont de-Briques
Les Attaques
Le Pont-d'Ardres
Bois-en-Ardres
Mont Latham
★★Cap Blanc-Nez
Mont d'Hubert
Escalles
Fréthun
Peuplingues
Nielles-lès-C.
Tappecul
Sombre
★ Wissant
Hervelinghen
Bonningues-lès-Calais
St-Tricat
Hames-Boucres
Le Marais
Pihen-lès-Guînes
Guînes
Wadenthun
St-Inglevert
Hauteville
★Cap Gris-Nez
Le Châtelet
Tardinghen
Framzelle
Mont-de-Couple
Audembert
Cran-aux-Oeufs
Audinghen
Warcove
Leubringhen
Bernes
Onglevert
Leulinghen-Bernes
Audresselles
Bazinghen
Blecquenecques
Raventhun
Ledquent
Marquise
Hydrequent
Ambleteuse
Beuvrequen
Slack
Bouquinghen
Rinxent
Conincthun
Pointe aux Oies
L'Epitre
Offrethun
Wacquinghen
★ Wimereux
Hesdres
Maninghen-Henne
Pittefaux
Wimille
Souverain-Moulin
Pernes-lès-B.
Terlincthun
Brit
★ Colonne de la Gde Armée
Rupembert
Conteville-lès-B.
★★ NAUSICAÁ
St-Martin-Boulogne
La Capelle-lès-B.
★ BOULOGNE-SUR-MER
La Caucherie
Mont-Lambert
Maquinghen
Ostrohove
Baincthun
Le Portel
Outreau
Cap d'Alprech
Echinghen
St-Léonard
Ningles
Questinghen
Pont-de-Briques
La Courcolette
Équihen-Plage
St-Étienne-au-Mont
Quéhen
Bruquedal
Isques
Hesdin-l'Abbé
Fontaine-du-Bousa
Ecault
Condette
Hesdigneul-lès-B.
Le Choquel
Hardelot Chau
Carly
Ecames
Samer
Hardelot-Plage
Verlincthun
Nesles
Menty
Hameau-du-Chemin
Tingry
Mont Violette
Haut-Pichot
Neufchâtel-Hardelot
Mont St-Frieux
Dannes
Halinghen
La Vertevoie
Widehem
Ste-Cécile-Plage
St-Gabriel-Plage
Pointe de Lornel
Les Quatre Vents
Camiers
Le Turne
Bout-de-Haut
Frencq
Enguinehaut
Zérables
Le Bois-Ratel
Hucqueliers
Rumilly
Verchocq
★★Côte d'Opale
CALAIS
0 200 m
N
DOVER
Jetée
BASSIN A MARÉE
POSTE 6
POSTE 7
POSTE 8
POSTE 5
Plage
POSTE 1
Q. de la Marée
POSTE 2
POSTE 3
POSTE 4
Q. de la Gare Maritime
BASE DE VOILE
AVANT PORT
Av. Raymond Poincaré
Av. du Commandant Jacques-Yves Cousteau
Fort Risban
Q. Paul Devot
R. Lamy
Pont Vétillard
Colonne Louis-XVIII
COURGAIN
Bd des Alliés
Bd du Gal de Gaulle
BASSIN DES CHASSES
Pont Henri Hénon
BASSIN DU PARADIS
Phare de Calais
Pl. de Suède
BASSIN OUEST
Q. Edmond Pagniez
Bd de la Résistance
R. de la Mer
R. Royale
R. de Lisbonne
R. de Madrid
R. Berthois
R. de Londres
R. de Moscou
Dr Fournier
Q. du Crespin
BASSIN CARNOT
R. Christophe Colomb
R. Duguay-Trouin
Bd du 8 Mai
Esplanade
Place d'Armes
Tour du Guet
R. de la Paix
Pl. d'Angleterre
N.-Dame
R. de Cronstadt
SQUARE VAUBAN
Pl. des Fusillés
R. Félix Cadras
Jacques Vendroux
Musée des Beaux-Arts
Pl. de Norvège
Q. de la Vistule
Statues De Gaulle-Churchill
PARC RICHELIEU
R. de Strasbourg
R. de Bruxelles
Pl. du Mal Foch
R. de Rome
BASSIN DE LA BATTELLERIE
Q. de l'Escaut
Pont George V
Av. Pierre de Coubertin
Q. du Rhin
Pont Jacquard
Pont Mollien
R. Mollien
Ch. du Cimetière Nord
Musée Mémoire 1939-1945
Pl. du Soldat inconnu
Parc St-Pierre
Hôtel de ville
Cercle aquariophile du Calaisis
Mont des Bourgeois de Calais
Aristide Briand
Cité de la dentelle et de la mode
R. Jules Martin
R. Diderot
R. La Bruyère
R. Voltaire
R. Anatole France
R. Gilbert
R. Condorcet
R. Jules Verne
R. Descartes
R. de la Gendarmerie
Av. Louis Blériot
R. Louis Gameray
R. Delacroix
R. Delaroche
R. des Salines
R. du Bout des Digues
R. des Quatre Coins
R. de Vic
R. des Soupirants
R. Monseigneur Piedfort
R. du Vauxhall
R. Edgar Quinet
R. du 11 Novembre
R. du Temple
R. de Chârost
Bd Jacquard
Bd Léon Gambetta
R. Darnel
R. Caillette
R. Gustave Cuvelier
R. Auber
R. du Moulin Brûlé
Bd Pasteur
R. des Fleurs
R. du Jardin des Plantes
R. des Prairies
Canal
Q. de l'Yser
Q. du Commerce
R. Watteau
Lafayette
Verte
R. Hoche
Colbert
Lavoisier
R. du 29 Juillet
R. du Château
R. d'Eau
R. Van Grutten
R. de la Commune de Paris
Pl. Crèvecoeur
CÔTE D'OPALE, WISSANT
TERMINAL TUNNEL, BOULOGNE
GRAVELINES
DUNKERQUE
BOULOGNE-SUR-MER
ST-OMER

CANNES
LE SUQUET
N.-D.-d'Espérance
Musée de la Castre
Pl. de la Castre
SQ. F. MISTRAL
Quai St-Pierre
LE VIEUX PORT
Quai Max Laubeuf
Jetée Albert Edouard
Palais des Festivals et des Congrès
SQ. R. HAHN
Bd de la Croisette
Malmaison
Boulevard de la Croisette
Rue Meynadier
Allées de la Liberté
Rue d'Antibes
MER MÉDITERRANÉE
150 m
N
GRASSE
Cabris
St-Vallier-de-Thiey
Châteauneuf-Grasse
Opio
Valbonne
Sophia-Antipolis
Biot
Villeneuve-Loubet
Cagnes-s-M.
St-Laurent-du-Var
NICE
Cros-de-Cagnes
NICE CÔTE-D'AZUR
Villeneuve-Loubet-Plage
Marineland
ANTIBES
Juan-les-Pins
Cap d'Antibes
Golfe-Juan
Vallauris
Le Cannet
Mougins
Mouans-Sartoux
Pégomas
Auribeau-sur-Siagne
Mandelieu-la-Napoule
CANNES
Golfe de la Napoule
Pte de la Croisette
Île Ste-Marguerite
Île St-Honorat
Îles de Lérins
La Napoule
Théoule-sur-Mer
Le Trayas
Mt Vinaigre
Pic de l'Ours
Pic du Cap Roux
MASSIF DE L'ESTEREL
Massif du Tanneron
St-Raphaël
Agay
Anthéor
Les Adrets-de-l'Esterel
Montauroux
St-Cézaire-sur-Siagne
Levens
Carros
Colomars
Falicon
Tourrette-Levens
Aspremont
St-Paul-de-Vence
La Colle-sur-Loup
Le Bar-s-Loup
Baie des Anges
CÔTE D'AZUR

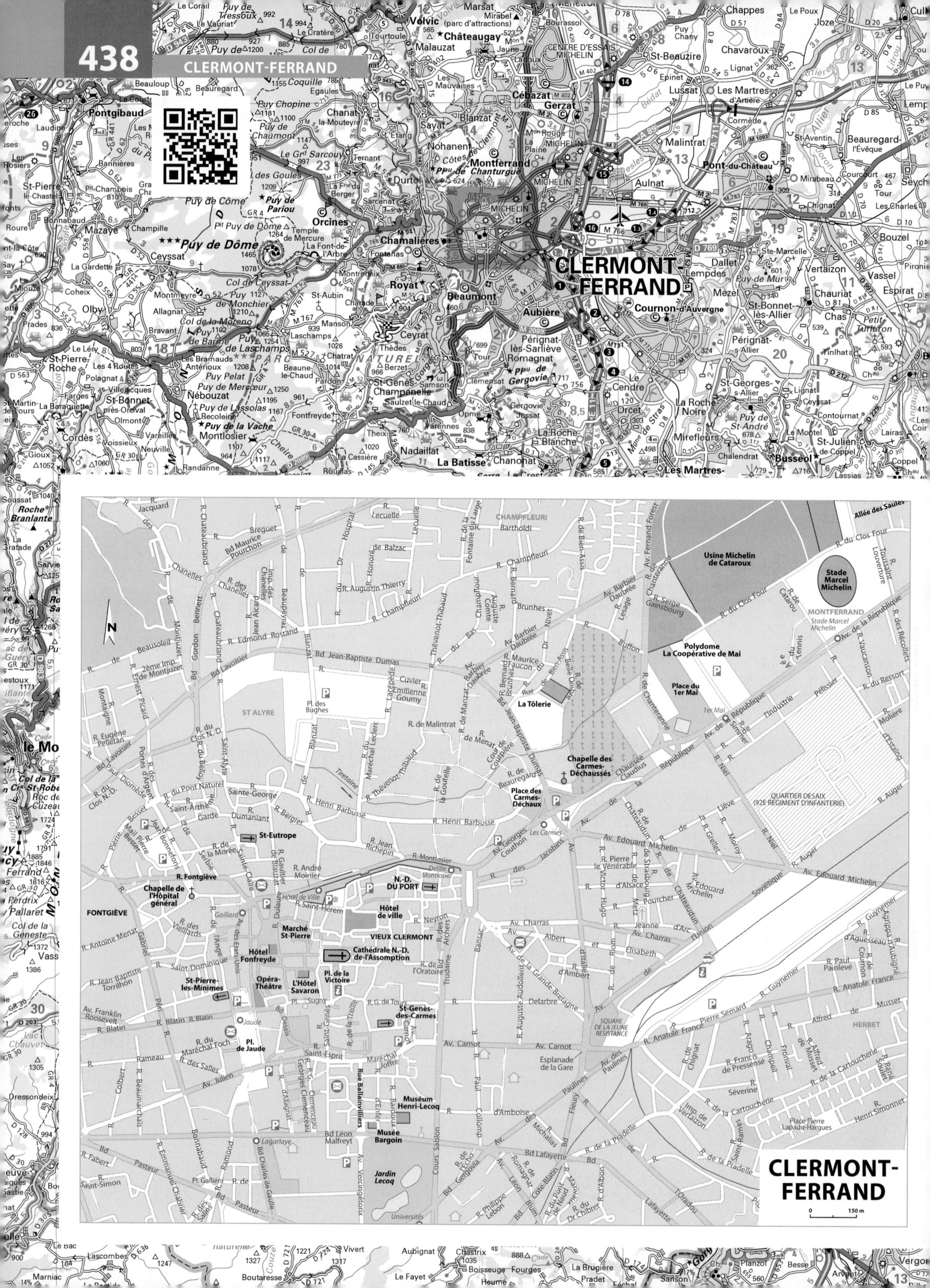
CLERMONT-FERRAND
Volvic
Châteaugay
Cébazat
Gerzat
Montferrand
Chamalières
Royat
Beaumont
Aubière
Cournon-d'Auvergne
Lempdes
Pont-du-Château
Aulnat
Orcines
Puy de Dôme
Pontgibaud
Ceyssat
Pérignat-lès-Sarliève
Romagnat
Plau de Gergovie
Le Cendre
Orcet
Mirefleurs
Busséol
La Roche-Blanche
La Batisse
Nébouzat
St-Genès-Champanelle
Ceyrat
Lussat
Malintrat
Les Martres-d'Artière
Chavaroux
Joze
St-Beauzire
Vertaizon
Vassel
Espirat
Chauriat
Mezel
Dallet
Beauregard-l'Évêque
St-Georges-s-Allier
La Roche-Noire
Pérignat-s-Allier
St-Julien-de-Coppel
Olby
Mazaye
Cordès
Randanne
Montlosier
Chanonat
Nadaillat
0 150 m
CHAMPFLEURI
Usine Michelin de Cataroux
Stade Marcel Michelin
MONTFERRAND
Polydome
La Coopérative de Mai
Place du 1er Mai
La Tôlerie
ST ALYRE
Pl. des Bughes
Chapelle des Carmes-Déchaussés
Place des Carmes-Déchaux
QUARTIER DESAIX (92E RÉGIMENT D'INFANTERIE)
St-Eutrope
N.-D. DU PORT
Hôtel de ville
Chapelle de l'Hôpital général
FONTGIÈVE
Marché St-Pierre
VIEUX CLERMONT
Cathédrale N.-D. de-l'Assomption
Hôtel Fonfreyde
Opéra-Théâtre
L'Hôtel Savaron
Pl. de la Victoire
St-Pierre-les-Minimes
St-Genès-des-Carmes
Pl. de Jaude
SQUARE DE LA JEUNE RÉSISTANCE
Esplanade de la Gare
HERBET
Muséum Henri-Lecoq
Musée Bargoin
Jardin Lecoq
Place Pierre Lapadu-Hargues
Allée des Saules
Av. Edouard Michelin
Av. de la République
Bd Jean-Baptiste Dumas
Bd Lavoisier
Av. Carnot
Bd Lafayette
Av. Julien
Av. Charras
R. Anatole France
Cours Sablon
Bd Léon Malfreyt
Av. Vercingétorix
Rue Ballainvilliers

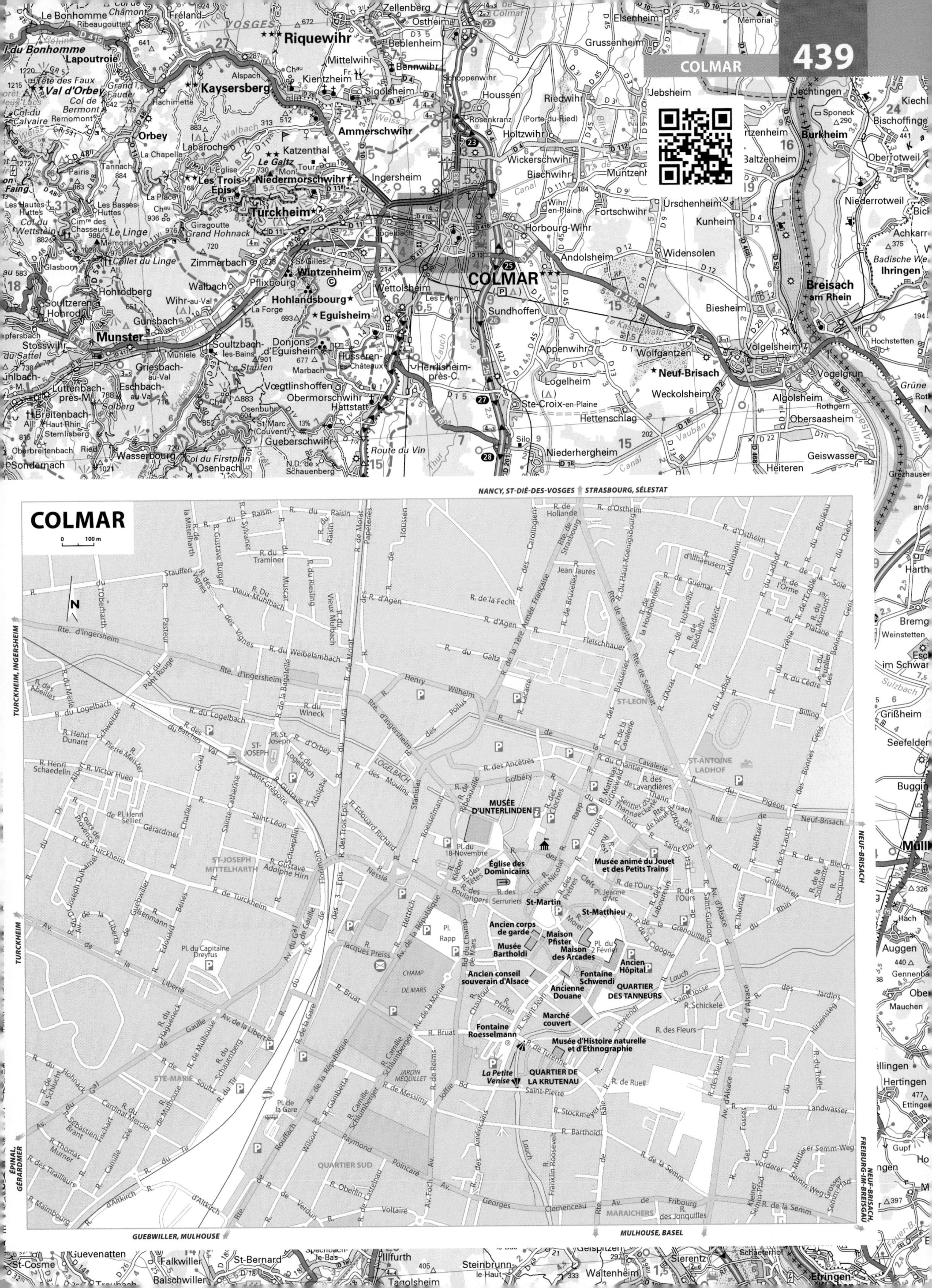
COLMAR
0 100 m
N
NANCY, ST-DIÉ-DES-VOSGES
STRASBOURG, SÉLESTAT
TURCKHEIM, INGERSHEIM
TURCKHEIM
ÉPINAL, GÉRARDMER
GUEBWILLER, MULHOUSE
MULHOUSE, BASEL
NEUF-BRISACH
NEUF-BRISACH, FREIBURG-IM-BREISGAU
MUSÉE D'UNTERLINDEN
Église des Dominicains
Musée animé du Jouet et des Petits Trains
St-Martin
St-Matthieu
Ancien corps de garde
Maison Pfister
Maison des Arcades
Musée Bartholdi
Ancien Hôpital
Ancien conseil souverain d'Alsace
Fontaine Schwendi
QUARTIER DES TANNEURS
Ancienne Douane
Marché couvert
Fontaine Roesselmann
Musée d'Histoire naturelle et d'Ethnographie
La Petite Venise
QUARTIER DE LA KRUTENAU
Pl. Rapp
CHAMP DE MARS
JARDIN MÉQUILLET
Pl. de la Gare
QUARTIER SUD
MARAICHERS
STE-MARIE
ST-JOSEPH MITTELHARTH
ST-JOSEPH
LOGELBACH
ST-LEON
ST-ANTOINE LADHOF
Pl. du 18-Novembre
Pl. du Capitaine Dreyfus
Pl. Jeanne d'Arc
Pl. du 2 Février
Pl. St Joseph
Rte. d'Ingersheim
Av. de la République
Av. de la Liberté
Av. d'Alsace
Av. Georges Clemenceau
Av. de Fribourg
Rte. de Neuf-Brisach
Rte. de Sélestat
Rte. de Strasbourg
Riquewihr
Kaysersberg
Ammerschwihr
Orbey
Turckheim
Wintzenheim
Eguisheim
Munster
Ingersheim
Horbourg-Wihr
Andolsheim
Sundhoffen
Neuf-Brisach
Breisach am Rhein
Volgelsheim
Hohlandsbourg
Niedermorschwihr
Les Trois-Épis
Lapoutroie
Zimmerbach
Wettolsheim
Herrlisheim-près-C.
Ste-Croix-en-Plaine
Niederhergheim
Jebsheim
Kunheim
Biesheim
Route du Vin

DIJON
Val-Suzon
Étaules
Messigny-et-Vantoux
Vantoux-lès-Dijon
Norges-la-Ville
Clénay
Brognon
Vesvrotte
Tanay
Mirebeau-sur-Bèze
Darois
Asnières-lès-Dijon
Bretigny
St-Julien
Arceau
Magny-St-Médard
Savolles
Bellefond
Ruffey-lès-Echirey
Orgeux
Varois-et-Chaignot
Hauteville-lès-Dijon
Ahuy
Daix
Fontaine-lès-Dijon
Talant
Plombières-lès-Dijon
Belleneuve
Arc-sur-Tille
Couternon
Binges
Remilly-sur-Tille
St-Apollinaire
Quetigny
Chevigny-St-Sauveur
Panges
Baulme-la-Roche
Ancey
Velars-sur-Ouche
Fleurey-sur-Ouche
Mâlain
Prâlon
Fort de la Motte-Giron
N.-D. d'Etang
Mont Afrique
Corcelles-les-Monts
Chenôve
Longvic
Neuilly-lès-Dijon
Crimolois
Sennecey-lès-Dijon
Mirande
Bressey-sur-Tille
Izier
Cessey-sur-Tille
Chambeire
Tellecey
Ste-Marie-s-Ouche
Pont-de-Pany
Arcey
Montculot
Flavignerot
Marsannay-la-Côte
Magny-sur-Tille
Longchamp
Labergement-Foigney
Gissey-sur-Ouche
Urcy
Mont de Siège
Couchey
Perrigny-lès-Dijon
Ouges
Fauverney
Genlis
Clémencey
Fixin
Brochon
Gevrey-
Gergueil
Chambœuf
Chevigny
Fénay
Bretenière
Rouvres-en-Plaine
Varanges
Beire-le-Fort
St-Victor-sur-Ouche
TROYES
LANGRES
TROYES, NANCY, VESOUL
AVALLON, AUTUN
LE PUITS DE MOÏSE, LAC KIR, CHARTREUSE DE CHAMPMOL
BEAUNE
PARC DE LA COLOMBIÈRE
SEURRE
DOLE, MÂCON
Pl. de la République
Square Darcy
Foch Gare
Dijon-Gare
Jardin des Sciences
Jardin Botanique Arquebuse
Halles
Pl. Grangier
Pl. F. Rude
Hôtel Morel-Sauvegrain
Maison Millière
Hôtel de Vogüé
Maison des Cariatides
Notre-Dame
Place des Ducs de Bourgogne
Bareuzai
Tour de Bar
Cour d'honneur
Galerie de Bellegarde
Musée des Beaux-Arts
Musée archéologique
Cathédrale St-Bénigne
St-Philibert
PALAIS DES DUCS ET DES ÉTATS DE BOURGOGNE
Pl. de la Libération
Musée Magnin
Le Nef
Musée Rude
St-Michel
Hôtel Bouhier
PALAIS DE JUSTICE
Hôtel de Bretagne
Hôtel Fyot-de-Mimeure
Hôtel Legouz-de-Gerland
Salle de lecture
Chapelle des Carmélites
Collège des Godrans
Puits d'Amour
Place Bossuet
Place E. Zola
Musée d'Art sacré
Musée de la Vie bourguignonne
Pl. Président Wilson
PORT DU CANAL
Place J. Prévert
Pl. Henri Barabant
Place Emmanuel Adler
Le Consortium
Hôtel Aubriot 40
Hôtel Chambellan 34
Maison Chisseret 8
Maison Milsand 38

GRENOBLE
St-Égrève
Sassenage
Fontaine
Seyssinet-Pariset
Seyssins
St-Martin-d'Hères
Meylan
La Tronche
Gières
Eybens
Échirolles
Le Pont-de-Claix
Uriage-les-Bains
Chamrousse
Autrans
Lans-en-Vercors
Le Moucherotte
St-Nizier-du-Moucherotte
Vaulnaveys-le-Haut
Herbeys
Brié-et-Angonnes
Jarrie
Champagnier
Claix
Corenc
Biviers
Montbonnot-St-Martin
Murianette
Venon
Revel
St-Martin-d'Uriage
Proveysieux
Quaix-en-Chartreuse
Le Sappey-en-Chartreuse
St-Ismier
Bernin
Mont-St-Martin
Sarcenas
Fontanil-Cornillon
Veurey-Voroize
St-Quentin-sur-Isère
Noyarey
Montaud
Engins
St-Gervais
Autrans-Méaudre-en-Vercors
Villard-Bonnot
Ste-Agnès
St-Mury-Monteymond
Croix de Chamrousse
LYON, VALENCE
ST-MARTIN-LE-VINOUX, LA CASAMAURES
LA TRONCHE
MUSÉE HÉBERT
SYNCHROTRON
ALBERTVILLE CHAMBÉRY
LANCEY, CHAMROUSSE
VILLARD-DE-LANS
BRIANÇON, SISTERON
GAP
VIZILLE
VIZILLE
Musée des Troupes de montagne
Fort de La Bastille
Parc Guy-Pape
Jardin des Dauphins
Esplanade
Pl. A. Briand
Porte St-Laurent
CCSTI - La Casemate
Musée archéologique Grenoble St-Laurent
ST-LAURENT
Musée Dauphinois
L'ÎLE VERTE
SQUARE A. MICHALON
MUSÉE DE GRENOBLE
Hôtel d'Ornacieux
Anc. palais du Parlement du Dauphiné
Musée de l'Ancien Évêché
Hôtel de Lesdiguières
Jardin de ville
St-André
Place N.-Dame
N.-Dame
Musée Stendhal
Gde-Rue
Place Grenette
Halles Ste-Claire
Couvent Ste-Cécile
Musée de la Résistance et de la Déportation
Lycée Stendhal
Place Victor-Hugo
Pl. de l'Étoile
Place de Verdun
Place Jean Moulin
Muséum d'histoire naturelle
JARDIN DES PLANTES
Stade des Alpes
Hôtel de Ville
Parc Paul-Mistral
Tour Perret
Pl. P. Mistral
Place A. Malraux
JARDIN HOCHE
Caserne de Bonne
Pl. H. Dubedout
Pont de la Porte de France
Pont M. Gontard
Pont de la Citadelle
ST-ROCH
SABLONS
ISÈRE
GRENOBLE
0 300 m

442
LE HAVRE
Octeville-sur-Mer
St-Andrieux
Cap de la Hève
Ste-Adresse
LE HAVRE
PORT 2000
Montivilliers
Harfleur
Gonfreville-l'Orcher
Rogerville
Oudalle
Sandouville
St-Vigor-d'Ymonville
Tancarville
Pont de Tancarville
Réserve naturelle de l'Estuaire de la Seine
Pont de Normandie
Honfleur
Fiquefleur-Équainville
Berville-s-Mer
Conteville
Pointe de la Roque
Marais-Vernier
Bolbec
St-Romain-de-Colbosc
St-Aubin-Routot
St-Laurent-de-Brèvedent
Épouville
Fontenay
Rolleville
Mannevillette
Cauville-sur-Mer
Hermeville
Angerville-l'Orcher
Graimbouville
Virville
St-Gilles-de-la-Neuville
Parc-d'Anxtot
Gommerville
Étainhus
Manéglise
Sainneville
Gainneville
Fontaine-la-Mallet
Bléville
Sanvic
Graville
Lillebonne
Quillebeuf-sur-Seine
ÉTRETAT, OCTEVILLE-SUR-MER
PARC DE MONGEON
STE-ADRESSE, ÉTRETAT
PRIEURÉ DE GRAVILLE, HARFLEUR, HONFLEUR
FORT DE STE-ADRESSE
Les Jardins suspendus
FORT DE TOURNEVILLE LE TÉTRIS
SAINT-MARIE
SANVIC
St-Michel
PLAGE
Porte Océane
Hôtel de ville
Avenue Foch
Appartement-témoin Auguste-Perret
Pl. de l'Hôtel-de-Ville
St-Joseph
Espace Oscar-Niemeyer
BASSIN DU COMMERCE
ANSE DES RÉGATES
PORT DE PLAISANCE
DIGUE NORD
ANSE DE JOINVILLE
QUARTIER MODERNE
Muséum d'histoire naturelle
Notre-Dame
Hôtel Dubocage de Bléville
Maison de l'Armateur
Musée d'Art moderne André-Malraux (MuMa)
Sémaphore
AVANT PORT
ANSE FRASCATI
BASSIN DE LA MANCHE
BASSIN DE LA CITADELLE
BASSIN DE LA BARRE
SAINT-FRANÇOIS
JARDIN JAPONAIS
ENSM
BASSIN VAUBAN
Docks Vauban
BASSIN PAUL-VATINE
Pont des Docks
Les Bains des Docks
L'EURE
BASSIN DE L'EURE
Jardin fluvial
CHAMP DE FOIRE
Gares
Palais de Justice
PARC DE L'ESCAUT
DIGUE SUD
PORT
LE HAVRE
150 m

Tourcoing
ROUBAIX
Armentières
Wambrechies
Marcq-en-B.
Croix
Wasquehal
Lambersart
Lomme
Mons-en-Barœul
Villeneuve d'Ascq
LILLE (RIJSEL)
Haubourdin
Lesquin
Faches-Thumesnil
Ronchin
Lezennes
TOURNAI (DOORNIK)
Hem
Lannoy
Néchin
Templeuve
Baisieux
Wattrelos
Mouvaux
Bondues
Linselles
Houplines
Pérenchies
Sequedin
Loos
Santes
Wavrin
Seclin
Templemars
Vendeville
Sainghin-en-M.
Cysoing
Wannehain
Orcq
Froyennes
Estaimbourg
Pecq
Warcoing
Dottignies (Dottenijs)
Luingne
Tourcoing
Comines
Warneton (Waasten)
Ploegsteert
Nieuwkerke (Neuve-Église)
Deûlémont
Frelinghien
Quesnoy-sur-Deûle
Verlinghem
Prémesques
Capinghem
Englos
Escobecques
Erquinghem-le-Sec
Beaucamps-Ligny
Fournes-en-W.
Herlies
Wicres
Emmerin
Noyelles-lès-S.
Wattignies
Houplin-Ancoisne

LILLE

0 250 m

IEPER (YPRES) — OOSTENDE — GENT, ROUBAIX, TOURCOING — GENT, ARMENTIÈRES — LOMME, ARMENTIÈRES — DUNKERQUE, BÉTHUNE — HAUBOURDIN — SECLIN — SECLIN — PARIS, VALENCIENNES — VILLENEUVE D'ASCQ — GENT, ROUBAIX, TOURCOING

LE CANON D'OR
LA MADELEINE
PARC MONCEAU
JARDIN DES PLANTES
LE CHAMP DE COURSES
Citadelle
Porte royale
Parc de la Citadelle
CHAMP DE MARS
Cita-Parc
Zoo de Lille
BOIS DE BOULOGNE
Jardin Vauban
Monument aux Fusillés
SQUARE DU TILLEUL
CANAL DE LA DEÛLE
Maison natale de Charles de Gaulle
Pl. des Archives
Porte de Gand
Jardin des Géants
Cimetière de l'Est
Musée des Canonniers sédentaires
Parc Henri Matisse
LILLE-EUROPE
N.-D.-de-la-Treille
VIEUX LILLE
Ste-Catherine
Rue Royale
Porte de Roubaix
Pl. F. Mitterand
Pl. de Valladolid
Tour de Lille
Tour Lilleurope WTC
WAAO
Hôtel Bidé-de-Granville
CIC
Opéra
Centre Euralille
L'Aéronef
Gare Lille Flandres
Vieille Bourse
Tripostal
Pl. de la Gare
LILLE-FLANDRES
St-Maurice
PARC DES DONDAINES
CENTRE
Lille Grand Palais
Mairie de Lille
Pl. Richebé
République Beaux Arts
Pl. de la République
Hermitage Gantois
Pavillon St-Sauveur
Noble Tour
Hôtel de ville
SQUARE DU RÉDUIT
Lille Grand Palais
Porte de Paris
Chapelle du Réduit
PALAIS DES BEAUX-ARTS
VAUBAN-ESQUERMES
Pont de Dunkerque
Port de Lille
Pl. du Mal Leclerc
WAZEMMES
Marché de Wazemmes
St-Pierre-St-Paul
Pl. de la Nouvelle Aventure
Centre d'arts plastiques et visuels
Maison Folie Wazemmes
Cormontaigne
Maison Coilliot
Musée d'Histoire naturelle de Lille
Pl. Ph. Lebon
Pl. Sébastopol
Gare St-Sauveur
Parc J.-B. Lebas
Pl. J. d'Arc
R. Brûle-Maison
Pl. de la Solidarité
Cité Philanthropique
Maison Folie Moulins
Flow
MOULINS
Porte de Douai
WAZEMMES
Montebello
Porte de Valenciennes

Villeneuve
Savigneux
Villars-les-Dombes
Chalamont
Ambérieux-en-Dombes
Lapeyrouse
Versailleux
Jassans-Riottier
Ste-Euphémie
St-Didier-de-Formans
Trévoux
Anse
St-Bernard
Ambérieux
Reyrieux
Civrieux
Parcieux
Quincieux
Massieux
Monthieux
St-Marcel-en-Dombes
St-André-de-Corcy
Le Montellier
Lachassagne
Lucenay
Morance
Chazay-d'Azergues
Les Chères
St-Germain-au-Mt-d'Or
Genay
Montanay
Mionnay
Tramoyes
Ste-Croix
Pizay
Neuville-s-Saône
Fleurieu-s-S.
Curis-au-Mt-d'Or
Albigny-s-S.
Poleymieux-au-Mt-d'Or
Fontaines-St-Martin
Cailloux-s-Fontaines
Les Échets
Montluel
Dagneux
Beynost
La Boisse
Châtillon
Belmont-d'A.
Lozanne
Dommartin
Limonest
Rochetaillée-s-S.
Sathonay
St-Maurice-de-B.
Miribel
Nièvroz
Balan
Fleurieux-s/-A.
Couvent
Lentilly
La Tour-de-Salvagny
Dardilly
St-Didier-au-Mt-d'Or
St-Cyr-au-Mt-d'Or
Collonges-au-Mt-d'Or
Caluire-et-Cuire
Rillieux-la-Pape
Neyron
Thil
Île de Miribel-Jonage
Vaulx-en-Velin
Jonage
Jons
Sourcieux-les-Mines
Marcy-l'Étoile
Charbonnières-les-Bains
Écully
Champagne-au-Mt-d'Or
Villeurbanne
Meyzieu
Ste-Consorce
Pollionnay
St-Genis-les-Ollières
Tassin-la-Demi-Lune
Grézieu-la-Varenne
Vaugneray
Craponne
Francheville
Ste-Foy-lès-Lyon
La Mulatière
LYON
Bron
Décines-Charpieu
Chassieu
Genas
Pusignan
Janneyrias
Charvieu-Chavagneux
LYON-SAINT-EXUPÉRY
Colombier-Saugnieu
Brindas
Chaponost
Oullins
Pierre-Bénite
St-Fons
Vénissieux
St-Priest
St-Bonnet-de-Mure
St-Laurent-de-Mure
Messimy
St-Genis-Laval
Brignais
Irigny
Thurins
Soucieu-en-Jarrest
Vourles
Corbas
Feyzin
Mions
Toussieu
St-Pierre-de-Chandieu
Grenay
Rontalon
Orliénas
Taluyers
Charly
Vernaison
Solaize
St-Symphorien-d'Ozon
Chaponnay
Heyrieux
La Verpillière
St-Quentin-Fallavier
Villefontaine
Chaussan
Millery
Mornant
Montagny
Chassagny
Sérézin-du-Rhône
Grigny
Simandres
Communay
Marennes
Valencin
Ternay
Villette-de-Vienne
Luzinay
St-Just-Chaleyssin
Diémoz
St-Didier-s-Riverie
St-Andéol-le-Château
Givors
Chasse-s-Rhône
Chuzelles
St-Jean-de-Touslas
St-Romain-en-Gier
Dargoire
Seyssuel
Serpaize
Oytier-St-Oblas
St-Georges-d'Espéranche
Septème
Echalas
Loire-s-Rhône
Charantonnay
Tartaras
St-Romain-en-Gal
Pont-Évêque
Trèves
Châteauneuf
Rive-de-Gier
Ste-Colombe
VIENNE
Estrablin
Beauvoir-de-Marc
Moidieu-Détourbe
Royas

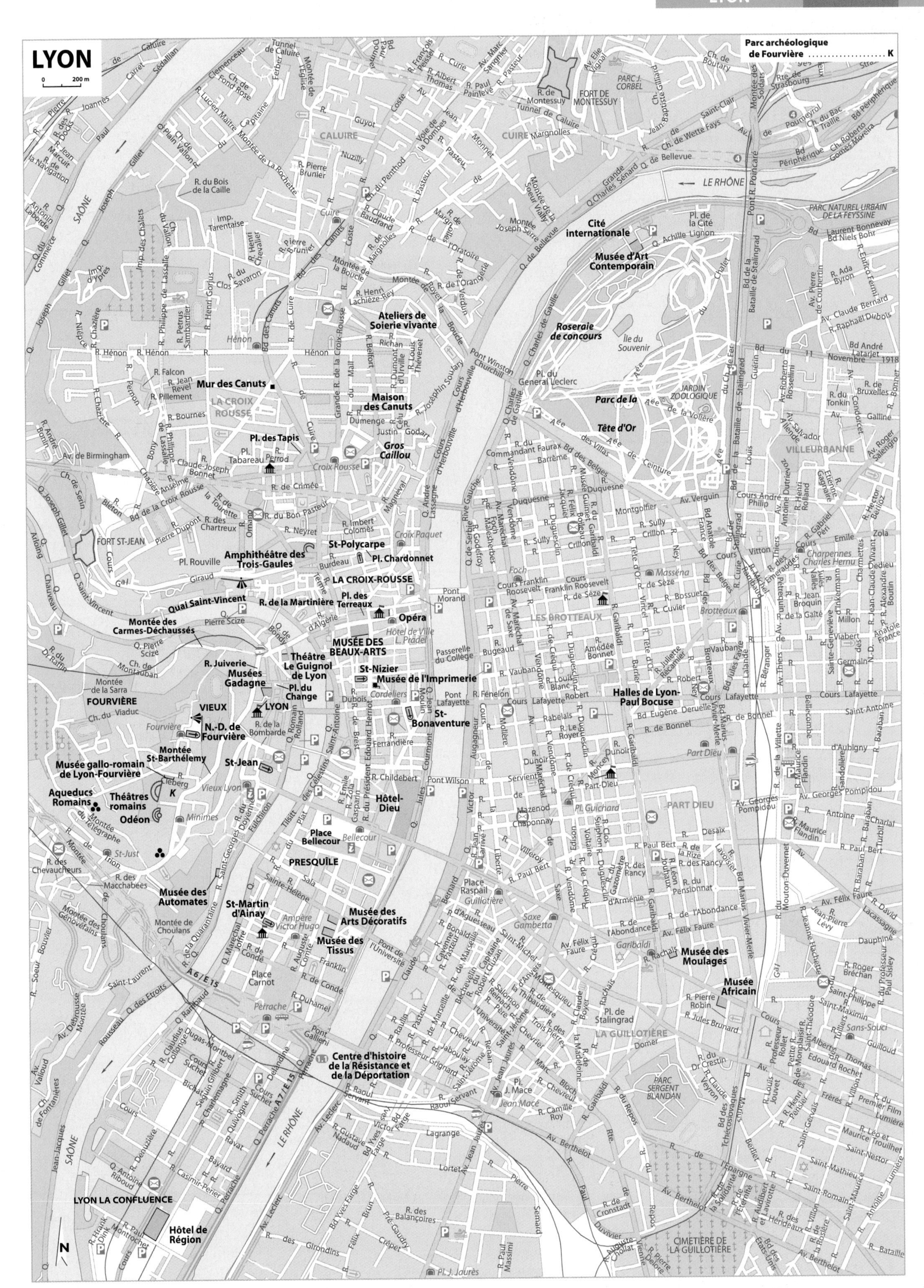
LYON
0 200 m
Parc archéologique de Fourvière .... K
CALUIRE
CUIRE
FORT DE MONTESSUY
PARC J. CORBEL
LE RHÔNE
SAÔNE
PARC NATUREL URBAIN DE LA FEYSSINE
Cité internationale
Musée d'Art Contemporain
Ateliers de Soierie vivante
Roseraie de concours
Île du Souvenir
Pont Winston Churchill
Pl. du Général Leclerc
JARDIN ZOOLOGIQUE
Parc de la Tête d'Or
Mur des Canuts
LA CROIX ROUSSE
Maison des Canuts
Pl. des Tapis
Gros Caillou
VILLEURBANNE
FORT ST-JEAN
St-Polycarpe
Amphithéâtre des Trois-Gaules
Pl. Chardonnet
LA CROIX-ROUSSE
Quai Saint-Vincent
R. de la Martinière
Pl. des Terreaux
Opéra
Pont Morand
LES BROTTEAUX
Montée des Carmes-Déchaussés
MUSÉE DES BEAUX-ARTS
Théâtre Le Guignol de Lyon
R. Juiverie
Musées Gadagne
Pl. du Change
St-Nizier
Musée de l'Imprimerie
FOURVIÈRE
VIEUX LYON
N.-D. de Fourvière
St-Bonaventure
Halles de Lyon-Paul Bocuse
Montée St-Barthélemy
Musée gallo-romain de Lyon-Fourvière
St-Jean
Aqueducs Romains
Théâtres romains
Odéon
Hôtel-Dieu
PART DIEU
Place Bellecour
PRESQU'ÎLE
Musée des Automates
St-Martin d'Ainay
Musée des Arts Décoratifs
Musée des Tissus
Place Raspail
Musée des Moulages
Musée Africain
Place Carnot
A6/E15
Pl. de Stalingrad
LA GUILLOTIÈRE
Centre d'histoire de la Résistance et de la Déportation
A7/E15
PARC SERGENT BLANDAN
LYON LA CONFLUENCE
Hôtel de Région
CIMETIÈRE DE LA GUILLOTIÈRE
Pl. J. Jaurès
N

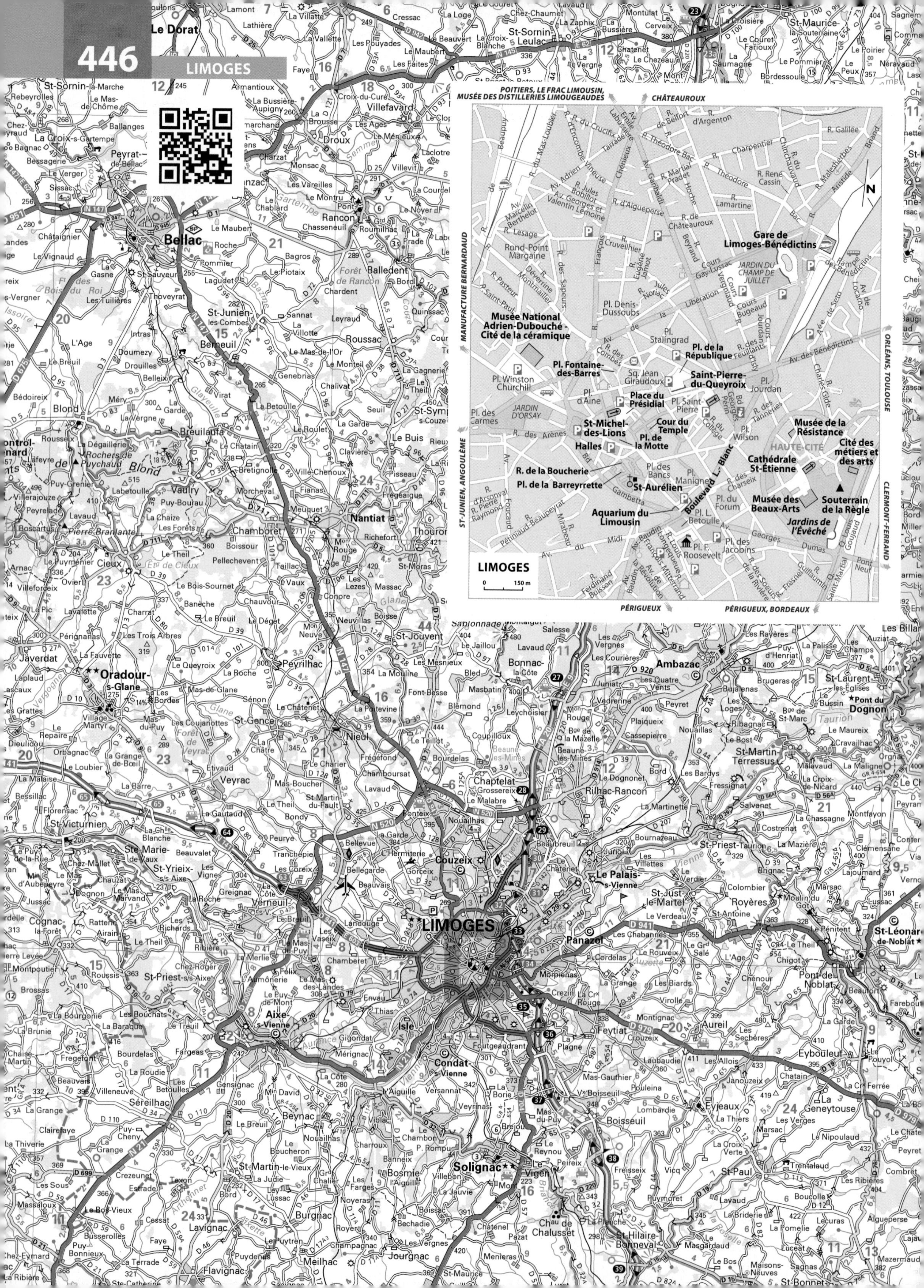
Le Dorat
Bellac
Nantiat
Oradour-s-Glane
Ambazac
LIMOGES
Couzeix
Le Palais-s-Vienne
Panazol
Aixe-s-Vienne
Isle
Condat-s-Vienne
Solignac
Feytiat
Chaptelat
Rilhac-Rancon
St-Léonard-de-Noblat
Pont-de-Noblat
Eyjeaux
Boisseuil
Villefavard
Rancon
Balledent
Peyrat-de-Bellac
Blond
Vaulry
Cieux
Veyrac
Verneuil
St-Yrieix-s-Aixe
St-Victurnien
St-Priest-s/s-Aixe
Nieul
Peyrilhac
St-Jouvent
Bonnac-la-Côte
St-Laurent-les-Églises
Pont du Dognon
St-Martin-Terressus
St-Priest-Taurion
St-Just-le-Martel
Royères
Eybouleuf
La Geneytouse
St-Paul
Le Vigen
Chalusset
St-Hilaire-Bonneval
Burgnac
Jourgnac
Meilhac
Séreilhac
Beynac
Bosmie-l'Aiguille
St-Martin-le-Vieux
Lavignac
Flavignac
POITIERS, LE FRAC LIMOUSIN, MUSÉE DES DISTILLERIES LIMOUGEAUDES
CHÂTEAUROUX
ORLÉANS, TOULOUSE
CLERMONT-FERRAND
PÉRIGUEUX
PÉRIGUEUX, BORDEAUX
ST-JUNIEN, ANGOULÊME
MANUFACTURE BERNARDAUD
Gare de Limoges-Bénédictins
JARDIN DU CHAMP DE JUILLET
Musée National Adrien-Dubouché - Cité de la céramique
Pl. Fontaine-des-Barres
Pl. de la République
Saint-Pierre-du-Queyroix
Place du Présidial
St-Michel-des-Lions
Cour du Temple
Pl. de la Motte
Halles
R. de la Boucherie
Pl. de la Barreyrrette
St-Aurélien
Aquarium du Limousin
Musée de la Résistance
Cité des métiers et des arts
Cathédrale St-Étienne
Musée des Beaux-Arts
Souterrain de la Règle
Jardins de l'Évêché
HAUTE-CITÉ
JARDIN D'ORSAY
Pl. Winston Churchill
Pl. des Carmes
Pl. Jourdan
Pl. Stalingrad
Pl. Denis-Dussoubs
Rond-Point Margaine
Pl. Wilson
Pl. des Jacobins
Pl. F. Roosevelt
Boulevard L. Blanc
LIMOGES
0 150 m
N

LE MANS

0 150 m

ALEÇON, MAYENNE

MAMERS, BALLON-SAINT MARS

BONNÉTABLE

JARDIN D'HORTICULTURE

ORLÉANS, CHARTRES

ABBAYE DE L'ÉPAU, MONTFORT-LE-GESNOIS

MUSÉE VERT-MUSÉE D'HISTOIRE NATURELLE, MUSÉE DES 24 HEURES, TOURS

ANGERS, SAUMUR

NOYEN-SUR-SARTHE

LAVAL, ANGERS

Musée de Tessé

CATHÉDRALE ST-JULIEN

Pont Yssoir

Hôtel de ville

La Visitation

N.-D.-de-la-Couture

Ste-Jeanne-d'Arc

Pl. Gambetta

Pl. G.-Bouttié

Pl. A. Briand

Pl. F.-Roosevelt

Pl. G. Washington

Bd Anatole France

Pont de Fer

Bd Robert Jarry

Bd Alexandre Oyon

Bd Emile Zola

Av. Rubillard

R. Voltaire

R. des Jardins

R. Edouard de la Boussinière

R. des Cochereaux

R. Sieyès

R. d'Orléans

Q. Ledru-Rollin

Q. Louis Blanc

R. Denfert-Rochereau

R. Robert Triger

R. Germain Pilon

R. du Donjon

Av. de Paderborn

R. Cauvin

R. du Capitaine Floch

R. de l'Herberie

R. du Cirque

R. des Arènes

R. Pierre Belon

R. Tascher

R. Albert Maignan

R. Gougeard

Av. Léon Bollée

R. du Port

R. Chanzy

R. Victor Hugo

R. Beauverger

R. de Joinville

R. Scarron

R. de la Mariette

Av. Jean Jaurès

R. de la Mission

R. de Bazeilles

R. Coëffort

R. Mangeard

R. de Belfort

R. Charcot

R. Éloc-Demazy

Imp. Jean Duclos

R. Bobillot

R. de la Petite Vitesse

R. du Miroir

R. de la Corderie

Sarthe

N

LE MANS

Coulaines

Allonnes

Arnage

Changé

Abbé de l'Épau

Musée Automobile

La Milesse

St-Saturnin

Sargé-lès-Le Mans

Yvré-l'Évêque

Rouillon

Ruaudin

Mulsanne

Spay

La Suze-s-Sarthe

Savigné-l'Évêque

Ballon-St Mars

Beaumont-s-Sarthe

Montbizot

Souligné-s/s-Ballon

Neuville-sur-Sarthe

La Bazoge

Trangé

Coulans-s-Gée

Loué

St-Christophe-en-Champagne

Roézé-sur-Sarthe

Moncé-en-Belin

Noyen-s-Sarthe

Parigné

St-Céneri-le-Gérei

Ancinnes

Neufchâtel-en-Saosnois

Fresnay-sur-Sarthe

Thoiré-s/s-Contensor

Les Mées

Dangeul

Marolles-les-Braults

Sillé-le-Philippe

St-Corneille

Montfort

MARSEILLE
L'Estaque
Le Rove
St-Antoine
Septèmes-les-Vallons
Niolon
La Madrague-de-la-Ville
Rade de Marseille
Île Ratonneau
Le Frioul
Île Pomègues
Ch^au d'If
Îles du Frioul
Cap Caveaux
Rade d'Endoume
Plages du Prado
Bonneveine
La Pointe-Rouge
Mazargues
Montredon
Cap Croisette
Île Tiboulen
Callelongue
Sormiou
Allauch
Plan-de-Cuques
Aubagne
La Penne-sur-Huveaune
Carnoux-en-Provence
Roquefort-la-Bédoule
Cassis
Gémenos
Cuges-les-Pins
Auriol
Roquevaire
Peypin
Cadolive
La Bouilladisse
La Destrousse
St-Marcel
St-Loup
Ste-Marguerite
Le Cabot
Valmante
Le Redon
Luminy
Col de la Gineste
Logisson
PARC NATIONAL
DES CALANQUES
Massif de Puget
Forêt de la Gardiole
Massif de Marseilleveyre
Chaîne de St-Cyr
Chaîne de l'Étoile
Grottes Loubière
Parc de St-Pons
MASSIF DE LA
Col de l'Espigoulier
Col de l'Ange
Ceyreste
Pas d'Oullier
Plan-d'Aups-Ste-Baume

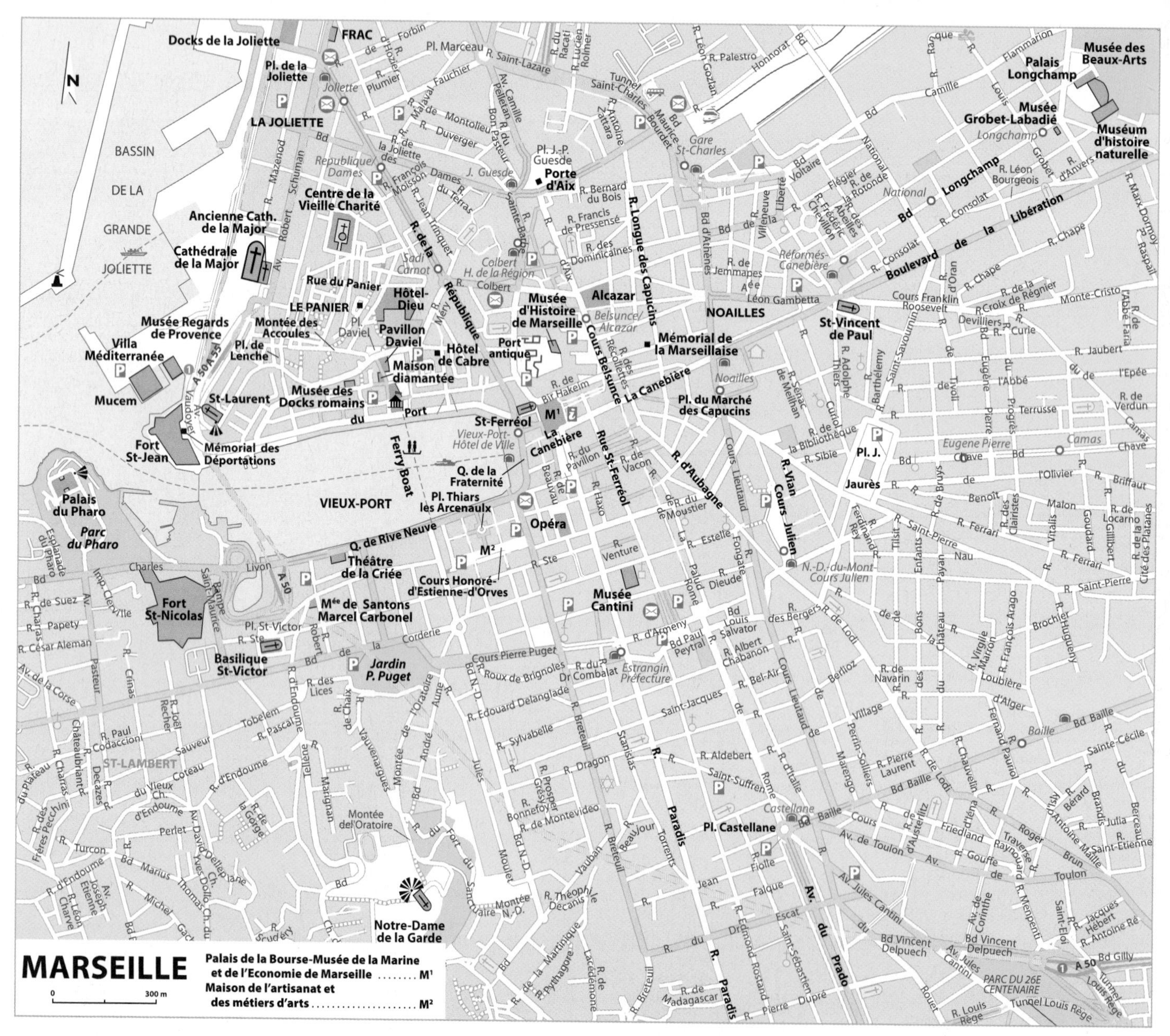

Docks de la Joliette
FRAC
Pl. de la Joliette
LA JOLIETTE
BASSIN DE LA GRANDE JOLIETTE
Centre de la Vieille Charité
Ancienne Cath. de la Major
Cathédrale de la Major
Rue du Panier
LE PANIER
Hôtel-Dieu
Pavillon Daviel
Hôtel de Cabre
Maison diamantée
Musée Regards de Provence
Villa Méditerranée
Mucem
Fort St-Jean
St-Laurent
Mémorial des Déportations
Musée des Docks romains
Port antique
Musée d'Histoire de Marseille
Porte d'Aix
Gare St-Charles
Alcazar
NOAILLES
Mémorial de la Marseillaise
Pl. du Marché des Capucins
La Canebière
St-Ferréol
VIEUX-PORT
Ferry Boat
Q. de la Fraternité
Pl. Thiars les Arcenaux
Opéra
Q. de Rive Neuve
Théâtre de la Criée
Palais du Pharo
Parc du Pharo
Fort St-Nicolas
Basilique St-Victor
Mme de Santons Marcel Carbonel
Cours Honoré-d'Estienne-d'Orves
Jardin P. Puget
Musée Cantini
Pl. Castellane
Notre-Dame de la Garde
St-Vincent de Paul
Pl. J. Jaurès
Cours Julien
Boulevard de la Libération
Bd Longchamp
Palais Longchamp
Musée des Beaux-Arts
Musée Grobet-Labadié
Muséum d'histoire naturelle
ST-LAMBERT
Av. du Prado
R. Paradis
PARC DU 26E CENTENAIRE
MARSEILLE
Palais de la Bourse-Musée de la Marine et de l'Economie de Marseille M1
Maison de l'artisanat et des métiers d'arts M2
0 300 m

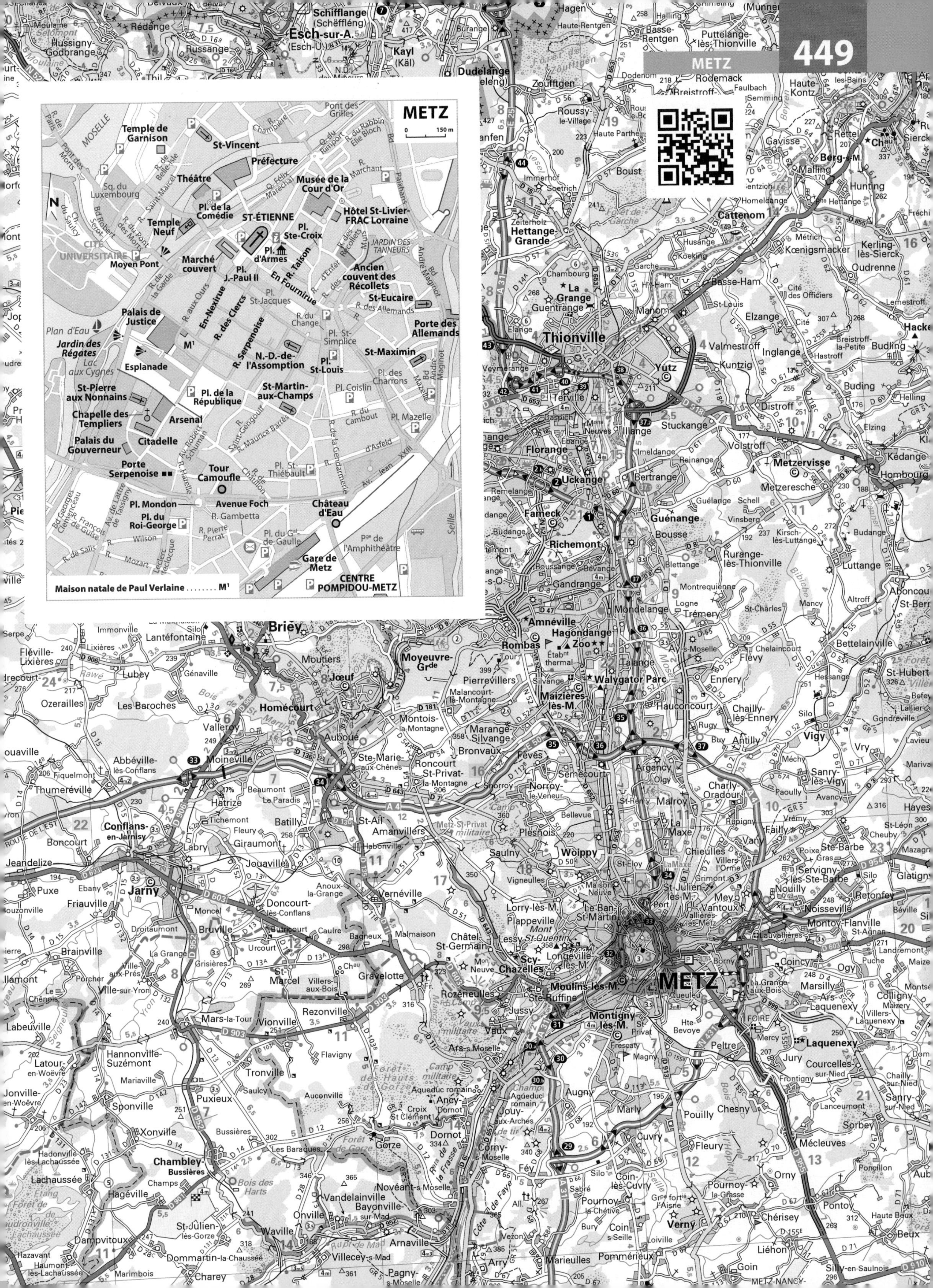
METZ
0 150 m
Temple de Garnison
St-Vincent
Préfecture
Théâtre
Musée de la Cour d'Or
Sq. du Luxembourg
Pl. de la Comédie
ST-ÉTIENNE
Hôtel St-Livier-FRAC Lorraine
Temple Neuf
Pl. Ste-Croix
Pl. d'Armes
R. Taison
JARDIN DES TANNEURS
CITÉ UNIVERSITAIRE
Moyen Pont
Marché couvert
Pl. J.-Paul II
En Fournirue
Ancien couvent des Récollets
St-Eucaire
En-Nexirue
R. des Clercs
Pl. St-Jacques
Palais de Justice
Plan d'Eau
Jardin des Régates
Lac aux Cygnes
Esplanade
M1
R. Serpenoise
Pl. St-Simplice
Porte des Allemands
St-Maximin
N.-D.-de-l'Assomption
Pl. St-Louis
St-Pierre aux Nonnains
Chapelle des Templiers
Pl. de la République
St-Martin-aux-Champs
Pl. Coislin
Pl. des Charrons
Arsenal
Palais du Gouverneur
Citadelle
Pl. Mazelle
Porte Serpenoise
Tour Camoufle
Pl. St-Thiébault
Pl. Mondon
Avenue Foch
Château d'Eau
Pl. du Roi-George
R. Gambetta
Pl. du Gal de Gaulle
Pge de l'Amphithéâtre
Gare de Metz
CENTRE POMPIDOU-METZ
Seille
MOSELLE
Maison natale de Paul Verlaine M1
Esch-sur-A.
Schifflange
Dudelange
Kayl
Rédange
Hussigny-Godbrange
Russange
Thil
Hagen
Basse-Rentgen
Puttelange-lès-Thionville
Rodemack
Zoufftgen
Roussy-le-Village
Boust
Cattenom
Hettange-Grande
Koenigsmacker
Kerling-lès-Sierck
Rettel
Berg-s-M.
Malling
Sierck
Hunting
Oudrenne
La Grange
Guentrange
Thionville
Yutz
Basse-Ham
Manom
Valmestroff
Kuntzig
Elzange
Inglange
Budling
Buding
Terville
Illange
Stuckange
Distroff
Florange
Uckange
Bertrange
Metzervisse
Kédange-
Hombourg
Metzeresche
Fameck
Guénange
Richemont
Bousse
Rurange-lès-Thionville
Luttange
Gandrange
Mondelange
Trémery
Amnéville
Hagondange
Zoo
Rombas
Briey
Moutiers
Joeuf
Moyeuvre-Gde
Homécourt
Pierrevillers
Walygator Parc
Maizières-lès-M.
Talange
Hauconcourt
Ennery
Flévy
Chailly-lès-Ennery
Vigy
St-Hubert
Lantéfontaine
Immonville
Fléville-Lixières
Lubey
Ozerailles
Les Baroches
Valleroy
Moineville
Auboué
Abbéville-lès-Conflans
Thumeréville
Ste-Marie-aux-Chênes
Roncourt
St-Privat-la-Montagne
Marange-Silvange
Bronvaux
Fèves
Semécourt
Argancy
Charly-Oradour
Sanry-lès-Vigy
Hatrize
Batilly
St-Ail
Amanvillers
Norroy-le-Veneur
Plesnois
Malroy
La Maxe
Conflans-en-Jarnisy
Boncourt
Labry
Giraumont
Jouaville
Saulny
Woippy
Chieulles
Failly
Jeandelize
Jarny
Doncourt-lès-Conflans
Vernéville
Vigneulles
Lorry-lès-M.
Plappeville
Le Ban-St-Martin
St-Julien-lès-M.
Vantoux
Servigny-lès-Ste-Barbe
Noisseville
Puxe
Friauville
Bruville
Malmaison
Châtel-St-Germain
Lessy
Scy-Chazelles
Longeville-lès-M.
Montoy-Flanville
Brainville
Ville-sur-Yron
St-Marcel
Gravelotte
Rozérieulles
Moulins-lès-M.
METZ
Coincy
Ogy
Marsilly
Ars-Laquenexy
Colligny
Mars-la-Tour
Vionville
Rezonville
Jussy
Vaux
Montigny-lès-M.
Laquenexy
Labeuville
Latour-en-Woëvre
Hannonville-Suzémont
Tronville
Flavigny
Ars-s-Moselle
Peltre
Jury
Courcelles-sur-Nied
Sponville
Puxieux
Auconville
Ancy-Dornot
Jouy-aux-Arches
Augny
Marly
Pouilly
Chesny
Xonville
Chambley-Bussières
Gorze
Dornot
Corny-s-Moselle
Cuvry
Fleury
Mécleuves
Orny
Lachaussée
Hagéville
Novéant-s-Moselle
Vandelainville
Bayonville-sur-Mad
Fey
Coin-lès-Cuvry
Pournoy-la-Grasse
Pontoy
St-Julien-lès-Gorze
Onville
Waville
Arnaville
Pournoy-la-Chétive
Coin-s-Seille
Verny
Chérisey
Dampvitoux
Dommartin-la-Chaussée
Villecey-s-Mad
Vezon
Marieulles
Pommérieux
Liéhon
Beux
Charey
Pagny-s-Moselle
Arry
Goin
Silly-en-Saulnois
METZ NANCY

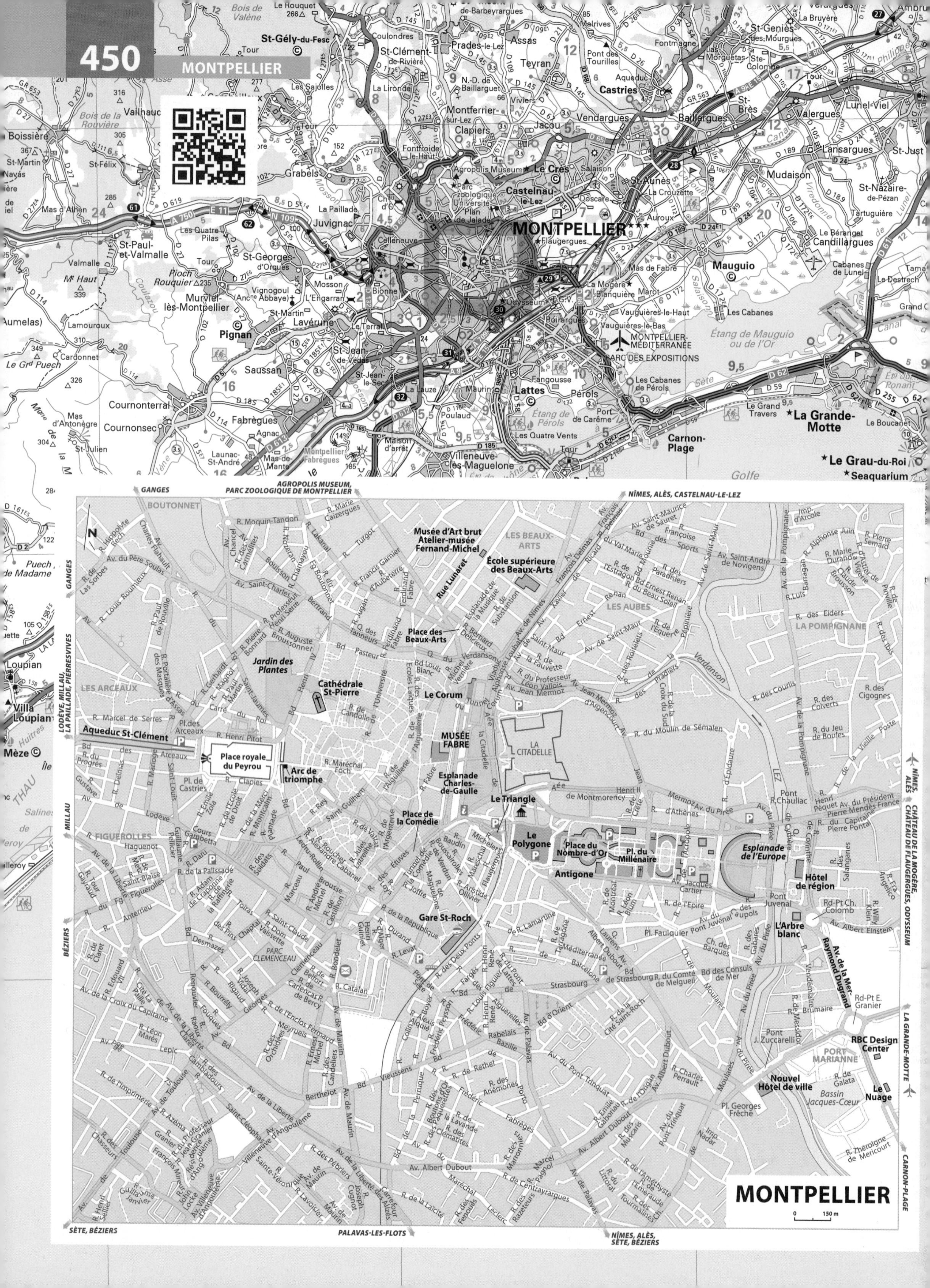

450
MONTPELLIER
St-Gély-du-Fesc
St-Clément-de-Rivière
Prades-le-Lez
Assas
Teyran
Castries
Montferrier-sur-Lez
Clapiers
Jacou
Vendargues
Baillargues
St-Brès
Valergues
Lunel-Viel
Lansargues
Mudaison
St-Nazaire-de-Pézan
Candillargues
Mauguio
Grabels
Juvignac
Le Crès
Castelnau-le-Lez
Agropolis Museum
Parc zoologique
MONTPELLIER
Flaugergues
St-Aunès
Saint-Paul-et-Valmalle
St-Georges-d'Orques
Murviel-lès-Montpellier
Pignan
Lavérune
St-Jean-de-Védas
Saussan
Cournonterral
Cournonsec
Fabrègues
Lattes
Pérols
Villeneuve-lès-Maguelone
Carnon-Plage
La Grande-Motte
Le Grau-du-Roi
Seaquarium
Odysseum
MONTPELLIER-MÉDITERRANÉE
PARC DES EXPOSITIONS
Étang de Mauguio ou de l'Or
Boirargues
Vauguières-le-Haut
Les Cabanes de Pérols
Loupian
Villa Loupian
Mèze
GANGES
AGROPOLIS MUSEUM, PARC ZOOLOGIQUE DE MONTPELLIER
NÎMES, ALÈS, CASTELNAU-LE-LEZ
LODÈVE, MILLAU, LA PAILLADE, PIERRESVIVES
MILLAU
BÉZIERS
NÎMES, ALÈS, CHÂTEAU DE LA MOGÈRE, CHÂTEAU DE FLAUGERGUES, ODYSSEUM
LA GRANDE-MOTTE
CARNON-PLAGE
SÈTE, BÉZIERS
PALAVAS-LES-FLOTS
NÎMES, ALÈS, SÈTE, BÉZIERS
BOUTONNET
LES BEAUX-ARTS
LES AUBES
LA POMPIGNANE
LES ARCEAUX
FIGUEROLLES
PARC CLEMENCEAU
PORT MARIANNE
Musée d'Art brut Atelier-musée Fernand-Michel
École supérieure des Beaux-Arts
Rue Lunaret
Place des Beaux-Arts
Jardin des Plantes
Cathédrale St-Pierre
Le Corum
MUSÉE FABRE
LA CITADELLE
Aqueduc St-Clément
Place royale du Peyrou
Arc de triomphe
Esplanade Charles-de-Gaulle
Place de la Comédie
Le Triangle
Le Polygone
Place du Nombre-d'Or
Pl. du Millénaire
Antigone
Esplanade de l'Europe
Hôtel de région
L'Arbre blanc
Gare St-Roch
Av. de la Mer-Raymond Dugrand
RBC Design Center
Nouvel Hôtel de ville
Le Nuage
Bassin Jacques-Cœur
Pl. Georges Frêche
MONTPELLIER
0 150 m

MULHOUSE
WITTELSHEIM
GUEBWILLER
COLMAR
NEUENBURG AM RHEIN
BASEL, RIXHEIM
RIXHEIM
ALTKIRCH
STEINBRUNN-LE-BAS
CERNAY, BELFORT
Pl. de l'Europe
Tour de l'Europe
Tour Bollwerk
Ste-Marie
Maison du patrimoine Édouard Boeglin
Temple St-Étienne
Ancien hôtel de ville
Musée historique
Pl. de la Réunion
Musée des Beaux-Arts
Square Steinbach
NOUVEAU QUARTIER
Société industrielle
Musée de l'Impression sur étoffes
St-Jean
Porte Jeune
Porte Haute
Pl. de la Liberté
Pl. Salvator
PARC SALVATOR
Pl. Gén.-de-Gaulle
Av. du Président Kennedy
R. du Sauvage
Porte du Miroir
Canal du Rhône au Rhin
150 m
Kaysersberg
Val d'Orbey
Orbey
Ammerschwihr
Kientzheim
Sigolsheim
Houssen
Riedwihr
Jebsheim
Holtzwihr
Wickerschwihr
Bischwihr
Horbourg-Wihr
Andolsheim
COLMAR
Sundhoffen
Baltzenheim
Niederrotweil
Breisach am Rhein
Biesheim
Vogelsheim
Wolfgantzen
Neuf-Brisach
Vogelgrun
Appenwihr
Logelheim
Weckolsheim
Algolsheim
Ste-Croix-en-Plaine
Hettenschlag
Obersaasheim
Niederhergheim
Geiswasser
Heiteren
Dessenheim
Oberhergheim
Biltzheim
Niederentzen
Oberentzen
Rustenhart
Nambsheim
Balgau
Fessenheim
Hirtzfelden
Roggenhouse
Blodelsheim
Munchhouse
Rumersheim-le-Haut
Bantzenheim
Chalampé
Neuenburg
Ottmarsheim
Steinenstadt
Hombourg
Schliengen
Guebwiller
Issenheim
Merxheim
Réguisheim
Raedersheim
Ungersheim
Soultz-Haut-Rhin
Grand Ballon
Hartmannswiller
Feldkirch
Bollwiller
Parc du Petit Prince
Ecomusée d'Alsace
Pulversheim
Ensisheim
Ruelisheim
Battenheim
Historial du Hartmannswillerkopf
Vieil Armand
Wattwiller
Uffholtz
Staffelfelden
Wittenheim
Baldersheim
Thann
Cernay
Wittelsheim
Kingersheim
Sausheim
Illzach
Richwiller
Pfastatt
Lutterbach
MULHOUSE
Rixheim
Riedisheim
Reiningue
Schweighouse-Thann
Morschwiller-le-Bas
Brunstatt-Didenheim
Zimmersheim
Habsheim
Eschentzwiller
Burnhaupt-le-Haut
Burnhaupt-le-Bas
Heimsbrunn
Hochstatt
Galfingue
Bernwiller
Frœningen
Zillisheim
Flaxlanden
Bruebach
Dietwiller
Landser
Schlierbach
Kembs
Kleinkems
Niffer
Petit-Landau
Bad Bellingen
Bamlach
Rheinweiler
Blansingen
Welmlingen
Wintersweiler
Huttingen
Istein
Efringen-Kirchen
Sierentz
Geispitzen
Waltenheim
Steinbrunn-le-Bas
Steinbrunn-le-Haut
Illfurth
Spechbach-le-Haut
Spechbach-le-Bas
St-Bernard
Ammerzwiller
Tagolsheim
Luemschwiller
Heidwiller
Eglingen
Walheim
Rantzwiller
Kœtzingue
Uffheim
Magstatt-le-Haut
Magstatt-le-Bas
Bartenheim
Obermorschwiller
Wahlbach
Aspach
Hagenbach
Buethwiller
Balschwiller
Falkwiller
Traubach-le-Haut
Traubach-le-Bas
Bréchaumont
Guevenatten
St-Cosme
Bellemagny
Bretten
Sternenberg
Gildwiller
Hecken
Diefmatten
Soppe-le-Haut
Soppe-le-Bas
Sentheim
Guewenheim
Aspach-le-Bas
Aspach-le-Haut
Michelbach
Roderen
Rammersmatt
Leimbach
Vieux-Thann
Bitschwiller-lès-Thann
Steinbach
Willer-sur-Thur
Goldbach-Altenbach
Jungholtz
Rimbach-près-G.
Rimbachzell
Thierenbach
Wuenheim
Berrwiller
Bollwiller
Elbach
Wolfersdorf
Reppe
Lachapelle
Saint-Amarin
Geishouse

NANCY
0 200 m
Porte de la Citadelle
Porte de la Craffe
Les Cordeliers
Palais ducal
Statue Rodin
PARC ZOOLOGIQUE
La Pépinière
Pl. du Gén. de Gaulle
Palais du Gouvernement
Pl. St-Epvre
St-Epvre
Pl. de la Carrière
Muséum-aquarium de Nancy
Arc de triomphe
PL. STANISLAS
Opéra
Jardin Godron
Pl. d'Alliance
Musée des Beaux-Arts
Hôtel de ville
Pl. Mgr Ruch
Jardin d'eau
Maison des Adam
Cathédrale
Pl. Simone Veil
St-Sébastien
Pl. Charles III
Pl. de la République
Pl. des Vosges
Maison Bergeret
Canal de la Marne au Rhin
Pont des Fusillés
Novéant-s-Moselle
Arnaville
Pagny-s-Moselle
Vittonville
Vandières
Norroy-lès-Pont-à-Mousson
Pont-à-Mousson
Butte de Mousson
Montauville
Maidières
Blénod-lès-Pont-à-Mousson
Jezainville
Dieulouard
Loisy
Bezaumont
Landremont
Belleville
Marbache
Custines
Pompey
Frouard
Liverdun
Champigneulles
Maxéville
Malzéville
St-Max
Essey-lès-N.
Tomblaine
Laxou
NANCY
Villers-lès-N.
Vandœuvre-lès-N.
Jarville-la-Malgrange
Laneuveville-devant-N.
Heillecourt
Houdemont
Ludres
Fléville-devant-N.
Neuves-Maisons
Chaligny
Pont-St-Vincent
Messein
Richardménil
Méréville
Flavigny-s-Moselle
St-Nicolas-de-Port
Varangéville
Dombasle-s-Meurthe
Rosières-aux-Salines
Damelevières
Blainville-s-l'Eau
Lunéville
Forêt de Vitrimont
Seichamps
Pulnoy
Saulxures-lès-Nancy
Champenoux
Amance
Sillegny
Verny
Cheminot
Louvigny
Nomeny
Villey-le-Sec
Gondreville
Velaine-en-Haye
Sexey-les-Bois
Aingeray
Forêt de Haye
Bois de Faulx
Forêt de Champenoux

NANTES
Orvault
Sautron
Couëron
St-Herblain
Le Pellerin
Saint-Jean-de-Boiseau
Indre
La Montagne
Bouguenais
Brains
Rezé
Ste-Luce-s-Loire
Thouaré-s-L.
St-Sébastien-s-Loire
Basse-Goulaine
Goulaine
Hte-Goulaine
Vertou
Les Sorinières
Le Loroux-Bottereau
La Chapelle-Heulin
La Haie-Fouassière
St-Fiacre-s-Maine
Le Pallet
Mouzillon
Monnières
Château-Thébaud
Pont-St-Martin
St-Aignan-Grandlieu
Bouaye
Port-St-Père
St-Léger-les-Vignes
St-Mars-de-Coutais
Planète sauvage
Réserve naturelle
Passay
Clisson
NANTES-ATLANTIQUE
Maison de l'Erdre
Île de Versailles
Jardin japonais
Parc de Procé
MISÉRICORDE
PARC DES CAPUCINS
Place Viarme
Pl. Mal.-Foch
Jardin des Plantes
Cathédrale St-Pierre-et-St-Paul
Château des ducs de Bretagne
BOUFFAY
Basilique St-Nicolas
Pl. du Change
Ste-Croix
Pl. Royale
Grand théâtre
Place Graslin
Muséum d'histoire naturelle
GRASLIN
Manoir de la Touche
Musée archéologique Thomas-Dobrée
Cours Cambronne
Musée de l'Imprimerie
Passage Pommeraye
Pl. du Commerce
ANCIENNE ÎLE FEYDEAU
MADELEINE-CHAMP-DE-MARS
Cité des Congrès
N.-D.-de-Bon-Port
Mémorial de l'abolition de l'esclavage
Palais de justice
Square Mabon
L'Absence
Immeuble Manny
ENSA
Escorteur d'escadre « Maillé-Brézé »
Anciens chantiers navals
Station Prouvé
Les Machines de l'Île
Halles Alstom
La Fabrique
Bâtiment B
Grue Titan
Anneaux de Buren et Bouchain
Jardin des Fonderies
ÎLE DE NANTES
LOIRE
Quai de la Fosse
NANTES
150 m
N

NICE
BAIE DES ANGES
PROMENADE DES ANGLAIS
Quai des États-Unis
Prieuré du Vieux-Logis
Villa Arson
Musée Matisse
Monastère franciscain
Musée archéologique
Site archéologique gallo-romain
CIMIEZ
ST BARTHÉLEMY
ST MAURICE
Ste-Jeanne d'Arc
Pl. du Gén. de Gaulle
Musée national Marc-Chagall
ST-ÉTIENNE
CARABACEL
ST-ROCH
Cath. orthodoxe russe St-Nicolas
ST PHILIPPE
LES BAUMETTES
LA BUFFA
RIQUIER
Prom. des Arts
MAMAC
Place Garibaldi
Crypte archéologique
Chapelle du St-Sépulcre
Théâtre national
St-Martin-St-Augustin
N.-D. du Port
Pl. l'Ile-de-Beauté
Musée de Terra Amata
Port de Lympia
Cathédrale Ste-Réparate
Rue Massena
Pl. Massena
St-Jacques ou Gesù
Château
Opéra
Cours Saleya
Jardin Albert Ier
Villa Masséna
Negresco
Palais de la Méditerranée
Tour Bellanda
Galerie Lympia
LAZARET
Mosaïque de Chagall
Musée des Beaux-Arts Jules-Chéret
Avenue Jean Médecin
Rue de France
LE PAILLON
N
0 200 m
Entrevaux
Puget-Théniers
Touët-sur-Var
Clue de Rouaine
Montagne de Gourdan
Val-de-Chalvagne
Clue d'Aiglun
Clue de St-Auban
St-Auban
Col de Bleine
Montagne du Cheiron
Gréolières
Coursegoules
Castellane
Clue de Vergons
Angles
Demandolx
Soleilhas
Briançonnet
Aiglun
Sigale
Roquesteron
Cuébris
Peyroules

NICE
MONTE-CARLO
MONACO
MENTON
ANTIBES
Cap-Martin
Cap Martin
Beausoleil
La Condamine
Cap-d'Ail
Èze
Eze-Bord-de-Mer
Beaulieu-sur-Mer
Golfe de St-Hospice
Villefranche-sur-Mer
St-Jean-Cap-Ferrat
Cap Ferrat
D'AZUR
CÔTE
NICE CÔTE-D'AZUR
Baie des Anges
La Californie
Ste-Hélène
Cros-de-Cagnes
Cagnes-s-M.
St-Laurent-du-Var
Villeneuve-Loubet
Villeneuve-Loubet-Plage
Bouches-du-Loup
Marineland
Aquasplash
Biot
La Brague
La Fontonne
Fort Carré
Vallauris
Golfe-Juan
Juan-les-Pins
Golfe Juan
Cap Gros
Cap d'Antibes
Eden-Roc
Plage de la Garoupe
Pte Bacon
Île Ste-Marguerite
Plateau du Milieu
Monastères
Palm Beach
de Lérins
Vence
St-Paul-de-Vence
La Colle-sur-Loup
La Gaude
St-Jeannet
Baou de St-Jeannet
Gattières
Carros
Colomars
Aspremont
Mt Chauve
Falicon
St-André-de-la-Roche
Tourrette-Levens
Levens
Cimiez
St-Isidore
La Trinité
Drap
La Turbie
Peille
Peillon
Blausasc
L'Escarène
Contes
Coaraze
Lucéram
Peira-Cava
Sospel
Castillon
Ste-Agnès
Gorbio
Roquebrune-
L'Annonciade
Castellar
Moulinet
Utelle
La Madone d'Utelle
Tournefort
Massoins
Villars-sur-Var
Malaussène
Toudon
Bonson
Gilette
Le Broc
Bouyon
Duranus
Col de Braus
Col de Nice
Col d'Èze
Col de Castillon
Col de Brouis
Gges du Piaon
Pierre Plate
Airole
Olivetta-San-Michele
Ventimiglia
Grimaldi
Mortola Inferiore
Capo Mortola
RÉGIONAL
Défilé du Chaudan
Gges de la Vésubie

NÎMES
Pl. de la Révolution
Bd Gambetta
Maison natale d'Alphonse Daudet
Porte d'Auguste
Quai de la Fontaine
Place d'Assas
MAISON CARRÉE
Maison Romane
Pl. aux Herbes
N.-D.-et-St-Castor
Chapelle des Jésuites
Carré d'art
Musée du Vieux Nîmes
Hôtel de Régis
Muséum d'histoire naturelle
Hôtel Boudon
Les Atlantes
Hôtel de Bernis
Hôtel de Ville
Place du Château Fadaise
Pl. du Marché
Esplanade Charles de Gaulle
ARÈNES
Fontaine Pradier
Musée des Cultures taurines
Musée de la Romanité . . . K
Pl. des Arènes
Pl. du 11 November
Alès
Vézenobres
Brignon
Ners
Moussac
St-Chaptes
Pont du Gard
Remoulins
Castillon-du-Gard
Collias
La Baume
Gorges du Gardon
Ste-Anastasie
Dions
La Calmette
St-Mamert-du-Gard
Montmirat
Ledenon
Sernhac
Meynes
Montfrin
Théziers
Beaucaire
Redessan
Marguerittes
Manduel
Bouillargues
Caissargues
Garons
Bellegarde
Milhaud
Langlade
Caveirac
Clarensac
Calvisson
St-Côme-et-Maruéjols
Congénies
Aubais
Aigues-Vives
Vergèze
Vestric-et-Candiac
Uchaud
Bernis
Aubord
Générac
Beauvoisin
Vauvert
Codognan
Gallargues-le-Montueux
Lunel
Aimargues
Le Cailar
St-Gilles
Nîmes-Arles-Camargue
Lédignan
Aigremont
Mauressargues
Sauzet
St-Geniès-de-Malgoires
La Rouvière
Parignargues
Montpezat
Combas
Guidon du Bouquet
Uzès
Lussan
Verfeuil
St-Privat-des-Vieux
Euzet
Bourdic
Blauzac
Sanilhac-Sagriès
Poulx
Cabrières
St-Gervasy
Bezouce
Jonquières-St-Vincent
Abbaye de St-Roman
Camp militaire des Garrigues
Pic de Guerre

ORLÉANS
Fleury-les-Aubrais
St-Jean-de-Braye
St-Jean-de-la-Ruelle
St-Jean-le-Blanc
St-Pryvé-St-Mesmin
Olivet
Saran
Ingré
Semoy
Combleux
Chécy
Mardié
St-Denis-en-Val
La Chapelle-St-Mesmin
Chaingy
St-Ay
Mareau-aux-Prés
St-Hilaire-St-Mesmin
Sandillon
Jargeau
Darvoy
St-Denis-de-l'Hôtel
Châteauneuf-sur-Loire
Fay-aux-Loges
Donnery
Boigny-sur-Bionne
Marigny-les-Usages
Chanteau
Rebréchien
Traînou
Cercottes
Gidy
Bricy
Boulay-les-Barres
St-Péravy-la-Colombe
Coinces
St-Sigismond
Gémigny
Rozières-en-Beauce
Bucy-St-Liphard
Ormes
Huisseau-sur-Mauves
Tigy
Vienne-en-Val
Pierrefitte-sur-Sauldre
Vernou-en-Sologne
Parc floral
Université
La Source
Loire
Place Gambetta
Place Dunois
Place du Martroi
Muséum
Frac Centre - Val de Loire
Pavillons d'Escures
Musée des Beaux-Arts
Cercil
Ancien Évêché
Cathédrale Ste-Croix
Hôtel Groslot
Hôtel des Créneaux
Pavillon de la Chancellerie
Maison de Jeanne-d'Arc
Centre Ch-Péguy
Hôtel Cabu
Place Ste-Croix
Salle des Thèses
Préfecture
St-Pierre-le-Puellier
Campo Santo
Parc Louis Pasteur
Quai du Châtelet
Quai Fort-des-Tourelles
Pont George-V
Pont du M. Joffre
Pont René Thinat
Bd Alexandre Martin
Bd de Verdun
Bd Jean Jaurès
Bd Rocheplatte
Bd de Châteaudun
Bd Pierre Segelle
Av. Jean Zay
Av. de Paris
R. Royale
R. de Bourgogne
R. Jeanne d'Arc
R. Bannier
R. de la République
R. Émile Zola
R. du Fg Saint-Vincent
Square Ch. Péguy
Place St-Charles
Av. Dauphine
ORLÉANS
0 100 m

l'Isle-Adam
Valmondois
Butry-s-Oise
Mériel
Nerville-la-Forêt
Maffliers
L'ISLE-ADAM
Montsoult
Boissy-l'Aillerie
Ennery
Auvers-s-Oise
Chaponval
Maison d'Arrêt
PONTOISE
Osny
Vaux
Méry-s-Oise
Villiers-Adam
Baillet-en-France
Béthemont-la-Forêt
Chauvry
Frépillon
Bessancourt
Bouffémont
FORÊT DE MONTMORENCY
Cergy
CERGY-PONTOISE
St-Ouen-l'Aumône
Taverny
Éragny
Pierrelaye
Beauchamp
St-Leu-la-Forêt
St-Prix
Neuville-s-Oise
Montlignon
le Plessis-Bouchard
Andilly
Margency
Maurecourt
Conflans-Ste H.
Herblay-s-Seine
Franconville
Ermont
Eaubonne
Soisy-s/s-Montmorency
Montigny-lès-Cormeilles
Andrésy
la Frette-s-Seine
Sannois
St-Gratien
Cormeilles-en-Parisis
Enghien-les-Bains
Épinay-s-S.
Achères
FORÊT DE ST-GERMAIN
Maisons-Laffitte
ARGENTEUIL
Sartrouville
le Mesnil-le-Roi
Houilles
Bezons
Gennevilliers
Colombes
Bois-Colombes
Carrières-s-S.
Montesson
Asnières-s-S.
la Garenne-Colombes
Clichy
le Vésinet
Courbevoie
Levallois-Perret
ST-GERMAIN-EN-LAYE
le Pecq
Chatou
NANTERRE
LA DÉFENSE
NEUILLY-s-S.
le Port-Marly
Puteaux
Croissy-s-Seine
Rueil-Malmaison
Suresnes
Mareil-Marly
L'Étang-la-Ville
Marly-le-Roi
Bougival
Louveciennes
La Celle-St-Cloud
Forêt de la Malmaison
Bois de Boulogne
ARC DE TRIOMPHE
INVALIDES
St-Cloud
SEINE

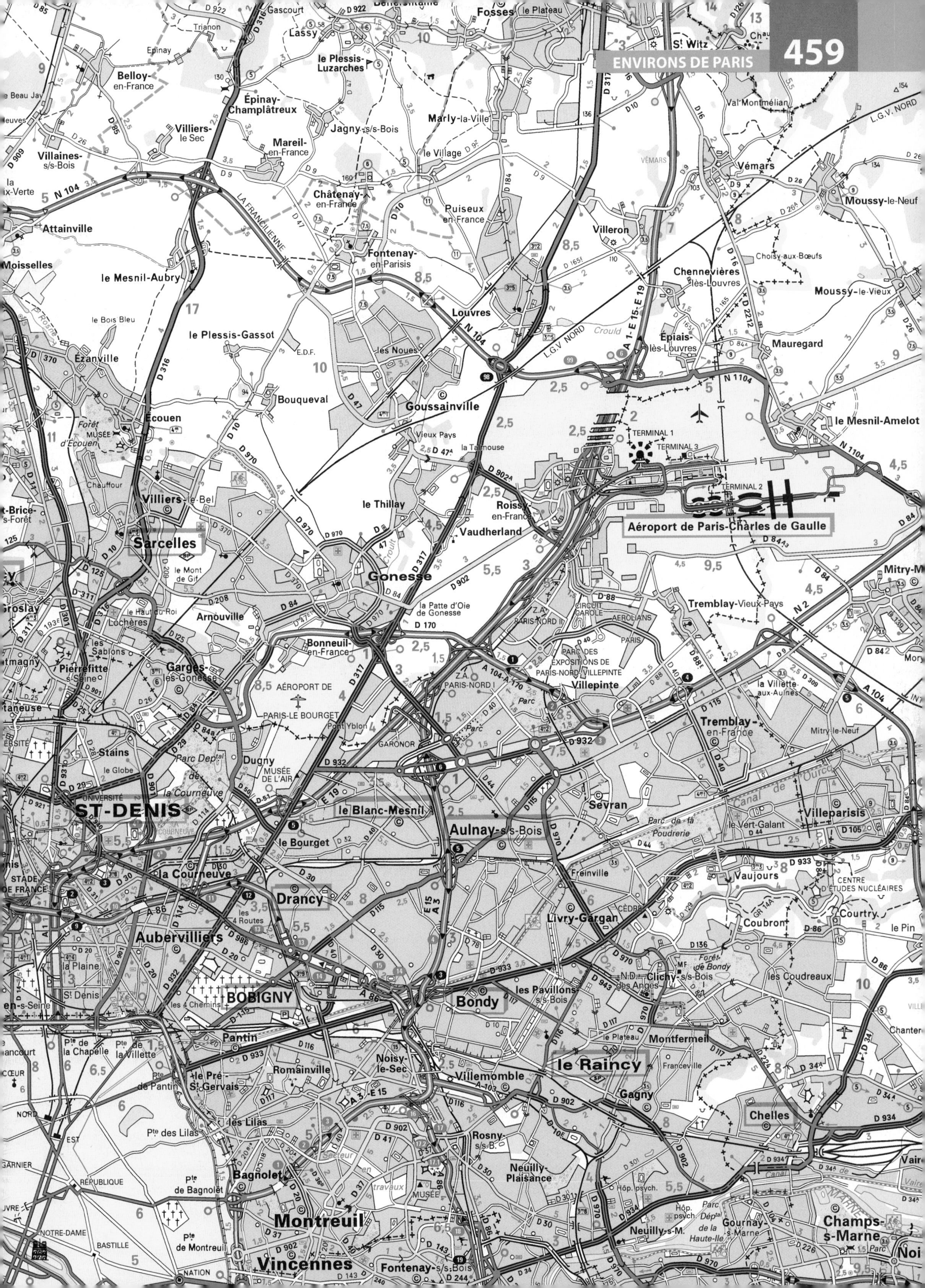
Gascourt
Lassy
Fosses
le Plateau
St Witz
Trianon
Epinay
Belloy-en-France
le Plessis-Luzarches
Épinay-Champlâtreux
Marly-la-Ville
Val Montmélian
L.G.V. NORD
Villiers-le-Sec
Jagny-s/s-Bois
Mareil-en-France
le Village
Villaines-s/s-Bois
VÉMARS
Vémars
Moussy-le-Neuf
Châtenay-en-France
Puiseux-en-France
N 104
LA FRANCILIENNE
Attainville
Villeron
Choisy-aux-Bœufs
Fontenay-en-Parisis
Moisselles
le Mesnil-Aubry
Chennevières-lès-Louvres
Moussy-le-Vieux
Louvres
le Bois Bleu
le Plessis-Gassot
Crould
Épiais-lès-Louvres
Mauregard
les Noues
E.D.F.
Ézanville
N 1104
Bouqueval
Goussainville
le Mesnil-Amelot
Forêt d'Écouen
Écouen
MUSÉE
TERMINAL 1
TERMINAL 3
Vieux Pays
la Tal'mouse
Chauffour
TERMINAL 2
Villiers-le-Bel
le Thillay
Roissy-en-France
Aéroport de Paris-Charles de Gaulle
Sarcelles
Vaudherland
le Mont de Gif
Gonesse
Mitry-Mory
Groslay
le Haut du Roi
Lochères
Arnouville
la Patte d'Oie de Gonesse
Tremblay-Vieux-Pays
Z.A. PARIS-NORD II
CIRCUIT CAROLE
AEROLIANS PARIS
les Sablons
Pierrefitte-s/Seine
Garges-lès-Gonesse
Bonneuil-en-France
PARC DES EXPOSITIONS DE PARIS-NORD VILLEPINTE
Z.A. PARIS-NORD I
Villepinte
la Villette-aux-Aulnes
AÉROPORT DE PARIS-LE BOURGET
Pont Yblon
GARONOR
Tremblay-en-France
Mitry-le-Neuf
Stains
le Globe
Parc Dép^tal de la Courneuve
Dugny
MUSÉE DE L'AIR
Canal de l'Ourcq
ST-DENIS
UNIVERSITÉ
le Blanc-Mesnil
Sevran
Villeparisis
Parc de la Poudrerie
le Vert-Galant
Aulnay-s/s-Bois
le Bourget
STADE DE FRANCE
la Courneuve
Freinville
Vaujours
CENTRE D'ÉTUDES NUCLÉAIRES
Drancy
Livry-Gargan
CÈDRE
Courtry
les 4 Routes
Aubervilliers
Coubron
le Pin
Forêt de Bondy
la Plaine
St Denis
BOBIGNY
les 4 Chemins
N.-D.-des-Anges
Clichy-s/s-Bois
les Coudreaux
Bondy
les Pavillons-s/s-Bois
Pantin
le Plateau
Montfermeil
P^te de la Chapelle
P^te de la Villette
Noisy-le-Sec
le Raincy
Franceville
Chanteloup
le Pré-St-Gervais
Romainville
Villemomble
P^te de Pantin
Gagny
Chelles
les Lilas
P^te des Lilas
Rosny-s/s-B.
Secteur en travaux
Bagnolet
P^te de Bagnolet
Neuilly-Plaisance
RÉPUBLIQUE
MUSÉE
Hôp. psych.
Hôp. psych.
Parc Dép^tal de la Haute-Ile
Champs-s-Marne
MARNE
NOTRE-DAME
Montreuil
P^te de Montreuil
Gournay-s-Marne
Neuilly-s-M.
BASTILLE
NATION
Vincennes
Fontenay-s/s-Bois

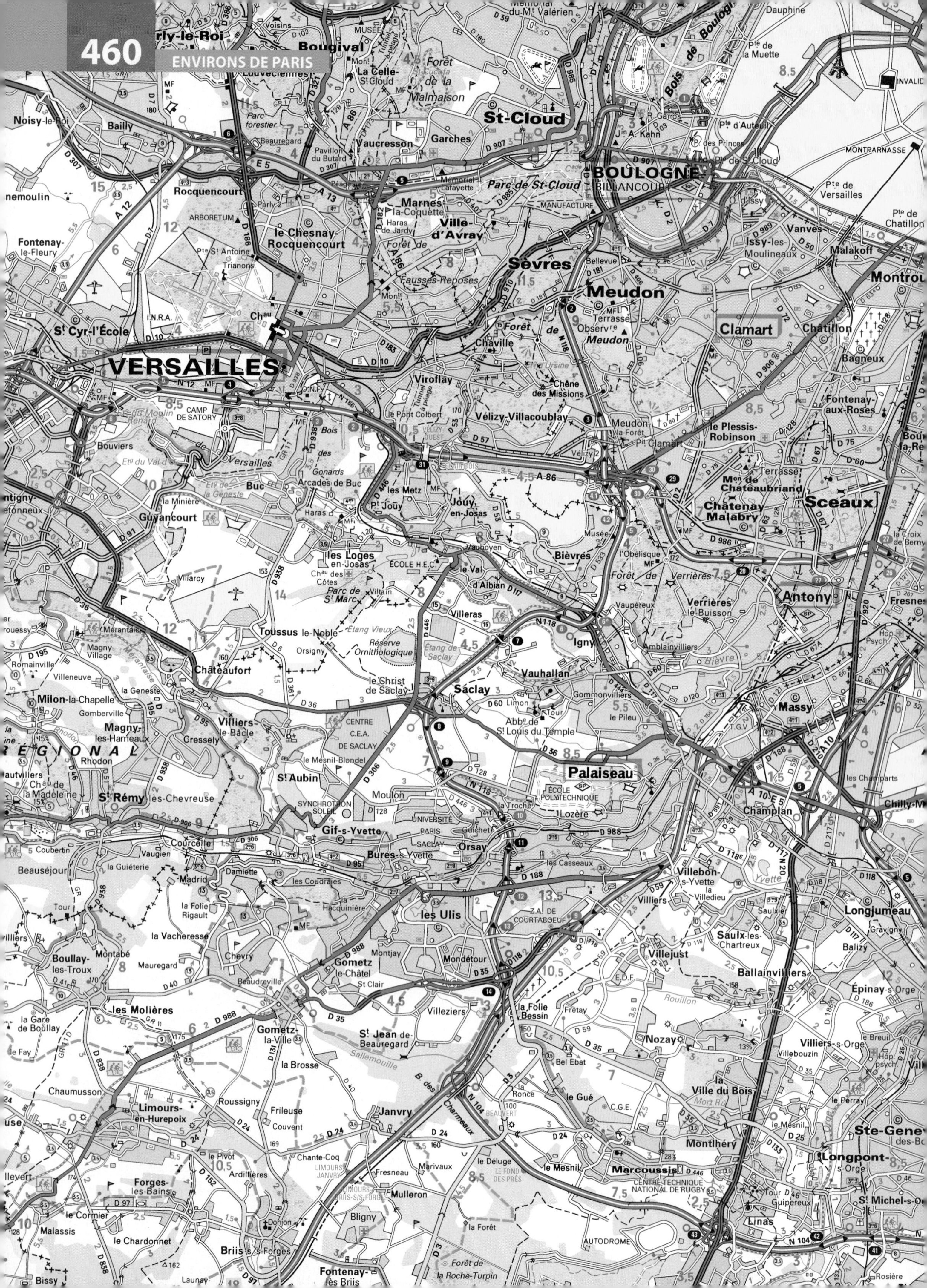
Bougival
La Celle-St-Cloud
Forêt de la Malmaison
St-Cloud
Bois de Boulogne
Dauphine
Pte de la Muette
INVALIDES
Noisy-le-Roi
Bailly
Vaucresson
Garches
Pte d'Auteuil
BOULOGNE-BILLANCOURT
Parc de St-Cloud
MONTPARNASSE
Pte de Versailles
Rocquencourt
Marnes-la-Coquette
Ville-d'Avray
Issy-les-Moulineaux
Vanves
Malakoff
Pte de Châtillon
Fontenay-le-Fleury
le Chesnay-Rocquencourt
Sèvres
Meudon
Montrouge
Trianons
Fausses-Reposes
Clamart
Châtillon
St-Cyr-l'École
VERSAILLES
Chaville
Forêt de Meudon
Bagneux
Viroflay
Vélizy-Villacoublay
Chêne des Missions
Fontenay-aux-Roses
CAMP DE SATORY
Meudon-la-Forêt
le Plessis-Robinson
Bouviers
Buc
Jouy-en-Josas
Guyancourt
Chatenay-Malabry
Sceaux
Bièvres
Forêt de Verrières
les Loges-en-Josas
le Val d'Albian
Antony
Villaroy
Toussus-le-Noble
Verrières-le-Buisson
Villeras
Igny
Magny-Village
Châteaufort
Réserve Ornithologique
Vauhallan
Saclay
Milon-la-Chapelle
Massy
Villiers-le-Bâcle
CENTRE C.E.A. DE SACLAY
Magny-les-Hameaux
Cressely
RÉGIONAL
St Aubin
Palaiseau
ÉCOLE POLYTECHNIQUE
St Rémy-lès-Chevreuse
Champlan
Gif-s-Yvette
Orsay
Bures-s-Yvette
Villebon-s-Yvette
les Ulis
Longjumeau
Saulx-les-Chartreux
Villejust
Gometz-le-Châtel
Ballainvilliers
Boullay-les-Troux
Épinay-s-Orge
les Molières
Gometz-la-Ville
St Jean de Beauregard
Nozay
Villiers-s-Orge
la Ville du Bois
Limours-en-Hurepoix
Janvry
Montlhéry
Ste-Geneviève-des-Bois
Forges-les-Bains
Marcoussis
Longpont-s-Orge
Linas
St Michel-s-Orge
Briis-s/s-Forges
Fontenay-lès-Briis
Forêt de la Roche-Turpin
AUTODROME

Bagnolet
Pte de Bagnolet
RÉPUBLIQUE
Montreuil
Pte de Montreuil
NOTRE-DAME
BASTILLE
Vincennes
NATION
Pte de Vincennes
Fontenay-s/s-Bois
Neuilly-Plaisance
Noisy-le-Grd
AUSTERLITZ
LYON
Nogent-s-M.
le Perreux-s-M.
Bry-s-M.
PORTE DE PARIS
MARNE
A 4-E 50
Pte Dorée
St Mandé
Bois de Vincennes
Pte de Charenton
Pte de Bercy
Q. d'Ivry
Charenton-le-Pont
Pte de Choisy
Pte d'Italie
St Maurice
Joinville-le-Pont
Villiers-S.M.
Malnoue
Ivry-s-Seine
Champigny-s-M.
Cœuilly
le Plessis-Trévise
Maisons-Alfort
Alfortville
le Kremlin-Bicêtre
St Maur-des-Fossés
Bois l'Abbé
Combault
Chennevières-s-Marne
la Fontaine des Bordes
Pontault-Combault
Villejuif
Vitry-s-Seine
CRÉTEIL
Mont Mesly
la Varenne-St Hilaire
la Queue-en-Brie
Ormesson-sur-Marne
Port de Bonneuil
Carref. Pompadour
Chevilly-Larue
Bonneuil-s-M.
Noiseau
Choisy-le-Roi
Sucy-en-Brie
Thiais
Forêt de Notre-Dame
les Bruyères
Maison Blanche
Brévannes
Grignon
SENIA
Valenton
Boissy-St Léger
Lésigny
Limeil-Brévannes
Orly
Villeneuve-le-Roi
Grosbois
Marolles-en-Brie
Villeneuve-St Georges
Santeny
Ablon-s-Seine
Villecresnes
Crosne
Yerres
Servon
Athis-Mons
Paray-Vieille-Poste
Vigneux-s-Seine
Montgeron
Brunoy
Val d'Yerres
Mandres-les-Roses
Périgny
Brie-C
Juvisy-sur-Orge
Epinay s/s-Sénart
Boussy-St Antoine
Moulin de Jarcy
Draveil
Mainville
la Pyramide
Villemeneux
Varennes-Jarcy
Viry-Châtillon
FORÊT DE SÉNART
Quincy-s/s-Sénart
Croix de Villeroy
Combs-la-Ville
Morsang-s-Orge
Grigny
Champrosay
Soisy-s-Seine
Ris-Orangis
LA FRANCILIENNE
Chanteloup
Étiolles
Tigery
Lieusaint
SÉNART (Ville Nouvelle)
Fleury-Mérogis
ÉVRY-COURCOURONNES
Moissy-Cramayel
St-Germain-lès-Corbeil
Agglomération d'Évry

Paris

CLICHY
COURBEVOIE
LEVALLOIS-PERRET
LA DÉFENSE
NEUILLY-S-SEINE
PUTEAUX
SEINE
Ile de la Jatte
Ile de Puteaux
PORTE DE CLICHY
PORTE D'ASNIÈRES
PORTE DE CHAMPERRET
PORTE DE ST-OUEN
PORTE POUCHET
PORTE DE COURCELLES
PORTE DE VILLIERS
PORTE DES TERNES
PORTE DE NEUILLY
PORTE DES SABLONS
PORTE ST-JAMES
PORTE DE LA SEINE
PORTE DE BAGATELLE
PORTE DE MADRID
PORTE MAILLOT
PORTE DAUPHINE
PORTE DE LA MUETTE
PORTE DE PASSY
PORTE D'AUTEUIL
PORTE MOLITOR
PORTE DE ST-CLOUD
PORTE DU POINT DU JOUR
QUAI D'ISSY
PORTE DE SÈVRES
PORTE D'ISSY LES MOULINEAUX
PORTE DE VERSAILLES
PORTE DE PLAISANCE
PORTE DE LA PLAINE
PORTE BRANCION
PORTE DE VANVES
PORTE DIDOT
PORTE DE MONTROUGE
PORTE DE CHÂTILLON
PORTE D'ORLÉANS
BOULEVARD PÉRIPHÉRIQUE
17E
BATIGNOLLES
TERNES
PARC MONCEAU
PALAIS DES CONGRÈS
ARC DE TRIOMPHE
ÉTOILE
8E
STE-MARIE-MADELEINE
GARE ST-LAZARE
GRAND PALAIS
PETIT PALAIS
OBÉLISQUE
JARDIN DES TUILERIES
PALAIS DE TOKYO
16E
TROCADÉRO
PALAIS DE CHAILLOT
LA MUETTE
MUSÉE DU QUAI BRANLY-J. CHIRAC
ASSEMBLÉE NATIONALE
MUSÉE D'ORSAY
TOUR EIFFEL
CHAMP DE MARS
HÔTEL DES INVALIDES
7E
ÉCOLE MILITAIRE
PASSY
MAISON DE LA RADIO
AUTEUIL
BEAUGRENELLE
15E
VAUGIRARD
TOUR MONTPARNASSE
GARE MONTPARNASSE
MONTPARNASSE
ALÉSIA
BOIS DE BOULOGNE
ROLAND GARROS
STADE JEAN BOUIN
PARC DES PRINCES
BOULOGNE-BILLANCOURT
Ile de St-Germain
Ile de Billancourt
PARIS EXPO
VANVES
ISSY-LES-MOULINEAUX
MALAKOFF
MONTROUGE
CAEN ROUEN
A 14
A13
N13
D 907
D 910
D 1
D 7
D 989
D 76
D 906
D 920
D 911
D 909
D 908
D 19
D 410
D 912
Av. Charles de Gaulle
Allée de Longchamp
Av. des Champs Élysées
Av. de la Grande Armée
Av. Foch
Av. Victor Hugo
Av. Kléber
Av. d'Iéna
Av. Marceau
Av. Georges Mandel
Av. Paul Doumer
Av. du Prés Kennedy
Av. de New York
Q. Branly
Q. d'Orsay
Av. de Suffren
Av. de la Motte Picquet
Av. Émile Zola
R. de la Convention
R. de Vaugirard
R. Lecourbe
Bd de Grenelle
Bd Murat
Bd Suchet
Bd Lannes
Bd Exelmans
Av. de Versailles
Q. Louis Blériot
Q. André Citroën
Bd Victor
Bd Lefebvre
Bd Brune
Bd Haussmann
Bd Malesherbes
Bd des Batignolles
Bd Berthier
Bd Pereire
Bd de Courcelles
Av. de Villiers
Av. de Wagram
Av. de Clichy
Bd Raspail
Bd du Montparnasse
Bd des Invalides
Av. du Maine
R. d'Alésia
0
1 km

Paris

ST-OUEN-S-SEINE
ST-DENIS
AUBERVILLIERS
PANTIN
LE PRÉ-ST-GERVAIS
LES LILAS
BAGNOLET
MONTREUIL
ST-MANDÉ
BOIS DE VINCENNES
CHARENTON-LE-PONT
IVRY-S-SEINE
LE KREMLIN-BICÊTRE
GENTILLY
PORTE DE CLIGNANCOURT
PORTE DES POISSONNIERS
PORTE DE LA CHAPELLE
PORTE D'AUBERVILLIERS
PORTE DE LA VILLETTE
PORTE DE PANTIN
PORTE DE CHAUMONT
PORTE BRUNET
PORTE DU PRÉ ST GERVAIS
PORTE DES LILAS
PORTE DE MÉNILMONTANT
PORTE DE BAGNOLET
PORTE DE MONTREUIL
PORTE DE VINCENNES
PORTE DE ST-MANDÉ
PORTE DE MONTEMPOIVRE
PORTE DE REUILLY
PORTE DORÉE
PORTE DE CHARENTON
PORTE DE BERCY
QUAI D'IVRY
PORTE DE VITRY
PORTE D'IVRY
PORTE DE CHOISY
PORTE D'ITALIE
POTERNE DES PEUPLIERS
PORTE DE GENTILLY
BOULEVARD PÉRIPHÉRIQUE
CITÉ DES SCIENCES ET DE L'INDUSTRIE
PARC DE LA VILLETTE
ZENITH
PHILHARMONIE DE PARIS
GRANDE HALLE
Canal de l'Ourcq
Bassin de la Villette
Canal St Martin
MONTMARTRE
SACRÉ-CŒUR
PIGALLE
18E
19E
10E
9E
2E
3E
1ER
4E
11E
20E
12E
5E
6E
13E
GARE DU NORD
GARE DE L'EST
BUTTES CHAUMONT
BELLEVILLE
MÉNILMONTANT
PÈRE LACHAISE
CHARONNE
RÉPUBLIQUE
Pl. de la République
Pl. de la Bataille de Stalingrad
BOURSE
SENTIER
PARIS CENTRE
ST EUSTACHE
LES HALLES
FORUM LA CANOPÉE
BEAUBOURG
CENTRE POMPIDOU
MUSÉE DU LOUVRE
CHÂTELET
CONCIERGERIE
HÔTEL DE VILLE
NOTRE-DAME
BASTILLE
OPÉRA BASTILLE
Pl. de la Bastille
Pl. de la Nation
NATION
QUARTIER LATIN
PANTHÉON
JARDIN DES PLANTES
MUSEUM
GARE D'AUSTERLITZ
GARE DE LYON
ACCORHOTELS ARENA
BERCY
BIBLIOTHÈQUE NATIONALE DE FRANCE
Pl. d'Italie
ITALIE
STADE CHARLÉTY
SEINE
MARNE
Av. Jean Jaurès
Bd de Magenta
Bd de Strasbourg
Bd Sébastopol
Bd St Michel
Bd St Germain
Bd Voltaire
R. de Rivoli
Av. de la République
Av. Daumesnil
Bd Diderot
Bd de l'Hôpital
Av. d'Italie
Av. de Choisy
Bd Vincent Auriol
Bd Poniatowski
Bd Masséna
Bd Davout
Bd Mortier
Bd Sérurier
Bd Macdonald
Bd Ney
LILLE
LYON
METZ, NANCY

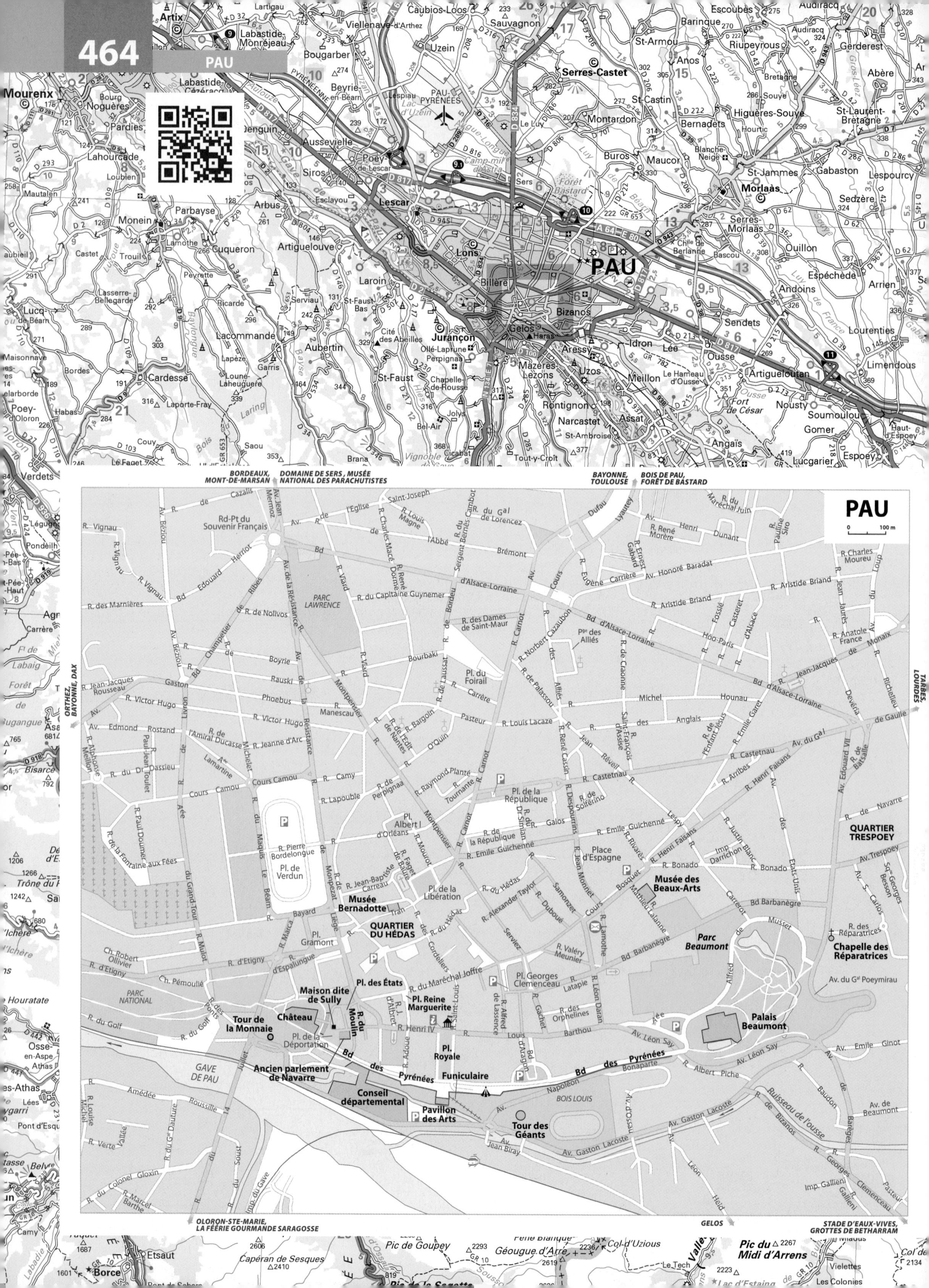
PAU
0 100 m
BORDEAUX, MONT-DE-MARSAN
DOMAINE DE SERS, MUSÉE NATIONAL DES PARACHUTISTES
BAYONNE, TOULOUSE
BOIS DE PAU, FORÊT DE BASTARD
ORTHEZ, BAYONNE, DAX
TARBES, LOURDES
OLORON-STE-MARIE, LA FÉERIE GOURMANDE SARAGOSSE
GELOS
STADE D'EAUX-VIVES, GROTTES DE BETHARRAM
Rd-Pt du Souvenir Français
PARC LAWRENCE
Pl. du Foirail
Pl. de la République
Pl. de Verdun
Pl. Albert I
Place d'Espagne
Pl. de la Libération
Musée Bernadotte
QUARTIER DU HÉDAS
Pl. Gramont
PARC NATIONAL
Maison dite de Sully
Pl. des États
Pl. Reine Marguerite
Château
Tour de la Monnaie
Pl. de la Déportation
Ancien parlement de Navarre
Conseil départemental
Pavillon des Arts
Funiculaire
Pl. Royale
Tour des Géants
BOIS LOUIS
GAVE DE PAU
Pl. Georges Clemenceau
Musée des Beaux-Arts
Parc Beaumont
Palais Beaumont
Chapelle des Réparatrices
QUARTIER TRESPOEY
Bd d'Alsace-Lorraine
Bd des Pyrénées
Cours Camou
Av. Léon Say
Av. Gaston Lacoste
Bd Barbanègre
Pau
Lescar
Lons
Billère
Jurançon
Gelos
Bizanos
Morlaàs
Serres-Castet
Artix
Mourenx
Monein
Nousty
Soumoulou

Tautavel
Serre d'el Clot
Port-Barcarès
Rivesaltes
Estagel
Cases-de-Pène
Espira-de-l'Agly
Cave-des-Corbières
St-Hippolyte
St-Laurent-de-la-Salanque
Calce
Baixas
Peyrestortes
N.-D. du Salut
Claira
Torreilles
Montner
Força Réal
Villelongue-de-la-Salanque
Ste-Marie-la-Mer
Bompas
St-Estève
Le Vernet
Canet-en-Roussillon
Corneilla-la-Rivière
Pézilla-la-Rivière
Villeneuve-la-Rivière
Baho
PERPIGNAN
Canet-Plage
Millas
St-Féliu-d'Amont
St-Féliu-d'Avall
Le Soler
Toulouges
Cabestany
Moulin à Vent
St-Nazaire
Saleilles
Canohès
Alénya
Thuir
Ponteilla
Pollestres
Théza
Villeneuve-de-la-Raho
St-Cyprien-Plage
PERPIGNAN
RIVESALTES
FOIX, NARBONNE
ST-CYPRIEN-PLAGE, CANET-PLAGE
CANET-EN-ROUSSILLON
CABESTANY, SAINT-VICENS
PRADES, BARCELONA
BARCELONA, THUIR
LE BOULOU, BARCELONA
ELNE, ST-CYPRIEN, ARGELÈS-SUR-MER
Têt
Pont Joffre
Pont Arago
Passage à gué
SQUARE BIR HAKEIM
JARDIN D'ENFANTS
LA PÉPINIÈRE
Prom. des Platanes
Pl. de la Résistance
Pl. de la Victoire
Le Castillet
R. des Fabriques d'En Nabot
Maison Julia
Pl. de la Loge
Loge de Mer
Hôtel de ville
St-Jean-Baptiste
Le Dévot Christ
Campo Santo
Chapelle du Tiers-Ordre
Palais de la Députation
Casa Xanxo
La Miranda
St-Jacques
Centre d'art contemporain
Musée Joseph-Puig
Place Arago
Musée des Beaux-Arts
Hôtel Pams
N.-D. des Anges
St-Matthieu
CITADELLE
Palais des Rois de Majorque
Bd de la France Libre
Av. Louis Torcatis
Av. du Palais des Expositions
Quai Vauban
Bd Wilson
Cours Palmarole
Pl. Rigaud
Pl. Cassanyes
Pl. des Esplanades
Pl. Jean Moulin
Bd Aristide Briand
Bd Félix Mercader
Av. Pierre Cambres
Terrades
Pont de Molins
Peralada
Palau-saverdera

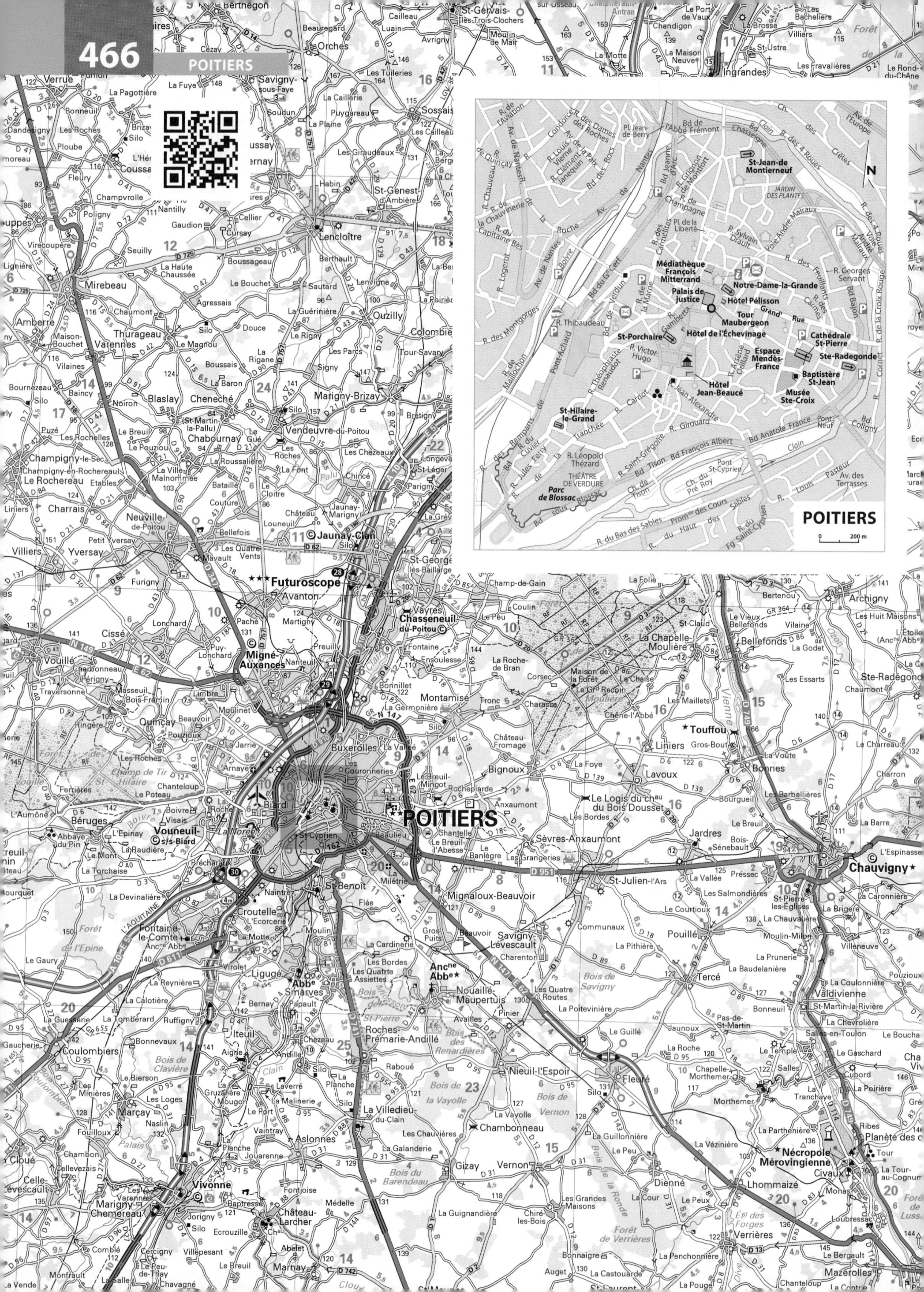
POITIERS
St-Jean-de Montierneuf
JARDIN DES PLANTES
Médiathèque François Mitterrand
Palais de justice
Notre-Dame-la-Grande
Hôtel Pélisson
Tour Maubergeon
Hôtel de l'Échevinage
St-Porchaire
Cathédrale St-Pierre
Espace Mendès-France
Ste-Radegonde
Baptistère St-Jean
Hôtel Jean-Beaucé
Musée Ste-Croix
St-Hilaire-le-Grand
THÉÂTRE DE VERDURE
Parc de Blossac
Pont Neuf
Pont St-Cyprien
Bd Anatole France
Bd François Albert
Bd Tison
Bd Coligny
Av. des Terrasses
0
200 m
N
Futuroscope
Jaunay-Clan
Chasseneuil-du-Poitou
Migné-Auxances
Vouneuil-s/s-Biard
Le Logis du ch^au du Bois Dousset
Touffou
Chauvigny
Nécropole Mérovingienne
Planète des oi...
Lencloître
Mirebeau
Neuville-de-Poitou
Vouillé
Lusignan
Ligugé
Nouaillé-Maupertuis
St-Benoît
Croutelle
Fontaine-le-Comte
Vivonne
Château-Larcher
Sèvres-Anxaumont
St-Julien-l'Ars
Mignaloux-Beauvoir
Buxerolles
Biard
Montamisé
Bignoux
Liniers
Bonnes
Lavoux
Jardres
Pouillé
Tercé
Valdivienne
Civaux
Lhommaizé
Verrières
Dienné
Fleuré
Nieuil-l'Espoir
Gizay
Vernon
La Villedieu-du-Clain
Aslonnes
Roches-Prémarie-Andillé
Smarves
Iteuil
Marçay
Coulombiers
Béruges
Quinçay
Cissé
Avanton
Vendeuvre-du-Poitou
Marigny-Brizay
Blaslay
Cheneché
Chabournay
Thurageau
Varennes
Champigny-le-Sec
Le Rochereau
Charrais
Yversay
Villiers
St-Georges-lès-Baillargeaux
Forêt de Moulière
Bois de Savigny
Forêt de Verrières
Bois de la Vayolle
Bois du Barendeau
Bois de Clavière
Bois des Renardières
Forêt de l'Epine

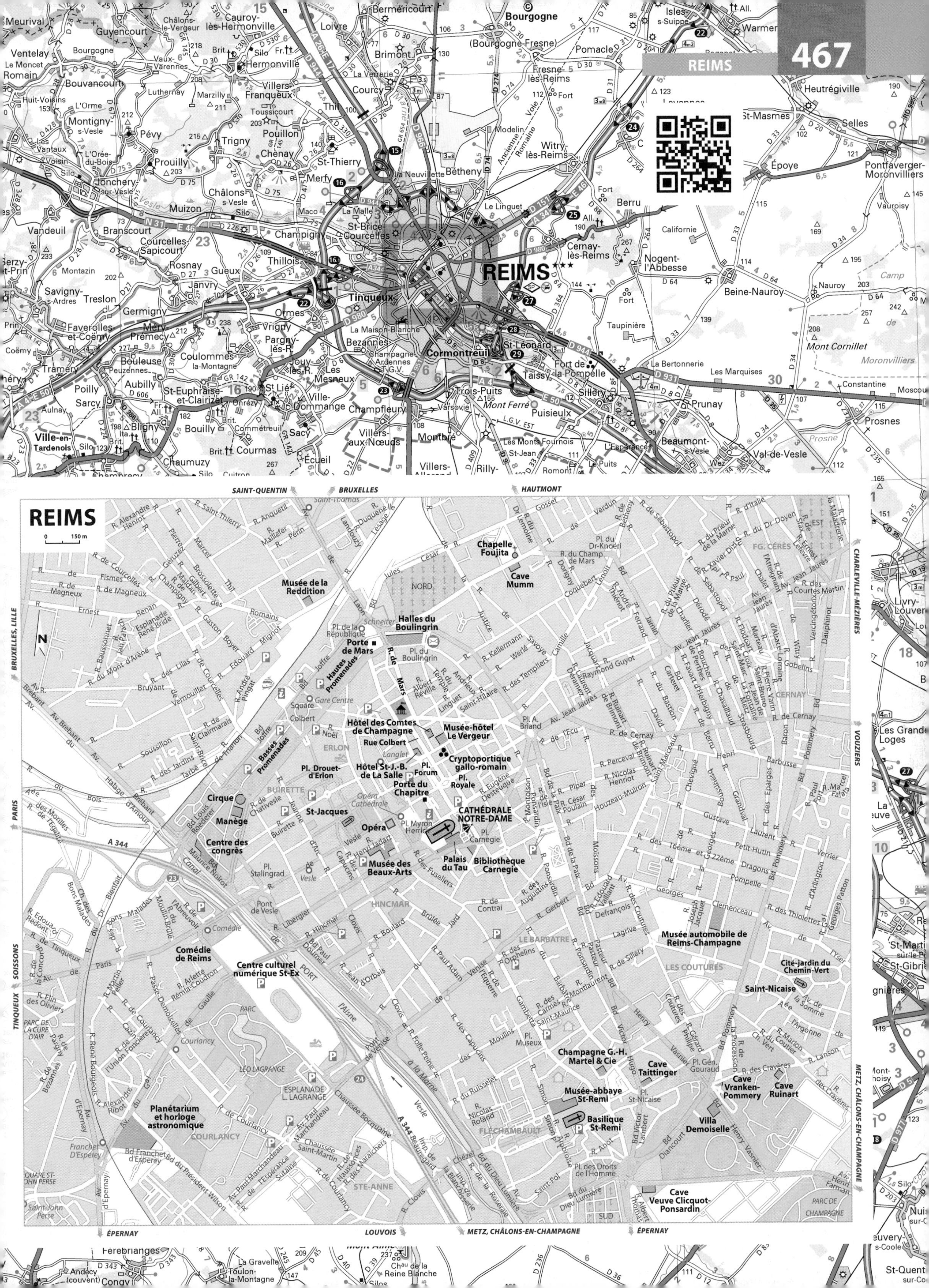
REIMS
0 150 m
SAINT-QUENTIN
BRUXELLES
HAUTMONT
CHARLEVILLE-MÉZIÈRES
VOUZIERS
METZ, CHÂLONS-EN-CHAMPAGNE
ÉPERNAY
LOUVOIS
PARIS
SOISSONS
TINQUEUX
BRUXELLES, LILLE
Musée de la Reddition
Chapelle Foujita
Cave Mumm
Halles du Boulingrin
Porte de Mars
Hautes Promenades
Basses Promenades
Hôtel des Comtes de Champagne
Musée-hôtel Le Vergeur
Rue Colbert
Cryptoportique gallo-romain
Pl. Drouet-d'Erlon
Hôtel St-J.-B. de La Salle
Pl. Forum
Pl. Royale
Porte du Chapitre
Cirque
Manège
Centre des congrès
St-Jacques
Opéra
CATHÉDRALE NOTRE-DAME
Musée des Beaux-Arts
Palais du Tau
Bibliothèque Carnegie
Comédie de Reims
Centre culturel numérique St-Ex
Musée automobile de Reims-Champagne
Cité-jardin du Chemin-Vert
Saint-Nicaise
Champagne G.-H. Martel & Cie
Cave Taittinger
Cave Vranken-Pommery
Cave Ruinart
Musée-abbaye St-Remi
Basilique St-Remi
Villa Demoiselle
Planétarium et horloge astronomique
Cave Veuve Clicquot-Ponsardin
ERLON
BUIRETTE
HINCMAR
LE BARBATRE
LES COUTURES
FLÉCHAMBAULT
COURLANCY
STE-ANNE
FG. CÉRÈS
CERNAY
NORD
EST
SUD
REIMS ★★★
Tinqueux
Cormontreuil
Bezannes
St-Léonard
Taissy
Fort de la Pompelle
Sillery
Puisieulx
Trois-Puits
Champfleury
Villers-aux-Nœuds
Montbré
Bétheny
Witry-lès-Reims
Cernay-lès-Reims
Berru
Nogent-l'Abbesse
Beine-Nauroy
Prunay
Sacy
Ville-Dommange
Jouy-lès-R.
Les Mesneux
Ormes
Thillois
Champigny
St-Brice-Courcelles
Muizon
Jonchery-sur-Vesle
Gueux
Rosnay
Courcelles-Sapicourt
Branscourt
Vandeuil
Germigny
Janvry
Treslon
Savigny-s-Ardres
Méry-Prémecy
Vrigny
Pargny-lès-R.
Coulommes-la-Montagne
Bouleuse
Aubilly
St-Euphraise-et-Clairizet
Bouilly
Bligny
Ville-en-Tardenois
Chaumuzy
Courmas
Écueil
Rilly-
Mont Ferré
Mont Cornillet
Moronvilliers
Pontfaverger-Moronvilliers
Époye
Selles
Heutrégiville
St-Masmes
Isles-s-Suippe
Warmeriville
Bourgogne
(Bourgogne-Fresne)
Pomacle
Fresne-lès-Reims
Bermericourt
Brimont
Loivre
Courcy
Cauroy-lès-Hermonville
Hermonville
Villers-Franqueux
Pouillon
St-Thierry
Merfy
Chenay
Trigny
Prouilly
Pévy
Montigny-s-Vesle
Bouvancourt
Ventelay
Guyencourt
Meurival
Les Grandes Loges
Livry-Louvercy
Prosnes
Val-de-Vesle
Beaumont-s-Vesle
Taupinière
California
Vauroisy
Nauroy
Les Marquises
Constantine
Moscou
La Bertonnerie
Saint-Quentin-sur-Coole
Congy
Andecy (couvent)
Ferebrianges
La Gravelle
Toulon-la-Montagne
Chau de la Reine Blanche

RENNES
St-Aubin-d'Aubigné
St-Germain-s-Ille
Ercé-près-Liffré
Gosné
St-Aubin-du-Cormier
Gévezé
Mouazé
Chasné-sur-Illet
Chevaigné
St-Sulpice-la-Forêt
Liffré
Parthenay-de-Bretagne
La Chapelle-des-Fougeretz
Betton
Montgermont
St-Grégoire
Thorigné-Fouillard
La Bouëxière
Dourdain
Livré-s-Changeon
Mecé
Val-d'Izé
Pacé
L'Hermitage
Le Rheu
Vezin-le-Coquet
Cesson-Sévigné
Acigné
Noyal-s-Vilaine
Servon-s-Vilaine
Châteaubourg
Landavran
Champeaux
Marpiré
Espinay
St-Jean-s-Vilaine
Chantepie
Brécé
St-Didier
St-Aubin-des-Landes
Cornillé
Domagné
Domloup
Bois-Orcan
St-Jacques-de-la-Lande
Écomusée
Chavagne
Noyal-Châtillon-s-Seiche
Châteaugiron
St-Aubin-du-Pavail
Ossé
Louvigné-de-Bais
Bruz
Chartres-de-Bretagne
Vern-s-Seiche
Nouvoitou
St-Erblon
Pont-Péan
St-Armel
Chancé
Piré-Chancé
Moulins
Bourgbarré
Orgères
Laillé
Corps-Nuds
Chanteloup
Guichen
Bourg-des-Comptes
Crevin
Le Pt-Fougeray
Saulnières
Pléchâtel
Poligné
Le Sel-de-Bretagne
Pancé
Tresbœuf
La Bosse-de-Bretagne
Bain-de-Bretagne
La Noë-Blanche
Teillay
Ercé-en-Lamée
RENNES
FRAC BRETAGNE, ST-MALO, DINAN
PARC DES GAYEULLES, ALENÇON, FOUGÈRES
FOUGÈRES
Couvent des Jacobins – Centre des Congrès
Pl. Ste-Anne
Parc du Thabor
PARC OBERTHÜR
R. du Pont-aux-Foulons
R. Le Bastard
Pl. des Lices
Pl. du Champ-Jacquet
Palais du Parlement de Bretagne
VIEUX RENNES
R. St-Guillaume
St-Sauveur
Portes Mordelaises
R. d'Estrées
R. St-Georges
Palais St-Georges
R. de la Psalette
Cathédrale St-Pierre
R. du Chapitre
Opéra
St-Germain
St-Yves
Rue d'Orléans
Place de l'Hôtel-de-Ville
Pl. de la République
Musée des Beaux-Arts
Palais du Commerce
Toussaints
Lycée Émile-Zola
La Criée - Marché central
Théâtre national de Bretagne
Esplanade du Général de Gaulle
Les Champs Libres
LORIENT, VANNES
ST-BRIEUC, BREST
LOUDÉAC
VITRÉ, LAVAL
ANGERS
Gares
CHÂTEAUGIRON, CHÂTEAU DU BOIS-ORCAN
ÉCOMUSÉE DU PAYS DE RENNES, NANTES
150 m

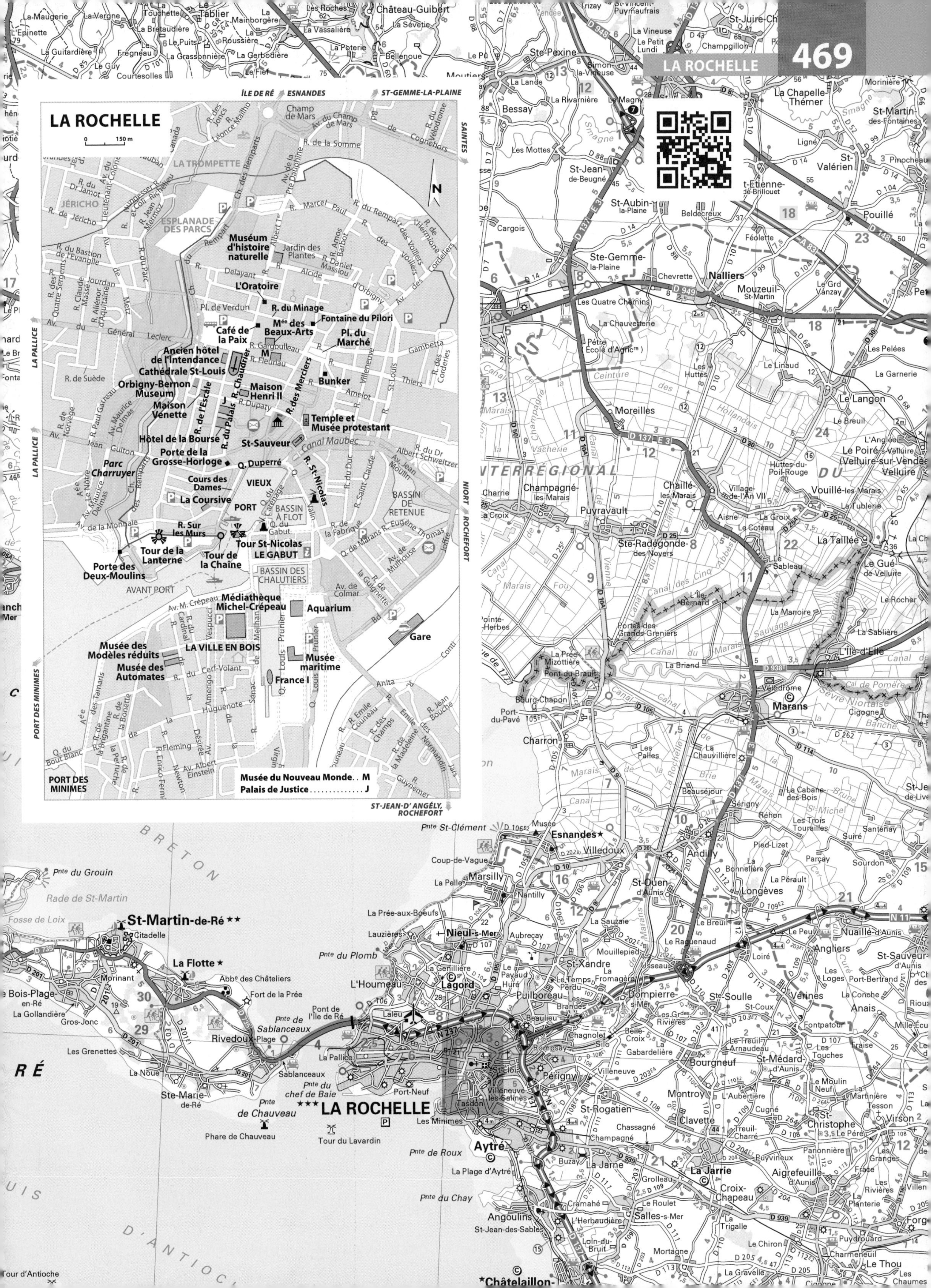

LA ROCHELLE
0 150 m
ÎLE DE RÉ
ESNANDES
ST-GEMME-LA-PLAINE
SAINTES
LA PALLICE
PORT DES MINIMES
NIORT
ROCHEFORT
ST-JEAN-D'ANGÉLY, ROCHEFORT
Champ de Mars
LA TROMPETTE
JÉRICHO
ESPLANADE DES PARCS
Muséum d'histoire naturelle
Jardin des Plantes
L'Oratoire
R. du Minage
Fontaine du Pilori
Pl. du Marché
Café de la Paix
Mée des Beaux-Arts
Ancien hôtel de l'Intendance
Cathédrale St-Louis
Bunker
Orbigny-Bernon Museum
Maison Henri II
Maison Venette
Temple et Musée protestant
Hôtel de la Bourse
St-Sauveur
Canal Maubec
Parc Charruyer
Porte de la Grosse-Horloge
Q. Duperré
Cours des Dames
VIEUX PORT
La Coursive
BASSIN À FLOT
BASSIN DE RETENUE
R. Sur les Murs
Tour de la Lanterne
Tour de la Chaîne
Tour St-Nicolas
LE GABUT
Porte des Deux-Moulins
AVANT PORT
BASSIN DES CHALUTIERS
Médiathèque Michel-Crépeau
Aquarium
Gare
Musée des Modèles réduits
LA VILLE EN BOIS
Musée des Automates
Musée maritime
France I
PORT DES MINIMES
Musée du Nouveau Monde.. M
Palais de Justice.............. J
St-Martin-de-Ré ★★
Citadelle
La Flotte ★
Rade de St-Martin
Fosse de Loix
Pnte du Grouin
Rivedoux-Plage
Pnte de Sablanceaux
Ste-Marie-de-Ré
Les Grenettes
La Noue
Bois-Plage-en-Ré
La Gollandière
Gros-Jonc
Morinant
Abbe des Châteliers
Fort de la Prée
Pont de l'Ile de Ré
RÉ
BRETON
PERTUIS D'ANTIOCHE
Tour d'Antioche
Pnte de Chauveau
Phare de Chauveau
Tour du Lavardin
Pnte du chef de Baie
★★★ LA ROCHELLE
Les Minimes
La Pallice
Port-Neuf
Tasdon
Villeneuve-les-Salines
Pnte de Roux
Aytré
La Plage d'Aytré
Pnte du Chay
Angoulins
St-Jean-des-Sables
★Châtelaillon-
L'Houmeau
Lagord
Nieul-s-Mer
Marsilly
Esnandes ★
Villedoux
Pnte St-Clément
Puilboreau
Dompierre-s-Mer
Périgny
St-Xandre
St-Rogatien
La Jarne
La Jarrie
Salles-s-Mer
Croix-Chapeau
Aigrefeuille-d'Aunis
Bourgneuf
Montroy
Clavette
St-Médard-d'Aunis
St-Christophe
Vérines
Anais
Angliers
Nuaillé-d'Aunis
Longèves
St-Ouen-d'Aunis
Andilly
Marans
Charron
Puyravault
Ste-Radégonde-des-Noyers
Champagné-les-Marais
Chaillé-les-Marais
Vouillé-les-Marais
L'Île-d'Elle
Le Gué-de-Velluire
Le Langon
Nalliers
Mouzeuil-St-Martin
Ste-Gemme-la-Plaine
St-Jean-de-Beugné
St-Aubin-la-Plaine
Bessay
Ste-Pexine
Pouillé
St-Valérien
La Chapelle-Thémer
Château-Guibert
Moreilles
Le Poiré-s-Velluire (Velluire-sur-Vendée)
Canal de Ceinture des Hollandais
Sèvre Niortaise

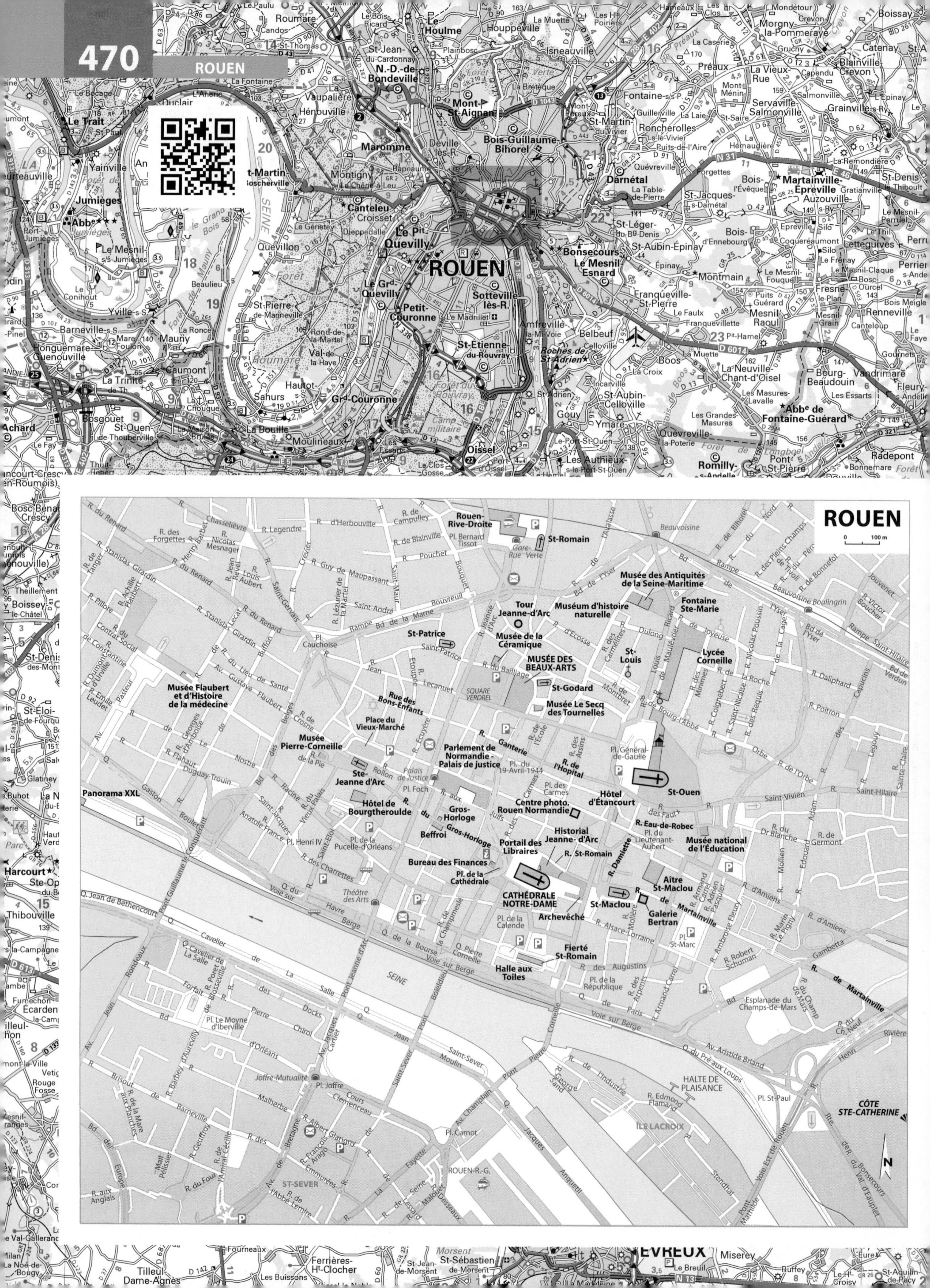
ROUEN
Rouen-Rive-Droite
St-Romain
Musée des Antiquités de la Seine-Maritime
Fontaine Ste-Marie
Tour Jeanne-d'Arc
Muséum d'histoire naturelle
Musée de la Céramique
MUSÉE DES BEAUX-ARTS
St-Patrice
St-Louis
Lycée Corneille
St-Godard
Musée Le Secq des Tournelles
Musée Flaubert et d'Histoire de la médecine
Rue des Bons-Enfants
Place du Vieux-Marché
Musée Pierre-Corneille
Parlement de Normandie - Palais de justice
Ste-Jeanne d'Arc
Hôtel de Bourgtheroulde
Gros-Horloge
Beffroi
Centre photo. Rouen Normandie
Hôtel d'Étancourt
St-Ouen
Panorama XXL
Historial Jeanne- d'Arc
Portail des Libraires
Bureau des Finances
Musée national de l'Éducation
Aître St-Maclou
CATHÉDRALE NOTRE-DAME
Archevêché
St-Maclou
Galerie Bertran
Fierté St-Romain
Halle aux Toiles
SEINE
Esplanade du Champs-de-Mars
HALTE DE PLAISANCE
ÎLE LACROIX
CÔTE STE-CATHERINE
ST-SEVER
ROUEN-R.-G.
Joffre-Mutualité
Pl. Joffre
Pl. Carnot
Pl. St-Paul
Pl. de la République
Pl. de la Cathédrale
Pl. de la Calende
Pl. Foch
Pl. Henri IV
Pl. de la Pucelle-d'Orléans
Pl. du 19-Avril-1944
Pl. des Carmes
Pl. Général-de-Gaulle
Pl. Cauchoise
Pl. Le Moyne d'Iberville
Théâtre des Arts
SQUARE VERDREL
Beauvoisine
Boulingrin
Rouen
Le Trait
Jumièges
Duclair
Maromme
Canteleu
Le Pt-Quevilly
Le Gd-Quevilly
Petit-Couronne
Grd-Couronne
Sotteville-lès-R.
St-Étienne-du-Rouvray
Bois-Guillaume-Bihorel
Mont-St-Aignan
Darnétal
Bonsecours
Le Mesnil-Esnard
Franqueville-St-Pierre
Boos
Oissel
Martainville-Épreville
Abbe de Fontaine-Guérard
ÉVREUX

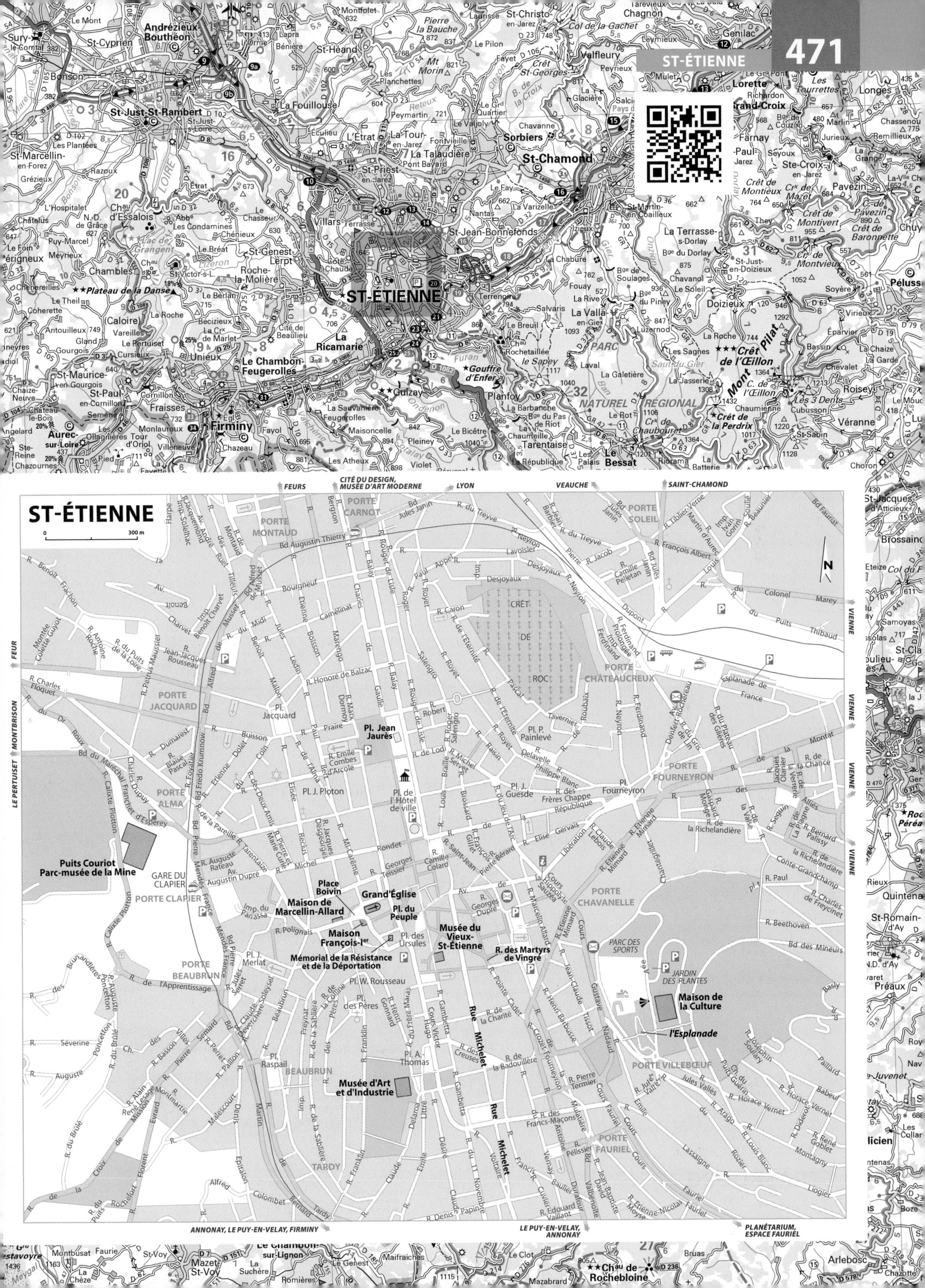
ST-ÉTIENNE
Andrézieux-Bouthéon
St-Just-St-Rambert
St-Priest-en-Jarez
La Talaudière
Sorbiers
St-Chamond
Villars
St-Jean-Bonnefonds
St-Genest-Lerpt
Roche-la-Molière
La Ricamarie
Le Chambon-Feugerolles
Unieux
Firminy
Fraisses
St-Paul-en-Cornillon
Aurec-sur-Loire
Terrenoire
La Valla-en-Gier
Planfoy
Le Bessat
Tarentaise
Rochetaillée
Gouffre d'Enfer
Guizay
Crêt de l'Œillon
Mont Pilat
Crêt de la Perdrix
PARC NATUREL RÉGIONAL
Plateau de la Danse
Lorette
Grand-Croix
Pélussin
Dorlay
FEURS
CITÉ DU DESIGN, MUSÉE D'ART MODERNE
LYON
VEAUCHE
SAINT-CHAMOND
FEUR
MONTBRISON
LE PERTUISET
VIENNE
ANNONAY, LE PUY-EN-VELAY, FIRMINY
LE PUY-EN-VELAY, ANNONAY
PLANÉTARIUM, ESPACE FAURIEL
PORTE CARNOT
PORTE MONTAUD
PORTE SOLEIL
PORTE JACQUARD
PORTE CHÂTEAUCREUX
PORTE FOURNEYRON
PORTE ALMA
PORTE CLAPIER
PORTE CHAVANELLE
PORTE BEAUBRUN
BEAUBRUN
PORTE VILLEBŒUF
PORTE FAURIEL
TARDY
CRÊT DE ROC
Pl. Jean Jaurès
Pl. de l'Hôtel de ville
Puits Couriot Parc-musée de la Mine
GARE DU CLAPIER
Place Boivin
Grand'Église
Pl. du Peuple
Maison de Marcellin-Allard
Maison François-Ier
Mémorial de la Résistance et de la Déportation
Musée du Vieux-St-Étienne
R. des Martyrs de Vingré
PARC DES SPORTS
JARDIN DES PLANTES
Maison de la Culture
l'Esplanade
Musée d'Art et d'Industrie
Rue Michelet
300 m
N

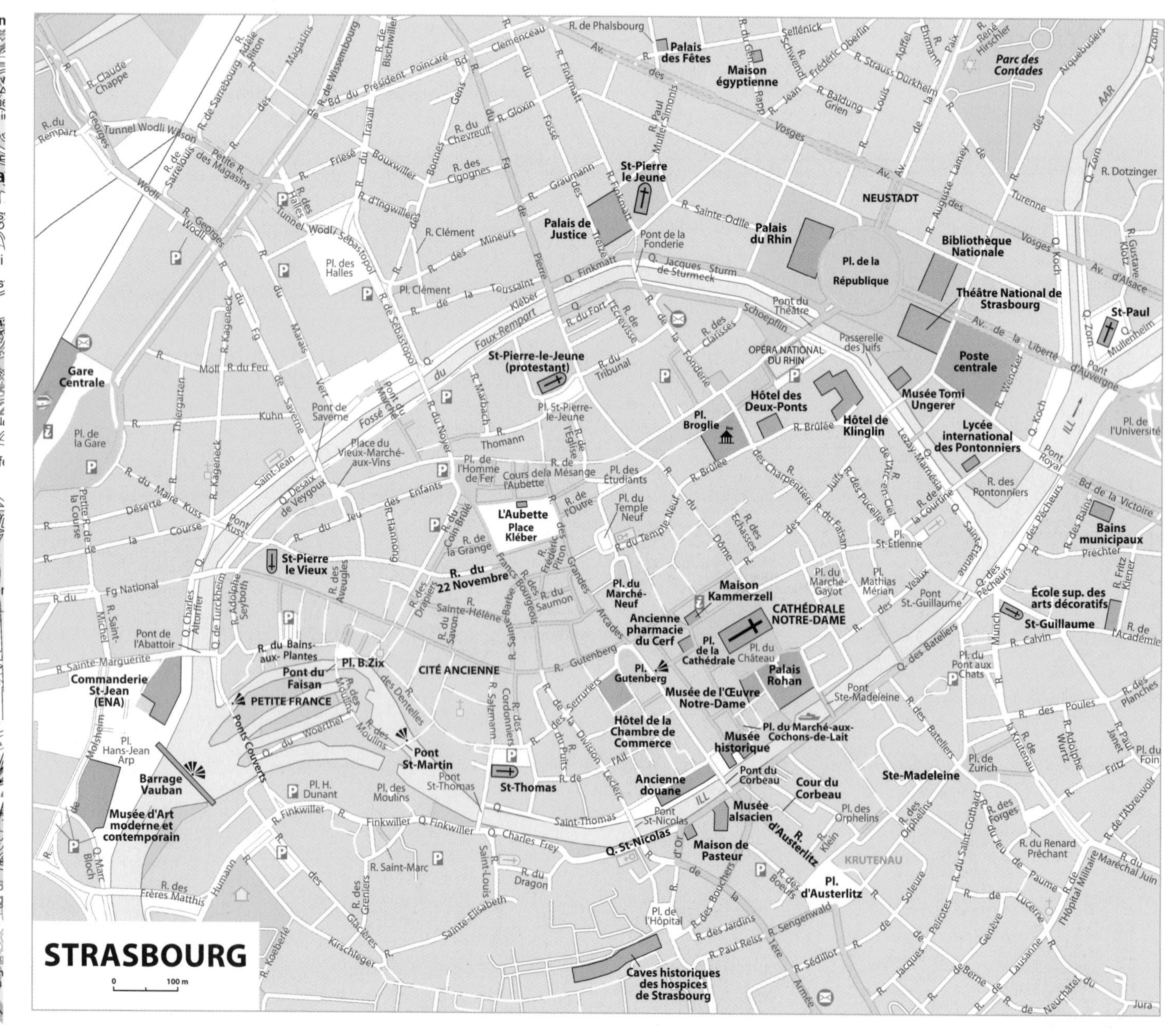
STRASBOURG
0 100 m
Gare Centrale
Pl. de la Gare
Palais des Fêtes
Maison égyptienne
Parc des Contades
NEUSTADT
St-Pierre le Jeune
Palais de Justice
Palais du Rhin
Pl. de la République
Bibliothèque Nationale
Théâtre National de Strasbourg
St-Paul
Poste centrale
Musée Tomi Ungerer
Lycée international des Pontonniers
OPÉRA NATIONAL DU RHIN
Hôtel des Deux-Ponts
Hôtel de Klinglin
Pl. Broglie
St-Pierre-le-Jeune (protestant)
Place du Vieux-Marché-aux-Vins
L'Aubette
Place Kléber
St-Pierre le Vieux
R. du 22 Novembre
Pl. du Marché-Neuf
Maison Kammerzell
CATHÉDRALE NOTRE-DAME
Ancienne pharmacie du Cerf
Pl. de la Cathédrale
Pl. du Château
Palais Rohan
Pl. Gutenberg
Musée de l'Œuvre Notre-Dame
CITÉ ANCIENNE
Pl. B.Zix
Pont du Faisan
PETITE FRANCE
Commanderie St-Jean (ENA)
Ponts Couverts
Barrage Vauban
Musée d'Art moderne et contemporain
Pont St-Martin
St-Thomas
Hôtel de la Chambre de Commerce
Musée historique
Pl. du Marché-aux-Cochons-de-Lait
Ancienne douane
Pont du Corbeau
Cour du Corbeau
Musée alsacien
Maison de Pasteur
Pl. d'Austerlitz
KRUTENAU
Ste-Madeleine
St-Guillaume
École sup. des arts décoratifs
Bains municipaux
Caves historiques des hospices de Strasbourg
ILL

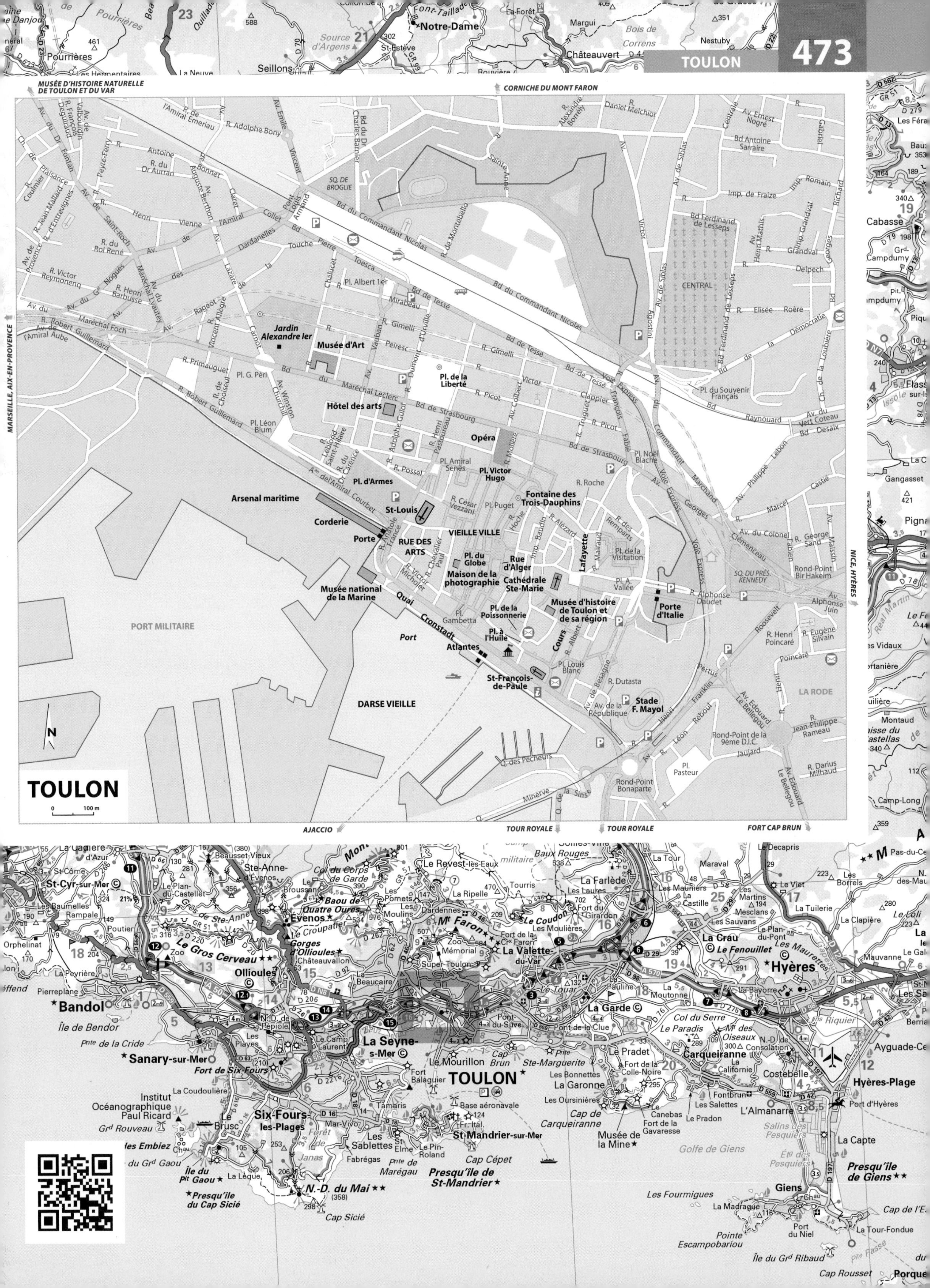

TOULON

0 — 100 m

MUSÉE D'HISTOIRE NATURELLE DE TOULON ET DU VAR

CORNICHE DU MONT FARON

MARSEILLE, AIX-EN-PROVENCE

NICE, HYÈRES

AJACCIO

TOUR ROYALE

TOUR ROYALE

FORT CAP BRUN

Jardin Alexandre Ier

Musée d'Art

Pl. de la Liberté

Hôtel des arts

Opéra

Pl. Victor Hugo

Pl. d'Armes

Arsenal maritime

St-Louis

Corderie

Porte

RUE DES ARTS

VIEILLE VILLE

Fontaine des Trois-Dauphins

Pl. du Globe

Rue d'Alger

Maison de la photographie

Cathédrale Ste-Marie

Lafayette

Musée national de la Marine

Musée d'histoire de Toulon et de sa région

Porte d'Italie

Pl. de la Poissonnerie

Pl. à l'Huile

Cours

Quai Cronstadt

Atlantes

St-François-de-Paule

PORT MILITAIRE

Port

DARSE VIEILLE

Stade F. Mayol

CENTRAL

SQ. DU PRÉS. KENNEDY

LA RODE

Rond-Point Bonaparte

Pl. Pasteur

Rond-Point de la 9ème D.I.C.

Bd du Commandant Nicolas

Bd de Tessé

Bd de Strasbourg

Bd du Maréchal Leclerc

Av. de la République

Bandol

Sanary-sur-Mer

Ollioules

La Seyne-s-Mer

TOULON

La Valette-du-Var

La Garde

Le Pradet

Carqueiranne

Hyères

La Crau

Six-Fours-les-Plages

St-Mandrier-sur-Mer

Presqu'île de St-Mandrier

Presqu'île du Cap Sicié

N.-D. du Mai

Cap Sicié

Cap Cépet

Golfe de Giens

Presqu'île de Giens

Giens

Hyères-Plage

Mt Faron

Gorges d'Ollioules

Le Gros Cerveau

St-Cyr-sur-Mer

Évenos

Le Revest-les-Eaux

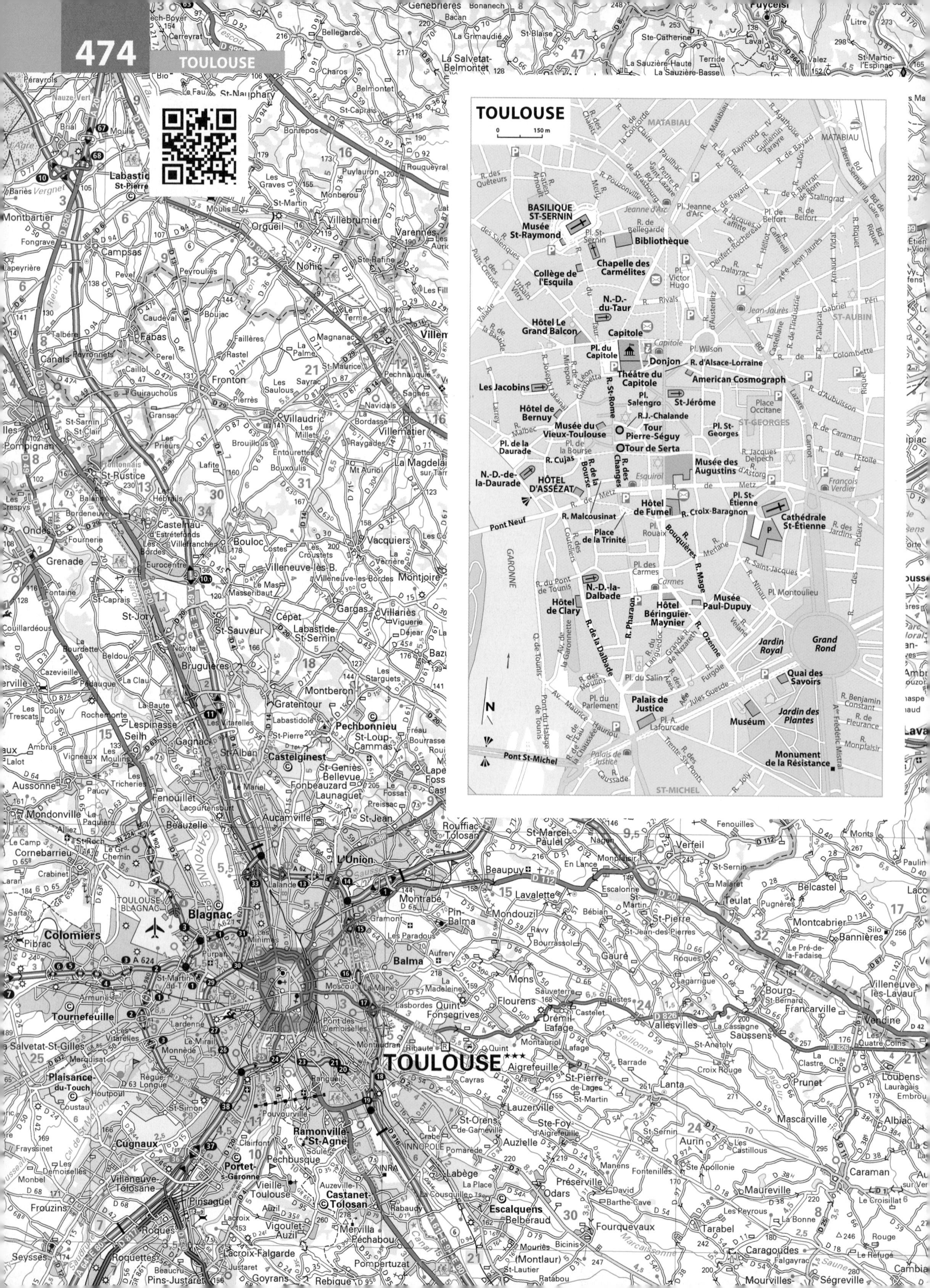
TOULOUSE
0 150 m
BASILIQUE ST-SERNIN
Musée St-Raymond
Bibliothèque
Chapelle des Carmélites
Collège de l'Esquila
N.-D.-du-Taur
Hôtel Le Grand Balcon
Capitole
Pl. du Capitole
Donjon
Théâtre du Capitole
American Cosmograph
Les Jacobins
Hôtel de Bernuy
St-Jérôme
Musée du Vieux-Toulouse
Tour Pierre-Séguy
Tour de Serta
Musée des Augustins
N.-D.-de-la-Daurade
HÔTEL D'ASSÉZAT
Hôtel de Fumel
Cathédrale St-Étienne
Place de la Trinité
N.-D.-la-Dalbade
Hôtel de Clary
Hôtel Béringuier-Maynier
Musée Paul-Dupuy
Jardin Royal
Grand Rond
Quai des Savoirs
Palais de Justice
Muséum
Jardin des Plantes
Monument de la Résistance
Pont Neuf
Pont St-Michel
GARONNE
MATABIAU
ST-AUBIN
ST-GEORGES
ST-MICHEL
TOULOUSE ★★★

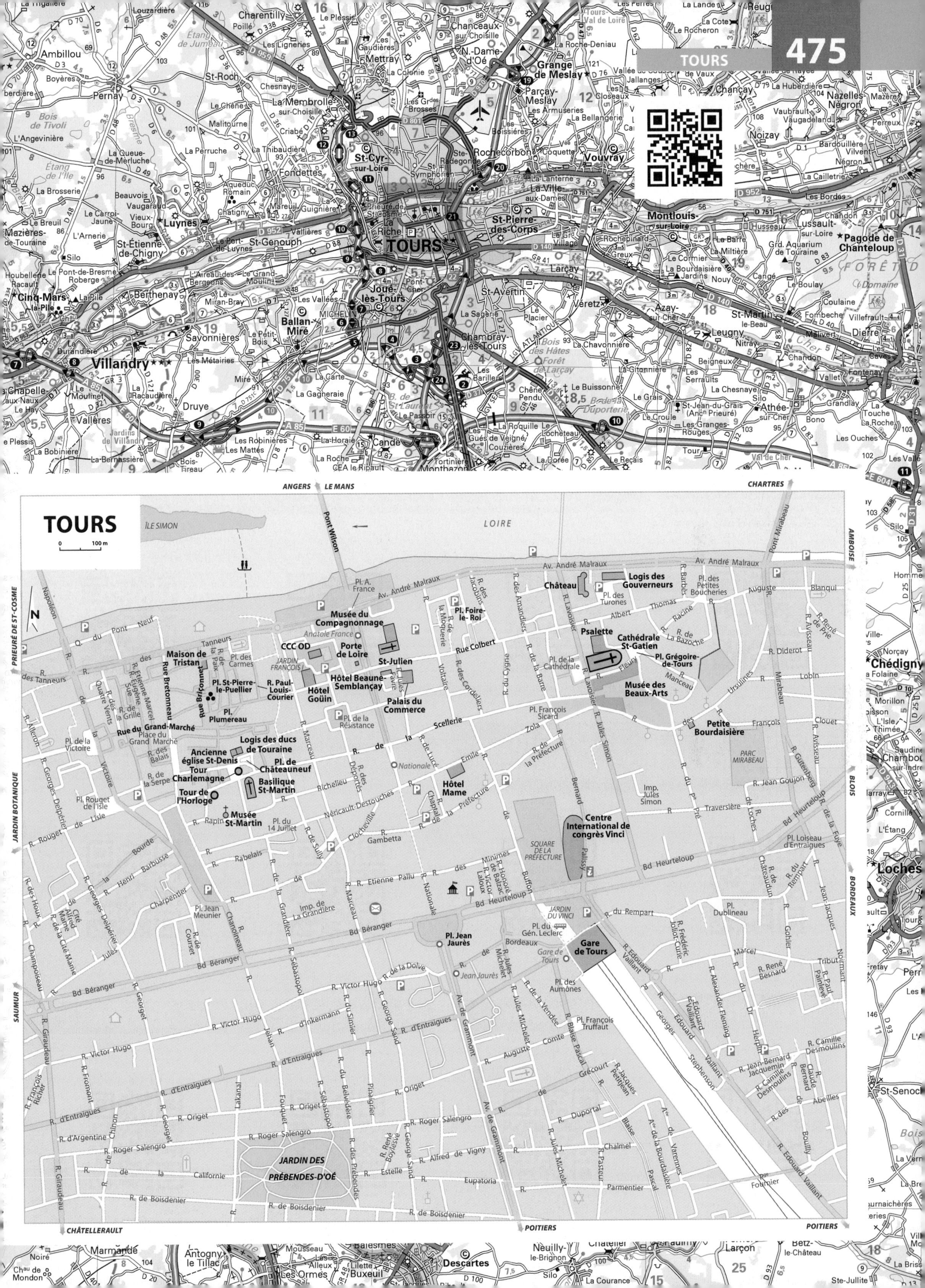
TOURS
Ambillou
Pernay
St-Roch
Charentilly
Mettray
Chanceaux-sur-Choisille
N.-Dame-d'Oé
Grange de Meslay
Parçay-Meslay
Vouvray
Rochecorbon
La Membrolle-sur-Choisille
St-Cyr-sur-Loire
Fondettes
Luynes
St-Étienne-de-Chigny
St-Genouph
La Riche
TOURS
St-Pierre-des-Corps
La Ville-aux-Dames
Montlouis-sur-Loire
Lussault-sur-Loire
Pagode de Chanteloup
Nazelles-Négron
Noizay
Larçay
Véretz
Azay-sur-Cher
St-Martin-le-Beau
Dierre
St-Avertin
Chambray-lès-Tours
Joué-lès-Tours
Ballan-Miré
Savonnières
Berthenay
Cinq-Mars-la-Pile
Villandry
Druye
Vallères
Candé
Montbazon
Athée-sur-Cher
Leugny
Mazières-de-Touraine
Forêt de Larçay
TOURS
0 100 m
ÎLE SIMON
LOIRE
ANGERS LE MANS
CHARTRES
AMBOISE
BLOIS
BORDEAUX
POITIERS
CHÂTELLERAULT
SAUMUR
JARDIN BOTANIQUE
PRIEURÉ DE ST-COSME
Pont Wilson
Pont Mirabeau
Av. André Malraux
Château
Logis des Gouverneurs
Pl. des Turones
Pl. des Petites Boucheries
Musée du Compagnonnage
Pl. A. France
CCC OD
Porte de Loire
St-Julien
Pl. Foire-le-Roi
Rue Colbert
Psalette
Cathédrale St-Gatien
Pl. Grégoire-de-Tours
Musée des Beaux-Arts
Pl. de la Cathédrale
Maison de Tristan
Rue Bretonneau
Rue Briçonnet
Pl. St-Pierre-le-Puellier
R. Paul-Louis-Courier
Hôtel Goüin
Hôtel Beaune-Semblançay
Palais du Commerce
Pl. Plumereau
Rue du Grand-Marché
Place du Grand Marché
Pl. de la Victoire
Pl. de la Résistance
Scellerie
Pl. François Sicard
Petite Bourdaisière
PARC MIRABEAU
Logis des ducs de Touraine
Ancienne église St-Denis
Tour Charlemagne
Pl. de Châteauneuf
Basilique St-Martin
Tour de l'Horloge
Musée St-Martin
Pl. du 14 Juillet
Hôtel Mame
Nationale
Imp. Jules Simon
Centre International de congrès Vinci
SQUARE DE LA PRÉFECTURE
Bd Heurteloup
Pl. Loiseau d'Entraigues
Pl. Jean Meunier
Imp. de La Grandière
Pl. Jean Jaurès
Bd Béranger
JARDIN DU VINCI
Pl. du Gén. Leclerc
Gare de Tours
Pl. des Aumônes
Pl. Dublineau
Pl. François Truffaut
R. Victor Hugo
R. d'Entraigues
R. Origet
R. Roger Salengro
JARDIN DES PRÉBENDES-D'OÉ
R. de la Californie
R. de Boisdenier
Av. de Grammont
R. Edouard Vaillant
R. Camille Desmoulins
R. Giraudeau
R. Alfred de Vigny
Chédigny
Loches
Descartes

Plans de ville sur votre smartphone

Town plans on your smartphone / Stadtpläne auf Ihrem Smartphone / Stadsplattegronden op uw smartphone
Piante di città sul tuo smartphone / Planos de ciudades en su smartphone

Ajaccio	Annecy	Arles	Bastia
Bayonne	Biarritz	Blois	Carcassonne
Châlons-en-Champagne	Châlon-sur-Saône	Chambéry	Chartres
Lorient	Monaco	Nevers	Troyes

France 1/1 200 000

Frankreich - 1: 1 200 000 / Frankrijk - 1: 1 200 000 / Francia - 1: 1 200 000

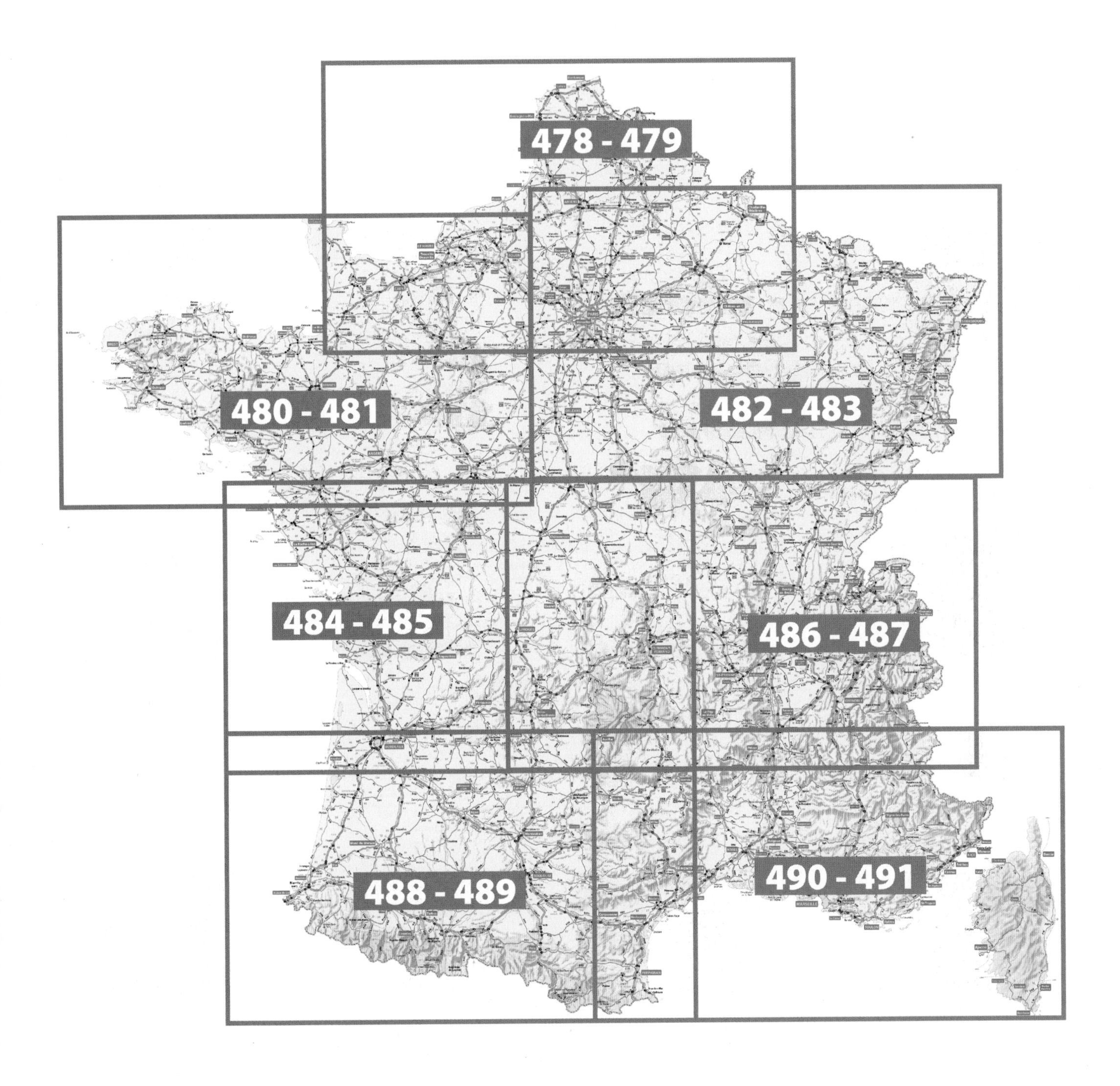
478 - 479
480 - 481
482 - 483
484 - 485
486 - 487
488 - 489
490 - 491

Légende

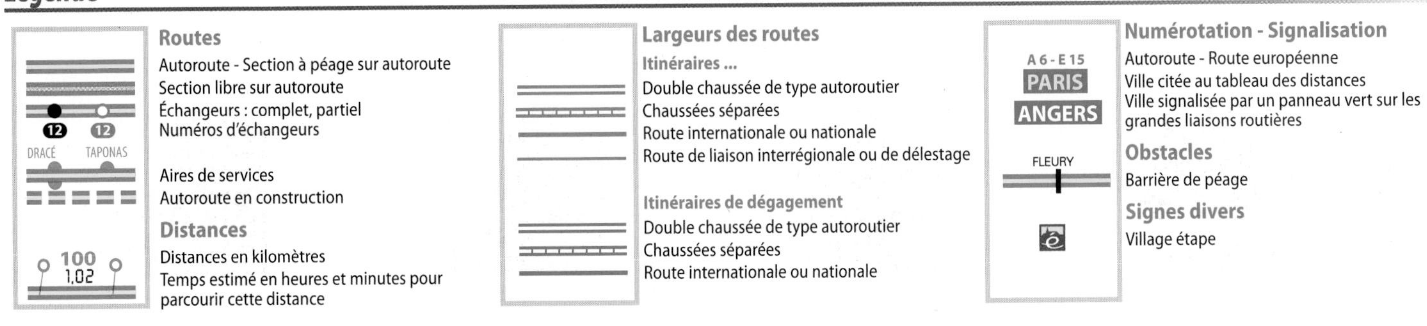
Routes
Autoroute - Section à péage sur autoroute
Section libre sur autoroute
Échangeurs : complet, partiel
Numéros d'échangeurs
12
12
DRACÉ
TAPONAS
Aires de services
Autoroute en construction
Distances
Distances en kilomètres
Temps estimé en heures et minutes pour parcourir cette distance
100
1,02
Largeurs des routes
Itinéraires ...
Double chaussée de type autoroutier
Chaussées séparées
Route internationale ou nationale
Route de liaison interrégionale ou de délestage
Itinéraires de dégagement
Double chaussée de type autoroutier
Chaussées séparées
Route internationale ou nationale
Numérotation - Signalisation
A 6 - E 15
PARIS
ANGERS
Autoroute - Route européenne
Ville citée au tableau des distances
Ville signalisée par un panneau vert sur les grandes liaisons routières
Obstacles
FLEURY
Barrière de péage
Signes divers
Village étape

SOUTHAMPTON
PORTSMOUTH
Isle of Wight
BRIGHTON
Hastings
Folkestone
Dover
Tunnel sous la Manche
Boulogne-s-Mer
Étaples
Le Touquet-Paris-Plage
Berck-sur-Mer
Le Crotoy
St-Valery-s-Somme
Le Tréport-Eu
Dieppe
Fécamp
Étretat
Neufchâtel-en-Bray
Tôtes
Yvetot
Bolbec
Lillebonne
LE HAVRE
Honfleur
Trouville Deauville
ROUEN
Gournay-en-Bray
Marseille en-Beauvais
Barfleur
Valognes
Ste-Mère-Église
Carentan
Bayeux
Courseulles-s-Mer
Ouistreham Riva-Bella
Cabourg
CAEN
Lisieux
Pont-Audemer
Elbeuf
Louviers
Les Andelys
Gisors
Vernon
Mantes-la-Jolie
Évreux
Bernay
St-Lô
Coutances
Villers-Bocage
Torigny-s-Vire
Livarot-Pays-d'Auge
Vire
Villedieu-les-Poêles-Rouffigny
Falaise
Argentan
Flers
Avranches
Ducey
St-Hilaire-du-Harcouët
Domfront-en-Poiraie
Gacé
L'Aigle
Verneuil-s-Avre
Dreux
Nogent-le-Roi
Châteauneuf-en-Thymerais
Sées
Le Mêle-s-Sarthe
Tourouvre-au-Perche
Mortagne-au-Perche
Chartres
Alençon
Fougères
Mayenne
Ernée
Mamers
Nogent-le-Rotrou
Illiers-Combray
RENNES
Vitré
Laval
St-Brice-en-Coglès

Oostende
BRUGGE
ANTWERPEN
GENT
Mechelen
Leuven
BRUXELLES/
BRUSSEL
Wavre
Kortrijk
Ieper
Menen
Tourcoing
Roubaix
Tournai
Mons
Namur
CHARLEROI
Dinant
Veurne
Steenvoorde
St-Omer
Hazebrouck
Bailleul
Armentières
LILLE
Béthune
Bruay-la-Buissière
Lens
St-Pol-s-Ternoise
Arras
Douai
Denain
Valenciennes
St-Amand-les-Eaux
Maubeuge
Le Quesnoy
Doullens
Bapaume
Le Cateau-
Cambrésis
Avesnes-
s-Helpe
Givet
Fumay
Rocroi
La Capelle
Hirson
Guise
Péronne
Vermand
St-Quentin
Vervins
Charleville-
Mézières
Sedan
Launois-
s-Vence
Stenay
Montmédy
Longuyon
Nesle
Ham
Roye
Montdidier
Breteuil
Noyon
Chauny
Tergnier
Laon
Crécy-s-Serre
Rethel
Vouziers
Clermont
Noailles
Compiègne
Vic-
s-Aisne
Soissons
REIMS
Creil
Méru
Chantilly
Senlis
Villers-Cotterêts
Ermenonville
Suippes
Verdun
Ste-Menehould
Meaux
Château-Thierry
Dormans
Épernay
Châlons-en-C.
La Ferté-sous-Jouarre
Montmirail
PARIS
Versailles
Coulommiers
Fère-
Champenoise
Sommesous
Vitry-le-François
Bar-le-Duc
Ligny-en-Barrois
St-Dizier
Sézanne
Fontenay-Trésigny
Évry-
Courcouronnes
Arpajon
Corbeil-
Essonnes
Melun
Provins
Nogent-
s-Seine
Arcis-s-Aube
Joinville
Brienne-le-Château
Étampes
Fontainebleau
Montereau-Fault-Yonne
Moret-
s-Loing
Nemours
Pont-s-Yonne
Troyes
Bar-s-Aube
Pithiviers
Sens
Chaumont

Guernsey
St Peter Port
Jersey
St-Helier
Perros-Guirec
Roscoff
Lannion
Paimpol
St-Thégonnec
Morlaix
Landivisiau
Guingamp
Belle-Isle-en-Terre
St-Brieuc
Cancale
St-Malo
Dinard
Dol-de-Bretagne
BREST
Lamballe
Jugon-les-Lacs
Dinan
Crozon
Carhaix-Plouguer
Châteauneuf-du-Faou
Corlay
Broons
Tinténiac
Châteaulin
Rostrenen
Douarnenez
Gourin
Loudéac
Merdrignac
Audierne
Quimper
St-Méen-le-Grand
Bédée
Pontivy
Plélan-le-Grd
Josselin
Ploërmel
Pont-l'Abbé
Concarneau
Quimperlé
Locminé
Lorient
Elven
Auray
Vannes
Grand-Fougeray
Redon
Muzillac
Quiberon
La Roche-Bernard
La Baule
Le Croisic
Belle-Île
St-Nazaire
Pornic
Bourgneuf-en-Retz
Noirmoutier-en-l'Île
Challans
N 12-E 50
N 165-E 60
N 164
N 24
N 166
N 176-E 401
N 137
N 171
D 786
D 788
D 790
D 700
D 764
D 769
D 768
D 767
D 775
D 773
D 213
D 723
Aulne
Rance
Vilaine
Loire

Dieppe
Fécamp
Étretat
Barfleur
Neufchâtel-en-Bray
Tôtes
Yvetot
Bolbec
Lillebonne
Valognes
Ste-Mère-Église
LE HAVRE
Honfleur
Trouville Deauville
ROUEN
Gournay-en-Bray
Marseille-en-Beauvaisis
Carentan
Bayeux
Courseulles-s-Mer
Ouistreham Riva-Bella
Cabourg
Pont-Audemer
Elbeuf
Louviers
Les Andelys
Gisors
St-Lô
Villers-Bocage
CAEN
Lisieux
Bernay
Vernon
Mantes-la-Jolie
Coutances
Torigny-s-Vire
Livarot-Pays-d'Auge
Évreux
Vire
Falaise
Villedieu-les-Poêles-Rouffigny
Flers
Argentan
Gacé
L'Aigle
Verneuil-s-Avre
Dreux
Avranches
Ducey
Domfront-en-Poiraie
St-Hilaire-du-Harcouët
Sées
Tourouvre-au-Perche
Nogent-le-Roi
Rambouillet
Le Mêle-s-Sarthe
Mortagne-au-Perche
Châteauneuf-en-Thymerais
St-Brice-en-Coglès
Alençon
Chartres
Fougères
Mayenne
Ernée
Mamers
Nogent-le-Rotrou
Illiers-Combray
RENNES
Vitré
Laval
Château-Gontier
Craon
Sablé-s-Sarthe
LE MANS
Châteaudun
Cloyes-s-le-Loir
Vendôme
Pouancé
Segré
La Flèche
Château-du-Loir
Beaugency
Le Lude
Château-Renault
Blois
Candé
ANGERS
Neuillé-Pont-Pierre
Ancenis
TOURS
Amboise
Contres
Romorantin-Lanthenay
NANTES
Saumur
St-Aignan
Doué-la-Fontaine
Chinon
Loches
Valençay
Clisson
Montreuil-Bellay
Ste-Maure-de-Touraine
Vatan
Cholet
Montaigu
Loudun
Thouars
Châtillon-s-Indre
Mauléon
Descartes

AMIENS
Péronne
St-Quentin
Guise
La Capelle
Hirson
Rocroi
Fumay
Vervins
Vermand
Nesle
Ham
Roye
Montdidier
Breteuil
Noyon
Chauny
Tergnier
Laon
Crécy-s-Serre
Launois-s-Vence
Rethel
Marseille-en-Beauvaisis
Gournay-en-Bray
Beauvais
Clermont
Noailles
Compiègne
Vic-s-Aisne
Soissons
Vouziers
REIMS
Gisors
Les Andelys
Méru
Creil
Chantilly
Senlis
Villers-Cotterêts
Ermenonville
Suippes
Vernon
Cergy-Pontoise
Mantes-la-Jolie
Meulan
Meaux
Dormans
Château-Thierry
Épernay
La Ferté-sous-Jouarre
Châlons-en-C.
PARIS
Montmirail
Versailles
Coulommiers
Fère-Champenoise
Sommesous
Nogent-le-Roi
Rambouillet
Évry-Courc^nes
Fontenay-Trésigny
Sézanne
Arpajon
Provins
Nogent-s-Seine
Arcis-s-Aube
Corbeil-Essonnes
Melun
Dourdan
Étampes
Fontainebleau
Montereau-Fault-Yonne
Brienne-le-Château
Moret-s-Loing
Troyes
Angerville
Nemours
Pont-s-Yonne
Pithiviers
Sens
Dordives
Bar-s-Seine
Artenay
Bellegarde
Courtenay
Joigny
ORLÉANS
Montargis
Tonnerre
Châtillon-s-S
Auxerre
Beaugency
Sully-s-Loire
Toucy
La Ferté-St-Aubin
Gien
Montbard
Blois
Bonny-s-Loire
Clamecy
Vézelay
Avallon
Salbris
Cosne-Cours-s-Loire
Vitteaux
Romorantin-Lanthenay
La Chapelle-d'Angillon
Varzy
Pouilly-en-Auxois
Neuvy-s-Barangeon
Saulieu
Vierzon
La Charité-s-Loire
Valençay
Château-Chinon
Arnay-le-Duc
Vatan
Bourges
Pougues-les-Eaux
Issoudun
Nevers
Autun

LUXEMBOURG
Esch-s-Alzette
Longwy
Montmédy
Stenay
Longuyon
Thionville
Saarlouis
SAARBRÜCKEN
Forbach
Homburg
Zweibrücken
Kaiserslautern
LUDWIGSHAFEN AM RHEIN
Landau in der Pfalz
KARLS
Briey
Boulay-Moselle
Verdun
METZ
St-Avold
Sarreguemines
Sarralbe
Wissembourg
Lauterbourg
Rastatt
Baden-Bade
Haguenau
Saverne
Sarrebourg
Château-Salins
Pont-à-Mousson
St-Mihiel
Bar-le-Duc
Commercy
NANCY
St-Nicolas-de-Port
Toul
Ligny-en-Barrois
Lunéville
Blâmont
STRASBOURG
Kehl
Wasselonne
Molsheim
Offenburg
Obernai
Erstein
Baccarat
Rambervillers
St-Dié-des-Vosges
Sélestat
Ribeauvillé
Marckolsheim
Colmar
Joinville
Neufchâteau
Vittel
Épinal
Gérardmer
FREIBURG IM BREISGAU
Neuf-Brisach
Chaumont
Remiremont
Plombières-les-Bains
Guebwiller
Bourbonne-les-Bains
Langres
Luxeuil-les-Bains
Thann
MULHOUSE
Longeau
Waldshut
Belfort
Lure
Altkirch
BASEL
Vesoul
Villersexel
Montbéliard
Delle
Delémont
Gray
Baume-les-Dames
Solothurn
DIJON
BESANÇON
Biel
Genlis
Dole
Morteau
Neuchâtel
Seurre
BERN
Salins-les-Bains
Pontarlier
AUTOROUTE DU NORD
AUTOROUTE DE L'EST
RHEIN

Pornic
Bourgneuf-en-Retz
Noirmoutier-en-l'Île
Clisson
Cholet
Doué-la-Fontaine
Saumur
Montreuil-Bellay
Thouars
Rocheservière
Montaigu
Challans
Mauléon
Les Herbiers
Bressuire
St-Jean-de-Monts
Aizenay
Île d'Yeu
St-Gilles-Croix-de-Vie
La Roche-s-Yon
Chantonnay
Parthenay
Ste-Hermine
Les Sables-d'Olonne
Luçon
Fontenay-le-Comte
St-Maixent-l'École
La Tranche-sur-Mer
Niort
Île de Ré
St-Martin-de-Ré
Melle
La Rochelle
Surgères
St-Pierre-d'Oléron
Rochefort
St-Jean-d'Angély
Île d'Oléron
Marennes
Mansle
Saintes
Cognac
Jarnac
Royan
Saujon
Le Verdon-s-Mer
Jonzac
Barbezieux-St-Hilaire
Lesparre-Médoc
Montlieu-la-Garde
Lamarque
Blaye
Lacanau-Océan
St-André-de-Cubzac
Montpon-Ménestérol
Libourne
Arès
BORDEAUX
Arcachon
Cap Ferret
Sauveterre-de-Guyenne
La Réole
Langon
Bazas
Biscarrosse
Sore
Casteljaloux
Mimizan

St-Aignan
Vierzon
La Charité-s-Loire
Loches
Valençay
Vatan
Bourges
Pougues-les-Eaux
Ste-Maure-de-Touraine
Nevers
Châtillon-s-Indre
Issoudun
Descartes
Decize
Sancoins
Châtellerault
Châteauroux
St-Pierre-le-Moûtier
Ardentes
Lignières
St-Amand-Montrond
Le Blanc
St-Gaultier
Poitiers
La Châtre
Moulins
Argenton-s-Creuse
Éguzon
Montluçon
Varennes-sur-Allier
Montmarault
St-Pourçain-s-Sioule
Lapalisse
La Souterraine
Le Dorat
Gouzon
Guéret
Bellac
Bessines-s-Gartempe
Vichy
Confolens
Pontarion
Aubusson
Bourganeuf
LIMOGES
Chabanais
St-Junien
Riom
Pontgibaud
Rochechouart
CLERMONT-FERRAND
La Rochefoucauld
Eymoutiers
Pierre-Buffière
La Courtine
Châlus
Nontron
Magnac-Bourg
Ussel
Le Mont-Dore
Issoire
Uzerche
Bort-les-Orgues
Brantôme-en-Périgord
Tulle
Brioude
Donzenac
Massiac
Périgueux
Mauriac
Brive-la-Gaillarde
Argentat
Murat
Mussidan
St-Flour
Sarlat-la-Canéda
Bretenoux
Les Eyzies-de-Tayac
Aurillac
Bergerac
Souillac
Beaumont-du-Périgord
Rocamadour
St-Chély-d'Apcher
Gourdon
Aumont-Aubrac
Marvejols
Figeac
Decazeville
Fumel
Espalion
Villeneuve-s-Lot
Cahors
La Canourgue
Laissac
Villefranche-de-Rouergue
Rodez
Sévérac-d'Aveyron
Lauzerte
Agen

Vatan
Issoudun
Châteauroux
Ardentes
La Châtre
Guéret
Gouzon
Pontarion
Aubusson
Bourganeuf
Eymoutiers
La Courtine
Ussel
Bort-les-Orgues
Tulle
Mauriac
Argentat
Bretenoux
Figeac
Decazeville
Villefranche-de-Rouergue
Rodez
Bourges
Lignières
St-Amand-Montrond
Montluçon
Montmarault
La Charité-s-Loire
Pougues-les-Eaux
Nevers
Sancoins
St-Pierre-le-Moûtier
Decize
Moulins
Dompierre-s-Besbre
Varennes-sur-Allier
St-Pourçain-s-Sioule
Lapalisse
Vichy
Riom
Pontgibaud
Thiers
CLERMONT-FERRAND
Le Mont-Dore
Issoire
Ambert
Montbrison
Roanne
Feurs
Château-Chinon
Luzy
Gueugnon
Digoin
Paray-le-Monial
Charolles
Marcigny
Autun
Arnay-le-Duc
Le Creusot
Montceau-les-Mines
Chagny
Beaune
Nuits-St-Georges
Cluny
Mâcon
Villefranche-s-Saône
L'Arbresle
LYON
Givors
St-Chamond
ST-ÉTIENNE
Firminy
Monistrol-s-Loire
Yssingeaux
Le Puy-en-Velay
La Chaise-Dieu
Brioude
Massiac
Murat
St-Flour
Aurillac
Saugues
St-Chély-d'Apcher
Aumont-Aubrac
Marvejols
Mende
Espalion
La Canourgue
Laissac
Sévérac-d'Aveyron
Florac
Villefort
Annonay
Serrières
Tournon-s-Rhône
St-Agrève
Lamastre
Privas
Aubenas
Montélimar
Donzère
Pont-St-Esprit

Dole
Morteau
Neuchâtel
BERN
Salins-les-Bains
Pontarlier
Fribourg
Champagnole
Lons-le-Saunier
LAUSANNE
Montreux
Morez
LAC LÉMAN
Thonon-les-Bains
Évian-les-Bains
St-Claude
Col de la Faucille
Gex
GENÈVE
Oyonnax
Morzine
Annemasse
St-Julien-en-G.
Martigny
Nantua
Bellegarde-s-Valserine
AUTOROUTE BLANCHE
Cluses
Pont-d'Ain
Frangy
Seyssel
Chamonix-Mont-Blanc
Tunnel du Mont Blanc
Ambérieu-en-Bugey
Annecy
Megève
Coursmayeur
Aosta/Aoste
Culoz
Belley
Crémieu
Albertville
Col du Petit St-Bernard
Aix-les-Bains
Bourg-St-Maurice
Chambéry
La Tour-du-Pin
Aiguebelle
Bourgoin-Jallieu
Montmélian
Moûtiers
Val-d'Isère
Col de l'Iseran
Courchevel
Les Échelles
Voiron
Col du Mont Cenis
St-Jean-de-Maurienne
Modane
Tunnel du Fréjus
GRENOBLE
TORINO
Alpe-d'Huez
Col du Galibier
Vizille
Col du Lautaret
Asti
Col de Montgenèvre
La Mure
Briançon
L'Argentière-la-Bessée
Die
Crest
Guillestre
Gap
Chorges
Embrun
Col de Vars
Aspres-s-Buëch
Col de Larche/ Colle della Maddalena
Cuneo
Serres
Barcelonnette
Col de la Bonette
Nyons
Vaison-la-Romaine
Tunnel de Tende
Tende
Sisteron
Furkapass

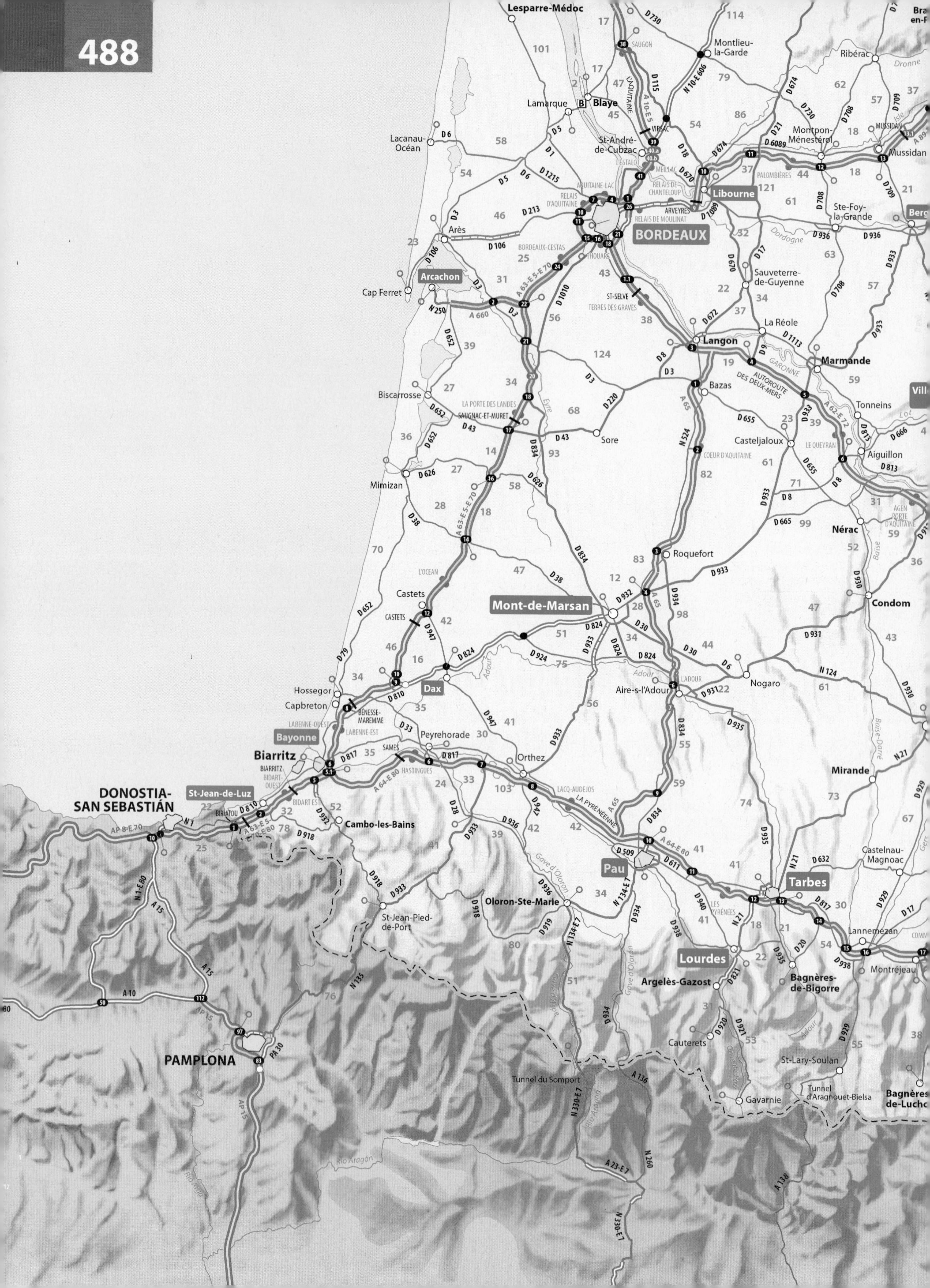
Lesparre-Médoc
Montlieu-la-Garde
Ribérac
Lamarque
Blaye
Lacanau-Océan
St-André-de-Cubzac
Montpon-Ménestérol
Mussidan
Libourne
BORDEAUX
Ste-Foy-la-Grande
Arès
Arcachon
Cap Ferret
Sauveterre-de-Guyenne
La Réole
Langon
Marmande
Biscarrosse
Bazas
Tonneins
Sore
Casteljaloux
Aiguillon
Mimizan
Nérac
Roquefort
Castets
Mont-de-Marsan
Condom
Hossegor
Capbreton
Dax
Nogaro
Aire-s-l'Adour
Bayonne
Peyrehorade
Biarritz
Orthez
Mirande
DONOSTIA-SAN SEBASTIÁN
St-Jean-de-Luz
Cambo-les-Bains
Pau
Castelnau-Magnoac
Tarbes
Oloron-Ste-Marie
St-Jean-Pied-de-Port
Lannemezan
Lourdes
Montréjeau
Argelès-Gazost
Bagnères-de-Bigorre
PAMPLONA
Cauterets
St-Lary-Soulan
Tunnel du Somport
Gavarnie
Tunnel d'Aragnouet-Bielsa
Bagnères-de-Luchon
AUTOROUTE DES DEUX-MERS
LA PYRÉNÉENNE
L'AQUITAINE

Périgueux
Tulle
Brive-la-Gaillarde
Donzenac
Mauriac
Argentat
Massiac
Le Puy-en-Velay
Murat
St-Flour
Sarlat-la-Canéda
Les Eyzies-de-Tayac
Bretenoux
Aurillac
Saugues
Soullac
Rocamadour
Gourdon
St-Chély-d'Apcher
Aumont-Aubrac
Figeac
Decazeville
Marvejols
Fumel
Cahors
Espalion
Mende
La Canourgue
Villefort
Laissac
Villefranche-de-Rouergue
Rodez
Sévérac-d'Aveyron
Florac
Lauzerte
Moissac
Caussade
Carmaux
Millau
Viaduc de Millau
Castelsarrasin
Montauban
Cordes-s-Ciel
Le Vigan
Gaillac
Albi
Le Caylar
Lodève
TOULOUSE
Castres
Bédarieux
Clermont-l'Hérault
MONTPELLIER
Mazamet
Muret
Villefranche-de-Lauragais
Revel
Pézenas
Béziers
Sète
Auterive
Castelnaudary
Agde
Le Cap-d'Agde
Carcassonne
Narbonne
Valras-Plage
Pamiers
Gruissan
Limoux
St-Girons
Foix
Quillan
Rivesaltes
PERPIGNAN
Ax-les-Thermes
Thuir
Prades
Argelès-s-Mer
Collioure
Andorra la Vella
Tunnel de Puymorens
Túnel d'Envalira
Font-Romeu
Céret
Le Boulou
Prats-de-Mollo-la-Preste

Le Puy-en-Velay
Yssingeaux
Tournon-s-Rhône
Romans-s-Isère
Vizille
St-Agrève
Lamastre
Saugues
Valence
La Mure
CHATUZANGE-LE-GOUBET
LE-CROZET
PORTES-LÈS-VALENCE
Privas
Crest
Die
Aumont-Aubrac
Aubenas
Gap
Marvejols
Montélimar
Aspres-s-Buëch
Mende
Donzère
Grignan
Serres
La Canourgue
Villefort
Nyons
Florac
Pont-St-Esprit
Bollène
Vaison-la-Romaine
Sisteron
Orange
Millau
Alès
Bagnols-s-Cèze
Carpentras
Le Vigan
Uzès
Forcalquier
Remoulins
Avignon
Apt
Le Caylar
NÎMES
Tarascon
Cavaillon
Manosque
Riez
Beaucaire
St-Rémy-de-Provence
Lodève
Arles
Salon-de-P.
MONTPELLIER
Clermont-l'Hérault
Aix-en-Provence
Miramas
Palavas-les-Flots
La Grande-Motte
Istres
St-Maximin-la-Ste-Baume
Pézenas
Stes-Maries-de-la-Mer
Fos-s-Mer
Martigues
Brignoles
Béziers
Sète
Port-St-Louis-du-Rhône
MARSEILLE
Aubagne
Agde
Cassis
Le Cap-d'Agde
Valras-Plage
La Ciotat
Bandol
TOULON
Gruissan
IGNAN
rgelès-s-Mer
Collioure
N 260

Asti
Cuneo
San Remo
Menton
Monte-Carlo-Monaco
NICE
Antibes
Cannes
Grasse
Fréjus
St-Raphaël
Ste-Maxime
Grimaud
St-Tropez
Le Lavandou
Castellane
Barcelonnette
Col de la Bonette
Embrun
Col de Vars
Guillestre
L'Argentière-la-Bessée
Col de Montgenèvre
Col de Larche/ Colle della Maddalena
Tunnel de Tende
Tende
Bastia
L'Île-Rousse
Calvi
Ponte Leccia
Corte
Porto
Cargèse
Aléria
Ajaccio
Propriano
Sartène
Porto-Vecchio
Bonifacio

Édition 17 - Éditeur : Michelin Éditions
Société par actions simplifiée au capital de 487 500 EUR
57 rue Gaston Tessier – 75019 Paris (France)
R.C.S. Paris 882 639 354 - DL : OCTOBRE 2021

CARTE STRADALI E TURISTICHE PUBBLICAZIONE PERIODICA
Reg. Trib. Di Milano N° 80 del 24/02/1997 Dir. resp. Dott. MARCO DO.

Couverture : Sasithorn Phuapankasemsuk/iStock - 4ème de couverture le vignoble: FreeProd/easyFotostock/age fotostock
Achevé d'imprimer en 06/2021 par - Nuovo Istituto Italiano Arti Grafiche (NIIAG) - Via Zanica, 92 - I 24126 Bergamo - MADE IN ITALY